Du

Née à Greenwood, dans le Mississippi, Donna Tartt a
fait ses études au Bennington College, dans le Vermont.
Elle est l'auteur du *Maître des illusions* et du *Petit Copain*,
deux best-sellers traduits dans plus de trente pays. Son
dernier roman, *Le Chardonneret*, récompensé par le prix
Pulitzer, a paru en France en 2014 aux Éditions Plon.

400 pages de trop

LE CHARDONNERET

DU MÊME AUTEUR
CHEZ POCKET

LE MAÎTRE DES ILLUSIONS
LE PETIT COPAIN
LE CHARDONNERET

DONNA TARTT

LE CHARDONNERET

*Traduit de l'anglais (États-Unis)
par Édith Soonckindt*

PLON

Titre original
THE GOLDFINCH

Tous les personnages de ce livre sont fictionnels,
et toute ressemblance avec des personnes vivantes ou décédées
serait pure coïncidence.

Le Code de la propriété intellectuelle n'autorisant, aux termes de l'article
L. 122-5, 2° et 3° a, d'une part, que les « copies ou reproductions strictement réservées à l'usage privé du copiste et non destinées à une utilisation
collective » et, d'autre part, que les analyses et les courtes citations dans un
but d'exemple et d'illustration, « toute représentation ou reproduction intégrale
ou partielle faite sans le consentement de l'auteur ou de ses ayants droit ou
ayants cause est illicite » (art. L. 122-4).
Cette représentation ou reproduction, par quelque procédé que ce soit, consti-
tuerait donc une contrefaçon, sanctionnée par les articles L. 335-2 et suivants
du Code de la propriété intellectuelle.

Pages 388 et 389 : extraits de la chanson « *Ach, śpij kochanie* »
© Ludwik Starski et Henryk Wars, 1938,
reproduits avec l'aimable autorisation d'Allan Starski
© 2013 by Tay, Ltd.
© Éditions Plon, un département d'Édi8, 2014,
pour la traduction française
ISBN : 978-2-266-25076-4

Pour Maman.
Pour Claude.

Le Chardonneret, 1654
Huile sur toile de Carel Fabritius (1622-1654) ;
Mauritshuis, La Haye, Pays-Bas (détail) © Bridgeman Art Library

I

L'absurde ne délivre pas, il lie.
ALBERT CAMUS

1

Jeune homme au crâne

I

J'étais encore à Amsterdam lorsque j'ai rêvé de ma mère pour la première fois depuis des années. J'étais enfermé dans ma chambre d'hôtel depuis plus d'une semaine, craignant de téléphoner à quiconque ou même de sortir ; mon cœur s'emballait et s'agitait aux bruits les plus innocents : la sonnette de l'ascenseur, le cliquetis du chariot de minibar, jusqu'aux cloches des églises, la Westertoren, le Krijtberg, sonnant les heures, le liséré sombre de leurs résonances métalliques, incrusté d'une sinistre prophétie digne d'un conte de fées. Pendant la journée je restais assis au pied du lit et me forçais à décrypter les informations en néerlandais à la télévision (effort voué à l'échec puisque je ne connaissais pas un traître mot de cette langue), et, quand j'abandonnais, je m'asseyais près de la fenêtre et fixais le canal, mon pardessus en poil de chameau jeté sur les épaules – j'avais quitté New York à la hâte et les vêtements que j'avais emportés n'étaient pas assez chauds, même à l'intérieur.

Au-dehors tout n'était qu'effervescentes réjouissances. C'était la période de Noël et des lumières clignotaient sur les ponts du canal le soir ; des *damen* et des *herren*

11

aux joues rouges roulaient en ferraillant sur les pavés, leurs écharpes volant dans le vent glacial, des sapins arrimés sur le porte-bagages de leurs vélos. L'après-midi, un orchestre amateur jouait des chants de Noël qui flottaient, minuscules et fragiles, dans l'air hivernal.

Les plateaux chaotiques du service en chambre ; trop de cigarettes ; la vodka tiède du duty free. Durant ces journées agitées et confinées, j'en suis venu à connaître le moindre centimètre de la chambre, tout comme un prisonnier en vient à connaître sa cellule. C'était ma première fois à Amsterdam ; je n'avais pratiquement rien vu de la ville et pourtant la chambre elle-même, avec sa beauté austère, emplie de courants d'air et briquée par le soleil, me donnait une impression aiguë d'Europe du Nord ; on aurait cru un modèle réduit des Pays-Bas : probité chaulée et protestante, mélangée au luxe grand teint des navires marchands en provenance de l'Est. Je passais un temps considérable à détailler deux minuscules peintures à l'huile dans des cadres dorés accrochées au-dessus du bureau, l'une représentant des paysans patinant sur un étang gelé près d'une église, l'autre des bateaux à voile fendant une mer hivernale houleuse : il s'agissait de reproductions décoratives, rien de spécial, même si je les étudiais comme si elles contenaient, de manière cryptée, la clé susceptible d'ouvrir le cœur secret des anciens maîtres flamands. À l'extérieur, de la neige fondue tapotait les carreaux et pleuvinait sur le canal ; en dépit des brocarts somptueux et de la moquette moelleuse, la lumière hivernale charriait néanmoins le souffle froid d'une année 1943 faite de privations et d'austérité, de thé sans saveur ni sucre et de ventre vide au coucher.

Tôt chaque matin, et alors que dehors il faisait encore noir, je descendais à pied au rez-de-chaussée chercher les journaux avant que d'autres employés prennent leur service et que le hall commence à se remplir. Le personnel de l'hôtel se déplaçait sans bruit et en chuchotant, leurs regards glissant sur moi comme s'ils ne me voyaient pas vraiment, moi l'Américain de la 27 qui ne sortais jamais pendant la journée ; je tentais de me rassurer en me disant que le responsable de nuit (costume sombre, cheveux en brosse, lunettes en écaille) ferait probablement son maximum pour prévenir tout problème ou éviter une histoire, ce qui était un peu rassurant au vu des circonstances.

Les nouvelles du *Herald Tribune* n'offraient aucun éclairage sur ma situation, mais l'info était partout dans les journaux néerlandais, blocs denses de caractères étrangers suspendus de manière énigmatique et échappant à ma compréhension. *Onopgeloste moord. Onbekende.* Je remontais à l'étage et me remettais au lit (tout habillé tant il faisait froid dans la chambre), puis j'étalais les journaux sur le dessus-de-lit : photos de voitures de police, rubans délimitant la scène de crime, les légendes aussi étaient impossibles à déchiffrer, et, même si je n'y lisais pas mon nom, il était impossible de savoir si elles dressaient un portrait de ma personne ou si elles tenaient ces renseignements secrets.

La chambre. Le radiateur. *Een Amerikaan met een strafblad.* L'eau vert olive du canal.

Parce que j'étais gelé, malade, et la plupart du temps désœuvré (tout comme j'avais oublié de prendre des vêtements chauds, je n'avais emporté aucun livre), je passais l'essentiel de la journée au lit. La nuit semblait tomber au milieu de l'après-midi. Je m'endormais souvent pour me réveiller à intervalles réguliers – dans le froissement des journaux en désordre – et la plupart de mes rêves étaient troublés par cette même angoisse floue qui infiltrait ensuite mes heures de veille : procès, bagages éventrés sur le tarmac, mes vêtements éparpillés partout et des couloirs d'aéroport sans fin où je courais vers des avions – sachant que je n'arriverais jamais à les prendre.

La fièvre me causait quantité de rêves bizarres et des plus colorés, émaillés de suées où je me débattais en tous sens sans la moindre notion de l'heure, mais lors de la dernière et pire de ces nuits je vis ma mère, dans un rêve bref et mystérieux qui me fit davantage l'impression d'une visite surnaturelle. J'étais dans la boutique de Hobie – ou, pour être plus précis, dans un espace onirique hanté censé figurer une version sommaire de la boutique – lorsqu'elle est apparue tout à coup derrière moi, surgissant dans le reflet que me renvoyait un miroir. Son image me paralysa de bonheur ; c'était elle jusqu'au plus infime détail et jusqu'au dessin de ses taches de rousseur ; elle me souriait, plus belle et sans une ride, avec ses cheveux noirs et la drôle de manière qu'avait sa bouche de se relever vers le haut. Il ne s'agissait pas tant d'un rêve que d'une présence emplissant toute la pièce : une force bien à elle, une altérité vivante. Et j'avais beau le souhaiter de toutes mes forces, je savais qu'il m'était impossible de me retourner, que la regarder directement signifiait violer les lois de son monde et du mien ; elle était venue à moi de la seule manière qu'elle connaissait, et nos yeux se croisèrent dans le miroir pendant un long moment immobile ; mais juste au moment où elle semblait sur le point de parler – avec ce qui semblait être un mélange d'amusement, d'affection et d'exaspération – une vapeur ondula entre nous et je me réveillai.

II

Les événements auraient mieux tourné si elle était restée en vie. En fait, elle est morte quand j'étais enfant ; et bien que tout ce qui m'est arrivé depuis lors soit ma faute, à moi seul, toujours est-il que, lorsque je l'ai perdue, j'ai perdu tout repère qui aurait pu me conduire vers un endroit plus heureux, vers une vie moins solitaire ou plus agréable.

Sa mort est la ligne de démarcation entre avant et après. Et même si c'est triste à admettre après tant d'années, je n'ai jamais rencontré personne qui m'ait autant donné le sentiment d'être aimé. En sa présence, tout prenait vie ; elle projetait autour d'elle une lumière théâtrale enchantée, si bien qu'à travers ses yeux le monde se parait de couleurs éclatantes – je me souviens, quelques semaines avant sa mort, d'un dîner tardif avec elle dans un restaurant italien de Greenwich Village, et comment elle avait agrippé ma manche alors qu'elle contemplait le spectacle presque douloureusement beau d'un gâteau d'anniversaire hérissé de bougies traversant la salle et dont les flammes tremblotantes formaient un cercle lumineux, flottant sur le plafond sombre, puis le gâteau resplendissant avait été déposé au milieu du cercle de famille et le visage d'une vieille dame était devenu béat tandis que des sourires jaillissaient tout autour d'elle et que les serveurs reculaient, les mains dans le dos – un repas d'anniversaire ordinaire comme on peut en voir dans n'importe quel restaurant familial de Manhattan, et je suis sûr que je ne m'en souviendrais même pas si elle n'était pas décédée si peu de temps après, ce qui fait que j'y ai repensé encore et encore après sa mort, et que j'y repenserai sans doute toute ma vie : ce cercle éclairé par les bougies, tableau vivant du bonheur quotidien et ordinaire qui s'est envolé quand je l'ai perdue.

Et puis elle était belle. C'est presque secondaire ; mais toujours est-il qu'elle l'était. Quand elle a débarqué du Kansas à New York, elle a travaillé à mi-temps comme mannequin, sauf qu'elle était trop mal à l'aise devant l'objectif pour exceller dans ce métier ; ses atouts ne s'imprimaient pas sur la pellicule.

Pourtant, elle était totalement elle-même : unique. Je n'ai pas le souvenir d'avoir jamais vu une seule autre personne qui lui ressemble. Elle avait des cheveux noirs, une peau claire qui s'ornait de taches de rousseur en été, des yeux bleus translucides et très lumineux ; dans la barre oblique de ses pommettes il y avait un mélange excentrique de tribal et de crépuscule celtique, au point que les gens la prenaient parfois pour une Islandaise. En fait, elle était moitié irlandaise, moitié cherokee et venait d'une ville du Kansas près de la frontière avec l'Oklahoma ; elle aimait me faire rire en se traitant de « plouc de l'Oklahoma » alors qu'elle était aussi racée, nerveuse et stylée qu'un cheval de course. Ce tempérament exotique ressort malheureusement de manière un peu trop sévère et ingrate sur les photos – ses taches de rousseur cachées par le maquillage, ses cheveux tirés en arrière sur la nuque en queue-de-cheval à la manière de quelque noble dans *Le Dit du Genji* – sans que sa chaleur transparaisse le moins du monde, cette qualité joyeuse et imprévisible qui était ce que je préférais en elle. À voir comme elle se tient immobile sur les photos, il est clair qu'elle ne faisait pas du tout confiance à l'objectif ; elle a l'air vigilant du tigre qui se cuirasse en vue de l'attaque. Dans la vie, elle n'était pas comme cela. Elle bougeait avec une rapidité saisissante, ses gestes étaient spontanés et légers, et elle était toujours perchée au bord de sa chaise, tel un oiseau des marécages long et élégant sur le point de s'envoler au moindre tressaillement. J'adorais son parfum au santal, âpre et inattendu, tout comme j'adorais le bruissement de son chemisier amidonné lorsqu'elle fondait sur moi pour m'embrasser sur le front. À lui seul, son rire suffisait à vous donner envie d'envoyer balader ce que vous faisiez pour la suivre dans la rue. Partout où elle allait les hommes la regardaient du coin de l'œil, parfois d'une manière qui me dérangeait un peu.

Elle est morte par ma faute. Les autres ont toujours été un peu trop prompts à affirmer que non ; oui, *ce n'est qu'un enfant, qui l'aurait cru, un terrible accident, quel manque de chance, ça aurait pu arriver à n'importe qui* – tout cela est tout à fait vrai et en même temps je n'en crois pas un traître mot.

Ça s'est passé à New York le 10 avril, il y a quatorze ans. (Même ma main se dérobe en notant la date ; j'ai dû appuyer pour l'écrire, juste pour que le stylo continue de courir sur le papier. Autrefois ce jour était tout à fait comme les autres, maintenant il ressort sur le calendrier tel un clou rouillé.)

Si la journée s'était déroulée comme prévu, elle se serait fanée dans le ciel sans laisser de trace, avalée incognito en même temps que le restant de mon année de quatrième. J'en retiendrais quoi aujourd'hui ? Peu de choses, voire rien. Mais bien sûr la texture de cette matinée est plus claire que le présent, jusqu'à la sensation trempée et mouillée qui émanait de l'air. Il avait plu durant la nuit, un terrible orage, les magasins étaient inondés et plusieurs stations de métro étaient fermées ; nous étions tous deux plantés sur le tapis spongieux devant notre immeuble tandis que Goldie, son portier favori qui l'adorait, avançait à reculons le long de la 57e Rue avec le bras levé et sifflait pour arrêter un taxi. Les voitures passaient en trombe sous des gerbes d'eau sale ; des nuages gorgés de pluie culbutaient bien au-dessus des gratte-ciel, s'ouvrant d'un souffle pour se transformer en pans de ciel bleu tandis que tout en bas, dans la rue, sous les gaz d'échappement, le vent offrait une sensation printanière humide et douce.

« Ah, il est pris, chère madame », lança Goldie avec le grondement de la rue en fond sonore, s'écartant tandis qu'un taxi tournait au coin avec force éclaboussures et éteignait son voyant lumineux. C'était le moins grand des portiers : un petit bonhomme blême, mince et plein de vie, un Portoricain à la peau claire, ancien boxeur poids plume. Bien que l'alcool lui vaille un visage boursouflé (parfois il arrivait pour sa veille de nuit en sentant le J&B), il était néanmoins maigre et nerveux, musclé et rapide, toujours le mot pour rire, en perpétuelle pause-cigarette au coin de la rue, se balançant d'un pied sur l'autre et soufflant sur ses mains gantées de blanc quand il faisait froid, racontant des blagues en espagnol et faisant éclater de rire les autres portiers.

« Vous êtes très pressée ce matin ? » demanda-t-il à ma mère. Son badge annonçait un BURT D., mais tout le monde l'appelait Goldie à cause de sa dent en or et de son nom de famille, de Oro, qui voulait dire « or » en espagnol.

« Non, pas du tout, pas de souci. » Elle avait l'air épuisée pourtant, et ses mains tremblaient en renouant son foulard qui s'était soudain défait et flottait au vent.

Goldie avait dû le remarquer, parce qu'il jeta un coup d'œil vers moi (appuyé, l'air évasif, contre la jardinière en ciment devant l'immeuble, je regardais partout sauf vers elle) avec un air de légère désapprobation.

« Vous ne prenez pas le métro ? me lança-t-il.

— Oh, on doit faire des courses », répondit ma mère sans grande conviction lorsqu'elle se rendit compte que je ne savais pas quoi dire. D'ordinaire je ne faisais pas grand cas de ses vêtements, mais ce qu'elle portait ce matin-là (un imperméable blanc, un foulard rose vapo-reux, des mocassins bicolores blanc et noir) est gravé avec une telle force dans ma mémoire qu'il m'est difficile à présent de me souvenir d'elle dans une autre tenue.

J'avais treize ans. Je déteste me souvenir de notre maladresse l'un envers l'autre lors de cette dernière mati-née où nous étions tendus au point que le portier le remarque ; à n'importe quel autre moment nous aurions discuté de manière plutôt aimable, mais ce matin-là nous n'avions pas grand-chose à nous dire car j'avais été tem-porairement exclu du collège. Ils l'avaient appelée à son bureau la veille et elle était rentrée à la maison silencieuse et furieuse ; le plus terrible était que je ne savais même pas pourquoi j'avais été exclu, tout en étant sûr à soixante-quinze pour cent que Mr. Beeman (en chemin entre son bureau et la salle des profs) avait regardé par la fenêtre sur le palier du deuxième étage juste au mauvais moment et m'avait vu fumer dans l'enceinte du collège. (Ou, plutôt, m'avait vu traîner avec Tom Cable pendant que *lui* fumait, ce qui, dans mon établissement, était une infraction quasiment équivalente.) Ma mère détestait la cigarette. Ses parents – dont j'adorais entendre les histoires, et qui étaient décédés trop tôt pour que j'aie la chance de les connaître – étaient des entraîneurs de chevaux affables qui sillonnaient l'ouest du pays et gagnaient leur vie en élevant des chevaux de la race Morgan : bons vivants, amateurs de cocktails et joueurs de canasta, ils assistaient chaque année au Derby du Kentucky et laissaient traîner, disséminés dans la maison, des étuis à cigarettes argentés. Puis un beau jour, à son retour des écuries, ma grand-mère s'est pliée en deux et s'est mise à tousser du sang ; le reste de l'adolescence de ma mère s'est déroulé avec des bonbonnes d'oxygène sous la véranda de devant et les stores de la chambre baissés.

Mais – ainsi que je le craignais, et non sans raison – la cigarette de Tom n'était que la partie émergée de l'iceberg. Cela faisait quelque temps que j'avais des ennuis au collège. Tout avait commencé ou, plutôt, les problèmes s'étaient enchaînés, lorsque mon père était parti et nous avait laissés en plan, ma mère et moi, quelques mois auparavant ; nous ne l'avions jamais beaucoup aimé, et ma mère et moi étions dans l'ensemble bien plus heureux sans lui, mais d'autres personnes avaient semblé choquées et affligées de la façon abrupte dont il nous avait abandonnés (sans argent ni pension alimentaire, et sans laisser d'adresse non plus), et les profs de mon collège de l'Upper West Side m'avaient tellement plaint, s'étaient montrés si soucieux de m'accorder leur compréhension et leur soutien qu'ils m'avaient offert – à moi qui étais déjà boursier – toutes sortes d'allocations spéciales, de délais et d'échéances supplémentaires, relâchant leur sévérité pendant plusieurs mois, jusqu'à ce que je réussisse à m'enfoncer dans un trou très profond.

C'est alors que ma mère et moi avions tous deux été convoqués par le collège. Le rendez-vous n'était qu'à onze heures trente, mais, comme ma mère avait dû poser sa matinée, nous étions partis tôt pour le West Side afin d'y prendre le petit déjeuner (et, je savais que je n'y couperais pas, d'avoir une sérieuse conversation) et aussi pour qu'elle puisse acheter un cadeau d'anniversaire à une de ses collègues. Elle avait veillé jusqu'à deux heures et demie la nuit précédente, le visage tendu à la lueur de l'ordinateur pour rédiger des emails et essayer de s'avancer en prévision de son absence au bureau.

« Je ne sais pas vous, lança Goldie à ma mère sur un ton plutôt féroce, mais moi je dis que ça commence à bien faire, tout ce printemps et cette humidité. De la pluie, et encore de la pluie. » Il frissonna, referma son col d'un geste théâtral et jeta un coup d'œil vers le ciel.

« Je crois que ça doit se lever cet après-midi.

— Oui, je sais, mais moi je suis prêt pour *l'été*. » Il se frotta les mains. « Les gens quittent la ville, ils détestent, se plaignent de la chaleur, mais moi, moi je suis un oiseau des îles. Plus il fait chaud et mieux je me porte. Vivement l'été ! » Le voilà qui applaudissait en descendant la rue à reculons. « Et je vais vous dire ce que j'adore, le calme qui règne par ici dès qu'on est en juillet – l'immeuble est vide et endormi, tout le monde est parti, vous me suivez ? » Il claqua des doigts, un taxi fila sous ses yeux. « C'est mes vacances à moi.

— Mais est-ce que vous ne mourez pas de chaleur ici ? » Mon père, distant, détestait cette tendance qu'avait ma mère à entamer la conversation avec les serveuses, les portiers et les vieux mecs asthmatiques du nettoyage à sec. « Je veux dire, en hiver vous pouvez au moins enfiler un manteau supplémentaire…

— Écoutez, vous avez déjà été portier en hiver ? Je vous assure qu'il fait vraiment *froid*. Je me fiche pas mal du nombre de manteaux ou de chapeaux qu'on peut empiler. On est planté là en janvier, en février, et le vent souffle de la rivière. *Brrr.* »

Agité, rongeant mon pouce, je fixais les taxis qui passaient à toute vitesse devant le bras levé de Goldie. Je savais que ce serait une attente insoutenable jusqu'à la réunion de onze heures trente ; et tout ce que je pouvais faire c'était me tenir tranquille et ne pas laisser échapper de phrases compromettantes. Je n'avais pas la moindre idée de ce qu'ils risquaient de nous balancer, à ma mère et moi une fois qu'on serait dans le bureau ; le mot même de « réunion » laissait entendre une convocation de la hiérarchie, des accusations et des exhortations, peut-être même une expulsion. Si je perdais ma bourse, ce serait catastrophique ; fauchés depuis le départ de mon père, nous avions à peine l'argent du loyer. Pire que tout : je redoutais que Mr. Beeman n'ait découvert, allez savoir comment, que Tom Cable et moi étions entrés par effraction dans des résidences secondaires vides quand j'avais été invité chez lui dans les Hamptons. Je parle d'« effraction », mais nous n'avions forcé aucune serrure ni causé le moindre dommage (la mère de Tom était agent immobilier ; nous nous étions introduits avec des doubles de clés piqués sur le tableau au mur de son bureau). Nous avions surtout jeté un coup d'œil dans les placards et fouillé les tiroirs des commodes, mais nous avions aussi volé des choses : de la bière dans le frigo, des jeux Xbox et un DVD (Jet Li, *Danny the Dog*), ainsi que de l'argent, pour un total d'environ quatre-vingt-douze dollars : des billets de cinq et de dix froissés fourrés dans un bocal dans une cuisine et des piles de petite monnaie trouvée dans les buanderies.

Chaque fois que j'y repensais, j'en avais la nausée. Ma visite chez Tom remontait à des mois, mais bien que je tente de me convaincre que Mr. Beeman ne pouvait absolument pas savoir que nous avions pénétré dans ces maisons – comment l'aurait-il pu ? – mon imagination s'envolait en zigzags paniqués. J'étais déterminé à ne pas balancer Tom (même si je n'étais pas si sûr que lui ne l'ait pas déjà fait), mais cela ne me laissait pas une grande marge de manœuvre. Comment avais-je pu être aussi bête ? Entrer dans une maison par effraction était un délit ; on allait en prison pour ça. Des heures durant la nuit précédente j'étais resté étendu à me torturer, mon esprit s'effondrant par périodes en regardant la pluie heurter mes carreaux en rafales irrégulières, me demandant ce que je devrais dire en cas de confrontation. Mais comment me défendre alors que j'ignorais ce qu'ils savaient ?

Goldie laissa échapper un lourd soupir, puis il baissa la main et marcha à reculons vers l'endroit où se tenait ma mère.

« Incroyable, lui dit-il avec un œil las toujours sur la rue. Il y a les inondations là-bas à SoHo, vous en avez entendu parler, hein, et Carlos m'a dit qu'ils ont bloqué des rues quelque part près des Nations unies. »

L'air sombre, je regardais s'écouler du bus est-ouest la foule de travailleurs à peu près aussi tristes qu'un essaim de frelons. Nous aurions eu plus de chance si nous avions remonté une ou deux rues vers l'ouest, mais ma mère et moi connaissions assez Goldie pour savoir qu'il serait offensé si nous tentions de nous débrouiller tout seuls. C'est à ce moment précis – et ce fut si soudain que nous sursautâmes tous du même bond – qu'un taxi au voyant lumineux allumé traversa la ligne jaune en dérapant dans notre direction, faisant jaillir une gerbe d'eau aux parfums d'égouts.

« Attention ! » s'écria Goldie en effectuant un saut

de côté alors que le taxi s'arrêtait péniblement – puis, remarquant que ma mère n'avait pas de parapluie : « Attendez », lança-t-il en filant dans le hall, droit vers la collection de parapluies oubliés qu'il avait rassemblés dans un bidon en cuivre près de la cheminée et qu'il redistribuait les jours de pluie.

« Non, répondit ma mère en fouillant dans son sac en quête de son minuscule parapluie pliant à rayures multicolores, pas de souci, Goldie, je suis parée. »

Ce dernier bondit de nouveau vers le trottoir et referma la porte du taxi derrière elle. Puis il se pencha et frappa sur la vitre.

« Passez une belle journée ! »

III

J'aime me voir comme quelqu'un de perspicace (comme tout le monde, je suppose), et tandis que je consigne tout cela il est tentant de crayonner une ombre glissant au-dessus de nos têtes. Mais, face à l'avenir, ce jour-là, j'étais aveugle et sourd ; l'unique souci qui m'accablait était la réunion au collège. Quand j'avais appelé Tom pour lui annoncer que j'avais été temporairement exclu (en chuchotant sur la ligne fixe ; elle m'avait confisqué mon portable), il n'avait pas semblé plus surpris que cela de l'apprendre. « Écoute, Theo, ne sois pas ridicule, personne ne sait rien, contente-toi de fermer ta gueule », m'avait-il interrompu ; et avant que j'aie pu articuler un autre mot, il avait ajouté : « Désolé, je dois y aller », et il avait raccroché.

Dans le taxi, je tentai d'entrouvrir ma vitre pour avoir un peu d'air : manque de chance, on aurait cru que l'on avait changé des couches sales à l'arrière, ou peut-être même que l'on avait bel et bien chié puis essayé de masquer ça avec du désodorisant à la noix de coco qui sentait l'ambre solaire. Les sièges étaient graisseux et rapiécés avec du chatterton, et les amortisseurs semblaient inexistants. Chaque fois qu'il y avait un cahot mes dents s'entrechoquaient, en chœur avec le fatras religieux accroché au rétroviseur : des médaillons, une épée miniature incurvée dansant au bout d'une chaîne en plastique, et un gourou barbu enturbanné qui fixait le siège arrière de ses yeux perçants, la paume levée en signe de bénédiction.

Des rangées de tulipes rouges défilaient au garde-à-vous le long de Park Avenue tandis que nous roulions à tombeau ouvert. De la pop bollywoodienne – si basse que l'on aurait presque cru un gémissement subliminal – distillait des spirales et des étincelles hypnotiques à peine audibles. Les feuilles faisaient tout juste leur apparition sur les arbres. Les livreurs des supermarchés D'Agostino et Gristedes poussaient des caddies remplis de provisions ; des femmes d'affaires perchées sur des escarpins, l'air soucieux, fonçaient sur le trottoir en traînant des bambins récalcitrants derrière elles ; un employé en uniforme balayait les débris du caniveau vers une pelle ; des avocats et des agents de change tendaient la main et fronçaient les sourcils en regardant vers le ciel. Tandis que nous remontions l'avenue en cahotant (ma mère, l'air mal en point, se cramponnait à l'accoudoir pour se donner du courage), je scrutais par la vitre ces visages dyspeptiques ordinaires (des gens en imperméable à l'air inquiet, amassés en grappes sinistres aux passages cloutés, buvant des cafés dans des tasses en carton, parlant dans leurs portables et jetant des coups d'œil furtifs de droite et de gauche) et faisais un effort pour ne pas penser à la multitude de sorts désagréables qui risquaient de s'abattre sur moi bientôt, dont le tribunal pour mineurs ou la prison.

Le taxi braqua soudain d'un coup dans la 86e Rue.

Ma mère glissa sur moi et m'attrapa le bras ; je remarquai alors qu'elle était moite et pâle comme un linge.

« Tu vas vomir ? » lui demandai-je en oubliant un instant mes propres ennuis. Elle affichait une expression terrible et fixe que je ne connaissais que trop : ses lèvres étaient fermement serrées, son front luisant et ses yeux vitreux et énormes.

Elle ouvrit la bouche pour dire quelque chose, puis posa vivement la main sur sa bouche tandis que le taxi faisait une embardée pour s'arrêter au feu, nous balançant vers l'avant puis vers l'arrière contre le siège d'un coup abrupt.

« Tiens bon », lui dis-je avant de me pencher vers l'avant et de frapper sur le plexiglas graisseux, faisant sursauter le chauffeur (un sikh enturbanné).

« Écoutez, c'est bon comme ça, on va descendre ici, d'accord ? »

Le sikh – dont le visage se reflétait dans le miroir orné de guirlandes – m'a dévisagé. « Vous voulez vous arrêter ici.

— Oui, s'il vous plaît.

— Mais c'est pas l'adresse que vous m'avez donnée.

— Je sais. Mais ça ira », lui répondis-je en jetant un coup d'œil vers l'arrière à ma mère. Son mascara avait coulé, elle avait la mine décomposée et fouillait dans son sac en quête de son portefeuille.

« Elle va bien ? a demandé le chauffeur du taxi d'un air dubitatif.

— Oui, oui, ça va. On a juste besoin de descendre, merci. »

Les mains tremblantes, ma mère sortit un tas de dollars froissés et humides qu'elle poussa à travers l'ouverture. Alors que le sikh glissait sa main et les escamotait (l'air résigné, le regard détourné), je sortis et lui tins la portière ouverte.

En posant le pied par terre, ma mère trébucha

légèrement et je lui attrapai le bras. « Ça va ? » m'enquis-je sur un ton craintif tandis que le taxi repartait en trombe. On était en haut de la 5e Avenue, là où les hôtels particuliers donnent sur le parc.

Elle prit une profonde inspiration, puis s'essuya le front et me serra le bras. « Pffff », fit-elle en s'éventant le visage de la main. Son front était luisant et ses yeux encore un peu dans le vague ; l'air ébouriffé, on aurait dit un oiseau marin brutalement détourné de sa trajectoire. « Désolée, j'ai encore la nausée. Dieu merci, on est sortis de ce taxi. Ça va aller, j'ai juste besoin d'un peu d'air. »

Autour de nous, à ce coin de rue exposé au vent, c'était un défilé permanent : écolières en uniforme qui riaient et couraient en nous évitant, nounous poussant des landaus sophistiqués avec des bébés assis par deux ou trois. Un père soucieux à tête d'avocat qui tirait son jeune fils par le poignet nous frôla. « Non, Braden, tu ne devrais pas penser comme ça, c'est plus important d'avoir un travail que l'on *aime*... », l'entendis-je dire au garçonnet qui trottinait pour rester à sa hauteur.

Nous fîmes un pas de côté pour éviter l'eau savonneuse d'un seau qu'un gardien versait sur le trottoir devant son immeuble.

« Dis-moi, me demanda ma mère (un doigt posé sur la tempe), c'était moi ou est-ce que ce taxi était *incroyablement*...

— Immonde ? Avec tout ce bazar des tropiques hawaïens et l'odeur de couche sale, tu veux dire ?

— Franchement... (elle s'éventa le visage) ç'aurait été supportable s'il n'y avait pas eu tous ces arrêts et ces redémarrages. Au début je n'avais aucun problème, ça m'est tombé dessus d'un coup.

— Pourquoi tu ne demandes jamais à t'asseoir devant ?

— On croirait entendre ton père. »

Je détournai le regard, gêné – parce que je l'avais entendu aussi, ce soupçon de ton omniscient et exaspérant qui lui était propre. « Je propose qu'on marche jusqu'à Madison Avenue et qu'on y cherche un endroit où tu pourras t'asseoir », suggérai-je. Je mourais de faim et il y avait là-bas une cafétéria que j'aimais bien.

Mais, traversée par un ersatz de frisson et une onde visible de nausée, elle secoua la tête. « De l'air. » De sombres traînées de mascara avaient dégouliné sous ses yeux. « L'air, ça fait du bien.

— Bien sûr, ai-je acquiescé un peu trop vite, soucieux d'être conciliant. Comme tu voudras. »

Je faisais un effort pour lui être agréable, mais ma mère – à la fois agitée et dans les vapes – avait remarqué le ton de ma voix ; elle me dévisagea en tentant de deviner ce que je pensais. (C'était une autre mauvaise habitude que nous avions prise, fruit des années de vie aux côtés de mon père : essayer de lire les pensées de l'autre.)

« Quoi ? a-t-elle fait. Tu as un endroit en tête ?

— Hum, non, pas vraiment. » Je reculai d'un pas et regardai autour de moi d'un air consterné. J'avais faim, certes, mais ne me sentais guère le droit d'insister sur quoi que ce soit.

« Ça va aller. Donne-moi encore une minute.

— Et... (elle clignait des yeux, que voulait-elle, qu'est-ce qui lui ferait plaisir ?) et si on allait s'asseoir dans le parc ? »

À mon grand soulagement, elle a hoché la tête. « D'accord, mais seulement jusqu'à ce que je retrouve mes esprits », a-t-elle répondu avec sa voix de Mary Poppins, et nous empruntâmes le passage piéton de la 79e Rue, dépassant des arbres taillés plantés dans des jardinières baroques, ainsi que de lourdes portes ornées de ferronneries. La lumière du jour s'était fanée en un gris industriel, et la brise était aussi lourde que la vapeur d'une bouilloire. De l'autre côté de la rue, près du parc, des artistes qui installaient leurs stands déroulaient leurs toiles et accrochaient leurs aquarelles de la cathédrale St. Patrick et du pont de Brooklyn.

Nous marchions côte à côte en silence. Mon esprit vrombissait à tout-va, en proie à ses propres tourments (les parents de Tom avaient-ils reçu un appel ? Pourquoi n'avais-je pas pensé à le lui demander ?), réfléchissant aussi à ce que j'allais commander pour le petit déjeuner dès que j'aurais réussi à la traîner jusqu'à la cafétéria (omelette avec frites maison et bacon ; elle prendrait ce qu'elle prenait toujours, du pain de seigle grillé avec des œufs pochés et une tasse de café noir) ; je faisais tout juste attention à la direction que nous empruntions quand je me suis rendu compte qu'elle venait de dire quelque chose. Elle ne me regardait pas, moi, mais promenait son regard sur le parc ; et son expression m'a fait penser à un célèbre film français dont j'ignorais le titre, où des gens distraits marchaient dans des rues balayées par le vent et parlaient beaucoup mais pas vraiment entre eux, semblait-il.

« Qu'est-ce que tu as dit ? lui demandai-je après un moment de confusion, pressant le pas pour la rattraper. Tu parlais de distraction spéciale ? »

Elle eut l'air étonné, comme si elle avait oublié ma présence. L'imperméable blanc, qui voletait sous l'effet du vent, ajoutait encore à son allure d'ibis aux longues jambes, comme si elle était sur le point de déployer ses ailes et de s'envoler au-dessus du parc.

« Distractions de quoi ?

— Oh. » Son visage se vida de toute expression, puis elle secoua la tête et émit un rire bref, de cette manière vive et enfantine qu'elle avait. « Non. J'ai parlé de *distorsion spatiale et temporelle*. »

Même si c'était une chose curieuse à dire, je savais de quoi elle voulait parler, ou du moins je croyais savoir – ce frisson de la déconnexion, les secondes manquées sur le trottoir comme un hoquet de temps perdu, ou encore quelques images coupées dans un film.

« Non, non, mon poussin, je parlais juste du quartier. » Elle m'ébouriffa les cheveux et m'adressa un sourire en coin un peu gêné : *mon poussin* était mon surnom enfantin, je ne l'aimais plus, pas plus que de me faire ébouriffer les cheveux, mais aussi penaud que je me sente j'étais content de la voir de meilleure humeur. « C'est toujours comme ça quand je viens par ici. Chaque fois, c'est comme si j'avais de nouveau dix-huit ans et que je débarquais du Kansas.

— Ici ? insistai-je d'un air sceptique en l'autorisant à me tenir la main, ce que d'ordinaire je n'aurais pas permis. C'est bizarre. » Je savais tout des premiers jours de ma mère à Manhattan, bien loin de la 5e Avenue – dans un studio au-dessus d'un bar sur l'Avenue B, où des clodos dormaient sur le pas de la porte, où des bagarres se déversaient des bars dans la rue, et où une vieille folle prénommée Mo gardait en cachette une douzaine de chats dans une cage d'escalier condamnée tout en haut de l'immeuble.

Elle haussa les épaules. « Ouais, mais ici rien n'a changé depuis ma première visite. C'est un tunnel temporel. Dans le Lower East Side – eh bien, tu sais comment c'est, là-bas, il y a toujours quelque chose de neuf, mais moi j'ai toujours le sentiment d'y arriver telle la Belle au bois dormant, sauf qu'après chaque nuit de sommeil tout a changé et plus rien ne ressemble à ma réalité. Il y a eu des jours où, à mon réveil, c'était comme si on était venu réarranger les devantures des magasins pendant la nuit. Les vieux restaurants avaient fait faillite et fermé, un nouveau bar à la mode avait ouvert à la place du pressing… »

J'observai un silence respectueux. Le passage du temps la préoccupait beaucoup depuis peu, peut-être parce que son anniversaire approchait. *Je suis trop vieille pour cette vie-là*, avait-elle dit quelques jours auparavant alors que nous fouillions l'appartement ensemble, fourrageant sous les coussins du canapé et inspectant les poches des manteaux et des vestes en quête de monnaie suffisante pour pouvoir payer le jeune livreur de l'épicerie fine.

Elle a plongé les mains dans les poches de son imperméable. « Par ici ça bouge moins », lança-t-elle. Sa voix était légère, mais je voyais le brouillard dans ses yeux ; de toute évidence elle n'avait pas bien dormi, par ma faute. « L'Upper Park est un des rares endroits où l'on peut encore voir à quoi ressemblait la ville dans les années 1890. Gramercy Park aussi, et Greenwich Village à certains endroits. Toujours est-il que lorsque je suis arrivée à New York pour la première fois j'ai trouvé que ce quartier évoquait tout à la fois Edith Wharton, le Salinger de *Franny et Zooey* et *Diamants sur canapé*.

— *Franny et Zooey*, c'est dans le West Side.

— Certes, mais j'étais trop bête pour le savoir. Tout ce que je peux en dire, c'est que c'était plutôt différent du Lower East et de ses SDF qui allumaient des feux dans les poubelles. Ici, les week-ends, c'était magique : flâner dans le musée, trottiner seule dans Central Park…

— Trottiner ? » Une grande partie de sa conversation était exotique à mon oreille, et *trottiner* évoquait un terme équestre de son enfance : peut-être s'agissait-il d'un trot paresseux, d'une démarche équestre entre le petit galop et le trot.

« Oh, tu sais bien, juste bondir et traînasser comme je le fais. Sans argent, avec des trous dans mes chaussettes et en me nourrissant de flocons d'avoine. Crois-le ou non, mais je *marchais* jusqu'ici certains week-ends. Je gardais l'argent du métro pour le retour. C'était l'époque où il y avait encore des jetons plutôt que des cartes. On était supposé payer pour entrer dans le musée, et alors ? Un "don était suggéré", et alors ? J'imagine que je devais avoir plus de culot à l'époque, ou peut-être qu'ils me prenaient en pitié parce que... Oh non, s'exclama-t-elle en changeant de ton et en s'arrêtant net, du coup je fis quelques pas sans elle sans m'en rendre compte.

« Quoi ? » Je m'étais retourné. « Qu'est-ce qu'il y a ?

— J'ai senti quelque chose. Elle a tendu la main et regardé vers le ciel. Pas toi ? »

Et juste au moment où elle disait cela, la lumière sembla faiblir. Le ciel s'assombrit très vite, de seconde en seconde ; le vent fit bruire les arbres du parc et les nouvelles feuilles se détachèrent, délicates, leur couleur jaune contrastant avec les nuages noirs.

« Eh bien, que dis-tu de ça, constata ma mère. On va se prendre une averse. » Elle se pencha dans la rue et regarda vers le nord : pas de taxis.

Je lui repris la main. « Allez, on aura plus de chance de l'autre côté », lui suggérai-je.

Nous guettions les derniers clignotements du feu rouge avec impatience. Des bouts de papier tourbillonnaient dans l'air et roulaient le long de la rue. « Eh, voilà un taxi », lançai-je en regardant dans la 5ᵉ Avenue ; et juste au moment où je disais cela un homme d'affaires courut vers la bordure du trottoir en levant la main et le voyant lumineux du taxi s'éteignit d'un coup.

De l'autre côté de la rue, les artistes se précipitaient pour couvrir leurs peintures de plastiques. Le vendeur de café ambulant baissa les volets de sa carriole. Nous nous dépêchâmes de traverser, et juste au moment où nous arrivions de l'autre côté une grosse goutte de pluie éclaboussa ma joue. Des cercles marron sporadiques – largement espacés et gros comme des pièces de dix cents – surgirent sur le trottoir.

« Oh, *flûte* ! » s'écria ma mère. Elle farfouilla dans son sac en quête de son parapluie qui était tout juste assez grand pour une personne, sans parler de deux.

Et puis l'averse tomba : de grandes rafales de pluie froide soufflant de biais, avec de grosses bourrasques chahutant le faîte des arbres et faisant claquer les auvents. Ma mère se débattait sans beaucoup de succès pour tenter d'ouvrir le petit parapluie récalcitrant. Dans la rue et dans le parc, les gens mettaient des journaux et des porte-documents sur leur tête, montant quatre à quatre les marches qui menaient au portique du musée, seul endroit où l'on pouvait être abrité de la pluie. Il y avait quelque chose de festif et de joyeux dans notre duo qui grimpait les marches à toute allure sous le parapluie léger aux rayures multicolores, vite vite vite, on aurait dit que nous échappions ainsi à un événement terrible, alors qu'en fait nous courions droit dedans.

IV

Trois événements importants ont marqué la vie de ma mère, après qu'un bus en provenance du Kansas l'eut débarquée à New York, sans ami ni argent. Le premier survint quand un booker du nom de Davy Jo Pickering la repéra alors qu'elle travaillait comme serveuse dans un café de Greenwich Village : c'était une ado sous-alimentée, Dr. Martens aux pieds et fripes sur le dos, avec une natte si longue qu'elle pouvait s'asseoir dessus. Quand elle lui apporta son café il lui proposa sept cents, puis mille dollars pour remplacer de l'autre côté de la rue une fille qui leur avait fait faux bond lors de la prise de vue pour le catalogue. Il lui montra du doigt la camionnette de l'agence, la loge mobile installée dans le parc Sheridan Square ; puis il compta les billets et les déposa sur le comptoir. « Donnez-moi dix minutes », lui répondit-elle ; elle servit les autres petits déjeuners qui lui avaient été commandés, puis elle raccrocha son tablier et sortit.

« Je n'étais qu'un mannequin pour catalogues de vente

par correspondance », se donnait-elle toujours la peine d'expliquer aux gens, pour bien faire comprendre qu'elle n'avait jamais posé pour des magazines de mode ou de haute couture, juste pour des prospectus de chaînes de grands magasins et des vêtements ordinaires à destination des jeunes filles du Missouri et du Montana. Il y avait des moments sympas, expliquait-elle, mais la plupart du temps ça ne l'était pas : les maillots de bain en janvier alors qu'elle tremblait à cause de la grippe ; les vêtements en tweed et les lainages l'été qui la faisaient suffoquer de chaleur pendant des heures au milieu de fausses feuilles d'automne tandis qu'un ventilateur du studio soufflait de l'air chaud et qu'un gars du maquillage se précipitait entre les prises pour lui recouvrir de poudre la sueur du visage.

Mais durant ces années où elle avait fait le pied de grue et feint de jouer à l'étudiante – prenant des poses artificielles au milieu de faux campus avec deux ou trois autres filles, des livres pressés sur le cœur –, elle avait réussi à économiser assez d'argent pour aller étudier pour de vrai : l'histoire de l'art à la New York University. Elle n'avait jamais vu de tableau de maître de ses propres yeux avant ses dix-huit ans et son arrivée à New York, et elle brûlait de rattraper le temps perdu – « de l'extase à l'état pur, le paradis sur Terre », disait-elle, plongée jusqu'au cou dans les livres d'art et étudiant de près toujours les mêmes vieilles diapositives (Manet, Vuillard) jusqu'à ce que sa vision en devienne floue. (« C'est fou, mais je serais comblée si je pouvais m'asseoir et regarder la même demi-douzaine de tableaux pour le restant de mes jours. Je ne peux pas imaginer une meilleure façon de perdre la boule », disait-elle).

La fac était le deuxième événement le plus marquant qui lui soit arrivé à New York – sans doute le plus important à ses yeux. Et n'eût été le troisième (rencontrer et épouser mon père, une chance moins heureuse que les deux premières), il est presque certain qu'elle aurait

33

terminé son master et poursuivi par un doctorat. Dès qu'elle avait quelques heures de libre, elle filait droit au Frick, au Museum of Modern Art ou au Metropolitan – c'est pourquoi, alors que nous étions debout sous le portique ruisselant du musée et fixions l'autre côté brumeux de la 5e Avenue tandis que les gouttes d'eau blanchissaient en tombant dans la rue, je ne fus pas surpris lorsqu'elle secoua son parapluie et suggéra : « On devrait peut-être entrer et traîner un peu à l'intérieur le temps que ça s'arrête.

— Hum… » Moi je voulais mon petit déjeuner. « Bien sûr. »

Elle jeta un coup d'œil à sa montre. « C'est aussi bien. De toute façon, on n'arrivera pas à trouver un taxi par ce temps-là. »

Elle avait raison. Malgré tout, je mourais de faim. *Quand est-ce qu'on va manger ?* me demandai-je d'un ton maussade en la suivant jusqu'en haut de l'escalier. Ma crainte était surtout qu'après le rendez-vous elle serait tellement en colère qu'elle ne m'emmènerait déjeuner nulle part ; il me faudrait alors rentrer à la maison et m'y contenter d'une barre aux céréales ou un truc du genre.

Cela dit, le musée me donnait toujours une impression de vacances ; et, une fois à l'intérieur, au milieu du joyeux vacarme des touristes, je me sentis curieusement à l'abri des perspectives désagréables de cette journée. La rumeur assourdissante et l'odeur de manteau mouillé occupaient tout l'espace du grand hall. Une foule trempée de seniors asiatiques déferla à côté de nous sur les talons d'une guide impeccable, style hôtesse ; de jeunes scouts débraillés chuchotaient dans un coin près du vestiaire ; à côté de l'accueil, des filles élèves officiers de l'école militaire en uniforme gris avaient enlevé leurs chapeaux et se tenaient à la queue leu leu, les mains derrière le dos. Pour moi – petit citadin confiné en permanence entre les quatre murs d'un appartement – le musée fascinait surtout par son immensité, l'on aurait dit un palais où les pièces n'en finissaient pas d'apparaître, de plus en plus vides à mesure que l'on s'éloignait. Dans les profondeurs de la section consacrée à la décoration européenne, certaines des chambres désertées et des salons interdits d'accès par un cordon semblaient figés, ensorcellés, comme si personne n'y avait mis les pieds depuis cent ans. Maintenant que je prenais le métro sans ma mère, j'adorais y aller seul et errer là jusqu'à m'y perdre, flânant toujours plus loin dans le labyrinthe de salles, me retrouvant parfois dans ces pièces oubliées où étaient rassemblées des armures et de la porcelaine que je n'avais jamais vues jusqu'ici (et que parfois j'étais incapable de retrouver).

Tout en traînant derrière ma mère dans la queue devant la billetterie, je levai la tête et fixai l'immense plafond en forme de dôme deux étages plus haut : si je le fixais assez fort, je pouvais éprouver par moments la sensation de flotter tout là-haut comme une plume ; c'était un truc qui marchait quand j'étais petit, mais dont l'effet se dissipait au fur et à mesure que je grandissais.

Pendant ce temps-là – le nez rouge et à bout de souffle à cause de notre sprint sous la pluie –, ma mère cherchait désespérément son portefeuille. « Quand on aura fini, j'irai faire un tour dans la boutique du musée, m'a-t-elle confié. Je suis bien tranquille que Mathilde n'a aucune envie d'un livre d'art, mais elle aura du mal à protester sans passer pour une cruche.

— Mince, le cadeau pour Mathilde ! » C'était la directrice artistique de l'agence de pub où travaillait ma mère ; fille d'un magnat français de tissus d'importation, plus jeune que ma mère, elle avait la réputation d'être tatillonne, et capable de rentrer dans des colères noires pour un voiturier ou un traiteur décevant.

« Vouaï. » Sans un mot elle m'offrit un chewing-gum, que j'acceptai, puis elle lança le paquet dans son sac.

« Mathilde… Je l'entends d'ici : "Quand on sait choisir les cadeaux, rien n'est cher, il suffit de dénicher le parfait presse-papier pour une poignée de dollars aux puces." Ce qui serait fabuleux, bien sûr, si nous avions tous le temps d'aller écumer ce genre d'endroits. L'an dernier, quand c'était au tour de Pru, elle avait paniqué et s'était précipitée chez Saks durant sa pause-déjeuner pour finir par ajouter cinquante dollars de sa poche en plus de ce qu'on lui avait déjà donné et revenir avec une paire de lunettes de soleil, des Tom Ford je crois ; et Mathilde avait quand même jugé bon de faire sa sortie sur les Américains et leur société de consommation. Pru n'est même pas américaine, elle est australienne.

— Tu en as discuté avec Sergio ? » Peu présent à l'agence, mais souvent dans les pages people aux côtés de célébrités comme Donatella Versace, c'était le multi-millionnaire propriétaire de l'agence de ma mère ; « discuter de quelque chose avec Sergio » revenait à demander : « Que ferait Jésus ? »

« L'idée que lui se fait d'un livre d'art se résume à Helmut Newton, ou peut-être à ce beau livre qu'a fait Madonna il y a quelque temps. »

J'allais demander qui était Helmut Newton quand j'ai eu une meilleure idée. « Pourquoi tu ne lui offrirais pas un abonnement de métro ? »

Ma mère leva les yeux au ciel. « Crois-moi, je devrais. » Peu de temps auparavant un vent de panique avait soufflé au travail quand la voiture de Mathilde avait été coincée dans la circulation, la laissant en carafe à Williamsburg dans la boutique d'un joaillier.

« Genre cadeau anonyme. Déposé sur son bureau, un vieil abonnement périmé. Juste pour voir ce qu'elle ferait.

— Je peux te dire ce qu'elle ferait, répondit ma mère en faisant glisser sa carte de membre sous le guichet de la billetterie. Elle licencierait son assistante et probablement aussi la moitié des gens de la prod. »

L'agence de pub de ma mère était spécialisée dans les accessoires féminins. Tout au long de la journée, sous l'œil fébrile et passablement pervers de Mathilde, elle supervisait des séances photo où des boucles d'oreilles en cristal scintillaient sur des amoncellements de fausse neige fleurant bon les vacances au ski, et où des sacs à main en crocodile – abandonnés sur les sièges arrière de limousines vides – brillaient dans des couronnes de lumière céleste. Elle excellait dans son métier et préférait travailler derrière l'objectif que devant ; je savais le plaisir que lui procurait le spectacle de son travail affiché dans le métro ou sur les panneaux publicitaires de Times Square. Mais en dépit du strass et des paillettes qu'impliquait ce boulot (petits déjeuners au champagne, sacs à main de chez Bergdorf en cadeau), les journées étaient longues et la vacuité de ce milieu – je le savais – la rendait triste. Ce qu'elle voulait vraiment, c'était reprendre ses études, mais elle et moi savions bien qu'il y avait peu de chance que ce soit réalisable maintenant que mon père était parti.

« OK, fit-elle en se détournant du guichet et en me tendant mon badge, aide-moi à surveiller l'heure, tu veux ? C'est une grosse expo (elle a pointé du doigt une affiche, ART DU PORTRAIT ET NATURE MORTE : CHEFS-D'ŒUVRE NORDIQUES DE L'ÂGE D'OR), on ne pourra pas tout voir cette fois-ci, mais il y a quelques... »

Sa voix s'envola tandis que je la suivais en haut du grand escalier, partagé entre le besoin prudent de rester proche d'elle et le désir sournois de marcher quelques pas en arrière en affectant de ne pas l'accompagner.

« Je déteste visiter ça au pas de course, me confia-t-elle au moment où je la rattrapais en haut de l'escalier, mais bon, c'est le genre d'expo où il faut revenir deux ou trois fois. Il y a *La Leçon d'anatomie* qu'il faut voir, mais ce qui m'intéresse surtout c'est un tableau minuscule et rare d'un peintre qui fut le maître de Vermeer. Le plus grand maître ancien de tous les temps. Et les tableaux de Franz Hals sont incontournables. Tu connais Hals, non ? *Le Joyeux Buveur* ? Et *Les Régents de l'hospice de vieillards ?*

— Bien sûr », ai-je répondu timidement. Des tableaux qu'elle venait d'évoquer, *La Leçon d'anatomie* était le seul que je connaissais. Un des détails apparaissait sur l'affiche de l'exposition : une chair blême, de multiples teintes de noir, des spectateurs à l'air aviné, aux yeux injectés de sang et aux nez rouges.

« C'est le b.a.ba de l'histoire de l'art, souligna ma mère. Tiens, prends à gauche. »

À l'étage il régnait un froid glacial, et mes cheveux étaient encore mouillés à cause de la pluie. « Non, non, par là », ordonna ma mère en m'attrapant par la manche. L'exposition était compliquée à trouver et, tandis que nous déambulions le long des salles bondées (nous frayant un chemin à travers la foule, tournant à droite, tournant à gauche, rebroussant chemin à travers des labyrinthes de signalisations et de plans prêtant à confusion), de grandes et lugubres reproductions de *La Leçon d'anatomie* apparaissaient au petit bonheur, à des croisements inattendus, poteaux indicateurs menaçants reproduisant ce sempiternel cadavre au bras écorché avec des flèches rouges en dessous : *Salle d'opération, par là.*

Je n'étais pas très excité à l'idée d'une succession de tableaux représentant des Hollandais vêtus de noir et, une fois passées les portes vitrées, les salles sonores laissèrent place à une pièce que la moquette rendait feutrée et je crus au départ que nous nous étions trompés d'endroit. Les murs rayonnaient de la chaude brume mate typique de l'opulence ouatée de l'Antiquité ; mais tout à coup éclatèrent clarté, couleur et lumière pure du Nord, portraits, intérieurs, natures mortes, certains tableaux minuscules, d'autres majestueux : dames et leurs époux, dames avec petits chiens de manchon, beautés esseulées en robes brodées et splendides marchands solitaires drapés de bijoux et de fourrures ; tables de banquet dévastées jonchées de pommes pelées et de coques de noix ; tapisseries tendues et argenterie ; trompe-l'œil avec insectes rampants et fleurs striées. Plus nous déambulions et plus les tableaux devenaient étranges et superbes. Citrons pelés, l'écorce légèrement durcie au niveau du couteau, l'ombre verdâtre d'un morceau moisi ; lumière frappant le bord d'un verre de vin à moitié vide.

« J'aime celui-ci aussi », chuchota ma mère en arrivant à mes côtés face à une nature morte plutôt petite et particulièrement obsédante : un papillon blanc sur un sol sombre, flottant au-dessus d'un fruit rouge indéterminé. Le fond – une chaude couleur chocolat – dégageait une chaleur complexe suggérant à la fois des garde-manger pleins à craquer et l'Histoire elle-même, le passage du temps.

« Ils savaient vraiment comment travailler cet aspect-là, les peintres hollandais – le fruit mûr qui glisse vers la pourriture. Le fruit est parfait mais il ne durera pas, il est sur le point de se flétrir. Et regarde surtout ici, m'a-t-elle montré en passant le bras par-dessus mon épaule pour esquisser un trait en l'air avec son doigt, ce passage – le papillon. » L'aile postérieure était si poudrée et délicate que l'on avait l'impression que la couleur allait s'étaler sous son doigt. « Comme il joue là-dessus de belle manière. L'immobilité avec un soupçon de mouvement.

— Combien de temps cela lui a pris pour peindre ça ? »

Après avoir scruté le tableau d'un peu trop près, ma mère se recula pour l'observer dans son ensemble – sans remarquer le gardien dont elle avait attiré l'attention et qui mâchait son chewing-gum sans la quitter des yeux.

« Eh bien, les Hollandais ont inventé le microscope, m'expliqua-t-elle. C'étaient des joailliers, des polisseurs de lentilles. Il fallait que tout soit aussi détaillé que possible parce que chaque fois que tu vois des mouches ou des insectes dans une nature morte – un pétale fané, du noir sur la pomme – le peintre te transmet un message secret. Il te révèle que les choses vivantes ne durent pas, que tout est temporaire. La mort au cœur de la vie. D'où leur nom, des *natures mortes**[1]. Peut-être que tu ne remarques pas la petite tache de pourriture à première vue, à cause de toute la beauté et de toutes les fleurs. Mais, si tu regardes de près, elle est là. »

Je me penchai pour lire l'affichette imprimée en lettres discrètes sur le mur, et qui m'informait que le peintre – Adriaen Coorte, dates de naissance et de mort incertaines – était demeuré inconnu de son vivant, et que son œuvre n'avait été reconnue que dans les années 1950. « Eh, maman, tu as vu ça ? »

Elle était déjà repartie. Les salles étaient fraîches, feutrées et basses de plafond, loin du grondement palatial ou de l'écho du grand hall d'entrée. Il y avait du monde, l'exposition offrait néanmoins la sensation paisible et sinueuse d'une eau stagnante, d'un certain calme scellé sous vide et émaillé de longs soupirs ainsi que d'exhalaisons extravagantes comme on en entend dans une salle remplie d'étudiants passant un examen. Je traînais derrière ma mère qui zigzaguait d'un portrait à l'autre, des fleurs vers les tables à jouer ou les fruits, plus vite qu'elle ne visitait une exposition d'ordinaire – ignorant délibérément nombre de tableaux (notre quatrième chope argentée ou faisan mort) et virant de bord vers d'autres sans hésitation. (« Bon, Hals. Il est si mièvre parfois avec tous ces picoleurs et ces jeunes filles, mais quand il tient quelque chose, il le *tient*. Rien de tarabiscoté ni précis, il travaille sans laisser sécher, paf, paf, tout est si *rapide*. Les visages et les mains… un rendu d'une

---

1. Tous les mots et expressions suivis d'un astérisque sont en français dans le texte. (Toutes les notes sont de la traductrice.)

telle finesse, l'œil est immédiatement attiré, pourtant, regarde les vêtements – tellement amples – on croirait presque une esquisse. Vois comme la facture est ouverte et moderne ! ») Nous passâmes quelque temps devant un portrait de Hals représentant un jeune homme avec un crâne (« Ne t'énerve pas, Theo, mais il ne te fait penser à personne ? À quelqu'un – et la voilà qui tire sur mes cheveux, derrière – qui aurait bien besoin d'aller chez le coiffeur ? ») ainsi que devant deux grands portraits de lui représentant des officiers à un banquet, qu'elle me désigna comme étant très très célèbres et ayant eu une énorme influence sur Rembrandt. (« Van Gogh adorait Hals, lui aussi. Il écrit quelque part à son propos : *Franz Hals maîtrise pas moins de vingt-neuf nuances de noir !* Ou était-ce vingt-sept ? ») Je la suivais avec un sentiment hébété de temps perdu, ravi de son obsession et de sa capacité à oublier les minutes qui défilaient. Il me semblait que notre demi-heure devait toucher à sa fin ; j'avais néanmoins envie de la faire lambiner et de la déconcentrer, dans l'espoir infantile que le temps filerait et que nous raterions bel et bien le rendez-vous.

« Et maintenant, Rembrandt, a dit ma mère. Le consensus autour de ce tableau est qu'il traite de la raison et des Lumières, de l'aube de l'investigation scientifique, tout cela, mais à mes yeux ce qui donne la chair de poule, c'est de voir comme ils sont polis et formels, grouillant autour de la table de dissection comme s'il s'agissait d'un buffet à un cocktail. Cependant, tu vois ces deux types perplexes là-bas au fond ? Ce n'est pas le corps qu'ils regardent – c'est *nous*. Toi et moi. Comme s'ils nous voyaient debout devant eux – tout droit débarqués du futur. Éberlués. "Qu'est-ce que *vous* faites ici ?" C'est très naturaliste. En revanche (du doigt elle traça en l'air les contours du cadavre) le corps n'est pas peint de manière naturaliste du tout, si tu observes bien. Il s'en dégage une incandescence bizarre, tu la vois ? On dirait presque l'autopsie d'un *alien*. Regarde comme il illumine les visages des hommes penchés sur lui. Comme s'il générait sa propre lumière ? Rembrandt lui donne cette qualité radioactive parce qu'il veut attirer notre œil vers ça – que cela nous saute aux yeux. Et ici (elle pointa la main écorchée) tu vois comme il attire l'attention dessus en la peignant si grande, complètement disproportionnée par rapport au reste du corps ? Il l'a même retournée, et du coup le pouce est du mauvais côté, tu le vois ? Eh bien, il n'a pas fait cela par hasard. La peau sur la main est enlevée – on le remarque tout de suite, il y a quelque chose qui ne colle pas – mais en retournant le pouce il rend l'image encore plus étrange ; de manière subliminale, et même si nous n'arrivons pas à cerner pourquoi, nous enregistrons que quelque chose est de travers, faussé. C'est très astucieux. » Nous étions debout derrière une foule de touristes asiatiques et il y avait tellement de têtes devant moi que j'arrivais à peine à voir le tableau, mais en même temps je m'en fichais un peu parce que j'avais vu la fille.

Elle m'avait vu aussi. Nous nous étions observés en passant d'une salle à l'autre. Je n'étais même pas très sûr de l'intérêt qu'elle présentait, vu qu'elle était plus jeune que moi et qu'elle avait l'air un peu étrange – rien à voir avec les filles sur lesquelles je craquais d'ordinaire, beautés cool et sérieuses qui posaient leur regard dédaigneux dans le hall du collège et sortaient avec des garçons plus âgés. Cette fille-là avait des cheveux d'un roux flamboyant ; ses mouvements étaient rapides, son visage anguleux, espiègle et mystérieux, et ses yeux étaient d'une couleur bizarre, un brun doré couleur miel. Bien qu'elle soit trop mince, tout en coudes, et en un sens presque ordinaire, il y avait quelque chose en elle qui me rendait tout chose. Elle balançait et ballottait un étui à flûte traversière cabossé qu'elle tenait à la main – était-ce une citadine ? En chemin vers un cours de musique ?

Peut-être pas, me dis-je en tournant en rond derrière elle avant de suivre ma mère dans la salle suivante ; ses vêtements étaient un peu trop fades et bourgeois ; sans doute une touriste. Mais ses gestes étaient plus sûrs que ceux de la plupart des filles que je connaissais ; et le regard narquois et posé qu'elle glissa dans ma direction en me frôlant me rendit fou.

Je traînais derrière ma mère en ne faisant qu'à moitié attention à ce qu'elle me racontait, lorsqu'elle s'est arrê-tée si brusquement devant un tableau que j'ai failli lui rentrer dedans.

« Oh, désolée ! » m'a-t-elle lancé sans me regarder, se reculant pour faire de la place. À voir son visage, l'on aurait dit que quelqu'un avait braqué une lumière dessus.

« Le *voici*, celui dont je te parlais. Est-ce qu'il n'est pas incroyable ? »

J'ai incliné la tête vers ma mère, dans une attitude d'écoute attentive, tandis que mes yeux vagabondaient de nouveau vers la fille. Elle était accompagnée d'un curieux bonhomme âgé aux cheveux blancs que j'imagi-nais être de sa famille vu ses traits aigus, son grand-père peut-être : il portait un manteau pied-de-poule et des chaussures à lacets longues et étroites, lustrées comme un miroir. Ses yeux étaient rapprochés et son nez crochu et aquilin ; il marchait en boitant – en fait son corps entier était incliné sur un côté, avec une épaule plus haute que l'autre ; si ce dos voûté avait été plus prononcé, on aurait presque pu le croire bossu. En même temps, il émanait de lui quelque chose d'élégant. Et de toute évidence, à voir la façon amusée et sympathique avec laquelle il clopinait à ses côtés, on sentait qu'il adorait la fille, faisant très attention à l'endroit où il posait ses pieds, la tête penchée dans sa direction.

« Et voici le premier tableau que j'ai vraiment aimé, expliquait ma mère. Tu ne le croiras jamais, mais je l'ai découvert dans un livre que j'avais l'habitude d'emprunter à la bibliothèque quand j'étais petite. Je m'asseyais par terre à côté de mon lit et je scrutais la page pendant des heures, totalement fascinée par ce petit bonhomme ! Et tu vois, en fait c'est incroyable tout ce que l'on peut apprendre d'un tableau en passant beaucoup de temps sur une reproduction, même de qualité moyenne. J'ai commencé par aimer l'oiseau comme on aimerait un animal domestique, et pour finir j'ai aimé la façon dont il était peint. (Elle rit.) *La Leçon d'anatomie* était dans le même livre, d'ailleurs, mais elle me flanquait la trouille. Quand je l'ouvrais à cette page-là par erreur, je refermais toujours le livre d'un coup sec. »

La fille et le vieil homme étaient à présent sur nos talons. Je me penchai timidement vers l'avant pour regarder le tableau. Il était petit, c'était le plus petit de l'exposition, et le plus simple : un oiseau jaune sur un fond simple et pâle, enchaîné à un perchoir par sa cheville fine comme une brindille.

« C'était l'élève de Rembrandt, le maître de Vermeer, continuait ma mère. Et ce petit tableau est bel et bien le chaînon manquant entre les deux – cette lumière du jour claire et pure, on comprend ici d'où Vermeer tient la qualité de la sienne. Bien sûr, j'ignorais tout de cela quand j'étais enfant, et je me fichais bien de la signification historique. Mais elle est là. »

Je reculai pour mieux voir. C'était une petite créature simple et prosaïque, sans rien de sentimental ; quelque chose dans la façon soignée et compacte dont elle était repliée sur elle-même – sa vivacité, son expression éveillée et vigilante – m'évoqua des photos que j'avais vues de ma mère petite : un oiseau aux yeux calmes.

« Il s'agit d'une tragédie célèbre dans l'histoire de la Hollande. Une énorme partie de la ville a été détruite.

— Quoi ?

— Le désastre de Delft. Qui a tué Fabritius. Tu n'as pas entendu l'instit là-bas qui en parlait aux enfants ? »

Si, si. Il y avait un trio d'horribles paysages d'un peintre du nom d'Egbert van der Poel représentant des vues différentes de la même terre désertique et fumante : des maisons brûlées et en ruine, un moulin à vent aux ailes déchirées, des corbeaux tournoyant dans des cieux enfumés. Une femme à l'air officiel expliquait d'une voix forte à un groupe de collégiens qu'une poudrerie avait explosé à Delft dans les années 1600, et que le peintre avait été tellement hanté et obsédé par la destruction de sa ville qu'il n'avait cessé de la peindre.

« Eh bien, Egbert était le voisin de Fabritius, il a plus ou moins perdu la tête après ce drame, en tout cas c'est mon avis, mais Fabritius a été tué et son atelier détruit. Ainsi que presque tous ses tableaux, sauf celui-ci. » Elle semblait attendre une réaction de ma part, mais comme elle ne venait pas, elle poursuivit : « C'était l'un des plus grands peintres de son époque, à l'une des plus grandes époques de la peinture. Fort fort célèbre en son temps. Mais c'est triste parce que, de tout son travail, seuls cinq ou six de ses tableaux peut-être ont survécu. Tout le reste est perdu, tout ce qu'il a peint. »

La fille et son grand-père flânaient en silence à nos côtés, écoutant ma mère parler, ce qui était un peu gênant. Je détournai le regard, puis, incapable de résister, je jetai de nouveau un œil vers eux. Ils étaient très près, à tel point que j'aurais pu tendre le bras et les toucher. La fille tapait et pinçait la manche du vieil homme, tirant sur son bras pour lui chuchoter quelque chose à l'oreille.

« Quoi qu'il en soit, à mon avis, ceci est le tableau le plus extraordinaire de toute l'exposition, disait ma mère. Fabritius y dévoile quelque chose qu'il a découvert seul et qu'aucun peintre au monde ne savait avant lui – pas même Rembrandt. »

Très doucement – si doucement que c'était à peine audible – j'entendis la fille chuchoter : « Et il a passé toute sa vie comme ça ? »

Je m'étais posé la même question ; entravant la patte, la chaîne était terrible. Le grand-père murmura une réponse mais ma mère (qui ne semblait pas les avoir remarqués alors qu'ils étaient juste à côté de nous) se recula et dit : « C'est un tableau si mystérieux, si simple. Vraiment tendre – il invite à s'approcher, tu vois ? Tous ces faisans morts là-bas, et ici cette petite créature vivante. »

Je me permis un autre coup d'œil furtif en direction de la fille. Déhanchée, elle s'était plantée sur une jambe. Puis, tout à coup, elle se retourna et me regarda au fond des yeux ; je détournai le regard, le cœur sursautant à cause du trouble éprouvé.

Comment s'appelait-elle ? Pourquoi n'était-elle pas en cours ? J'avais tenté de déchiffrer le nom griffonné sur l'étui de sa flûte traversière, mais même en me penchant aussi loin que je l'osais sans me faire remarquer, je ne parvenais toujours pas à lire les traits assurés et pointus du feutre, davantage dessinés qu'écrits, l'on aurait dit un tag peint à l'aérosol sur une rame de métro. Le nom de famille était court, juste quatre ou cinq lettres ; la première semblait être un R, ou était-ce un P ?

« Les gens meurent, bien sûr, disait ma mère. Mais la façon dont nous perdons les *choses* alors qu'il est possible de l'éviter, c'est un vrai crève-cœur. Il faudrait que la négligence pure et simple n'existe plus ; ni les incendies et les guerres. Dire que le Parthénon a été utilisé comme entrepôt de munitions. Je suppose que ce que nous réussissons à préserver de l'Histoire est un miracle. »

Le grand-père s'était éloigné à quelques tableaux de là ; mais la fille traînait plusieurs pas derrière et n'arrêtait pas de jeter des coups d'œil à ma mère et moi. Sa peau était superbe, d'un blanc laiteux, ses bras faisaient penser à du marbre sculpté. Elle avait l'air sportif, pas de doute, mais trop pâle pour être une joueuse de tennis ; peut-être une ballerine ou une gymnaste, ou encore une plongeuse de haut vol qui s'entraînait tard le soir dans des piscines couvertes et mystérieuses emplies d'écho et de réfraction et dallées de carrelages sombres. Reins cambrés et orteils pointés, dans un maillot noir brillant, elle plongeait jusqu'au fond de la piscine avec un *bang* silencieux, et des bulles s'amassaient puis ruisselaient sur son petit corps tendu.

Pourquoi étais-je obsédé par les gens, comme ça ? Est-ce que c'était normal de s'obnubiler sur des inconnus d'une façon aussi pénétrante et enfiévrée ? Il me semblait que non. Impossible d'imaginer un passant pris au hasard des rues et qui cultiverait un tel intérêt pour *moi*. Pourtant, c'était la raison essentielle qui m'avait poussé à pénétrer dans ces maisons avec Tom : j'étais fasciné par les inconnus, je voulais savoir ce qu'ils mangeaient et dans quelles assiettes, quels films ils regardaient et quelles musiques ils écoutaient, je voulais inspecter le dessous de leurs lits, leurs tiroirs secrets, leurs tables de chevet et les poches de leurs manteaux. Souvent je croisais dans la rue des gens qui avaient l'air intéressant, puis, des journées entières, je ne cessais de penser à eux, imaginant leurs vies, inventant des histoires à leur sujet dans le métro ou le bus est-ouest. Les années avaient passé et je pensais toujours aux enfants aux cheveux sombres dans leur uniforme de l'école catholique – un frère et une sœur – que j'avais vus à la gare Grand Central tenter de faire sortir leur père d'un bar louche en tirant sur les manches de son costume. Je n'avais pas davantage oublié la frêle fille à l'air gitan plantée dans une chaise roulante devant l'hôtel Carlyle, et qui parlait un italien haletant au chien duveteux posé sur ses genoux pendant qu'un personnage anguleux à lunettes de soleil (son père ? un garde du corps ?) se tenait debout derrière la chaise, en pleine discussion, apparemment professionnelle, au téléphone. Des années durant j'avais retourné ces inconnus dans mon esprit, me demandant qui ils étaient et à quoi ressemblaient leurs vies, et je savais que je rentrerais à la maison en m'interrogeant de la même manière sur cette fille et son grand-père. Le vieil homme avait de l'argent ; cela se voyait à ses vêtements. Pourquoi n'étaient-ils que tous les deux ? D'où venaient-ils ? Peut-être appartenaient-ils à une grande et vieille famille new-yorkaise compliquée – des musiciens, des universitaires, une de ces familles d'artistes du West Side que l'on croisait autour de l'université de Columbia ou lors de matinées au Lincoln Center. Ou, peut-être que – vieille et simple créature civilisée qu'il était – peut-être cet homme n'était-il pas du tout son grand-père. Peut-être que c'était un professeur de musique, et elle la flûtiste prodige qu'il avait découverte dans une petite ville et amenée ici pour qu'elle joue à Carnegie Hall...

« Theo ? lança tout à coup ma mère. Tu m'as entendue ? »

Sa voix me ramena sur Terre. Nous étions dans la dernière salle. Au-delà il y avait la boutique de l'exposition – avec ses cartes postales, sa caisse enregistreuse et ses piles vernissées de livres d'art – et ma mère n'avait malheureusement pas perdu l'heure de vue.

« On devrait aller voir s'il pleut toujours, suggéra-t-elle. On a encore un peu de temps (elle regarda sa montre, puis par-dessus mon épaule vers le panneau indiquant la sortie), mais je crois que je ferais bien de descendre si je veux essayer de trouver quelque chose pour Mathilde. »

Je remarquai alors que la fille observait ma mère – ses yeux glissèrent avec curiosité sur sa queue-de-cheval noire et soignée, sur son imperméable en satin blanc sanglé à la taille – et cela me ravit de la voir un instant telle que la voyait la fille, en inconnue. Avait-elle remarqué la minuscule bosse sur le nez de ma mère, tout en haut, là où elle l'avait cassé en tombant d'un arbre quand elle était enfant ? Ou bien les cercles noirs qui entouraient ses iris bleu clair et lui conféraient un air vaguement sauvage, celui du prédateur aux yeux immobiles seul dans une plaine ?

« Tu sais… (Ma mère regarda par-dessus son épaule.) si cela ne te dérange pas, j'ai bien envie de retourner voir *La Leçon d'anatomie* vite fait avant qu'on parte. Je n'ai pas eu l'occasion de la voir de près et j'ai peur de ne pas pouvoir revenir avant la fin de l'expo. » Elle fila, ses chaussures cliquetant sur le sol, puis elle jeta un regard en arrière comme pour dire : *tu viens ?*

C'était si inattendu que, l'espace d'une seconde, je ne sus pas quoi lui répondre. Puis, me reprenant : « Hum, je te retrouve à la boutique.

— OK, prends-moi quelques cartes, alors, tu veux bien ? Je reviens dans une minute. »

Et la voilà partie avant que j'aie pu dire un mot. Le cœur battant à tout rompre, incapable de croire en ma bonne fortune, je la regardai s'éloigner d'un bon pas dans son imper en satin blanc. Je devais saisir ma chance de parler à la fille ; *mais qu'est-ce que je peux bien lui dire ?* me demandais-je, furieux. *Qu'est-ce que je pourrais bien trouver ?* Je plongeai les mains dans mes poches, pris une ou deux inspirations pour me calmer et – l'excitation me tordant le ventre – me retournai pour lui faire face.

Pour constater, consterné, qu'elle avait disparu. Enfin, elle n'était pas partie, je voyais ses cheveux roux traverser la salle à contrecœur (c'était en tout cas ce qu'il me semblait). Son grand-père avait glissé son bras sous le sien et – chuchotant dans son oreille avec beaucoup d'enthousiasme – il l'entraînait voir un tableau accroché au mur d'en face.

Je l'aurais tué. Je jetai un coup d'œil nerveux à l'embrasure vide de la porte. Puis je plongeai les mains encore plus profondément dans mes poches et, le visage en feu, traversai la salle avec ostentation. Le temps m'était compté ; ma mère serait de retour d'un instant à l'autre ; et même si je savais que je n'avais pas le culot de l'aborder et de bel et bien lui dire quelque chose, je pouvais au moins la regarder de près une dernière fois. Peu de temps auparavant, j'avais veillé avec ma mère et regardé *Citizen Kane*, et j'aimais beaucoup l'idée qu'une personne puisse remarquer une étrangère fascinante en passant et s'en souvenir le restant de sa vie. Un jour, moi aussi peut-être, je serais comme le vieil homme du film, enfoncé dans mon fauteuil, les yeux dans le vide, et je dirais : « C'était il y a soixante ans, et je n'ai jamais revu cette fille aux cheveux roux, mais vous savez quoi ? Tout ce temps-là, pas un mois ne s'est écoulé sans que je pense à elle. »

J'étais au milieu de la salle quand il se passa quelque chose d'étrange. Un gardien franchit en courant la porte ouverte de la boutique de l'exposition plus loin. Il avait quelque chose dans les bras.

La fille le vit, elle aussi. Ses yeux brun doré croisèrent les miens : un regard interloqué, perplexe.

Tout à coup un autre gardien sortit en trombe de la boutique du musée. Il criait, les bras en l'air.

Les têtes se levèrent. D'une étrange voix plate, quelqu'un derrière moi fit : oh ! L'instant d'après une énorme explosion assourdissante secouait la salle.

Le regard vide, le vieil homme trébucha sur le côté. Son bras tendu et ses doigts noueux étals sont les dernières choses que je me souvienne avoir vues. Presque exactement au même moment, il y eut un éclair noir et des débris furent balayés vers moi puis tournoyèrent, après quoi le grondement d'un vent chaud me heurta de plein fouet et me projeta de l'autre côté de la salle. Pendant quelque temps, je ne sus rien de plus.

V

J'ignore combien de temps je suis resté inconscient. Quand je suis revenu à moi, j'avais l'impression d'être couché sur le ventre dans le bac à sable d'un terrain de jeux sombre – un endroit que je ne connaissais pas, un quartier désert. Un groupe de petits durs à cuire était massé autour de moi et me rouait les côtes et la nuque de coups de pied. Mon cou était tordu sur le côté et j'avais le souffle coupé, mais ce n'était pas ça le pire : j'avais du sable dans la bouche, j'inspirais du sable.

Les garçons ont grommelé à voix haute. *Lève-toi, trouduc.*

Regardez-le, regardez-le.

Il est dans le coltar.

J'ai roulé sur le côté et mis les bras sur ma tête, puis – avec un léger sursaut surréaliste – j'ai vu qu'il n'y avait personne.

Je suis resté étendu un moment, trop abruti pour bouger. Des sonneries d'alarme émettaient un son métallique étouffé par la distance. Aussi étrange que cela paraisse, j'avais l'impression d'être étendu dans la cour fermée d'une cité HLM oubliée des dieux.

J'avais été tabassé : j'avais mal partout, mes côtes étaient douloureuses et j'avais l'impression que l'on m'avait frappé la tête avec un tuyau de plomb. J'ai fait bouger ma mâchoire de droite et de gauche et j'ai plongé les mains dans mes poches pour vérifier que j'avais bien l'argent pour rentrer en métro, lorsque j'ai pris conscience avec brutalité que je n'avais pas la moindre idée de l'endroit où j'étais. J'étais allongé là, raide, prenant petit à petit conscience que quelque chose clochait méchamment. La lumière était bizarre, et l'air aussi : acre et vif, c'était devenu un brouillard chimique qui me brûlait la gorge. Le chewing-gum dans ma bouche était granuleux et quand – la tête martelée – j'ai roulé sur le côté pour le recracher, je me suis retrouvé à cligner des yeux au milieu de strates de fumée, pour finir par distinguer une scène si insolite que mes yeux sont restés fixes un bon moment.

J'étais dans une grotte blanche déchiquetée. Des baluchons et des lambeaux de vêtements pendaient du plafond. Le sol n'était plus plat, il était jonché d'une substance grise comme de la roche lunaire qui formait des tas, ainsi que de verre brisé, de gravats et d'un ouragan de cochonneries diverses, briques, crasses et fatras de papier givrés d'une fine cendre semblable aux premières gelées. Très haut au-dessus, deux lampes brillaient dans la poussière comme les phares d'une voiture déformés par le brouillard, et elles étaient de travers, l'une penchée vers le haut tandis que l'autre avait roulé sur le côté et projetait des ombres.

Mes oreilles qui bourdonnaient, ainsi que mon corps, me procuraient une sensation intensément perturbante : os, cerveau, cœur, tout cela tintait comme une cloche que l'on viendrait de sonner. D'un endroit au loin, on percevait le vague cri mécanique, continu et impersonnel des alarmes. Je pouvais à peine dire si le bruit venait de l'intérieur de moi ou de l'extérieur. Un grand sentiment de solitude s'emparait de moi au beau milieu d'un engourdissement hivernal. Rien n'avait de sens dans quelque direction que ce soit.

La main posée sur une surface pas tout à fait verticale, je me suis relevé dans une cascade de gravillons, grimaçant à cause de la douleur dans ma tête. L'inclinaison du sol là où je me trouvais me semblait profondément faussée. D'un côté, fumée et poussière étaient toujours en suspens en une couche nuageuse. De l'autre, une masse de matériaux déchiquetés penchait vers le bas dans un enchevêtrement où le toit, ou bien le plafond, aurait dû se situer.

J'avais mal à la mâchoire ; mon visage et mes genoux étaient tailladés et ma bouche comme du papier de verre. Clignant des yeux sur le chaos autour de moi, j'ai vu une chaussure de tennis ; des amoncellements de matériau friable, couverts de taches sombres ; une canne en aluminium tordue. J'ai oscillé là, suffoqué et étourdi, ne sachant où me tourner ni quoi faire, quand tout à coup j'ai cru entendre un téléphone sonner.

Pendant un moment, je n'en ai pas été sûr, alors j'ai tendu l'oreille ; puis ça a recommencé : un son vague et lancinant, un peu étrange. J'ai lutté maladroitement avec les décombres – parmi les sacs à dos d'enfants et autres sacs ordinaires – retirant vivement les mains au toucher de choses brûlantes ou d'éclats de verre brisé, de plus en plus troublé par la façon dont les gravats cédaient par endroits sous mes pieds, et par les masses molles et inertes que j'entrevoyais à la lisière de mon champ de vision.

J'avais presque réussi à me convaincre que je n'avais jamais entendu de téléphone, que c'était le bourdonnement dans mes oreilles qui me jouait des tours, pourtant je continuais de chercher, fouillant tel un robot, avec des gestes mécaniques, méthodiques, et sans relâche. Au milieu des stylos, des sacs à main, des portefeuilles, des lunettes cassées, des cartes magnétiques d'hôtel, des poudriers, des vaporisateurs de parfum et une boîte de médicaments (patient : Roitman Andrea, Xanax 0,25 mg), j'ai déterré une torche accrochée à un porte-clé et un téléphone hors d'usage (à moitié chargé, pas de barres) que j'ai jeté dans un sac en nylon pliable trouvé dans un sac à main de femme.

Je haletais, à moitié étouffé par la poussière de plâtre, et j'avais tellement mal à la tête que j'y voyais à peine. Je voulais m'asseoir, sauf que ce n'était possible nulle part.

Puis j'ai aperçu une bouteille d'eau. Mes yeux sont vite revenus en arrière, ont vagabondé sur le chaos ambiant jusqu'à ce qu'elle réapparaisse, à environ cinq mètres de là, à demi enfouie sous une pile de cochonneries : juste un ersatz d'étiquette, avec sa couleur familière d'un bleu métallique.

Lourd et engourdi, comme si j'avançais dans de la neige, j'ai entrepris de marcher d'un pas pesant et de serpenter à travers les décombres tandis que les débris se cassaient sous mes pieds avec des craquements vifs et glacials. Je n'étais pas arrivé très loin lorsque, du coin de l'œil, j'ai vu un mouvement au sol, d'autant plus visible dans l'immobilité, du blanc qui remuait sur du blanc.

Je me suis arrêté. Puis j'ai péniblement effectué quelques pas supplémentaires. C'était un homme, allongé sur le dos et blanchi de poussière des pieds à la tête. Il était si bien camouflé par les décombres recouverts de cendres que cela m'a pris un moment avant de distinguer sa forme : de la craie sur de la craie, comme une statue tombée de son socle, et qui se débattait pour s'asseoir. À mesure que je me rapprochais, j'ai vu qu'il était vieux et très frêle, avec quelque chose de déformé qui ressemblait à une bosse ; ses cheveux – ce qu'il en restait – étaient relevés sur sa tête ; un côté de son visage était éclaboussé d'une vilaine gerbe de brûlures, et au-dessus d'une de ses oreilles sa tête n'était plus qu'une immondice noire et poisseuse.

J'avais réussi à atteindre l'endroit où il se trouvait quand – plus rapidement que je n'aurais cru – son bras blanchi par la poussière a jailli et m'a attrapé la main. J'ai sursauté, paniqué, mais il m'a agrippé encore plus fort, toussant et toussant encore, d'une toux mouillée et maladive.

Où ? semblait-il dire. Où ? Il essayait de lever les yeux vers moi, mais sa tête balançait lourdement sur son cou et son menton pendait sur sa poitrine, du coup il était forcé de me scruter par en dessous, comme un vautour. Dans son visage défait, ses yeux brillaient pourtant d'intelligence et de désespoir.

« Oh, mon Dieu, ai-je fait en me baissant pour l'aider, attendez, attendez », puis je me suis arrêté, impuissant. La partie inférieure de son corps gisait à terre, informe, comme une pile de vieux vêtements.

Il est parvenu à se redresser avec ses bras, hardiment m'a-t-il semblé, ses lèvres ont bougé et il a continué de lutter pour se relever. Il puait le cheveu et la laine brûlés. Mais la moitié inférieure de son corps semblait déconnectée de la partie supérieure, il a toussé puis il est retombé en tas.

J'ai regardé autour de moi, essayant de me repérer, désorienté par l'entaille sur ma tête, sans la moindre notion du temps, ne sachant même plus si c'était le jour ou la nuit. L'immensité et la désolation qui s'étaient emparées de cet endroit me déroutaient – l'atmosphère intense, rare et vaste, recelait différentes strates de fumée qui tournoyaient et s'emmêlaient dans l'air, tel un parachute déployé là où le plafond (ou le ciel) aurait dû se trouver. Et cependant j'avais beau ne pas savoir où j'étais ni pourquoi, les décombres me semblaient presque familiers, et l'éclat des lumières de secours m'évoquaient un décor de cinéma. Sur Internet j'avais vu les séquences de l'explosion d'un hôtel dans le désert, où les chambres pareilles à des ruches criblées de trous par l'effondrement étaient figées dans une semblable explosion de lumière.

Puis je me suis souvenu de l'eau. J'ai reculé de quelques pas, regardé autour de moi, jusqu'à ce que mon cœur fasse un bond et que je repère l'éclair bleu et poussiéreux.

« Écoutez, ai-je dit en m'éloignant furtivement. Je veux juste… »

Le vieil homme m'a fixé d'un œil à la fois désespéré et plein d'espoir, on aurait dit un chien affamé trop faible pour marcher.

« Non… Attendez. Je reviens. »

J'ai chancelé tel un ivrogne à travers les décombres, serpentant et me frayant péniblement un chemin sinueux, m'enfonçant jusqu'aux genoux dans des objets, me débrouillant tant bien que mal à travers briques, ciment, chaussures et sacs, ainsi qu'une flopée de morceaux calcinés que je n'avais pas envie de voir de trop près.

La bouteille était aux trois quarts pleine et brûlante au toucher. Mais à la première gorgée ma bouche a pris le relais et j'en ai avalé plus de la moitié d'un seul trait – goût de plastique, tiédeur d'eau de vaisselle – avant de me rendre compte de ce que j'étais en train de faire et que je me force à la refermer, à la glisser dans le sac et à la lui rapporter.

Je me suis agenouillé à côté de lui. J'ai senti des cailloux s'enfoncer dans mes genoux. Il tremblait, sa respiration était râpeuse et irrégulière ; son regard fixe n'a pas croisé le mien mais s'est égaré au-dessus, se fixant avec angoisse sur quelque chose qui m'était invisible.

J'ai plongé la main en quête de l'eau lorsqu'il a tendu la sienne vers mon visage. De ses vieux doigts osseux à la pulpe plate, il a écarté avec précaution les cheveux qui me tombaient dans les yeux, ôté une écharde de verre de mon sourcil et tapoté ma tête.

« Allons, allons. » Sa voix était très faible, très éraillée, très cordiale, avec un terrible sifflement pulmonaire. Pendant un long et étrange moment que je n'ai jamais oublié depuis, nous nous sommes dévisagés ; en réalité, l'on aurait dit deux animaux se rencontrant au crépuscule, dans une étincelle claire et sublime qui semblait jaillir de ses yeux et j'ai alors vu la créature qu'il était vraiment, et je crois que lui m'a vu aussi. L'espace d'un instant nous avons été reliés l'un à l'autre et nous avons ronronné comme deux moteurs sur un même circuit.

Puis il s'est rallongé, si mollement que je l'ai cru mort. « Voilà, ai-je dit, mal à l'aise, en glissant ma main sous son épaule. C'est bien. » J'ai tenu sa tête du mieux que j'ai pu, et je l'ai aidé à boire à la bouteille. Il ne pouvait en avaler qu'un peu et l'eau a roulé sur son menton.

Il est retombé en arrière. L'effort l'épuisait.

« Pippa », a-t-il fait d'une voix pâteuse.

J'ai baissé les yeux vers son visage rouge et brûlé, quelque chose de familier agitait ses yeux clairs couleur rouille. Je l'avais déjà vu. Et j'avais vu la fille aussi, instantané très bref, transparence d'une feuille d'automne : des sourcils couleur rouille, des yeux bruns couleur miel. Son visage à elle se reflétait dans le sien. Où était-elle ?

Il essayait de dire quelque chose. Ses lèvres craquelées s'activaient. Il voulait savoir où était Pippa.

Il a sifflé, et dans ce sifflement il a cherché son souffle. « Voilà, essayez de rester tranquille, ai-je dit, agité.

— Elle devrait prendre le métro, c'est bien plus rapide. À moins qu'ils ne l'emmènent en voiture.

— Ne vous inquiétez pas », lui ai-je lancé en me penchant plus près. Je n'étais pas inquiet. Quelqu'un s'occuperait de nous bientôt, j'en étais sûr. « Je vais attendre jusqu'à leur arrivée.

— Tu es très gentil. » Sa main (froide, sèche comme de la poudre) s'agrippait à la mienne. « Je ne t'ai pas revu depuis que tu étais petit. Pourtant tu avais grandi, la dernière fois qu'on s'est parlé.

— Mais je suis Theo, ai-je rétorqué après un instant de confusion.

— Oui, bien sûr. » Tout comme sa poignée de main, son regard fixe était ferme et bienveillant. « Tu as fait le meilleur choix, j'en suis sûr. Le Mozart est bien mieux que le Gluck, tu ne trouves pas ? »

Je ne savais pas quoi répondre.

« Ce sera plus facile à deux. Ils sont si durs avec vous les enfants pendant les auditions… » Il a toussé. Ses lèvres luisaient d'un sang épais et rouge. « Pas de deuxièmes chances.

— Écoutez... » Je me sentais mal à l'aise de lui laisser croire que j'étais quelqu'un d'autre.

« Oh, mais vous le jouez si bien à deux, mon cher. Le *sol* majeur. Je l'entends tout le temps dans ma tête. Léger, léger, allant et venant... »

Il fredonna quelques notes inachevées. Une chanson. C'était une chanson.

« ... et je t'ai raconté que je prenais des leçons de piano chez la vieille dame arménienne ? Il y avait un lézard vert qui vivait dans le palmier, vert comme un bonbon, j'adorais le guetter... Il faisait une apparition éclair sur le rebord de la fenêtre... Des guirlandes électriques dans le jardin... *du pays saint* *... Vingt minutes de marche mais cela me semblait être des kilomètres... »

Il s'est affaibli une minute ; je sentais son intelligence s'éloigner de moi et tournoyer au loin comme une feuille sur un ruisseau. Puis elle est revenue et il était de nouveau là.

« Et toi ! Quel âge as-tu maintenant ?

— Treize ans.

— Tu vas au Lycée français ?

— Non, dans le West Side.

— Tant mieux, tant mieux. Tous ces cours en français ! Trop de mots de vocabulaire pour un enfant. *Nom et prénom *,* espèce et embranchement. C'est juste une façon de regrouper les insectes.

— Pardon ?

— Ils parlaient toujours français chez Groppi. Tu te souviens du café Groppi ? Avec les parapluies multicolores et les glaces à la pistache ? »

Parapluie multicolore. Avec mon mal de tête, il m'était difficile de penser. Mon regard vagabondait vers la longue entaille coagulée et foncée sur son crâne, on aurait dit une blessure due à un coup de hache. Je prenais de plus en plus conscience de terribles formes ressemblant à des corps et écroulées au milieu des décombres, des carcasses sombres difficiles à distinguer, broyées et silencieuses autour de nous, de l'obscurité tout autour et de ces corps comme des poupées de chiffon, pourtant c'était une obscurité sur laquelle on pouvait flotter au loin, elle évoquait quelque chose de somnolent, un sillage vaporeux tournoyant puis disparaissant sur un océan noir et froid.

Tout à coup il y a eu un changement. Il s'était réveillé et il me secouait. Ses mains battaient l'air. Il voulait quelque chose. Il a tenté de se redresser, au prix d'une inspiration sifflante.

« Qu'est-ce qu'il y a ? » ai-je demandé en me secouant pour me réveiller. Il haletait, agité, tirant sur mon bras. Apeuré, je me suis assis et j'ai regardé autour de moi en m'attendant à voir arriver un nouveau danger : des fils électriques détachés, un incendie, le plafond sur le point de s'écrouler.

Il a attrapé ma main et l'a serrée fort. « Pas là, a-t-il réussi à dire.

— Quoi ?

— Ne le laisse pas. Non. » Il regardait derrière moi, essayant de pointer quelque chose du doigt. « Enlève-le de là.

— Allongez-vous, s'il vous plaît…

— Non ! Ils ne doivent pas le voir. » Il était affolé, m'agrippant à présent le bras et tentant de se relever. « Ils ont volé les tapis, ils vont l'emporter jusqu'à la cahute des douanes… »

J'ai vu qu'il pointait le doigt en direction d'un rectangle poussiéreux en carton, quasiment invisible au milieu des poutres cassées et des débris, plus petit que l'ordinateur portable que j'avais à la maison.

« Ça ? » ai-je dit en regardant de plus près. C'était boursouflé, couvert de coulées de cire, et d'un patchwork irrégulier fait d'étiquettes effritées. « C'est ça que vous voulez ?

— Je t'en supplie. » Ses yeux n'étaient plus que deux

traits. Il était bouleversé et toussait tellement qu'il pouvait à peine parler.

J'ai tendu la main et j'ai pris le carton par les bords. Il m'a fait l'effet d'être incroyablement lourd pour quelque chose d'aussi petit. Une longue écharde provenant d'un cadre cassé était accrochée à un coin.

J'ai passé ma manche sur la surface poussiéreuse. Un minuscule oiseau jaune, pâle sous un voile de poussière blanche. *La Leçon d'anatomie était dans le même livre en fait, mais elle me flanquait la trouille.*

D'accord, ai-je répondu d'une voix endormie. Le tableau à la main, je me suis retourné pour le lui montrer, et me suis alors rendu compte qu'elle n'était pas là.

Ou bien… elle était là et elle n'y était pas. Une partie d'elle était là, mais elle était invisible. C'était la partie invisible qui était importante. Je n'avais jamais compris cela auparavant. Mais quand j'ai essayé de le dire à voix haute, les mots sont sortis tout emmêlés, et me rendre compte que je me trompais m'a fait l'effet d'une gifle froide. Les deux parties devaient être ensemble. On ne pouvait pas avoir l'une sans l'autre.

Je me suis frotté le front avec le bras, et en clignant des yeux j'ai essayé d'enlever le sable qui était dedans puis, dans un énorme effort, comme si je soulevais un poids bien trop lourd pour moi, j'ai tenté de déplacer mon esprit vers l'endroit où je savais qu'il devait être. Où était ma mère ? Pendant un moment nous avions été trois, et l'une de ces trois personnes – j'en étais assez sûr – c'était elle. Maintenant nous n'étions plus que deux.

Derrière moi le vieil homme s'était mis à tousser et à trembler de nouveau, avec une insistance incontrôlable ; puis il a essayé de parler. Je me suis retourné et j'ai tenté de lui tendre le tableau. « Voilà – puis à l'adresse de ma mère, à l'endroit où elle m'avait semblé être : Je reviens dans une minute. »

Mais ce n'était pas le tableau qu'il voulait. D'un geste

irrité, il l'a repoussé vers moi et a murmuré quelque chose. Le côté droit de sa tête était un tel magma poisseux et ensanglanté que j'avais du mal à voir son oreille.

« Quoi ? » ai-je fait, l'esprit toujours focalisé sur ma mère. Où était-elle ? « Pardon ?

— Prends-le.

— Écoutez, je reviens. Je dois… » Je n'arrivais pas à prononcer les mots, pas tout à fait, mais ma mère voulait que je rentre à la maison, tout de suite, j'étais supposé la retrouver là-bas, c'était la seule chose qu'elle avait dite très clairement.

« Prends-le avec toi ! » M'enjoignant de l'emporter : « Vas-y ! » Il essayait de s'asseoir. Ses yeux étaient brillants et furieux ; son agitation m'a fait peur. « Ils ont enlevé toutes les ampoules, ils ont démoli la moitié des maisons de la rue… »

Une goutte de sang a coulé le long de son menton.

« Je vous en prie, l'ai-je imploré, et mes mains battaient l'air car je craignais de le toucher. Je vous en prie, allongez vous. »

Il a secoué la tête et tenté de dire quelque chose, mais l'effort l'a épuisé et a déclenché une toux sèche, accompagnée d'un bruit mouillé et lamentable. Quand il s'est essuyé la bouche, j'ai vu un sang clair strier le dos de sa main.

« Quelqu'un va venir. » Je n'étais pas sûr de le croire, mais ne savais pas quoi dire d'autre.

Il a regardé mon visage en face, en quête d'une lueur de compréhension puis, faute de la trouver, il s'est agrippé afin de se rasseoir.

« Un incendie, a-t-il dit d'une voix gargouillante. La villa à Ma'adi. *On a tout perdu* *. »

Et il s'est remis à tousser. Une écume teintée de rouge faisait des bulles sous ses narines. Au beau milieu de ce spectacle irréel composé de cairns et de monolithes cassés, j'ai eu la sensation, presque onirique, de ne pas avoir su l'aider, comme si j'avais échoué par maladresse et ignorance à l'ultime épreuve d'un conte de fées. Il n'y avait pas d'incendie visible où que ce soit dans cet amas de pierres, et j'ai rampé puis glissé le tableau dans le sac à commissions en nylon, juste pour l'ôter de sa vue tant il semblait le contrarier.

« Ne vous inquiétez pas, lui ai-je dit. Je vais… »

Il s'était calmé. Il a posé une main sur mon poignet, les yeux fixes et brillants, et un vent frais de déraison m'a soufflé dessus. J'avais fait ce que j'étais supposé faire. Tout irait bien.

Alors que je baignais dans le réconfort de cette idée, il a serré ma main d'une façon rassurante, comme si j'avais articulé l'idée à voix haute. « On va se sortir d'ici, a-t-il lancé.

— Je sais.

— Enveloppe-le dans des journaux et mets-le tout au fond de la malle, mon petit. Avec les autres bibelots. »

Soulagé qu'il se soit calmé, épuisé par mon mal de crâne, tous les souvenirs de ma mère fanés au point de ne plus être qu'un vacillement minuscule, je me suis installé à côté de lui et j'ai fermé les yeux, me sentant curieusement à l'aise et en sécurité. Absent, rêveur. Il radotait un peu dans sa barbe : noms étrangers, additions et chiffres, quelques mots en français, mais surtout en anglais. Un homme allait venir regarder les meubles. Abdou allait avoir des ennuis pour avoir jeté des pierres. Pourtant tout cela semblait bien faire sens et je pouvais voir le jardin florissant, le piano et le lézard vert sur le tronc de l'arbre, comme s'il s'agissait de pages dans un album photo.

« Tu arriveras à rentrer chez toi tout seul, mon petit ? me souviens-je de l'avoir entendu me demander.

— Bien sûr. » J'étais allongé par terre à côté de lui, ma tête au même niveau que son vieux sternum branlant,

percevant le sifflement dans chacune de ses respirations.
« Je prends le métro seul tous les jours.

— Et où m'as-tu dis que tu habitais, déjà ? » Sa main s'est posée sur mes cheveux, très doucement, comme on poserait la main sur la tête d'un chien que l'on aime.

« 57ᵉ Rue Est.

— Ah, oui ! À côté du *Veau d'Or* ?

— À quelques rues, en fait. » *Le Veau d'Or* était un restaurant où ma mère aimait aller à l'époque où nous avions de l'argent. J'y avais mangé mon premier escargot, et goûté ma première gorgée de marc de Bourgogne dans son verre.

« Vers le parc, m'as-tu dit ?

— Non, plus près de la rivière.

— Ce n'est pas loin, mon petit. Meringues et caviar. Comme j'ai aimé cette ville la première fois que je l'ai vue ! Mais ce n'est plus pareil, n'est-ce pas ? Je suis terriblement nostalgique, pas toi ? Le balcon, et le…

— Jardin. » Je me suis retourné pour le regarder. Des parfums et des mélodies. Dans le marécage de ma confusion, j'en étais arrivé à croire qu'il s'agissait d'un ami proche ou d'un membre oublié de la famille, un parent de ma mère perdu de vue depuis longtemps…

« Oh, ta mère ! Adorable ! Je n'oublierai jamais la première fois qu'elle est venue jouer. C'était la plus jolie fillette que j'aie jamais vue. »

Comment savait-il que je pensais à elle ? Je lui ai demandé s'il savait où elle était, mais il s'était endormi. Ses yeux étaient clos mais sa respiration était rapide et rauque, comme celle d'un homme en cavale.

Moi-même je m'affaiblissais – mes oreilles bourdonnaient, d'un vrombissement inepte, et je sentais dans la bouche un goût métallique comme quand on va chez le dentiste –, j'aurais risqué de dériver de nouveau vers l'inconscience et d'y rester si, à un moment donné, il ne m'avait secoué, violemment, de sorte que je me suis réveillé dans un sursaut de panique. Il grommelait et tirait sur son index. Il avait enlevé sa bague, une lourde bague en or ornée d'une pierre sculptée ; il essayait de me la donner.

« Mais non, je n'en veux pas, ai-je protesté, effarouché. Pourquoi vous faites ça ? »

Mais il l'a pressée dans ma paume. Sa respiration gargouillait de vilaine manière. « Hobart & Blackwell, a-t-il lâché, et sa voix était telle qu'on aurait cru qu'il se noyait de l'intérieur. Appuie sur la sonnette verte.

— La sonnette verte », ai-je répété, dubitatif.

Il a laissé sa tête pencher d'avant en arrière, comme s'il était groggy, ses lèvres tremblaient. Ses yeux ne convergeaient pas. Quand ils ont glissé vers moi sans me voir, j'en ai eu des frissons.

« Dis à Hobie de sortir de la boutique », a-t-il grommelé d'une voix épaisse.

Incrédule, j'ai regardé le sang rouge vif goutter du coin de sa bouche. Il avait défait sa cravate en tirant dessus d'un coup sec. « Attendez, ai-je lancé en tendant la main pour l'aider, mais il m'a donné une tape.

— Il doit fermer la caisse et sortir ! a-t-il dit d'une voix rauque. Son père fait envoyer des types pour le tabasser… »

Ses yeux ont roulé vers le haut ; ses paupières ont papillonné. Puis il a plongé en lui-même, plat et en apparence dégonflé, comme si tout l'air était sorti de lui, trente secondes, quarante, on aurait dit un tas de vieux vêtements, mais ensuite – avec une violence telle que j'ai tressailli – sa poitrine s'est gonflée et a laissé échapper un bruit râpeux semblable à un mugissement et il a toussé une épaisse goutte de sang qui m'a éclaboussé. Il s'est soulevé sur les coudes du mieux qu'il a pu, et pendant trente secondes et quelques il a haleté comme un chien, sa poitrine se soulevant et s'abaissant de manière frénétique, en dents de scie, les yeux fixés sur quelque chose que je ne pouvais voir, agrippant ma main tout du long comme si tout devait bien se passer tant qu'il la serrait fort.

« Ça va ? l'ai-je pressé, affolé, au bord des larmes. Vous m'entendez ? »

Il se débattait et s'agitait – on aurait dit un poisson hors de l'eau – et je lui ai tenu la tête en l'air, ou du moins j'ai essayé, ne sachant comment, craignant de le blesser ; pendant tout ce temps lui s'accrochait à ma main comme s'il était suspendu à un immeuble dont il allait tomber. Chaque respiration était une houle isolée et chargée, une lourde pierre soulevée avec un terrible effort et retombant sans cesse par terre. À un moment donné il m'a regardé dans les yeux, avec du sang qui coulait de sa bouche, et il semblait dire quelque chose, mais les mots n'étaient qu'un marmonnement le long de son menton.

Puis, à mon vif soulagement, il est devenu plus calme, plus tranquille, sa poigne sur ma main s'est relâchée, a fondu, j'ai eu le sentiment qu'il plongeait et tournoyait au loin, on aurait presque dit qu'il flottait sur le dos loin de moi, sur de l'eau. « Vous allez mieux ? » lui ai-je demandé, et puis…

Avec prudence j'ai fait goutter un peu d'eau sur sa bouche, ses lèvres fonctionnaient, je les ai vues bouger ; puis, à genoux, tel un serviteur dans un conte, j'ai essuyé un peu du sang sur son visage avec le carré de cachemire dans sa poche. Tandis qu'il s'éloignait – c'était cruel – à travers les latitudes pour se diriger vers l'immobilité, je me suis secoué pour me mettre sur les talons et j'ai fixé son visage anéanti.

« Ça va ? »

Sa paupière à moitié fermée et fine comme du papier a eu un mouvement convulsif, un tic veiné de bleu.

« Si vous m'entendez, serrez-moi la main. »

Mais dans la mienne la sienne était molle. Je me suis

assis là et je l'ai regardé, ne sachant que faire. Il était temps d'y aller, plus que temps – ma mère avait été très claire là-dessus – et pourtant je ne voyais aucune voie me permettant de sortir de l'endroit où je me trouvais ; en un sens c'était difficile d'imaginer être ailleurs au monde – qu'il en existe un autre en dehors de celui-ci. C'était comme si je n'avais jamais eu d'autre vie.

« Vous m'entendez ? » lui ai-je demandé une dernière fois, me penchant près de lui et posant mon oreille contre sa bouche ensanglantée. Mais il n'y eut pas de réponse.

VI

Ne souhaitant pas le déranger au cas où il serait juste en train de se reposer, je me suis relevé aussi discrètement que possible. J'avais mal partout. L'espace de quelques instants je l'ai regardé de toute ma hauteur, m'essuyant les mains sur la veste de mon uniforme – j'étais couvert de son sang, mes mains en étaient nappées – puis j'ai contemplé le paysage lunaire de gravats et j'ai tenté de m'orienter pour trouver le meilleur chemin à suivre.

Tandis que je me dirigeais – non sans difficulté – vers le centre de la pièce, ou ce qui semblait en tenir lieu, j'ai vu qu'une des portes était obstruée par des lambeaux de débris en suspension, puis je me suis retourné et me suis mis à œuvrer dans l'autre direction. Là, le linteau était descellé et avait fait tomber une pile de briques presque aussi haute que moi, dégageant en haut un espace enfumé et assez grand pour y faire passer une voiture. Laborieusement, je me suis mis à escalader et à grimper tant bien que mal pour l'atteindre – enjambant des blocs de béton et en contournant d'autres – mais je n'étais pas arrivé très loin quand je me suis rendu compte que j'allais devoir changer de chemin. De vagues traces de flammes avaient léché les murs de ce qui avait été la boutique de l'exposition, crachant des étincelles dans l'obscurité, certaines bien en dessous du niveau où le plancher aurait dû se trouver.

L'autre porte ne me disait rien qui vaille (panneaux en mousse teintés de rouge ; une sandale d'homme dépassant d'une pile de graviers et ne laissant plus apparaître qu'un orteil), mais au moins la plupart des matériaux qui bloquaient la porte n'étaient pas très solides. Avançant d'un pas maladroit, évitant des fils au plafond qui crachaient des étincelles, j'ai mis le sac sur mon épaule, pris une profonde inspiration et plongé dans les décombres tête la première.

J'ai été tout de suite étouffé par la poussière et une forte odeur chimique. Toussant, priant pour qu'il n'y ait plus de fils sous tension qui traînent, j'ai avancé à l'aveuglette dans l'obscurité, tandis que toutes sortes de débris détachés se mettaient à crépiter et à pleuvoir dans mes yeux : gravillons, bouts de plâtre, lambeaux et morceaux de Dieu seul sait quoi.

Certains matériaux du bâtiment étaient légers, d'autres non. Plus j'avançais et plus il faisait sombre, et chaud. De temps à autre mon chemin disparaissait ou se terminait de manière inattendue, et dans mes oreilles résonnait le grondement d'une foule, sans que je puisse situer sa provenance. Je devais me faufiler pour éviter des débris ; parfois je marchais, parfois je rampais, sentant, plus que je ne les voyais, les corps dans les décombres, une pression molle et perturbante qui cédait sous mon poids mais, pire que cela, il y avait la puanteur du tissu brûlé, des cheveux et des chairs brûlés aussi, et l'odeur forte du sang frais, cuivre, aluminium et sel.

Mes mains étaient tailladées et mes genoux aussi. Je plongeais sous les obstacles et en contournais d'autres, tâtonnant au fur et à mesure, longeant en biais le côté d'une sorte de longue tour, ou une poutre, jusqu'à ce que mon passage soit bloqué par une masse solide qui me semblait être un mur. Avec difficulté – l'endroit était étroit – je me suis frayé un autre chemin de façon à pouvoir fouiller dans le sac et trouver la torche.

Celle qui était accrochée au porte-clé – au fond, sous le tableau – mais, au lieu de cela, mes doigts se sont refermés sur le téléphone. Je l'ai allumé – et l'ai lâché presque aussi vite parce qu'à sa lueur j'avais entrevu une main d'homme dépasser entre deux blocs de béton. Même dans ma terreur, je me souviens de m'être senti reconnaissant que ce ne soit qu'une main, bien que je n'aie jamais pu oublier ces doigts qui m'ont paru char-nus, sombres et gonflés ; il m'arrive encore de temps à autre de reculer brusquement, apeuré, quand soudain un clochard dans la rue tend vers moi une main semblable, gonflée et salie, avec du noir autour des ongles.

J'avais encore la torche – mais je voulais récupérer le téléphone. Il diffusait une faible lumière autour de la cavité dans laquelle je me trouvais, mais au moment où je me suis repris suffisamment pour me baisser et le saisir, l'écran est devenu noir. Une lueur d'un vert acide a flotté devant moi dans l'obscurité. Je me suis agenouillé et j'ai rampé dans cette même obscurité, attrapant à deux mains les pierres et le verre, déterminé à le saisir.

Je croyais savoir où il était, ou à peu près, et j'ai continué à le chercher probablement plus longtemps que je ne l'aurais dû ; alors que j'avais abandonné tout espoir et que j'essayais de me relever, je me suis rendu compte que j'avais rampé jusqu'à un endroit bas de plafond où il était impossible de se lever, avec une surface solide d'une petite dizaine de centimètres environ au-dessus de ma tête. Inutile de me retourner ; impossible de repar-tir en arrière ; j'ai donc décidé de ramper vers l'avant, en espérant que l'espace s'ouvrirait, et je me suis vite retrouvé à avancer péniblement centimètre par centimètre, avec une sensation d'écrasement et de désespoir et la tête tournée à angle droit.

À l'âge d'environ quatre ans, dans notre ancien appartement de la 7e Avenue, je m'étais en partie coincé à l'intérieur d'un lit pliant, ce qui peut sembler drôle mais ne l'était pas vraiment ; je crois que je me serais asphyxié si Alameda, notre femme de ménage de l'époque, n'avait pas entendu mes cris étouffés et ne m'avait sorti de là. Tenter de manœuvrer dans cet espace privé d'air était à peu près du même ordre, sauf que c'était pire : il y avait du verre, du métal brûlant, la puanteur des vêtements brûlés, et de temps à autre quelque chose de mou pesant au-dessus de moi, auquel je ne voulais pas penser. Tombés d'en haut, les débris crépitaient lourdement sur moi ; ma gorge se remplissait de poussière, je toussais fort et me suis mis à paniquer quand je me suis rendu compte que je pouvais à peine voir la texture brute des briques cassées qui m'entouraient. De la lumière – une lueur d'une pâleur inimaginable – s'est glissée doucement et subtilement par la gauche, à environ quinze centimètres du niveau du sol.

J'ai plongé la tête plus bas et me suis retrouvé face à la mosaïque sombre de la salle suivante. Une pile désordonnée de ce qui ressemblait à de l'équipement de sauvetage (cordes, haches, pinces à levier, bonbonne d'oxygène marquée FDNY, Pompiers de New York) était posée par terre au petit bonheur.

« Hou, hou ? » ai-je appelé – et sans attendre de réponse je me suis laissé tomber aussi vite que possible à travers le trou en me tortillant.

L'espace était étroit ; si j'avais été un peu plus âgé ou si j'avais été plus gros, je ne serais peut-être pas passé. À mi-chemin mon sac s'est accroché à quelque chose, et l'espace d'un moment j'ai cru que j'allais devoir m'en séparer, tableau ou pas, comme un lézard se défait de sa queue, mais quand j'ai tiré dessus une ultime fois il a fini par se libérer dans une cascade de plâtre émietté. Au-dessus de moi il y avait une sorte de poutre qui semblait retenir beaucoup de matériaux de construction lourds, et alors que je me contorsionnais et me tortillais en dessous, la peur m'a fait tourner la tête en songeant qu'elle pourrait glisser et me couper en deux ; puis j'ai vu que quelqu'un l'avait stabilisée avec un cric.

Une fois dégagé, je me suis remis debout, dégoulinant d'humidité et abasourdi de soulagement. « Hou, hou ? » ai-je de nouveau appelé, me demandant pourquoi il y avait autant d'équipement partout et pas un pompier en vue. La salle était sombre, mais pour l'essentiel elle n'avait pas été endommagée, nimbée qu'elle était de couches vaporeuses de fumées qui s'épaississaient en montant ; en regardant les éclairages et les caméras de sécurité que les chocs avaient mises de guingois, tournées vers le plafond, on voyait qu'une incroyable force avait explosé dans la pièce. J'étais si heureux d'être de nouveau dans un espace ouvert que cela m'a pris quelques instants avant de mesurer l'étrangeté de ma situation : seule personne debout dans une pièce remplie de gens. À part moi, tous les autres étaient couchés.

Il y avait au moins une douzaine de gens par terre – et ils n'étaient pas tous intacts. On aurait dit qu'ils avaient été balancés de très haut. Trois ou quatre des corps étaient en partie couverts de vestes de pompiers, d'où émergeaient leurs pieds. Les autres étaient étalés en évidence au milieu de taches d'explosifs. Une violence émanait des éclaboussures et des éclatements, l'on aurait dit de gros éternuements de sang dégageant une impression hystérique de mouvement au cœur de l'immobilité. Je me souviens en particulier d'une dame d'âge mûr dans un chemisier taché de sang orné d'un motif d'œufs Fabergé, un chemisier qu'elle aurait aussi bien pu acheter à la boutique du musée. Rehaussés d'un trait de maquillage noir, ses yeux vides fixaient le plafond ;

et son bronzage était de toute évidence artificiel car sa peau continuait d'arborer une saine couleur abricot alors que le haut de sa tête avait disparu.

Huiles sombres, dorures ternes. À tout petits pas, je suis sorti de là pour arriver au milieu de la pièce, oscillant et en légère perte d'équilibre. J'entendais ma respiration entrer et sortir avec un raclement, et il émanait de ce son une étrange futilité, une légèreté cauchemardesque. Je ne voulais pas regarder, et pourtant il le fallait. Un petit homme asiatique, pathétique avec son coupe-vent marron clair, était lové comme un fœtus dans une flaque de sang ronde. Un gardien (c'est son uniforme qui était le plus reconnaissable chez lui tant son visage était horriblement brûlé) avait le bras tordu derrière le dos et une vilaine gerbe à l'endroit où sa jambe aurait dû se trouver.

Mais le principal, le plus important : aucune des personnes allongées par terre n'était elle. Je me suis obligé à toutes les dévisager, chacune à son tour, une par une – même quand je ne pouvais pas me forcer à regarder leurs visages, je connaissais les pieds de ma mère, ses vêtements, les chaussures bicolores noir et blanc – et longtemps après que je m'en suis assuré, je me suis obligé à rester au milieu de ces visages, profondément replié sur moi-même tel un pigeon malade aux yeux fermés.

Dans la salle suivante : d'autres morts. Trois. Un gros homme en gilet jacquard sans manches ; une vieille dame avec un chancre ; une fillette tendre comme un bébé, avec juste une écorchure rouge sur la tempe. Puis plus personne. J'ai traversé plusieurs salles jonchées d'équipement (et de taches de sang par terre), mais il n'y avait aucun mort. Quand j'ai pénétré dans la dernière salle où elle avait été, celle où elle était partie, celle de *La Leçon d'anatomie* – les yeux fermés, espérant si fort – je n'ai rien découvert d'autre que les mêmes brancards et équipement et alors, tandis que je traversais la pièce dans un silence qui semblait un hurlement, les seuls yeux posés sur moi étaient ceux des mêmes Hollandais perplexes qui nous avaient dévisagés, ma mère et moi, depuis le mur : qu'est-ce que *vous* faites ici ?

Puis il y a eu un déclic. Je ne me rappelle même pas comment c'est arrivé ; j'étais en train de courir à travers des pièces vides, à l'exception d'une brume de fumée donnant l'impression d'une grandeur légère et irréelle. En venant, les salles avaient semblé agencées plutôt simplement, dans une séquence sinueuse mais logique où toutes les allées menaient à la boutique du musée. Mais en les traversant vite en sens inverse, je me suis rendu compte que le chemin n'était pas direct du tout ; je me suis retrouvé face à des murs vides, encore et encore, et j'ai bifurqué dans des pièces qui ne menaient nulle part. Les portes et les entrées n'étaient pas là où je les attendais ; des socles sur pied sortaient de nulle part, menaçants. Ayant pris un tournant un peu trop brusque, j'ai failli buter tête la première dans un groupe de gardes de Franz Hals : de grands et rudes gaillards rougeauds, larmoyants à force d'avoir bu trop de bière, on aurait dit des flics new-yorkais à une soirée déguisée. Ils me dévisageaient d'un œil froid, avec des yeux durs et amusés, tandis que je me reprenais, reculais, et me remettais à courir.

Déjà par une journée normale il pouvait m'arriver de me perdre dans le musée (j'errais alors sans but entre totems et pirogues dans les salles d'art océanique), et parfois je devais demander à un gardien de me montrer le chemin de la sortie. Réorganisées à intervalles réguliers, les salles contenant les peintures étaient particulièrement déroutantes ; tandis que je tournais dans les couloirs vides nimbés d'une lumière fantomatique, j'avais de plus en plus peur. Je croyais connaître le chemin vers le grand escalier, mais peu de temps après que je fus sorti des salles consacrées à l'exposition, rien ne m'était plus familier et après une minute ou deux passées à courir hébété, en prenant des bifurcations dont je n'étais plus très sûr, je me suis rendu compte que j'étais tout à fait perdu. J'avais traversé les chefs-d'œuvre italiens (christs crucifiés et saints stupéfiés, serpents et anges en difficulté) je ne sais trop comment, me retrouvant en Angleterre, au XVIIIe siècle, une partie du musée dans laquelle j'étais très peu allé auparavant et que je ne connaissais pas du tout. De longues et élégantes lignes de visée s'étendaient devant moi, avec des couloirs tels des labyrinthes qui donnaient une sensation de manoir hanté : lords emperruqués et beautés fraîches à la Gainsborough fixaient ma détresse d'un air dédaigneux. Les perspectives seigneuriales étaient exaspérantes, vu qu'elles ne semblaient pas mener à l'escalier ni à aucun des principaux corridors, juste vers d'autres salles seigneuriales majestueuses en tous points semblables ; j'étais au bord des larmes, quand j'ai soudain vu une porte discrète sur le côté du mur de la salle.

Il fallait s'y reprendre à deux fois pour la voir, cette porte ; elle était peinte de la même couleur que les murs, c'était le genre de porte qui, en temps normal, aurait été fermée à clé. La seule raison pour laquelle elle avait attiré mon attention, c'était qu'elle ne l'était pas – le côté gauche n'était pas dans l'alignement du mur ; soit parce qu'elle ne s'était pas refermée correctement, soit parce que la serrure n'avait pas fonctionné faute d'électricité, je ne savais pas. Toujours est-il que, lourde et en acier, elle n'était pas facile à ouvrir et que j'ai dû tirer de toutes mes forces. Dans un halètement pneumatique elle a cédé tout à coup – de manière si capricieuse que j'ai trébuché.

Après m'être faufilé, je me suis retrouvé dans le corridor sombre d'un bureau, sous un plafond beaucoup plus bas. Les éclairages de secours étaient bien plus faibles que dans la salle principale, et il a fallu un moment à mes yeux pour s'habituer.

Le couloir semblait continuer pendant des kilomètres.

Craintif, je me suis avancé à pas feutrés, jetant un coup d'œil dans les bureaux dont les portes étaient entrouvertes. *Cameron Geisler, chef de service. Miyako Fujita, adjoint du chef de service.* Les tiroirs étaient ouverts et les chaises repoussées loin des tables. Sur le seuil d'un bureau, un escarpin de femme reposait sur le côté.

L'impression d'abandon était sinistre, c'était difficile à expliquer. Tout au loin il m'a semblé entendre des sirènes de police, peut-être même des talkies-walkies et des chiens, mais mes oreilles bourdonnaient si fort à cause de l'explosion que je n'étais pas sûr de ne pas avoir des hallucinations. J'étais de plus en plus paniqué de ne pas avoir vu de pompiers, de flics, de vigiles – pas âme qui vive, en fait.

Dans la partie réservée au personnel il ne faisait pas assez sombre pour que j'utilise la torche accrochée au porte-clé, mais il n'y avait pas assez de lumière non plus pour que je puisse y voir clairement. Les murs des bureaux étaient couverts de classeurs du sol au plafond, il y avait aussi des étagères en métal avec des caisses en plastique pour le courrier, ainsi que des boîtes en carton. Parce qu'il me donnait la sensation d'être enfermé, l'étroit corridor me mettait à cran, et mes pas résonnaient avec un écho tellement fou qu'une fois ou deux je me suis arrêté et retourné pour voir si quelqu'un me suivait dans le couloir.

« Hou, hou ? » J'ai refait une tentative, jetant un coup d'œil dans certaines des pièces devant lesquelles je passais. Il y avait des bureaux modernes et dépouillés ; d'autres étaient pleins à craquer et avaient l'air sales, avec des piles de papiers et de livres mal rangées.

Florens Klauner, collection des instruments de musique, Maurice Orabi-Roussel, art islamique. Vittoria Gabetti, textiles. Je suis passé devant une pièce sombre comme une caverne, avec une longue table de travail où des bouts de tissus dépareillés étaient étalés comme les morceaux d'un puzzle. Au fond de la pièce il y avait un fouillis de portants sur roulettes, avec beaucoup de housses en plastique qui y étaient accrochées, semblables à ceux que l'on voit à côté des ascenseurs de service dans les magasins Bendel ou Bergdorf.

Au croisement j'ai regardé d'un côté puis de l'autre, ne sachant vers lequel tourner. J'ai senti l'odeur de la cire pour parquet, de la térébenthine et des produits chimiques, ainsi qu'une forte odeur de fumée. Bureaux et ateliers se déployaient à l'infini dans toutes les directions, réseau géométrique contenu, figé et monotone.

À ma gauche, de la lumière tremblotait au plafond. Elle a bourdonné puis s'est allumée avec une décharge d'électricité statique, et dans la lueur vacillante j'ai vu une fontaine à eau plus loin dans le corridor.

J'ai couru dans sa direction, si vite que mes pieds ont failli se dérober sous moi ; la bouche pressée contre le robinet, j'ai avalé tellement d'eau glacée d'un trait, et avec une telle rapidité, qu'une pointe de douleur a palpité dans ma tempe. Pris d'un hoquet, j'ai rincé le sang sur mes mains, éclaboussé d'eau mes yeux irrités et coincé ma tête sous le jet. De minuscules échardes de verre, presque invisibles, ont tinté sur le plateau de la fontaine, étincelant sur le métal comme des aiguilles de glace.

Je me suis appuyé au mur. Les néons au-dessus, qui vibraient et crachotaient par intermittence, m'ont donné la nausée. Je me suis relevé, ce qui m'a coûté un effort ; j'ai continué de marcher, vacillant un peu sous le tremblotement instable. Le décor était décidément plus industriel dans cette direction : palettes en bois, chariots porteurs à plateforme, objets emballés que l'on bouge et entrepose. Je suis arrivé à une autre intersection, où un passage glissant et sombre disparaissait dans l'obscurité, et j'allais le dépasser et poursuivre ma course lorsque j'ai vu une lueur rouge au bout où il était marqué SORTIE.

Je me suis emmêlé les pieds puis me suis relevé, toujours avec le hoquet, et j'ai couru le long du couloir qui n'en finissait pas. Tout au bout il y avait une porte équipée d'une barre en métal, comme les portes de sécurité au collège.

Elle s'est ouverte d'une poussée avec un glapissement. J'ai couru le long d'une sombre volée d'escaliers, douze marches, un tournant sur le palier, puis douze autres vers le fond, le bout de mes doigts effleurant la rampe en métal ; l'écho du claquement de mes chaussures était si affolant que l'on aurait cru qu'une demi-douzaine de personnes couraient avec moi. Au pied des marches il y avait un couloir d'un gris souris administratif, avec une autre porte barrée. Je me suis jeté contre elle, l'ai poussée des deux mains pour l'ouvrir – et c'est alors que la pluie froide et la plainte assourdissante des sirènes m'ont giflé le visage.

Il se peut que j'aie hurlé de toutes mes forces, tant j'étais heureux d'être dehors, sauf qu'avec tout ce vacarme personne n'aurait pu m'entendre : autant essayer de crier pour couvrir des moteurs d'avions sur la piste à l'aéroport de La Guardia pendant une tempête. J'avais l'impression que chaque camion de pompiers, chaque voiture de police, chaque ambulance et chaque véhicule d'urgence des cinq districts de New York plus celui de Jersey était réquisitionné, mugissant et braillant sur la 5ᵉ Avenue, dans un raffut festif et délirant : on aurait dit les feux d'artifice de la nouvelle année, de Noël et du 4 Juillet réunis en un seul.

La sortie m'avait recraché dans Central Park, par une porte latérale inutilisée entre les entrepôts et le parking. Dans un lointain gris-vert, les sentiers étaient vides ; le sommet des arbres déployait la face blanche de leurs feuilles, remuant et moutonnant sous l'effet du vent. Au-delà, dans la rue que balayait la pluie, la 5ᵉ Avenue était fermée. Au travers de l'averse, depuis l'endroit où je me tenais, je parvenais juste à voir l'énorme bombardement lumineux de l'action : grues et équipement lourd, flics repoussant les foules, lumières rouges, jaunes et bleues ; des flamboiements qui battaient la mesure, tourbillonnaient et étincelaient dans une confusion vif-argent.

De mon coude levé je me suis protégé le visage de la pluie, puis j'ai traversé le parc vide en courant. La pluie se fichait dans mes yeux et coulait le long de mon front, mélangeant les lumières sur l'avenue en une masse indistincte qui vibrait au loin.

Police de New York, pompiers de New York, camionnettes de la ville garées avec les essuie-glaces en action : brigade canine, bataillon des opérations de secours, brigade de déminage. Des cirés noirs voletaient et ondulaient sous l'effet du vent. Une bobine de ruban jaune était déroulé autour de la sortie du parc, au niveau de Miner's Gate, pour empêcher l'accès aux lieux. Je l'ai soulevé sans hésitation, ai plongé dessous puis couru pour me mêler à la foule.

Dans tout ce fatras, personne ne m'a remarqué. Pendant un instant ou deux, j'ai remonté et descendu la rue en vain tandis que la pluie me criblait le visage. Partout où je regardais se précipitaient des images de ma propre panique. Des gens couraient et déferlaient aveuglément autour de moi : flics, pompiers, des gars avec des casques, un vieil homme protégeant son coude cassé, ainsi qu'une femme dont le nez saignait et qu'un policier distrait chassait vers la 79e Rue.

Je n'avais jamais vu autant de camions de pompiers au même endroit : Squad 18, Fighting 44, New York Ladder 7, Rescue One, 4 Truck : Pride of Midtown. Me frayant un chemin à travers l'océan de véhicules garés et de cirés officiels noirs, j'ai remarqué une ambulance du Hatzolah : lettres hébraïques à l'arrière, avec une petite chambre d'hôpital éclairée visible à travers les portières ouvertes. Des médecins étaient penchés sur une femme, tentant de la forcer à rester allongée alors qu'elle se débattait pour s'asseoir. Une main ridée aux ongles rouges s'agrippait au vide.

J'ai frappé du poing sur la portière. « Vous devez retourner à l'intérieur, ai-je hurlé, il y a encore des gens dedans…

— Il y a une autre bombe, on a dû évacuer », a crié le médecin sans me regarder.

Avant que j'aie le temps d'enregistrer l'information, un flic immense s'est abattu sur moi comme un coup de tonnerre, un type obtus à la tête de bouledogue et aux bras gonflés comme ceux des bodybuilders. Il m'a attrapé avec brutalité par le haut du bras et s'est mis à me bousculer et me pousser de l'autre côté de la rue.

« Qu'est-ce que tu fous ici, bordel ? a-t-il beuglé, noyant mes protestations alors que j'essayais de me dégager d'un mouvement brusque.

— Monsieur… » Une femme au visage ensanglanté tentait d'attirer son attention. « Monsieur, je crois que ma main est cassée…

— Éloignez-vous du bâtiment ! a-t-il braillé en rejetant son bras, puis vers moi : Dégage !

— Mais… »

Des deux mains, il m'a poussé avec une telle dureté que j'ai vacillé et failli tomber. « ÉLOIGNEZ-VOUS DU BÂTIMENT ! a-t-il crié en lançant les bras en l'air avec un claquement de son ciré. MAINTENANT ! » Il ne me regardait même pas ; ses petits yeux bourrus étaient rivés sur quelque chose qui se passait au-dessus de ma tête, en haut de la rue, et l'expression sur son visage m'a terrifié.

J'ai esquivé en vitesse la foule des équipes de secours pour me rendre sur le trottoir opposé, juste au-dessus de la 79e Rue – un œil guettant ma mère que pourtant je ne voyais pas. Il y avait des ambulances et des véhicules médicaux dans tous les sens, provenant de divers hôpitaux : Beth Israel Emergency, Lenox Hill, NY Presbyterian, Cabrini EMS Paramedic. Un homme d'affaires ensanglanté était allongé sur le dos derrière une haie décorative d'ifs, dans la minuscule cour fermée d'un hôtel particulier de la 5e Avenue. Un ruban jaune délimitait la zone, claquant et sautant sous l'effet du vent, mais les flics trempés de pluie, ainsi que les pompiers et les gars en casque, le soulevaient et faisaient des allers-retours en passant dessous comme s'il n'existait même pas.

Tous les yeux étaient tournés plus haut, et c'est plus tard que j'ai appris pourquoi ; sur la 84e Rue (trop loin pour que je puisse voir) les flics du déminage étaient occupés à « désamorcer » une bombe qui n'avait pas explosé en lui tirant dessus avec un canon à eau. Déterminé à parler à quelqu'un, tentant de savoir ce qui s'était passé, j'ai essayé de me frayer un chemin jusqu'à un camion de pompiers, mais les flics avançaient au pas de charge à travers la foule, agitant les bras, frappant des mains, repoussant les gens.

J'ai réussi à attraper un pompier par sa veste – c'était un jeune à l'air sympathique qui mâchait du chewing-gum. « Il y a encore quelqu'un dedans ! ai-je hurlé.

— Oui, oui, on sait, a crié le pompier sans me regarder. Ils nous ont ordonné de sortir. Ils nous ont dit que dans cinq minutes ils nous laissaient de nouveau entrer. »

Soudain un bras m'a poussé dans le dos. « Bougez, bougez ! » ai-je entendu quelqu'un beugler.

Une voix rude, à l'accent fort : « Enlevez vos mains ! » « MAINTENANT ! Tout le monde bouge ! »

Quelqu'un d'autre m'a bousculé. Des pompiers se penchaient à l'extérieur des véhicules transportant la grande échelle et levaient les yeux vers le temple de Dendour[1] ; il y avait des flics debout, tendus, épaule contre épaule et impassibles sous la pluie. Trébuchant en passant devant eux, propulsé par le flot, j'ai dépassé des yeux vitreux,

---

1. Temple nubien situé au dernier étage du Metropolitan Museum of New York.

des hochements de tête et des pieds qui marquaient inconsciemment le compte à rebours.

Au moment où j'ai entendu la déflagration de la bombe désamorcée et les hourras rauques dignes d'un stade de foot qui s'élevaient de la 5e Avenue, j'avais déjà été déporté le long d'une bonne partie de Madison. Les flics – ceux qui réglaient la circulation – repoussaient le flot de gens hébétés dans des moulinets de bras. « Allons, allons, circulez, circulez. » Ils ont fendu la foule en frappant dans leurs mains. « Tout le monde vers l'est. Tout le monde vers l'est. » Un flic – un grand type avec un bouc et une boucle d'oreille, on aurait dit un lutteur professionnel – a tendu la main et repoussé un livreur en sweat à capuche qui essayait de prendre une photo avec son téléphone portable ; du coup ce dernier m'est rentré dedans en trébuchant et a failli me renverser.

« Attention ! » a crié le livreur d'une vilaine voix aiguë ; et le flic l'a de nouveau bousculé, cette fois-ci avec une telle dureté qu'il est tombé à la renverse dans le caniveau.

« T'es sourd, mec, ou quoi ? a hurlé le policier. Circule !

— Me touchez pas !

— Tu veux que je t'ouvre la tête en deux ? »

Entre la 5e Avenue et Madison, on aurait cru un asile de fous. Bruissement des pales d'hélicoptère ; avertissements inaudibles dans un mégaphone. Bien que la 79e Rue soit fermée à la circulation, elle débordait de voitures de police, de camions de pompiers, de barrières en ciment, et d'une multitude de gens dégoulinant de pluie, paniquant et hurlant. Certains s'éloignaient de la 5e Avenue en courant ; certains essayaient d'avancer à la force des muscles et pressaient pour se frayer un chemin vers le musée ; de nombreuses personnes tenaient des téléphones portables en l'air et tentaient de prendre des photos ; d'autres étaient plantées, immobiles, la mâchoire pendante tandis que les foules déferlaient autour d'elles, fixant la fumée noire dans les cieux pluvieux au-dessus de la 5ᵉ Avenue comme si les Martiens débarquaient.

Des sirènes ; de la fumée blanche sortant en tourbillons des bouches d'aération du métro ; un SDF enveloppé dans une couverture sale faisant les cent pas, fébrile et perturbé. Plein d'espoir, j'ai regardé autour de moi dans la foule en quête de ma mère, m'attendant vraiment à la voir. Pendant un court moment j'ai tenté de nager à contre-courant du mouvement des flics (debout sur la pointe des pieds, tendant le cou pour voir) jusqu'à ce que je me rende compte que forcer dans ce sens-là et essayer de la trouver sous cette pluie torrentielle, dans cette foule était sans espoir. *Bon, je la verrai à la maison*, me suis-je dit. C'était là qu'on était supposés se retrouver ; c'était ce qui était convenu en cas d'urgence ; elle aussi avait dû se rendre compte qu'il était inutile d'essayer de me chercher au beau milieu de toute cette cohue. J'éprouvais néanmoins une légère pointe irrationnelle de déception – et tout en marchant vers la maison (avec la vision trouble et un mal de tête à vous faire exploser le crâne), je continuai de la chercher, espérant la voir, scrutant les visages anonymes et soucieux autour de moi. Elle était sortie, c'était ça l'important. La salle où elle se trouvait était bien loin de la pire partie de l'explosion. Aucun de ces corps n'était le sien. Pourtant peu importait ce qui était convenu, peu importait la logique, quelque chose m'empêchait de croire qu'elle ait pu s'éloigner du musée sans moi.

2

La leçon d'anatomie

Quand j'étais petit, âgé de quatre ou cinq ans, ma plus grande peur était qu'un jour ma mère ne rentre pas du travail. L'apprentissage des additions et soustractions m'aidait surtout à pister ses mouvements (combien de minutes jusqu'à ce qu'elle quitte le bureau ? Combien de minutes de marche entre le métro et la maison ?), et avant même de savoir parfaitement compter, j'étais obsédé par l'idée d'apprendre à déchiffrer le cadran d'une horloge : j'étudiais désespérément le cercle occulte crayonné sur l'assiette en carton et qui, une fois maîtrisé, dévoilerait le schéma de ses allées et venues. D'ordinaire elle était à la maison au moment précis où elle avait annoncé qu'elle y serait, donc si elle avait dix minutes de retard je commençais à m'agiter ; si c'était plus tard encore, je m'asseyais par terre à côté de la porte d'entrée de l'appartement, comme un chiot que l'on aurait laissé seul trop longtemps, et je tendais l'oreille pour guetter le grondement de l'ascenseur arrivant à notre étage.

Pratiquement chaque jour pendant mes années de primaire, la chaîne d'infos Channel 7 a diffusé des nouvelles inquiétantes dans mes oreilles. Et si un clodo en treillis sale poussait ma mère sur la voie pendant qu'elle attendait le métro de la ligne 6 ? Ou bien la coinçait de force dans l'embrasure sombre d'une porte et la poignardait pour lui prendre son sac à main ? Et si elle laissait tomber son séchoir à cheveux dans la baignoire, ou se faisait renverser par une bicyclette et écraser par une voiture, ou si on lui donnait le mauvais médicament chez le dentiste et qu'elle en mourait (cela était arrivé à la mère d'un de mes camarades) ?

L'idée d'un malheur arrivant à ma mère était d'autant plus effrayante que la fiabilité de mon père avoisinait zéro. D'ailleurs *fiabilité zéro* me semble la façon la plus diplomatique de le formuler. Même de bonne humeur il était capable de perdre le chèque de sa paie et de s'endormir avec la porte d'entrée de l'appartement ouverte, parce qu'il buvait. Et quand il était de mauvaise humeur – autant dire la plupart du temps – il avait les yeux rouges et l'air poisseux, son costume était si froissé qu'il semblait s'être roulé par terre avec, et il émanait de lui un calme artificiel, comme un truc sous pression sur le point d'exploser.

Même si je ne comprenais pas pourquoi il était aussi malheureux, il était clair pour moi que c'était notre faute. Ma mère et moi lui tapions sur les nerfs. C'était à cause de nous qu'il devait faire un travail qui lui était insupportable. Tout ce que nous faisions l'irritait. Être près de moi le rebutait, de toute façon il ne l'était pas souvent : le matin pendant que je me préparais pour le collège, lui s'asseyait devant son café, les yeux bouffis et silencieux, et se plongeait dans le *Wall Street Journal*, le peignoir ouvert et les cheveux dressés en épis ; parfois il tremblait tant que la tasse qu'il tentait de boire débordait. Quand j'entrais, il me regardait d'un œil méfiant, les narines dilatées si je faisais trop de bruit avec les couverts ou le bol de céréales.

En dehors de cet embarras quotidien, je ne le voyais pas beaucoup. Il ne dînait pas avec nous et n'assistait pas aux réunions de l'école ; quand il était à la maison, il ne jouait pas avec moi et ne me parlait pas beaucoup non plus. En fait, il y était rarement avant que je sois couché, et certains jours – ceux où il recevait sa paie, un vendredi sur deux – il revenait avec fracas vers trois ou quatre heures du matin, donnait des coups dans la porte, laissait tomber son porte-documents, se heurtait et cognait partout de manière si imprévisible que parfois, terrifié, je me réveillais en sursaut et fixais les étoiles du planétarium au plafond qui brillaient dans l'obscurité, me demandant si un meurtrier était entré par effraction dans l'appartement. Heureusement, quand il était soûl ses pas ralentissaient pour devenir brusques, un rythme qui n'appartenait qu'à lui – je les appelais des pas de Frankenstein, c'étaient des pas décidés et pesants, avec de longues pauses absurdes entre chacun – et dès que je me rendais compte que ce n'était que lui entrant d'un pas lourd dans l'obscurité, et non un tueur en série ou un psychopathe, je replongeais alors dans un sommeil agité. Le lendemain, samedi, ma mère et moi nous débrouillions pour avoir quitté l'appartement avant qu'il émerge de sa torpeur, entortillé sur le canapé. Sinon, nous passions la journée entière à marcher à pas de loup, à craindre de fermer la porte trop fort ou de le déranger d'une quelconque manière, pendant que lui était assis devant la télévision, le visage impassible et le regard vitreux, à regarder les infos ou le sport le son coupé, une bière du traiteur chinois à la main.

Du coup, ni ma mère ni moi n'avons été perturbés outre mesure quand nous nous sommes réveillés un samedi matin pour découvrir qu'il n'était pas rentré du tout. Nous avons attendu le dimanche avant de nous faire du souci, et même alors nous ne nous sommes pas inquiétés comme on le ferait d'ordinaire ; c'était le début de la saison du football américain (à coup sûr, il avait parié de l'argent sur certains des matchs), alors on s'est dit qu'il avait dû prendre le bus pour Atlantic

City sans nous en informer. Ce n'est que le lendemain, quand Loretta, sa secrétaire, a appelé parce qu'il n'était pas venu au bureau, qu'il nous a semblé que quelque chose ne tournait pas rond du tout. Craignant qu'il n'ait été agressé ou tué en sortant ivre d'un bar, ma mère a téléphoné à la police ; et nous avons passé plusieurs journées tendues à attendre que l'on nous appelle ou que l'on vienne frapper à la porte. Puis, vers la fin de la semaine, nous avons reçu un courrier sommaire (arborant un tampon de Newark, dans le New Jersey) nous informant dans un mot griffonné à la hâte d'une écriture nerveuse que mon père partait « vivre une nouvelle vie » dans un lieu connu de lui seul. Je me souviens d'avoir médité sur l'expression « nouvelle vie », comme si cela pouvait bel et bien nous donner un indice sur le lieu où il était parti ; parce que, après que j'eus importuné, supplié et harcelé ma mère pendant environ une semaine, elle avait fini par consentir à me laisser regarder la lettre moi-même. (« Eh bien, d'accord, avait-elle lancé sur un ton résigné tandis qu'elle ouvrait le tiroir de son bureau et l'en extirpait, je ne sais pas ce qu'il croit que je vais te raconter, alors autant que tu lises directement ce qu'il a écrit. ») Le papier à lettres était celui d'un motel près de l'aéroport. J'avais cru que cela contiendrait des indices précieux sur l'endroit où il se trouvait, mais à la place j'ai été frappé par son extrême brièveté (quatre ou cinq lignes) et son écriture gribouillée, expédiée, négligente, du style allez-vous faire voir, comme s'il avait bâclé ça avant de filer à l'épicerie.

En fait c'était un soulagement que mon père ne soit plus dans les parages, et ce à plus d'un titre. Il ne me manquait pas trop, c'était le moins qu'on puisse dire, et il ne semblait pas manquer à ma mère non plus, même si elle avait été triste de devoir se séparer de notre femme de ménage, Cinzia, parce que nous ne pouvions plus nous offrir ses services (Cinzia avait pleuré, et offert de rester travailler gratuitement ; mais ma mère lui avait trouvé un mi-temps dans l'immeuble, auprès d'un couple avec un bébé ; une fois par semaine environ elle venait prendre un café chez nous, vêtue de la blouse qu'elle mettait quand elle nettoyait). Ma mère a discrètement enlevé du mur la photo représentant mon père plus jeune et bronzé au sommet d'une piste de ski, pour la remplacer par une photo d'elle et moi à la patinoire de Central Park. Le soir, elle veillait tard avec une calculatrice et vérifiait les factures. Bien que le loyer de l'appartement soit bloqué, s'en sortir sans le salaire de mon père était chaque mois une nouvelle aventure puisque, quelle que soit la nouvelle vie qu'il s'était construite ailleurs, cela ne semblait pas comporter l'envoi d'une pension alimentaire. En fin de compte, nous nous accommodions de descendre faire notre lessive à la cave, d'assister à des films en matinée plutôt que de payer le plein tarif, de manger des pâtisseries de la veille et des repas chinois bon marché à emporter (nouilles et œufs foo yung), ainsi que de compter notre petite monnaie pour prendre le bus. Mais, alors que je rentrais en boitant du musée à la maison ce jour-là – gelé, mouillé, avec un mal de tête à grimper aux murs –, j'ai eu la révélation que maintenant que mon père était parti, personne ne se tracasserait le moins du monde pour ma mère ou moi ; personne ne nous attendrait en se demandant où nous avions été toute la matinée, ni pourquoi on n'avait pas eu de nos nouvelles. Où qu'il soit installé dans sa Nouvelle Vie (sous les tropiques ou dans la Grande Prairie, dans une minuscule station de ski ou dans une Grande Ville Américaine), nul doute qu'il serait collé à son poste ; et il était facile de l'imaginer en train de s'affoler et s'énerver, comme parfois face aux nouvelles tragiques qui ne le concernaient en rien, ouragans et autres effondrements de ponts dans de lointains États. Mais serait-il assez inquiet pour appeler et vérifier que nous allions bien ? C'était peu probable

– pas plus qu'il n'appellerait son ancien bureau, bien qu'il songe sûrement à ses ex-collègues et se demande si tous les petits comptables et gratte-papier (ainsi qu'il les nommait) du n° 101 de Park Avenue étaient sains et saufs. Est-ce que, apeurées, les secrétaires avaient ramassé les photos sur leurs bureaux, enfilé leurs tennis et étaient rentrées chez elles ? Ou est-ce que cela s'était mué en une sorte de fête sans joie au quatorzième étage, les gens agglutinés autour de la télévision et de sandwichs dans la salle de conférence ?

Bien que le retour m'ait pris des heures, je n'en garde pas de grands souvenirs si ce n'est que Madison Avenue baignait dans une certaine humeur grise, froide et noyée sous la pluie – avec les parapluies qui sautillaient, les foules sur le trottoir qui s'écoulaient en silence vers le centre de Manhattan, un sentiment d'anonymat collectif comme sur les vieilles photos noir et blanc que j'avais vues représentant des krachs boursiers et des files d'attente devant les boulangeries dans les années 1930. Mon mal de tête comme la pluie réduisait le monde à un cercle maladif étriqué, ainsi qu'aux dos voûtés des gens devant moi sur le trottoir. En fait, ma tête me faisait tellement mal que je pouvais à peine voir où j'allais ; j'ai d'ailleurs failli être renversé à plusieurs reprises par des voitures en traversant le passage clouté sans faire attention au feu. Personne ne semblait savoir avec précision ce qui s'était passé, même si j'ai entendu « Corée du Nord » beuglé dans la radio d'un taxi garé là, ou « Iran » et « Al-Qaïda » marmonnés par quelques passants. Un Black maigre avec des dreads, trempé jusqu'aux os, faisait les cent pas devant le Whitney Museum, lançant des coups de poing en l'air et criant à l'adresse de personne en particulier : « Accroche-toi, Manhattan ! Oussama ben Laden fait de nouveau des *siennes* ! »

Je me sentais étourdi et j'avais envie de m'asseoir, mais j'avais tout de même réussi à clopiner tout du long de mon pas bizarre qui me faisait ressembler à un jouet à moitié cassé. Les flics faisaient de grands gestes ; ils sifflaient et lançaient des signes. De l'eau gouttait au bout de mon nez. Clignant des yeux pour chasser la pluie, une pensée ne cessait de vagabonder dans mon esprit : je devais rejoindre ma mère à la maison aussi vite que possible. Elle m'attendrait à l'appartement, dans tous ses états ; elle s'arracherait les cheveux d'inquiétude et se maudirait de m'avoir confisqué mon téléphone. Tout le monde avait des problèmes pour passer des appels, et il y avait des queues de dix à vingt personnes devant les quelques cabines téléphoniques de la rue. *Maman*, me suis-je dit, *maman*, et j'essayais de lui envoyer un message télépathique pour l'informer que j'étais en vie. Je voulais qu'elle sache que j'allais bien, mais en même temps je me souviens de m'être dit que j'avais le droit de marcher au lieu de courir ; je n'avais pas envie de m'évanouir en route vers la maison. Quelle chance qu'elle ait réussi à sortir juste quelques moments avant ! Elle m'avait envoyé directement au cœur de l'explosion ; elle devait penser que j'étais mort.

Songer à la fille qui m'avait sauvé la vie me picotait les yeux. Pippa ! Curieux et dur prénom pour une petite rouquine espiègle : ça lui allait bien. Chaque fois que je pensais à ses yeux posés sur moi, j'étais pris de vertige à l'idée qu'elle – une parfaite inconnue – m'avait sauvé en m'empêchant de sortir de l'exposition et de pénétrer dans l'éclat noir de la boutique aux cartes postales, *nada*, la fin de tout. Aurais-je jamais l'occasion de lui révéler qu'elle m'avait sauvé la vie ? Quant au vieil homme : les pompiers et les sauveteurs avaient foncé vers le bâtiment juste quelques minutes après que j'en fus sorti, et j'avais donc espoir que quelqu'un soit retourné le sauver – la porte était forcée, ils savaient qu'il était là. S'en sortirait-il ? Les reverrais-je jamais tous les deux ?

Quand j'ai fini par arriver à la maison, j'étais frigorifié jusqu'à la moelle, groggy, et je trébuchais. L'eau dégoulinait de mes vêtements trempés et laissait derrière moi une traînée inégale sur le sol du hall d'entrée.

Après toute cette foule dans la rue, la sensation d'abandon était tout à coup perturbante. La télévision portable avait beau être allumée dans la salle des colis, et j'avais beau entendre des talkies-walkies crachoter quelque part dans l'immeuble, il n'y avait aucun signe de Goldie, Carlos ou Jose, ni d'aucun des autres gars qui étaient là d'habitude.

Plus loin au fond, la cabine éclairée de l'ascenseur était à l'arrêt, vide, on aurait dit une cabine de théâtre dans un numéro de prestidigitation. Les vitesses se sont enclenchées en vibrant ; l'un après l'autre, les vieux chiffres art déco en nacre ont clignoté en défilant tandis que je montais en grinçant jusqu'au septième étage. Posant le pied sur mon triste palier, j'ai été envahi par le soulagement – la peinture brun terne, l'odeur mal aérée du nettoyant pour moquette, etc., tout était bel et bien là.

La clé a tourné bruyamment dans la serrure. « Y a quelqu'un ? » ai-je lancé en m'avançant dans l'obscurité de l'appartement : les stores étaient baissés, tout était tranquille.

Dans le silence, le frigo bourdonnait. *Mon Dieu, elle n'est pas encore rentrée ?* me suis-je interrogé.

« Maman ? » ai-je de nouveau appelé. Le cœur serré, j'ai vite traversé le vestibule puis, désorienté, je me suis planté au milieu du salon.

Ses clés n'étaient pas accrochées à leur place près de la porte et son sac n'était pas sur la table. Dans mes tennis mouillées dont le bruit de succion troublait le silence, j'ai traversé la cuisine, si tant est que l'on puisse appeler cela une cuisine – il s'agissait juste d'un renfoncement avec une gazinière à deux feux face à un conduit d'aération. Sa tasse à café en verre vert qui venait des puces était posée dessus, avec une empreinte de rouge à lèvres sur le bord.

Je suis resté là à fixer la cafetière sale au fond de laquelle il restait un centimètre de café froid et me suis interrogé sur la marche à suivre. Mes oreilles bourdonnaient et bruissaient à la fois, et ma tête était si douloureuse que je pouvais à peine penser : des vagues noires ondoyaient en périphérie de ma vision. J'avais été tellement obnubilé par son inquiétude à elle, ou par le fait de devoir rentrer à la maison pour qu'elle sache que j'étais sain et sauf que cela ne m'avait jamais traversé l'esprit qu'elle pourrait ne pas y être.

Grimaçant à chaque pas que j'effectuais, j'ai parcouru le couloir jusqu'à la chambre de mes parents qui, pour l'essentiel, n'avait pas changé depuis le départ de mon père, si ce n'est qu'elle était plus encombrée et féminine maintenant qu'elle lui appartenait à elle seule. Sur la table près du lit défait et froissé, le répondeur ne clignotait pas : aucun message.

Debout sur le pas de la porte, à moitié chancelant à cause de la douleur, j'ai essayé de me concentrer. Les événements de la journée avaient occasionné une sensation discordante qui tressautait à présent à travers mon corps, comme si j'avais voyagé en voiture pendant trop longtemps. Mais tout d'abord : il me fallait trouver mon téléphone et vérifier mes messages. Sauf que je ne savais pas où il était. Elle me l'avait confisqué après mon renvoi temporaire ; la veille au soir, pendant qu'elle était sous la douche, j'avais bien essayé de le localiser en composant mon numéro, mais de toute évidence elle l'avait éteint.

Je me rappelle avoir plongé les mains dans le tiroir du haut de son bureau et y avoir malaxé un nombre ahurissant d'écharpes : soie, velours et broderies indiennes.

Puis, avec un immense effort (même si ce n'était pas très lourd), j'avais tiré la banquette au pied de son lit et grimpé dessus pour pouvoir inspecter l'étagère supérieure de son armoire. Après quoi je m'étais assis sur la moquette dans une semi-stupeur, la joue posée contre la banquette, avec un vilain grondement sourd dans les oreilles.

Quelque chose ne collait pas. Je me souviens d'avoir levé la tête avec la conviction soudaine que du gaz s'échappait de la gazinière et que j'étais en train de m'empoisonner. Sauf que je ne sentais rien.

Il se peut que je sois allé dans la petite salle de bains contiguë à sa chambre pour chercher de l'aspirine dans l'armoire à pharmacie, quelque chose pour ma tête, je ne sais plus. Tout ce que je sais avec certitude, c'est qu'à un moment donné je me suis retrouvé dans ma chambre, me tenant d'une main au mur près du lit et me sentant sur le point de vomir, mais qu'il m'était impossible de savoir comment j'y étais arrivé. Puis tout est devenu si confus que je suis bien incapable d'en donner un compte rendu clair, jusqu'à ce que je me redresse, désorienté, sur le canapé du salon, à cause d'un bruit qui ressemblait à une porte que l'on ouvre.

Sauf que ce n'était pas la porte d'entrée, juste un voisin sur le palier. La pièce était sombre et j'entendais dans la rue la circulation de l'après-midi, celle de l'heure de pointe. Dans l'obscurité, le cœur en suspens une seconde ou deux, je suis resté immobile pendant que les bruits se différenciaient les uns des autres et que les contours familiers de la lampe de chevet et du dossier des chaises en forme de lyre se détachaient sur la fenêtre nimbée par le crépuscule. « Maman ? » ai-je lancé, et le crissement de ma voix trahissait clairement ma panique.

Je m'étais endormi avec mes vêtements mouillés et pleins de sable ; le canapé était humide aussi, avec une dépression moite qui épousait la forme de mon corps là où je m'étais allongé. Une brise fraîche a fait cliqueter les stores vénitiens, à cause de la fenêtre que ma mère avait laissée entrouverte ce matin-là.

Le réveil indiquait 18 : 47. Contracté et parcouru d'une peur grandissante, j'ai fait le tour de l'appartement en allumant toutes les lampes, y compris le plafonnier du salon que nous n'utilisions pas d'ordinaire parce que sa lumière était austère et aveuglante.

Debout sur le seuil de la porte menant à la chambre de ma mère, j'ai vu une lumière rouge clignoter dans l'obscurité. Une délicieuse vague de soulagement m'a alors envahi : je me suis précipité de l'autre côté du lit, j'ai cherché la touche du répondeur, puis il m'a fallu plusieurs secondes avant de me rendre compte que la voix n'était pas du tout celle de ma mère, mais qu'il s'agissait d'une de ses collègues et qu'elle avait l'air enjouée sans que l'on sache pourquoi. « Salut, Audrey, c'est Pru, je viens aux nouvelles. Quelle journée de folie, hein ? Écoute, les épreuves corrigées sont arrivées pour Mr. Pareja et il faut en discuter, mais la date butoir a été repoussée donc pas de souci, pour l'instant en tout cas. J'espère que tu tiens bon, je t'embrasse, passe-moi un coup de fil quand tu as deux minutes. »

Je suis resté planté là un bon moment, le regard toujours fixé sur la machine après le bip signalant la fin du message. Puis j'ai soulevé le bord des stores et jeté un œil à la circulation.

C'était l'heure où les gens rentraient chez eux. Plus loin dans la rue on entendait le faible son des klaxons. J'avais toujours un mal de tête terrible et la sensation (qui m'était nouvelle alors, mais qui maintenant ne l'est malheureusement plus) de me réveiller avec une méchante gueule de bois, ainsi que d'avoir oublié et laissé en plan des choses importantes.

Je suis retourné dans sa chambre et, les mains tremblantes, j'ai composé le numéro de son portable, si vite que je me suis trompé et que j'ai dû recommencer. Mais elle n'a pas répondu, je suis tombé sur sa boîte vocale. J'ai laissé un message (*Maman, c'est moi, je suis inquiet, t'es où ?*), puis je me suis assis au bord de son lit, la tête entre les mains.

Des odeurs de cuisine commençaient à monter des étages inférieurs. Des voix confuses flottaient vers moi depuis l'appartement voisin, ainsi que des bruits lourds et sourds, abstraits, de quelqu'un ouvrant et refermant des placards. Il était tard : les gens rentraient du travail, laissaient tomber leur sac près de la porte, saluaient leurs chats, leurs chiens, leurs enfants, allumaient les infos, se préparaient à sortir manger. Où était-elle ? J'ai essayé de penser à toutes les raisons pour lesquelles elle aurait pu être retenue et n'ai pu en trouver aucune ; sait-on jamais, peut-être qu'une rue avait été fermée quelque part et que cela l'empêchait de rentrer. Mais est-ce qu'elle n'aurait pas appelé, alors ?

Peut-être que son téléphone était tombé ? me suis-je dit. Peut-être qu'il était cassé ? Peut-être qu'elle l'avait donné à quelqu'un qui en avait plus besoin qu'elle ?

L'immobilité de l'appartement me perturbait. L'eau chantait dans les tuyaux et la brise cliquetait sournoisement à travers les stores. Parce que j'étais assis sur le bord de son lit à ne rien faire, et que je sentais que j'avais besoin de m'occuper, j'ai rappelé et laissé encore un message, incapable cette fois-ci de parler sans chevroter. *Maman, j'ai oublié de te dire que j'étais à la maison. S'il te plaît, appelle dès que tu peux, d'accord ?* Puis j'ai laissé un message sur sa boîte vocale au bureau au cas où.

Sentant une froideur mortelle se répandre au milieu de ma poitrine, je suis reparti vers le salon. Après être resté planté là quelques instants, je me suis dirigé vers le tableau d'affichage dans la cuisine pour voir si elle ne m'y aurait pas laissé un mot, tout en sachant déjà pertinemment que ce n'était pas le cas. De retour au salon, j'ai jeté un coup d'œil par la fenêtre à la rue animée. Elle avait peut-être couru au drugstore ou à l'épicerie fine et n'avait pas voulu me réveiller ? Une partie de moi voulait sortir dans la rue et la chercher, mais c'était fou d'espérer pouvoir la repérer parmi la foule de l'heure de pointe, et puis si je quittais l'appartement j'avais peur de louper son appel.

Les portiers avaient déjà dû changer d'équipes. Quand j'ai appelé en bas, j'espérais tomber sur Carlos (le plus ancien et le plus digne des portiers), ou même mieux, sur Jose : c'était un grand Dominicain joyeux, mon préféré. Mais pendant une éternité, absolument personne n'a répondu, jusqu'à ce qu'une faible voix hésitante à l'accent étranger finisse par lancer :

« Allô ?

— Est-ce que Jose est là ?

— Non. Non. Wappelez. »

Je me suis rendu compte que j'étais tombé sur l'Asiatique à l'air apeuré, aux lunettes protectrices et aux gants en caoutchouc qui passait la cireuse, s'occupait des poubelles et faisait toutes sortes de petits boulots dans l'immeuble. Les portiers (qui ne semblaient pas connaître son prénom plus que moi) l'appelaient « le nouveau mec » et rouspétaient que la direction ait installé un gardien ne parlant ni anglais ni espagnol. Ils l'accusaient de tout ce qui clochait dans l'immeuble : le nouveau mec ne déblayait pas correctement les trottoirs, le nouveau mec ne mettait pas le courrier là où il fallait et il ne nettoyait pas la cour comme il l'aurait dû.

« Wappelez plus tard, a répondu le nouveau mec, plein d'espoir.

— Non, attendez ! ai-je repris alors qu'il s'apprêtait à raccrocher. J'ai besoin de parler à quelqu'un. »

Pause confuse.

« S'il vous plaît, il n'y a personne d'autre en bas ? C'est pour une urgence.

— OK », a fait la voix sur un ton las, avec une

inflexion ascendante qui m'a donné lieu d'espérer. Dans le silence, je l'ai entendu qui respirait fort.

« Theo Decker à l'appareil, ai-je ajouté. Du 14C. Je vous vois souvent en bas. Ma mère n'est pas rentrée et je ne sais pas quoi faire. »

Longue pause perplexe. « 14C, a-t-il répété comme si c'était la seule partie de la phrase qu'il comprenait.

— Ma mère, ai-je insisté. Où est Carlos ? Il n'y a personne ?

— Désolé, merci », a-t-il dit, paniqué, puis il a raccroché.

J'ai raccroché de mon côté, dans un état d'extrême agitation, puis après être resté debout et glacé quelques moments au milieu du salon, j'ai allumé la télévision. La ville était sens dessus dessous ; les ponts menant vers les districts extérieurs étaient fermés, ce qui expliquait pourquoi Carlos et Jose n'avaient pas pu venir travailler, mais je n'ai rien vu du tout qui puisse m'aider à comprendre ce qui pouvait bien retenir ma mère. En cas de disparition d'une personne, il y avait un numéro à appeler. Je l'ai noté sur un bout de journal et j'ai passé un accord avec moi-même : si elle n'était pas rentrée dans exactement une demi-heure, j'appellerais.

Le seul fait d'écrire le numéro m'a réconforté. Je ne sais pas pourquoi, mais j'avais la certitude que le noter allait lui faire passer le pas de la porte comme par magie. Sauf qu'au bout de quarante-cinq minutes, puis d'une heure sans qu'elle ait apparu, j'ai fini par craquer et j'ai appelé (faisant les cent pas, un œil nerveux sur la télévision pendant tout le temps où j'attendais que l'on me réponde, pendant tout le temps où j'ai été mis en attente, avec des pubs pour matelas, des pubs pour stéréos, livraison rapide et gratuite et crédit pour tous). Pour finir, une femme dynamique et très professionnelle a pris mon appel. Elle a noté le nom de ma mère, mon numéro de téléphone, m'a informé qu'elle n'était pas « sur sa liste », mais qu'elle me rappellerait si son nom apparaissait. Ce n'est qu'après avoir raccroché que je me suis demandé de quelle liste il s'agissait ; après une période d'inquiétude indéfinie, passée à effectuer un circuit tourmenté entre les quatre pièces, à ouvrir des tiroirs, à prendre des livres puis à les reposer, à allumer l'ordinateur de ma mère et à voir ce que j'arriverais à tirer d'une recherche sur Google (rien), j'ai rappelé pour demander.

« Elle n'est pas sur la liste des morts, m'a expliqué la deuxième femme à qui j'ai parlé et qui avait l'air curieusement désinvolte. Ni des blessés. »

Mon cœur s'est allégé. « Elle va bien, alors ?

— Je t'informe juste que l'on n'a aucune information. Tu as laissé ton numéro tout à l'heure pour qu'on puisse te rappeler ?

— Oui, ils m'ont assuré qu'ils le feraient. »

« Livraison et installation gratuites, disait la télévision. N'oubliez pas de demander votre crédit gratuit de six mois. »

« Bonne chance, alors », a lancé la femme, et elle a raccroché.

Le silence dans l'appartement n'était pas naturel ; même les voix fortes à la télévision ne parvenaient pas à le chasser. Vingt et une personnes étaient mortes, et « des dizaines » de plus étaient blessées. J'ai tenté en vain de me rassurer avec ce chiffre : vingt et une personnes, ce n'était pas si terrible, si ? Cela correspondait à un petit public dans une salle de cinéma, ou à un peu de monde dans un bus. C'était trois personnes de moins que ma classe d'anglais avancé. Bien vite de nouveaux doutes et de nouvelles craintes se sont mis à m'envahir, mais je me suis forcé à rester tranquille et à ne pas sortir de l'appartement en courant et en criant son nom.

J'avais pourtant très envie de descendre dans la rue et de la chercher, mais je savais qu'il me fallait rester ici. On était supposés se retrouver à l'appartement ; c'était notre contrat, l'accord en béton depuis l'école primaire, quand j'en étais revenu avec un cahier d'exercices préparatoires en cas de catastrophe naturelle, dans lequel des fourmis de BD dotées de masques respiratoires faisaient des réserves et se préparaient à une urgence inconnue. J'avais rempli les mots croisés et les questionnaires obscurs (« Quels sont les meilleurs vêtements à mettre dans un kit de réserve en cas de désastre ? A. Un maillot de bain – B. Des pulls – C. Un pagne – D. Du papier aluminium ») et j'avais mis au point avec ma mère un plan familial en cas de désastre. Le nôtre était simple : on se retrouverait à la maison. Et si l'un de nous deux ne pouvait pas y arriver, il appellerait. Mais alors que le temps s'écoulait au compte-gouttes, que le téléphone ne sonnait pas et que le nombre de morts annoncé à la télé était monté à 22 puis à 25, j'ai de nouveau appelé ce numéro d'urgence mis en place par la ville.

« Oui, a fait la femme qui a répondu d'une voix odieusement calme, je vois ici que tu as déjà appelé, on l'a mise sur notre liste.

— Mais… peut-être qu'elle est à l'hôpital, non ?

— C'est possible. Je crains de ne pas pouvoir te le confirmer. C'est quoi ton nom déjà ? Tu voudrais parler à un de nos psychologues ?

— À quel hôpital est-ce qu'ils emmènent les blessés ?

— Je suis désolée, je ne peux vraiment pas…

— Beth Israel ? Lenox Hill ?

— Écoute, ça dépend du type de blessure. Il y a des gens qui ont des traumatismes oculaires, d'autres des brûlures, toutes sortes de trucs. On est en train d'opérer des gens aux quatre coins de la ville…

— Et ces gens dont on a annoncé la mort il y a quelques minutes ?

— Oui, je comprends, j'aimerais t'aider, mais je crains qu'il n'y ait pas d'Audrey Decker sur cette liste. »

Mes yeux ont fait le tour du salon avec nervosité. Le

livre de ma mère (*Jane et Prudence*, de Barbara Pym) était retourné sur le dossier du canapé ; un de ses fins gilets en cachemire était posé sur le bras d'un fauteuil. Elle en avait de toutes les couleurs ; celui-ci était bleu pâle.

« Peut-être que tu devrais aller à l'Armory. Ils ont installé un accueil là-bas pour les familles : il y a de la nourriture, beaucoup de café chaud, et des gens à qui parler.

— Mais ce que je vous demande, c'est s'il y a des morts dont vous n'avez pas le nom ? Ou des blessés ?

— Écoute, je comprends ton inquiétude. J'aimerais vraiment vraiment pouvoir t'aider, mais je ne peux pas. On te rappellera dès qu'on aura plus d'informations.

— J'ai besoin de retrouver ma mère ! Je vous en prie ! Elle est probablement dans un hôpital quelque part. Vous ne pouvez pas me donner une idée de l'endroit où la chercher ?

— Tu as quel âge ? » a demandé la femme sur un ton soupçonneux.

Après un silence atterré, j'ai raccroché. Pendant quelques instants d'hébétude j'ai fixé le téléphone, me sentant soulagé mais aussi coupable, comme si j'avais renversé quelque chose et l'avais cassé. Quand j'ai baissé les yeux sur mes mains et vu qu'elles tremblaient, cela m'a frappé d'une manière tout à fait impersonnelle – comme quand je remarquais que les batteries de mon iPod étaient à plat – et je me suis rendu compte que je n'avais pas mangé depuis un bon bout de temps. Jamais de ma vie je n'étais resté aussi longtemps sans manger, sauf quand j'avais eu la grippe intestinale. J'ai ouvert le frigo, où j'ai trouvé mon restant de nouilles sautées de la veille que j'ai englouti debout derrière le plan de travail, vulnérable et mis à nu sous l'éclat aveuglant de l'ampoule au-dessus. Il y avait aussi des œufs foo yung et du riz, que j'ai laissés pour elle au cas où elle aurait faim à son retour. Il était près de minuit : bientôt il serait trop tard pour qu'elle puisse commander du chinois. Après avoir terminé, j'ai lavé ma fourchette et la vaisselle du matin, puis j'ai essuyé le plan de travail pour qu'elle n'ait rien à faire en rentrant à la maison : elle serait contente quand elle verrait que j'avais nettoyé la cuisine à sa place, me suis-je dit fermement. Elle serait contente aussi (en tout cas c'était ce que je pensais) quand elle verrait que j'avais sauvé son tableau. Ou peut-être qu'elle serait en colère. Mais j'étais en mesure de lui fournir des explications.

D'après la télévision, on savait à présent qui était responsable de l'explosion : des partis que les infos traitaient tour à tour d'« extrémistes de droite » ou de « groupe terroriste américain ». Ils avaient travaillé avec une entreprise de déménagement et d'entreposage ; avec l'aide de complices inconnus à l'intérieur du musée, les explosifs avaient été cachés dans des présentoirs creux construits par des charpentiers et placés dans les deux boutiques, là où étaient empilés les cartes postales et les livres d'art. Certains des terroristes étaient morts ; certains étaient en garde à vue, d'autres avaient pris le large. Ils donnaient des détails, mais pour moi c'était juste trop d'informations à absorber en une fois.

J'ai préféré m'attaquer au tiroir coincé de la cuisine, bloqué depuis bien avant le départ de mon père ; il n'y avait rien dedans à part des emporte-pièces pour biscuits, d'anciennes piques à fondue et des zesteurs à citron dont on ne se servait jamais. Cela faisait plus d'une année qu'elle essayait que quelqu'un de l'immeuble vienne le réparer (ainsi qu'une poignée cassée, un robinet qui fuyait et une demi-douzaine d'autres petites choses irritantes). J'ai pris un couteau à beurre, ai tenté de faire levier sur les bords du tiroir, veillant à ne pas écailler la peinture davantage qu'elle ne l'était déjà. La force de l'explosion résonnait toujours profondément dans mes os, écho intérieur du bourdonnement dans mes oreilles ; mais, pire que cela, je sentais toujours le sang, le goût du sel et de l'aluminium dans ma bouche (je l'ignorais alors, mais j'allais le sentir pendant des jours encore).

Pendant que je m'activais sur le tiroir qui me préoccupait, je me suis demandé si je devrais appeler quelqu'un, et si oui, qui. Ma mère était fille unique. Et bien que, techniquement parlant, j'aie deux grands-parents en vie – le père de mon père et sa belle-mère, dans le Maryland – j'ignorais comment les contacter. Entre mon père et sa belle-mère, Dorothy, une immigrée d'Allemagne de l'Est qui avait travaillé comme femme de ménage dans des immeubles de bureaux avant d'épouser mon grand-père, les relations étaient tout juste polies. (Bon imitateur, mon père singeait Dorothy avec une cruauté comique : il en faisait une sorte de *hausfrau* remontée sur piles, tout en lèvres pincées et en mouvements saccadés, avec un accent comme celui de Curd Jurgens dans *La Bataille d'Angleterre*). Mais même si mon père détestait cordialement Dorothy, l'essentiel de son hostilité visait grand-père Decker – un homme grand et gros qui me faisait peur avec ses joues rougeaudes et ses cheveux noirs (teints, je pense), ses innombrables gilets aux imprimés écossais criards, et son goût pour l'éducation à coups de ceinture. *Pas de la tarte* était la première expression associée à grand-père Decker – comme quand mon père disait « Vivre avec ce salaud, c'était pas de la tarte » et « Crois-moi, le repas du soir chez nous, c'était pas de la tarte ». J'avais rencontré grand-père Decker et Dorothy juste deux fois dans ma vie, l'atmosphère était tendue, ma mère, assise sur le canapé, était penchée vers l'avant avec son manteau et son sac à main sur les genoux, et ses vaillants efforts pour converser échouaient l'un après l'autre pour se retrouver happés ensuite par des sables mouvants. Ce dont je me souviens surtout c'étaient les sourires forcés, la lourde odeur du tabac à pipe à la cerise, et la mise en garde pas très amicale de grand-père Decker me conseillant de tenir mes petites pattes collantes loin de son train miniature (un village alpin qui prenait toute une pièce de sa maison et qui, d'après lui, valait des dizaines de milliers de dollars).

À force de donner des coups trop forts sur le côté du tiroir coincé, j'avais réussi à tordre la lame du couteau à beurre – l'un des rares bons couteaux de ma mère, en argent, hérité de sa mère. J'ai tenté hardiment de le tordre dans l'autre sens, me mordant la lèvre et concentrant toute ma volonté sur la tâche, et pendant ce temps de vilains flashes de la journée n'arrêtaient pas de surgir et de me heurter au visage. Tenter de cesser d'y penser revenait à essayer d'arrêter de penser à un éléphant rose. Du coup, tout ce à quoi on pouvait penser c'était à l'éléphant rose.

Sans que je m'y attende, le tiroir s'est ouvert avec un bruit sec. J'ai fixé le fouillis : des piles rouillées, une râpe à fromage cassée, des emporte-pièces pour biscuits en forme de flocons de neige que ma mère n'avait pas utilisés depuis mon CP, coincés avec des vieux menus de traiteur déchirés de chez *Viand*, *Shun Lee Palace* et *Delmonico*. J'ai laissé le tiroir grand ouvert – pour que ce soit la première chose qu'elle voie en entrant – et me suis dirigé vers le canapé où je me suis enroulé dans une couverture et calé de façon à bien voir la porte d'entrée.

Mon esprit bouillonnait. Pendant un long moment je suis resté assis à trembler, les yeux rouges à la lueur de la télévision tandis que des ombres bleues allaient et venaient en un tremblement maladroit. Il n'y avait pas vraiment d'infos ; l'image n'arrêtait pas de revenir sur des plans nocturnes du musée (l'air tout à fait normal à présent, à part le ruban jaune qui délimitait les lieux et bordait toujours le trottoir, les gardes armés devant, et les lambeaux de fumée qui s'échappaient de temps à autre du toit pour se diriger vers le ciel éclairé par les lampes à arc).

Où était-elle ? Et pourquoi n'était-elle pas encore rentrée ? Elle aurait une bonne explication ; elle en ferait un incident mineur et j'aurais l'air ridicule de m'être autant inquiété.

Pour la forcer à ne plus occuper mon esprit, je me suis concentré à fond sur une interview qu'ils repassaient et qui datait de plus tôt dans la soirée. Un conservateur à lunettes en veste de tweed et nœud papillon, visiblement bouleversé, expliquait que c'était une honte qu'ils ne laissent pas les spécialistes entrer dans le musée pour s'y occuper des œuvres d'art. « Oui, disait-il, je comprends que ce soit une scène de crime, mais ces tableaux sont très sensibles aux changements de qualité de l'air et de température. Ils ont peut-être été endommagés par de l'eau, des produits chimiques ou de la fumée. Ils peuvent être en train de se détériorer au moment même où nous parlons. C'est d'une importance vitale que les conservateurs soient autorisés à pénétrer dans les endroits clés afin d'évaluer les dommages aussi vite que possible. »

Tout d'un coup le téléphone a sonné – anormalement fort, on aurait dit un réveil me tirant du pire rêve de ma vie. La déferlante de mon soulagement a été indescriptible. J'ai trébuché et failli tomber tête la première de tout mon long pour attraper le combiné. J'étais certain que c'était ma mère, mais mon interlocutrice m'a coupé net : départementnewyorkaisdesservicesd'aideàlafamilleetàl'enfance.

Département new-yorkais de... quoi ? Après une seconde de confusion, j'ai agrippé le téléphone d'un geste vif. « Allô ?

— Allô, a fait une voix d'une douceur feutrée qui donnait presque la chair de poule. À qui ai-je l'honneur ?

— Theodore Decker, ai-je répondu, décontenancé. Vous êtes qui ?

— Bonjour, Theodore. Je m'appelle Marjorie Beth Weinberg et je suis assistante sociale au département des services d'aide à la famille et à l'enfance.

— Qu'est-ce qu'il se passe ? Vous appelez à propos de ma mère ?

— Tu es le fils d'Audrey Decker ? C'est bien ça ?

— Ma mère ! Elle est où ? Elle va bien ? »

Longue pause – terrible pause.

« Qu'est-ce qu'il y a ? me suis-je écrié. Elle est où ?

— Est-ce que ton père est là ? Je peux lui parler ?

— Il ne peut pas prendre le téléphone. Qu'est-ce qu'il y a ?

— Je suis désolée, mais c'est une urgence. Je crains que ce ne soit vraiment très important que je parle à ton père tout de suite.

— Et ma mère ? ai-je demandé en me levant. S'il vous plaît ! Dites-moi juste où elle est ! Qu'est-ce qui s'est passé ?

— Tu n'es pas tout seul, Theodore, si ? Est-ce qu'il y a un adulte avec toi ?

— Non, ils sont sortis prendre un café », ai-je répondu en jetant des regards frénétiques autour du salon. Des ballerines de travers sous une chaise. Des jacinthes mauves dans un pot entouré de papier alu.

« Ton père aussi ?

— Non, il dort. Où est ma mère ? Elle est blessée ? Qu'est-ce qui s'est passé ?

— Je crains qu'il ne te faille réveiller ton père, Theodore.

— Non ! Je ne peux pas !

— C'est très important, j'en ai bien peur.

— Il ne peut pas venir au téléphone ! Pourquoi vous ne pouvez pas juste me dire ce qui ne va pas ?

— Eh bien, si ton père n'est pas disponible, c'est peut-être mieux que je te laisse mes coordonnées. » Bien que douce et compatissante, la voix me rappelait Hal 9000, l'ordinateur dans *2001 : l'odyssée de l'espace*. « Demande-lui de me contacter au plus vite. C'est vraiment très important qu'il me rappelle. »

Après avoir raccroché, je suis resté très longtemps assis. D'après l'horloge intégrée de la gazinière, que je voyais depuis ma place, il était deux heures quarante-cinq. Je n'avais jamais été seul et réveillé à une heure pareille. Le salon, d'ordinaire si clair et spacieux, égayé par la présence de ma mère, était devenu un lieu froid, pâle et inconfortable, on aurait dit une maison de vacances pendant l'hiver : tissus fragiles, tapis en sisal rugueux, abat-jour en papier venant de Chinatown et chaises trop petites et légères. Tous les meubles semblaient frêles et dans un équilibre instable. Je sentais mon cœur battre, j'entendais les cliquetis, les tic-tac et les sifflements du grand immeuble vieillissant qui somnolait paisiblement autour de moi. Tout le monde dormait. Même les klaxons au loin et le bruit de ferraille des camions sur la 57e Rue semblaient vagues et incertains, aussi esseulés que s'ils provenaient d'une autre planète.

Bien vite, je le savais, le ciel nocturne deviendrait bleu foncé ; la première lueur tendre et fraîche de la lumière de ce jour d'avril entrerait furtivement dans la pièce. Le camion des éboueurs gronderait et grognerait le long de la rue ; les oiseaux chanteurs du printemps se mettraient à gazouiller dans le parc ; des réveils se déclencheraient dans des chambres aux quatre coins de la ville. Des types accrochés à l'arrière de camionnettes jetteraient d'énormes paquets de *Times* et de *Daily News* sur les trottoirs devant les kiosques à journaux. D'un bout à l'autre de la ville, des mères et des pères traîneraient des pieds, le cheveu en bataille, en sous-vêtements et en peignoirs, préparant le café, branchant le grille-pain et réveillant leurs enfants pour l'école.

Et moi, qu'est-ce que je ferais ? Une partie de moi était immobile, assommée de désespoir, comme ces rats de laboratoire démotivés qui s'étendent dans le labyrinthe pour mourir en pleine expérience.

J'ai tenté de rassembler mes pensées. Pendant un

moment il m'avait presque semblé que si je restais assis assez longtemps et si j'attendais, les choses risquaient de se remettre en ordre d'une manière ou d'une autre. Dans l'appartement, ma fatigue faisait chanceler les objets : des halos chatoyaient autour de la lampe de chevet, les rayures du papier peint semblaient vibrer.

J'ai pris l'annuaire ; je l'ai reposé. L'idée d'appeler la police me terrifiait. Que pourrait-elle faire de toute façon ? Grâce à la télévision, je savais qu'il fallait pour ça qu'une personne soit portée disparue depuis plus de vingt-quatre heures. Je m'étais pratiquement convaincu que je devrais remonter Manhattan pour la chercher, milieu de la nuit ou pas, et au diable notre plan familial en cas de désastre, lorsqu'un bourdonnement assourdissant (la sonnette de l'entrée) a fait voler le silence en éclats et mon cœur dans ma poitrine.

Je me suis avancé tant bien que mal, silencieusement jusqu'à la porte puis j'ai tâtonné en quête de la serrure. « Maman ? » ai-je lancé en faisant glisser le verrou supérieur et en ouvrant avec fracas la porte en grand – c'est alors que mon cœur a plongé, de six étages. Debout sur le paillasson se tenaient deux personnes que je n'avais jamais vues de ma vie : une Coréenne rondouillette aux cheveux courts et hérissés, et un mec de type latino en chemise et cravate qui ressemblait beaucoup à Luis dans *1, rue Sésame*. Ils n'avaient rien de menaçant, bien au contraire ; ils avaient un côté replet et mature qui était rassurant, on aurait dit deux instits remplaçants, mais en dépit de leur expression gentille, à l'instant où je les ai vus j'ai compris que ma vie telle que je l'avais connue était terminée.

3

Park Avenue

I

Les assistants sociaux m'ont installé sur le siège arrière de leur voiture compacte et m'ont emmené dans une cafétéria du centre de Manhattan, près de leur bureau, un endroit pseudo-chic qui scintillait des multiples reflets de glaces biseautées et lustres bon marché en provenance de Chinatown. Une fois assis dans le box (eux deux du même côté et moi en face), ils ont sorti de leurs mallettes des bloc-notes et des stylos puis ont tenté de me faire avaler un peu de mon petit déjeuner pendant qu'ils sirotaient leur café en me questionnant. Dehors il faisait encore noir ; la ville se réveillait tout juste. Je ne me souviens pas d'avoir pleuré, ni d'ailleurs d'avoir mangé, mais toutes ces années plus tard je sens encore l'odeur des œufs brouillés qu'ils m'avaient commandés ; et le souvenir de l'assiette archipleine et de la vapeur qui s'en dégageait me tord toujours l'estomac.

La cafétéria était presque déserte. Des serveurs endormis déballaient des boîtes de bagels et de muffins derrière le comptoir. Un groupe de jeunes blafards avec des coulures d'eyeliner qui sortaient de boîte s'étaient entassés dans un box voisin. Je me souviens de les avoir fixés avec désespoir et avidité – un garçon en sueur en veste à col Mao, une fille débraillée aux mèches roses – ainsi qu'une vieille dame lourdement maquillée et vêtue d'un manteau de fourrure trop chaud pour la saison, assise seule au comptoir où elle mangeait une part de tarte au pommes.

Prévenants, les assistants sociaux – qui n'osaient pas me secouer et claquer des doigts devant leurs yeux pour que je les regarde – semblaient comprendre que je n'étais pas très désireux d'assimiler ce qu'ils tentaient de m'expliquer. À tour de rôle, ils se sont penchés en travers de la table et ont répété ce que je ne voulais pas entendre. Ma mère était morte. Elle avait été heurtée à la tête par des débris volants. Elle était morte sur le coup. Ils étaient désolés de devoir m'apprendre la nouvelle, c'était l'aspect le plus ingrat de leur boulot, mais ils avaient vraiment vraiment besoin que j'intègre ce qui s'était passé. Ma mère était morte et son corps était au New York Hospital. Est-ce que je comprenais ?

« Oui », ai-je fait pendant la longue pause où je me suis rendu compte qu'ils attendaient une réponse de ma part. Leur utilisation brutale et insistante des mots *mort* et *morte* ne collait pas avec leurs voix raisonnables, leurs costumes en polyester, la pop latino qui passait à la radio et les panonceaux racoleurs derrière le comptoir (*Smoothie aux fruits frais, Délice de régime, Essayez notre hamburger à la dinde !*).

« Les *fritos* ? » a demandé le serveur apparu à notre table en tenant en l'air une grande assiette de frites.

Les deux assistants sociaux ont eu l'air inquiet ; l'homme (juste le prénom : Enrique) a répondu quelque chose en espagnol et tendu le doigt vers une table plus loin, où les jeunes sortis de boîte faisaient de grands signes.

Les yeux rouges sous l'effet du choc, assis devant mon assiette d'œufs brouillés qui refroidissait à la vitesse grand V, j'arrivais tout juste à saisir les conséquences pratiques de ma situation. À la lumière de ce qui s'était passé, leurs questions sur mon père semblaient si incongrues que j'avais beaucoup de mal à comprendre pourquoi ils ne cessaient pas de me les poser avec une telle insistance.

« Alors, tu l'as vu quand pour la dernière fois ? » a interrogé la Coréenne qui m'avait demandé plusieurs fois de l'appeler par son prénom (j'ai essayé de m'en souvenir, encore et encore, en vain). Mais je vois toujours ses mains rondelettes croisées sur la table, ainsi que la couleur dérangeante de son vernis à ongles, cendrée, argentée, quelque chose entre lavande et bleu.

« Une vague idée pour ton père ? a suggéré Enrique, l'homme.

— Une estimation fera l'affaire, a ajouté la Coréenne. Quand penses-tu l'avoir vu pour la dernière fois ?

— Hum, ai-je fait (penser représentait un effort), un jour de l'automne dernier ? » La mort de ma mère me faisait toujours l'effet d'une erreur que l'on pourrait peut-être rectifier si je me ressaisissais et coopérais avec ces gens.

« Octobre ? Septembre ? » a-t-elle insisté avec douceur en voyant que je ne réagissais pas.

J'avais un tel mal de tête que j'avais envie de crier chaque fois que je la tournais, même si cette douleur était par ailleurs le cadet de mes soucis. « Je ne sais pas, après la rentrée, ai-je répondu.

— Septembre fera l'affaire, alors ? » a admis Enrique qui a jeté un œil vers moi tout en écrivant un mot sur son bloc-notes. Il avait l'air d'un dur – mal à l'aise dans son costume cravate, à l'image d'un entraîneur de sport qui serait devenu trop gros – mais le ton de sa voix procurait cette impression rassurante qu'offre le monde du travail : systèmes de classements des dossiers, moquette industrielle, journée de travail normale à Manhattan. « Pas de contact ou de communication depuis ?

— Est-ce qu'il aurait un copain ou un ami proche qui saurait comment le joindre ? » a demandé la Coréenne en se penchant en avant de manière maternelle.

La question m'a fait sursauter. S'il en avait, j'en ignorais l'existence. La simple idée que mon père ait des amis proches (sans parler de « copains ») trahissait une telle incompréhension de sa personnalité que je ne savais comment réagir.

Ce n'est qu'une fois les assiettes débarrassées, dans cette accalmie pesante qui a suivi la fin du repas et durant laquelle personne ne se levait pour partir, que j'ai soudain saisi où menaient toutes leurs questions en apparence décousues sur mon père et mes grands-parents Decker (dans le Maryland, je ne me souvenais plus de la ville, un canton semi-rural derrière un grand magasin de bricolage), ainsi que sur mes oncles et tantes inexistants. J'étais un mineur sans tuteur. Il fallait me retirer sur-le-champ de ma maison (de mon « environnement », comme ils le nommaient). La municipalité prendrait le relais jusqu'à ce que l'on arrive à joindre les parents de mon père.

« Mais qu'est-ce que vous allez faire de moi ? » ai-je demandé pour la seconde fois en me reculant sur mon siège, avec une fêlure paniquée dans la voix. Tout m'avait semblé très informel quand j'avais éteint la télévision et quitté l'appartement avec eux pour aller manger un morceau, ainsi qu'ils l'avaient annoncé. Personne n'avait prononcé un traître mot sur le fait que l'on m'éloignait de chez moi pour de bon.

Enrique a jeté un coup d'œil à son bloc-notes. « Eh bien, Theo, tu es mineur et tu dois être pris en charge sur-le-champ. On va devoir effectuer une sorte de placement d'urgence.

— Un placement ? » Le mot faisait grouiller mon

ventre ; il m'évoquait des salles d'audience, des dortoirs fermés à clé et des terrains de basket entourés de barbelés.

« Bon, disons qu'il faut te trouver un *foyer,* alors. Mais seulement jusqu'à ce que ton grand-papa et ta grand-maman…

— Attendez… » ai-je lancé, submergé par la rapidité avec laquelle les choses échappaient à mon contrôle et par la déduction trompeuse de chaleur et de familiarité contenue dans les mots *grand-papa* et *grand-maman*.

« On aura juste besoin d'effectuer des arrangements temporaires jusqu'à ce qu'on puisse les joindre », m'a expliqué la Coréenne en se penchant plus près. Son souffle était mentholé, avec un soupçon d'ail. « Nous comprenons bien à quel point tu dois être triste, mais il ne faut t'inquiéter de rien. Notre mission est de te mettre en sécurité jusqu'à ce que nous arrivions à joindre les gens qui t'aiment et qui se préoccupent de toi, d'accord ? »

C'était trop terrible pour être vrai. J'ai dévisagé les deux visages inconnus en face de moi, sous la lumière artificielle ils étaient cireux. L'idée même que grand-père Decker et Dorothy étaient des gens qui se souciaient de moi était absurde.

« Mais qu'est-ce que je vais devenir ?

— Le principal, c'est que pour le moment ta situation te rend éligible pour une famille d'accueil ; qui travaillera main dans la main avec les services sociaux pour mettre en place ta prise en charge », a répondu Enrique.

Leurs efforts conjoints pour m'apaiser – leurs voix calmes et compatissantes, leurs expressions raisonnables – m'affolaient de plus en plus. « Arrêtez ! » me suis-je exclamé en m'éloignant d'une secousse de la Coréenne qui avait tendu la main par-dessus la table et tentait de serrer la mienne avec bienveillance.

« Écoute, Theo. Laisse-moi t'expliquer quelque chose. Personne ne te parle d'aller dans un centre de rétention ou un centre pour les jeunes…

— Et où alors ?

— On te parle de placement temporaire. Tout ce que cela signifie, c'est que nous t'emmenons dans un endroit où tu seras en sécurité avec des gens désignés par l'État qui feront office de tuteurs pour toi…

— Et si je ne veux pas y aller ? ai-je crié, si fort que les gens se sont retournés pour nous dévisager.

— Écoute, a répliqué Enrique en s'inclinant vers l'arrière et en redemandant du café. La ville possède des foyers de crise agréés pour les jeunes qui en ont besoin. Des endroits sympas. Pour l'instant, c'est juste une option que nous envisageons. Parce que dans de nombreux cas comme le tien…

— Je ne veux pas aller dans une famille d'accueil !

— Ah, ça, non, mon pote », a jeté à haute voix la fille aux cheveux roses à la table voisine. Ces derniers temps, le *New York Post* n'avait cessé d'épiloguer sur le sort de Johntay et Keshawn Divens, ces jumeaux de onze ans violés par leur père adoptif et presque morts de faim aux environs de Morningside Heights.

Enrique a fait semblant de ne pas entendre. « Nous sommes ici pour t'aider, a-t-il poursuivi en croisant de nouveau les mains sur la table. Et nous prendrons aussi en compte d'autres alternatives si elles garantissent ta sécurité et répondent à tes besoins.

— Vous ne m'avez jamais dit que je ne pourrais pas retourner à l'appartement !

— Eh bien, les agences de la ville sont surchargées – *si, gracias*, a-t-il dit au serveur venu remplir sa tasse – mais parfois d'autres arrangements peuvent s'effectuer si nous obtenons un accord temporaire, surtout dans une situation comme la tienne.

— Ce qu'il veut dire (la Coréenne tapotait de l'ongle sur le Formica pour obtenir mon attention), c'est qu'il n'est pas gravé dans le marbre que tu dois entrer dans le système si quelqu'un peut rester auprès de toi quelque temps. Ou inversement.

— Quelque temps ? » ai-je répété. C'était le seul fragment de la phrase qui avait pénétré.

« Peut-être qu'il y a quelqu'un d'autre que nous pourrions appeler et avec qui ce ne serait pas un problème que tu restes un jour ou deux ? Un prof, peut-être ? Ou un ami de la famille ? »

De mémoire je leur ai donné le numéro de téléphone de mon vieil ami Andy Barbour, qui m'était venu à l'esprit peut-être parce que c'était le premier que j'avais appris par cœur après le mien. Bien qu'Andy et moi ayons été bons amis en primaire (cinémas, nuits chez l'un ou l'autre, stages d'orientation l'été à Central Park), j'ignore toujours pourquoi son nom m'était venu en tête alors que nous n'étions plus si bons amis que cela. On s'était éloignés en entrant au collège ; je l'avais à peine vu ces derniers mois.

« Barbour avec un u, a précisé Enrique en écrivant le nom. Qui sont ces gens ? Des amis ?

— Oui », ai-je répondu, je les connaissais depuis toujours, pour ainsi dire. Les Barbour habitaient Park Avenue. Andy était mon meilleur ami depuis le CE1. « Son père a un super boulot à Wall Street », ai-je ajouté, puis aussitôt je me suis tu. Je venais juste de me souvenir qu'il avait passé une durée indéterminée dans un hôpital psychiatrique du Connecticut pour « épuisement ».

« Et la mère ?

— Ma mère et elle sont bonnes amies. » (Presque vrai, mais pas tout à fait ; elles avaient beau s'entendre fort bien, ma mère n'était pas vraiment assez riche ni d'assez bonne famille pour une mondaine comme Mrs. Barbour.)

« Non, je veux dire, qu'est-ce qu'elle fait comme métier ?

— Elle s'occupe d'associations caritatives, ai-je avancé

après un moment de désorientation. Comme l'Antiques Show, cette vente d'antiquités à l'Armory.

— Donc c'est une mère au foyer ? »

J'ai hoché la tête, content qu'elle fournisse l'expression qui, même si elle était vraie techniquement parlant, ne correspondait absolument pas à la description de Mrs. Barbour.

Enrique a signé son nom d'un grand geste. « Nous irons vérifier. Je ne peux rien promettre, a-t-il ajouté en faisant cliqueter son stylo et en le remettant dans sa poche. Mais nous pouvons certainement te laisser chez ces gens pour les heures qui viennent, si c'est avec eux que tu as envie d'être. »

Il est sorti du box pour aller dans la rue. À travers la vitre je l'ai vu faire les cent pas sur le trottoir, parlant au téléphone avec un doigt sur l'oreille. Puis il a composé un autre numéro, pour un appel beaucoup plus rapide. On a fait une courte pause à l'appartement – moins de cinq minutes, juste assez pour que je puisse attraper mon sac pour l'école et faire quelques choix hâtifs et peu réfléchis en termes de vêtements – puis, de retour dans leur voiture, sur le siège arrière (« Tu es bien attaché ? »), j'ai posé la joue contre le verre froid et j'ai regardé les feux passer au vert tout le long du canyon vide qu'est Park Avenue à l'aube.

Andy habitait vers les numéros soixante, dans l'un des grands et vieux immeubles chic de Park Avenue, où le hall sortait tout droit d'un film de Dick Powell et où les portiers étaient encore irlandais pour la plupart. Ils y travaillaient tous depuis toujours, et je me souvenais du type qui nous a accueillis à la porte : Kenneth, le portier de nuit. Il était plus jeune que la plupart de ses collègues : pâle comme la mort et mal rasé, et parfois un peu lent à répondre du fait qu'il travaillait de nuit. C'était un type agréable – il avait parfois réparé des ballons de foot pour Andy et moi, et dispensé des conseils amicaux sur nos démêlés avec les petites brutes de l'école – mais il était connu dans l'immeuble pour son problème d'alcool ; il a fait un pas de côté pour nous laisser entrer par les majestueuses portes, m'a donné le premier d'une longue série de regards disant : *Mon Dieu, fiston, je suis désolé*, dont on allait me gratifier durant les mois à venir, et j'ai senti sur lui l'aigreur de la bière et du sommeil.

« Ils vous attendent. Montez », a-t-il lancé aux assistants sociaux.

II

C'est Mr. Barbour qui nous a ouvert la porte : d'abord un peu, puis en grand. « Bonjour, bonjour », a-t-il lancé en faisant un pas en arrière. Mr. Barbour avait un air un tout petit peu étrange, avec quelque chose de pâle et d'argenté, comme si les traitements qu'il avait suivis « chez les allumés » (comme il disait) du Connecticut l'avaient rendu incandescent ; ses yeux étaient d'un gris bizarre et instable et ses cheveux d'un blanc pur, ce qui lui donnait l'air plus vieux qu'il ne l'était en réalité, jusqu'à ce que l'on remarque que son visage était jeune et rose – puéril, même. Ses joues rougeaudes et son long nez démodé, associé à ses cheveux prématurément blancs, lui donnaient, à un moindre degré, l'aspect aimable d'un père fondateur de l'Amérique, colon austère qui aurait été téléporté au XXIe siècle. Il était vêtu de ce qui semblait être le costume qu'il avait mis la veille pour aller au bureau : une chemise froissée et un pantalon d'aspect coûteux qui avaient l'air d'avoir juste été ramassés sur le sol de la chambre.

« Entrez, a-t-il lancé vivement en se frottant les yeux avec le poing. Bonjour, mon petit », m'a-t-il dit – le *mon petit* m'a étonné venant de lui, même dans l'état d'égarement où j'étais.

Pieds nus, il nous a précédés à pas feutrés à travers le vestibule en marbre. Au-delà, dans le salon luxueusement décoré (tout en chintz brillant et en vases chinois) régnait une atmosphère nocturne plutôt que matinale : lampes tamisées aux abat-jour de soie, grands tableaux sombres représentant des batailles navales et tentures tirées à cause du soleil. Là, près du piano demi-queue et d'un arrangement floral de la taille d'une caisse d'emballage, se tenait Mrs. Barbour en longue robe d'intérieur qui versait du café dans des tasses posées sur un plateau d'argent.

Elle s'est retournée pour nous saluer et j'ai senti les assistants sociaux prendre la mesure de l'appartement, et de sa personne. Mrs. Barbour était d'une grande famille au vieux nom hollandais, si calme, blonde et monocorde que parfois elle semblait en partie vidée de son sang. C'était un chef-d'œuvre de self-control ; rien ne l'agitait ou ne la contrariait jamais, et elle avait beau ne pas être belle, son calme avait le magnétisme de la beauté, une immobilité si puissante que les molécules se réalignaient autour d'elle quand elle entrait dans une pièce. Telle une gravure de mode prenant vie, elle faisait tourner les têtes partout où elle allait, se déplaçait en glissant, détachée, sans paraître remarquer l'agitation qu'elle suscitait dans son sillage ; ses yeux étaient fort espacés, ses oreilles petites, haut perchées et bien plaquées sur sa tête, son corps à la taille élancée était mince, l'on aurait dit celui d'une belette élégante. (Andy possédait ces mêmes attributs, mais en proportions disgracieuses et sans sa grâce ondoyante d'hermine.)

Par le passé, sa réserve (ou sa froideur, cela dépendait du point de vue) avait parfois pu me mettre mal à l'aise, mais ce matin-là je lui étais reconnaissant de son *sang-froid* *. « Bonjour. On va t'installer dans la chambre avec Andy, m'a-t-elle expliqué sans tourner autour du pot.

Mais je crains qu'il ne soit pas encore réveillé. Si tu as envie de t'étendre un peu, tu peux prendre la chambre de Platt. » C'était le frère aîné d'Andy, il était en pension. « Tu te souviens où c'est, bien sûr ? »

J'ai répondu que oui.

« Tu as faim ?

— Non.

— Eh bien, alors, dis-nous ce que nous pouvons faire pour toi. »

J'étais conscient qu'ils me regardaient tous. Mon mal de tête était plus imposant que le plus imposant objet de la pièce. Dans le miroir vénitien convexe au-dessus de Mrs. Barbour, je voyais toute la scène dupliquée en une miniature saugrenue : les vases chinois, le plateau pour le café, les assistants sociaux à l'air gêné et tout le reste.

Pour finir, c'est Mr. Barbour qui a rompu le charme. « Viens, viens, on va t'installer, m'a-t-il suggéré en me donnant une tape sur l'épaule et en me faisant sortir de la pièce avec fermeté. Non… par ici, par ici… reviens par ici. Et par ici de nouveau. »

La seule fois où j'avais mis un pied dans sa chambre, il y a plusieurs années de cela, Platt – qui était champion de hockey et un peu psychopathe – avait menacé de nous refaire le portrait, Andy et moi. Quand il vivait chez ses parents, il passait son temps à s'enfermer à clé dans sa chambre (et à fumer de l'herbe, si j'en croyais Andy). Depuis qu'il était au pensionnat de Groton, tous ses posters avaient été enlevés, la pièce était à présent très propre et elle avait l'air déserte. Il y traînait juste des poids, des piles de vieux *National Geographic* et un aquarium vide. Tout en ouvrant et refermant les tiroirs, Mr. Barbour bavardait un peu. « Voyons ce qu'il y a là-dedans, hein ? Des draps. Et… encore des draps. Je ne viens jamais ici, j'en ai bien peur, j'espère que tu me pardonneras ; ah, un maillot de bain ! On n'en aura pas besoin ce matin, n'est-ce pas ? » Farfouillant dans un troisième tiroir, il a fini par en sortir un nouveau pyjama avec l'étiquette du prix encore dessus, moche à pleurer, avec des rennes sur un fond de coton bleu électrique, pas étonnant qu'il n'ait jamais été porté.

« Eh bien, a-t-il fait en se passant une main dans les cheveux et en braquant les yeux vers la porte d'un air anxieux. Il faut que je te laisse, maintenant. C'est un sacré truc qui vient d'arriver, bon sang. Tu dois te sentir vraiment mal. Bien dormir, et longtemps, ce sera ton meilleur remède. Tu es fatigué ? » m'a-t-il demandé en me regardant de près.

L'étais-je ? J'étais bien éveillé, et pourtant une partie de moi était comme sous verre et si engourdie que j'étais pratiquement dans le coma.

« Si tu n'as pas envie de rester seul, je peux peut-être faire un feu dans l'autre pièce ? Dis-moi ce que tu veux. »

À cette question, j'ai senti le désespoir m'assaillir – parce que, aussi mal que je me sente, il ne pouvait rien pour moi, et à le voir je me suis rendu compte que lui aussi le savait.

« On est dans la pièce à côté si tu as besoin de nous – en fait, je vais bientôt partir au travail mais il y aura *quelqu'un* ici… » Son regard pâle a effectué un tour rapide de la chambre, puis est revenu vers moi. « Peut-être que ce n'est pas une bonne idée de ma part, mais vu les circonstances je ne vois pas le mal qu'il y aurait à te servir ce que mon père appelait une petite goutte. *Si* tu en as envie. Ce qui bien sûr n'est pas le cas, a-t-il ajouté aussitôt en remarquant ma confusion. Ce n'était pas une bonne idée. Oublie. »

Il s'est approché de moi et, l'espace d'un instant de gêne, j'ai cru qu'il allait me toucher, ou me prendre dans ses bras. Mais au lieu de cela il a frappé dans ses mains et les a frottées l'une contre l'autre. « Quoi qu'il en soit, nous sommes très heureux de te recevoir et nous espérons que tu feras comme chez toi. Tu nous dis si tu as besoin de quoi que ce soit, d'accord ? »

Il venait juste de sortir quand j'ai entendu des chuchotements devant la porte. Puis on a frappé. « Il y a quelqu'un qui voudrait te voir », a annoncé Mrs. Barbour pour se retirer ensuite.

Andy s'est alors avancé d'un pas lourd en clignant des yeux et en tripotant ses lunettes. De toute évidence ils l'avaient réveillé et tiré du lit. Dans un bruyant grincement de ressorts, il s'est assis à côté de moi au bord de celui de Platt, évitant de me regarder et optant plutôt pour le mur en face.

Il s'est raclé la gorge et a repoussé ses lunettes sur l'arête de son nez. Un long silence a suivi. Comme pris d'une urgence, le radiateur a cliqueté et sifflé. Ses parents étaient sortis de là si vite que l'on aurait cru qu'ils venaient d'entendre l'alarme incendie.

« Waouh, a-t-il fait au bout d'un moment, de sa voix plate et sinistre. Ça fait un choc.

— Oui. » Et nous sommes restés assis en silence, côte à côte, fixant les murs vert foncé de la chambre de Platt et les carrés de Scotch aux endroits où ses posters avaient été affichés jadis. Qu'y avait-il d'autre à dire ?

III

Même aujourd'hui, le seul souvenir de cette période m'emplit d'un sentiment étouffant et désespéré. Tout était terrible. Les gens m'offraient des boissons froides, des pulls supplémentaires et de la nourriture que je ne pouvais pas manger : des bananes, des cupcakes, des sandwichs club, de la glace. Quand on me parlait je répondais oui et non, et je passais beaucoup de temps à contempler la moquette pour que l'on ne me voie pas pleurer.

L'appartement des Barbour était certes énorme par rapport aux critères new-yorkais, mais comme il était situé dans les étages inférieurs il était sombre, même du côté qui donnait sur Park Avenue. Il n'y faisait jamais vraiment nuit, ni vraiment jour, et la lueur des lampes reflétée sur le chêne ciré conférait à l'ensemble une impression de convivialité et de sécurité, comme dans un club privé. Malgré tout, les amis de Platt l'avaient surnommé « le trouillatorium », et d'après mon père venu m'y chercher une fois ou deux après que j'y eus passé la nuit, on se serait cru chez « Frank E. Campbell », le célèbre funérarium. Mais cette massive et opulente obscurité d'avant guerre m'offrait un réconfort dans lequel il était facile de se retirer si l'on n'avait pas envie de parler ou d'être dévisagé.

Les gens venaient me voir – mes assistants sociaux bien sûr, et un psychiatre bénévole que la municipalité m'avait recommandé, mais aussi des collègues de ma mère (que j'avais appris à imiter pour la faire rire, comme Mathilde et quelques autres), des tonnes d'amis de la New York University et de sa période de mannequinat. Un acteur semi-célèbre qui s'appelait Jed et qui se joignait parfois à nous pour Thanksgiving (« À mes yeux, ta mère était la Reine de l'Univers »), et une femme en manteau orange un peu punk sur les bords prénommée Kika, qui m'a expliqué comment ma mère et elle – raides fauchées dans l'East Village – avaient organisé pour moins de vingt dollars un dîner pour douze personnes qui avait été une réussite (avec entre autres de la crème à café et des sachets de sucre piqués dans un bistrot, et des herbes aromatiques dérobées en douce dans la jardinière d'un voisin). Annette, veuve d'un pompier, dans les soixante-dix ans, ancienne voisine de ma mère dans le Lower East Side, est arrivée avec une boîte de biscuits de la boulangerie italienne près de l'endroit où ma mère et elle habitaient, les mêmes biscuits au beurre et aux pignons qu'elle nous apportait à chacune de ses visites à Sutton Place. Puis il y avait Cinzia, notre ancienne femme de ménage, qui a éclaté en sanglots quand elle m'a vu et qui m'a demandé une photo de ma mère pour mettre dans son portefeuille.

Quand cela durait trop longtemps, Mrs. Barbour écourtait ces visites – au prétexte que je me fatiguais vite, mais aussi, je le soupçonne, parce qu'elle était incapable de gérer le fait que des gens comme Cinzia et Kika monopolisent son salon pour des durées indéterminées. Au bout de quarante-cinq minutes et quelques elle venait se planter tranquillement sur le pas de la porte. Et si l'on ne saisissait pas le message, elle prenait la parole et les remerciait d'être venus – tout à fait polie, mais d'une telle manière que les gens se rendaient compte qu'il était temps pour eux de partir. (Sa voix, comme celle d'Andy, était profonde et distante ; même quand elle était juste à côté de vous, elle donnait l'impression de relayer des transmissions depuis l'Alpha du Centaure.)

Autour de moi la vie de la maisonnée continuait et me passait largement au-dessus de la tête. Chaque jour, la sonnette résonnait à de nombreuses reprises : femmes de ménage, nounous, traiteurs, enseignants, professeur de piano, camarades d'école des jeunes frères et sœur d'Andy, dames du *Bottin mondain* et jeunes hommes d'affaires en mocassins à glands œuvrant dans les associations caritatives de Mrs. Barbour. Souvent, l'après-midi, des femmes parfumées passaient pour le café et le thé après leur shopping ; le soir, des couples en tenues de soirée se rassemblaient autour d'un verre de vin ou d'une eau pétillante, dans le salon où un fleuriste huppé de Madison Avenue livrait chaque semaine des arrangements floraux, et où les derniers numéros d'*Architectural Digest* et du *New Yorker* étaient disposés en éventail sur la table basse.

Si Mr. et Mrs. Barbour étaient gênés de s'être vu

imposer un enfant supplémentaire, et ce sans préavis, ils avaient assez d'élégance pour ne pas le montrer. Avec ses bijoux discrets et son sourire détaché, la mère d'Andy – le genre de femme qui pouvait téléphoner au maire si elle avait besoin d'un service – semblait pouvoir passer outre les contraintes de la bureaucratie de la municipalité de New York. Même dans ma confusion et mon chagrin, j'avais le sentiment que c'était elle qui tirait les ficelles en coulisses, me facilitant tout, me protégeant des aspects les plus rudes de la machinerie des services sociaux – et, aujourd'hui j'en suis assez sûr, de la presse. Les appels étaient basculés du téléphone fixe qui sonnait avec insistance directement vers son portable. Il y avait des conversations à voix basse, des instructions données aux portiers. Après avoir surpris l'un des nombreux et infatigables interrogatoires d'Enrique concernant les errances de mon père – interrogatoires qui me faisaient monter les larmes aux yeux ; on aurait cru que j'étais susceptible d'avouer l'emplacement de sites de missiles au Pakistan – elle m'a un jour fait sortir de la pièce puis, d'une voix maîtrisée et monocorde, elle y a mis un terme. (« Eh bien, bon, *de toute évidence* ce garçon ignore où il est, la mère ne le savait pas non plus… Oui, je sais que vous aimeriez le retrouver, mais il semblerait que cet homme ne veuille *pas* qu'on le retrouve, et il a pris des *mesures* en ce sens… Il ne payait pas de pension alimentaire, il a laissé nombre de dettes, il a plus ou moins quitté la ville sans un mot, donc franchement, je vois mal ce à quoi vous espérez parvenir en contactant ce père modèle, ce bon citoyen et… Oui, oui, tout cela est très bien, mais si ses créanciers n'arrivent pas à lui mettre la main dessus, ni votre agence, alors je me demande bien ce que vous espérez en continuant de harceler cet enfant, pas vous ? Pourrions-nous donc nous mettre d'accord pour que cela cesse ? »)

Certains éléments de la loi martiale imposée depuis

mon arrivée avaient gêné la bonne marche de la maison-née : les domestiques n'avaient par exemple plus le droit d'écouter Ten-Ten WINS, la station d'infos, en travaillant (« Non, non », disait Etta la cuisinière, en me désignant du regard en guise de mise en garde quand une des femmes de ménage essayait d'allumer la radio) et, le matin, le *Times* était apporté sur-le-champ à Mr. Barbour au lieu d'être laissé là à disposition du restant de la famille. De toute évidence ce n'était pas la coutume – « Quelqu'un a *encore* pris le journal », gémissait Kitsey, la petite sœur d'Andy, avant de sombrer dans un silence coupable sur un regard de sa mère – et j'ai vite compris que s'il s'était mis à disparaître dans le bureau de Mr. Barbour, c'était parce qu'il y avait dedans des choses qu'ils jugeaient préférable que je ne voie pas.

Dieu merci, ancien compagnon dans l'adversité, Andy avait compris que je n'avais aucune envie de parler. Les premiers jours, ils l'ont autorisé à sécher les cours pour rester avec moi. Dans sa chambre au tissu écossais suranné et aux lits superposés où j'avais passé plus d'un samedi soir en primaire, nous étions assis devant l'échiquier, Andy jouant pour nous deux, vu que, dans le brouillard qui m'habitait, je me souvenais à peine de comment bouger les pièces. « D'accord, a-t-il dit en repoussant ses lunettes sur l'arête de son nez. Très bien. Es-tu absolument sûr de vouloir faire ça ?

— Faire quoi ?

— Je vois, a rétorqué Andy avec cette voix fine et irritante qui, au fil des années, avait poussé tant de petites brutes à le bousculer sur le trottoir devant l'école. Ta tour est en danger, c'est un fait, mais je te suggérerais de mieux regarder ta reine… non, non, ta *reine*. D5. »

Pour que je lui prête attention, il fallait qu'il m'inter-pelle par mon prénom. Je revivais en boucle le moment où ma mère et moi avions monté les marches du musée en courant. Son parapluie à rayures. La pluie qui picotait et s'écrasait sur nos visages. Ce qui s'était passé, je le savais, était irrévocable ; pourtant il semblait en même temps exister un moyen pour que je retourne dans la rue pluvieuse et fasse en sorte que tout se déroule différemment.

« L'autre jour quelqu'un, je crois que c'était Malcolm machin truc chose ou un autre écrivain que l'on est supposé respecter – enfin bref, l'autre jour dans *Science Times* il a fait tout un laïus sur le fait qu'il y a sur la planète plus de parties d'échecs potentielles que de grains de sable, a expliqué Andy. C'est ridicule qu'un auteur scientifique pour un grand journal se sente tenu d'insister sur une chose aussi évidente.

— En effet, ai-je admis en m'extirpant avec effort de mes pensées.

— Tout le monde sait que les grains de sable sur la planète sont certes très nombreux, mais limités ! C'est absurde que quelqu'un se donne même la peine de commenter un tel faux problème, tu sais, comme si c'était un scoop ! De jeter ça sur le tapis, tu sais, comme si c'était un prétendu fait ésotérique. »

En primaire, Andy et moi étions devenus amis dans des circonstances plus ou moins traumatisantes, après avoir sauté une classe à la suite de bons résultats à un examen. Aujourd'hui, tout le monde s'accorde à dire que c'était une erreur pour nous deux, mais pour des raisons différentes. Cette année-là – au milieu de garçons tous plus âgés et plus grands que nous qui nous faisaient des croche-pieds, nous bousculaient et refermaient les portes des casiers sur nos mains, des garçons qui déchiraient nos devoirs et crachaient dans notre lait, qui nous traitaient d'*asticots*, de *fayots* et de *têtes de nœud* – durant toute cette année (notre exil à Babylone, comme le disait Andy de sa voix légère et lugubre) nous nous étions battus côte à côte comme deux fourmis gringalettes sous une loupe : tapés dans les tibias, victimes de coups bas, ostracisés, nous déj,eunions en nous faisant tout petits dans le coin le plus reculé possible afin d'éviter que l'on ne nous jette des sachets de ketchup et des nuggets de poulet. Pendant près de deux années il avait été mon seul ami, et vice versa. Cela me déprimait et me gênait de me rappeler cette époque : nos guerres d'Autobots et nos vaisseaux spatiaux en Lego, les identités secrètes que nous empruntions à *Star Trek* (j'étais Kirk, il était Spock) dans un effort pour transformer nos tourments en jeu. *Capitaine, il semblerait que ces aliens nous retiennent en captivité dans ce qui ressemble à un simulacre de vos écoles pour enfants humains sur Terre.*

Avant d'être balancé dans un groupe soudé et compétitif de garçons plus âgés avec l'étiquette « doué » autour du cou, je n'avais jamais été particulièrement honni ou humilié à l'école. Mais avant même qu'on lui fasse sauter une classe, le pauvre Andy – enfant maigre, nerveux et allergique au lactose, avec une peau si pâle qu'elle en était presque transparente, et un penchant à émailler sa conversation de mots comme « nauséabond » et « chtonien » – Andy avait toujours été victime d'un harcèlement chronique. Il avait beau être brillant, il était maladroit ; sa voix plate, son habitude de respirer par la bouche à cause d'un nez en permanence obstrué lui donnaient un air légèrement idiot alors qu'il était très intelligent. Au milieu de ses frères et sœur mutins, sportifs et à la dent dure – qui couraient de leurs copains à leurs équipes en passant par des activités extrascolaires gratifiantes – il sortait du lot au même titre qu'un crétin égaré qui se serait aventuré sur le terrain de hockey par erreur.

Alors que j'étais parvenu à me remettre plus ou moins bien de la catastrophe du CM2, ce n'était pas le cas d'Andy. Les vendredis et samedis soir, il les passait chez lui ; il n'était jamais invité aux fêtes ou aux sorties dans le parc. Pour autant que je le sache, je continuais d'être son seul ami. Et bien que grâce à sa mère il ait tous les vêtements qu'il fallait et s'habillait comme les gamins populaires – il portait même parfois des lentilles de contact – cela ne trompait personne : les gaillards sportifs et hostiles qui se souvenaient de sa mauvaise époque continuaient de le bousculer et de l'appeler « 3PO » à cause d'une erreur de jeunesse qui lui avait fait porter un T-shirt de *Star Wars* à l'école.

Même petit, Andy n'avait jamais été très causant, sauf par à-coups et sous pression (l'essentiel de notre amitié avait consisté en échanges silencieux de BD). Des années de harcèlement à l'école l'avaient rendu encore plus muet, moins apte à employer des mots du vocabulaire lovecraftien, plus enclin à se murer dans des cours avancés de maths et de sciences. Les mathématiques ne m'avaient jamais beaucoup intéressé – j'étais ce qu'on appelle un élève à l'aise à l'oral – mais alors que, côté études, je n'avais pas tenu mes précoces promesses dans quelque matière que ce soit, et ne m'intéressais pas aux bonnes notes si je devais étudier pour les obtenir, Andy suivait des cours avancés dans toutes les matières et caracolait en tête de classe. (Il aurait certainement été envoyé à Groton comme Platt – une perspective qui le terrifiait depuis le CE1 – si ses parents ne s'étaient pas inquiétés, non sans raison, d'envoyer en pension un fils tellement persécuté par ses camarades qu'un beau jour il avait failli être asphyxié à la récréation par un sac en plastique qu'on lui avait mis sur la tête. Il y avait d'autres inquiétudes aussi : si j'étais au courant du séjour de Mr. Barbour chez « les allumés », c'était parce que Andy m'avait raconté, à sa manière terre à terre et prosaïque, que ses parents craignaient qu'il n'ait hérité d'un peu de cette même vulnérabilité, ainsi qu'il la nommait.)

Durant la période qu'il a passée à la maison avec moi, Andy s'est excusé de devoir étudier, « mais malheureusement il le faut », m'a-t-il expliqué en reniflant et en s'essuyant le nez sur sa manche. Il suivait un nombre incroyable de cours (« Les cours avancés, c'est l'enfer assuré ») et il ne pouvait se permettre d'avoir ne serait-ce qu'un jour de retard. Tandis qu'il peinait sur ce qui semblait être des quantités infinies de devoirs (chimie et arithmétique, histoire des États-Unis, anglais, astronomie, japonais), j'étais assis par terre, le dos appuyé contre le flanc de sa commode, comptant en silence pour moi seul : à cette heure-ci il y a à peine trois jours elle était en vie, à cette heure-ci il y a quatre jours, il y a une semaine. Je repassais mentalement en revue tous les repas que nous avions pris durant les jours qui avaient précédé sa mort : notre dernière visite au Grec, au *Shun Lee Palace*, le dernier dîner qu'elle m'avait cuisiné (des spaghettis carbonara) et le dernier dîner avant celui-là (un plat baptisé poulet à l'indienne, qu'elle tenait de sa mère au Kansas). Parfois, pour avoir l'air occupé, je feuilletais d'anciens tomes de *Fullmetal Alchemist,* un manga, ou bien un H.G. Wells illustré qu'il avait dans sa chambre, mais même les images étaient au-delà de mes forces. La plupart du temps je fixais les pigeons qui battaient des ailes sur le rebord de la fenêtre pendant qu'Andy remplissait un nombre incalculable de tableaux dans son cahier d'hiraganas, son genou tressautant sous le bureau.

À l'origine une grande pièce que les Barbour avaient divisée en deux, la chambre d'Andy donnait sur Park Avenue. Des klaxons pleuraient au passage piéton à l'heure de pointe et la lumière dorait de ses feux les fenêtres de l'autre côté de la rue, déclinant à l'heure même où la circulation commençait à se fluidifier. La nuit s'avançait (phosphorescence des lampadaires, violets des minuits urbains qui jamais ne viraient au noir) et moi je me tournais d'un côté puis de l'autre, le plafond bas au-dessus du lit du haut m'oppressant si lourdement que parfois je me réveillais convaincu d'être allongé sous le lit plutôt que dessus.

Comment était-il possible que quelqu'un vous manque

autant que ma mère me manquait ? C'était à un point tel que j'avais envie de mourir : une envie dure, physique, comme un désir d'air pressant quand on est sous l'eau. Allongé éveillé, j'essayais de me rappeler mes meilleurs souvenirs d'elle – de la figer dans mon esprit pour ne pas l'oublier – mais à la place d'anniversaires et de moments heureux, je ne cessais de me rappeler comment, quelques jours avant sa mort, elle m'avait arrêté sur le pas de la porte pour enlever un fil sur la veste de mon uniforme scolaire. C'était l'un des souvenirs les plus clairs que j'avais d'elle, allez savoir pourquoi : ses sourcils froncés, le geste précis consistant à tendre la main vers moi, tout. À plusieurs reprises aussi – dérivant, mal à l'aise, entre le rêve et le sommeil – je me relevais tout à coup dans le lit en entendant dans ma tête sa voix énoncer avec clarté des remarques qu'elle avait en théorie pu faire, mais dont je ne me souvenais pas vraiment, des choses comme *Lance-moi une pomme, tu veux bien ? Je me demande si ça se boutonne devant ou derrière ?* et *Ce canapé est une honte.*

La lumière de la rue tombait en stries noires sur le plancher. Désespéré, je pensais à ma chambre vide à quelques rues de là, à mon lit étroit et à sa couette rouge usée, aux étoiles du planétarium qui brillaient au plafond la nuit et à une carte postale illustrée du *Frankenstein* de James Whale. Les oiseaux étaient de retour dans le parc, les jonquilles étaient sorties ; à cette époque de l'année, quand il commençait à faire beau, on se réveillait parfois super tôt le matin et on traversait le parc ensemble au lieu de prendre le bus vers le West Side. Si seulement je pouvais revenir en arrière et changer ce qui s'était passé, empêcher que cela ait lieu, d'une manière ou d'une autre. Pourquoi n'avais-je pas insisté pour que l'on aille prendre notre petit déjeuner au lieu d'aller au musée ? Pourquoi Mr. Beeman ne nous avait-il pas convoqués mardi, ou jeudi ?

La deuxième nuit après la mort de ma mère, ou la troisième – en tout cas quelque temps après que Mrs. Barbour m'eut emmené chez le médecin pour mon mal de tête – les Barbour ont organisé chez eux une grande soirée qu'il était trop tard pour annuler. Ce fut synonyme de chuchotis et d'une activité frénétique qui m'étaient à peine supportables. Quand elle est entrée dans la chambre d'Andy, Mrs. Barbour a lancé : « Je pense que Theo et toi auriez peut-être plus de plaisir à rester ici. » Malgré son ton léger, ce n'était de toute évidence pas une suggestion, mais un ordre. « Ce sera assommant et je ne crois vraiment pas que vous vous amuserez. Je demanderai à Etta de vous apporter deux assiettes de la cuisine. »

Andy et moi nous sommes assis côte à côte sur le lit du bas, mangeant des crevettes à la sauce cocktail et des canapés aux artichauts dans des assiettes en carton, ou plutôt lui mangeait pendant que moi j'étais assis avec l'assiette sur les genoux, à laquelle je n'ai pas touché. Il avait mis un DVD, un film d'action avec des robots qui explosaient et un déluge de métal et de flammes. En provenance du salon : des verres qui s'entrechoquent, des odeurs de bougies et de parfum, et de temps à autre une voix qui explosait en un rire éclatant. L'arrangement étincelant au rythme enlevé du pianiste sur *It's All Over Now, Baby Blue* semblait provenir d'un autre univers. Tout était perdu, j'avais disparu de la surface de la Terre : la désorientation liée au fait d'être dans le mauvais appartement, la mauvaise famille, m'épuisait, et donc je me suis senti groggy, sonné, au bord des larmes, à l'image d'un prisonnier subissant un interrogatoire et que l'on n'aurait pas autorisé à dormir des jours durant. Dans mon esprit, les mots *Je dois rentrer à la maison* ne cessaient de tourner en boucle, suivis, pour la millionième fois, de *Je ne peux pas*.

IV

Au bout de quatre jours, ou peut-être cinq, Andy a fourré ses livres dans son sac surchargé et repris le chemin du collège. Cette journée-là et la suivante, je suis resté assis dans sa chambre avec sa télévision branchée sur TCM, la chaîne que ma mère regardait quand elle rentrait du travail. Ils diffusaient des films adaptés de Graham Greene : *Espions sur la Tamise, La Guerre des otages, Première Désillusion, Tueur à gages*. Le deuxième soir, pendant que j'attendais la diffusion du *Troisième Homme*, Mrs. Barbour (toute de Valentino vêtue et sur le point de se rendre à une soirée au Frick Museum) s'est arrêtée dans la chambre d'Andy et m'a annoncé que je retournerais au collège le lendemain. « N'importe qui *se sentirait mal* ici tout seul. Ce n'est pas bon pour toi », a-t-elle déclaré.

Que répondre ? Rester assis tout seul à regarder des films, c'était la seule chose que j'avais faite depuis la mort de ma mère qui m'avait semblé à peu près normale.

« Il est grand temps que tu retrouves une sorte de routine. Demain. Je sais que tu n'y crois pas, Theo, mais t'occuper est la seule chose au monde qui t'aidera à te sentir mieux », a-t-elle ajouté en voyant que je ne répondais pas.

J'ai fixé la télévision, l'air résolu. Je n'étais pas allé au collège depuis la veille du décès de ma mère, et tant que je n'y allais pas, sa mort ne semblait pas officielle, en un sens. Une fois que j'y serais retourné, l'information serait publique. Pire : l'idée de suivre de nouveau n'importe quelle routine normale me semblait déloyale, c'était mal. Cela continuait d'être un choc chaque fois que j'y repensais, une nouvelle gifle : elle était partie. Chaque nouvel événement – tout ce que je ferais pendant le restant de ma vie – ne pourrait que nous séparer davantage : chaque jour qui passait accroissait la distance entre nous. Le reste de ma vie ne pourrait que la séparer davantage de moi.

« Theo. »

Surpris, j'ai levé les yeux vers elle.

« Un pas après l'autre. Il n'y a pas d'autre manière de s'en sortir. »

Le lendemain, TCM diffusait une série de films d'espionnage de la Seconde Guerre mondiale (*Le Caire, L'Ennemi caché, Nom de code : Émeraude*) que j'avais vraiment envie de voir. Au lieu de quoi je sortais péniblement du lit lorsque Mr. Barbour a passé la tête pour nous réveiller (« Debout et à l'attaque, vaillants soldats ! ») et j'ai marché jusqu'à l'arrêt de bus au côté d'Andy. Il pleuvait, et il faisait suffisamment froid pour que Mrs. Barbour m'ait obligé à enfiler un vieux duffelcoat inconfortable ayant appartenu à Platt. La petite sœur d'Andy, Kitsey, dansait devant nous dans son imperméable rose et sautillait par-dessus les flaques en faisant semblant de ne pas nous connaître.

Je savais que ça allait être horrible et ça l'a été, à la minute où j'ai posé le pied dans le hall lumineux et senti la vieille odeur familière du collège : désinfectant au citron et comme une odeur de vieilles chaussettes. Il y avait des panonceaux rédigés à la main dans le hall : listes d'inscriptions pour l'atelier de tennis et les cours de cuisine, auditions pour la pièce *Drôle de couple*, excursions à Ellis Island et billets toujours disponibles pour le concert *Swing into Spring*, difficile de croire que le monde n'existait plus et que pourtant, d'une manière ou d'une autre, ces activités ridicules se poursuivaient laborieusement.

Une chose étrange : le dernier jour que j'avais passé dans le bâtiment, elle était vivante. J'y pensais sans cesse et sans cesse je redécouvrais cette sensation intacte : la dernière fois que j'avais ouvert ce casier, la dernière fois que j'avais touché ce putain d'*Aperçus de la biologie*, la dernière fois que j'avais vu Lindy Maisel se mettre du gloss. Il semblait difficile à croire que je ne puisse pas remonter le fil de ces moments jusqu'à un monde où elle n'était pas morte.

« Désolé », disaient les élèves que je connaissais, ainsi que d'autres auxquels je n'avais jamais parlé de ma vie. D'autres encore – qui riaient et parlaient dans les couloirs – se faisaient silencieux dès que je les croisais, jetant dans ma direction des regards graves ou interrogateurs. Et certains continuaient de m'ignorer royalement, comme le font des chiens joueurs avec un chien malade ou blessé : en refusant de me regarder, en s'ébattant et en gambadant autour de moi dans les couloirs comme si je n'existais pas.

Tom Cable en particulier m'évitait avec la même constance que si j'avais été une fille qu'il venait de larguer. Au déjeuner, il n'était nulle part en vue. Au cours d'espagnol (il était entré d'un pas nonchalant bien après le début, loupant la scène délicate où tous les élèves s'étaient groupés autour de mon pupitre l'air sombre pour me présenter leurs condoléances) il ne s'est pas assis à côté de moi comme d'habitude mais s'est affalé devant, les jambes en biais. La pluie tambourinait sur les vitres alors que nous traduisions une série de phrases bizarres qui auraient plu à Salvador Dalí : à propos de homards et de parasols, et de Marisol aux longs cils qui prenait un taxi vert pistache pour se rendre au lycée.

Après le cours, au moment de sortir, j'ai mis un point d'honneur à aller lui dire bonjour pendant qu'il rangeait ses livres.

« Oh, salut, comment va, m'a-t-il dit, distant, se reculant en relevant un sourcil comme un crétin. Je suis au courant au fait.

— Ouais. » On fonctionnait comme ça : trop cool pour

qui que ce soit d'autre, toujours sur la même longueur d'onde.

« Trop con. C'est vraiment moche.

— Merci.

— Hé... t'aurais dû te faire porter pâle. Je te l'avais dit ! Ma mère a pété un câble pour cette histoire à la con aussi. Elle a sauté au putain de plafond ! Bon, euh », a-t-il fait en haussant à moitié les épaules durant le moment de stupeur qui a suivi, regardant vers le haut, vers le bas, autour de lui, avec un air du style *qui, moi ?*, comme s'il avait lancé une boule de neige avec un caillou dedans.

« Enfin, voilà. Bon, a-t-il repris d'une voix genre faut que j'y aille. C'est quoi, ce déguisement ?

— Quoi ?

— Eh bien... (petit pas ironique en arrière en lorgnant le duffel-coat à carreaux écossais) premier prix *assuré* au concours des sosies de Platt Barbour. »

Et malgré moi – ce qui était un choc après ces jours d'horreur et de torpeur et avec un spasme éruptif semblable à ceux que génère le syndrome de la Tourette – j'ai ri.

« Excellente trouvaille, Cable », ai-je répondu en adoptant la détestable voix traînante de Platt. On était tous les deux de bons imitateurs, et il nous arrivait souvent de mener des conversations entières en prenant la voix d'autres personnes : présentateurs télé obtus, filles pleurnicheuses, profs enjôleurs et niais. « Demain je vais venir habillé comme toi. »

Mais Tom n'a pas répondu à l'identique, ni rebondi. Cela ne l'intéressait plus.

« Euhhhh... peut être pas, a-t-il commenté en haussant un peu les épaules et avec un petit sourire suffisant. À plus.

— D'accord, à plus. » J'étais contrarié – c'était quoi, son problème, bordel ? Pourtant, nous insulter mutuellement faisait partie de notre numéro d'humour noir continu qui n'amusait que nous ; j'étais sûr qu'il viendrait me trouver après le cours d'anglais, ou bien qu'il me rattraperait sur le chemin du retour, en courant derrière moi et en me tapant sur la tête avec son livre d'algèbre. Mais non. Le lendemain matin avant le premier cours il ne m'a même pas regardé quand je lui ai dit salut, et son expression vide quand il m'a croisé m'a fait froid dans le dos. Lindy Maisel et Mandy Quaife se sont tournées vers leurs casiers pour se dévisager en gloussant d'une manière un peu choquée : *Oh mon Dieu* ! À côté de moi mon binôme de laboratoire, Sam Weingarten, a secoué la tête. « Quel trouduc, a-t-il lancé à voix haute, si fort que tout le monde dans le hall s'est retourné. Tu es un vrai trouduc, Cable, tu le sais ? »

En fait je m'en fichais – ou en tout cas cela ne me blessait pas et ne me déprimait pas non plus. À la place, j'étais furieux. Mon amitié avec Tom avait toujours été violente et survoltée, délirante, fiévreuse et un peu périlleuse, et bien que toute la bonne vieille grande énergie soit toujours là, le courant s'était inversé, le voltage bourdonnait dans la direction opposée, si bien qu'au lieu de chahuter avec lui en salle d'étude j'avais envie de lui pousser la tête dans l'urinoir, de lui arracher le bras d'un coup sec et de le dévisser, de lui frapper le visage sur le trottoir jusqu'au sang, de lui faire manger de la merde de chien et des cochonneries par terre. Plus j'y pensais, et plus je devenais enragé, j'étais tellement en colère par moments que je faisais les cent pas dans les toilettes en grommelant pour moi-même. Si Cable ne m'avait pas montré du doigt à Mr. Beeman (« Je sais, je sais, Theo, ces cigarettes n'étaient pas à vous »)... Si Cable n'avait pas été à l'origine de mon renvoi temporaire... Si ma mère n'avait pas pris un jour de congé... Si nous n'avions pas été au musée juste au mauvais moment... Eh bien, même Mr. Beeman s'était excusé, à sa façon. Parce que, bien sûr, il y avait des problèmes avec mes notes (et plein d'autres trucs dont Mr. Beeman ignorait tout), mais l'incident déclencheur, la chose qui a fait que j'ai été convoqué, l'affaire des cigarettes dans la cour, de qui était-ce la faute ? De Cable. Ce n'était pas comme si j'attendais de lui qu'il s'excuse. En fait, ce n'est pas comme si je le lui aurais jamais reproché. Sauf que maintenant j'étais devenu un paria ? *Persona non grata* ? Il n'allait même plus me parler ? J'étais plus petit que Cable, mais pas de beaucoup, et chaque fois qu'il sortait une vanne en cours, ce qu'il ne pouvait s'empêcher de faire, ou qu'il me dépassait dans le hall avec ses nouveaux meilleurs amis, Billy Wagner et Thad Randolph (de la même manière qu'on courait ensemble en tous sens avant, en surmultiplié, dans cette urgence du danger et de la folie), ma seule pensée c'était à quel point j'avais envie de tabasser ce connard et de voir les filles rire tandis qu'il irait se terrer loin de moi en larmes : *oooh, Tom ! bouh hou hou ! Tu pleures ?* (Faisant de mon mieux pour provoquer une bagarre, je l'ai frappé au nez par-accident-mais-exprès en lui claquant la porte des toilettes au visage, et je l'ai poussé contre le distributeur de boissons pour qu'il fasse tomber ses répugnantes frites au fromage par terre, mais au lieu de me sauter dessus – je n'attendais que cela – il s'est contenté d'afficher un sourire suffisant et a tourné les talons sans un mot.

Tout le monde ne m'évitait pas, bien sûr. Beaucoup de gens déposaient des petits mots et des cadeaux dans mon casier (y compris Isabella Cushing et Martina Lichtblau, les filles les plus populaires de ma classe) et mon vieil ennemi depuis le CM2, Win Temple, m'a étonné en s'approchant de moi et en me serrant très fort dans les bras. La plupart des gens réagissaient néanmoins vis-à-vis de moi avec une politesse prudente et semi terrifiée. Ce n'est pas comme si je passais mon temps à pleurer ou même à agir de façon dérangeante, toujours est-il que lorsque je m'asseyais auprès d'eux au déjeuner, ils s'arrêtaient au beau milieu de leurs conversations.

De l'autre côté, les adultes m'accordaient une attention qui devenait gênante. On m'a conseillé de tenir un journal intime, de parler avec mes amis, d'effectuer un « collage mémoriel » (conseil de cinglés en ce qui me concernait ; les autres gamins étaient mal à l'aise avec moi quand bien même j'agissais normalement, et je ne voulais surtout pas attirer l'attention sur moi en partageant mes sentiments avec des gens ou en pratiquant de l'artisanat thérapeutique en salle de dessin). Je semblais passer une somme de temps phénoménale dans des salles de classe vides et des bureaux (à fixer le sol ou hocher la tête d'un air idiot) avec des profs à l'air soucieux qui me demandaient de rester après les cours ou qui me prenaient à part pour me parler. Après s'être assis sur le bord de son bureau et m'avoir confié le récit angoissant de la mort horrible de sa propre mère aux mains d'un chirurgien incompétent, mon prof d'anglais, Mr. Neuspeil, m'avait tapoté le dos et donné un cahier vierge pour écrire ; Mrs. Swanson, la conseillère d'orientation, m'avait montré des exercices respiratoires et suggéré que je pourrais trouver utile d'évacuer mon chagrin en sortant jeter des glaçons contre un arbre ; et même Mr. Borowsky (qui enseignait les maths et était passablement moins enthousiaste à mon sujet que la plupart des autres profs) m'a pris à part dans le hall et – d'une voix très douce, le visage à environ cinq centimètres du mien – m'a raconté combien il s'était senti responsable de la mort de son frère dans un accident de la route. (La culpabilité revenait beaucoup dans ces conversations. Les profs croyaient-ils, tout comme moi d'ailleurs, que j'étais responsable de la mort de ma mère ? Apparemment, oui.) Mr. Borowsky s'était senti si coupable d'avoir laissé son frère rentrer à la maison en voiture après la fête de ce soir-là alors qu'il était soûl que pendant une courte période il avait même pensé à se suicider. Peut-être que j'en viendrais aussi à y songer. Mais ce n'était pas la réponse *ad hoc*.

J'ai accepté tous ces conseils poliment, avec un sourire lisse et une aveuglante sensation d'irréalité. De nombreux adultes semblaient interpréter cette torpeur comme un signe positif ; je me souviens en particulier de Mr. Beeman (un Britannique très sec coiffé d'une stupide casquette plate en tweed, qu'en dépit de sa sollicitude j'en étais venu à haïr de manière irrationnelle comme étant la cause directe de la mort de ma mère) qui me complimentait sur ma maturité et m'informait que je semblais « gérer ça terriblement bien ». Et peut-être que je gérais ça terriblement bien en effet, je ne sais pas. De toute évidence je ne hurlais pas à la mort, n'envoyais pas mon poing dans les vitres et ne faisais rien de ce que, selon moi, pourraient faire des gens éprouvant ce que j'éprouvais. Mais parfois le chagrin s'abattait sur moi de manière inattendue en vagues qui me laissaient haletant ; et quand ces dernières refluaient, je contemplais alors un naufrage saumâtre illuminé d'une lumière si claire, si poignante et si vide, que je pouvais à peine me souvenir que le monde n'avait pas toujours été mort.

V

Pour être sincère, mes grands-parents Decker étaient le cadet de mes soucis, ce qui était aussi bien, vu que les services sociaux étaient incapables de les retrouver dans l'immédiat sur la base du peu d'informations que j'avais été en mesure de leur donner. Puis Mrs. Barbour a frappé à la porte d'Andy et a lancé : « Theo, est-ce que l'on peut te parler une minute ? »

Quelque chose dans son attitude respirait clairement

les mauvaises nouvelles, bien que dans ma situation il soit difficile d'imaginer comment cela pouvait encore empirer. Une fois assis au salon, à côté d'une composition d'un mètre de haut de branches de saule blanc et de pommier en fleur tout juste livrée par le fleuriste, elle a croisé les jambes et expliqué : « J'ai reçu un appel des services sociaux. Ils ont contacté tes grands-parents. Malheureusement, il semble que ta grand-mère n'aille pas bien. »

Confusion de ma part l'espace d'un instant. « Dorothy ?

— Si c'est ainsi que tu l'appelles, oui.

— Oh. Ce n'est pas ma vraie grand-mère.

— Je vois, a fait Mrs. Barbour comme si elle ne voyait pas vraiment et n'en avait d'ailleurs pas envie. Quoi qu'il en soit, il semblerait qu'elle n'aille pas bien – un problème de dos, je crois – et ton grand-père s'occupe d'elle. Donc, vois-tu, je suis sûre qu'ils sont désolés, mais à les entendre ce ne serait pas pratique pour toi d'aller chez eux en ce moment. En tout cas d'y rester, a-t-elle ajouté en voyant que je ne répondais pas. Ils ont offert de te payer un séjour dans un Holiday Inn près de chez eux en attendant, mais cela ne semble pas très pratique, si ? »

Un bourdonnement désagréable s'est déclenché dans mes oreilles. Assis là sous son regard gris, glacial et calme, je me suis senti horriblement honteux, sans vraiment savoir pourquoi. J'avais tant redouté l'idée d'aller chez grand-père Decker et Dorothy que je les avais presque complètement chassés de mon esprit, sauf que c'était une autre paire de manches d'apprendre qu'eux ne voulaient pas de moi.

Une étincelle compassionnelle est passée sur son visage. « Tu ne dois pas te sentir mal pour ça, m'a-t-elle expliqué. Et de toute façon tu ne dois pas t'inquiéter. Tu restes avec nous les semaines qui viennent et tu finis ton année de collège, au minimum, c'est l'arrangement qui a été conclu. Tout le monde est d'accord pour dire que c'est ce qu'il y a de mieux. Tu portes une bien belle bague, au fait. C'est un bijou de famille ?

— Hum, oui. » Pour des raisons que j'aurais trouvées difficiles à expliquer, j'emportais la bague du vieil homme presque partout où j'allais. Pour l'essentiel je jouais avec quand elle était dans la poche de ma veste, mais de temps à autre je la glissais à mon annulaire et la portais, même si elle était trop grande et glissait un peu.

« Intéressant. La famille de ta mère ou de ton père ?

— De ma mère, ai-je répondu après une légère pause, n'aimant pas le tour que prenait la conversation.

— Je peux la voir ? »

Je l'ai enlevée et l'ai laissée tomber dans sa paume. Elle l'a tenue en l'air devant la lampe. « Jolie, c'est de la cornaline, a-t-elle fait. Et cette intaille. C'est gréco-romain ? Ou les armoiries familiales ?

— Hum, les armoiries. Je crois. »

Elle a examiné la bête griffue et mythologique. « On dirait un griffon. Ou peut-être un lion ailé. » Elle l'a inclinée sous la lumière et en a regardé l'intérieur. « Et cette inscription ? »

Mon expression perplexe lui a fait froncer les sourcils. « Ne me dis pas que tu ne l'as jamais remarquée. Attends. » Elle s'est levée pour se diriger vers le bureau doté de nombreux tiroirs et compartiments compliqués et en est revenue avec une loupe.

« Ce sera mieux que mes lunettes de vue, a-t-elle expliqué en regardant au travers d'un air interrogateur. Cette vieille écriture moulée est difficile à déchiffrer. » Elle a approché la loupe, puis l'a éloignée. « Blackwell. Cela te dit quelque chose ?

— Ah… » En fait oui, quelque chose au-delà des mots, mais l'idée avait explosé et s'était évanouie avant de s'être pleinement matérialisée.

« Je vois aussi des lettres grecques. Très intéressant. »
Elle l'a laissée tomber dans ma main. « C'est une vieille
bague, a-t-elle constaté. Cela se voit à la patine sur la
pierre, et à la façon dont c'est usé... Tu vois, là ? Les
Américains rapportaient ces intailles classiques d'Europe
à l'époque de Henry James, et les faisaient sertir en
bagues. En souvenir du Grand Tour.

— S'ils ne veulent pas de moi, je vais aller où ? »

L'espace d'une seconde, Mrs. Barbour a semblé prise
au dépourvu. Elle s'est ressaisie presque tout de suite
et m'a répondu : « Eh bien, je ne m'en soucierais pas
maintenant, si j'étais toi. C'est sans doute mieux que tu
restes un peu plus longtemps ici et que tu finisses ton
année de collège, tu ne crois pas ? Bien... (elle a hoché
la tête) sois prudent avec cette bague et fais attention à
ne pas la perdre. Je vois bien qu'elle est trop grande.
Tu ferais peut-être mieux de la mettre dans un endroit
sûr plutôt que de la porter comme ça. »

VI

Je la portais néanmoins. Ou plutôt, j'ai fait fi de son
conseil de la mettre en sécurité et j'ai continué de la
garder dans ma poche. Quand je la soupesais dans ma
paume, elle était très lourde ; si je refermais les doigts
autour, l'or se réchauffait au contact de la chaleur de
ma main, mais la pierre taillée restait froide. Son aspect
lourd, vieillot, ainsi que son alliage de sobriété et d'éclat
étaient étrangement réconfortants ; si je la fixais de
manière assez intense, elle possédait l'étrange pouvoir
de m'ancrer dans mon état de dérive et d'exclure le
monde autour de moi, mais malgré tout je me refusais
à penser à sa provenance.

Je ne voulais pas davantage réfléchir à mon avenir,

parce que bien que je ne me sois pas vraiment réjoui à l'idée d'une nouvelle vie dans le Maryland rural, à la merci glaçante de mes grands-parents Decker, je me mettais maintenant à m'inquiéter pour de bon de ce qui allait m'arriver. Tout le monde semblait on ne peut plus choqué par l'idée du Holiday Inn, comme si grand-père Decker et Dorothy avaient suggéré que je déménage dans une cabane au fond de leur jardin, mais moi ça ne me semblait pas si terrible. J'avais toujours eu envie de vivre à l'hôtel, et même si l'Holiday Inn n'était pas mon idéal, certainement que je m'en accommoderais : hamburgers à volonté, télévision à la carte, piscine en été, ce n'était pas si mal ?

Tout le monde (les assistants sociaux, Dave le psy, Mrs. Barbour) n'arrêtait pas de me dire que je ne pouvais vraiment pas vivre tout seul à l'Holiday Inn, en zone suburbaine du Maryland, mais que de toute façon on n'en viendrait jamais là – et ils ne semblaient pas se rendre compte que leurs paroles supposées réconfortantes ne faisaient que décupler mon angoisse au centuple. « Ce qu'il faut garder en tête c'est que quelqu'un s'occupera de toi quoi qu'il advienne », disait Dave, le psychiatre que la municipalité m'avait assigné. C'était un gars dans la trentaine vêtu de sombre, le nez chaussé de lunettes à la mode, qui donnait l'impression permanente de revenir d'une lecture publique de poésie dans le sous-sol d'une église. « Parce qu'il y a des tonnes de gens qui se soucient de toi et ne souhaitent que le meilleur pour toi. »

J'étais devenu méfiant à l'égard des inconnus qui discutaient de ce qui était le mieux pour moi : c'était exactement ce que les assistants sociaux avaient affirmé avant d'évoquer le sujet de la famille d'accueil. « Mais je ne pense pas que mes grands-parents aient si tort que ça, ai-je lancé.

— Tort sur quoi ?

— Sur l'Holiday Inn. Ça pourrait être bien pour moi.

— Est-ce que tu sous-entends que dans leur maison cela ne serait pas bien ? a demandé Dave qui ne ratait jamais une occasion.

— Non ! » Je détestais cette manie qu'il avait de toujours me faire dire ce que je n'avais pas dit.

« Très bien, alors. Peut-être que nous pouvons formuler cela d'une autre manière. » Il a croisé les mains et réfléchi. « Pourquoi préférerais-tu vivre à l'hôtel que chez tes grands-parents ?

— Je n'ai pas dit ça. »

Il a penché la tête sur le côté. « Non, mais à la façon dont tu n'arrêtes pas de parler du Holiday Inn comme si c'était un choix viable, je comprends que tu exprimes là ce que tu préférerais.

— Ça me semble beaucoup mieux que d'aller dans une famille d'accueil.

— Oui… (il s'est penché en avant) mais écoute ce que je vais t'expliquer, je t'en prie. Tu n'as que treize ans. Et tu viens de perdre la plus importante de tes proches. Vivre seul n'est vraiment pas envisageable pour l'instant. Ce que j'essaie de t'expliquer, c'est que c'est très dommage que tes grands-parents soient confrontés à ces problèmes de santé, mais crois-moi, je suis sûr que l'on peut arranger quelque chose de bien mieux une fois que ta grand-mère sera guérie. »

Je n'ai rien répondu. De toute évidence il n'avait jamais rencontré grand-père Decker et Dorothy. Je les avais moi-même peu fréquentés, mais ce dont je me souvenais surtout, c'était l'absence totale d'un sentiment de lien de parenté, le regard inexpressif qu'ils avaient posé sur moi comme si j'étais un gamin lambda tout juste débarqué du centre commercial voisin. La perspective d'aller vivre avec eux était pratiquement inimaginable, et je m'étais torturé les méninges à tenter de me souvenir au mieux de ma dernière visite chez eux – ce qui se résumait à pas grand-chose étant donné que j'avais alors sept ou huit ans. Il y avait des proverbes brodés à la main encadrés et accrochés aux murs, un truc en plastique posé sur le plan de travail que Dorothy utilisait pour déshydrater la nourriture. À un moment donné – grand-père Decker venait de me crier de garder mes sales petites pattes loin de son train électrique –, mon père était sorti fumer (c'était l'hiver). Il n'était pas revenu. « Doux Jésus », avait dit ma mère une fois dans la voiture (c'était son idée à elle que je fasse la connaissance de la famille de mon père) et après ça on n'y était jamais retournés.

Plusieurs jours après l'offre du Holiday Inn, une carte de condoléances est arrivée pour moi chez les Barbour. (Aparté : est-ce une erreur de penser que Bob et Dorothy, ainsi qu'ils signaient eux-mêmes, auraient dû prendre leur téléphone et m'appeler ? Ou monter dans leur voiture et venir jusqu'ici pour voir par eux-mêmes dans quel état j'étais ? Ils n'en ont rien fait – non que je me sois vraiment attendu à ce qu'ils se précipitent à mes côtés en poussant des gémissements compassionnels, mais quand même, ç'aurait été sympa s'ils m'avaient surpris avec un petit geste affectueux, même si ça n'était pas leur genre.)

En fait, la carte venait de Dorothy (de toute évidence de sa main, le « Bob » avait été casé après coup à la suite de sa signature). L'enveloppe, c'était intéressant, semblait avoir été ouverte à la vapeur et cachetée de nouveau – par Mrs. Barbour ? les services sociaux ? –, mais la carte elle-même était bien l'écriture européenne rigide et régulière de Dorothy qui apparaissait une fois par an sur les vœux de bonne année, une écriture qui, ainsi que mon père l'avait commentée jadis, donnait l'impression d'être plutôt destinée au tableau noir de *La Goulue* pour y annoncer les spécialités de poissons du jour. Le recto de la carte représentait une tulipe en passe d'être fanée, avec en dessous une phrase imprimée : IL N'Y A PAS DE FIN.

Du peu de souvenirs que j'en avais gardé, Dorothy

n'était pas du genre à se répandre, et cette carte le confirmait. Après une introduction tout à fait cordiale – désolés pour ma perte tragique, de tout cœur avec moi dans ce chagrin – elle proposait de m'envoyer un billet d'autocar pour Woodbriar, Maryland, tout en faisant en même temps allusion aux vagues soucis médicaux qui auraient rendu difficile pour grand-père Decker et elle de « satisfaire les exigences » liées à ma prise en charge.

« Les exigences ? a fait Andy. À la lire on croirait que tu demandes dix millions en petites coupures. »

Je suis resté silencieux. Bizarrement, c'était l'image sur la carte de condoléances qui m'avait troublé. Elle aurait eu l'air tout à fait normal sur le présentoir d'un drugstore, mais bon, la photo d'une fleur fanée, aussi artistique soit-elle, ne semblait pas tout à fait la carte à envoyer à quelqu'un dont la mère venait de mourir.

« Je croyais qu'elle était supposée être malade. Pourquoi c'est elle qui écrit ?

— Va savoir. » Je m'étais posé la même question ; cela semblait bizarre en effet que mon vrai grand-père n'ait pas inclus de message, ou ne se soit même pas soucié de signer son propre prénom.

« Peut-être que ton grand-père a l'Alzheimer et qu'elle le retient prisonnier chez lui. Pour lui soutirer son argent. Ça arrive très souvent avec les épouses plus jeunes, tu sais, a annoncé Andy sur un ton lugubre.

— Je ne crois pas qu'il ait tant d'argent que ça.

— Peut-être pas, a répondu Andy en se raclant la gorge avec ostentation. Mais on ne peut pas exclure la soif de pouvoir. Pense à Tennyson : "la nature sauvage avec ses crocs et ses griffes". Peut-être qu'elle ne veut pas que tu mordes sur l'héritage.

— Mon garçon, je ne trouve pas que ce soit une conversation très utile, a lancé le père d'Andy en levant tout à coup les yeux de son *Financial Times*.

— Eh bien, très franchement, je ne vois pas pourquoi

Theo ne peut pas rester avec nous, est intervenu Andy qui exprimait à voix haute ce que je pensais tout bas. Je suis content de ne pas être tout seul et il y a plein de place dans ma chambre.

— Évidemment nous aimerions tous le garder avec nous, a renchéri Mr. Barbour avec un enthousiasme ni aussi marqué ni aussi convaincant que je l'aurais souhaité. Mais que dirait sa famille ? Aux dernières nouvelles, le kidnapping est toujours illégal.

— Euh, papa, en fait, c'est pas vraiment le cas, là », a répliqué Andy de sa voix irritante et lointaine.

Mr. Barbour s'est levé de manière abrupte, son eau de seltz à la main. Il n'avait pas le droit de boire de l'alcool à cause des médicaments qu'il prenait. « Theo, j'oubliais. Tu sais faire du bateau ? »

J'ai mis un moment à comprendre ce qu'il m'avait demandé. « Non.

— Oh, c'est bien dommage. Andy s'est *beaucoup* amusé à ce stage de voile dans le Maine l'an dernier, n'est-ce pas, Andy ? »

Andy est resté silencieux. Il m'avait raconté à plusieurs reprises que cela avait été les deux pires semaines de sa vie.

« Est-ce que tu sais décoder les drapeaux de signalisation maritime ? m'a interrogé Mr. Barbour.

— Pardon ?

— Il y a un excellent tableau dans mon bureau que je serais heureux de te montrer. Ne fais pas cette tête-là, Andy. C'est une compétence tout à fait utile à posséder pour un garçon.

— Oui, s'il a besoin de héler un remorqueur de passage.

— Tes remarques sarcastiques sont pénibles, a rétorqué Mr. Barbour qui semblait pourtant davantage amusé que contrarié. De plus, je pense que tu serais étonné de voir combien de fois les drapeaux maritimes apparaissent dans les défilés, les films et, je ne sais pas, sur les planches », a-t-il ajouté en se tournant vers moi.

Andy a fait une moue. « *Sur les planches* », a-t-il répété d'un ton moqueur.

Mr. Barbour s'est retourné pour le regarder. « Oui, *sur les planches*. Tu trouves le terme amusant ?

— Pompeux, plutôt.

— Eh bien, je ne vois pas ce qu'il y a là de pompeux. Ton arrière-grand-mère aurait sûrement utilisé la même expression. » (Le grand-père de Mr. Barbour avait été exclu du *Bottin mondain* pour avoir épousé Olga Osgood, une actrice de seconde zone.)

« C'est bien ce que je dis.

— Qu'est-ce que tu voudrais que j'utilise, alors ?

— En fait, papa, ce que j'aimerais bien savoir, c'est la dernière fois où tu as vu des drapeaux maritimes dans *quelque* production théâtrale que ce soit.

— Dans *South. Pacific*, la comédie musicale, s'est empressé de répondre Mr. Barbour.

— Et en dehors de *South Pacific* ?

— Je me rends.

— Je ne crois pas que maman et toi ayez jamais vu *South Pacific*.

— Andy, pour l'amour du ciel.

— Bon, et quand bien même. Un exemple ne suffit pas à appuyer ton argument.

— Je refuse de poursuivre cette conversation absurde. Viens, Theo. »

VII

À partir de ce moment-là, je me suis appliqué pour être un invité modèle : j'ai fait mon lit le matin, toujours dit merci et s'il vous plaît, et agi en tout en accord avec ce que ma mère aurait voulu. Par malheur, les Barbour n'avaient pas vraiment le genre de maisonnée où l'on pouvait montrer sa reconnaissance en baby-sittant les plus jeunes frères et sœurs ou en se lançant avec zèle dans la vaisselle. Entre la femme qui venait s'occuper des plantes – un boulot déprimant, il y avait si peu de lumière dans l'appartement que la plupart d'entre elles mouraient – et l'assistante de Mrs. Barbour dont la tâche principale semblait être de changer régulièrement la disposition des placards ou de la collection de porcelaines – ils avaient environ huit personnes qui travaillaient pour eux. (Quand j'avais demandé à Mrs. Barbour où se trouvait la machine à laver, elle m'avait regardé comme si j'avais voulu de la soude caustique et du suif à faire bouillir pour obtenir du savon.)

Mais même si l'on n'exigeait rien de moi, l'effort à déployer pour se fondre dans leur maisonnée élégante et compliquée était un gros stress. Je mourais d'envie de m'évanouir dans le décor – me glisser de manière invisible parmi les motifs des chinoiseries comme un poisson dans un récif corallien – et pourtant il me semblait que j'attirais l'attention sur moi cent fois par jour sans le vouloir : en devant m'enquérir pour la moindre chose, qu'il s'agisse d'un gant, de pansements ou d'un taille-crayon ; parce que je n'avais pas de clé, je devais toujours sonner à chaque allée et venue – même mes efforts bien intentionnés pour faire mon lit le matin (autant laisser Irenka ou Esperanza à l'œuvre, elles ont l'habitude et s'en sortent mieux avec les coins, m'avait expliqué Mrs. Barbour) étaient voués à l'échec. J'ai cassé un fleuron sur un portemanteau ancien en ouvrant une porte à la volée ; déclenché l'alarme incendie deux fois par erreur ; et suis même entré dans la chambre de Mr. et Mrs. Barbour un soir où je cherchais les toilettes.

Heureusement, les parents d'Andy étaient si peu là que ma présence ne semblait pas beaucoup les déranger. À moins que Mrs. Barbour ne reçoive, elle quittait l'appartement dès onze heures du matin, rentrait pour quelques heures avant le dîner, prenait un gin et citron vert et ce qu'elle appelait « un petit bain », puis à son retour nous étions déjà couchés. Je voyais encore moins Mr. Barbour, excepté les week-ends et quand il traînait dans son fauteuil après le travail avec son verre d'eau de seltz entouré d'une serviette, attendant que Mrs. Barbour se prépare pour leur soirée au-dehors.

Le plus grand problème auquel j'ai été confronté, et de loin, était les frères et sœur d'Andy. Bien que par chance Platt soit parti terroriser de plus jeunes enfants à Groton, Kitsey et le benjamin Toddy, qui n'avait que sept ans, m'en voulaient d'être là, car cela les spoliait du peu d'attention que leur accordaient leurs parents. Il y avait beaucoup de caprices et de moues, de roulements d'yeux et de gloussements hostiles de la part de Kitsey, ainsi qu'une querelle qui m'est demeurée mystérieuse – et n'a jamais été tout à fait élucidée – où elle s'est plainte à ses amis, aux domestiques et à quiconque voulait bien l'écouter que j'avais été dans sa chambre et que j'avais touché à la collection de tirelires sur l'étagère au-dessus de son bureau. Quant à Toddy, il est devenu de plus en plus perturbé au fur et à mesure que passaient les semaines et que j'étais toujours là ; au petit déjeuner il me regardait bouche bée et sans vergogne, puis posait souvent des questions qui obligeaient sa mère à tendre la main sous la table pour le pincer. Où est-ce que j'habitais ? Pendant combien de temps encore j'allais rester chez eux ? Est-ce que j'avais un père ? Il était où, alors ?

« Bonne question », lui ai-je répondu, provoquant un rire horrifié de la part de Kitsey qui était populaire à l'école et qui, à neuf ans, était aussi jolie dans son style blonde à peau claire qu'Andy était ordinaire.

Il était prévu que des déménageurs professionnels viennent un jour ou l'autre emballer les affaires de ma mère et les stocker en garde-meubles. Avant leur arrivée, je devais aller à l'appartement et y prendre ce que je voulais ou ce dont j'avais besoin. J'avais conscience du tableau d'une manière lancinante mais vague, sans commune mesure avec son importance réelle, comme s'il s'agissait d'un projet scolaire que j'aurais laissé en plan. À un moment donné il me faudrait le rendre au musée, mais je n'avais pas encore tout à fait mis au point le moyen d'y parvenir sans causer un énorme tapage.

J'avais déjà raté une occasion quand Mrs. Barbour avait renvoyé des enquêteurs venus me chercher à l'appartement. C'est-à-dire : j'ai compris qu'il s'agissait d'enquêteurs, ou même de policiers d'après ce que Kellyn, la Galloise qui s'occupait des plus jeunes enfants, m'avait raconté. Elle ramenait Toddy de l'école lorsque étaient apparus des inconnus demandant à me voir. « Ça sentait l'uniforme, tu comprends ? » m'a-t-elle expliqué en levant un sourcil lourd de sens. C'était une fille costaud au débit rapide et aux joues si rouges qu'elle donnait toujours l'impression d'être restée assise près d'un feu. « Ils avaient cet air-là. »

J'avais trop peur pour lui demander ce qu'elle voulait dire par *cet air-là* ; et quand, prudent, je suis allé voir ce que Mrs. Barbour avait à en dire, elle était occupée. « Je suis désolée, mais est-ce que nous pourrions en parler plus tard, je te prie ? » m'a-t-elle lancé sans me regarder vraiment. Les invités arrivaient dans une demi-heure, parmi eux un architecte connu et un danseur célèbre du New York City Ballet ; elle s'énervait à cause du fermoir détaché de son collier et elle était contrariée parce que l'air conditionné ne fonctionnait pas bien.

« Je dois m'inquiéter ? »

C'est sorti avant que je ne sache ce que j'avais dit. Mrs. Barbour a marqué une pause. « Theo, ne sois pas ridicule. Ils étaient tout à fait charmants, très respectueux, c'est juste que je ne pouvais pas les recevoir à l'instant. Ils débarquent sans téléphoner. Quoi qu'il en soit, je leur ai expliqué que ce n'était pas le meilleur moment, et ils ont pu en juger par eux-mêmes bien sûr. » Elle a fait un geste en direction des traiteurs qui couraient en tous sens, tandis que le technicien de l'immeuble monté sur une échelle examinait l'intérieur du conduit de climatisation avec une torche. « Et maintenant, file. Où est Andy ?

— Il sera là dans une heure. Ils sont allés au planétarium avec sa classe d'astronomie.

— Eh bien, il y a de quoi se nourrir dans la cuisine. Je n'ai pas beaucoup de tartelettes, mais tu peux manger tous les sandwichs que tu veux. Et une fois que le gâteau sera coupé, tu pourras en prendre aussi. »

Son attitude avait été si désinvolte que j'en avais oublié les visiteurs, jusqu'à ce qu'ils fassent leur apparition au collège trois jours plus tard, pendant mon cours de géométrie, un jeune et un plus âgé, en civil, qui ont frappé de manière courtoise à la porte ouverte. « Nous venons pour Theodore Decker, a lancé à Mr. Borowsky le plus jeune, à l'air italien, tandis que l'autre jetait un coup d'œil cordial dans la salle de classe.

— On veut juste te parler, d'accord ? » a demandé le plus vieux tandis que nous descendions vers la salle de conférence redoutée, là où j'aurais dû avoir le rendez-vous avec Mr. Beeman et ma mère le jour où elle est morte. « N'aie pas peur. » C'était un Noir à la peau foncée avec un bouc gris, l'air dur mais gentil aussi, on aurait dit un flic cool dans une série télé. « Nous essayons juste de rassembler le maximum d'éléments sur cette journée et nous espérons que tu peux nous aider. »

Au départ j'avais eu des craintes, mais lorsqu'il m'avait

dit *n'aie pas peur*, je l'avais cru – jusqu'à ce qu'il ouvre la porte de la salle de conférence. J'ai alors découvert mon instrument de vengeance, Mr. Beeman et sa casquette en tweed, aussi ampoulé que d'habitude avec son gilet et sa montre de gousset, Enrique, mon assistant social, Mrs. Swanson, la conseillère d'orientation (celle qui m'avait expliqué que je me sentirais peut-être mieux si je jetais des glaçons contre un arbre), Dave le psychiatre dans son habituel Levis noir et col roulé et – je vous le donne en mille –, Mrs. Barbour en escarpins et ensemble gris perle qui semblait coûter plus cher que ce que gagnaient en un mois tous les gens réunis dans cette pièce.

La panique devait être inscrite en gros sur mon visage. Peut-être que je n'aurais pas été tout à fait aussi inquiet si j'avais un peu mieux compris ce qui ne me paraissait pas clair à l'époque : que j'étais mineur, et que mon parent ou tuteur devait être présent lors des entretiens officiels – raison pour laquelle toutes les personnes susceptibles de me servir de défenseurs, ne serait-ce que de loin, avaient été convoquées. Mais quand j'ai vu tous ces visages et un magnétophone au beau milieu de la table, tout ce que j'ai compris c'était qu'il avait été officiellement convenu d'évaluer mon destin et de disposer de moi comme eux l'entendaient.

Je me suis assis avec raideur et j'ai subi les questions qu'ils m'ont posées en guise d'échauffement (J'avais des passe-temps ? Je pratiquais un sport ?) jusqu'à ce qu'il devienne clair pour tout le monde que le bla-bla préliminaire ne me décontractait pas beaucoup.

La sonnerie marquant la fin des cours a résonné. Claquement des casiers, murmure de voix dans le hall. « Tu es *mort*, Thalheim », a crié un garçon avec jubilation.

Le type italien – il a dit s'appeler Ray – a tiré une chaise face à moi, son genou contre le mien. Il était jeune, mais costaud, avec une tête de chauffeur de limousine bon enfant et des yeux baissés qui semblaient humides, liquides, endormis, comme s'il était alcoolique.

« On veut juste savoir ce dont tu te souviens, a-t-il expliqué. Sonde bien ta mémoire pour avoir une vision d'ensemble de cette matinée, tu comprends ? Parce que peut-être qu'en te souvenant de certains détails tu peux te rappeler quelque chose qui nous aidera. »

Il était assis tellement proche que je sentais son déodorant. « Comme quoi ?

— Comme ce que tu as pris au petit déjeuner ce matin-là. C'est un bon début, hein ?

— Hum… » J'ai fixé la gourmette en or à son poignet. Ce n'était pas le genre de questions que j'attendais de leur part. La vérité était : nous n'avions pas pris de petit déjeuner du tout ce matin-là parce que j'avais des problèmes au collège et que ma mère était en colère contre moi, mais j'étais trop gêné pour l'avouer.

« Tu ne te souviens pas ?

— Des pancakes, ai-je lancé, désespéré.

— Ah oui ? » Ray m'a regardé d'un œil perspicace. « Ta mère les prépare ?

— Oui.

— Qu'est-ce qu'elle met dedans ? Des myrtilles, des pépites de chocolat ? »

J'ai hoché la tête.

« Les deux ? »

Je sentais tout le monde me regarder. Puis, aussi digne que s'il était devant les élèves de son cours de morale sociale, Mr. Beeman a dit : « Il n'y a aucune raison d'inventer une réponse si tu ne te souviens pas. »

Dans un coin avec un calepin, le Noir a lancé à Mr. Beeman un regard acéré de mise en garde.

« En fait, il semble y avoir quelques déficiences au niveau de la mémoire », est intervenue Mrs. Swanson d'une voix grave, en tripotant les lunettes qui pendaient à une chaîne autour de son cou. C'était une mamie vêtue d'amples chemisiers blancs, avec une longue tresse grise qui lui tombait dans le dos. Les gamins qui étaient envoyés dans son bureau pour des conseils la surnommaient « la Swami ». Durant ses sessions de soutien psychopédagogique avec moi au collège, en plus de me donner les conseils sur les glaçons, elle m'avait appris une respiration en trois temps pour m'aider à libérer mes émotions et m'avait fait dessiner un mandala représentant mon cœur blessé. « Tu t'es fait mal à la tête, hein, Theo ?

— C'est vrai ? a demandé Ray en levant franchement les yeux vers moi.

— Oui.

— Tu as fait vérifier par un médecin ?

— Pas tout de suite », a répondu Mrs. Swanson.

Mrs. Barbour a croisé les chevilles. « Je l'ai emmené aux urgences du New York Presbyterian, a-t-elle expliqué sur un ton décontracté. Quand il est arrivé chez moi, il se plaignait d'un mal de tête. C'était un jour ou deux avant que nous allions le faire examiner. Personne ne semble avoir pensé à lui demander s'il était blessé ou non. »

À ces mots, Enrique, l'assistant social, a failli intervenir, mais un regard du flic noir plus âgé (dont le nom vient juste de me revenir : Morris) lui a intimé le silence.

« Écoute, Theo, a dit le type qui se prénommait Ray en me tapotant le genou. Je sais que tu veux nous aider. C'est bien le cas, non ? »

J'ai hoché la tête.

« C'est super. Mais si on te pose une question et que tu ne sais pas, tu as le droit de le dire.

— On veut juste te balancer tout un tas de questions et voir si on peut réveiller ta mémoire sur un quelconque sujet, a expliqué Morris. Ça te va ?

— Tu as besoin de quelque chose ? m'a demandé Ray en s'approchant. Un verre d'eau, peut-être ? Une boisson gazeuse ? »

J'ai secoué la tête (elles n'étaient pas autorisées dans

l'enceinte du collège) au moment même où Mr. Beeman intervenait : « Désolé, les boissons gazeuses ne sont pas autorisées dans l'enceinte du collège. »

Ray a eu un air du genre *oh là là*, mais je n'étais pas sûr que Mr. Beeman l'ait vu. « Désolé, mon gars, j'ai essayé, a-t-il lancé en se tournant vers moi. Je peux filer te chercher une canette à l'épicerie si tu en as envie plus tard, qu'est-ce que tu en dis ? Bien. » Il a tapé dans ses mains. « Depuis combien de temps penses-tu que ta mère et toi étiez dans le bâtiment avant la première explosion ?

— Environ une heure, je crois.

— Tu crois ou tu sais ?

— Je crois.

— Tu penses que ça pouvait être plus d'une heure ? Moins d'une heure ?

— Je ne crois pas que c'était plus d'une heure, ai-je répondu après une longue pause.

— Décris-nous ton souvenir de cet incident.

— Je n'ai pas vu ce qui s'est passé. Tout allait bien, puis il y a eu un éclair bruyant et une détonation…

— Un éclair bruyant ?

— Ce n'est pas ce que je voulais dire. C'est la détonation qui était bruyante.

— Tu as parlé d'une détonation, a rebondi le type qui s'appelait Morris en faisant un pas vers l'avant. Tu penses que tu pourrais nous décrire le bruit qu'elle a fait plus en détail ?

— Je ne sais pas. C'était juste… bruyant », ai-je ajouté quand ils ont continué de me regarder comme s'ils attendaient autre chose.

Dans le silence qui a suivi, j'ai entendu un cliquetis furtif : tête baissée, Mrs. Barbour vérifiait discrètement les messages sur son BlackBerry.

Morris s'est raclé la gorge. « Et l'odeur ?

— Pardon ?

« — Tu as remarqué une odeur particulière dans les moments qui ont précédé ?

— Je ne pense pas.

— Rien du tout ? Tu es sûr ? »

L'interrogatoire se poursuivait – les mêmes trucs encore et encore, pas toujours dans le même ordre pour me perturber, avec de temps à autre quelque chose de neuf au milieu – et je me suis armé de courage en attendant, désespéré, qu'ils en viennent au tableau. Il me faudrait tout bonnement reconnaître mon acte et faire face aux conséquences quelles qu'elles soient (sans doute assez désastreuses puisque je semblais en bonne voie pour devenir une pupille de la nation). À quelques reprises, dans ma terreur, j'ai été sur le point de laisser échapper l'information. Mais plus ils me posaient de questions (où étais-je quand je m'étais fait mal à la tête ? qui avais-je vu ou à qui avais-je parlé en route vers la sortie ?) et plus il m'apparaissait qu'ils n'étaient pas du tout au courant de ce qui m'était arrivé, dans quelle salle je me trouvais au moment de l'explosion, ni même quelle sortie j'avais empruntée pour m'échapper du bâtiment.

Ils avaient un plan de niveau ; les salles portaient des numéros au lieu de noms, salle 19 A et 19 B, chiffres et lettres arrangés comme dans un labyrinthe, ça allait jusqu'au numéro 27. « Étais-tu ici quand la première explosion a eu lieu ? m'a demandé Ray en pointant un endroit du doigt. Ou ici ?

— Je ne sais pas.

— Prends ton temps.

— Je ne sais pas », ai-je répété, un peu comme un forcené. L'aspect informatisé du diagramme des pièces prêtait à confusion, on l'aurait cru tiré d'un jeu vidéo ou d'une reconstruction du bunker de Hitler que j'avais vue sur la chaîne historique ; à dire vrai, cela n'avait aucun sens et ne semblait pas représenter l'espace tel que je m'en souvenais.

Il a pointé du doigt un endroit différent. « Ce carré ? C'est un socle d'exposition, avec des tableaux posés dessus. Je sais que ces salles se ressemblent toutes, mais peut-être peux-tu te rappeler où tu étais par rapport à ça ? »

J'ai fixé le diagramme d'un œil désespéré sans répondre. (Une partie de la raison pour laquelle cela m'avait l'air si peu familier était qu'ils me montraient l'endroit où le corps de ma mère avait été retrouvé – des salles éloignées de l'endroit où j'étais quand la bombe avait explosé – même si je ne m'en suis rendu compte que plus tard.)

« Tu n'as vu personne en te dirigeant vers la sortie ? » a lancé Morris sur un ton encourageant, répétant ce que je lui avais déjà dit.

J'ai secoué la tête.

« Rien dont tu te souviennes ?

— Eh bien, enfin… des corps recouverts. Du matériel un peu partout.

— Personne entrant ou sortant de la zone de l'explosion ?

— Non, je n'ai vu personne », ai-je répété avec insistance. On en avait déjà parlé.

« Donc tu n'as jamais vu de pompiers ou de sauveteurs.

— Non.

— Nous pouvons en déduire qu'au moment où tu as repris tes esprits ils avaient reçu l'ordre d'évacuer le bâtiment. Nous parlons donc d'un laps de temps de quarante minutes à une heure et demie après la première explosion. Est-ce une bonne estimation ? »

J'ai haussé les épaules, mollement.

« C'est un oui ou un non ? »

J'ai fixé le sol. « Je ne sais pas.

— Qu'est-ce que tu ne sais pas ?

— Je ne sais pas, ai-je répété, et le silence qui a suivi

156

était si long et inconfortable que j'ai craint d'éclater en sanglots.

— Tu te souviens d'avoir entendu la seconde explosion ?

— Excusez-moi de vous poser la question, mais tout cela est-il bien nécessaire ? » a interrompu Mr. Beeman.

Ray, mon interrogateur, s'est retourné. « Pardon ?

— Je ne suis pas sûr de comprendre pourquoi on lui fait subir ça. »

Avec une neutralité prudente, Morris a répondu : « Nous enquêtons sur une scène de crime. C'est notre travail de découvrir ce qui s'y est passé.

— Oui, mais vous devez avoir d'autres moyens de procéder quand il s'agit de questions aussi routinières. J'imagine qu'il y avait toutes sortes de caméras de sécurité là-dedans.

— Bien sûr, a confirmé Ray sur un ton plutôt brusque. Sauf que les caméras ne voient pas au travers de la poussière et de la fumée. Ou si une explosion les détourne pour les faire pivoter vers le plafond. Bon, a-t-il poursuivi en s'installant de nouveau dans sa chaise avec un soupir. Tu as parlé de fumée. Tu l'as sentie ou tu l'as vue ? »

J'ai hoché la tête.

« Quoi ? Vue ou sentie ?

— Les deux.

— De quelle direction ça venait, d'après toi ? »

J'étais de nouveau sur le point de répondre que je ne savais pas, mais Mr. Beeman n'en avait pas terminé. « Excusez-moi, mais je ne vois vraiment pas le but des caméras de sécurité si elles ne fonctionnent pas en cas d'urgence, a-t-il déclaré en prenant l'assemblée à partie. Avec la technologie que l'on maîtrise aujourd'hui, et toutes ces œuvres d'art... »

Ray a tourné la tête comme pour répondre quelque chose sous l'effet de la colère, mais dans son coin Morris a levé la main et pris la parole.

« Ce garçon est un témoin important. Le système de surveillance n'est pas conçu pour résister à un événement de ce type. Maintenant, je suis désolé, monsieur, mais si vous ne pouvez pas vous arrêter de faire des commentaires, nous allons devoir vous demander de sortir.

— Je suis ici en tant que défenseur de cet enfant. J'ai le droit de poser des questions.

— Pas si elles n'ont pas de lien direct avec son bien-être.

— Bizarrement, j'avais l'impression que c'était le cas. »

À ces mots, Ray, qui était assis devant moi, s'est retourné. « Monsieur ? Si vous continuez de bloquer la procédure, vous devrez *quitter* la salle.

— Ce n'est pas mon intention, a répondu Mr. Beeman dans le silence tendu qui a suivi. Vraiment pas, je vous assure. Poursuivez, je vous en prie, a-t-il lancé avec une chiquenaude irritée de la main. Loin de moi l'idée de vous arrêter. »

L'interrogatoire a continué de traîner en longueur. De quelle direction venait la fumée ? De quelle couleur était l'éclair ? Qui est sorti ou entré de la zone dans les moments qui ont précédé ? Avais-je remarqué quoi que ce soit d'inhabituel, quoi que ce soit avant ou après ? J'ai regardé les photos qu'ils m'ont montrées – d'innocents clichés de vacances, personne que je reconnaisse. Des photos d'identité de touristes asiatiques et de retraités américains, de mères et d'ados boutonneux souriant sur le fond bleu d'un studio – des visages ordinaires, quelconques, respirant pourtant tous la tragédie d'une manière ou d'une autre. Puis nous sommes revenus au diagramme. Pouvais-je peut-être essayer, juste une fois de plus, de situer sur cette carte l'endroit où je me trouvais ? Ici, ou ici ? Et ici ?

« Je ne me souviens pas. » Je ne cessais de le marteler : en partie parce que je n'étais pas vraiment sûr, en partie parce que j'avais peur et souhaitais que l'entretien se termine, mais aussi parce que je sentais dans la pièce une nervosité et une nette impatience ; les autres adultes semblaient s'être déjà tacitement mis d'accord entre eux sur le fait que je ne savais rien et qu'il convenait de me laisser tranquille.

Puis, tout à coup, ce fut fini. « Theo, mon gars, j'aimerais te remercier d'avoir fait ce que tu pouvais pour nous aider, a lancé Ray en se levant et en posant une main épaisse sur mon épaule.

— Pas de problème, ai-je dit, choqué par la façon abrupte dont cela s'était terminé.

— Je sais très bien combien c'était difficile pour toi. Personne, vraiment personne, n'a envie de revivre ce genre de trucs. C'est comme… (il a dessiné un cadre de ses mains) si nous assemblions les pièces d'un puzzle, en essayant de comprendre ce qui s'est passé là-dedans, et tu possèdes peut-être des morceaux que personne d'autre ne possède. Tu nous as vraiment beaucoup aidés en nous laissant te parler.

— Si tu te souviens de quoi que ce soit d'autre, a ajouté Morris en se penchant en avant pour me tendre une carte (que Mrs. Barbour a vite interceptée et fourrée dans son sac à main), tu nous appelles, d'accord ? Vous lui rappellerez de nous téléphoner s'il a quoi que ce soit d'autre à dire, n'est-ce pas, mademoiselle ? a-t-il lancé à Mrs. Barbour. Le numéro du bureau est sur cette carte mais (il a sorti un stylo de sa poche) je peux vous la reprendre une seconde, s'il vous plaît ? »

Sans un mot, Mrs. Barbour a ouvert son sac et lui a rendu la carte.

« Bien, bien. » D'un clic il a fait jaillir la pointe du stylo et gribouillé un numéro au dos. « C'est mon numéro de portable. Tu peux toujours laisser un message au bureau, mais si tu n'arrives pas à me joindre, appelle-moi là, d'accord ? »

Tout le monde tournait en rond devant l'entrée et Mrs. Swanson a glissé vers moi puis m'a mis un bras autour de l'épaule, de cette manière familière qu'elle avait. « Alors, comment tu te sens ? » m'a-t-elle demandé sur le ton de la confidence, on aurait dit ma meilleure amie.

J'ai détourné le regard, l'air de dire *OK, je suppose.*

Elle m'a caressé le bras comme si j'étais son chat préféré. « C'est bien. Je sais que ça a dû être dur. Tu veux venir un peu dans mon bureau ? »

Le spectacle de Dave le psychiatre rôdant en arrière-plan, et d'Enrique derrière lui, les mains sur les hanches, avec un demi-sourire plein d'attente, était consternant.

« S'il vous plaît, ai-je dit et mon désespoir devait transparaître dans ma voix, je voudrais retourner en cours. »

Elle m'a serré le bras et – je l'ai remarqué – a jeté un regard en direction de Dave et d'Enrique. « Évidemment. Tu as quoi maintenant ? Je t'accompagne. »

IX

C'était l'heure du cours d'anglais, le dernier de la journée. On étudiait la poésie de Walt Whitman :

Aie patience, Jupiter va surgir, reviens une autre nuit, tu verras apparaître les Pléiades,
Immortelles sont les étoiles, d'or ou d'argent, leur éclat resplendira de nouveau

Visages inexpressifs. La classe était chaude et somnolente en cette fin d'après-midi, les fenêtres étaient ouvertes, les bruits de circulation entraient en flottant depuis West End Avenue. Affalés sur leurs coudes, mes camarades dessinaient dans les marges de leurs cahiers à spirales.

J'ai regardé fixement par la fenêtre, vers la réserve crasseuse sur le toit d'en face. L'interrogatoire (je ne cessais d'y penser) m'avait bouleversé, avait fait exploser en moi un mur de sensations décousues qui me percutaient aux moments les plus inattendus : brûlure étouffante de produits chimiques et de fumée, étincelles et câbles, froideur blême des éclairages d'urgence, assez oppressants pour m'anéantir. Cela arrivait n'importe où, au collège ou dans la rue – tout à coup, je me figeais en pleine action et le flot se déversait de nouveau sur moi, durant l'instant étrange et déformé où les yeux de la fille se rivaient sur les miens, juste avant que le monde vole en éclats. Parfois je refaisais surface, comprenais que quelqu'un était en train de me parler et découvrais que mon binôme de laboratoire me dévisageait, ou que le type dont je bloquais l'accès devant le distributeur de boissons fraîches au marché coréen disait *écoute, mon gars, bouge tes fesses, on va pas y passer la journée.*

Donc, mon cher enfant, pourquoi avoir du chagrin pour Jupiter ?
Pourquoi n'avoir de souci que pour la mort des étoiles ?

Ils ne m'avaient montré aucune photo où je reconnaissais la fille – ni le vieil homme, d'ailleurs. J'ai discrètement glissé la main gauche dans la poche de ma veste et cherché la bague. Sur notre liste de vocabulaire quelques jours auparavant nous avions noté le mot *consanguinité* : unis par les liens du sang. Le visage du vieil homme était si déchiré et abîmé que je ne pouvais pas dire avec exactitude à quoi il ressemblait, et pourtant je ne me souvenais que trop de la sensation glissante et chaude de son sang sur mes mains – surtout qu'il était encore là, en quelque sorte, je le sentais toujours dans mon nez et dans ma bouche, et du coup je comprenais l'expression frères de sang et la façon dont le sang unit les gens. En cours d'anglais on avait lu *Macbeth*, mais je ne saisissais que maintenant les raisons pour lesquelles Lady Macbeth n'avait jamais pu, même en frottant, enlever le sang de ses mains, pourquoi il était toujours là après qu'elle l'avait pourtant lavé.

X

Comme, apparemment, il m'arrivait de réveiller Andy en me débattant et en pleurant dans mon sommeil, Mrs. Barbour avait décidé de me donner une petite pilule verte du nom d'Elavil, dont elle m'avait expliqué qu'elle m'éviterait d'avoir peur la nuit. C'était gênant, surtout que mes rêves n'étaient pas des cauchemars en bonne et due forme, juste des interludes étranges où ma mère travaillait tard et était coincée loin sans personne pour la raccompagner, parfois dans le nord de l'État de New York, dans un endroit incendié avec des voitures bonnes pour la ferraille et des chiens enchaînés qui aboyaient dans les jardins. Mal à l'aise, je la cherchais dans les ascenseurs de service et les bâtiments abandonnés, je l'attendais dans le noir à des arrêts de bus improbables, j'apercevais un bref instant des femmes qui lui ressemblaient derrière les vitres de trains de passage, et je n'attrapais pas le téléphone à temps quand elle m'appelait chez les Barbour – des déceptions et des ratages qui me chahutaient en tous sens puis me trouvaient allongé au réveil, la respiration forte et sifflante, nauséeux et en sueur dans la lumière matinale. Le pire n'était pas d'essayer de la trouver, mais de me réveiller et de me souvenir alors qu'elle était morte.

Grâce aux pilules vertes, même ces rêves s'évanouissaient dans une obscurité dénuée d'air. (Cela me frappe aujourd'hui, alors que ce n'était pas le cas à l'époque : Mrs. Barbour dépassait les bornes en me donnant des médicaments sans ordonnance en plus des capsules jaunes et des minuscules ballons de foot orange que Dave le psy m'avait prescrits.) Quand je lui cédais, le sommeil revenait à dégringoler dans une fosse, et j'avais souvent du mal à me réveiller le matin.

« Du thé noir, il n'y a rien de tel, a dit Mr. Barbour un beau matin en me servant une tasse de sa théière très infusée alors que je m'assoupissais au petit déjeuner. Assam Supreme. C'est du solide. Ça éliminera le médicament de ton système. Ma grand-mère m'a raconté que Sid Luft téléphonait toujours au restaurant chinois avant les spectacles de Judy Garland pour commander une grande théière qui évacuerait les barbituriques de son corps. C'était à Londres, je crois, au Palladium, il n'y avait que le thé fort qui fonctionnait, parfois ils avaient du mal à la réveiller, tu sais, à la faire sortir du lit et s'habiller…

— Il ne peut pas boire ça, on dirait de l'acide de batterie, a protesté Mrs. Barbour en y laissant tomber deux morceaux de sucre et une bonne rasade de lait avant de me tendre la tasse. Theo, je n'aime pas te le rabâcher en permanence, mais il faut que tu manges.

— D'accord », ai-je acquiescé à moitié endormi, sans faire un geste pour mordre dans mon muffin à la myrtille. La nourriture avait le goût du carton ; cela faisait des semaines que je n'avais pas faim.

« Tu ne préférerais pas du pain grillé à la cannelle ? Ou du porridge ?

— C'est tout à fait ridicule de ne pas nous autoriser à boire du café, a lancé Andy qui, à l'insu de ses parents, avait l'habitude de s'en acheter un grand chez Starbucks en route vers le collège et sur le chemin du retour l'après-midi. Là-dessus, tu es très en retard sur ton époque.

— C'est fort possible, a répondu Mrs. Barbour avec froideur.

— Même une demi-tasse serait utile. Tu ne peux pas espérer me voir assister au cours avancé de chimie à 8 : 45 sans caféine.

— Pauvre petit, a fait Mr. Barbour sans lever les yeux de son journal.

— C'est un gros handicap, une attitude pareille. Tous les autres ont le droit d'en boire.

— Je crois savoir que c'est faux, a rétorqué Mrs. Barbour. Betsy Ingersoll m'a dit…

— Peut-être que Mrs. Ingersoll n'autorise pas *Sabine* à en boire, mais il faudrait bien plus qu'une tasse de café pour que Sabine Ingersoll suive un quelconque cours avancé.

— Voilà qui est très déplacé, Andy, et franchement pas gentil.

— C'est la vérité, a répliqué Andy sur un ton décontracté. Sabine est bête comme ses pieds. Autant préserver sa santé, vu qu'elle n'a pas grand-chose d'autre pour elle.

— Il n'y a pas que l'intellect dans la vie, mon cher. Mangerais-tu un œuf si Etta te le faisait pocher ? m'a demandé Mrs. Barbour en se tournant vers moi. Ou au plat ? Ou brouillé ? Ou ce que tu veux ?

— Moi, j'aime les œufs brouillés ! s'est exclamé Toddy. Je peux en manger quatre !

— Non, tu ne peux pas, jeune homme, a rectifié Mr. Barbour.

— Si je peux ! Je peux en manger six ! Je peux manger toute la boîte !

— Ce n'est pas comme si je réclamais des amphétamines, a poursuivi Andy. Je pourrais en prendre au collège si je voulais.

— Theo ? a insisté Mrs. Barbour (je remarquai qu'Etta,

la cuisinière, était plantée sur le pas de la porte), et cet œuf ?

— Personne ne *nous* demande jamais ce *qu'on* veut au petit déjeuner », a fait remarquer Kitsey ; et bien qu'elle l'ait dit à voix très forte, tout le monde a fait semblant de ne pas avoir entendu.

XI

Un dimanche matin, je remontai vers la lumière après un rêve lourd et compliqué dont il ne restait rien à part un bourdonnement dans mes oreilles et la douleur d'avoir laissé échapper un objet, perdu à jamais dans quelque crevasse. Et pourtant – au milieu de ce naufrage abyssal, de câbles rompus, de fragments égarés et irré-cupérables – une phrase sortait du lot, tictaquant dans l'obscurité comme une bande de défilement de texte qui se déroulerait en bas d'un écran de télévision : *Hobart & Blackwell. Appuie sur la sonnette verte.*

J'étais allongé et fixais le plafond, sans la moindre envie de bouger. Les mots étaient aussi clairs et précis que si quelqu'un me les avait tendus, tapés sur un bout de papier. Pourtant – et c'était merveilleux – un pan de mémoire s'était ouvert et surnageait avec eux comme une de ces boulettes en papier de Chinatown qui grossissent pour devenir des fleurs quand on les laisse tomber dans un verre d'eau.

À la dérive dans un air chargé de sens, j'ai été frappé de doute : était-ce un vrai souvenir, cet homme m'avait-il vraiment dit ces mots-là, ou est-ce que je rêvais ? Peu avant la mort de ma mère, je m'étais réveillé convaincu qu'un prof (non existant) du nom de Mrs. Malt avait mis du verre pilé dans ma nourriture parce que je manquais de discipline – dans l'univers de mon rêve, il s'agissait d'une série parfaitement logique d'événements – et j'étais resté allongé, aux prises avec un fatras d'inquiétudes pendant deux ou trois minutes avant de reprendre mes esprits.

« Andy ? » ai-je fait, puis je me suis penché et j'ai jeté un œil au lit du bas, qui était vide.

Après être resté allongé les yeux grands ouverts, à fixer le plafond pendant un long moment, je suis descendu, j'ai récupéré la bague dans la poche de veste de mon uniforme scolaire et l'ai tenue à la lumière pour regarder l'inscription. Puis je l'ai vite mise de côté et me suis habillé. Andy était déjà levé et prenait son petit déjeuner avec le reste des Barbour : celui du dimanche était une grande affaire, je les entendais tous dans la salle à manger, avec Mr. Barbour qui passait d'un sujet à l'autre comme cela lui arrivait parfois. Marquant une pause dans le couloir, je suis parti dans l'autre direction, vers le petit salon, et le meuble de rangement où étaient posés le téléphone et l'annuaire recouvert d'une jaquette au point de croix.

Hobart & Blackwell. C'était bien ça – de toute évidence il s'agissait d'une entreprise, mais il n'était pas précisé de quel type. J'avais un peu le vertige. Voir le nom noir sur blanc m'a causé une excitation étrange, comme des cartes invisibles qui se mettraient en place.

L'adresse était dans Greenwich Village, 10e Rue Ouest. Après une hésitation, et beaucoup d'angoisse, j'ai composé le numéro.

Pendant que le téléphone sonnait, je suis resté planté là à tripoter une pendulette en cuivre posée sur la table du petit salon, mâchouillant ma lèvre inférieure, regardant les lithographies encadrées posées sur le meuble du téléphone et qui représentaient des oiseaux tropicaux : colibris, perroquets, oiseaux de paradis. Je n'étais pas très sûr de la façon dont j'allais expliquer qui j'étais ou demander ce que j'avais besoin de savoir.

« Theo ? »

J'ai sursauté, coupable. Vêtue d'un cachemire gris très fin, Mrs. Barbour était là, une tasse de café à la main.

« Qu'est-ce que tu fais ? »

À l'autre bout le téléphone continuait de sonner. « Rien.

— Eh bien, dépêche-toi. Ton petit déjeuner refroidit. Etta a fait du pain perdu.

— Merci, j'arrive », ai-je répondu d'une voix aussi mécanique que celle des télécoms quand ils m'avaient suggéré de renouveler mon appel ultérieurement.

Préoccupé (j'avais espéré au moins un répondeur), j'ai rejoint les Barbour et j'ai été étonné de trouver là Platt Barbour en personne (bien plus grand et plus rougeaud que la dernière fois où je l'avais vu) occupant la chaise où j'étais assis d'ordinaire.

« Ah ! s'est exclamé Mr. Barbour, s'interrompant au milieu d'une phrase, s'essuyant les lèvres avec une serviette et se levant d'un coup. Voilà, voilà. Bonjour. Tu te souviens de Platt, n'est-ce pas ? Platt, voici Theodore Decker, l'ami d'Andy, tu te rappelles ? » Tout en parlant, il était parti chercher une chaise supplémentaire qu'il a rapportée et glissée maladroitement pour moi à l'angle de la table.

Je me suis assis à l'extérieur du groupe – une dizaine de centimètres plus bas que tout le monde, sur une chaise fragile et dépareillée en bambou – et Platt a croisé mon regard sans manifester d'intérêt puis l'a détourné. Il était revenu pour assister à une soirée et il avait l'air d'avoir la gueule de bois.

Mr. Barbour s'était rassis et avait repris sa discussion sur son sujet préféré : la voile. « Comme je le disais. Tout se résume à un manque de confiance en soi. Tu n'es pas sûr de toi sur le voilier, Andy, a-t-il dit, et il n'y a pas la moindre satanée raison pour ça, sauf que tu manques d'expérience en navigation solo.

— Non, a répondu Andy de sa voix lointaine. Le problème c'est surtout que je méprise les bateaux.

— Balivernes, a rétorqué Mr. Barbour en clignant de l'œil dans ma direction comme si j'étais de mèche avec lui, ce qui n'était pas le cas. Je ne cautionne pas cette attitude fataliste ! Regarde cette photo sur le mur là-bas, sur l'île de Sanibel il y a deux printemps de ça ! Ni la mer, ni le ciel, ni les étoiles n'ennuyaient ce garçon, ah ça non. »

Andy contemplait la scène neigeuse sur la bouteille de sirop d'érable pendant que son père, de sa manière étourdissante et dure à suivre, s'extasiait sur la façon dont la voile apprenait aux garçons la discipline, la vivacité et cette même force de caractère que l'on retrouve chez les vieux marins. Il m'avait expliqué qu'aller sur le bateau les premières années l'avait moins dérangé parce qu'il avait pu rester en bas dans la cabine à lire et à jouer aux cartes avec son frère et sa sœur. Mais maintenant il était assez âgé pour aider à naviguer – ce qui signifiait de longues journées stressantes et aveuglées par le soleil à trimer sur le pont aux côtés de Platt qui le harcelait : les voiles qui claquent, plonger en dessous de la bôme, complètement désorienté, faire de son mieux pour ne pas s'emmêler les pieds dans les filins ou ne pas prendre un coup qui le fasse passer par-dessus bord tandis que leur père, tout à la joie des embruns salés, hurlait des ordres.

« Mon Dieu, tu te souviens de la lumière pendant ce voyage à Sanibel ? » Le père d'Andy s'est carré sur sa chaise, les yeux tournés vers le plafond. « Est-ce que ce n'était pas *superbe* ? Ces couchers de soleil rouge et orange ? Le feu et les braises ? Presque atomique ? De la flamme pure *déchirant* le ciel et s'en *déversant*. Tu te souviens de cette grosse et resplendissante lune avec la brume bleue tout autour, près de Hatteras – est-ce qu'il s'agit de Maxfield Parrish, Samantha ?

— Pardon ?

— Maxfield Parrish ? Ce peintre que j'aime bien ? Qui fait ces cieux très majestueux, tu sais (il a écarté les bras), avec ces nuages imposants ? Excuse-moi, Theo, je ne voulais pas t'assommer.

— Constable peint des nuages.

— Non, non, ce n'est pas de lui dont je parle, ce peintre est beaucoup plus réjouissant. Enfin en tout cas, quels *cieux* on a eus sur l'eau ce soir-là, bon sang. C'était magique. *Paisible.*

— De quel soir tu parles ?

— Ne me dis pas que tu ne te souviens pas ! C'était le point d'orgue du voyage. »

Affalé sur sa chaise, Platt a lancé avec méchanceté : « Le point d'orgue du voyage d'Andy c'était la fois où on s'est arrêtés dans une cafétéria pour le déjeuner. »

Ce dernier a répondu d'une petite voix : « Maman n'aime pas trop la voile non plus.

— Pas follement, non, a admis Mrs. Barbour en tendant la main pour attraper une autre fraise. Theo, j'aimerais bien que tu manges un peu. Tu ne peux pas continuer à t'affamer comme ça. Tu commences à avoir l'air d'un sac d'os. »

En dépit des leçons au pied levé de Mr. Barbour à partir du tableau dans son bureau, je n'avais pas trouvé grand-chose au sujet de la voile qui me motive non plus. « Parce que le plus grand cadeau de mon père, ça a été la mer, disait Mr. Barbour avec grand sérieux. L'amour que je lui porte, cette *sensation*. Papa *m'a donné l'océan*. Et c'est une perte tragique pour toi, Andy – Andy, regarde-moi quand je te parle –, c'est une perte terrible si tu as décidé de tourner le dos à la chose même qui m'a offert ma *liberté*, ma…

— J'ai essayé de l'aimer. Mais j'éprouve pour elle une haine naturelle.

— Une *haine* ? » Stupéfaction ; sidération. « Une haine de quoi ? Des étoiles et du vent ? Du ciel et du soleil ? De la *liberté* ?

— À supposer que ces choses aient un rapport avec la voile, oui.

— Eh bien… (son regard a fait le tour de la table pour nous prendre à partie, moi y compris) bon, il fait sa tête de mule. La mer (à l'adresse d'Andy), tu peux la nier autant que tu veux, mais c'est ton *droit acquis à la naissance*, c'est dans ton sang et cela remonte aux *Phéniciens*, aux *Grecs anciens*… »

Tandis que Mr. Barbour poursuivait sur Magellan, la navigation céleste et *Billy Budd* de Melville (« Je me souviens de Taff le Gallois quand il s'est noyé. Sa joue était comme une rose en bouton »), mes pensées sont reparties vers Hobart & Blackwell : je me suis demandé qui ils étaient, et ce qu'ils faisaient exactement. Les noms me faisaient l'effet de deux vieux avocats surannés, ou même d'illusionnistes, d'associés vaquant à leurs affaires d'un pas traînant dans une pénombre éclairée par des bougies.

Que le numéro de téléphone soit toujours en service me semblait encourageant. Le mien avait été coupé. Dès que j'ai pu m'éclipser décemment de la table du petit déjeuner en y laissant mon assiette intacte, je suis retourné près du téléphone dans le petit salon, avec Irenka qui s'agitait en tous sens, passait l'aspirateur et époussetait le bric-à-brac tout autour de moi, et Kitsey sur l'ordinateur à l'autre bout de la pièce, déterminée à ne même pas m'adresser un regard.

« Qui tu appelles ? » m'a demandé Andy qui – et c'était un talent de famille – était arrivé derrière moi si silencieusement que je ne l'avais pas entendu.

J'aurais pu ne rien lui répondre, sauf que je savais que je pouvais lui faire confiance pour garder un secret. Andy ne parlait jamais à qui que ce soit, encore moins à ses parents.

« Ces gens, ai-je dit doucement (je me suis un peu reculé, de façon à ne pas être vu depuis le pas de la porte), je sais que ça semble bizarre. Mais tu sais, cette bague que j'ai ? »

Je lui ai expliqué pour le vieil homme, et j'ai essayé de voir comment lui expliquer aussi pour la fille, le lien que j'avais senti avec elle et combien je voulais la revoir. Mais, et c'était prévisible, Andy avait déjà un temps d'avance et avait écarté les aspects personnels pour se focaliser sur la logistique de la situation. Il a jeté un œil sur l'annuaire, ouvert sur la table du téléphone. « Ils sont à Manhattan ?

— 10ᵉ Rue Ouest. »

Andy a éternué et s'est mouché ; les allergies printanières l'avaient frappé de plein fouet. « Si tu ne peux pas les joindre au téléphone, pourquoi tu n'y vas pas ? a-t-il suggéré en pliant son mouchoir et en le mettant dans sa poche.

— Vraiment ? » Je ne voulais pas les effrayer en débarquant sans prévenir. « Tu crois ?

— C'est ce que, moi, je ferais.

— Je ne sais pas. Peut-être qu'ils ne se souviennent pas de moi.

— S'ils te voient en personne, il y a de grandes chances que ça leur revienne, a rétorqué Andy plein de bon sens. Sinon, tu pourrais être n'importe quel fêlé simulant au téléphone. Ne t'inquiète pas, je n'en parlerai à personne si tu ne veux pas que je le fasse, a-t-il ajouté en jetant un œil par-dessus son épaule.

— Un fêlé ? Simulant quoi ?

— Eh bien, je veux dire, il y a par exemple beaucoup de gens bizarres qui t'appellent ici », a déclaré Andy tout net.

Je suis resté silencieux, ne sachant comment intégrer l'information.

« En plus ils ne répondent pas, qu'est-ce que tu veux faire d'autre ? Sinon tu ne pourras pas y aller avant le week-end prochain. Et puis, est-ce que tu as envie d'avoir cette conversation… » Il a jeté un œil dans le couloir où Toddy sautillait avec des espèces de chaussures à ressorts et où Mrs. Barbour interrogeait Platt sur la soirée chez Molly Walterbeek.

Il avait raison. « En effet », ai-je admis.

Andy a repoussé ses lunettes sur l'arête de son nez ; il continuait de les porter à la maison, mais pas au collège. « Je t'accompagne, si tu veux.

— Non, ça ira. » Je savais que cet après-midi Andy suivait un cours de civilisation japonaise pour obtenir des points supplémentaires – groupe d'études à la maison de thé Toraya, après quoi ils iraient voir le nouveau Miyazaki au Lincoln Center ; non pas qu'Andy ait besoin des points en question, mais les sorties scolaires lui faisaient office de vie sociale.

« Eh bien, a-t-il fait en fouillant dans sa poche et en en ressortant son portable, prends toujours ça. Au cas où. Tiens (il a encodé des trucs sur l'écran), j'ai débloqué le mot de passe. C'est tout bon.

— Je n'en ai pas besoin, ai-je rétorqué en regardant l'élégant petit téléphone avec un jap'animé d'Aki (fille virtuelle nue avec des cuissardes sexys) sur l'écran.

— Peut-être bien que si. On ne sait jamais. Allez, a-t-il insisté quand j'ai hésité. Prends-le. »

XII

Et c'est ainsi que, vers onze heures trente, j'ai pris le bus de la 5ᵉ Avenue et me suis retrouvé en route vers Greenwich Village, avec dans ma poche l'adresse de la rue de Hobart & Blackwell écrite sur une page de l'un des carnets portant son monogramme que Mrs. Barbour gardait près du téléphone.

Après être descendu du bus à Washington Square, j'ai

erré pendant environ trois quarts d'heure en quête de la rue. Vu son agencement erratique (des bâtiments triangulaires et des impasses formant des angles dans un sens puis dans un autre), il était facile de se perdre dans Greenwich Village et j'ai dû m'arrêter à trois reprises pour demander mon chemin : auprès d'un marchand de journaux regorgeant de bongs et de magazines porno gays, dans une boulangerie bondée où rugissait de l'opéra, et auprès d'une fille en marcel blanc et salopette équipée d'une raclette et d'un seau qui nettoyait l'extérieur d'une vitrine de librairie.

Quand j'ai fini par trouver la 10ᵉ Rue Ouest, déserte, je l'ai arpentée en comptant les numéros. J'étais d'un côté assez miteux de la rue, essentiellement résidentiel. Un groupe de pigeons se pavanait devant moi sur le trottoir mouillé, trois de front, l'on aurait dit de petits piétons empressés. Beaucoup de numéros n'étaient pas affichés clairement, et juste au moment où je me demandais si je l'avais manqué et ne devrais pas retourner sur mes pas, je me suis tout à coup trouvé nez à nez avec les mots *Hobart & Blackwell* peints en un demi-cercle soigné et vieillot sur la devanture d'une boutique. À travers la vitrine poussiéreuse j'ai vu des chiens et des chats en porcelaine, du cristal poussiéreux, lui aussi, de l'argent terni, des chaises anciennes et des canapés tapissés de vieux brocarts jaunâtres, une cage à oiseaux raffinée en faïence, des obélisques miniatures en marbre posées sur un guéridon en marbre également, et deux cacatoès en albâtre. C'était tout à fait le genre de boutique que ma mère aurait aimé – pleine à craquer, un peu délabrée, avec des piles de vieux livres par terre. Mais les grilles étaient baissées et l'endroit fermé.

La plupart des magasins n'ouvraient pas avant midi, ou treize heures. Pour tuer un peu de temps je suis parti vers Greenwich Street, à l'*Elephant and Castle*, un restaurant où ma mère et moi mangions parfois quand nous venions dans le sud de Manhattan. Mais à l'instant où j'y ai mis un pied je me suis rendu compte de mon erreur. Les éléphants dépareillés en porcelaine, même la serveuse à queue-de-cheval en T-shirt noir qui s'est approchée de moi en souriant : c'était trop affligeant, je voyais la table au coin où ma mère et moi avions déjeuné la dernière fois que nous étions venus, alors j'ai dû marmonner une excuse puis sortir à reculons.

Je suis resté planté sur le trottoir, le cœur battant la chamade. Les pigeons volaient bas dans le ciel chargé de suie. Greenwich Avenue était presque vide à part deux hommes vaseux qui donnaient l'impression de s'être battus toute la nuit, et une femme aux cheveux ébouriffés avec un col roulé trop grand qui promenait un teckel en direction de la 6e Avenue. C'était un peu bizarre d'être seul dans Greenwich Village, ce n'était pas un endroit où l'on voyait beaucoup de gosses dans la rue une matinée de week-end ; cela me donnait la sensation d'être adulte, sophistiqué, un peu alcoolique. Tout le monde avait l'air d'avoir la gueule de bois, ou d'être tout juste tombé du lit.

Parce qu'il n'y avait pas grand-chose d'ouvert, parce que je me sentais un peu perdu et que je ne savais pas quoi faire d'autre, j'ai rebroussé chemin pour aller me balader dans la direction de Hobart & Blackwell. Venant du nord de Manhattan, tout dans Greenwich Village me semblait petit et vieux, avec du lierre et des plantes grimpantes sur les bâtiments, des herbes et des plants de tomates poussant dans des tonneaux dans la rue. Même les bars affichaient des enseignes peintes à la main représentant des chevaux, des matous, des coqs, des oies et des cochons, comme dans les tavernes rurales. Mais l'intimité, la petitesse me donnaient aussi l'impression d'être exclu ; je me dépêchai de passer devant les petites entrées accueillantes tête baissée, pleinement conscient de toutes les vies matinales, dominicales et conviviales qui se déroulaient autour de moi dans l'intimité.

Les grilles de Hobart & Blackwell étaient toujours

baissées. J'avais le sentiment que le magasin n'avait pas été ouvert depuis un bout de temps ; c'était trop froid, trop sombre ; contrairement aux autres devantures de la rue, l'on n'y sentait pas de vitalité ni de vie intérieure.

Je regardais dans la vitrine en essayant de penser à ce que je ferais ensuite, quand tout à coup j'ai vu du mouvement, une grande forme qui glissait au fond. Je me suis arrêté, cloué sur place. Elle bougeait avec cette légèreté que l'on attribue aux fantômes, sans regarder d'un côté ni de l'autre, passant vite devant le seuil d'une porte puis replongeant dans l'obscurité.

Après quoi elle a disparu. La main sur le front, j'ai scruté les profondeurs sombres et encombrées de la boutique, puis j'ai frappé sur la vitre.

Hobart & Blackwell. Appuie sur la sonnette verte.

Une sonnette ? Il n'y en avait pas ; l'entrée du magasin était encadrée par une porte en fer. Je me suis avancé vers le numéro suivant – le 12, un modeste immeuble d'appartements – puis je suis revenu au 8, un bâtiment en grès brun. Une véranda montait jusqu'au premier, mais cette fois-ci j'ai vu quelque chose que je n'avais pas vu jusque-là : un étroit passage à moitié coincé entre le numéro 8 et le numéro 10, à demi caché par une rangée de poubelles en métal à l'ancienne. Quatre ou cinq marches descendaient vers une porte à l'aspect anonyme à environ un mètre en dessous du niveau du trottoir. Il n'y avait ni étiquette, ni plaque, mais ce qui a attiré mon regard c'est un éclair vert pomme : du chatterton vert collé sous un bouton sur le mur.

J'ai descendu les escaliers et appuyé sur la sonnette, encore et encore, grimaçant au bourdonnement hystérique (qui me donnait envie de m'enfuir) et prenant de profondes inspirations pour m'encourager à rester. Puis – ça a été si soudain que j'ai sursauté en arrière – la porte s'est ouverte et je me suis retrouvé à fixer une personne aussi grande qu'inattendue.

Il mesurait un mètre quatre-vingt-dix ou quatre-vingt-quinze, au moins : hagard, la mâchoire noble, massif, quelque chose en lui rappelait les photos antédiluviennes de poètes irlandais et de boxeurs accrochées dans le pub où mon père aimait boire, au cœur de Manhattan. Ses cheveux étaient gris pour l'essentiel, ils avaient besoin d'une coupe, sa peau était d'un blanc malsain, avec de telles ombres mauve foncé autour des yeux que l'on aurait presque dit que son nez était cassé. Par-dessus ses vêtements, une robe de chambre aux somptueux motifs cachemire et revers en satin lui tombait presque aux chevilles et flottait avec ampleur autour de lui, on aurait dit l'acteur principal d'un film des années 1930 promenant sa silhouette usée mais encore impressionnante.

J'étais si étonné que j'étais à court de mots. Il n'y avait rien d'impatient dans son attitude, bien au contraire. Il m'a jeté un regard vide, avec des yeux aux paupières sombres, et a attendu que je parle.

« Excusez-moi... » J'ai dégluti ; ma gorge était sèche. « Je ne veux pas vous déranger... »

Dans le silence qui a suivi il a cligné des yeux avec douceur, comme s'il comprenait tout à fait, bien sûr, et n'aurait jamais songé à suggérer que c'était le cas.

J'ai fouillé dans ma poche et lui ai tendu la bague posée sur ma paume ouverte. Le large visage blafard de l'homme s'est relâché. Il a regardé la bague, puis moi.

« Où as-tu trouvé ça ?

— Il me l'a donnée. Il m'a demandé de l'apporter ici. »

Immobile, il m'a regardé avec dureté. L'espace d'un instant j'ai cru qu'il allait me répondre qu'il ne voyait pas de quoi je parlais. Puis, sans un mot, il s'est reculé d'un pas et a ouvert la porte.

« Je m'appelle Hobie, a-t-il dit alors que j'hésitais. Entre. »

4

Sucette à la morphine

I

Brillant dans l'oblique des vitres encrassées de poussière, une jungle de dorures : cupidons, commodes, lampes sur pied dorés et, derrière l'odeur de vieux bois, relents de térébenthine, de peinture à l'huile et de vernis. Je l'ai suivi à travers l'atelier le long d'un chemin tracé dans la sciure, passant devant des plateaux perforés et des outils, des chaises démembrées et des tables à pattes de lion vautrées les quatre fers en l'air. Il était grand, mais plein de grâce, « un flotteur », aurait dit ma mère, il y avait quelque chose de fluide et d'ondoyant dans sa façon de se tenir. Gardant les yeux sur ses talons – ses pieds étaient chaussés de pantoufles –, j'ai monté derrière lui un escalier étroit pour pénétrer ensuite dans une pièce sombre à la moquette somptueuse, où des urnes noires étaient posées sur des socles et où des tentures à pompons protégeaient les lieux du soleil.

Face au silence, mon cœur s'est figé. Des fleurs mortes pourrissaient dans d'énormes vases chinois et la pesanteur du renfermé alourdissait la pièce, l'air était presque trop fétide pour être respiré, c'était la même sensation de suffocation que notre appartement quand Mrs. Barbour m'avait ramené à Sutton Place pour que j'y prenne les affaires dont j'avais besoin. Je connaissais cette immobilité : c'était ainsi qu'une maison se refermait sur elle-même après la mort de quelqu'un.

Tout d'un coup j'ai regretté d'être venu. Mais l'homme – Hobie – a semblé percevoir mon inquiétude, parce qu'il s'est retourné très vite. Ce n'était plus un jeune homme, mais son visage avait encore un aspect juvénile ; d'un bleu enfantin, ses yeux étaient clairs et effarouchés.

« Qu'y a-t-il ? m'a-t-il demandé, et puis : Tu vas bien ? »

Sa sollicitude me gênait. Mal à l'aise, j'étais debout dans l'obscurité confinée et bourrée d'antiquités, ne sachant que répondre.

Lui aussi semblait perplexe ; il a ouvert la bouche ; l'a refermée ; puis il a secoué la tête comme pour l'éclaircir. Il semblait avoir dans les cinquante ou soixante ans, mal rasé, le visage timide, plaisant, aux traits forts, qui n'était ni beau ni quelconque – un homme qui serait toujours plus grand que la plupart des autres hommes dans la pièce, même s'il semblait par ailleurs en mauvaise santé, affligé d'une moiteur indéfinie, avec des yeux cerclés de noir et une pâleur qui me faisait penser aux martyrs jésuites représentés sur les peintures murales de l'église que j'avais visitée lors de notre voyage scolaire à Montréal : de grands Européens doués, pâles comme la mort, ligotés et mis au bûcher dans les villages des Hurons.

« Désolé, je vis un peu dans un dépotoir… » Il a jeté un regard vague autour de lui avec une hâte curieuse, comme ma mère quand elle avait mal rangé un objet. Sa voix était rude mais éduquée, semblable à celle de Mr. O'Shea, mon prof d'histoire qui avait grandi dans un quartier mal famé de Boston et fini par étudier à Harvard.

« Je peux revenir. Si vous préférez. »

À ces mots, il m'a jeté un coup d'œil un peu inquiet en retour. « Non, non, a-t-il fait, il n'avait pas mis de boutons de manchettes et ses poignets détachés et sales retombaient. Donne-moi juste une minute pour me ressaisir, désolé... Voilà, a-t-il ajouté d'un ton distrait en écartant la mèche de cheveux gris de son visage, j'y suis. »

Il m'a conduit jusqu'à un étroit canapé qui m'avait l'air peu confortable, avec des bras en volutes et un dossier sculpté. Un oreiller et des couvertures étaient jetés dessus et nous avons semblé remarquer au même moment que cet amas de literie empêcherait de s'asseoir.

« Ah, désolé, a-t-il murmuré, reculant si vite que nous avons failli nous heurter, j'ai installé mon campement ici comme tu peux le voir, ce n'est pas le meilleur arrangement au monde mais je dois m'en contenter depuis que je n'entends plus bien à cause de tous ces événements... »

En se retournant (du coup je n'ai pas entendu la fin de la phrase), il a esquivé un livre posé à l'envers sur la moquette et une tasse à thé à l'intérieur auréolé de marron, puis, à la place, il m'a invité à m'asseoir sur une chaise capitonnée au décor chargé, avec des bords repliés et froncés, une frange et un siège orné d'un motif compliqué en clous décoratifs – une chaise ottomane, ai-je appris par la suite ; Hobie était l'une des rares personnes à New York à encore savoir comment les tapisser.

Des bronzes ailés, des bibelots argentés. Des plumes d'autruche grises et poussiéreuses dans un vase en argent également. Je me suis perché avec hésitation au bord de la chaise et j'ai regardé autour de moi. J'aurais préféré être debout, cela aurait facilité le départ.

Il s'est penché en avant, les mains serrées entre les genoux. Mais au lieu de prononcer un mot il s'est contenté de me regarder et d'attendre.

« Je m'appelle Theo », me suis-je empressé de lancer après un silence bien trop long. Mon visage était si empourpré que je me sentais sur le point de m'enflammer. « Theodore Decker. Tout le monde m'appelle Theo. J'habite en haut de Manhattan, ai-je ajouté en hésitant.

— Eh bien, je m'appelle James Hobart, mais tout le monde m'appelle Hobie. » Son regard était morne et désarmant. « Je vis dans le sud de Manhattan. »

À court de réponse, j'ai détourné le regard, ne sachant pas s'il se moquait.

« Désolé. » Il a fermé les yeux l'espace d'un moment, puis les a ouverts. « Ne fais pas attention à moi. Welty (il a jeté un œil à la bague dans sa paume) était mon associé. »

Était ? La pendule au cadran lunaire – ronronnant de ses roues dentées, ses chaînes et ses poids, un dispositif à la Capitaine Nemo – la pendule a ronflé bruyamment dans le calme avant de sonner le quart d'heure.

« Oh, ai-je fait. Je. Je croyais…

— Non. Je suis désolé. Tu ne savais pas ? » a-t-il ajouté en me regardant de près.

J'ai détourné le regard. Je n'avais pas mesuré combien j'avais compté sur le fait de revoir le vieil homme. En dépit de ce que j'avais vu – de ce que je savais – j'avais réussi à entretenir l'espoir enfantin qu'il s'en sortirait, par miracle, à l'image de la victime d'un meurtre à la télévision qui, après la coupure publicitaire, se révèle être vivant et récupérer en toute quiétude à l'hôpital.

« Et comment es-tu en possession de ceci ?

— Quoi ? » ai-je dit, surpris. J'ai remarqué que l'horloge était totalement déréglée : dix heures du matin, dix heures du soir, elle ne s'approchait en rien de l'heure correcte.

« Tu m'as bien dit qu'il te l'avait donnée ? »

J'ai remué, mal à l'aise. « Oui. Je… » Le choc de sa mort était très vif, comme si je lui avais fait faux bond une seconde fois et que tout recommençait sous un nouvel angle.

« Il était conscient ? Il t'a parlé ?

— Oui », ai-je commencé, puis je suis devenu silencieux. Je me sentais si malheureux. Me retrouver dans l'univers du vieil homme, au milieu de ses affaires, avait ramené avec force la sensation de sa présence : la pièce, ses velours brun-roux, son opulence et sa tranquillité, donnait l'impression d'évoluer dans un aquarium ou dans un rêve.

« Je suis content qu'il n'ait pas été seul, a lancé Hobie. Il aurait détesté. » Ses doigts s'étaient refermés sur la bague, il a porté son poing à la bouche et m'a regardé.

« Mon Dieu. Tu es juste un gamin, non ? » a-t-il constaté.

J'ai souri, mal à l'aise, pas sûr de la manière dont j'étais supposé réagir.

« Désolé, a-t-il ajouté sur un ton plus professionnel dont je devinais qu'il était censé me rassurer, je le sentais. C'est juste… je sais que ça a été violent. J'ai vu… son corps… (Il semblait trouver ses mots avec difficulté.) Avant de vous faire entrer, ils les nettoient du mieux qu'ils peuvent et vous préviennent que ça ne sera pas agréable, ce que l'on sait bien sûr mais… bon. On ne peut pas se préparer à un tel spectacle. Il y a quelques années nous avons eu des photos de Mathew Brady ici à la boutique, des trucs de la guerre de Sécession, si horribles que nous avons eu du mal à les vendre. »

Je n'ai rien répondu. Ce n'était pas mon habitude de participer aux conversations d'adultes, à part un « oui » ou un « non » quand l'on m'y poussait, mais toujours est-il que j'étais cloué sur place. C'était Matt, l'ami de ma mère qui était docteur, qui était allé identifier son corps, et personne n'avait jugé bon de m'en parler.

« Je me souviens d'une histoire que j'ai lue autrefois, un soldat, est-ce que c'était à la bataille de Shiloh ? » Il me parlait, mais ne m'accordait pas toute son attention. « À celle de Gettysburg ? Un soldat rendu tellement fou par le choc qu'il avait entrepris d'enterrer des oiseaux et des écureuils sur le champ de bataille. Beaucoup de petites créatures ont été tuées aussi dans les feux croisés, des petits animaux. Toutes ces tombes minuscules.

— Vingt-quatre mille hommes sont morts à Shiloh en deux jours », ai-je lâché.

Ses yeux en alerte sont revenus vers moi.

« Cinquante mille à Gettysburg. C'était le nouvel armement. Les balles Minié et les fusils à répétition. C'est pourquoi le nombre de morts a été aussi élevé. On a eu la guerre de tranchées en Amérique bien avant la Première Guerre mondiale. La plupart des gens l'ignorent. »

Je voyais bien qu'il ne savait que faire de cette information.

« Tu t'intéresses à la guerre de Sécession ? m'a-t-il demandé après une pause circonspecte.

— Euh… oui, ai-je répondu avec brusquerie. Un peu. » Je connaissais beaucoup de détails. J'avais pas mal de connaissances sur l'artillerie de campagne de l'Union parce que j'avais rédigé une rédaction à ce sujet – tellement technique et bourrée de détails que le prof m'avait demandé de la réécrire – et j'étais aussi au courant des photos que Brady avait prises des morts à la bataille d'Antietam : je les avais vues sur le Net, des gars aux yeux minuscules et noirs de sang au niveau du nez et de la bouche. « Notre classe a passé six semaines sur Lincoln.

— Brady avait un studio photo pas loin d'ici. Tu ne l'as jamais vu ?

— Non. » Il y avait eu une pensée piégée sur le point d'émerger, quelque chose d'essentiel et d'innommable, libéré par l'évocation de ces soldats aux visages vides. Mais maintenant tout s'était envolé à part l'image : des garçons morts, les membres disloqués, les yeux fixant le ciel.

Le silence qui a suivi a été insoutenable. Aucun de nous deux ne semblait savoir comment poursuivre. Pour finir, Hobie a croisé les jambes de nouveau. « Enfin bon... je suis désolé d'insister », a-t-il dit d'une voix hésitante.

J'étais au supplice. En arrivant dans le bas de Manhattan, j'avais été gagné par une curiosité telle que je n'avais pas imaginé que l'on me demanderait de répondre à des questions de mon côté.

« Je sais que ça doit être difficile d'en parler. C'est juste... je n'aurais jamais cru... »

Mes chaussures. Force était de constater que je ne les avais jamais vraiment regardées. Éraflures au niveau des orteils. Lacets effilochés. *Samedi on ira chez Bloomingdale t'en acheter une nouvelle paire.* Ça ne s'était jamais fait.

« Je ne veux pas te faire subir un interrogatoire. Mais... il était conscient ?

— Oui. Un peu. Enfin... » Son visage alerte et anxieux m'incitait, au tréfonds de moi, à laisser jaillir toutes sortes de trucs qu'il n'avait pas besoin de savoir, toutes les entrailles éclaboussées et les vilains éclairs répétés qui polluaient mes pensées même quand j'étais éveillé.

Portraits sombres, épagneuls en porcelaine sur le manteau de la cheminée, balancier doré oscillant, tic-tac, tic-tac.

« Je l'ai entendu appeler. » Je me suis frotté l'œil. « Quand je me suis réveillé. » C'était comme essayer d'expliquer un rêve. Impossible. « Je me suis approché et je suis resté près de lui puis... ça n'allait pas si mal. Du moins pas aussi mal qu'on le penserait, ai-je ajouté puisque c'était sorti en ayant l'air d'un mensonge, ce qui était le cas.

— Il t'a parlé ? »

Déglutissant avec difficulté, j'ai acquiescé de la tête. L'acajou foncé, les palmiers en pots.

« Il était conscient ? »

Nouveau hochement de tête. Mauvais goût dans la

bouche. Ce n'était pas un événement que l'on pouvait résumer, des trucs insensés et sans histoire, la poussière, les alarmes, sa main qui tenait la mienne, toute une vie se déroulant là entre nous deux, des phrases confuses ainsi que des noms de gens et de villes dont je n'avais jamais entendu parler. Au milieu des étincelles de câbles électriques.

Ses yeux étaient toujours sur moi. Ma gorge était sèche et j'avais un peu la nausée. Les instants ne se succédaient pas comme ils l'auraient dû et je continuais d'attendre qu'il me pose d'autres questions, n'importe lesquelles, mais il ne l'a pas fait.

Il a fini par secouer la tête comme pour la vider. « C'est… » Il semblait aussi déconcerté que moi ; la robe de chambre et les cheveux gris détachés lui donnaient l'air d'un roi sans couronne dans une pièce pour enfants en costume d'époque.

« Je suis désolé, a-t-il dit en secouant encore la tête. Tout cela est si nouveau.

— Pardon ?

— Eh bien, tu vois, c'est juste… (il s'est penché vers l'avant et a cligné des yeux, vif et agité) que tout cela est très différent de ce que l'on m'a raconté, vois-tu. D'après eux, il était mort sur le coup. Et ils ont beaucoup insisté là-dessus.

— Mais… » Je l'ai dévisagé, stupéfait. Croyait-il que j'avais inventé ?

« Non, non, s'est-il empressé d'ajouter en posant une main sur moi pour me rassurer. C'est juste… je suis sûr que c'est ce qu'ils racontent à tout le monde. "Mort sur le coup", a-t-il lancé d'un ton morne alors que je continuais de le dévisager. "Il n'a pas souffert." "Il n'a jamais compris ce qui lui arrivait." »

J'ai alors brusquement senti s'infiltrer en moi le sens glaçant de ce qu'il venait de dire. Ma mère aussi était "morte sur le coup". Elle n'avait "pas souffert". Les assistants sociaux l'avaient tellement rabâché que je n'avais jamais songé à m'étonner qu'ils puissent en être aussi sûrs.

« Mais je dois avouer que cela a été difficile de l'imaginer partir ainsi, a poursuivi Hobie dans le silence abrupt qui s'était abattu. L'éclair. La chute inattendue. J'ai eu le sentiment, comme on l'a parfois, que ça ne s'était pas vraiment passé comme ça, tu comprends ?

— Pardon ? ai-je fait en levant les yeux, désorienté par cette nouvelle éventualité vicieuse sur laquelle je venais de trébucher.

— Un au revoir à la porte, a répondu Hobie qui semblait se parler en partie à lui-même. C'est ce qui lui aurait plu. Le regard d'adieu, le haïku sur la mort, il n'aurait pas aimé partir sans s'arrêter sur la route pour parler à quelqu'un. "Une maison de thé parmi les fleurs de cerisiers, en route vers la mort." »

Je ne le suivais plus. Dans la pièce sombre, une seule et unique lame de soleil a percé entre les rideaux et heurté l'autre côté de la pièce où elle s'est accrochée et enflammée sur un plateau contenant des carafes en cristal taillé, jetant des prismes vacillants qui bougeaient d'un côté puis de l'autre et oscillaient haut sur les murs comme des paramécies sous un microscope. Il y avait une forte odeur de fumée de bois alors que la cheminée était éteinte et noire et l'âtre engorgé de cendres, comme si l'on n'y avait pas fait de feu depuis un bout de temps.

« La fille », ai-je dit timidement.

Son regard est revenu vers moi.

« Il y avait une fille aussi. »

L'espace d'un moment, il n'a pas semblé comprendre. Puis il s'est appuyé sur le dos de sa chaise et a cligné rapidement des yeux comme si d'une chiquenaude on lui avait envoyé de l'eau sur le visage.

« Quoi ? ai-je dit, stupéfait. Où est-elle ? Elle va bien ?

— Non (se frottant l'arête du nez), non.

— Mais elle est vivante ? » J'avais du mal à le croire.

Il a haussé les sourcils d'une manière qui m'a paru signifier *oui*. « Elle a eu de la chance. » Mais sa voix comme son attitude semblaient dire le contraire.

« Elle est ici ?

— Eh bien…

— Où est-elle ? Est-ce que je peux la voir ? »

Il a soupiré, avec une once d'exaspération aurait-on dit. « Elle doit rester au calme et ne pas recevoir de visites, a-t-il répondu en fouillant dans ses poches. Elle n'est pas elle-même… C'est difficile de savoir comment elle va réagir.

— Mais ça va aller ?

— Eh bien, nous l'espérons. Elle n'est pas encore sortie d'affaire, pour employer l'expression nébuleuse que les médecins tiennent à utiliser. » Il avait pris des cigarettes dans la poche de sa robe de chambre. Il en a allumé une de ses mains hésitantes, puis d'un geste théâtral il a jeté le paquet sur la table laquée du Japon qui était entre nous.

« Quoi ? a-t-il fait en me voyant fixer le paquet froissé – des françaises, comme en fumaient les gens dans les vieux films – et en écartant d'un geste la fumée de son visage. Ne me dis pas que tu en veux une aussi.

— Non merci », ai-je répondu après un silence gêné. J'étais presque sûr qu'il plaisantait, mais pas à cent pour cent.

De son côté, lui m'observait de près en clignant des yeux à travers la fumée, avec une sorte de regard inquiet, comme s'il venait juste de prendre conscience d'un fait crucial me concernant.

« C'est toi, n'est-ce pas ? a-t-il demandé de manière inattendue.

— Pardon ?

— C'est toi, le garçon, hein ? Dont la mère est morte là-dedans ? »

L'espace d'un moment, j'étais trop stupéfait pour répondre quoi que ce soit.

« Quoi », ai-je lancé en voulant dire *comment vous le savez*, mais ça n'arrivait pas tout à fait à sortir.

Mal à l'aise, il s'est frotté un œil et s'est soudain calé sur sa chaise, avec l'agitation d'un homme qui aurait renversé un verre sur la table. « Désolé. Je ne… je veux dire… ce n'est pas ce que je voulais. Seigneur. Je… » Il a effectué un geste vague, un geste d'épuisement, d'incapacité à réfléchir.

La houle d'émotion négative qui déferla sur moi me fit détourner la tête de manière malpolie. Depuis la mort de ma mère j'avais à peine pleuré, encore moins en public – pas même à sa messe d'enterrement, où des gens autour de moi qui la connaissaient à peine (et un ou deux qui avaient fait de sa vie un enfer, comme Mathilde) sanglotaient et se mouchaient.

Il a vu que j'étais contrarié, a commencé une phrase, s'est ravisé.

« Tu as mangé ? » m'a-t-il demandé tout à coup.

J'étais trop surpris pour répondre. La nourriture était le cadet de mes soucis.

« Ah, je me disais bien que non, a-t-il rétorqué en se dressant sur ses grands pieds dans un craquement. Allons préparer quelque chose vite fait.

— Je n'ai pas faim », ai-je averti, si impoliment que j'en étais désolé. Depuis la mort de ma mère, l'obsession des gens semblait être de pelleter de la nourriture dans mon gosier.

« Non, non, bien sûr que non. » De sa main libre il a écarté un nuage de fumée. « Mais bon, s'il te plaît. Fais-moi plaisir. Tu n'es pas végétarien ?

— Non ! ai-je répondu, offensé. Qu'est-ce qui vous fait dire ça ? »

Il a ri, d'un rire bref et aigu. « C'est facile ! Beaucoup de ses amis le sont, et elle aussi.

— Oh, ai-je murmuré d'une voix à peine audible, et il a baissé les yeux vers moi avec un air tranquillement enjoué et plein de vitalité.

— Eh bien, pour ta gouverne, je ne suis pas végétarien non plus. Je mange toutes sortes de trucs ridicules. Donc je suppose qu'on va arriver à quelque chose. »

Il a poussé une porte et je l'ai suivi le long d'un couloir encombré de miroirs ternis et de vieux tableaux. Il me précédait d'un pas rapide, alors que moi j'avais envie de traîner et de regarder : les portraits de famille, les colonnes blanches, les vérandas et les palmiers. Un court de tennis ; un tapis persan étalé sur une pelouse. Des serviteurs en pyjamas blancs, alignés avec solennité. Mon œil s'est posé sur Mr. Blackwell – nez crochu et bien de sa personne, fringuant dans ses vêtements blancs, le dos voûté même quand il était jeune. Il se prélassait près d'un mur de soutènement en bord de mer, dans un endroit avec des palmiers ; à côté de lui, la main sur son épaule et avec une tête de plus, souriait une Pippa en âge d'aller à la maternelle. Aussi minuscule qu'elle ait été, la ressemblance était là : son teint, ses yeux, la tête penchée au même angle et les cheveux roux.

« C'est elle, n'est-ce pas ? » ai-je demandé, tout en me rendant compte au même moment que c'était impossible. Avec ses couleurs fanées et ses vêtements démodés, cette photo avait été prise bien avant ma naissance.

Hobie s'est retourné et il est revenu sur ses pas pour regarder. « Non. C'est Juliet. La mère de Pippa, a-t-il répondu avec calme, les mains derrière le dos.

— Elle est où ?

— Juliet ? Morte. Un cancer. Cela a fait six ans en mai dernier. » Puis, semblant se rendre compte qu'il avait parlé avec brusquerie : « Welty était le frère aîné de Juliet. Son demi-frère, plutôt. Même père – différentes épouses – avec trente années de différence. Mais il l'a élevée comme sa propre enfant. »

Je me suis penché en avant pour regarder de plus près. Elle était appuyée contre lui, la joue gentiment inclinée contre la manche de sa veste.

Hobie s'est raclé la gorge. « Elle est née quand leur père avait la soixantaine, a-t-il expliqué tranquillement. Bien trop âgé pour s'intéresser à une fillette, d'autant que les enfants n'étaient *a priori* pas sa tasse de thé. »

Une porte de l'autre côté du couloir était entrouverte ; il l'a poussée et a jeté un œil dans l'obscurité. Sur la pointe des pieds, j'ai tendu le cou derrière lui, mais il s'est reculé presque aussitôt et a refermé la porte avec un cliquetis.

« C'est elle ? » La pièce était trop sombre pour que j'y voie grand-chose, mais j'avais croisé la lueur hostile des yeux d'un animal à l'autre bout, un éclat verdâtre et perturbant.

« Pas maintenant. » Sa voix était si basse que je l'entendais à peine.

« Il y a quoi là-dedans avec elle ? ai-je chuchoté, en traînant près de la porte dont je m'éloignais à contre-cœur. Un chat ?

— Un chien. L'infirmière n'est pas d'accord, mais elle le veut dans le lit avec elle et, pour tout te dire, je n'arrive pas à l'en empêcher, il gratte à la porte et il gémit. Allons, par ici. »

Il s'est avancé avec lenteur, avec des craquements et en se voûtant comme un vieillard ; après avoir poussé une porte, il a pénétré dans une cuisine encombrée avec une lucarne au plafond et un vieux poêle arrondi : rouge cerise, lignes élancées, l'on aurait dit un engin spatial des années 1950. Empilés par terre : des livres de cuisine, des dictionnaires, des vieux romans, des encyclopédies ; des étagères bourrées de porcelaine ancienne déclinée en une demi-douzaine de motifs. Près de la fenêtre, à côté de l'escalier de secours, un saint en bois décoloré tendait une paume en signe de bénédiction ; sur le buffet à côté, un service à thé en argent et des animaux peints entrant deux par deux dans une arche de Noé. Mais l'évier était rempli de vaisselle, et sur les plans de travail et les rebords de fenêtres il y avait des boîtes de médicaments, des tasses sales, des amoncellements alarmants de courrier encore cacheté, ainsi que des plantes de chez le fleuriste qui avaient séché dans leurs pots et étaient devenues marron.

Il m'a fait asseoir à la table, poussant de côté des factures d'électricité et des vieux numéros du magazine *Antiques*. « Du thé », a-t-il lancé comme s'il se souvenait d'un article sur une liste de courses.

Tandis qu'il s'activait devant la cuisinière, je fixais les ronds laissés par les tasses de café sur la nappe. Je me suis reculé sur ma chaise avec nervosité et j'ai regardé autour de moi.

« Euh…

— Oui ?

— Je pourrai la voir plus tard ?

— Peut-être », a-t-il dit, le dos tourné. Battement d'un fouet contre un bol en porcelaine bleue : *tap tap tap.* « Si elle est réveillée. Elle souffre beaucoup et les médicaments la font dormir.

— Qu'est-ce qui lui est arrivé ?

— Eh bien… » Son ton s'est fait brusque et s'est assombri sur-le-champ, je l'ai reconnu tout de suite : c'était plus ou moins celui que j'employais quand les gens m'interrogeaient sur ma mère. « Elle a reçu un mauvais coup sur la tête, fracture du crâne ; pour tout te dire, elle a été quelque temps dans le coma, et sa jambe gauche a été brisée en tellement d'endroits qu'elle n'a pas été loin de la perdre. "Des billes dans une chaussette", a-t-il commenté avec un rire triste. C'est ce que le docteur a déclaré quand il a regardé les radios. Douze fractures. Cinq opérations. La semaine dernière, a-t-il ajouté en se retournant à moitié, on lui a enlevé les broches et elle les a tellement suppliés de la laisser rentrer à la maison qu'ils l'y ont autorisée. À condition d'avoir une infirmière à mi-temps.

— Elle marche ?

— Mon Dieu, non », a-t-il répondu en approchant sa cigarette pour en tirer une bouffée. Il tentait de cuisiner d'une main et de fumer de l'autre, l'on aurait dit un capitaine de remorqueur, ou encore le cuisinier d'un chantier de bûcherons dans un vieux film. « Elle peut à peine rester assise plus d'une demi-heure.

— Mais ça finira par aller.

— C'est ce que nous espérons, a-t-il ajouté sur un ton qui ne semblait pas déborder d'optimisme. Tu sais, si tu as été là-dedans aussi, c'est incroyable que tu sois indemne, a-t-il poursuivi en me regardant à nouveau.

— Eh bien. » Je ne savais jamais comment réagir quand les gens commentaient le fait que je sois « indemne », ce dont ils ne se privaient pas.

Hobie a toussé et éteint la cigarette. « Alors… (je voyais à son expression qu'il était conscient de m'avoir perturbé et qu'il en était désolé) je suppose qu'ils t'ont parlé aussi ? Les enquêteurs ? »

J'ai regardé la nappe. « Oui. » Moins j'en racontais sur ce sujet et mieux je me portais.

« Je ne sais pas toi, mais moi je les ai trouvés très corrects, très informés. L'Irlandais. Il avait vu beaucoup de ce genre d'événements, il m'a parlé de valises piégées en Angleterre et à l'aéroport de Paris, et d'un truc sur un trottoir devant un café à Tanger, tu sais, des dizaines de morts et la personne à côté de la bombe n'est pas blessée le moins du monde. Il m'a expliqué qu'ils avaient l'occasion d'observer des phénomènes très bizarres, surtout dans les vieux bâtiments. Les espaces fermés, les surfaces inégales, les matériaux réfléchissants – tout cela est très imprévisible. Au même titre que l'acoustique, selon lui. Les ondes de choc sont comme des ondes sonores : elles rebondissent et sont déviées. Parfois il y a des vitrines de magasins à des kilomètres de là qui sont brisées. Ou (d'un geste du poignet il a enlevé les cheveux qui lui tombaient dans l'œil) parfois, plus près, il y a ce qu'il a nommé un effet bouclier. L'environnement immédiat de la détonation n'est pas touché – comme la tasse à thé intacte dans le cottage de l'IRA qui a explosé, ou des trucs du genre. Ce qui tue la majorité des gens ce sont le verre et les débris volants, tu sais, et souvent à une certaine distance. Un caillou ou un morceau de verre à cette vitesse, c'est comme une balle. »

J'ai suivi du pouce le motif fleuri sur la nappe. « Je…

— Désolé. Ce n'est peut-être pas le meilleur sujet de conversation.

— Non, non, me suis-je empressé de répondre ; c'était en fait un énorme soulagement d'entendre quelqu'un parler de manière directe, et informée, de ce que la plupart des gens s'évertuent à éviter. Ce n'est pas ça. C'est juste…

— Oui ?

— Je me demandais. Comment elle est sortie ?

— Un coup de chance. Elle était coincée sous un tas de décombres, les pompiers ne l'auraient pas trouvée si les chiens n'avaient pas donné l'alerte. Ils ont réussi à dégager jusqu'à mi-chemin, puis ils ont soulevé la poutre avec un cric… Ce qui est incroyable aussi, c'est qu'elle était consciente, elle leur a parlé tout du long, même si elle n'en garde aucun souvenir. Le miracle c'est qu'ils l'ont sortie avant l'annonce ordonnant d'évacuer… Pendant combien de temps tu as été inconscient, tu m'as dit ?

— Je ne m'en souviens pas.

— Eh bien, tu as eu de la chance. S'ils avaient dû sortir et la laisser là, toujours immobilisée, ce qui est bel et bien arrivé à certaines personnes, ai-je cru comprendre – Ah, voilà », s'est-il exclamé alors que la bouilloire sifflait.

Quand il l'a déposée devant moi, l'assiette de nourriture n'était pas belle à regarder – un truc jaune et gonflé sur du pain grillé. Mais ça sentait bon. J'ai goûté avec précaution. C'était du fromage fondu, avec de la tomate en dés, du poivre de Cayenne et d'autres trucs que je n'arrivais pas à reconnaître, et c'était délicieux.

« Excusez-moi mais… c'est quoi ? » ai-je dit en prenant une nouvelle bouchée circonspecte.

Il a eu l'air un peu gêné. « Eh bien, ça n'a pas vraiment de nom.

— Non, c'est bon », ai-je rétorqué, un peu étonné par mon appétit. Ma mère préparait du fromage sur du pain grillé très semblable, que nous mangions parfois le dimanche soir en hiver.

« Tu aimes le fromage ? J'aurais dû penser à te demander. »

J'ai hoché la tête, la bouche trop pleine pour répondre. Mrs. Barbour m'invitait toujours à manger glace et bonbons, mais là, tout à coup, j'avais l'impression d'ingérer mon premier repas normal depuis la mort de ma mère – en tout cas le premier qui ressemblait à un repas normal chez nous : légumes sautés, œufs brouillés ou gratin de pâtes en conserve, que j'avalais tout en lui racontant ma journée, installé sur l'escabeau de la cuisine.

Tandis que je mangeais, lui était assis de l'autre côté de la table, le menton dans ses grandes mains blanches. « En quoi tu es bon ? m'a-t-il demandé tout à trac. En sport ?

— Pardon ?

— À quoi tu t'intéresses ? Aux jeux et tout ça ?

— Eh bien… aux jeux vidéo. Comme *Age of Conquest*. *Yakuza Freakout*. »

Il semblait déconcerté. « Et le collège ? Tu as des matières préférées ?

— L'histoire, je suppose. Et l'anglais, ai-je ajouté quand j'ai vu qu'il ne répondait pas. Mais l'anglais va être vraiment rasoir les six prochaines semaines… On a arrêté la littérature et on est retournés à la grammaire, maintenant on convertit les phrases en diagrammes.

— Anglaise ou américaine, la littérature ?

— Américaine. Pour l'instant. Enfin, avant. L'histoire de l'Amérique aussi, cette année. Mais ces derniers temps, ce n'était pas très sympa. On vient juste de terminer la Grande Dépression, ça redeviendra bien quand on arrivera à la Seconde Guerre mondiale. »

C'était la conversation la plus agréable que j'aie eue depuis longtemps : il m'a posé tout un tas de questions intéressantes, par exemple ce que j'avais lu en littérature, en quoi le collège différait de l'école primaire, quelle était ma matière la plus difficile (l'espagnol), ma période historique préférée (je ne savais pas trop, tout sauf Eugene Debs et l'histoire du travail, sur laquelle nous avions passé beaucoup trop de temps), et qu'est-ce que je voulais faire plus tard (pas la moindre idée) – c'était rafraîchissant de converser avec un adulte qui semblait s'intéresser à moi indépendamment de mon malheur, sans mettre son nez dans mes affaires ou passer en revue une liste des Choses à Dire aux Enfants en Difficulté.

On s'était lancés sur les écrivains – de T. H. White et Tolkien à Edgar Allan Poe, un autre de mes préférés. « D'après mon père, Poe est un écrivain de seconde zone, ai-je dit. C'est le Vincent Price[1] des lettres américaines. Mais je trouve ça injuste.

— En effet, a répondu Hobie sur un ton sérieux en se versant une tasse de thé. Même si l'on n'aime pas Poe, il a inventé le roman policier. Et la science-fiction. Pour l'essentiel, il a inventé une grande partie du XXe siècle. Je veux dire… soyons honnête, je m'intéresse moins à lui que lorsque j'étais jeune, mais même si on ne l'aime pas on ne peut pas le classer parmi les hurluberlus non plus.

— D'après mon père, si. Pour me mettre en colère il

_____

1. Acteur populaire de films d'épouvante américains.

récitait *Annabel Lee* avec une voix ridicule. Parce qu'il savait que j'aimais ce poème.

— Ton père est écrivain, alors.

— Non. » Je ne savais pas d'où il sortait ça. « Acteur. Autrefois. Avant ma naissance il a joué des petits rôles dans plusieurs émissions télévisées, jamais le premier rôle, plutôt l'ami playboy et chouchouté du héros, ou l'associé corrompu qui se fait tuer.

— Il y a des chances que je le connaisse ?

— Non. Aujourd'hui il travaille dans un bureau. Enfin, il travaillait.

— Et qu'est-ce qu'il fait maintenant, alors ? » Il avait glissé la bague sur son auriculaire et, de temps en temps, il la faisait tourner entre le pouce et l'index de son autre main comme pour s'assurer de sa présence.

« Aucune idée. Il nous a laissés en plan. »

À ma surprise, il a ri. « Bon débarras ?

— Eh bien… (j'ai haussé les épaules) je ne sais pas. Parfois il était sympa. On regardait du sport ou des séries policières et il m'expliquait comment ils faisaient les effets spéciaux avec le sang et tout ça. Mais c'est comme… je ne sais pas. Des fois, il était soûl quand il venait me chercher au collège. » Je n'avais pas vraiment discuté de ça avec Dave le psy, Mrs. Swanson ou qui que ce soit. « J'avais peur d'en parler à ma mère, mais une des autres mères l'a fait. Puis (c'était une longue histoire, je me sentais gêné et j'avais envie de condenser) il s'est fait casser la main dans un bar en se battant. Il y allait tous les jours en fait, sauf qu'on ne savait pas que c'était là qu'il était, parce qu'il nous racontait qu'il travaillait tard. Il avait toute cette bande de copains dont on ne savait rien, qui lui envoyaient des cartes postales de leurs vacances dans des endroits comme les îles Vierges ; des cartes envoyées à la maison. C'est comme ça qu'on l'a découvert. Ma mère a essayé de le pousser à aller chez les Alcooliques Anonymes, mais lui ne voulait pas.

Parfois les portiers se plantaient dans le couloir devant l'appartement et faisaient beaucoup de bruit pour qu'il les entende – afin qu'il sache qu'ils étaient là, vous voyez ? Pour qu'il reste gérable.

— Gérable ?

— Il y avait beaucoup de cris et de trucs comme ça. Ça venait surtout de lui. Mais… (mal à l'aise parce que je venais de me rendre compte que j'en avais dit plus que je ne le souhaitais) c'était surtout lui qui faisait un max de bruit. Comme… oh, je ne sais pas, comme lorsque lui devait me garder quand elle travaillait. Là il était toujours de très mauvaise humeur. Je ne pouvais pas lui parler quand il regardait les infos ou le sport, c'était la règle. Enfin… » J'ai fait une pause, malheureux, sentant qu'en parlant je m'étais acculé moi-même. « Enfin bon. C'était il y a longtemps. »

Il s'est appuyé contre le dos de sa chaise et m'a regardé : c'était un homme de grande taille, circonspect, sur ses gardes même si ses yeux avaient ce bleu inquiet de l'enfance.

« Et maintenant ? Tu aimes les gens chez qui tu es ?

— Hum… » J'ai marqué une pause, la bouche pleine, à court d'idées pour expliquer qui étaient les Barbour. « Ils sont gentils, je crois.

— C'est bien. Je veux dire, je ne peux pas prétendre connaître Samantha Barbour, même si j'ai un peu travaillé pour sa famille autrefois. Elle a l'œil. »

À ces mots, j'ai cessé de manger. « Vous connaissez les Barbour ?

— Pas lui. Elle. Même si sa mère à lui était une fameuse collectionneuse, je crois que c'est son frère qui a hérité de tout, à cause d'une querelle de famille. Welty aurait pu t'en raconter plus. Non qu'il fût mauvaise langue, s'est-il empressé d'ajouter, Welty était très discret, coincé jusqu'ici, mais les gens se confiaient à lui, c'était ce genre de personne-là, tu saisis ? Des inconnus

196

s'ouvraient à lui – des clients, des gens qu'il connaissait à peine, c'était le genre d'homme auquel on aimait confier sa tristesse.

« Mais oui. » Il a croisé les mains. « Tout marchand d'art et *antiquario* new-yorkais qui se respecte connaît Samantha Barbour. C'était une Van der Pleyn avant son mariage. Pas une grande acheteuse, bien que Welty l'ait vue enchérir quelquefois, mais il est indéniable qu'elle possédait quelques jolis objets.

— Qui vous a raconté que j'étais chez les Barbour ? »

Il a cligné des yeux rapidement. « C'était dans le journal. Tu ne l'as pas vu ?

— Le journal ?

— Le *Times*. Tu ne l'as pas lu ? Non ?

— Il y avait quelque chose dans le journal à mon sujet ?

— Non, non, s'est-il empressé de répondre. Pas à *ton* sujet. Au sujet des enfants ayant perdu des membres de leur famille dans le musée. La plupart étaient des touristes. Il y avait une petite fille… un bébé, à vrai dire… une enfant de diplomate sud-américain…

— Qu'est-ce qu'ils ont écrit sur moi dans le journal ? »

Il a fait une grimace. « Oh, la difficulté d'être orphelin… une mondaine dévouée au caritatif prend le relais… ce genre de truc. Tu vois le topo. »

J'ai fixé mon assiette, gêné. Orphelin ? Le caritatif ?

« C'était un très bel article. J'ai cru comprendre que tu avais protégé l'un de ses fils contre des brutes harceleuses ? a-t-il lancé en baissant sa grosse tête grise pour croiser mon regard. À l'école ? L'autre garçon doué à qui on a fait sauter une classe ? »

J'ai secoué la tête. « Pardon ?

— Le fils de Samantha ? Que tu as défendu contre un groupe de garçons plus âgés à l'école ? Tu as pris les coups à sa place… ce genre de trucs ? »

J'ai secoué de nouveau la tête, totalement perplexe.

Il a ri. « Quelle modestie ! Tu ne devrais pas être gêné.

— Mais… ça ne s'est pas passé du tout comme ça, ai-je rétorqué, déconcerté. On était harcelés et tabassés tous les deux. Chaque jour.

— C'est ce que dit l'article. Ce qui rend encore plus remarquable le fait que tu l'aies défendu. Et la bouteille cassée ? a-t-il demandé quand je n'ai pas réagi. Quelqu'un a essayé d'entailler le fils de Samantha Barbour avec une bouteille cassée, et toi…

— Oh, ça, ai-je répondu, gêné. Ce n'était rien.

— Tu as été tailladé ! En essayant de l'aider.

— Ça ne s'est pas passé comme ça ! Cavanaugh a sauté sur nous deux ! Il y avait un morceau de verre sur le trottoir. »

Il s'est remis à rire – c'était le rire d'un homme grand, puissant, rude, qui contrastait avec sa voix soigneusement cultivée. « Eh bien, quelle que soit la manière dont ça s'est passé, tu as à coup sûr atterri dans une famille intéressante. » Il s'est levé pour se diriger vers le placard, où il a pris une bouteille de whisky et s'en est versé quelques doigts dans un verre pas très propre.

« Samantha Barbour ne donne pas l'impression d'être le cœur le plus chaleureux et le plus accueillant au monde. Mais elle semble faire beaucoup de bien autour d'elle avec ses fondations et ses collectes de fonds, non ? »

Je me suis tu tandis qu'il remettait la bouteille dans le placard. Au-dessus, à travers la lucarne, la lumière était grise et opalescente ; une pluie fine criblait le verre.

« Vous allez rouvrir la boutique ?

— Eh bien… a-t-il soupiré, c'est Welty qui s'occupait de cet aspect-là : les clients, les ventes. Moi, je suis menuisier d'art, pas homme d'affaires. Brocanteur, bricoleur. J'y mets à peine un pied, je suis toujours en bas, à sabler et à cirer. Maintenant qu'il n'est plus là, ma foi, c'est encore très frais. Les gens appellent pour des objets qu'il a vendus, il y en a qui continuent d'être livrés alors que je n'ai jamais su qu'il les avait achetés, je ne sais pas où se trouvent les papiers, je ne sais pas à quoi la plupart servent... Il y a un million de trucs que j'ai besoin de lui demander, je donnerais n'importe quoi pour pouvoir lui parler cinq minutes. Surtout... eh bien, surtout en ce qui concerne Pippa. Sa couverture médicale et... enfin soit.

— Certes », ai-je fait, conscient que mes paroles devaient sonner faux. Nous nous dirigions vers le domaine pénible de l'enterrement de ma mère, des silences qui n'en finissaient pas, des sourires forcés, l'endroit où les mots ne fonctionnaient pas.

« C'était un homme adorable. Il n'en existe pas beaucoup comme lui. Doux, charmant. Les gens avaient toujours pitié de lui à cause de son dos, mais je n'ai jamais rencontré quelqu'un avec un don aussi naturel et une disposition aussi heureuse, et bien sûr les clients l'adoraient... un type extraverti, très sociable, il l'a toujours été... "Le monde ne va pas venir à moi, donc je dois aller vers lui", avait-il l'habitude de dire... »

Tout d'un coup, le portable d'Andy a bipé, signalant l'arrivée d'un texto.

Le verre en chemin vers sa bouche, Hobie a violemment sursauté. « C'est quoi ?

— Attendez », ai-je répondu en fouillant dans ma poche. Le texto venait de Phil Lefkow, un des gamins du cours de japonais d'Andy : **Salut Theo, c'est Andy, ça va ?** J'ai vite éteint le téléphone et l'ai remis dans ma poche.

« Pardon ? Vous disiez ?

— J'ai oublié. » Son regard est parti dans le vague pendant un moment ou deux, puis il a secoué la tête. « Je n'aurais jamais cru la revoir, a-t-il ajouté en baissant les yeux vers la bague. Ça lui ressemble tellement de t'avoir demandé de l'apporter ici... de la déposer dans ma main. Je… eh bien, je n'ai rien dit, mais j'étais sûr que quelqu'un l'avait volée à la morgue… »

Le téléphone a de nouveau sonné, de sa note aiguë et crispante. « Flûte, désolé ! » ai-je fait en me précipitant pour l'attraper. Le texto d'Andy disait :

Juste pour vérifier que tu n'es pas en train de te faire trucider !!!

« Désolé, ai-je répété, en appuyant fort sur le bouton, cette fois-ci je l'ai vraiment éteint. »

Il s'est contenté de sourire et de regarder dans son verre. La pluie tapotait et dégoulinait contre la lucarne, jetant des ombres liquides en longues coulures sur le mur. Trop timide pour dire quoi que ce soit, j'ai attendu qu'il reprenne le fil de la conversation – et comme il ne le faisait pas, nous sommes restés paisiblement là pendant que je sirotais mon thé rafraîchissant (du Lapsang Souchong, fumé et particulier) et m'imprégnais de l'étrangeté de ma vie, et de l'endroit où j'étais.

J'ai repoussé mon assiette. « Merci, c'était vraiment bon, ai-je dit, m'adressant à ma mère (c'était devenu une habitude) au cas où elle écouterait tandis que mes yeux vagabondaient dans la pièce.

— Oh, comme tu es poli ! s'est-il exclamé, en riant de moi, sans méchanceté, d'une manière que je sentais amicale. Elle te plaît ?

— Quoi ?

— Mon arche de Noé. » D'un mouvement de tête il a désigné l'étagère. « Je croyais que tu la regardais. » Les animaux en bois usé (éléphants, tigres, bœufs, zèbres, de plus en plus petits jusqu'à un minuscule couple de souris) attendaient patiemment à la queue leu leu le moment d'embarquer.

« C'est à elle ? » ai-je demandé après un silence fasciné. Les animaux étaient placés de manière si adorable (les gros chats s'ignoraient mutuellement ; le paon tournait le dos à sa femelle, histoire d'admirer son reflet dans le grille-pain) que je l'imaginais sans peine ayant passé des heures à les arranger et à tenter de les mettre bien comme il fallait.

« Non (ses mains se sont jointes sur la table), c'est une des premières antiquités que j'ai achetées, il y a trente ans. À une vente de folklore américain. Je ne suis pas très fan de l'art folklorique, je ne l'ai jamais été… Cet objet, qui n'est pas de la meilleure qualité, ne colle avec rien d'autre que je possède ; pourtant, c'est l'objet décalé, celui qui ne fonctionne pas du tout, qui est curieusement celui auquel on est le plus attaché. »

J'ai reculé sur ma chaise, incapable de rester en place. « Je peux la voir, maintenant ?

— Si elle est réveillée (il a pincé les lèvres), eh bien, je n'ai pas d'objection. Mais juste pour une minute, hein. » Quand il s'est levé, sa stature corpulente aux épaules voûtées m'a surpris de nouveau totalement. « Mais je te préviens, son esprit est un peu confus. Oh… (il s'est retourné sur le pas de la porte), c'est mieux de ne pas parler de Welty si tu peux l'éviter.

— Elle n'est pas au courant ?

— Oh si (sa voix était brusque), elle l'est, mais parfois quand on lui en parle, elle en est de nouveau bouleversée. Elle demande quand ça a eu lieu et pourquoi personne ne lui a rien dit. »

II

Quand il a ouvert la porte, les stores étaient baissés et il a fallu un moment à mes yeux pour s'habituer à l'obscurité qui sentait les aromates et le parfum, ainsi qu'un fond de maladie et de médicament. Au-dessus du lit un poster encadré du film *Le Magicien d'Oz*. Une bougie parfumée gouttait dans un verre rouge, au milieu de bibelots et de rosaires, de partitions, de fleurs en papier de soie et de vieilles cartes de Saint-Valentin, ainsi que des centaines de cartes, apparemment de prompt rétablissement, suspendues à des rubans, et un tas de ballons argentés planant de manière menaçante au plafond, au bout de cordons métalliques pendant comme les bras d'une méduse.

« Tu as de la visite, Pip », a lancé Hobie d'une voix forte et enjouée.

J'ai vu le dessus-de-lit bouger. Un coude s'est levé. « Humm ? a fait une voix endormie.

— C'est tellement sombre, ma chérie. Tu ne veux pas que j'ouvre les rideaux ?

— Non, s'il te plaît, la lumière me fait mal aux yeux. »

Elle était plus petite que dans mon souvenir, et son visage – masse indistincte dans l'obscurité – était très blanc. Sa tête était rasée, avec une seule et unique mèche sur le devant. Un peu craintif, j'ai vu en m'approchant un reflet métallique sur sa tempe – une barrette ou une épingle à cheveux, me suis-je dit, avant de distinguer les agrafes en acier agencées en une méchante spirale au-dessus d'une oreille.

« J'ai entendu du bruit dans le couloir, a-t-elle dit d'une petite voix râpeuse et en fixant le vide entre Hobie et moi.

— Tu as entendu quoi, mon poussin ? lui a demandé Hobie.

— Je vous ai entendus parler. Cosmo aussi. »

Au début je n'avais pas aperçu le chien, puis je l'ai vu : il s'agissait d'un terrier gris lové contre elle, au milieu des oreillers et des peluches. Quand il a levé la tête, j'ai compris en voyant son faciès grisonnant et ses yeux voilés par la cataracte qu'il était très vieux.

« Je croyais que tu dormais, mon poussin, a dit Hobie en tendant la main pour gratter le menton du chien.

— Tu dis toujours ça, mais chaque fois je suis réveillée. Salut, a-t-elle ajouté en levant les yeux vers moi.

— Salut.

— Qui es-tu ?

— Je m'appelle Theo.

— C'est quoi, ton morceau de musique préféré ?

— Je ne sais pas, ai-je répondu, puis, pour ne pas paraître stupide : Beethoven.

— C'est super. Tu as l'air de quelqu'un qui aime Beethoven.

— Ah bon ? ai-je fait en me sentant submergé.

— Je disais ça gentiment. Je ne peux pas écouter de musique. À cause de ma tête. C'est juste l'horreur. Non, a-t-elle poursuivi à l'intention de Hobie qui enlevait des livres, de la gaze et des paquets de Kleenex sur la chaise à côté du lit pour que je puisse m'y asseoir, laisse-le s'asseoir ici. Tu peux t'asseoir ici », m'a-t-elle convié en bougeant un peu dans le lit pour me faire de la place.

Après avoir jeté un œil vers Hobie afin de m'assurer que je ne commettais pas d'impair, je me suis assis en biais, avec précaution, en veillant à ne pas déranger le chien qui a levé la tête et m'a lancé un regard mauvais.

« Ne t'inquiète pas, il ne mord pas. Enfin, parfois si. » Elle m'a regardé avec des yeux ensommeillés. « Je te connais.

— Tu te souviens de moi ?

— Hmm. On est amis ?

— Oui, ai-je répondu sans réfléchir, puis j'ai jeté un nouveau coup d'œil vers Hobie, gêné d'avoir menti.

— J'ai oublié ton prénom, désolée. Mais je me souviens de ton visage. » Puis, caressant la tête du chien, elle a ajouté : « Je ne me souvenais pas de ma chambre quand je suis revenue à la maison. De mon lit, oui, et de toutes mes affaires, mais la pièce était différente. »

Maintenant que mes yeux s'étaient habitués à l'obscurité, je voyais la chaise roulante dans le coin et les boîtes de médicaments sur la table près de son lit.

« Qu'est-ce que tu aimes de Beethoven ?

— Euh… » Je fixais son bras posé sur le dessus-de-lit, la peau tendre à l'intérieur, avec un pansement au creux du coude.

Elle s'est relevée, regardant derrière moi en direction de Hobie dont la silhouette se détachait sur le pas lumineux de la porte. « Je ne suis pas supposée trop parler, hein ?

— Non, mon poussin.

— Je ne me sens pas trop fatiguée. Mais je suis mauvais juge. Est-ce que tu te fatigues dans la journée ? m'a-t-elle interrogé.

— Parfois. » Depuis la mort de ma mère j'avais tendance à m'endormir pendant les cours et à m'écrouler dans la chambre d'Andy au retour du collège. « Mais avant, non.

— Moi pareil. J'ai sommeil tout le temps maintenant. Je me demande pourquoi ? Je trouve ça super ennuyeux. »

En regardant vers le seuil éclairé j'ai remarqué que Hobie s'était éclipsé un instant. Bien que cela ne me ressemble pas du tout, pour une drôle de raison je brûlais de tendre la main pour prendre la sienne, et vu que désormais nous étions seuls, je l'ai fait.

« Ça ne te dérange pas ? » lui ai-je demandé. Tout semblait lent, comme si j'avançais en eaux profondes. C'était très étrange de tenir la main de quelqu'un – la main d'une fille – et pourtant bizarrement normal. Je n'avais jamais rien fait de tel de ma vie.

« Pas du tout. Je trouve ça cool. » Puis, après une brève pause, durant laquelle j'ai entendu le petit terrier ronfler, elle a dit : « Ça ne te dérange pas si je ferme les yeux quelques secondes, hein ?

— Non, ai-je répondu en faisant courir un pouce sur ses articulations et en suivant le dessin des os.

— Je sais que c'est impoli, mais je n'ai pas le choix. »

J'ai baissé les yeux vers ses paupières fermées : lèvres gercées, pâleur et bleus, vilaine marque de coupure métallique sur une oreille. L'étrange mélange de ce qui était excitant à son sujet et de ce qui n'était pas supposé l'être m'a donné le tournis et obscurci l'esprit.

Coupable, j'ai jeté un coup d'œil derrière moi et remarqué Hobie debout sur le pas de la porte. Je suis revenu vers le couloir sur la pointe des pieds et j'ai fermé la porte avec douceur derrière moi, content que le couloir soit aussi sombre.

Nous sommes repartis ensemble vers le petit salon. « Comment tu la trouves ? » m'a-t-il demandé d'une voix si basse que je l'entendais à peine.

Qu'est-ce que j'étais supposé répondre à ça ? « Bien, il me semble.

— Elle n'est pas elle-même. » Il a marqué une pause à regret, les mains enfoncées au plus profond des poches de sa robe de chambre. « Enfin... elle l'est et elle ne l'est pas. Elle ne reconnaît pas beaucoup de proches, leur parle de manière plutôt formelle, et pourtant parfois elle est très ouverte avec des inconnus, bavarde et familière, des gens qu'elle n'a jamais vus de sa vie, elle les traite comme de vieux amis. C'est assez fréquent, me dit-on.

— Pourquoi elle ne doit pas écouter de musique ? »

Il a haussé un sourcil. « Oh, elle le fait, de temps à autre. Mais parfois, surtout tard dans la journée, ça a tendance à la contrarier, elle croit qu'elle doit s'entraîner, préparer un morceau pour le collège, elle s'affole. C'est très dur. Pour ce qui est de jouer à un niveau amateur, ce sera tout à fait envisageable un jour, c'est ce que l'on m'a expliqué en tout cas... »

Tout à coup, la sonnette nous a fait sursauter tous les deux.

« Ah, a fait Hobie, l'air peiné, en consultant ce que je remarquais maintenant être une très belle vieille montre, ça doit être l'infirmière. »

Nous nous sommes regardés. Nous n'avions pas fini de parler ; il y avait encore tant à dire.

De nouveau la sonnette. Au fond du couloir, le chien aboyait. « Elle est en avance, a constaté Hobie en se dépêchant, l'air un peu désespéré.

— Je peux revenir ? Pour la voir ? »

Il s'est arrêté. Il semblait atterré que j'aie même posé la question. « Mais *bien sûr* que tu peux revenir. Je t'en *prie*, reviens… »

Nouveau coup de sonnette.

« Quand tu veux. Je t'en prie. Nous serons toujours contents de te voir. »

III

« Alors, qu'est-ce qui s'est passé là-bas ? m'a demandé Andy pendant qu'on s'habillait pour le dîner. C'était bizarre ? » Platt était parti attraper le train qui le ramènerait à son pensionnat ; Mrs. Barbour avait un dîner avec le conseil d'administration d'une association caritative ; et Mr. Barbour nous emmenait tous manger au Yacht Club (où nous n'allions que les soirs où Mrs. Barbour avait autre chose à faire).

« Il connaissait ta mère, le type. »

Nouant sa cravate, Andy a fait une grimace : tout le monde connaissait sa mère.

« C'était un peu bizarre, ai-je poursuivi. Mais c'est bien que j'y sois allé. Tiens, merci pour ton téléphone », ai-je ajouté en le sortant de la poche de ma veste.

Andy a vérifié les messages, puis l'a éteint et glissé dans la sienne. Marquant une pause, la main toujours posée dessus, il a levé les yeux, mais a évité mon regard.

« Je sais que c'est difficile, a-t-il lancé de manière inattendue. Je suis désolé que ce soit un tel bordel pour toi en ce moment. »

Aussi plate que la voix mécanique d'un répondeur

automatique, la sienne m'a empêché un instant de me rendre tout à fait compte de ce qu'il venait d'énoncer.

« Elle était super gentille, a-t-il ajouté sans me regarder. Enfin bon...

— Ouais, ben, ai-je grommelé, peu désireux de poursuivre la conversation.

— En fait, elle *me* manque, a poursuivi Andy en croisant mes yeux avec une sorte de regard semi-terrifié. Je n'ai jamais connu de personne qui soit morte. Si, mon grand-père du côté Van der Pleyn. Mais jamais quelqu'un que j'aimais bien. »

Je n'ai rien répondu. Ma mère avait toujours eu un faible pour Andy, lui extirpant patiemment des infos sur sa station météo domestique, le taquinant sur les scores de ses champs de bataille galactiques jusqu'à ce que le plaisir le rende rouge comme une tomate. Jeune, joueuse, affectueuse, aimant s'amuser, elle avait été tout ce que sa mère n'était pas : une mère qui lançait des frisbees avec nous dans le parc, qui discutait de films de zombies et qui nous laissait traîner dans son lit le samedi matin pour y manger des céréales et de la guimauve multicolore en regardant des dessins animés ; cela m'avait énervé parfois, un peu, de voir à quel point il était niais et hilare en sa présence, trottinant derrière elle et blablatant sur le niveau 4 de son jeu du moment, incapable de détourner les yeux de son derrière quand elle se penchait pour attraper un truc dans le frigo.

« Elle était trop cool, a poursuivi Andy d'une voix lointaine. Tu te souviens quand elle nous a emmenés en bus dans le New Jersey, à cette convention pour les fans de films d'horreur ? Et ce sale type qui s'appelait Rip, qui n'arrêtait pas de nous suivre et qui voulait la faire tourner dans son film de vampires ? »

Ses intentions étaient bonnes, je le savais. Mais c'était presque insupportable pour moi de parler de quoi que ce soit ayant trait à ma mère ou à Avant, alors j'ai détourné la tête.

« Je ne pense même pas qu'il était branché films d'horreur, a continué Andy de sa petite voix crispante. Je pense qu'il était plutôt du genre fétichiste. Toute cette histoire de cachot avec les filles attachées sur les tables de laboratoire, c'était du porno sorti tout droit de trucs de bondage. Tu te souviens comment il l'avait suppliée d'essayer ces dents de vampire ?

— Ouais. C'est là qu'elle a décidé d'aller parler au vigile.

— Les pantalons en cuir. Tous ces piercings. Bon, qui sait, peut-être qu'il tournait vraiment un film de vampires, mais sûr que c'était un gros pervers, tu t'en souviens ? Son sourire sournois ? Et la façon qu'il avait d'essayer de regarder dans son décolleté ? »

Je lui ai fait un doigt d'honneur. « Allez, on y va. J'ai faim.

— Ah bon ? » J'avais perdu près de cinq kilos depuis la mort de ma mère – assez de poids pour que Mrs. Swanson (c'était gênant) ait entrepris de me peser dans son bureau sur la balance qu'elle utilisait pour les filles souffrant de désordres alimentaires.

« Quoi, pas toi ?

— Si, mais je croyais que tu surveillais ta ligne. Pour pouvoir entrer dans ta robe au bal de fin d'année.

— Va te faire foutre », ai-je répondu gentiment en ouvrant la porte – et voilà que je suis tombé nez à nez avec Mr. Barbour debout de l'autre côté ; difficile de savoir s'il écoutait ou s'il était sur le point de frapper.

Mortifié, je me suis mis à bégayer – les jurons étaient tout à fait contraires aux règles de la maison Barbour –, mais Mr. Barbour n'a pas eu l'air spécialement perturbé.

« Eh bien, Theo, a-t-il lancé sur un ton sec en regardant par-dessus ma tête, je suis bien heureux d'entendre que tu te sens mieux. Allez, venez, allons trouver une table. »

IV

Durant la semaine suivante, tout le monde a remarqué que mon appétit s'était amélioré, même Toddy. « Tu as fini ta grève de la faim ? m'a-t-il demandé un matin sur un ton curieux.

— Toddy, mange ton petit déjeuner.

— Mais je croyais que ça s'appelait comme ça. Quand les gens ne mangent pas.

— Non, une grève de la faim c'est pour les gens dans les prisons, a rétorqué Kitsey avec flegme.

— *Mes chatons*, a dit Mr. Barbour en guise de mise en garde.

— Oui, mais hier il a mangé trois gaufres, a protesté Toddy en pressant du regard ses parents peu concernés afin qu'ils le deviennent. Moi je n'en ai mangé que deux. Et ce matin il a mangé un bol de céréales et six tranches de bacon, alors que moi tu m'as dit que cinq tranches c'était trop. Pourquoi je ne peux pas avoir cinq tranches, moi aussi ? »

V

« Eh bien, bonjour, comment va », a lancé Dave le psychiatre en refermant la porte et en s'asseyant en face de moi dans son bureau : kilims étroits, étagères remplies de vieux manuels universitaires (*Drogues et société*, *Psychologie infantile : une approche différente*) et tentures beiges s'ouvrant avec un bourdonnement quand l'on poussait sur un bouton.

J'ai eu un sourire gêné, mes yeux ont fait le tour de la pièce, palmier en pot, bronze de Bouddha, se posant partout sauf sur lui.

« Bien. » Le vague vrombissement de la circulation qui montait de la 1re Avenue en flottant rendait vaste le silence entre nous, comme intergalactique. « Comment ça va aujourd'hui ?

— Eh bien… » Je redoutais les séances avec Dave, un supplice bihebdomadaire assez proche des visites chez le dentiste ; je me sentais coupable de ne pas l'apprécier davantage alors qu'il faisait tant d'efforts, me demandant toujours quels films j'aimais, quels livres, me gravant des CD, me découpant des articles du magazine de jeux vidéo *Game Pro* qu'il estimait susceptibles de m'intéresser, parfois m'emmenant même chez *E. J's Luncheonette* pour un hamburger, et pourtant chaque fois qu'il posait ses questions, je me figeais comme si l'on me poussait sur scène pour une pièce dont je ne connaîtrais pas les répliques.

« Tu m'as l'air un peu égaré aujourd'hui.

— Hum… » Il ne m'avait pas échappé que la plupart des titres de livres sur les étagères de Dave contenaient le mot « sexe » : *La Sexualité adolescente*, *Le Sexe et la connaissance*, *Schémas de déviance sexuelle*, et mon préféré : *Sortir de l'ombre : comprendre l'addiction sexuelle*. « Ça va, je crois.

— Tu crois ?

— Non, je vais bien. Tout va bien.

— Ah bon ? » Dave s'est appuyé contre le dos de sa chaise, ses Converse battant l'air. « C'est super. » Puis : « Pourquoi tu ne me racontes pas un peu ce qui s'est passé ?

— Oh… (je me suis gratté le sourcil et j'ai détourné le regard) l'espagnol est toujours difficile, j'ai un autre examen de rattrapage, probablement lundi. Mais j'ai eu un A à ma rédaction sur Stalingrad. Donc on dirait que mon B moins en histoire va devenir un B tout court. »

Il s'est tu si longtemps en me dévisageant que je me suis senti acculé et me suis mis à jeter des coups d'œil

autour de moi et à chercher autre chose à dire. Puis :
« Quoi d'autre ?

— Eh bien... » J'ai regardé mes pouces.

« Est-ce que tu as eu des angoisses ?

— Pas tellement », ai-je répondu en songeant combien c'était étrange de ne rien savoir sur Dave. Il faisait partie de ces gars portant une alliance qui ne ressemble pas vraiment à une alliance – ou peut-être que ce n'était pas une alliance du tout mais un jonc à motifs celtiques parce qu'il était juste super fier de cet héritage-là. Si j'avais dû deviner, j'aurais dit que c'était un jeune marié, avec un bébé : il émanait de lui une douce vibration typique des jeunes pères épuisés, comme s'il devait passer ses nuits à se lever pour changer des couches – mais comment savoir ?

« Et tes médicaments ? Les effets secondaires ?

— Euh... (je me suis gratté le nez) mieux, je suppose. » Je ne prenais même plus mes cachets, ils m'occasionnaient une telle fatigue et un tel mal de tête que je m'étais mis à les recracher dans le lavabo de la salle de bains.

Dave est resté silencieux un moment. « Donc, serait-il exagéré de dire que dans l'ensemble tu te sens mieux ?

— Je pense que non », ai-je répondu après un silence, fixant la décoration murale derrière sa tête. Cela ressemblait à un abaque de guingois composé de perles en argile et de corde nouée, et j'avais passé ce qui me faisait l'effet d'une énorme portion de ma récente existence à le contempler.

Dave a souri. « Tu dis ça comme si c'était quelque chose de honteux. Mais se sentir mieux ne signifie pas que tu as oublié ta mère. Ou que tu l'aimes moins. »

Lui en voulant de cette supposition qui ne m'avait jamais traversé l'esprit, j'ai détourné le regard pour le poser sur la fenêtre et sa vue déprimante sur le bâtiment en briques blanches en face.

« As-tu la moindre idée de ce qui fait que tu te sens mieux ?

— Non, pas vraiment », ai-je répliqué avec brusquerie. *Mieux* n'était même pas le terme qui convenait à mon état d'esprit. Il n'y avait pas de mot adapté. C'était plutôt que des choses trop anodines pour être mentionnées – un rire dans le hall du collège, un gecko vivant détalant dans un aquarium du labo de science – me faisaient passer de la joie aux larmes en un instant fragile. Comme parfois, le soir, lorsqu'un vent humide et sablonneux s'engouffrait dans les fenêtres de Park Avenue, juste au moment où la circulation de l'heure de pointe s'amenuisait et où la ville se vidait pour la nuit ; ou que le temps était à la pluie, les nouvelles feuilles des arbres apparaissaient, le printemps mûrissait vers l'été ; et dans les pleurs désespérés des klaxons dans la rue, quand l'odeur froide et humide du trottoir mouillé semblait électrique, que l'atmosphère regorgeait de foules anonymes et de secrétaires statiques et solitaires, de gros mecs avec des sacs de nourriture à emporter, et qu'ainsi partout transpirait la tristesse gauche de créatures se poussant et se bousculant pour vivre. Pendant des semaines je m'étais senti gelé, enfermé ; à présent, sous la douche, je faisais couler l'eau aussi fort que possible et je hurlais en silence. Tout était à vif, douloureux, déroutant et faux, et pourtant c'était comme si l'on m'avait tiré de l'eau gelée par un orifice dans la glace pour me laisser au soleil et au froid mordant.

« Où étais-tu à l'instant ? a interrogé Dave en tentant de croiser mon regard.

— Pardon ?

— À quoi tu pensais, juste maintenant ?

— À rien.

— Ah oui ? C'est plutôt difficile de ne penser à rien du tout. »

J'ai haussé les épaules. À part Andy, je n'avais raconté à personne ma virée en bus jusque chez Pippa, et le secret colorait l'ensemble comme les dernières lueurs d'un rêve : les coquelicots en papier de soie, la lumière tamisée d'une bougie qui gouttait, la chaleur collante de sa main dans la mienne. Mais bien que ce soit l'événement le plus spectaculaire et authentique qui me soit arrivé depuis longtemps, je ne voulais pas le gâcher en en parlant, surtout pas avec lui.

Nous sommes restés assis là un autre long moment. Puis Dave s'est penché en avant, l'air soucieux, et m'a dit : « Tu sais, quand je te demande où tu pars pendant ces silences, Theo, ce n'est pas pour t'embêter ni te coincer.

— Oh, bien sûr ! Je sais, ai-je répondu mal à l'aise en tripotant le capitonnage en tweed sur le bras du canapé.

— Je suis ici pour parler de ce que tu veux. Ou… (craquement du bois tandis qu'il bougeait sur sa chaise) on n'est pas obligés de parler du tout ! Je me demande juste s'il y a un truc qui te préoccupe.

— Eh bien », ai-je fait après une autre pause qui n'en finissait pas, résistant à la tentation de jeter un regard en biais à ma montre. Enfin bon – combien de minutes on avait encore ? *Quarante* ?

« Parce que j'entends raconter par les autres adultes dans ta vie que cela semblerait aller beaucoup mieux ces derniers temps. Tu participes davantage en cours, a-t-il poursuivi en réaction à mon silence. Tu t'impliques socialement. Tu manges de nouveau des repas normaux. » Dans l'immobilité, une sirène d'ambulance dans la rue a surnagé jusqu'à nous. « Donc je suppose que je me demande si tu pourrais m'aider à comprendre ce qui a changé. »

J'ai haussé les épaules et je me suis gratté la joue. Comment était-on supposé expliquer ce genre de choses ? Cela semblait ridicule d'essayer. Même le souvenir commençait à sembler vague et fêlé par le manque de réalité, comme un rêve où plus on essayait de les capter et plus les détails pâlissaient. Le plus important c'était la sensation, une somptueuse et douce lame de fond, si impérieuse que, en cours, dans le bus qui m'emmenait au collège, étendu sur mon lit à tenter de penser à quelque chose de rassurant ou d'agréable, à un environnement ou à une configuration où ma poitrine ne serait pas oppressée par l'angoisse, tout ce qu'il me suffisait de faire c'était de plonger dans le courant chaud et de me laisser emporter en un tourbillon vers l'endroit secret où tout était bien. Des murs couleur cannelle, de la pluie sur des vitres, une vaste quiétude et une impression de profondeur et de distance, comme le vernis sur le fond d'une peinture du XIXe siècle. Des tapis usés jusqu'à la corde, des éventails japonais peints et des cartes de Saint-Valentin antédiluviennes tremblotant à la lumière des bougies, des pierrots, des colombes et des cœurs enguirlandés de fleurs. Et le visage de Pippa, pâle dans l'obscurité.

VI

« Écoute, tu peux me couvrir cet après-midi ? ai-je demandé à Andy quelques jours plus tard alors que nous sortions du Starbucks après les cours.

— Bien sûr, a-t-il acquiescé en prenant goulûment une gorgée de son café. Pour combien de temps ?

— Je ne sais pas. » En fonction de celui qu'il me faudrait pour changer de métro à la 14e Rue, cela pourrait prendre trois quarts d'heure pour aller à l'autre bout de Manhattan ; un jour de semaine, le bus mettrait même plus longtemps. « Trois heures ? »

Il a fait une grimace ; si sa mère était à la maison, elle poserait des questions. « Qu'est-ce que je vais lui raconter ?

— Dis-lui que j'ai dû rester plus longtemps au collège ou un truc du genre.

— Elle va croire que tu as des problèmes.

— Et alors ?

— Ben, je ne veux pas qu'elle appelle le collège pour vérifier.

— Dis-lui que j'ai été au cinéma.

— Elle va me demander pourquoi je ne t'y ai pas accompagné. Pourquoi je ne dis pas plutôt que tu es à la bibliothèque ?

— C'est foireux.

— Très bien. Pourquoi on ne lui raconte pas que tu as un rendez-vous terriblement pressant avec ton contrôleur judiciaire. Ou que tu t'es arrêté pour avaler quelques *Old Fashioned* au bar des Quatre Saisons. »

Il imitait son père ; et l'imitation était tellement impeccable que j'ai ri. « *Fabuleux*, ai-je répondu avec la voix de Mr. Barbour. Très drôle. »

Il a haussé les épaules. « La section principale est ouverte ce soir jusqu'à dix-neuf heures, a-t-il lancé avec sa voix terne et sans conviction. Mais je ne suis pas censé savoir dans quelle section tu es, si tu as omis de me le dire. »

VII

Alors que j'avais les yeux fixés sur la rue et l'esprit ailleurs, la porte s'est ouverte plus vite que je ne m'y attendais. Cette fois-ci il était rasé de près, il sentait le savon, ses longs cheveux gris étaient peignés avec soin vers l'arrière et ramenés derrière les oreilles ; il était habillé de manière aussi impressionnante que Mr. Blackwell quand je l'avais vu.

Ses sourcils se sont relevés ; de toute évidence, il était surpris de me voir. « Bonjour !

— Le moment est mal choisi ? » ai-je avancé en jetant

un œil sur le poignet neigeux de sa chemise brodé d'un minuscule monogramme rouge de Chine, des majuscules si petites et stylisées qu'elles étaient presque invisibles.

« Pas du tout. En fait, j'espérais ta visite. » Il portait une cravate rouge décorée d'une forme jaune pâle ; ainsi que des richelieus noirs et un costume bleu marine superbement ajusté. « Entre ! Je t'en prie.

— Vous allez quelque part ? » lui ai-je demandé en lui jetant un œil timide. Le costume le changeait, il semblait moins mélancolique et distrait, plus efficace – à la différence du Hobie de ma première visite avec son air débraillé d'ours polaire élégant mais maltraité.

— Eh bien… oui. Mais pas maintenant. Très franchement, c'est un peu le bazar ici. Mais ce n'est pas grave. »

Qu'est-ce que cela signifiait ? Je l'ai suivi à l'intérieur, à travers la forêt de pieds de tables et de chaises démontées de l'atelier, puis nous sommes passés dans le salon lugubre pour nous rendre dans la cuisine où Cosmo le terrier sautait dans tous les sens en pleurnichant et en gémissant, ses griffes cliquetant sur l'ardoise. Quand nous sommes entrés, il a reculé de quelques pas et nous a lancé un regard mauvais et agressif.

« Pourquoi est-il ici ? ai-je interrogé en m'agenouillant pour lui caresser la tête, puis retirant ma main quand il s'est effarouché.

— Hmm ? » a fait Hobie. Il semblait préoccupé.

« Cosmo. Est-ce qu'il n'aime pas être avec elle ?

— Oh. Sa tante. Elle ne veut pas de lui là-dedans. » Il remplissait la bouilloire à l'évier – j'ai remarqué qu'à ce moment-là cette dernière a tremblé dans ses mains.

« Sa tante ?

— Oui, a-t-il dit en mettant la bouilloire sur le feu, puis il s'est baissé pour gratter le menton du chien. Pauvre petit crapaud, tu ne sais pas quoi en penser, hein ? Margaret a des opinions très arrêtées au sujet des chiens dans la chambre d'un malade. Elle a certainement raison. Et *te* voilà ici, s'est-il exclamé en jetant un œil par-dessus son épaule avec une expression curieusement lumineuse. De nouveau rejeté sur la grève. Pippa parle sans cesse de toi depuis ta visite.

— Ah bon ? me suis-je exclamé, ravi.

— "Où est ce garçon." "Il y avait un garçon." Elle m'a dit hier que tu allais revenir et *presto*, te voici », a-t-il ajouté avec un rire chaleureux et juvénile. Debout, avec ses genoux qui craquaient, il a essuyé le dos de son poignet sur son front blanc et bosselé. « Si tu attends un peu, tu pourras aller la voir.

— Comment elle va ?

— *Bien* mieux, a-t-il répondu sèchement sans me regarder. Beaucoup d'allées et venues. Sa tante l'emmène au Texas.

— Au Texas ? me suis-je exclamé après une pause abasourdie.

— Je le crains, oui.

— Quand ?

— Après-demain.

— Non ! »

Il a grimacé – un tiraillement qui s'est évanoui dès que je l'ai remarqué. « Oui, j'ai fait ses valises, a-t-il lancé d'une voix enjouée qui ne collait pas avec l'éclair de tristesse qu'il avait laissé échapper. Il y a eu des allées et venues. Des camarades d'école… C'est le premier moment tranquille que nous ayons depuis quelque temps. La semaine a été chargée.

— Quand est-ce qu'elle revient ?

— Eh bien… pas avant quelque temps, en réalité. Margaret l'emmène vivre là-bas.

— Pour toujours ?

— Oh, non ! Pas pour *toujours*, a-t-il répondu d'une voix qui m'a fait prendre conscience que c'était exactement ce qu'il voulait dire. Ce n'est pas comme si elle quittait la planète, a-t-il ajouté en voyant mon visage.

J'irai la voir là-bas à coup sûr. Et elle viendra certainement me rendre visite.

— Mais… » J'avais l'impression que le plafond s'était effondré sur moi. « Je croyais qu'elle vivait ici. Avec vous.

— Eh bien, oui. Jusqu'à maintenant. Mais je suis sûr qu'elle sera beaucoup mieux là-bas, a-t-il ajouté sans grande conviction. C'est un gros changement pour nous tous, mais en fin de compte ce sera pour le mieux. »

Je sentais qu'il ne croyait pas un mot de ce qu'il disait. « Mais pourquoi elle ne peut pas rester ici ? »

Il a soupiré. « Margaret est la demi-sœur de Welty, a-t-il répondu. Son *autre* demi-sœur. Le plus proche parent de Pippa. Elle pense que cette dernière sera mieux au Texas, maintenant qu'elle va suffisamment bien et qu'elle peut bouger.

— Je n'aurais pas envie d'habiter au Texas, ai-je répliqué, décontenancé. Il y fait trop chaud.

— Je ne pense pas que les médecins soient aussi bons là-bas non plus, a poursuivi Hobie en s'époussetant les mains. Mais sur ce point Margaret et moi divergeons. »

Il s'est assis et m'a regardé. « Tes lunettes. Je les aime bien, a-t-il dit.

— Merci. » Je n'avais pas envie de parler de mes nouvelles lunettes, un changement qui ne me plaisait pas des masses, même si elles m'aidaient bel et bien à y voir mieux. Mrs. Barbour avait choisi les montures pour moi chez E. B. Meyrowitz après un mauvais résultat à l'examen oculaire que m'avait fait passer l'infirmière scolaire. Elles étaient rondes, en écaille de tortue, un peu trop « grande personne » et ostensiblement coûteuses, et les adultes s'évertuaient un peu trop à m'assurer qu'elles avaient l'air super.

« Quoi de neuf dans le nord de Manhattan ? a demandé Hobie. Tu n'imagines pas l'agitation que ta visite a causée. En fait, je pensais aller t'y voir en personne.

La seule raison pour laquelle je ne l'ai pas fait, c'est que je n'avais pas envie de laisser Pippa, vu qu'elle va partir bientôt. Tout ça s'est passé si vite, tu vois. Cette histoire avec Margaret. Elle est comme leur père, le vieux Mr. Blackwell, quand elle se met quelque chose en tête, la voilà partie et c'est réglé.

— Il part aussi au Texas ? Cosmo ?

— Oh, non, il sera bien ici. Il vit dans cette maison depuis qu'il a trois mois.

— Il ne va pas être malheureux ?

— J'espère que non. Enfin, très honnêtement, elle lui manquera. Cosmo et moi nous entendons plutôt bien, mais il traverse une dépression terrible depuis la mort de Welty. C'était son chien, à vrai dire, cela ne fait que peu de temps qu'il s'est entiché de Pippa. Ces petits terriers comme Welty en a eu toute sa vie n'adorent pas toujours les enfants, comprends-tu, la mère de Cosmo, Chessie, était une sacrée terreur.

— Mais pourquoi est-ce que Pippa doit déménager là-bas ?

— Eh bien, a-t-il fait en se frottant les yeux, c'est vraiment la seule chose logique. Margaret est un membre de la famille de Pippa – et moi non. Bien que Margaret et Welty se soient à peine parlé quand il était en vie, pas ces dernières années en tout cas.

— Pourquoi pas ?

— Eh bien… » (Je voyais bien qu'il n'avait pas envie d'expliquer.) « Tout ça est très compliqué. Margaret détestait la mère de Pippa en fait. »

Juste au moment où il disait cela, une grande femme au visage anguleux et à l'air efficace est entrée dans la pièce ; elle avait l'âge d'une jeune grand-mère avec un visage fin, mi-aristocratique, mi-harpie, et des cheveux rouille tendant vers le gris. Son ensemble et ses chaussures me rappelaient Mrs. Barbour, sauf qu'ils étaient d'une couleur que cette dernière n'aurait jamais portée : citron vert.

Elle m'a regardé ; puis elle a regardé Hobie. « C'est quoi, ça ? » a-t-elle demandé avec froideur.

Hobie a émis un soupir sonore ; il avait l'air exaspéré. « Qu'importe, Margaret. C'est le garçon qui était aux côtés de Welty quand il est mort. »

Elle m'a examiné d'un air dubitatif par-dessus ses demi-lunes, puis elle a ri avec brusquerie, un rire aigu et délibéré.

« Ah, mais bonjour, a-t-elle dit, soudain toute charmante, tendant vers moi ses mains fines et rouges couvertes de diamants. Je m'appelle Margaret Blackwell Pierce. Je suis la sœur de Welty. La *demi*-sœur, a-t-elle corrigé en lorgnant par-dessus mon épaule en direction de Hobie quand elle a vu mes sourcils se froncer. Welty et moi avions le même père, vois-tu. Ma mère s'appelait Susie Delafield. »

Elle a prononcé le nom comme s'il devait signifier quelque chose. J'ai observé Hobie pour voir ce qu'il en pensait. Elle a saisi ce mouvement et lui a lancé un regard acéré avant de tourner de nouveau son attention – toute pétillante – vers moi.

« Quel adorable petit garçon ! » Son long nez était légèrement rose au bout. « Je suis très contente de te rencontrer. James et Pippa m'ont parlé de ta visite, un événement *des plus* extraordinaires. Nous n'avons discuté que de cela. Et puis (elle m'a serré la main) je dois te remercier du fond du cœur de m'avoir rendu la bague de mon grand-père. Elle a beaucoup de valeur à mes yeux. »

Sa bague ? De nouveau, confus, j'ai regardé Hobie.

« Cela aurait signifié beaucoup pour mon père aussi. » Il y avait quelque chose de réfléchi et d'étudié dans son amabilité (« Des tonnes de charme », aurait dit Mr. Barbour) ; pourtant, la lueur cuivrée qui la faisait ressembler à Mr. Blackwell et à Pippa m'attirait malgré moi. « Tu sais qu'elle a déjà été perdue une fois, n'est-ce pas ? »

La bouilloire a sifflé. « Tu veux du thé, Margaret ? a demandé Hobie.

— Oui, volontiers, a-t-elle répliqué sur un ton brusque. Avec du citron et du miel. Et une goutte de scotch. » À moi, d'une voix plus amicale, elle a expliqué : « Je suis terriblement désolée, mais je crains que nous n'ayons des affaires à discuter entre adultes. Nous devons voir l'avocat sous peu. Dès que l'infirmière de Pippa sera là. »

Hobie s'est raclé la gorge. « Je n'ai pas d'objection à ce que…

— Est-ce que je peux aller la voir ? ai-je interrogé, trop impatient pour le laisser terminer sa phrase.

— Bien sûr, s'est empressé de répondre Hobie avant que Tante Margaret puisse intervenir, se détournant avec habileté afin d'éviter son expression contrariée. Tu te souviens du chemin, non ? C'est par là. »

VIII

Sa première question a été : « Tu peux éteindre la lumière ? » Elle était calée dans le lit avec les écouteurs de son iPod enfoncés dans les oreilles et la lumière de l'ampoule au plafond semblait l'aveugler et la désorienter.

Je l'ai éteinte. La pièce était plus vide, avec des cartons empilés contre les murs. Une fine pluie printanière frappait les carreaux ; dehors, dans la cour sombre, j'ai vu les fleurs blanches et mousseuses d'un poirier se détacher avec pâleur sur la brique mouillée.

« Bonjour, a-t-elle fait en serrant un peu plus ses mains croisées sur le dessus-de-lit.

— Salut, ai-je répondu en regrettant d'avoir l'air aussi gauche.

« — Je savais que c'était toi ! Je t'ai entendu parler dans la cuisine.

— Ah bon ? Comment ça ?

— Je suis musicienne ! J'ai l'oreille fine. »

Maintenant que mes yeux s'étaient habitués à l'obscurité, je voyais qu'elle semblait moins frêle que lors de ma précédente visite. Ses cheveux avaient un peu repoussé et on lui avait enlevé ses agrafes, mais la ligne froncée de la blessure était toujours visible.

« Comment tu te sens ? »

Elle a souri. « Endormie. » Le sommeil était logé dans sa voix, rude et doux sur les bords. « Tu veux partager ?

— Partager quoi ? »

Elle a tourné la tête sur le côté et a enlevé un des écouteurs, qu'elle m'a tendu.

« Écoute. »

Je me suis assis à son côté sur le lit et je l'ai glissée dans mon oreille : harmonies éthérées, impersonnelles, perçantes, comme un signal radio en provenance du Paradis.

Nous nous sommes regardés. « C'est quoi ?

— Hmm… (elle a regardé l'iPod) Palestrina.

— Oh. » Mais je me fichais bien de ce que c'était. La seule raison pour laquelle je l'écoutais c'était la lumière pluvieuse, l'arbre blanc à la fenêtre, le tonnerre, elle.

Le silence entre nous était heureux et étrange, relié par le cordon et les voix glacées qui résonnaient avec délicatesse. « Tu ne dois pas parler si tu n'en as pas envie », a-t-elle suggéré. Ses paupières étaient lourdes et sa voix ensommeillée pareille à un secret. « Les gens veulent toujours parler, mais moi j'aime être tranquille.

— Tu as pleuré ? lui ai-je demandé en la regardant d'un peu plus près.

— Non. Enfin… un peu. »

Nous sommes restés assis là sans un mot, et je ne me sentais ni gauche ni bizarre.

« Je dois partir, a-t-elle dit peu après. Tu le savais ?

— Oui. Il m'a expliqué.

— C'est terrible. Je ne veux pas y aller. » Elle sentait le sel, le médicament et autre chose de végétal et de doux, comme la tisane à la camomille que ma mère achetait chez Grace.

« Elle a l'air gentille. On dirait, ai-je prudemment avancé.

— On dirait, a-t-elle répété d'un air sombre en traînant le bout du doigt le long du bord du dessus-de-lit. Elle a parlé d'une piscine. Et de chevaux.

— Ce sera sûrement sympa. »

Elle a cligné des yeux, perplexe. « Peut-être.

— Tu montes ?

— Non.

— Moi non plus. Mais ma mère, oui. Elle adorait les chevaux. Elle s'arrêtait toujours pour parler à ceux des attelages à Central Park. En fait (je ne savais pas comment le formuler) on aurait presque dit qu'eux *lui* parlaient. Même avec leurs œillères, ils essayaient de tourner la tête dans sa direction.

— Ta mère est morte, elle aussi ? a-t-elle demandé d'une voix timide.

— Oui.

— Ma mère est morte depuis… (elle s'est arrêtée pour réfléchir) je n'arrive pas à me souvenir. Elle est morte après les vacances de Pâques une année, alors comme ça j'ai eu les vacances, et aussi la semaine après les vacances. Mais il y avait une sortie scolaire que l'on était supposés faire, aux jardins botaniques, et je n'ai pas pu y aller. Elle me manque.

— De quoi elle est morte ?

— Elle est tombée malade. Ta mère était malade, elle aussi ?

— Non. C'était un accident. » Puis ne souhaitant pas m'aventurer davantage sur le sujet : « Toujours est-il

223

qu'elle adorait les chevaux, ma mère. Dans son enfance, elle avait un cheval qui d'après elle se sentait parfois seul et qui aimait s'avancer jusqu'à la maison et mettre la tête à la fenêtre pour voir ce qui se passait.

— Il s'appelait comment ?

— Palette. » J'adorais quand ma mère me racontait les étables du Kansas : hiboux et chauves-souris dans les chevrons, chevaux soufflant et hennissant doucement. Je connaissais les noms de tous les chevaux et chiens de son enfance.

« Palette ! Il était de différentes couleurs ?

— Il était moucheté, en quelque sorte. J'ai vu des photos de lui. Parfois, l'été, il s'approchait et la regardait pendant qu'elle faisait sa sieste de l'après-midi. Elle l'entendait respirer, tu sais, juste à l'intérieur des rideaux.

— C'est super ! J'adore les chevaux. C'est juste…

— Quoi ?

— Je préférerais rester ici ! » Tout d'un coup elle a semblé au bord des larmes. « Je ne comprends pas pourquoi je dois partir.

— Tu devrais leur expliquer que tu veux rester. » Quand nos mains ont-elles commencé à se toucher ? Pourquoi la sienne était-elle aussi chaude ?

« Je le leur ai dit ! Sauf que tout le monde pense que ce sera mieux là-bas.

— Pourquoi ?

— Je ne sais pas, a-t-elle constaté d'un ton irrité. Plus tranquille, d'après eux. Mais je n'aime pas la tranquillité, j'aime quand il y a beaucoup de choses à entendre.

— Ils vont me faire partir, moi aussi. »

Elle s'est mise sur le coude. « Non ! s'est-elle exclamée, l'air alarmé. Quand ?

— Je ne sais pas. Bientôt, je pense. Je dois aller vivre avec mes grands-parents.

— Oh, a-t-elle fait, l'air envieux en retombant sur l'oreiller. Je n'ai pas de grands-parents. »

J'ai faufilé mes doigts entre les siens. « Les miens ne sont pas très gentils.

— Je suis désolée.

— Pas grave », lui ai-je répondu d'une voix aussi normale que possible, sauf que mon cœur battait si vite que je sentais mon pouls palpiter à l'extrémité de mes doigts. Dans la mienne, sa main était veloutée et chaude de fièvre, juste un tout petit peu collante.

« Tu n'as pas d'autre famille ? » Dans la lumière blême en provenance de la fenêtre, ses yeux étaient si sombres qu'ils avaient l'air noirs.

« Non. Enfin… » Est-ce que mon père comptait ? « Non. »

Un long silence a suivi. Nous étions toujours reliés par les écouteurs : un dans son oreille, l'autre dans la mienne. Des coquillages qui chantent. Des chœurs d'anges et des perles. Les choses étaient devenues bien trop lentes tout à coup ; c'était comme si j'avais oublié comment respirer correctement ; je me suis retrouvé à retenir mon souffle encore et encore, puis à souffler trop fort et de manière inégale.

« Tu m'as dit que c'était quoi, cette musique ? » lui ai-je demandé, histoire d'avoir un sujet de discussion.

Elle a eu un sourire endormi et a tendu la main vers une sucette pointue et peu appétissante posée sur un emballage en aluminium sur sa table de chevet.

« Palestrina, a-t-elle répondu avec le bâton dans la bouche. Grand-messe. Ou un truc du genre. Elles se ressemblent toutes.

— Tu l'aimes bien ? Ta tante ? »

Elle m'a regardé pendant de longues minutes. Puis elle a reposé la sucette sur le papier avec précaution : « Elle a l'air gentille. Je suppose. Enfin, je ne la connais pas vraiment. C'est bizarre.

— Pourquoi tu dois partir ?

— C'est une histoire d'argent. Hobie ne peut rien

faire… ce n'est pas mon vrai oncle. Elle l'appelle mon faux oncle.

— Je regrette qu'il ne soit pas ton vrai oncle. Je veux que tu restes. »

Tout à coup elle s'est assise et a passé les bras autour de moi puis m'a embrassé ; tout le sang s'est retiré de ma tête en un vaste mouvement, comme si je tombais d'une falaise.

« Je… » La terreur m'a accablé. Hébété, par réflexe, j'ai tendu la main pour essuyer le baiser – sauf qu'il n'était ni trempé ni dégoûtant, et j'ai senti une trace brillante tout le long de ma main.

« Je ne veux pas que tu partes.

— Je ne veux pas non plus.

— Tu te souviens de m'avoir vu ?

— Quand ?

— Juste avant.

— Non.

— Moi, je me souviens de toi », ai-je dit. Je ne sais comment ma main avait trouvé son chemin vers sa joue, je l'ai retirée gauchement puis l'ai forcée à rester le long de ma cuisse, serrant le poing et m'asseyant presque dessus. « J'étais là. » C'est alors que je me suis rendu compte que Hobie était sur le pas de la porte.

« Bonjour, petit amour. » Et bien que la chaleur dans sa voix lui soit surtout destinée, à elle, j'ai senti qu'il y en avait un peu pour moi. « Je t'avais bien dit qu'il reviendrait.

— Tu l'avais dit ! s'est-elle exclamée en se relevant. Et il est là.

— Eh bien, tu m'écouteras la prochaine fois ?

— Mais je *t'écoutais*. Simplement, je ne te *croyais* pas. »

L'ourlet d'un rideau très fin a effleuré un rebord de fenêtre. J'ai vaguement entendu la circulation chanter dans la rue. Assis là, au bord de son lit, j'avais la même impression que lors du réveil, entre le rêve et la lumière du jour, au moment où tout se fondait et se mélangeait, basculant tout à coup dans le même glissement fluide et euphorique : lumière pluvieuse, Pippa assise et Hobie sur le pas de la porte, son baiser (avec la saveur particulière de ce que je crois maintenant avoir été une sucette à la morphine) encore collant sur ma bouche. Pourtant je ne suis pas sûr que même la morphine explique pourquoi je me sentais aussi étourdi à ce moment-là, enveloppé dans le bonheur et la beauté, le sourire aux lèvres. À demi hébété, nous nous sommes dit au revoir (il n'y avait aucune promesse de s'écrire ; il me semblait qu'elle était trop malade pour cela), puis je me suis retrouvé dans le couloir avec l'infirmière, Tante Margaret qui parlait fort et de manière déconcertante, ainsi que la main rassurante de Hobie sur mon épaule, une pression forte et réconfortante, comme une ancre, m'informant que tout allait bien. Je n'avais pas senti un tel contact humain depuis la mort de ma mère – amical, stable au milieu d'événements perturbants – et, tel un chien errant affamé d'affection, j'ai senti à un niveau viscéral un profond changement d'allégeance, une conviction soudaine, humiliante à faire pleurer, que *cet endroit était bon, cette personne était sûre, je pouvais lui faire confiance, personne ici ne me ferait de mal.*

« Ah, s'est écriée Tante Margaret, tu pleures ? Voyez-vous ça ? a-t-elle lancé à la jeune infirmière (qui hochait la tête en souriant, soucieuse de plaire, clairement sous son charme). Comme il est adorable ! Elle va te manquer, non ? » Son sourire était large et sûr de lui, de son bon droit. « Il faudra que tu viennes la voir, il le faut *absolument*. Je suis toujours ravie d'avoir des invités. Mes parents… ils possédaient l'une des plus grandes maisons Tudor de tout le Texas… »

Elle continuait de babiller, aussi volubile qu'un perroquet. Mais ma fidélité était ailleurs. Et le goût du baiser de Pippa – doux-amer et étrange – m'a accompagné jusqu'à l'autre bout de Manhattan, tandis que j'oscillais au fond du bus qui me ramenait à moitié endormi, transi de chagrin et d'amour, et traversé par une douleur éblouie qui m'emportait tel un cerf-volant au-dessus de la ville balayée par les vents : ma tête dans les nuages annonciateurs de pluie, mon cœur dans le ciel.

IX

Je détestais l'idée qu'elle parte. Je ne supportais pas d'y penser. Le jour de son départ (qui se trouvait être le vendredi saint), je me suis réveillé la mort dans l'âme. Regardant le ciel au-dessus de Park Avenue, bleu noir et menaçant, un ciel bouillonnant tout droit sorti d'un tableau représentant un calvaire, je l'imaginais observant le même ciel sombre depuis le hublot de son avion ; et tandis qu'Andy et moi marchions jusqu'à l'arrêt de bus, accompagnés de la sonnerie des cloches tout le long de Park Avenue, les yeux baissés et l'humeur grave de la rue semblaient refléter et magnifier la tristesse que me causait son départ.

« Eh bien, le Texas est ennuyeux, je te l'accorde », a lancé Andy entre deux éternuements. Ses yeux étaient roses et coulaient à cause du pollen, ce qui le faisait ressembler encore davantage que d'habitude à un rat de laboratoire.

« Tu y as été ?

— Oui, à Dallas. Oncle Harry et Tante Tess y ont habité quelque temps. Il n'y a rien à faire à part aller au cinéma et on ne peut se rendre nulle part à pied, on doit t'amener en voiture. Ils ont aussi des crotales, et la peine de mort, ce que je trouve primitif et contraire à l'éthique dans quatre-vingt-dix-huit pour cent des cas. Mais là-bas ça sera probablement mieux pour elle.

— Pourquoi ?

— Le climat, surtout, a répondu Andy en s'essuyant le nez d'un grand coup avec un des mouchoirs en coton repassés qu'il cueillait chaque matin sur la pile dans son tiroir. Les convalescents se portent mieux quand il fait chaud. C'est pour cela que mon grand-père Van der Pleyn a déménagé à Palm Beach. »

Je suis resté silencieux. Je savais Andy loyal ; je lui faisais confiance, j'accordais de l'importance à son opinion, et pourtant sa conversation me donnait parfois l'impression de parler avec l'un de ces programmes virtuels qui imitent les réactions humaines.

« Si elle est à Dallas, elle devrait vraiment aller au musée de la Nature et des Sciences. Même si je pense qu'elle le trouvera petit et passablement désuet. Le film en IMAX que j'y ai vu n'était même pas en 3D. Et puis ils demandent aussi un supplément pour visiter le planétarium, ce qui est ridicule vu qu'il est très inférieur à celui de Hayden.

— Euh. Hum. » Parfois je me demandais ce qu'il faudrait pour sortir Andy de sa tourelle de crétin matheux : un tsunami ? Une invasion des Decepticans ? Godzilla descendant lourdement la 5e Avenue ? À lui tout seul il constituait une planète dénuée d'atmosphère.

X

Qui a jamais pu se sentir aussi seul ? De retour chez les Barbour, au milieu des cris et de la plénitude d'une famille qui n'était pas la mienne, je me suis senti encore plus isolé que d'habitude – surtout depuis que, à l'approche de la fin de l'année scolaire, il n'était pas clair (pour Andy non plus, d'ailleurs) si j'allais les accompagner dans leur résidence secondaire du Maine ou non. Avec sa délicatesse habituelle, Mrs. Barbour avait réussi à éluder le sujet même au milieu des caisses en carton et des valises ouvertes qui étaient apparues aux quatre coins de la maison ; Mr. Barbour et les jeunes membres de la famille semblaient tout excités, mais Andy considérait cette perspective avec une franche horreur. « Les orteils au soleil, a-t-il lancé avec mépris en repoussant ses lunettes (semblables aux miennes, juste beaucoup plus épaisses) sur l'arête du nez. Au moins, avec tes grands-parents tu seras sur la terre ferme. Avec de l'eau chaude. Et une connexion Internet.

— Je ne vais pas te plaindre.

— Eh bien, si tu nous accompagnes, tu vas voir comme ça va te plaire. On se croirait dans *Kidnappés*. Le passage où ils le vendent comme esclave sur ce bateau.

— Et celui où il doit aller dans sa terrifiante famille qu'il ne connaît même pas, dans le trou du cul du monde ?

— Oui, j'y pensais, a répondu Andy sans se départir de son sérieux et en faisant pivoter son fauteuil de bureau pour me regarder. Mais au moins ils ne prévoient pas de te tuer… ce n'est pas comme s'il y avait un héritage en jeu.

— Non, en effet.

— Tu sais quel est mon conseil ?

— Non, c'est quoi ?

— Mon conseil c'est de travailler aussi dur que possible dans ton nouveau collège du Maryland, a exposé Andy en se grattant le nez avec la gomme de son crayon. Tu as un avantage : tu es en avance d'une année. Ça veut dire que tu finiras à dix-sept ans. Si tu t'appliques, tu peux être sorti de là en quatre ans, peut-être même trois, avec une bourse pour aller étudier ensuite où tu veux.

— Mes notes ne sont pas si bonnes que ça.

— Non, mais c'est parce que tu n'étudies pas, a répliqué Andy toujours sérieux. On peut aussi imaginer que ton nouveau collège ne sera pas aussi exigeant qu'ici.

— J'espère bien que non.

— Je veux dire... ce sera un lycée public. Dans le Maryland. Je ne veux pas manquer de respect à cet État, ce sont eux qui ont le Laboratoire de physique appliquée et le Centre des sciences Johns Hopkins avec le télescope spatial, sans parler du Centre de vol spatial Goddard à Greenbelt. C'est vraiment un État qui a de sérieux contrats auprès de la NASA. Tu as été classé combien l'an dernier ?

— Je ne m'en souviens plus.

— Eh bien, pas de souci si tu ne veux pas me le dire. Mon idée c'est que tu peux finir avec de bonnes notes à dix-sept ans, peut-être même seize si tu bosses dur, et après tu pourras aller en fac où tu veux.

— Trois ans, c'est long.

— Pour nous. Mais avec le recul, ça ne l'est pas du tout. Regarde une pauvre crétine comme Sabine Ingersoll, ou cet imbécile de James Villiers. Sans parler de ce putain de Forrest Longstreet, a poursuivi Andy sur un ton posé.

— Ces gens ne sont pas pauvres. J'ai vu le père de Villiers sur la couverture de *The Economist.*

— Non, mais ils sont bêtes comme des ânes. Sabine peut tout juste mettre un pied devant l'autre. Si sa famille n'avait pas d'argent et qu'elle devait se débrouiller toute seule, elle serait, je ne sais pas, prostituée. Longstreet... il ramperait probablement dans un coin pour y mourir de faim. Pareil à un hamster qu'on oublie de nourrir.

— Tu me déprimes.

— Non, mon argument, c'est que, toi, tu es intelligent. Et que les adultes t'aiment bien.

— Quoi ? ai-je fait sur un ton dubitatif.

— Bien sûr, a rétorqué Andy de sa voix monocorde et irritante. Tu retiens les noms, tu les regardes bien dans les yeux, tu serres les mains quand tu es supposé le faire. Au collège, ils se coupent tous en quatre pour toi.

— Ouais, mais… » Je ne voulais pas dire que c'était à cause de la mort de ma mère.

« Ne sois pas ridicule Tu peux tout te permettre. Tu es assez intelligent pour le comprendre tout seul.

— Et toi, pourquoi tu n'as pas encore capté cette histoire de voile ?

— Oh, mais si, a répondu Andy d'un air sévère en s'en retournant à son manuel d'hiraganas. J'ai compris qu'au pire du pire j'ai encore quatre étés d'enfer à vivre. Trois, si papa me laisse aller en fac à seize ans. Deux, si je serre les dents en première et suis ce cours d'été de la Mountain School pour apprendre l'agriculture organique. Et après ça, je ne remets plus jamais les pieds sur un bateau. »

XI

« C'est difficile de lui parler au téléphone, hélas, a expliqué Hobie. Je ne m'attendais pas à ça. Elle ne va pas bien du tout.

— Elle ne va pas bien ? » Il s'était écoulé à peine une semaine, et bien que je n'aie pas pensé retourner voir Hobie, je m'étais quand même retrouvé de nouveau là-bas : assis à la table de sa cuisine, à manger ma deuxième assiette de ce qui, à première vue, semblait être une motte noire de terreau, mais était en fait un délicieux mélange de gingembre et de figues, avec de la crème fouettée et de minuscules éclats amers de peau d'orange sur le dessus.

Hobie s'est frotté l'œil. À mon arrivée, il était occupé à réparer une chaise dans la cave. « Tout ça est très frustrant », a-t-il constaté. Ses cheveux étaient attachés afin de dégager son visage, ses lunettes pendaient à une chaînette autour de son cou. Il avait enlevé et accroché à une patère sa blouse noire de travail, sous laquelle il portait un vieux pantalon en velours côtelé taché d'essence minérale et de cire d'abeille, ainsi qu'une chemise en coton délavé aux manches roulées au-dessus du coude. « D'après Margaret, elle a pleuré pendant trois heures après sa conversation téléphonique avec moi dimanche soir.

— Pourquoi elle ne peut pas juste revenir ?

— En toute franchise, je regrette de ne pas savoir comment améliorer la situation. » L'air entendu et morose, sa main blanche et noueuse posée à plat sur la table, quelque chose dans la position de son épaule faisait penser à un cheval de trait débonnaire, ou peut-être à un ouvrier au pub à la fin d'une longue journée. « J'ai pensé sauter dans un avion pour aller la voir là-bas, mais Margaret s'y oppose. Selon elle, elle ne va pas s'acclimater comme il faut si je suis dans les parages.

— Je pense que vous devriez y aller quand même. »

Hobie a haussé les sourcils. « Margaret a fait appel aux services d'un thérapeute, quelqu'un de célèbre, apparemment, qui se sert des chevaux pour travailler avec les enfants blessés. Et, oui, Pippa adore les animaux, mais même si elle était en parfaite santé, elle n'aurait pas envie d'être dehors et de monter des chevaux à longueur de journée. Elle a passé la plupart de sa vie entre leçons de musique et salles de répétitions. Margaret est pleine d'enthousiasme à propos du programme musical de son église, mais une chorale enfantine amateur aura du mal à intéresser Pippa. »

J'ai repoussé le plat en verre, raclé au point d'en être propre. « Pourquoi Pippa ne la connaissait-elle pas avant ? ai-je demandé timidement, puis, comme il ne répondait pas : C'est une question d'argent ?

— Pas tant que ça. Bien que... Oui, tu as raison.

L'argent est toujours en cause. Tu vois, le père de Welty avait trois enfants. Welty, Margaret et Juliet, la mère de Pippa. Tous de mères différentes, a-t-il ajouté en se penchant vers l'avant avec ses grandes mains expressives posées sur la table.

— Oh.

— Welty, c'était l'aîné ; le fils aîné, ça signifie quelque chose, non ? Mais il a contracté une tuberculose vertébrale vers six ans, à l'époque où ses parents vivaient à Assouan – la nounou ne s'est pas rendu compte à quel point c'était sérieux, on l'a emmené à l'hôpital trop tard. C'était un garçon très intelligent, ai-je cru comprendre, et aimable, mais le vieux Mr. Blackwell n'était pas du genre à tolérer la faiblesse ou l'infirmité. Il l'a envoyé en Amérique pour y vivre avec de la famille et n'a plus souhaité s'encombrer l'esprit avec ça.

— C'est terrible, ai-je dit, choqué par l'injustice de cette situation.

— Oui. Enfin… Margaret te racontera une tout autre histoire, bien sûr – mais c'était un homme dur, le père de Welty. Quoi qu'il en soit, après ça les Blackwell ont été expulsés du Caire – mais *expulsés* n'est peut-être pas le meilleur terme. Quand Nasser est arrivé au pouvoir, tous les étrangers ont dû quitter l'Égypte, le père de Welty était dans l'industrie pétrolière, heureusement pour lui il avait de l'argent et des propriétés ailleurs. Les étrangers n'étaient pas autorisés à sortir de l'argent du pays, ou quoi que ce soit d'une quelconque valeur.

« Bon… (il a pris une autre cigarette) j'ai un peu perdu le fil. Ce que je voulais dire c'est que Welty connaissait à peine Margaret, qui avait une bonne douzaine d'années de moins que lui. La mère de cette dernière était texane, c'était une héritière dotée d'une fortune personnelle. Ça a été le dernier et le plus long des mariages du vieux Mr. Blackwell – la grande histoire d'amour, aux dires de Margaret : couple éminent à Houston, beaucoup de cocktails et d'avions affrétés, de safaris africains –, le père de Welty adorait l'Afrique, même après avoir dû quitter Le Caire, il n'a jamais pu en rester très loin.

« Toujours est-il (l'allumette s'est enflammée et il a toussé en soufflant un nuage de fumée) que Margaret était la petite princesse de leur père, la prunelle de ses yeux, etc. Mais pendant toute la durée du mariage il a quand même continué de fréquenter les préposées au vestiaire, les serveuses, les filles d'amis – et à un moment donné, vers la soixantaine, il a eu un bébé avec la fille qui lui coupait les cheveux. Et ce bébé était la mère de Pippa. »

Je n'ai rien dit. En CE1 il y avait eu un énorme battage (alimenté chaque jour dans les pages potins du *New York Post*) quand le père de l'un de mes camarades de classe avait eu un bébé avec une femme qui n'était pas la mère d'Eli, ce qui avait signifié que nombre de mères avaient pris parti et arrêté de se parler devant l'école où elles nous attendaient l'après-midi.

« Margaret était en fac, à Vassar. » Hobie racontait par à-coups. Bien qu'il me parlât comme si j'étais un adulte (ce qui me plaisait), il ne semblait pas particulièrement à l'aise avec le sujet. « Je crois qu'elle n'a pas adressé la parole à son père pendant plusieurs années. Le vieux Mr. Blackwell a tenté d'acheter la coiffeuse, mais son avarice a eu le dessus, avarice concernant les personnes à sa charge en tout cas. Et donc tu vois, Margaret et la mère de Pippa, Juliet, ne se sont même jamais rencontrées, sauf au tribunal, lorsque Juliet n'était encore qu'un nourrisson. Le père de Welty en était arrivé à détester la coiffeuse à un tel point qu'il avait clairement signalé dans son testament que ni elle ni Juliet ne devaient recevoir le moindre cent à part la misérable pension alimentaire qu'exigeait la loi. Mais Welty… (Hobie a écrasé sa cigarette) le vieux Mr. Blackwell a réfléchi en ce qui concernait Welty, et il a fait ce qu'il fallait pour lui dans son testament. Durant toute cette rixe juridique, qui a duré des années, Welty est devenu terriblement perturbé par la façon dont le bébé était mis à l'écart et négligé. La mère de Juliet ne voulait pas d'elle ; personne dans la famille de sa mère ne voulait d'elle ; le vieux Mr. Blackwell n'en avait sans aucun doute jamais voulu, et Margaret et sa mère auraient franchement bien aimé la voir à la rue. Pendant ce temps-là, la coiffeuse laissait Juliet seule dans l'appartement quand elle allait travailler... Une situation déplorable de tous les côtés.

« Welty n'avait aucune obligation de s'en mêler, mais c'était un homme affectueux, sans famille, et il aimait les enfants. Il a invité Juliet, ou "JuleeAnn" comme elle s'appelait à l'époque, ici pour des vacances quand elle avait six ans...

— Ici ? Dans cette maison ?

— Oui, ici. Et à la fin de l'été, quand est arrivé le moment de la renvoyer, elle pleurait parce qu'elle devait partir ; sa mère ne répondant pas au téléphone, il a annulé les billets d'avion et a téléphoné autour de lui pour voir où il pouvait l'inscrire en CP. Cela n'a jamais été un arrangement officiel – il avait peur que cela ne fasse tout chavirer, comme on dit – mais la plupart des gens ont supposé que c'était son enfant sans chercher à en savoir davantage. Il avait dans les trente-cinq ans, assez âgé pour être son père, ce que, dans tous les aspects essentiels, il était.

« Mais peu importe, a-t-il conclu en levant les yeux, la voix altérée. Tu m'as bien dit que tu voulais voir l'atelier ? Tu veux descendre ?

— Oui, s'il vous plaît, ça serait super. » Quand je l'avais vu là travaillant sur sa chaise retournée, il s'était relevé et étiré et avait annoncé qu'il était prêt à faire une pause, sauf que je n'avais pas du tout envie de monter à l'étage ; l'atelier était tellement somptueux et magique, une caverne au trésor, plus grande à l'intérieur qu'elle ne semblait l'être à l'extérieur, avec la lumière qui filtrait depuis les hautes fenêtres, des pièces chantournées et du filigrane, des outils mystérieux dont je ne connaissais pas le nom, et les odeurs fortes et intrigantes du vernis et de la cire d'abeille. Même la chaise sur laquelle il avait travaillé – pattes de chèvre sur le devant, avec des sabots fendus – ressemblait moins à un meuble qu'à une créature ensorcelée, comme si elle risquait de se relever, de sauter de son établi et de descendre la rue en trottinant.

Hobie a tendu la main pour attraper sa blouse et l'a renfilée. En dépit de toute sa douceur et de ses manières tranquilles, il était charpenté comme un homme qui gagne sa vie en déménageant des frigos ou en chargeant des camions.

« Et donc c'est la boutique derrière la boutique, a-t-il annoncé en me faisant descendre.

— Pardon ? »

Il a ri. « L'arrière-boutique. Ce que les clients voient est un décor de scène – le visage qui est montré au public – mais c'est ici que le travail important a lieu.

— En effet », ai-je dit en baissant les yeux vers le labyrinthe au pied de l'escalier, avec du bois blond comme du miel, un autre foncé comme de la mélasse, des lueurs de cuivre, de dorures et d'argent sous la faible lumière. Comme avec l'arche de Noé, chaque type de meuble était classé par catégories : les chaises avec les chaises, les canapés avec les canapés ; les horloges avec les horloges, les bureaux, les meubles et les dessertes debout de l'autre côté en rangées austères. Les tables de salle à manger au milieu formaient d'étroits passages semblables à des labyrinthes qu'il fallait contourner. Au fond de la pièce, un mur de vieux miroirs ternis, accrochés l'un à côté de l'autre, brillaient de cette lumière argentée typique des anciennes salles de bal et des salons éclairés à la bougie.

Hobie s'est retourné pour me regarder. Il a vu combien j'étais ravi. « Tu aimes les vieilles choses ? »

J'ai hoché la tête – c'était vrai, je les aimais bel et bien, sauf que je ne m'en étais jamais rendu compte jusqu'ici.

« Ce doit être intéressant pour toi chez les Barbour, alors. Je suppose que certains de leurs meubles Queen Anne et Chippendale sont aussi beaux que ceux que l'on voit dans les musées.

— Oui, ai-je admis avec une hésitation. Mais ici c'est différent. Plus joli, ai-je ajouté au cas où il n'aurait pas compris.

— Comment ça ?

— Je veux dire… (j'ai fermé très fort les yeux en essayant de rassembler mes pensées) ici en bas c'est super, il y a tant de chaises avec tant d'autres chaises… On voit les différentes personnalités, vous comprenez ? Enfin, c'est une sorte de… (je ne connaissais pas le mot) eh bien, c'est presque ridicule, mais dans le bon sens – un sens confortable. Celle-ci est plus du genre nerveux, avec ces longs pieds fins…

— Tu as l'œil pour les meubles.

— Eh bien… (les compliments me gênaient, je n'étais jamais sûr de la façon d'y réagir sauf en faisant comme si je n'avais pas entendu) quand ils sont alignés côte à côte, on voit comment ils sont fabriqués. Chez les Barbour (je n'étais pas sûr de la manière dont il fallait l'expliquer), je ne sais pas, ça ressemble plutôt à ces scènes avec les animaux empaillés au musée d'Histoire naturelle. »

Quand il riait, son air mélancolique et anxieux s'envolait ; on sentait alors sa bonne nature, elle irradiait de lui.

« Non, je suis sérieux, ai-je continué, déterminé à poursuivre et à prouver ce que j'avais à dire. La manière qu'elle a de l'installer, une table seule avec une lampe posée dessus, et tous les trucs arrangés que l'on n'est pas supposé toucher… C'est comme ces diaporamas qu'ils placent autour du yak ou autre pour montrer son habitat. C'est joli, mais… (j'ai fait un geste vers les dossiers de chaises alignés contre le mur) celui-ci est une harpe, celui-ci est comme une cuillère, celui-là… » J'imitais le mouvement circulaire du dos de la main.

« Le dossier est en forme d'écu. Mais, selon moi, le plus joli détail sur celui-ci ce sont les assises en lattes garnies de pampilles. Tu ne t'en rends peut-être pas compte, a-t-il ajouté avant que j'aie pu lui demander ce qu'était une assise en lattes, mais c'est une école en soi de voir les meubles de Mrs Barbour chaque jour, de les regarder sous différentes lumières, de pouvoir glisser la main dessus quand on en a envie. » Il a embué ses lunettes en soufflant dessus puis les a essuyées avec un coin de sa blouse. « Tu dois rentrer ?

— Pas vraiment, ai-je répondu alors qu'il se faisait tard.

— Viens, alors. On va te mettre au travail. J'aurais bien besoin d'aide sur cette petite chaise ici.

— Celle aux pattes de chèvre ?

— Oui, celle-là. Il y a une autre blouse sur la patère… Je sais, c'est trop grand, mais je viens juste de vernir ce truc avec de l'huile de lin et je ne voudrais pas que tu abîmes tes vêtements. »

XII

Dave le psy m'avait signalé plus d'une fois qu'il espérait que j'allais m'intéresser à un passe-temps – un conseil que je n'appréciais pas étant donné que ceux qu'il me proposait (racket-ball, ping-pong, bowling) me semblaient tous incroyablement nuls. S'il pensait qu'une ou deux parties de ping-pong allaient m'aider à me remettre de la mort de ma mère, il était complètement à l'ouest. Mais ainsi que le prouvait le cahier vide que m'avait donné Mr. Neuspeil, mon prof d'anglais, la suggestion de Mrs. Swanson que j'assiste au cours de dessin après les cours, la proposition d'Enrique de m'emmener regarder le basket-ball sur les terrains de la 6e Avenue, et même les tentatives sporadiques de Mr. Barbour pour que je m'intéresse aux balises et aux drapeaux nautiques – beaucoup d'adultes semblaient partager la même idée.

« Qu'est-ce que tu aimes *pratiquer* comme loisir ? » m'avait demandé Mrs. Swanson dans son sinistre bureau gris pâle qui sentait la tisane et l'armoise, avec des numéros de *Seventeen* et de *Teen People* empilés sur la table de lecture et une sorte de musique asiatique qui résonnait comme un carillon en fond sonore.

« Je ne sais pas. J'aime lire. Regarder des films. Jouer à *Age of Conquest II* et à l'édition platinum d'*Age of Conquest*. Je ne sais pas, ai-je répété pendant qu'elle continuait de me regarder.

— Bon, tout ça c'est très bien, Theo, a-t-elle dit l'air soucieux. Mais ce serait sympa si l'on pouvait te trouver une activité de groupe. Quelque chose avec du travail d'équipe, une activité que tu pourrais pratiquer avec d'autres camarades. Tu as jamais pensé à faire du sport ?

— Non.

— Je pratique un art martial qui s'appelle l'aïkido. Je ne sais pas si tu en as entendu parler. C'est une façon d'utiliser les mouvements de l'adversaire comme forme de défense personnelle. »

J'ai détourné les yeux de sa personne pour les diriger vers le panneau abîmé de Notre-Dame de Guadalupe accroché derrière sa tête.

« Ou peut-être la photographie (elle a croisé ses mains aux bagues turquoise sur son bureau) si tu ne t'intéresses pas aux cours de dessin. Mais je dois dire que Mrs. Sheinkopf m'a montré quelques-uns de ceux que tu as faits l'an dernier : cette série de toits, tu sais, de citernes d'eau, les vues depuis la fenêtre de l'atelier ? C'est très bien observé – je connais cette perspective et tu as saisi une ligne vraiment intéressante, ainsi qu'une énergie (je crois qu'elle a utilisé le mot cinétique), il y a vraiment une belle rapidité du trait, tous ces plans qui se recoupent, avec l'angle des escaliers de secours. Ce que j'essaie de t'expliquer, c'est que l'important n'est pas tant *ce* que tu fais… J'aimerais juste que l'on te trouve un moyen pour toi d'être davantage connecté.

— Connecté à quoi ? » ai-je demandé d'une voix bien trop désagréable.

Elle a eu l'air déconcertée. « Aux autres ! Et… (elle a fait un geste vers la fenêtre) au monde autour de toi ! Écoute, je sais que ta mère et toi aviez un lien *des plus forts*. Je lui ai parlé. Je vous ai vus ensemble. Et je sais exactement combien elle doit te manquer », a-t-elle poursuivi de sa voix la plus douce, la plus apaisante et la plus hypnotique.

Non, vous n'en avez pas la moindre idée, me suis-je dit en la fixant de manière insolente.

Elle m'a adressé un drôle de regard. « Tu serais étonné, Theo, comme de petites choses quotidiennes peuvent sauver du désespoir, a-t-elle poursuivi en s'inclinant dans son fauteuil enveloppé d'un châle. Mais personne ne peut le faire à ta place. C'est toi qui dois chercher la porte ouverte. »

J'avais beau savoir que son intention était bonne, j'ai quitté son bureau la tête basse, avec des larmes de colère qui me brûlaient les yeux. Putain, elle en savait quoi, cette vieille chèvre ? Mrs. Swanson avait une énorme famille : environ dix gosses et trente petits-enfants à en juger d'après les photos sur son mur ; elle avait un énorme appartement sur Central Park West, une maison dans le Connecticut et pas la moindre idée de ce que ça faisait de voir le plafond céder au-dessus de nous et le monde disparaître en un éclair. C'était facile pour elle de s'enfoncer confortablement dans son fauteuil de hippie et de radoter sur les activités parascolaires et les portes ouvertes.

Et pourtant, une porte s'était bel et bien ouverte, de manière inattendue et dans un endroit fort improbable : l'atelier de Hobie. « Aider » pour la chaise (ce qui avait signifié pour l'essentiel rester planté là pendant que Hobie dégarnissait le siège pour me montrer les dommages de l'usure, les réparations bâclées et autres horreurs cachées sous la tapisserie) s'était vite transformé, chaque semaine après les cours, en deux ou trois après-midi curieusement absorbants : étiqueter des bocaux, mélanger de la colle à base de peau de lapin, trier des boîtes d'appliques pour tiroirs (« les bouts délicats ») ou parfois juste le regarder façonner des pieds de chaises sur le tour. La boutique en haut restait sombre, avec les volets métalliques baissés, mais dans l'arrière-boutique les comtoises tictaquaient, l'acajou luisait, la lumière s'immisçait en une flaque dorée sur les tables de salle à manger, la vie de la ménagerie d'en bas se poursuivait.

Des sociétés de ventes aux enchères aux quatre coins de la ville faisaient appel à lui, ainsi que des particuliers ; il restaurait des meubles pour Sotheby's, Christie's, Tepper et Doyle. Après les cours, au milieu du tic-tac engourdissant des comtoises, il m'enseignait le pore et le lustre des différents bois, leurs couleurs, les veines et l'éclat de l'érable moucheté, ainsi que le grain mousseux de la ronce de noyer, leurs poids dans ma main et même leurs odeurs différentes – « parfois, quand tu n'es pas sûr de ce que tu as, le plus simple c'est encore de renifler » – l'acajou épicé, le chêne qui sent la poussière, le cerisier noir à la senteur piquante caractéristique, et l'odeur fleurie du bois de rose, on aurait dit de la résine d'ambre. Les scies et les fraises à ébarber, les racloirs et les queues de rat, les lames incurvées et les mèches à cuillères, les entretoises et les boîtes à onglets. J'ai appris les placages et la dorure, ce qu'étaient une mortaise et un tenon, la différence entre le bois teinté en noir d'ébène et la véritable ébène, entre les dossiers à anse de panier de Newport, du Connecticut et de Philadelphie, comment le concept massif et le plateau affleurant d'un secrétaire Chippendale présentaient moins d'intérêt qu'un autre à pied d'angle saillant de la même époque, ses colonnes cannelées avec quatre gorges fuselées et ce qu'il aimait appeler les proportions « les meilleures » pour un tiroir.

En bas – faible lumière, copeaux de bois par terre – on avait le sentiment d'être dans une étable, avec de grosses bêtes qui attendaient patiemment dans l'obscurité. Hobie m'a enseigné le caractère des bons meubles, parlant de chacun en termes de « il » ou de « elle », de la qualité musculaire, presque animale, qui distinguait les meubles superbes de leurs pairs rigides en forme de boîte cubiques et plus recherchés, sans parler de la manière affectueuse dont il faisait courir sa main le long des flancs sombres et luisants de ses buffets et de ses commodes comme s'il s'était agi d'animaux domestiques. C'était un bon prof et très vite, en me faisant examiner et comparer, il m'a appris à identifier une copie : cela se voyait à l'usure trop égale (les vieux meubles étaient toujours usés de manière asymétrique) ; à des bords découpés à la machine au lieu d'être rabotés à la main (un doigt sensible sentait un bord découpé à la machine, même avec peu de lumière) ; mais surtout à cause de l'aspect plat et mort du bois auquel il manquait un certain éclat, ainsi que la magie provenant des siècles durant lesquels ils avaient été touchés, utilisés et étaient passés entre des mains humaines. Contempler les vies de ces vieilles commodes et de ces vieux secrétaires – des existences plus longues et plus douces que la vie humaine – me plongeait dans le calme comme une pierre en eaux profondes, si bien que lorsque venait l'heure de repartir je sortais de là abasourdi et clignant des yeux, pour retrouver le vacarme de la 6e Avenue en sachant à peine où j'étais.

Plus que l'atelier (ou « l'hôpital » comme l'appelait Hobie), j'avais plaisir à sa compagnie à lui : son sourire fatigué, son affalement élégant d'homme grand, ses manches retroussées, sa manière facile d'être et de plaisanter, son habitude de travailleur se frottant le front avec l'intérieur du poignet, sa bonne humeur patiente, sa jovialité et son solide bon sens. Mais bien que notre conversation soit informelle et sporadique, elle n'avait jamais rien de simple. Même un léger « Comment ça va » était une question nuancée sans qu'elle semble l'être ; et ma réponse invariable (« Bien »), il pouvait la décrypter assez facilement sans que j'aie à lui expliquer. Quoiqu'il mette rarement son nez dans mes affaires ou me pose des questions, je sentais qu'il m'avait mieux cerné que les divers adultes dont c'était le boulot d'« entrer dans ma tête », ainsi qu'Enrique aimait le formuler.

Plus que tout, je l'appréciais parce qu'il me traitait comme un compagnon et un interlocuteur à part entière. Peu importait que parfois il veuille me parler de son voisin qui avait une prothèse du genou, ou d'un concert de musique ancienne auquel il avait assisté dans le nord de Manhattan. Si je lui disais que quelque chose de drôle m'était arrivé au collège, il se muait en auditeur attentif et approbateur ; contrairement à Mrs. Swanson (qui se figeait, l'air stupéfait, quand je sortais une blague) ou à Dave (qui gloussait, mais bizarrement, et toujours avec un temps de retard), il aimait rire, et j'adorais quand il me racontait des histoires de sa vie : les oncles braillards mariés sur le tard et les nonnes fouineuses de son enfance ; le pensionnat de troisième classe à la frontière canadienne où tous ses profs étaient alcooliques ; la grande maison au nord de l'État que son père chauffait si peu qu'il y avait du givre à l'intérieur des fenêtres ; et les après-midi gris de décembre passés à lire Tacite ou *La Révolution des Pays-Bas* de Mottley. (« J'ai *toujours* adoré l'histoire. La voie abandonnée ! Ma plus grande ambition quand j'étais jeune, c'était d'enseigner cette matière à l'université de Notre-Dame. Quoique, ce que je fais aujourd'hui est juste une façon différente de travailler avec l'histoire, je suppose. ») Il m'a parlé de son canari borgne arraché à un supermarché Woolworths, qui l'avait réveillé en chantant tous les matins de sa jeunesse ; de l'accès de rhumatisme articulaire aigu qui l'avait cloué au lit pendant six mois, et de l'étrange et antédiluvienne petite bibliothèque de quartier (« aujourd'hui détruite, hélas ») avec ses fresques au plafond, où il allait pour fuir sa maison ; de Mrs. De Peyster, la vieille héritière solitaire et ex-Miss Albany à qui il rendait visite après les cours, historienne locale qui gloussait à son propos et lui faisait manger du *Dundee cake* qu'elle commandait en Angleterre dans des boîtes, heureuse de passer des heures à lui expliquer chaque objet de sa vitrine à porcelaines et qui, entre autres choses, avait possédé un canapé en acajou – que la rumeur attribuait auparavant au général Herkimer –, ce qui avait éveillé son intérêt pour les meubles. (« Bien que je n'arrive pas tout à fait à imaginer le général Herkimer allongé sur ce truc décadent genre antiquité grecque. ») ; de sa mère morte peu de temps après sa sœur âgée de trois jours, laissant Hobie fils unique ; et du jeune père jésuite, entraîneur de foot, qui – appelé par une bonne irlandaise paniquée quand le père de Hobie battait ce dernier avec une ceinture, le réduisant « pratiquement en miettes » – s'était précipité chez eux, avait remonté ses manches et mis le père de Hobie au tapis. (« Le père Keegan ! C'est lui qui était venu à la maison pour me donner la communion la fois où j'avais eu la crise de rhumatisme articulaire. J'étais enfant de chœur – il connaissait l'histoire, il avait vu les marques sur mon dos. Ces derniers temps, il y a eu tellement de prêtres qui se sont mal conduits avec des garçons, lui pourtant était si bon avec moi… Je me demande toujours ce qu'il est devenu, j'ai essayé de le retrouver, mais sans succès. Mon père a téléphoné à l'archevêque, et après ça ni une ni deux, ils l'ont envoyé en Uruguay. »)

Tout cela était très différent de chez les Barbour où, en dépit de l'atmosphère générale de gentillesse, j'étais soit perdu dans la multitude, soit au milieu des questions formelles pour le moins inconfortables. Cela me soulageait de savoir qu'il suffisait de prendre le bus pour aller le voir, en droite ligne le long de la 5e Avenue ; et la nuit, quand je me réveillais tremblant et paniqué parce que l'explosion me submergeait de nouveau, j'arrivais parfois à me calmer et à me rendormir en pensant à sa maison où, sans même s'en rendre compte, on se glissait parfois jusque dans les années 1850, dans un monde d'horloges qui tictaquent et de lattes de parquet qui grincent, avec des marmites en cuivre et des paniers de navets et d'oignons dans la cuisine, sans parler des flammes de bougies penchant toutes vers la gauche sous l'effet du courant d'air d'une porte ouverte, de grandes baies ondulantes et gonflées comme des robes de bal, et des pièces fraîches et tranquilles où dormaient de vieilles choses.

Cela devenait néanmoins de plus en plus difficile d'expliquer mes absences (aux dîners, souvent) et l'imagination d'Andy était mise à rude épreuve. « Dois-je t'accompagner là-haut et lui parler ? a demandé Hobie un après-midi alors que, assis dans la cuisine, nous mangions une tarte aux cerises qu'il avait achetée au marché bio. Cela ne me dérange pas d'y aller pour faire sa connaissance. Ou peut-être que tu aimerais lui demander de venir ici ?

— Peut-être, ai-je répondu après un temps de réflexion.

— Ça l'intéresserait peut-être de voir ce chiffonnier Chippendale, tu sais, le Philadelphia, avec le chapiteau à volutes. Pas pour l'acheter, juste pour regarder. Ou, si tu veux, on pourrait l'inviter à déjeuner à *La Grenouille* (il a ri) ou même dans un petit boui-boui du coin qui pourrait l'amuser.

— Laissez-moi y réfléchir » ; puis je suis rentré avec le bus en ruminant. Hormis ma duplicité chronique vis-à-vis de Mrs. Barbour – soirées permanentes passées à la bibliothèque, projet d'histoire non existant – il serait gênant de devoir admettre auprès de Hobie que j'avais prétendu que la bague de Mr. Blackwell était un héritage familial. Pourtant, si Mrs. Barbour et Hobie devaient se rencontrer, à coup sûr mon mensonge éclaterait au grand jour d'une manière ou d'une autre. Cela semblait donc insoluble.

Émergeant du fond de l'appartement avec son gin et citron vert à la main, vêtue pour sortir mais encore pieds nus, Mrs. Barbour m'a apostrophé : « Tu étais où ? » sur un ton sévère. Quelque chose dans son attitude m'a fait flairer le piège. « En fait j'étais dans le sud de Manhattan, chez un ami de ma mère. »

Andy s'est tourné pour me lancer un regard vide.

« Oh, vraiment ? a dit une Mrs. Barbour soupçonneuse en lorgnant vers son fils. Andy me disait que tu étais de nouveau à la bibliothèque.

— Pas ce soir, ai-je répliqué avec une telle facilité que j'en ai été étonné.

— Eh bien, je dois dire que je suis soulagée d'entendre ça, vu que la section principale est fermée le lundi, a constaté Mrs. Barbour avec flegme.

— Je n'ai pas dit que c'était là qu'il était, maman.

— Vous le connaissez peut-être, ai-je ajouté, désireux de dédouaner Andy. Ou en tout cas il se peut que vous en ayez entendu parler.

— Qui donc ? a demandé Mrs. Barbour dont le regard revenait vers moi.

— L'ami que je suis allé voir. Il s'appelle James Hobart. Il tient une boutique de meubles au sud de Manhattan, enfin, il ne la tient pas vraiment, il s'occupe de restauration. »

Elle a baissé les sourcils et m'a regardé. « Hobart ?

— Il travaille pour plein de gens à New York. Sotheby's, parfois.

— Cela ne te dérangerait pas si je l'appelais, alors ?

— Non, ai-je répondu, sur la défensive. Il a d'ailleurs proposé que l'on aille déjeuner ensemble tous les trois. À moins que vous n'ayez envie de passer à sa boutique à l'occasion.

— Oh », a fait Mrs. Barbour, après un temps ou deux marquant la surprise. Maintenant c'était elle qui était déstabilisée. Mrs Barbour n'avait sans doute jamais eu l'occasion de descendre plus bas que la 14e Rue. « Eh bien, nous verrons.

— Pas pour acheter quoi que ce soit. Juste pour regarder. Il a de jolies choses. »

Elle a cligné des yeux. « Bien sûr », a-t-elle acquiescé. Elle paraissait étrangement désorientée, avec quelque chose de fixe et d'égaré dans les yeux. « Eh bien, c'est merveilleux. Je suis sûre que j'aurai plaisir à faire sa connaissance. Est-ce que je l'ai *déjà* rencontré ?

— Non, je ne pense pas.

— Eh bien, soit. Andy, je suis désolée. Je te dois des excuses. À toi aussi, Theo. »

À moi ? Je ne savais quoi répondre. Suçant le côté de son pouce en catimini, Andy a haussé une épaule tandis que sa mère quittait la pièce en tournoyant.

« C'est quoi le problème ? l'ai-je interrogé sur un ton tranquille.

— Elle est contrariée. Rien à voir avec toi. Platt est de retour.

Maintenant qu'il en parlait, je prenais conscience d'une musique étouffée en provenance du fond de l'appartement, un bruit sourd, profond et subliminal. « Pourquoi ? Qu'est-ce qui cloche ?

— Il s'est passé quelque chose au pensionnat.

— Quelque chose de grave ?

— Aucune idée, a-t-il répondu d'une voix blanche.

— Il a des ennuis ?

— Je crois que oui. Personne ne veut en parler.

— Mais qu'est-ce qui s'est passé ? »

Andy a fait une grimace : *mystère*. « Il était là quand on est rentrés des cours, on a entendu sa musique. Kitsey était tout excitée et elle a couru lui dire bonjour, mais il a hurlé et lui a claqué la porte au nez. »

J'ai grimacé. Kitsey idolâtrait Platt.

« Ensuite maman est arrivée. Elle est allée dans sa chambre. Puis elle a passé quelque temps au téléphone. Je serais tenté de croire que papa est à présent en route. Ils étaient supposés dîner avec les Ticknor ce soir, mais je pense que ça a été annulé.

— Et nous ? » ai-je demandé après une brève pause. Pendant la semaine, nous mangions normalement devant la télévision en faisant nos devoirs, mais avec Platt à la maison, Mr. Barbour en route et les plans de la soirée annulés, cela sentait le repas familial dans la salle à manger.

Andy a redressé ses lunettes, de cette manière tatillonne de vieille femme qu'il avait. Bien que mes cheveux soient foncés et les siens clairs, j'étais on ne peut plus conscient que les lunettes identiques que nous avait choisies Mrs. Barbour me donnaient un air intello pouvant faire croire que j'étais le jumeau d'Andy – surtout depuis que j'avais entendu une fille au collège nous surnommer « les deux golios » (ou peut-être était-ce « les deux gogos » – en tout cas ce n'était pas un compliment).

« Allons chez *Serendipity* chercher un hamburger, a-t-il proposé. Je préfère ne pas être là quand papa rentrera.

— Emmène-moi », l'a prié Kitsey de manière inattendue en entrant au galop et en s'arrêtant à un cheveu de nous, rouge et essoufflée.

Andy et moi nous sommes regardés. Kitsey ne voulait même pas être vue à côté de nous quand on faisait la queue pour attendre le bus.

« S'il te plaît, a-t-elle gémi en nous regardant à tour de rôle. Toddy est à son entraînement de foot, j'ai mon argent, je n'ai pas envie de me retrouver seule avec eux, *s'il te plaît.*

— Oh, allez », ai-je dit à Andy, et elle m'a gratifié d'un regard reconnaissant.

Ce dernier a mis les mains dans ses poches. « Bon, d'accord », lui a-t-il répondu sur un ton dénué d'expression. Je me suis fait la réflexion que l'on aurait cru deux souris blanches – sauf que Kitsey était une souris-princesse de contes de fées en sucre filé, alors qu'Andy était plutôt le genre de souris domestique anémique et infortunée que l'on donne en pâture à son boa constrictor.

« Habille-toi. *Vas-y,* lui a-t-il lancé alors qu'elle était toujours plantée là à nous dévisager. Je ne t'attendrai pas cent sept ans. Et n'oublie pas tes sous, parce que je ne vais pas payer pour toi non plus. »

XIII

Par loyauté vis-à-vis d'Andy je ne suis pas allé chez Hobie les jours suivants, bien que fort tenté étant donné l'atmosphère tendue qui régnait dans la maisonnée. Andy avait raison : il était impossible de savoir ce que Platt avait fait, Mr. et Mrs. Barbour se comportaient comme si tout allait pour le mieux (sauf que l'on sentait que ce n'était pas le cas) et Platt lui-même ne dévoilait rien, se contentant de s'asseoir aux repas avec un air maussade et les cheveux sur le visage.

« Crois-moi, c'est mieux quand tu es là. Ils parlent et font plus d'efforts pour être normaux, m'a confié Andy.

— À ton avis il a fait quoi ?

— Franchement, je ne sais pas. Et je ne *veux pas* savoir.

— Bien sûr que si.

— D'accord, a admis Andy, adouci. Mais je n'en ai pas la moindre idée.

— Tu crois qu'il a triché ? Volé ? Mâché du chewing-gum pendant la messe ? »

Andy a haussé les épaules. « La dernière fois qu'il a eu des ennuis, c'était pour avoir frappé quelqu'un au visage avec une crosse de hockey. Mais cela n'avait rien à voir avec *cela*. » Puis, sortant de nulle part : « C'est Platt que maman préfère.

— Tu crois ? ai-je répondu de manière évasive alors que je savais pertinemment que c'était vrai.

— Papa préfère Kitsey. Maman aime Platt.

— Elle aime aussi beaucoup Toddy », ai-je ajouté avant de prendre conscience de l'effet que cette remarque pouvait susciter.

Andy a fait une grimace. « Si je ne ressemblais pas autant à maman, je croirais que j'ai été échangé à la naissance », a-t-il conclu.

XIV

J'ignore pourquoi, mais durant cet interlude tendu (peut-être parce que les mystérieux problèmes de Platt me rappelaient les miens) j'ai senti que je devrais peut-être parler à Hobie du tableau, ou – à tout le moins – aborder le sujet de manière oblique, pour voir quelle serait sa réaction. La difficulté c'était d'aborder le sujet. Il était toujours dans l'appartement, exactement là où je l'avais laissé, dans le sac que j'avais sorti du musée. Quand je l'avais vu appuyé contre le canapé dans le salon, ce terrible après-midi où j'y étais retourné pour prendre les affaires de classe dont j'avais besoin, j'étais carrément passé devant en prenant autant de soin pour l'éviter que s'il s'était agi d'un clochard insistant sur le trottoir, sentant tout du long l'œil pâle et flegmatique de Mrs. Barbour sur mon dos, notre appartement et les affaires de ma mère tandis qu'elle était plantée sur le pas de la porte, les bras croisés.

C'était compliqué. Chaque fois que j'y réfléchissais, mon ventre se tordait, si bien que mon instinct premier était de refermer le couvercle avec fracas et de penser à autre chose. Malheureusement, j'avais attendu si longtemps pour avouer quoi que ce soit à quiconque que je commençais à avoir l'impression qu'il était trop tard. Et plus je passais de temps avec Hobie – avec ses Hepplewhite et ses Chippendale estropiés, les vieilles choses dont il s'occupait avec un soin si minutieux –, plus je sentais que c'était mal de garder le silence. Et si quelqu'un le découvrait ? Que m'arriverait-il ? Pour ce que j'en savais, le propriétaire était peut-être entré dans l'appartement – il avait une clé ; mais même si c'était le cas, je ne pensais pas qu'il tomberait nécessairement dessus. Pourtant, je savais que c'était tenter le diable de le laisser là le temps de décider quoi faire.

Ce n'est pas que cela me dérangeait de le rendre ; si j'avais pu le faire comme par magie, par la seule force de la pensée, je me serais exécuté dans la seconde. C'était juste que je ne trouvais pas le moyen de le faire sans mettre en danger ma personne ou le tableau. Depuis l'explosion du musée, des affichettes aux quatre coins de la ville signalaient que les paquets laissés sans surveillance pour quelque raison que ce soit seraient détruits, ce qui éliminait la plupart de mes idées géniales pour le rendre de manière anonyme. On ferait exploser n'importe quelle valise ou paquet douteux sans poser de questions.

Parmi les adultes que je connaissais, il n'y en avait que deux que je songeais à faire entrer dans la confidence : Hobie et Mrs. Barbour. Hobie semblait de loin la perspective la plus compassionnelle et la moins terrifiante. Il serait beaucoup plus facile de lui expliquer à lui d'abord comment j'en étais venu à sortir le tableau du musée. Que c'était une erreur, pour ainsi dire. Que j'avais suivi les instructions de Welty ; que j'avais eu une commotion cérébrale. Que je n'avais pas pris la pleine mesure de mon geste. Que mon intention n'avait pas été qu'il traîne là pendant si longtemps. Pourtant, dans mes limbes sans domicile fixe, il me semblait fou de m'avancer et d'admettre ce que beaucoup de gens allaient considérer comme un très sérieux méfait, je le savais. Puis, coïncidence, juste au moment où je me rendais compte que je ne pouvais vraiment pas attendre plus longtemps avant d'agir, je suis tombé sur une minuscule photo noir et blanc du tableau dans les pages économiques du *Times*.

Peut-être était-ce dû au malaise qui s'était emparé de la maisonnée dans le sillage de la disgrâce de Platt, mais le journal se retrouvait de temps à autre hors du bureau de Mr. Barbour, où il se scindait puis réapparaissait, une page ou deux à la fois. Pliées de manière gauche, ces pages étaient éparpillées sur la table basse de la salle à manger, à côté d'un verre d'eau de seltz entouré d'une serviette (carte de visite de Mr. Barbour). Il s'agissait d'un long article ennuyeux, situé vers la fin de ces pages-là, qui traitait de l'industrie de l'assurance et des difficultés financières liées au fait de monter de grandes expositions au sein d'une économie chaotique, et surtout de la difficulté d'assurer les œuvres d'art itinérantes. Mais ce qui avait attiré mon attention c'était la légende sous la photo : *Le Chardonneret*, chef-d'œuvre de Carel Fabritius, 1634. Détruit.

Je me suis assis dans le fauteuil de Mr. Barbour sans réfléchir et j'ai entrepris d'éplucher le texte dense en quête de toute autre mention de mon tableau (j'avais déjà commencé à me dire qu'il était *à moi*, la pensée s'était infiltrée dans ma tête comme si je l'avais eu en ma possession toute ma vie).

Des questions de droit international sont en jeu dans le terrorisme culturel tel que celui-ci, qui a fait froid dans le dos à la communauté de la finance ainsi qu'au monde de l'art. Selon Murray Twitchell,
analyste des risques assurance basé à Londres,
« la perte, ne serait-ce que d'une de ces pièces,
est impossible à quantifier. En même temps que les douze tableaux perdus et supposés détruits, vingt-sept autres œuvres sont sérieusement endommagées, bien que pour certaines la restauration soit possible ». Dans ce qui pourrait paraître un geste futile à nombre de gens, la Banque de données des pertes artistiques...

L'article continuait sur la page suivante ; mais Mrs. Barbour est entrée dans la pièce juste à ce moment-là et j'ai dû reposer le journal.

« Theo, j'ai une proposition à te faire.

— Oui ? ai-je dit avec méfiance.

— Aimerais-tu nous accompagner dans le Maine cet été ? »

L'espace d'un moment, j'ai été tellement submergé par la joie que mon esprit s'est vidé. « Oui ! ai-je répondu. Waouh. Ça serait super ! »

Elle n'a pu s'empêcher de sourire, un peu. « Eh bien, Chance sera certainement heureux de te mettre à contribution sur le bateau. Il semblerait que nous partions un peu plus tôt cette année ; enfin... Chance et les enfants partiront plus tôt. Moi je resterai ici pour m'occuper de certaines affaires, mais je vous rejoindrai dans une semaine ou deux. »

J'étais si content qu'aucun mot ne me venait à l'esprit.

« Nous verrons bien si tu aimes la voile. Peut-être que ça te plaira plus qu'à Andy. Espérons-le en tout cas. »

« Tu crois que ça va être drôle, m'a lancé ce dernier d'un air sombre quand je suis reparti vers la chambre en courant (en courant, pas en marchant) pour l'informer de la bonne nouvelle, mais ça ne l'est pas. Tu vas détester. » Quoi qu'il en soit, je voyais bien qu'il était très content. Et ce soir-là, avant d'aller nous coucher, il s'est assis avec moi au bord du lit du bas pour discuter des livres et des jeux à emporter, et m'expliquer les symptômes du mal de mer afin d'être dispensé d'aider sur le pont si je n'en avais pas envie.

XV

Cette nouvelle à deux volets, bonne à deux égards, m'a laissé tout chose et hébété de soulagement. Si mon tableau était détruit – si telle était bien la version officielle –, j'avais largement le temps de décider quoi faire. Dans la même veine magique, l'invitation de Mrs. Barbour semblait englober davantage que l'été et s'étendre loin à l'horizon, comme s'il y avait tout l'océan Atlantique entre grand-père Decker et moi ; l'exaltation était étourdissante et j'exultais de ce sursis. Je savais que je devais donner le tableau soit à Hobie, soit à Mrs. Barbour, m'en remettre à leur clémence, tout leur raconter, les supplier de m'aider – dans un coin sombre et lucide de mon cerveau je savais que je le regretterais si je ne le faisais pas – mais mon esprit était trop empli par le Maine et la voile pour que je pense à quoi que ce soit d'autre ; et je commençais à prendre conscience qu'il serait même plus malin de garder le tableau pendant un temps, comme une sorte d'assurance pour les trois années à venir, afin d'éviter de devoir aller vivre avec grand-père Decker et Dorothy. Que j'aie pu penser que je serais peut-être en mesure de le vendre si j'y étais contraint en dit long sur ma confondante naïveté. Donc je n'ai rien avoué, j'ai consulté des cartes et des balises avec Mr. Barbour, et laissé Mrs. Barbour m'emmener chez Brooks Brothers pour y acheter des chaussures bateau et quelques pulls légers en coton à porter en mer quand il ferait frais le soir. Et j'ai gardé ça pour moi.

<h2 style="text-align:center">XVI</h2>

« Trop d'années d'études, c'était ça mon problème, m'a expliqué Hobie. En tout cas c'est ce que pensait mon père. » J'étais à ses côtés dans l'atelier où je l'aidais à trier un nombre inépuisable de morceaux de vieux cerisier, certains plus rouges, certains plus bruns, tous récupérés sur de vieux meubles, afin de trouver la teinte exacte dont il avait besoin pour réparer la gaine de la comtoise sur laquelle il travaillait. « Mon père avait une entreprise de transport (je le savais déjà ; le nom était si célèbre que même moi je le connaissais) et l'été, ainsi que pendant les vacances de Noël, il me faisait charger des camions et espérait bien qu'un jour j'arriverais à en conduire un. Les hommes dans les entrepôts sont tous devenus super silencieux à la minute où j'y suis entré. Le fils du patron, tu comprends. Ce n'était pas leur faute, en tant qu'employeur mon père était un sacré salaud. Quoi qu'il en soit, il m'a fait charger des caisses sous la pluie dès l'âge de quatorze ans, après les cours et le week-end. Parfois je travaillais aussi au bureau : un endroit lugubre et miteux où l'on mourait de froid en hiver et où l'on était chauffé à blanc en été, et où il fallait crier pour couvrir le bruit des ventilateurs d'extraction d'air. Au départ, ça a été juste pendant l'été et aux vacances de Noël. Mais ensuite, après ma deuxième année de fac, il m'a annoncé qu'il ne financerait plus mes études. »

J'avais trouvé un morceau de bois qui semblait correspondre à celui qui était cassé et je l'ai fait glisser dans sa direction. « Vous aviez de mauvais résultats ?

— Non, ça marchait bien, a-t-il répondu en prenant le morceau et en le tenant à la lumière, puis il l'a déposé sur la pile des morceaux assortis possibles. Le souci était que lui-même n'avait pas été à la fac et qu'il s'était débrouillé quand même, n'est-ce pas ? Est-ce que je me croyais mieux que lui ? Mais encore pire, eh bien… c'était le genre d'homme qui se sentait obligé de harceler tout le monde autour de lui, tu vois le genre, et je pense qu'il avait dû prendre conscience qu'il n'y aurait pas de meilleure façon de me garder sous sa coupe que de me faire travailler pour rien. Au départ… (il a réfléchi quelque temps sur un autre morceau de placage, puis il l'a déposé sur la pile des *peut-être*) au départ, il m'a conseillé de prendre une année sabbatique – ou quatre, ou cinq, il faudrait ce qu'il faudrait – et de gagner l'argent de mes études à la dure. Je n'ai jamais vu le moindre cent de ce que je gagnais. Je vivais à la maison et il mettait tout sur un compte spécial, vois-tu, pour mon propre bien. C'était dur, mais juste, me disais-je. Mais ensuite, après avoir travaillé à temps plein pour lui pendant trois années environ, ça n'a plus été la même chanson. Tout à coup… (il a ri) eh bien, est-ce que je n'avais pas compris l'accord ? Je lui remboursais mes deux premières années de fac. Il n'avait rien mis de côté du tout.

— C'est terrible ! » me suis-je exclamé après avoir marqué un temps de stupéfaction. Je ne voyais pas comment il pouvait rire d'une situation aussi injuste.

« Eh bien… (il a roulé des yeux) j'étais encore un peu naïf, mais j'ai pris conscience qu'à ce rythme-là je serais toujours chez lui à ma retraite. Mais, sans toit ni argent, qu'est-ce que j'allais faire ? Je me suis creusé les méninges pour tenter de trouver une solution, lorsque Welty est apparu au bureau un beau jour, pile au moment où mon père m'engueulait. Il adorait me réprimander devant ses hommes, mon père – paradant comme un chef de la mafia et clamant que je lui devais de l'argent pour ceci et pour cela, qu'il retiendrait sur mon "salaire" entre guillemets. Mon prétendu chèque était bloqué pour une supposée infraction. Ce genre de truc.

« Welty… Ce n'était pas la première fois que je le rencontrais. Il était passé au bureau pour arranger un transport à la suite d'une liquidation après une succession… Welty prétendait toujours qu'à cause de son dos il devait travailler plus dur pour donner une bonne impression, faire en sorte que les gens ne s'arrêtent pas à sa difformité, etc., mais moi il m'a plu dès le départ. C'était le cas de la plupart des gens – y compris mon père qui, disons-le, n'était pourtant pas homme à aimer les gens. Quoi qu'il en soit, Welty a été témoin de cette colère et il a téléphoné à mon père le lendemain pour lui expliquer qu'il aurait besoin de moi pour emballer les meubles d'une maison dont il avait acheté le contenu. J'étais jeune, grand et fort, je travaillais dur, c'était parfait. Eh bien… (Hobie a étiré les bras au-dessus de sa tête) Welty était un bon client. Et j'ignore pourquoi, mais mon père a donné son accord.

« La maison que je l'ai aidé à déménager était le vieux manoir De Peyster. Il se trouve que je connaissais très bien la vieille Mrs. De Peyster. Depuis que j'étais petit j'aimais me balader jusque-là et lui rendre visite – c'était une drôle de vieille dame à la perruque jaune vif qui savait plein de choses, avait des papiers partout et qui était incollable en histoire locale, une raconteuse d'anecdotes incroyablement distrayante –, en bref c'était une sacrée maison, bourrée d'œuvres sur verre de Tiffany ainsi que de très beaux meubles des années 1800 ; j'ai pu aider à déterminer la provenance de nombre d'objets, mieux que la fille de Mrs. De Peyster qui ne s'intéressait pas le moins du monde au fauteuil dans lequel le président McKinley s'était assis ou à d'autres rumeurs de ce genre.

« Le jour où j'ai eu fini de l'aider avec la maison – il était environ dix-huit heures, j'étais couvert de poussière de la tête aux pieds –, Welty a ouvert une bouteille de vin et on s'est assis sur les caisses puis on l'a bue, tu sais, avec les planchers nus et cet écho typique des maisons vides. J'étais épuisé – il m'avait payé directement, en liquide, sans passer par mon père – et quand je l'ai remercié et lui ai demandé s'il aurait d'autres pistes de travail, il m'a répondu : "Écoute, je viens juste d'ouvrir une boutique à New York, et si tu veux un travail, il est pour toi." Donc nous avons trinqué, je suis rentré à la maison, j'ai rempli une valise, des livres pour l'essentiel, j'ai dit au revoir à la gouvernante, et le lendemain j'ai grimpé dans le camion pour New York. Je n'ai jamais regardé en arrière depuis. »

Il y a eu une pause. Nous étions toujours occupés à trier les placages : fragments cliquetants, fins comme du papier, on aurait dit des jetons dans quelque jeu de la Chine ancienne, peut-être, avec une légèreté sinistre dans le son qui faisait que l'on se sentait perdu dans un silence beaucoup plus vaste.

« Hé », ai-je fait en repérant un morceau et en l'attrapant d'un mouvement vif, le lui faisant passer d'un geste triomphant : même couleur exactement, plus proche qu'aucun des morceaux qu'il avait mis de côté dans sa pile.

Il me l'a pris des mains et l'a regardé sous la lampe. « Ça ira.

— Qu'est-ce qui ne va pas ?

— Eh bien, tu vois (il a posé le placage à côté de la gaine de l'horloge), pour ce genre d'ouvrage c'est le même grain de bois qu'il faut trouver à tout prix. C'est ça, l'astuce. Les variations de teinte sont plus faciles à truquer. Maintenant ceci... (il a pris un morceau différent, éloigné de plusieurs teintes, semblait-il) avec un peu de cire d'abeille et une touche du colorant *ad hoc*, peut-être. Du bichromate de potasse, un peu de brun Van Dyke – parfois, avec un grain vraiment difficile à retrouver, surtout pour certaines sortes de noyer, j'ai pu me servir d'ammoniaque afin de foncer un morceau de bois neuf. Mais uniquement quand j'étais désespéré. Si tu en possèdes, c'est toujours mieux d'utiliser du bois de la même année que l'objet que tu répares.

— Comment vous avez appris à faire tout ça ? » ai-je demandé après une pause timide.

Il a ri. « De la même manière que tu apprends maintenant ! En me plantant là et en regardant. En me rendant utile.

— C'est Welty qui vous a appris ?

— Oh, non. Il comprenait… il savait comment on faisait. C'est indispensable dans son domaine. Il avait l'œil, et souvent quand je voulais un nouvel avis, je faisais un saut pour monter le chercher. Mais bien avant que je rejoigne l'entreprise, il me confiait déjà un morceau qui avait besoin d'être restauré. C'est du travail qui prend du temps – il faut un certain état d'esprit –, il n'avait ni le tempérament ni la robustesse physique pour s'en acquitter. Il préférait de beaucoup s'occuper de la partie acquisitions – tu sais, assister aux enchères – ou bien être dans la boutique et discuter avec les clients. Chaque après-midi autour de dix-sept heures je faisais mon apparition pour une tasse de thé. "L'opprimé sort de vos cachots." C'était vraiment assez immonde ici autrefois entre le moisi et l'humidité. Quand je suis arrivé pour travailler pour Welty (il a ri), il y avait ce vieux type qui s'appelait Abner Mossbank. Mauvaises jambes, de l'arthrite dans les doigts, il y voyait à peine. Parfois il lui fallait une année pour finir un objet. Mais je restais derrière lui et le regardais travailler. On aurait dit un chirurgien. Interdiction de poser des questions. Silence total ! Il connaissait absolument tout – l'ouvrage que d'autres gens ne savaient pas exécuter ou se fichaient bien d'apprendre –, ça tient à un fil, ce métier, de génération en génération.

— Votre père ne vous a jamais donné l'argent que vous aviez gagné ? »

Il a éclaté d'un rire chaleureux. « Pas un sou ! Et il ne m'a plus jamais reparlé, d'ailleurs. C'était un vieux crétin aigri – il a été terrassé par une crise cardiaque pendant qu'il licenciait un de ses plus vieux employés. Il y avait très peu de gens à son enterrement. Trois parapluies noirs dans la neige fondue. Difficile de ne pas penser à Ebenezer Scrooge.

— Vous n'êtes jamais retourné à l'université ?

— Non. Je ne voulais pas. J'avais trouvé ce que j'aimais faire. Et donc (il a posé ses mains au creux du dos et s'est étiré ; sa veste élimée, ample et un peu sale, le faisait ressembler à un palefrenier bon enfant en route vers les écuries) la morale de l'histoire est : qui sait où tout cela va te mener ?

— Tout quoi ? »

Il a ri. « Tes vacances de voile, a-t-il répondu en s'avançant vers l'étagère où les bocaux de pigments étaient rangés comme des potions chez un apothicaire ; des marron ocre, des verts toxiques, des poudres de charbon et d'os brûlé. Cela pourrait être un moment décisif. L'océan a l'art de conquérir quelques personnes de cette façon-là.

— Andy a le mal de mer. Sur le bateau il doit emporter un sac à vomir.

— Eh bien (il a tendu la main vers un bocal de noir de fumée) je dois bien l'admettre, *moi*, elle ne m'a jamais conquis de cette manière-là. Quand j'étais jeune... *La Complainte du vieux marin* de Coleridge, illustrée par Gustave Doré... Non, l'océan me fait frissonner, mais je ne me suis jamais embarqué dans une aventure comme la tienne. On ne sait jamais. Parce que (sourcils froncés, tapotant un peu de douce poudre noire sur sa palette) je n'aurais jamais cru que ce serait tous ces vieux meubles de Mrs. De Peyster qui décideraient de mon avenir. Peut-être que tu seras fasciné par les bernard-l'ermite et que tu étudieras la biologie marine. Ou que tu décideras de construire des bateaux, ou encore de devenir peintre de marines, ou bien d'écrire *le* livre sur le *Lusitania.*

— Peut-être », ai-je répondu, les mains derrière le dos. Mais ce que j'espérais vraiment, je n'osais pas le formuler. Le seul fait d'y penser me faisait pratiquement trembler. Parce que voilà : Kitsey et Toddy étaient devenus beaucoup plus gentils avec moi, comme si on les avait briefés ; et j'avais surpris des regards, des indices subtils, entre Mr. et Mrs. Barbour, qui me donnaient lieu d'espérer – et plus encore. En réalité, c'était Andy qui m'avait fourré l'idée dans le crâne. « Ils pensent que te fréquenter est bon pour moi, m'avait-il expliqué sur le chemin du collège, l'autre jour. Que tu me fais sortir de ma coquille et que tu me rends plus sociable. Je crois qu'il pourrait bien y avoir une déclaration familiale une fois qu'on sera arrivés dans le Maine.

— Une déclaration ?

— Ne fais pas l'andouille. Ils t'apprécient de plus en plus, surtout maman. Mais papa aussi. Je crois qu'ils demanderont peut-être à te garder. »

XVII

J'ai repris le bus pour rentrer, un peu somnolent, oscillant confortablement d'avant en arrière et regardant défiler les rues mouillées de ce samedi. Quand j'ai pénétré dans l'appartement, gelé d'avoir dû marcher sous la pluie, Kitsey s'est précipitée dans l'entrée pour me dévisager, les yeux ronds et fascinée, comme si j'étais une autruche. Puis, après quelques secondes creuses, elle a couru vers le living, ses sandales résonnant sur le parquet, en criant : « Maman ? Il est là ! »

Mrs. Barbour est apparue. « Bonjour, Theo », m'a-t-elle dit. Elle était d'un calme olympien. Mais il y avait dans son attitude comme une gêne, sauf que je n'arrivais pas tout à fait à mettre le doigt dessus. « Entre. J'ai une surprise pour toi. »

Je l'ai suivie dans le bureau de Mr. Barbour, l'endroit était lugubre par cet après-midi couvert, les panonceaux nautiques encadrés et la pluie qui ruisselait le long des vitres grises évoquaient en tout point le décor théâtral d'une cabine de bateau sur une mer démontée. De l'autre côté de la pièce, une silhouette s'est levée d'un fauteuil club en cuir. « Salut, mec, ça fait un bail », a-t-elle lancé.

Je suis resté sur le seuil, pétrifié. Impossible de se méprendre sur la voix : c'était mon père.

Il s'est avancé, éclairé par la faible lumière provenant de la fenêtre. C'était bien lui, sauf qu'il avait changé depuis la dernière fois où je l'avais vu : il était plus lourd, bronzé, bouffi, avec un nouveau complet et une coupe qui lui donnaient l'allure d'un serveur de bar à Manhattan. Dans mon désarroi, j'ai jeté un coup d'œil vers Mrs. Barbour, qui m'a adressé un grand sourire impuissant comme pour dire : *Je sais, mais qu'est-ce que je peux faire ?*

Pendant que je restais planté là, muet sous l'effet du choc, une autre silhouette s'est levée et s'est avancée devant mon père, qu'elle a poussé du coude. « Salut, moi c'est Xandra », a émis une voix rauque.

Je me suis retrouvé confronté à une étrange femme bronzée à l'air très sportif : yeux plats et gris, peau cuivrée et ridée, avec des dents du bonheur qui rentraient en dedans. Elle était plus âgée que ma mère, en tout cas elle en avait l'air, mais elle était habillée comme quelqu'un de plus jeune : sandales compensées rouges ; jean taille basse ; grosse ceinture ; beaucoup de bijoux en or. Ses cheveux couleur paille caramélisée étaient raides et fourchus ; elle mâchait du chewing-gum et il émanait d'elle une forte odeur de jus de fruits bon marché.

« C'est Xandra avec un X », a-t-elle ajouté avec un sous-entendu graveleux. Ses yeux étaient clairs et pâles, cernés de stries de mascara noir, et son regard était puissant, sûr de lui et ferme. « Ce n'est pas Sandra. Et certainement pas Sandy, *Seigneur*. On me la fait souvent, celle-là, et ça me rend chèvre. »

Au fur et à mesure qu'elle parlait, mon étonnement ne cessait de croître. Je n'arrivais pas à la cerner tout à fait : sa voix teintée de whisky, ses bras musclés ; l'idéogramme chinois tatoué sur son orteil ; ses longs ongles carrés avec l'extrémité peinte en blanc ; ses boucles d'oreilles en forme d'étoile de mer.

« Hum, on est arrivés à La Guardia il y a environ deux heures », a précisé mon père en se raclant la gorge, comme si cela expliquait tout.

C'était pour ça que mon père nous avait quittés ? Stupéfait, j'ai de nouveau regardé en direction de Mrs Barbour, pour découvrir qu'elle avait disparu.

« Theo, je vis à Las Vegas maintenant », a poursuivi mon père en regardant le mur quelque part au-dessus de ma tête. Il avait toujours sa voix contrôlée et péremptoire d'ancien acteur, mais bien qu'il soit aussi autoritaire qu'avant, je voyais bien qu'il n'était pas plus à l'aise que moi. « Je suppose que j'aurais dû appeler, mais j'ai pensé que ce serait plus facile de venir jusqu'ici te chercher.

— Me chercher ? ai-je dit après une longue pause.

— Dis-lui, Larry, est intervenue Xandra, puis, s'adressant à moi : Tu devrais être fier de ton paternel. Il ne boit plus. Ça fait combien de jours de sobriété maintenant ? Cinquante et un ? Il y est arrivé tout seul, sans se faire hospitaliser, il s'est désintoxiqué sur le canapé avec un panier d'œufs de Pâques et du Valium. »

Parce que j'étais trop gêné pour la *regarder*, ou regarder mon père, j'ai de nouveau tourné les yeux vers la porte – et j'ai vu Kitsey Barbour debout dans le couloir qui écoutait en ouvrant de grands yeux ronds.

« Parce que, bon, *je* n'en pouvais plus, a poursuivi Xandra, sur un ton qui laissait entendre que ma mère avait fermé les yeux sur l'alcoolisme de mon père et l'avait encouragé. En fait... ma mère était le genre de poivrote à vomir dans son verre de whisky et à le boire quand même. Et un soir je lui ai lancé : "Larry, je ne vais pas te dire ne bois plus jamais, franchement je pense que les Alcooliques Anonymes c'est beaucoup trop pour les problèmes que tu as..." »

Mon père s'est raclé la gorge et s'est tourné vers moi, avec son visage avenant qu'il réservait d'ordinaire aux inconnus. Peut-être qu'il avait *effectivement* arrêté la boisson ; mais il avait toujours un air bouffi, luisant et un peu abasourdi, comme s'il avait passé les huit derniers mois à boire des cocktails à base de rhum et à se nourrir d'assiettes de gâteaux apéritifs.

« Hum, fiston, on sort juste de l'avion, et on est venus parce que... on voulait te voir tout de suite bien sûr... » a-t-il expliqué.

J'ai attendu.

« ... on a besoin de la clé de l'appartement. »

Tout cela allait un peu trop vite pour moi. « La clé ?

— On peut pas entrer là-bas, a expliqué Xandra sans ménagement. On a déjà essayé.

— En fait, Theo, a continué mon père dont la voix était claire et cordiale en se passant une main dans les cheveux pour se donner une contenance, je dois entrer à Sutton Place pour voir ce qu'il en est. Il faudra bien que quelqu'un aille là-bas s'occuper du désordre. »

Bordel, si tu ne laissais pas les choses dans un tel

désordre... Voilà les mots que j'avais entendu mon père crier à ma mère quand, environ deux semaines avant qu'il disparaisse, ils ont eu la plus grande dispute que je les ai jamais entendus avoir, quand les boucles d'oreilles en diamant et en émeraude appartenant à la mère de ma mère avaient disparu du bol posé sur sa table de nuit. Mon père (le visage rouge, se moquant d'elle avec une voix de fausset sarcastique) avait asséné que c'était *sa* faute, Cinzia les avait probablement prises, ou Dieu sait qui d'autre, ce n'était pas une bonne idée de laisser des bijoux traîner comme ça, et peut-être que ça lui apprendrait à mieux prendre soin de ses affaires à l'avenir. Mais ma mère – verte de colère – avait souligné d'une voix froide et ferme qu'elle avait enlevé les boucles d'oreilles vendredi soir et que Cinzia n'était pas venue travailler depuis.

Qu'est-ce que tu insinues, putain ? avait beuglé mon père.

Silence.

Donc je suis un voleur maintenant, c'est ça ? Tu accuses ton propre mari de voler tes bijoux ? Bordel, c'est quoi ce genre de raisonnement sans queue ni tête ? Tu as besoin de te faire soigner, tu le sais, ça ? Tu as vraiment besoin de te faire aider par un pro.

Sauf que ce n'était pas juste les boucles d'oreilles qui avaient disparu. Après que lui-même se fut envolé, on s'est aperçu que d'autres choses, dont du liquide et de vieilles pièces de monnaie ayant appartenu au père de ma mère, avaient disparu aussi ; elle a fait changer les serrures et prévenu Cinzia et les portiers de ne pas le laisser entrer s'il venait pendant qu'elle était au travail. Bien sûr aujourd'hui tout était différent, impossible de l'empêcher de pénétrer dans l'appartement, de fouiller dans ses affaires et d'en faire ce qu'il voulait ; mais tandis que je le regardais et que j'essayais de réfléchir à ce que je pouvais bien répondre, une demi-douzaine de choses couraient dans ma tête, et la principale était le tableau. Chaque jour, pendant des semaines, je m'étais dit que j'irais là-bas et que je m'en occuperais, que je trouverais une solution quelle qu'elle soit, mais je n'arrêtais pas de remettre et de remettre et maintenant il était ici.

Mon père continuait de me sourire fixement. « D'accord, mon pote ? Tu veux bien nous aider ? » Peut-être qu'il ne buvait plus, mais l'ancien désir du verre de fin d'après-midi était toujours là, rêche comme du papier de verre.

« Je n'ai pas la clé, ai-je répondu.

— Pas de problème, s'est empressé de rétorquer mon père. On peut appeler un serrurier. Xandra, passe-moi le téléphone. »

J'ai réfléchi en vitesse. Je ne voulais pas qu'ils aillent à l'appartement sans moi. « José ou Goldie nous laisseront peut-être entrer. Si je viens avec vous, ai-je suggéré.

— Très bien, alors, allons y. » Au son de sa voix, je le soupçonnais de savoir que je mentais à propos de la clé (cachée en sécurité dans la chambre d'Andy). Je savais aussi qu'il n'aimait pas l'idée d'impliquer les portiers, car la plupart des types qui travaillaient dans l'immeuble ne l'appréciaient guère, l'ayant vu éméché quelques fois de trop. Mais j'ai croisé son regard de la manière la plus inexpressive possible, jusqu'à ce qu'il hausse les épaules et tourne les talons.

XVIII

« *¡Hola, José!*

— *¡Bomba!* » s'est écrié José en effectuant un saut joyeux vers l'arrière quand il m'a vu sur le trottoir ; c'était le plus jeune et le plus enjoué des portiers, il essayait toujours de filer en douce avant la fin de sa journée pour aller jouer au foot dans le parc. « Theo ! *¿Qué lo que, manito?* »

Son sourire simple m'a renvoyé avec dureté au passé. Rien n'avait changé : l'auvent vert, son ombre cireuse, la même flaque marron et duveteuse s'amassant à cet endroit défoncé du trottoir. Debout devant les portes art déco – étincelantes et ornées de rayons de soleil abstraits, des portes que des reporters pressés en feutre mou auraient pu pousser dans des films des années 1930 – je me suis souvenu de toutes les fois où je les avais franchies pour découvrir ma mère occupée à trier son courrier en attendant l'ascenseur ; tout juste arrivée du travail, avec ses talons et son cartable, ainsi que les fleurs que je lui avais fait livrer pour son anniversaire. *Eh bien, devine quoi. Mon admirateur secret s'est encore manifesté.*

Regardant derrière moi, José avait repéré mon père, et Xandra un peu en retrait. « Bonjour, monsieur Decker, a-t-il dit sur un ton plus formel, me contournant pour prendre la main de mon père : poliment, mais sans débordements. C'est sympa de vous voir. »

Affublé de son Sourire Aimable, mon père a entrepris de lui répondre, mais j'étais trop nerveux et je l'ai interrompu : « José… » En venant je m'étais creusé les méninges pour l'espagnol, répétant mentalement la phrase : « *Mi papá quiere entrar en el apartamento, nosotros le necesitamos desatrancar la puerta.* » Puis j'ai vite glissé la question que j'avais mise au point plus tôt sur le chemin : « *¿Vendrá usted arriba con nosotros?* »

Les yeux de José se sont vite tournés vers mon père et Xandra. C'était un grand et beau gaillard de la République dominicaine, quelque chose en lui rappelait Mohamed Ali jeune – douceur du caractère, toujours à plaisanter, mais qu'on n'avait pas envie d'embêter. Une fois, en veine de confidence, il avait relevé la veste de son uniforme et m'avait montré la cicatrice d'un coup de couteau sur l'abdomen, qu'il disait avoir reçu lors d'une bagarre de rue à Miami.

« Avec plaisir », a-t-il répondu d'une voix décontractée. Il les regardait, eux, mais je savais que c'était à moi qu'il s'adressait. « Je vous emmène. Tout va bien ?

— Oui, on va bien », a répliqué mon père d'un ton cassant. C'était lui qui avait insisté pour que je prenne l'espagnol comme langue étrangère plutôt que l'allemand (« Au moins comme ça, une personne de la famille pourra communiquer avec ces putains de portiers »).

Xandra, que je commençais à prendre pour une imbécile totale, riait avec nervosité et a ajouté de sa voix bégayante et précipitée : « Ouais, on va bien, mais le vol nous a vraiment crevés. C'est loin, Vegas, et on est encore un peu… » et là elle a roulé les yeux et remué les doigts pour indiquer qu'ils étaient encore un peu dans les vapes.

« Ah oui ? Vous êtes arrivés à La Guardia ? Aujourd'hui ? » Comme tous les portiers, c'était un as de la conversation anodine, surtout quand il s'agissait de la circulation et de la météo, ou encore du meilleur itinéraire pour l'aéroport à l'heure de pointe. « J'ai entendu qu'il y avait de gros retards là-bas aujourd'hui, des problèmes avec les bagagistes, le syndicat, c'est ça ? »

Dans l'ascenseur jusqu'à l'étage, Xandra a déversé un flot continu mais agité de bavardage : combien New York était sale comparé à Las Vegas (« Ouais, il faut bien dire que tout est plus propre à l'ouest, je suppose que je suis gâtée »), que son sandwich à la dinde dans l'avion était mauvais et que le steward avait « oublié » (Xandra a mimé les guillemets avec ses doigts) de lui rendre les cinq dollars qu'il lui devait pour le vin qu'elle avait commandé.

« Oh, m'dame ! a fait José en posant un pied dans le couloir et en hochant la tête de cette manière mi-moqueuse, mi-sérieuse qu'il avait. La nourriture en avion, c'est pire que tout. De nos jours, vous avez de la chance s'ils vous nourrissent tout court. Mais je vais vous dire un truc sur New York. Vous allez bien manger. Y a du bon vietnamien, du bon cubain, du bon indien...

— J'aime pas tous ces trucs épicés.

— Y a du bon tout ce que vous voulez, alors. On a tout. *Segundito* », a-t-il dit en levant le doigt tandis qu'il cherchait le passe sur l'anneau.

La serrure a cédé avec un solide bruit sourd, instinctif, viscéral dans sa justesse. Longtemps fermé, l'endroit était étouffant, mais je me suis quand même senti apaisé par l'odeur brutale du foyer : les livres, les vieux tapis, le décapant pour sols au citron et les bougies foncées à la myrrhe que ma mère achetait chez Barney's.

Le sac du musée était par terre, appuyé contre le canapé, exactement là où je l'avais laissé, il y avait combien de semaines déjà ? Comme étourdi, je me suis précipité pour l'attraper tandis que José – qui sans en avoir l'air bloquait légèrement le passage de mon père irrité – était planté sur le seuil et écoutait Xandra, les bras croisés. Son air tranquille mais quelque peu absent me rappelait celui qu'il avait eu quand il avait pratiquement dû porter mon père jusqu'à l'étage par une nuit glaciale où ce dernier était tellement soûl qu'il avait perdu son pardessus. « Ça peut arriver dans les meilleures familles », avait-il dit avec un sourire vide en refusant le billet de vingt dollars que mon père – incohérent, avec du vomi sur la veste de son complet, égratigné et sale comme s'il avait roulé sur le trottoir – essayait avec difficulté de lui fourrer sous le nez.

« En fait, je *viens* de la côte Est, expliquait Xandra. De Floride. » De nouveau ce rire nerveux, qui bégayait et qui crachotait. « De West Palm, pour être précise.

— De Floride, vous dites ? ai-je entendu José remarquer. C'est superbe là-bas.

— Oui, c'est super. Au moins, à Vegas, on a le

soleil... Je ne sais pas si je supporterais les hivers ici, je risquerais de me transformer en sucette glacée... »

À l'instant où j'ai saisi le sac, je me suis rendu compte qu'il était trop léger, presque vide. Où diable était le tableau ? Presque aveuglé par la panique, je ne me suis pas arrêté, mais j'ai continué d'avancer le long du couloir en pilote automatique en direction de ma chambre, avec mon esprit qui vrombissait et tournait tout en marchant...

Tout à coup – au travers de mes souvenirs déconnectés de ce soir-là – ça m'est revenu. Le sac était mouillé. Je n'avais pas voulu laisser le tableau dedans par crainte du mildiou, ou qu'il ne fonde, ou Dieu seul savait quoi. À la place – comment avais-je pu l'oublier ? – je l'avais posé sur le bureau de ma mère pour que ce soit la première chose qu'elle voie en rentrant à la maison. Vite, sans m'arrêter, j'ai laissé tomber le sac dans le couloir devant la porte fermée de ma chambre et j'ai bifurqué vers celle de ma mère ; la peur me donnait le tournis et j'espérais que mon père ne me suivait pas, mais j'étais trop effrayé pour me retourner et regarder.

Dans le living, j'ai entendu Xandra lancer : « Je parie qu'on voit plein de célébrités dans les rues ici, hein ?

— Ah, ouais. LeBron, Dan Ackroyd, Tara Reid, Jay-Z, Madonna... »

La chambre de ma mère était sombre et fraîche, et la faible senteur tout juste détectable de son parfum était presque plus que ce que je pouvais supporter. Le tableau était posé là, entre des photos dans leurs cadres argentés : ses parents, elle, moi à différents âges, des chevaux et des chiens en pagaille : Ardoise, la jument de son père, Bruno, le grand danois, et son teckel Poppy, mort quand j'étais en maternelle. Me cuirassant face à ses lunettes de vue sur le bureau, ses collants noirs raidis là où elle les avait mis à sécher, son écriture sur l'agenda de bureau et un million d'autres détails à vous briser le cœur, je l'ai saisi et l'ai fourré sous mon bras, puis j'ai filé en vitesse dans ma chambre de l'autre côté du couloir.

Cette pièce, tout comme la cuisine, faisait face au conduit d'aération et elle était sombre si on n'allumait pas. Une serviette de bain froide et humide était froissée là où je l'avais jetée après ma douche ce dernier matin, sur un tas de vêtements sales. Je l'ai saisie, en grimaçant à cause de l'odeur, avec dans l'idée de la jeter sur le tableau en attendant de trouver un meilleur endroit pour le cacher, peut-être dans le…

« Qu'est-ce que tu fabriques ? »

Silhouette plutôt sombre avec la lumière qui brillait derrière lui, mon père était planté sur le seuil.

« Rien. »

Il s'est arrêté et a pris le sac que j'avais laissé tomber dans le couloir. « C'est quoi ce truc ?

— Le sac pour mes livres », ai-je répondu après un temps d'arrêt, même si le truc était de toute évidence le fourre-tout pliable d'une mère de famille, l'antithèse de ce que moi, ou n'importe quel autre gamin, prendrait jamais en cours.

Il l'a jeté par la porte ouverte en fronçant le nez à cause de l'odeur. « Pfff, ça pue les vieilles chaussettes de hockey ici », a-t-il fait en agitant la main devant son visage. Tandis qu'il passait le pas de la porte et allumait la lumière d'une chiquenaude, j'ai réussi, grâce à un mouvement complexe mais spasmodique, à jeter la serviette sur le tableau pour (espérais-je) qu'il ne le voie pas.

« Qu'est-ce que tu as là ?

— Un poster.

— Bon, écoute, j'espère que tu n'as pas l'intention de traîner plein de cochonneries jusqu'à Vegas. Tu n'as pas à emporter d'affaires d'hiver, tu n'en auras pas besoin, sauf peut-être quelques trucs pour le ski. Tu n'en reviendras pas de skier à Tahoe, rien à voir avec ces petites montagnes gelées en haut de l'État de New York. »

Je sentais que j'avais besoin de répondre, surtout vu que c'était la phrase la plus longue, et en apparence la plus amicale, qu'il ait prononcée depuis son arrivée, mais je n'arrivais pas vraiment à rassembler mes idées.

Mon père a lancé de manière abrupte : « Ta mère n'était pas si facile à vivre non plus, tu sais. » Il a ramassé sur mon bureau quelque chose qui ressemblait à un vieux contrôle de maths, l'a regardé puis l'a de nouveau jeté. « Elle tenait ses cartes bien trop serrées contre elle. Tu te souviens de ce qu'elle faisait. Se refermer comme une huître. Me rejeter avec froideur. Il fallait toujours qu'elle se comporte de manière irréprochable. C'était un truc de pouvoir, tu sais… Elle était vraiment dans le contrôle. Pour être tout à fait honnête, et je déteste devoir l'avouer, c'en était arrivé au point où c'était dur pour moi d'être dans la même pièce qu'elle. Bon, je ne veux pas dire qu'elle était méchante. C'est juste qu'une minute tout allait bien et la suivante, *bam*, qu'est-ce que j'ai bien pu faire, et là c'était silence radio… »

Je n'ai rien répondu – debout, l'air gauche, avec la serviette moisie drapée sur le tableau et la lumière dans les yeux ; j'aurais tout donné pour être ailleurs, n'importe où (au Tibet, au lac Tahoe, sur la Lune) et ne me faisais pas confiance pour répondre. Ce qu'il avait dit sur ma mère était tout à fait vrai : elle était souvent fermée à la communication, et quand elle était contrariée c'était difficile de savoir ce qu'elle pensait, mais je n'avais pas envie de discuter de ses défauts, et puis quoi qu'il en soit, ils me semblaient plutôt mineurs par rapport à ceux de mon père.

Ce dernier poursuivait son laïus : « … parce que, je n'ai rien à prouver, hein ? Chaque jeu est à double tranchant. Ce n'est pas une question de qui a raison et qui a tort. Et bien sûr, je l'admets, j'ai les miens aussi, même si je dirai ceci, et je suis sûr que tu le sais aussi, elle avait l'art de réécrire l'histoire en sa faveur. » C'était étrange d'être de nouveau dans cette pièce avec lui, surtout maintenant qu'il était si différent : même son odeur était presque différente, sa présence, son poids avaient changé, une allure soignée, comme s'il était rembourré partout avec un bon centimètre de graisse lisse. « Je suppose que beaucoup de mariages sont confrontés à des problèmes comme les nôtres... Elle était juste devenue si aigrie, tu comprends ? Et taiseuse. Franchement, je ne sentais pas que je pouvais continuer à vivre avec elle, mais Dieu m'est témoin qu'elle ne méritait pas *ça*... »

Sûrement pas, me suis-je dit.

« Parce que tu connais le fond de l'affaire, hein ? » a continué mon père en appuyant son coude contre le chambranle de la porte et en me regardant d'un air perspicace. « Mon départ ? J'ai dû retirer de l'argent à la banque pour payer des impôts et elle a pété un câble, comme si je l'avais volé. » Il me scrutait, en quête de ma réaction. « Sur notre compte *joint*. Je veux dire qu'en fin de compte, dans les moments cruciaux, elle ne me faisait pas confiance. Moi, son propre mari. »

Je ne savais pas quoi répondre. C'était la première fois que j'entendais cette histoire d'impôts, même si le fait que ma mère ne fasse pas confiance à mon père question argent n'avait rien d'un secret.

« Mon Dieu, qu'est-ce qu'elle pouvait être rancunière, a-t-il poursuivi avec une grimace semi-humoristique et en se passant la main sur le visage. Œil pour œil. Elle voulait toujours que les scores soient à égalité. Parce que, bon... elle avait une mémoire d'éléphant. Même s'il lui fallait attendre vingt ans, elle finirait par t'avoir. Et bien sûr, c'est *moi* qui ai toujours eu le mauvais rôle, et peut-être que je le *mérite*... »

Bien que petit, le tableau devenait lourd, et mon visage me faisait l'effet d'être glacé à cause de l'effort que je fournissais pour cacher mon inconfort. Afin de ne plus entendre sa voix, je me suis mis à compter intérieurement en espagnol. *Uno dos tres, cuatro cinco seis…*

Arrivé à vingt-neuf, Xandra est apparue.

« Larry, ta femme et toi vous aviez un super appart », a-t-elle déclaré. La façon dont elle l'a dit a fait que je me suis senti mal pour elle sans l'apprécier pour autant.

Mon père a posé un bras autour de sa taille et l'a attirée vers lui avec une sorte de geste de malaxation qui m'a dégoûté. « Eh bien, ici c'est vraiment chez elle plus que chez moi », a-t-il répondu avec modestie.

Ça tu peux le dire, ai-je pensé.

« Viens ici, a fait mon père en l'attrapant par la main et en l'entraînant vers la chambre de ma mère comme si je n'existais pas. Je veux te montrer quelque chose. » Je me suis retourné et les ai regardés, mal à l'aise à l'idée que Xandra et mon père posent leurs pattes sur les affaires de ma mère, mais si content de les voir disparaître que je m'en fichais.

Avec un œil sur le seuil vide, je suis allé de l'autre côté de mon lit et j'ai posé le tableau hors de la vue de qui que ce soit. Un vieux *New York Post* gisait par terre, celui-là même qu'elle m'avait lancé le dernier samedi où nous étions sortis ensemble. *Tiens, mon poussin, choisis un film,* m'avait-elle demandé en passant la tête par la porte. Il y en avait plusieurs que nous aurions aimés tous les deux, mais j'avais choisi une matinée au festival Boris Karloff : *Le Voleur de cadavres.* Elle avait accepté mon choix sans protester ; on était allé au Film Forum, on avait regardé le film, et après ça on avait marché jusqu'au *Moondance Diner* pour un hamburger – un samedi après-midi agréable en tous points, hormis le fait que c'était son dernier sur Terre, et que maintenant je me sentais super mal quand j'y repensais, vu que (par ma faute) son dernier film avait été un vieux truc d'horreur à l'eau de rose avec des cadavres et des profanations de tombes. (Si j'avais choisi le film que je savais qu'elle

275

voulait voir – celui sur des enfants parisiens durant la Première Guerre mondiale qui avait glané beaucoup de bonnes critiques –, aurait-elle vécu pour autant ? Mes pensées s'agitaient souvent le long de ce type de failles sombres de la superstition.)

Bien que le journal me fasse l'effet d'être sacro-saint, un document historique, je l'ai ouvert au milieu et l'ai dégrafé. Avec détermination j'ai enveloppé le tableau une page après l'autre et l'ai scotché avec le même adhésif dont je m'étais servi quelques mois auparavant pour emballer le cadeau de Noël de ma mère. *Parfait !* avait-elle déclaré dans une tempête de papier coloré, se penchant dans son peignoir pour m'embrasser : une boîte de tubes pour aquarelle qu'elle n'emporterait jamais au parc, le samedi matin d'un été qu'elle ne verrait jamais.

Mon lit – un lit de camp en cuivre à l'allure militaire rassurante trouvé aux puces – avait toujours semblé l'endroit le plus sûr au monde pour cacher quelque chose. Mais maintenant, en regardant autour de moi (bureau déglingué, poster japonais de Godzilla, mug pingouin du zoo dont je me servais pour mettre mes stylos), l'imper-manence de toutes ces choses me frappait avec dureté ; et j'avais le vertige à l'idée de toutes nos affaires jetées hors de l'appartement, les meubles, l'argenterie et les vêtements de ma mère : robes dégriffées et bradées, l'éti-quette toujours attachée, toutes ces ballerines colorées et ces chemisiers ajustés avec ses initiales au poignet. Chaises et lampes chinoises, vieux vinyls de jazz qu'elle avait achetés au Village, pots de marmelade, d'olives et de moutarde allemande forte dans le frigo. Dans la salle de bains, un capharnaüm d'huiles parfumées et de crèmes hydratantes, de bains moussants colorés, de flacons à demi vides de shampooing au prix exorbitant alignés sur le côté de la baignoire (Kiehl's, Klorane, Kérastase, ma mère en utilisait toujours cinq ou six à la fois). Comment l'appartement pouvait-il avoir semblé aussi permanent, avoir eu l'air aussi solide alors qu'il n'était qu'un décor de théâtre dans l'attente d'être démoli et emporté par des déménageurs en tenue de travail ?

En entrant dans le living, j'ai dû faire face à un pull de ma mère posé sur la chaise où elle l'avait laissé, fantôme bleu ciel de sa personne ; des coquillages que nous avions ramassés sur la plage à Wellfleet ; des jacinthes qu'elle avait achetées au marché coréen quelques jours avant sa mort, et dont les tiges drapaient les parois du vase d'un noir de jais pourri. Dans la corbeille : des catalogues de Dover Books et de Belgian Shoes ; l'emballage d'un paquet de Necco Wafers, ses bonbons préférés. Je l'ai pris et l'ai reniflé. Le pull – je le savais – porterait son odeur aussi si je le prenais et le tenais contre mon visage et, pourtant, le simple fait de le voir était insupportable.

Je suis retourné dans ma chambre, ai grimpé sur ma chaise de bureau et descendu ma valise, qui n'était ni rigide ni trop grande, et l'ai remplie de sous-vêtements et vêtements propres, ainsi que de chemises pliées rapportées du pressing. J'ai ensuite glissé le tableau sous une autre couche de vêtements.

J'ai tiré la fermeture Éclair – il n'y avait pas de fermoir, c'était juste de la toile – et je me suis tenu très tranquille. Puis je suis allé dans le couloir. J'ai entendu les tiroirs s'ouvrir et se refermer dans la chambre de ma mère. Un gloussement.

« Papa, je descends parler avec José », ai-je lancé d'une voix forte.

Silence de mort de leur côté.

« Oui, d'accord », a répondu mon père derrière la porte close, d'un ton cordial auquel je n'étais pas habitué.

Je suis retourné prendre la valise et suis sorti de l'appartement en la tenant, laissant la porte d'entrée entrouverte pour pouvoir revenir. Puis j'ai pris l'ascenseur jusqu'en bas, fixant le miroir en face de moi, essayant de toutes mes forces de ne pas penser à Xandra dans la chambre de ma mère posant ses pattes sur ses vêtements. Est-ce qu'il la fréquentait déjà avant de quitter la maison ? Ne se sentait-il pas immonde de l'autoriser à fouiller dans les affaires de ma mère, ne serait-ce qu'un peu ?

Je me dirigeais vers la porte d'entrée où José était en service, quand une voix a appelé : « Attends un peu ! »

Je me suis retourné pour découvrir Goldie qui se dépêchait depuis la salle des colis.

« Theo, mon Dieu, je suis désolé », a-t-il dit. On est restés à se dévisager pendant un moment d'incertitude puis, dans un mouvement impulsif du genre oh et puis zut, si gauche que c'en était presque drôle, il a tendu les bras et m'a serré contre lui.

« Je suis tellement désolé, a-t-il répété en secouant la tête. Mon Dieu, quelle histoire. » Depuis son divorce, Goldie travaillait souvent le soir et les jours fériés, debout devant les portes, ses gants et une cigarette éteinte à la main, à regarder la rue. Ma mère m'avait parfois envoyé lui chercher du café et des donuts quand il était seul dans le hall avec pour toute compagnie le sapin illuminé et la menorah électrique, triant les journaux à cinq heures un matin de Noël, et l'expression sur son visage me rappelait ces matinées mortes des jours fériés, son regard fixe et vide, son visage cendreux et incertain, dans le moment de solitude où, ne m'ayant pas encore vu, il agissait sans réfléchir. Dès qu'il me repérait, il arborait alors son meilleur sourire : *Salut, gamin.*

« J'ai tellement pensé à ta mère et à toi, a-t-il poursuivi en s'essuyant le front. *Ay bendito.* Je ne peux pas... je n'imagine même pas ce que tu dois traverser.

— Ouais, c'est dur », ai-je dit en détournant le regard – sans que je sache pourquoi, c'était la phrase toute faite sur laquelle je me reposais chaque fois que les gens me confiaient à quel point ils étaient désolés. J'avais dû la répéter tant de fois qu'elle commençait à avoir l'air désinvolte et un peu factice.

« Je suis content que tu sois venu. Ce matin-là… j'étais de service, tu te rappelles ? Là-devant, a déclaré Goldie.

— Bien sûr que je me rappelle, ai-je répondu en trouvant son insistance curieuse, comme s'il pensait que je pouvais ne *pas* m'en souvenir.

— *Oh*, mon Dieu. » Il a passé sa main sur son front, l'air un peu sauvage, comme si lui-même avait échappé à la mort de peu. « J'y pense chaque jour. Je revois son visage, tu sais, quand elle est entrée dans le taxi en agitant la main, si heureuse. »

Il s'est penché vers l'avant : « Quand j'ai appris qu'elle était morte, j'ai appelé mon ex-femme, c'est dire à quel point j'étais mal », m'a-t-il confié comme s'il s'agissait d'un grand secret. Il s'est reculé et m'a regardé avec les sourcils relevés, il ne semblait pas espérer que je le croie. Les batailles de Goldie avec son ex-femme étaient épiques.

« Enfin bon, on se parle à peine, mais à qui j'allais le raconter ? Il fallait que j'en parle à quelqu'un, tu comprends ? Alors je l'ai appelée et je lui ai lancé : "Rosa, tu vas pas me croire. Dans l'immeuble on a perdu une si belle dame." »

M'ayant repéré, José avait quitté la porte d'entrée d'un pas nonchalant pour se joindre à notre conversation, marchant de cette façon élastique qui lui était propre. « Mrs. Decker, elle disait toujours bonjour, elle avait toujours un si joli sourire. Elle était attentionnée, tu comprends, a-t-il poursuivi, en secouant la tête avec affection comme si ma mère était unique.

— Pas comme certaines personnes dans l'immeuble, a ajouté Goldie en jetant un œil par-dessus son épaule. Tu sais (il s'est penché plus près et a articulé le mot), ces snobs. Ceux qui restent là les bras ballants sans paquets ni rien et qui attendent que tu ouvres la porte, c'est de ceux-là dont je parle.

— Elle était pas comme ça, a insisté José en continuant de secouer la tête avec de grands mouvements, on aurait dit un enfant maussade qui dit non. Mrs. Decker, c'était la top classe.

— Dis donc, tu peux attendre une minute ? m'a demandé Goldie en levant la main. Je reviens tout de suite. Ne pars pas. Ne le laisse pas filer, a-t-il lancé à José en partant.

— Tu veux que je te trouve un taxi, *manito* ? m'a demandé José en jetant un œil vers la valise.

— Non, ai-je répondu en regardant vers l'ascenseur. Écoute, José, est-ce que tu peux garder ça pour moi jusqu'à ce que je revienne la chercher ?

— Bien sûr, avec plaisir, a-t-il ajouté en la prenant et en la soupesant.

— Je reviendrai la prendre moi-même, d'accord ? Tu ne la donnes à personne d'autre.

— Compris », est convenu José avec amabilité. Je l'ai suivi dans la salle des colis, où il a étiqueté la valise et l'a hissée sur une étagère supérieure.

« Tu vois ? Personne peut la voir, fiston. On met rien en hauteur à part les colis pour lesquels les gens doivent signer, et nos trucs à nous. Personne sortira cette valise pour toi sans ta signature personnelle, tu me comprends ? Ni ton oncle, ni ton cousin, ni personne. Et je dirai à Carlos, Goldie et aux autres copains de donner cette valise à personne à part Theo. D'accord ? »

J'ai hoché la tête, et j'étais sur le point de le remercier quand José s'est raclé la gorge. « Écoute, a-t-il dit d'une voix plus basse. Je ne veux pas t'inquiéter ou quoi, mais y a des mecs qui sont venus y a pas longtemps et qui ont demandé après ton père.

— Des mecs ? » ai-je fait après un curieux silence.

Dans la bouche de José "des mecs" ne pouvait signifier

qu'une chose : des hommes à qui mon père devait de l'argent.

« T'inquiète. On a pas cafté. Enfin bon, ton père est parti depuis quoi, une année ? Carlos leur a répondu qu'aucun de vous trois vivait plus ici et y sont pas revenus. Mais (et il a jeté un coup d'œil vers l'ascenseur) peut-être que ton père là-haut, il vaudrait mieux qu'il passe pas trop de temps dans l'immeuble maintenant, tu comprends ce que je veux dire ? »

J'étais occupé à le remercier lorsque Goldie est revenu, avec ce qui ressemblait à mes yeux à une gigantesque liasse de billets. « C'est pour toi », a-t-il déclaré sur un ton un peu mélodramatique.

L'espace d'une minute, j'ai cru que je l'avais mal entendu. José a toussé et détourné le regard. Sur la minuscule télévision noir et blanc de la salle des colis (dont l'écran n'était pas plus grand qu'une pochette de CD) une femme glamour avec de longues boucles d'oreilles qui cliquetaient brandissait les poings et hurlait des insultes en espagnol à un prêtre qui se recroquevillait.

« Qu'est-ce qui se passe ? ai-je demandé à Goldie qui continuait de tendre l'argent.

— Ta mère, elle t'en a pas parlé ? »

J'étais perplexe. « Parlé de quoi ? »

Apparemment, un jour peu avant Noël, Goldie avait commandé un ordinateur qu'il avait fait livrer à l'immeuble. Il le destinait à son fils qui en avait besoin pour l'école, mais (il était flou sur cette partie-là) Goldie ne l'avait pas payé, ou n'en avait payé qu'une partie, ou son ex-femme était supposée le payer à sa place. Quoi qu'il en soit, les livreurs étaient occupés à rembarquer l'ordinateur et à le charger de nouveau dans leur camionnette, lorsqu'il s'est trouvé que ma mère descendait au même moment et qu'elle a vu ce qui se passait.

« Et c'est elle qui a payé, cette belle personne, a poursuivi Goldie. Elle a vu ce qui se passait, elle a ouvert son portefeuille et elle a sorti son chéquier. Elle m'a dit : "Goldie, je sais que ton fils a besoin de cet ordinateur pour faire ses devoirs. Je t'en prie, laisse-moi régler ça pour toi, mon vieux, tu me rembourseras quand tu pourras."

— Tu vois ? a insisté José, avec une virulence inattendue en détournant les yeux de la télé où la femme était à présent debout dans un cimetière et se disputait avec un type en lunettes noires qui avait l'air d'un magnat. Ta mère, c'est ta mère qu'a fait ça. » Il a hoché la tête en regardant l'argent, presque en colère. « *Si, es verdad*, elle était top classe. Elle se souciait des gens, tu sais. La plupart des femmes, elles dépensent leur argent en boucles d'oreilles en or, en parfum ou en trucs pour elles-mêmes. »

Pour toutes sortes de raisons, cela faisait un drôle d'effet de prendre l'argent. Même dans l'état de choc où j'étais, quelque chose dans l'histoire me semblait louche (quel genre de magasin livrerait un ordinateur qui n'a pas été payé ?). Plus tard, je me suis demandé : avais-je l'air si indigent pour que les portiers aient effectué une collecte à mon intention ? Je ne sais toujours pas d'où venait l'argent ; et je regrette de ne pas avoir posé davantage de questions, mais j'étais si abasourdi par tout ce qui m'était arrivé ce jour-là (avant tout par la soudaine apparition de mon père et Xandra) que si Goldie m'avait fait face en tentant de me donner un morceau de vieux chewing-gum gratté par terre, j'aurais tendu la main et l'aurais pris avec la même docilité.

« C'est pas mes oignons, tu sais, mais si j'étais toi je parlerais de cet argent à personne, a suggéré José en regardant au-dessus de ma tête, tu comprends ce que je veux dire ?

— Ouais, mets-le dans ta poche, a conseillé Goldie. Te balade pas en l'agitant dans ta main comme ça.

Y a plein de gens dans la rue qui te tueraient pour avoir ce liquide.

— Plein de gens dans cet immeuble ! a renchéri José pris d'un rire soudain.

— Ha ! a fait Goldie en riant à son tour, après quoi il a dit quelque chose en espagnol que je n'ai pas compris.

— *Cuidado*, a lancé José en agitant la tête de sa façon habituelle, à la fois sérieux mais incapable de s'empêcher de sourire. C'est pour ça que Goldie et moi on a pas le droit de travailler au même endroit, m'a-t-il expliqué. Ils doivent nous garder séparés. On s'amuse trop quand on est ensemble. »

XIX

Une fois mon père et Xandra en ville, les choses ont bougé vite. Au dîner ce soir-là (dans un restaurant pour touristes que j'étais surpris que mon père ait choisi) il a pris un appel d'un employé de la compagnie d'assurance de ma mère – appel que, même toutes ces années plus tard, je regrette de ne pas avoir mieux entendu. Le restaurant était bruyant et Xandra (entre deux gorgées de vin blanc – peut-être que *lui* avait arrêté de boire, mais elle sûrement pas) passait son temps à se plaindre qu'elle ne pouvait pas fumer et à me raconter l'air décontracté comment elle avait appris à pratiquer la sorcellerie dans un livre de la bibliothèque de son lycée, quelque part à Fort Lauderdale. (« En fait, il s'agit de la wicca. C'est une religion de la Terre. ») Avec n'importe qui d'autre j'aurais demandé ce que cela recouvrait exactement d'être une sorcière (des sorts et des sacrifices ? un accord avec le diable ?), mais avant que j'en aie eu l'opportunité elle avait poursuivi, pour me raconter comment elle avait eu l'occasion d'aller en fac et regrettait de ne pas l'avoir saisie (« Je vais te dire ce qui m'intéressait. L'histoire anglaise et tout ça. Henry VIII, Mary reine des Écossais »). Toutefois elle avait fini par ne pas aller en fac du tout parce qu'elle était trop obsédée par ce mec. « *Obsédée* », a-t-elle sifflé en me fixant de son regard acéré et dénué de couleur.

Pourquoi son obsession pour un type a empêché Xandra d'aller à la fac, je ne l'ai jamais su parce que mon père avait terminé sa conversation téléphonique. Il a alors commandé (et ça m'a procuré une drôle de sensation) une bouteille de champagne.

« Je ne peux pas boire toute cette fichue bouteille, ça va me donner mal à la tête, a rétorqué Xandra qui en était à son deuxième verre de vin.

— Eh bien, si moi je ne peux pas boire de champagne, autant que toi tu en prennes », a répondu mon père en se calant dans son siège.

Xandra a hoché la tête en me regardant. « Qu'il en prenne, *lui*. Garçon, un autre verre.

— Désolé, a répondu le serveur, un Italien intransigeant qui donnait l'impression d'être habitué aux touristes incapables de se contrôler. Pas d'alcool s'il n'est pas majeur. »

Xandra a entrepris de fouiller dans son sac. Elle portait une robe marron à dos nu et elle avait du blush, ou de l'autobronzant, ou une sorte de poudre brune sous les pommettes qui dessinait une ligne si nette que je brûlais de l'effacer du bout du doigt.

« Sortons fumer », a-t-elle lancé à mon père. Pendant un long moment ils ont échangé un regard narquois qui m'a crispé. Puis Xandra a repoussé sa chaise et, laissant tomber sa serviette sur le siège, a cherché le serveur des yeux. « Oh, super, il est parti », a-t-elle dit en tendant le bras pour attraper mon verre d'eau (presque) vide et y verser un peu de champagne.

La nourriture était arrivée et je m'étais versé un autre

grand verre de champagne en catimini avant leur retour. « Miam ! » a fait Xandra qui avait l'air ivre et un peu rouge, en tirant sur sa robe courte en contournant sa chaise, puis en s'y glissant sans se soucier de la tirer complètement. D'un coup sec elle a étalé sa serviette sur ses genoux puis a rapproché son énorme assiette rouge vif de *manicotti*. « Ça m'a l'air super !

— Les miens aussi », a renchéri mon père qui était tatillon en matière de nourriture italienne, et que j'avais souvent entendu se plaindre de plats de pâtes trop tomatées, ou noyées dans la marinara, ce qui était pourtant le cas de l'assiette qu'il avait sous le nez.

Ils ont attaqué leur nourriture (qui devait être froide étant donné la longueur de leur absence) et repris leur conversation là où ils l'avaient laissée. « Eh bien, quoi qu'il en soit, ça n'a pas marché, lui a-t-il expliqué en s'inclinant sur sa chaise et en jouant de manière désinvolte avec une cigarette qu'il était dans l'impossibilité d'allumer. C'est la vie.

— Je parie que tu étais super. »

Il a haussé les épaules. « Même quand on est jeune, c'est dur. Ce n'est pas juste une question de talent. Le physique et la chance y sont pour beaucoup.

—. Mais quand même, a protesté Xandra en se tamponnant le coin de la lèvre avec une serviette enroulée au bout du doigt, acteur, je t'y vois comme si j'y étais. » La carrière contrariée de mon père était l'un de ses sujets préférés et – bien que Xandra semble assez intéressée – quelque chose me disait que ce n'était pas la toute première fois qu'elle en entendait parler non plus.

« Eh bien, est-ce que je regrette de ne pas avoir poursuivi ? » Mon père contemplait sa bière sans alcool (ou est-ce qu'elle était à trois pour cent ? Impossible à voir de là où j'étais assis). « Je dois bien avouer que oui. C'est un de ces regrets qui vous hantent toute une vie. J'aurais aimé faire quelque chose de mon talent, mais je n'en ai pas eu l'occasion. La vie a une drôle de manière de s'en mêler. »

Ils étaient plongés dans leur monde ; vu le peu d'attention qu'ils m'accordaient j'aurais aussi bien pu être à l'autre bout du pays, mais cela ne me dérangeait pas ; je la connaissais, l'histoire. Star du théâtre de son université, mon père avait gagné sa croûte comme acteur pendant une brève période : voix *off* pour des pubs, quelques petits rôles (un playboy assassiné, le fils gâté d'un patron de la pègre) à la télévision et au cinéma. Puis... tout cela était tombé à l'eau après qu'il avait épousé ma mère. Il avait une longue liste de raisons pour lesquelles il n'avait pas percé, bien que je l'aie souvent entendu dire : si ma mère avait eu un peu plus de succès comme mannequin, ou si elle s'y était attelée avec plus d'ardeur, il y aurait eu assez d'argent pour que lui puisse se concentrer sur sa carrière d'acteur sans devoir s'inquiéter de trouver un travail alimentaire.

Mon père a poussé son assiette sur le côté. J'ai remarqué qu'il n'avait pas beaucoup mangé, ce qui chez lui était souvent un signe qu'il buvait, ou qu'il était sur le point de s'y mettre.

« À un moment donné, j'ai dû sauver les meubles et arrêter », a-t-il expliqué en froissant sa serviette et en la jetant sur la table. Je me demandais s'il avait parlé à Xandra de Mickey Rourke, qu'il voyait, hormis ma mère et moi-même, comme le grand traître ayant fait dérailler sa carrière.

Xandra a bu une longue gorgée de son vin. « Tu penses jamais à reprendre ?

— J'y *pense*, oui, bien sûr. Mais... (il a secoué la tête comme s'il repoussait une requête outrancière) non. Dans les grandes lignes, la réponse est non. »

Étincelle distante et poussiéreuse mise en bouteille lors d'une année plus heureuse où ma mère était encore en vie, le champagne m'a chatouillé le palais.

« Je veux dire, à la *seconde* où il m'a vu, j'ai su qu'il ne m'aimait pas », lui racontait tranquillement mon père. Donc il lui avait déjà parlé de Mickey Rourke.

Elle a rejeté la tête en arrière et vidé le reste de son vin. « Les mecs comme ça ne supportent pas la concurrence.

— C'était tout le temps Mickey par-ci, Mickey par-là, Mickey veut te rencontrer, mais à la minute où je suis entré, j'ai su que c'était terminé.

— De toute évidence, ce mec est un monstre.

— Non, à cette époque-là il ne l'était pas. Parce que, pour te dire la vérité, il y avait vraiment une ressemblance – pas juste physique, on avait le même jeu. Ou disons que j'avais une formation classique, une palette, mais que je pouvais reproduire le même genre d'immobilité que Mickey, tu sais, cette voix chuchotée et tranquille qu'il avait…

— Oooh, tu viens de me donner des frissons. *Chuchotée.* J'aime la façon dont tu l'as *dit*.

— Oui mais la star, c'était Mickey. Et il n'y avait pas assez de place pour nous deux. »

Je les ai regardés partager un morceau de cheesecake tels deux tourtereaux dans une pub et j'ai sombré dans un flot coloré et inhabituel d'images libérées, les lumières de la salle étaient trop vives et mon visage échauffé par le champagne ; d'une manière désordonnée mais enflammée, j'ai repensé à ma mère après la mort de ses parents, quand elle avait dû aller vivre chez sa tante Bess, dans une maison avec du papier peint marron et des housses en plastique sur les meubles, près de la voie de chemin de fer. Tante Bess – qui faisait tout frire dans de la margarine et qui avait découpé une des robes de ma mère avec des ciseaux parce que le motif psychédélique la perturbait – était une vieille fille trapue et aigrie d'origine irlandaise qui avait quitté l'Église catholique pour une minuscule secte d'allumés qui trouvait mal de boire du thé ou de prendre de l'aspirine. Sur l'unique photo que j'avais vue, ses yeux étaient du même bleu argenté surprenant que ceux de ma mère, sauf qu'ils étaient entourés de rose et qu'ils avaient l'air fou, dans un visage tout à fait quelconque. Ma mère avait parlé de ces dix-huit mois passés avec Tante Bess comme des mois les plus tristes de sa vie – les chevaux vendus, les chiens donnés, les longs adieux larmoyants au bord de la route, les bras autour du cou de Trèfle, Ardoise, Palette et Bruno. Une fois chez elle, Tante Bess avait informé ma mère qu'elle était une fille gâtée, et que les gens qui ne craignaient pas le Seigneur récoltaient toujours ce qu'ils méritaient.

« Et le producteur, tu vois… je veux dire, ils savaient tous comment était Mickey, tous autant qu'ils étaient, il commençait déjà à avoir la réputation d'être difficile…

— Elle ne méritait pas ça », ai-je lancé à voix haute en interrompant leur conversation.

Mon père et Xandra se sont arrêtés de parler et m'ont regardé comme si j'étais devenu un monstre.

« Enfin, est-ce qu'on a dit ça ? » Ce n'était pas bien que je parle à voix haute, et pourtant les mots dégringolaient spontanément de ma bouche comme si l'on avait pressé sur un bouton. « Elle était tellement géniale, pourquoi tout le monde était horrible avec elle ? Elle n'a jamais rien mérité de ce qui lui est arrivé. »

Mon père et Xandra ont échangé un coup d'œil. Puis, d'un geste, il a demandé l'addition.

XX

Quand nous avons quitté le restaurant, mon visage était en feu et un vif rugissement bourdonnait dans mes oreilles ; quand je suis rentré à l'appartement des Barbour il n'était même pas très tard, mais j'ai réussi à trébucher sur le porte-parapluies et fait beaucoup de bruit ; quand Mrs. Barbour et Mr. Barbour m'ont vu, j'ai compris (à leurs visages plus qu'à mon ressenti) que j'étais ivre.

Mr. Barbour a éteint la télévision d'une chiquenaude sur la télécommande. « Tu étais où ? » m'a-t-il demandé d'une voix ferme mais bienveillante.

J'ai tendu la main vers le dossier du canapé. « J'étais sorti avec mon père et… » Mais à part le X, son prénom m'avait échappé.

Mrs. Barbour a levé les sourcils en direction de son mari comme pour signifier : *Qu'est-ce que je t'avais dit* ?

« Eh bien, mieux vaut aller te coucher, a lancé Mr. Barbour sur un ton enjoué, d'une voix qui parvenait malgré tout à me réconforter un peu sur la vie. Mais essaie de ne pas réveiller Andy.

— Tu n'as pas envie de vomir, si ? est intervenue Mrs. Barbour.

— Non », ai-je répondu, ce qui était faux ; pendant une grande partie de la nuit je suis resté allongé et éveillé dans le lit du haut, mal en point et passant mon temps à me retourner tandis que la pièce tournoyait autour de moi, sursautant quelquefois de surprise, avec des battements de cœur qui me faisaient palpiter parce qu'il me semblait que Xandra était entrée dans la chambre et qu'elle me parlait : les mots n'étaient pas clairs, mais la cadence rude et bégayante de sa voix était reconnaissable entre toutes.

XXI

« Alors comme ça, tu as partagé un repas festif avec ton vieux père, hein ? m'a interpellé Mr. Barbour au petit déjeuner le lendemain matin en me tapant sur l'épaule tandis qu'il tirait la chaise à côté de moi.

— Oui, monsieur. » J'avais un mal de tête à grimper

289

aux murs, et l'odeur de leur pain perdu me retournait l'estomac. Etta m'avait discrètement apporté une tasse de café de la cuisine avec des aspirines sur la soucoupe.

« Et donc il vit à Las Vegas ?

— Exact.

— Et comment fait-il bouillir la marmite ?

— Pardon ?

— Il s'occupe comment là-bas ?

— Chance, a fait Mrs. Barbour d'une voix neutre.

— Eh bien, je veux dire… enfin, a poursuivi Mr. Barbour en se rendant compte que la question manquait peut-être de délicatesse, il travaille dans quoi ?

— Hum… » ai-je répondu – et j'en suis resté là. Que *faisait* mon père ? Je n'en avais pas la moindre idée.

Mrs. Barbour – qui paraissait gênée par le tour qu'avait pris la conversation – semblait sur le point de dire quelque chose ; mais Platt, qui était assis à côté de moi, s'est fâché : « Alors, qui il va falloir que je sonne ici pour avoir du café ? » a-t-il lancé à sa mère en s'enfonçant sur sa chaise avec une main sur la table.

Terrible silence.

« Il en a, lui, a-t-il ajouté en hochant la tête dans ma direction. *Il* rentre soûl et on *lui* donne du café. »

Nouveau silence terrible, puis Mr. Barbour a dit, d'une voix suffisamment glaciale pour faire honte même à Mrs. Barbour : « Ça suffit, Pard. »

Mrs. Barbour a froncé ses sourcils pâles. « Chance…

— Non, tu ne le défendras pas cette fois-ci. Va dans ta chambre. Maintenant », a-t-il ordonné à Platt.

Nous avons tous fixé nos assiettes en écoutant le bruit lourd et rageur des pas de Platt, le claquement assourdissant de sa porte, puis, quelques secondes plus tard, la musique forte qui reprenait. Personne n'a plus dit grand-chose pendant le reste du repas.

XXII

Mon père – qui était toujours pressé, toujours impatient : « Que le spectacle commence », comme il aimait le dire – a annoncé qu'il avait l'intention de tout régler à New York en une semaine pour que nous puissions nous envoler ensuite tous les trois pour Vegas. Et il a tenu parole. À huit heures ce lundi matin, des déménageurs sont arrivés à Sutton Place et ont entrepris de démonter l'appartement puis de le ranger dans des boîtes. Un libraire de livres d'occasion s'est présenté pour voir les livres d'art de ma mère, quelqu'un d'autre est venu regarder ses meubles – et, avant même que j'aie le temps de m'en rendre compte, ma maison s'est mise à se volatiliser sous mes yeux avec une rapidité qui m'a rendu malade. Face aux rideaux qui disparaissaient, aux tableaux que l'on décrochait et aux tapis que l'on roulait puis emportait, je me suis souvenu d'un dessin animé d'autrefois où un personnage muni d'une gomme effaçait son bureau, sa lampe, sa chaise et sa fenêtre avec vue panoramique, tout son bureau confortable, jusqu'à ce que – enfin – la gomme soit suspendue au-dessus d'une perturbante mer de blanc.

Tourmenté par ce qui se passait tout en étant incapable de l'arrêter, je rôdais là et observais l'appartement s'évanouir morceau par morceau, comme une abeille qui regarderait sa ruche se faire détruire. Sur le mur au-dessus du bureau de ma mère (parmi les nombreux clichés de vacances et les vieilles photos de classe) il y avait une photo noir et blanc d'elle à Central Park, prise à l'époque où elle était mannequin. C'était une photo très nette dont les moindres détails ressortaient avec une clarté presque douloureuse : ses taches de rousseur, la texture rugueuse de son manteau, la cicatrice de varicelle au dessus de son sourcil gauche. Enjouée, elle contemplait le désordre et la confusion du living, mon père jetant ses papiers et ses fournitures artistiques, emballant ses livres pour les donner aux bonnes œuvres, une scène qu'elle n'avait probablement jamais imaginée, du moins je l'espère.

XXIII

Mes derniers jours avec les Barbour sont passés si vite que je m'en souviens à peine, à part de la frénésie de dernière minute en termes de lessive et de pressing, et plusieurs virées mouvementées chez le caviste sur Lexington Avenue pour y récupérer des boîtes en carton vides. Au feutre noir j'ai écrit l'adresse de mon nouveau foyer au nom exotique :

Theodore Decker c/o Xandra Terrell
6219 Route de la Fin du Désert
Las Vegas, NV

L'air lugubre, Andy et moi étions debout à contempler les boîtes étiquetées dans sa chambre. « C'est comme si tu déménageais sur une autre planète, a-t-il constaté.

— Plus ou moins.

— Non, je suis sérieux. Cette adresse. On dirait qu'il s'agit d'une colonie minière sur Jupiter. Je me demande à quoi va ressembler ton lycée.

— Dieu seul le sait.

— Enfin… c'est peut-être un de ces endroits sur lesquels on lit des histoires. Avec des gangs. Et des détecteurs de métaux. » Andy avait été tellement maltraité dans notre collège (supposé) éclairé et progressiste qu'à ses

292

yeux l'enseignement dans le public allait de pair avec le système carcéral. « Qu'est-ce que tu vas faire ?

— Me raser la tête, je suppose. Me faire tatouer. » J'aimais le fait qu'il n'essaie pas d'être optimiste ou enjoué à propos de mon déménagement, au contraire de Mrs. Swanson ou de Dave (de toute évidence soulagé de ne plus avoir à négocier avec mes grands-parents). Personne d'autre à Park Avenue n'a dit grand-chose concernant mon départ, mais à voir l'expression tendue sur le visage de Mrs. Barbour quand je parlais de mon père et de son « amie », je savais que tout n'était pas le fruit de mon imagination. Par ailleurs, ce n'était pas tant que l'avenir avec mon père et Xandra semblât mauvais ou effrayant, mais plutôt incompréhensible, telle une tache d'encre noire sur l'horizon.

XXIV

« Eh bien, un changement de décor peut te faire du bien, a suggéré Hobie quand je suis descendu le voir avant mon départ. Même si cet endroit n'est pas celui que toi tu aurais choisi. » Nous dînions dans la salle à manger, pour changer, assis côte à côte à un bout de la table assez longue pour accueillir douze personnes, avec des aiguières en argent et des bibelots qui se perdaient dans une opulente obscurité. Et pourtant, d'une certaine manière, j'avais la même impression que lors de notre dernière soirée dans notre ancien appartement sur la 7e Avenue : avec ma mère, mon père et moi assis sur des boîtes en carton et mangeant notre dîner qui venait du traiteur chinois.

Je n'ai rien dit. J'étais malheureux ; et ma détermination à souffrir en secret m'avait rendu peu communicatif. Dans l'angoisse de la semaine précédente, tandis que l'appartement se voyait vidé et les affaires de ma mère pliées, mises en boîtes et enlevées pour être vendues, j'avais aspiré à l'obscurité et au repos de la maison de Hobie avec ses pièces encombrées et réchauffées par la cannelle, son odeur de vieux bois, de feuilles de thé et de fumée de cigarette, de bols d'oranges sur le buffet et de bougies festonnées de cire étalées en flaques.

« Je veux dire, ta mère... » Il a marqué une pause délicate. « Ce sera un nouveau départ. »

J'étudiais mon assiette. Il avait préparé du curry d'agneau, avec une sauce colorée au citron qui avait un goût plus français qu'indien.

« Tu n'as pas peur, si ? »

J'ai levé les yeux. « Peur de quoi ?

— D'aller vivre avec lui. »

J'y ai réfléchi, le regard fixé sur les ombres derrière sa tête. « Non, pas vraiment », ai-je répondu. Sans que je sache pourquoi, depuis son retour mon père semblait plus cool, plus détendu. Difficile d'attribuer cela au fait qu'il avait arrêté de boire, puisque, normalement, quand mon père était sobre il devenait silencieux et semblait malheureux comme les pierres, tellement enclin à être cassant que je prenais alors bien garde à rester à bonne distance de lui.

« Ce que tu m'as raconté, tu l'as raconté à quelqu'un d'autre ?

— À propos de... ? »

Gêné, j'ai baissé la tête et mangé un peu de curry. En fait c'était très bon une fois que l'on avait intégré que ce n'était pas du curry.

« Je ne crois pas qu'il boive encore, ai-je avancé dans le silence qui a suivi. Si c'est cela dont vous parlez. Il semble aller mieux. Donc... » Ma voix s'est estompée gauchement. « Ouais.

— Tu aimes bien sa copine ? »

J'ai dû réfléchir de nouveau. « Je ne sais pas. »

Hobie observait un silence courtois et il a tendu le bras vers son verre de vin sans me quitter des yeux.

« C'est que je ne la connais pas vraiment. Elle est sympa, je suppose. Mais je n'arrive pas à comprendre ce qui lui plaît chez elle.

— Pourquoi pas ?

— Eh bien… » Je ne savais pas par où commencer. Mon père pouvait être charmant auprès des « dames » comme il les appelait, leur ouvrant les portes ou leur touchant légèrement le poignet pour souligner un argument ; j'avais vu des femmes se décomposer à sa vue, un spectacle que je regardais froidement en me demandant comment quiconque pouvait être séduit par un numéro aussi transparent. C'était comme regarder de petits enfants se faire subjuguer par un spectacle de magie ringard. « Je ne sais pas. Je suppose que je m'étais dit qu'elle serait plus jolie.

— Jolie n'est pas important si elle est gentille.

— Oui, mais elle n'est pas si gentille que ça.

— Oh. » Puis : « Est-ce qu'ils ont l'air heureux ensemble ?

— Je ne sais pas. Enfin… si, ai-je admis. Au moins, il n'a pas l'air autant en colère contre moi à tout bout de champ. » Sentant le poids de la question muette de Hobie peser sur moi : « Et puis, il est venu me chercher. Après tout, il n'était pas obligé. Ils auraient pu rester cachés s'ils n'avaient pas voulu de moi. »

Rien de plus n'a été prononcé sur le sujet, et nous avons fini le dîner en parlant d'autre chose. Mais alors que je m'apprêtais à partir et que nous traversions le couloir couvert de photos – en passant devant la chambre de Pippa où brûlait une veilleuse, avec Cosmo qui dormait au pied de son lit – il a dit en m'ouvrant la porte : « Theo.

— Oui ?

— Tu as mon adresse et mon numéro de téléphone.

« — Bien sûr.

— Très bien. » Il semblait presque aussi mal à l'aise que moi. « J'espère que tu feras un bon voyage. Prends soin de toi.

— Vous aussi. » Nous nous sommes regardés. « Bon.

— Eh bien. Bonne nuit, alors. »

Il a poussé la porte et je suis sorti de la maison, pour la dernière fois me suis-je dit. J'avais certes cru que je ne le reverrais jamais, mais en fait je me trompais.

II

Quand nous sommes très forts – qui recule ?
Très gais, qui tombe de ridicule ?
Quand nous sommes très méchants, que ferait-on de nous ?

ARTHUR RIMBAUD

5

Badr al-Dine

I

J'avais beau avoir laissé la valise dans la salle des colis de mon ancien immeuble, où j'étais sûr que José et Goldie la surveilleraient, à l'approche du départ ma nervosité augmentait, et j'ai finalement décidé à la dernière minute d'y retourner pour une raison qui me semble aujourd'hui plutôt bête : dans ma précipitation à faire sortir le tableau de l'appartement, j'y avais jeté beaucoup d'habits divers, y compris la plupart de mes vêtements d'été. Donc, la veille du jour où mon père était supposé passer me prendre chez les Barbour, je suis repassé en vitesse à la 57ᵉ Rue avec l'idée d'ouvrir la valise et d'enlever quelques-unes des plus jolies chemises sur le dessus.

José n'était pas là, mais un nouveau mec aux larges épaules (Marco V, si j'en croyais son badge) s'est planté devant moi et m'a empêché de passer, avec un air obstiné et fermé qui faisait davantage penser à un vigile qu'à un portier : « Désolé, est-ce que je peux t'aider ? »

Je lui ai expliqué, pour la valise. Mais après avoir attentivement lu le registre – passant un gros index le long de la colonne des dates – il ne semblait pas disposé à me la descendre de l'étagère. « Et tu l'as laissée ici pour quoi ? m'a-t-il demandé sur un ton sceptique en se grattant le nez.

— José a dit que je pouvais.

— Tu as un reçu ?

— Non, ai-je répondu après un moment de confusion.

— Eh bien, je peux pas t'aider, alors. On a pas de traces. En plus, on stocke pas les colis des gens qui sont pas locataires. »

J'avais vécu assez longtemps dans l'immeuble pour savoir que c'était faux, mais je n'allais pas discuter. « Écoutez, j'habitais ici avant. Je connais Goldie, Carlos et tout le monde. Enfin bon… allez, quoi, ai-je fait après une vague pause glaciale durant laquelle j'ai senti son attention vaciller. Si vous m'emmenez là-bas je vous montrerai de laquelle il s'agit.

— Désolé. Personne à part le personnel et les locataires est autorisé à l'arrière.

— Elle est en toile avec un ruban sur la poignée. Il y a mon nom dessus, regardez. Decker. » En guise de preuve j'ai tendu le doigt vers l'étiquette toujours apposée sur notre ancienne boîte aux lettres, lorsque Goldie est revenu de sa pause d'un pas nonchalant.

« Hé ! Mais qui voilà ! Celui-là, c'est mon protégé, a-t-il expliqué à l'adresse de Marco V. Je le connais depuis qu'il est tout petit. Quoi de neuf, Theo, mon ami ?

— Rien. Enfin… eh bien, je quitte New York.

— Ah oui ? Tu pars déjà pour Vegas ? » Le son de sa voix, sa main sur mon épaule, tout était devenu facile et confortable. « C'est de la folie là-bas, ou je me trompe ?

— J'imagine », ai-je avancé sur un ton sceptique. Les gens n'arrêtaient pas de me dire combien ma vie à Vegas allait être dingue, ce que je ne comprenais pas, vu qu'il y avait peu de chances que je passe beaucoup de temps dans les casinos ou les clubs.

« Tu *imagines* ? » Goldie a roulé les yeux vers le ciel

et secoué la tête avec un comique que, dans ses moments d'espièglerie, ma mère savait imiter. « Oh, Seigneur, je te dis pas. Cette ville, les syndicats qu'ils ont... Je veux dire, la restauration, l'hôtellerie... c'est *très* bien payé, où qu'on aille. Et la météo ? Du soleil... chaque jour de l'année. Tu vas adorer être là-bas, mon pote. Quand est-ce que tu pars, déjà ?

— Hum, aujourd'hui. Je veux dire demain. C'est pourquoi je voulais...

— Oh, tu es venu récupérer la valise ? Hé, mais bien sûr. » Goldie a dit quelque chose en espagnol à Marco V qui avait l'air coupant et ce dernier a haussé les épaules mollement pour repartir vers la salle des colis.

« Il est bien, Marco, m'a dit Goldie à mi-voix. Mais il sait rien pour ta valise parce que José et moi on l'a pas inscrite dans le registre, tu vois ce que je veux dire ? »

Je voyais, oui. Tous les bagages devaient être enregistrés à leur entrée et sortie du bâtiment. En évitant d'étiqueter ma valise, en ne l'inscrivant sur aucun registre officiel, ils m'avaient protégé de l'éventualité que quelqu'un d'autre puisse se présenter et la réclamer.

« Merci de me l'avoir surveillée..., ai-je marmonné gauchement.

— *No problemo*, a répondu Goldie. Hé, merci, mec, a-t-il lancé à voix haute à Marco en lui prenant la valise. Comme je te l'ai dit, a-t-il poursuivi à voix basse (je devais marcher tout près de lui pour l'entendre), Marco est un type bien, mais on a eu beaucoup de locataires qui se sont plaints qu'il y avait pas assez de personnel dans l'immeuble, tu sais bien. » Il m'a jeté un regard lourd de sens. « Je veux dire, comme Carlos qui a pas pu prendre son service ce jour-là, je suppose que c'était pas sa faute mais ils l'ont viré.

— Carlos ? » C'était le plus vieux et le plus réservé des portiers : il faisait penser à une idole mexicaine vieillissante se produisant en matinées, petite moustache fine et tempes grisonnantes, chaussures noires impeccablement cirées et gants blancs plus blancs que ceux de quiconque. « Ils ont viré Carlos ?

— Je sais... c'est incroyable. Trente-quatre ans et... (Goldie a secoué un pouce par-dessus son épaule) pffft. Maintenant... la direction est à fond dans la sécurité, nouveau personnel, nouvelles règles, encoder les noms quand ça entre et quand ça sort... Enfin bon, a-t-il conclu en marchant à reculons vers la porte d'entrée, qu'il a poussée. Je vais te trouver un taxi, mon pote. Tu vas à l'aéroport direct ?

— Non... » ai-je répondu en tendant la main pour l'arrêter (tellement préoccupé, je n'avais pas remarqué ce qu'il faisait) mais il m'a repoussé d'un geste disant *nan*.

« Non, non (traînant la valise sur le trottoir), pas de souci, mon gars, je l'ai, et je me suis rendu compte avec consternation qu'il croyait que j'essayais de l'empêcher d'emporter la valise dehors parce que je n'avais pas d'argent pour le pourboire.

« Hé, attendez », ai-je lancé (mais au même instant Goldie a sifflé et déboulé dans la rue, la main levée). « Hep ! Taxi ! » a-t-il crié.

Je me suis arrêté sur le pas de la porte, consterné, tandis que le taxi arrivait en piqué au bord du trottoir. « Gagné ! a fait Goldie en ouvrant la portière arrière. Qu'est-ce que tu dis du timing ? » Avant que je puisse penser à une manière de l'arrêter sans avoir l'air con, il me faisait monter sur le siège arrière pendant que la valise était hissée dans le coffre et que Goldie donnait ensuite une tape sur le toit, de sa manière amicale habituelle.

« Bon voyage, *amigo*, a-t-il dit (me regardant, puis regardant vers le ciel). Profite du soleil pour moi quand tu seras là-bas. Tu sais comment je suis avec le soleil, un oiseau des îles. Il me tarde de rentrer à Puerto Rico pour parler aux abeilles. *Hmm...* (il s'est mis à fredonner en fermant les yeux et en penchant la tête sur le côté). Ma sœur a une ruche d'abeilles dociles et je chante pour qu'elles s'endorment. Est-ce qu'il y a des abeilles à Vegas ?

— Je ne sais pas, ai-je répondu en tâtonnant discrètement dans mes poches pour évaluer combien j'avais d'argent.

— Eh bien, si tu vois des abeilles, dis-leur qu'elles ont le bonjour de Goldie. Dis-leur que je suis en route.

— *¡Hey! ¡Espera!* » C'était José, la main levée, encore en tenue de foot et qui arrivait au travail directement après son match dans le parc, oscillant dans ma direction de son pas de sportif, avec la tête qui dansait.

« Hé, *manito*, tu t'en vas ? a-t-il demandé en se penchant et en passant la tête par la vitre du taxi. Tu dois nous envoyer une photo pour en bas ! » Au sous-sol, là où les portiers enfilaient leurs uniformes, il y avait un mur tapissé de cartes postales et de Polaroïd de Miami, Cancún, Puerto Rico et du Portugal, que des locataires et des portiers avaient envoyés à la 57e Rue Est au fil des ans.

« C'est vrai ! a renchéri Goldie. Envoie-nous une photo ! N'oublie pas !

— Vous… » Ils allaient me manquer, mais je ne voulais pas passer pour un gay en le disant. Alors je me suis contenté de répondre : « OK. Cool.

— Prends soin de toi, a renchéri José en reculant, la main levée. Et t'approche pas de ces tables de black-jack.

— Hé, gamin, tu veux que je t'emmène quelque part, ou pas ? a lancé le chauffeur du taxi.

— Hé, pas de panique, cool », lui a rétorqué Goldie. À moi il a dit : « Ça va aller, Theo. » Il a donné une autre tape sur le taxi. « Bonne chance, mec. À bientôt. Que Dieu te garde. »

II

« Ne va pas me dire que tu emportes *tout ce mer-dier* dans l'avion », s'est exclamé mon père en arrivant le lendemain matin chez les Barbour pour me prendre avec le taxi. Parce que j'avais une autre valise en plus de celle contenant le tableau, qui était celle que j'avais prévu d'emporter au départ.

« Je pense que tu vas avoir de l'excédent de bagage », a constaté une Xandra un peu hystérique. Dans la chaleur pernicieuse du trottoir, je sentais sa laque même de là où j'étais. « Ils ne t'autorisent qu'un certain poids. »

Descendue avec moi, Mrs. Barbour est intervenue avec douceur : « Oh, ces deux-là, ça ira. Je dépasse la limite chaque fois.

— Oui, mais ça coûte.

— Je crois que vous trouverez le prix tout à fait rai-sonnable », a répondu Mrs. Barbour. Bien qu'il soit tôt et qu'elle n'ait ni bijou ni rouge à lèvres, elle parvenait quand même à donner l'impression d'être impeccable-ment mise avec juste ses sandales et sa simple robe en coton. « Vous devrez peut-être payer vingt dollars de plus au guichet, mais cela ne devrait pas poser de pro-blème, si ? »

Mon père et elle se sont toisés comme deux chats. Puis mon père a détourné le regard. J'avais un peu honte de son blouson de sport qui me faisait penser aux types soupçonnés de racket dont on voyait la photo dans le *Daily News*.

« Tu aurais dû me dire que tu avais deux valises, a-t-il rétorqué sur un ton maussade (j'étais vraiment le bienvenu !) dans le silence qui avait suivi la remarque pertinente de Mrs Barbour. Je ne sais pas si tout ce bazar va pouvoir rentrer. »

Planté sur le bord du trottoir, avec le coffre du taxi ouvert, j'ai presque songé à laisser la valise sous la garde de Mrs. Barbour et à lui téléphoner plus tard pour lui révéler ce qu'elle contenait. Mais avant que je puisse me décider à dire quelque chose, le chauffeur de taxi russe aux larges épaules avait enlevé le sac de Xandra du coffre, soulevé ma seconde valise pour l'y mettre et, à force de coups et de compressions, réussi à la faire rentrer.

« Vous voyez, pas très lourd ! a-t-il assuré en refermant le coffre et en s'essuyant le front. Bien tassé !

— Mais… mon bagage à main ! s'est écriée Xandra qui avait l'air paniquée.

— Pas problème, madame. Il peut venir sur siège avant avec moi. Ou sur siège arrière avec vous si vous préférez.

— Tout est réglé, alors, a dit Mrs. Barbour, se penchant pour m'embrasser en vitesse, pour la première fois de mon séjour, c'était le baiser d'une femme du monde, parfumé à la menthe et au gardénia. Eh bien, au revoir à vous tous, a-t-elle lancé. Excellent voyage, hein ? » Andy et moi nous étions fait nos adieux la veille ; même si je savais qu'il était triste de me voir partir, cela me heurtait de constater qu'il ne m'avait pas accompagné en bas, à la place il avait suivi le reste de la famille dans la maison du Maine qu'il était pourtant supposé détester. Quant à Mrs. Barbour, elle ne semblait pas particulièrement contrariée de me voir partir pour de bon, alors qu'à la vérité moi j'en étais malade.

Posés sur les miens, ses yeux gris étaient clairs et calmes. « Merci pour tout, Mrs. Barbour. Dites au revoir à Andy de ma part.

— Je n'y manquerai pas. Tu as été un invité modèle, Theo. » Dehors dans la brume de chaleur torride de cette matinée sur Park Avenue, je suis resté immobile à tenir sa main un moment de plus – avec le vague espoir qu'elle me suggérerait de la contacter si j'avais besoin de quoi que ce soit – mais elle s'est contentée de lancer : « Bonne chance, alors », et de me donner un autre petit baiser léger avant de reculer.

III

Je n'arrivais pas tout à fait à croire que je quittais New York. De ma vie je n'en étais jamais parti plus de huit jours. En route vers l'aéroport, j'ai fixé par la vitre les panneaux d'affichage des boîtes de strip-tease et des avocats spécialisés en responsabilité civile que je n'étais pas près de revoir avant quelque temps, puis une pensée glaçante m'a traversé. Et le contrôle de sécurité ? Je n'avais pas pris l'avion souvent (juste deux fois, dont une quand j'étais en maternelle) et je n'étais même pas sûr de ce qu'impliquait un contrôle de sécurité : rayons X ? Vérification des bagages ?

« Est-ce qu'ils ouvrent tout à l'aéroport ? » ai-je interrogé d'une voix timide, puis j'ai redemandé, vu que personne ne semblait m'avoir entendu. J'étais assis devant, afin que mon père et Xandra puissent être côte à côte en amoureux.

« Oh, bien sûr », a répondu le chauffeur de taxi. C'était un Soviétique costaud aux larges épaules : traits grossiers, joues en sueur, rouges comme deux pommes, on aurait dit un haltérophile devenu trop gros. « Et s'ils n'ouvrent pas, ils passent aux rayons X.

— Même les bagages en soute ?

— Oh, oui, a-t-il renchéri sur un ton rassurant. Ils scannent pour les explosifs, tout. Sécurité maximum.

— Mais… » J'essayais de trouver un moyen de formuler ce que j'avais besoin de savoir sans me trahir, et je n'y arrivais pas.

— Pas t'inquiéter, a poursuivi le chauffeur. Beaucoup police à l'aéroport. Et il y a trois-quatre jours ? *Barrages routiers.*

— Eh bien, tout ce que j'ai à dire c'est que je suis pressée de quitter cette ville, bordel », a jeté Xandra de sa voix rauque. Pendant un instant de perplexité, j'ai cru que c'était à moi qu'elle s'adressait, mais quand je me suis retourné j'ai vu qu'elle regardait mon père.

Ce dernier avait posé sa main sur son genou et il a dit quelque chose trop bas pour que je l'entende. Le nez chaussé de ses lunettes teintées, il a incliné la tête contre la banquette arrière ; il y avait quelque chose de décontracté et de jeune dans l'absence de relief de sa voix, le quelque chose de secret qui est passé entre eux tandis qu'il pressait le genou de Xandra. Je me suis détourné et j'ai regardé le no man's land défiler à toute vitesse : longs bâtiments bas, bodegas et ateliers de carrosserie, parkings mijotant dans la chaleur matinale.

« Tu vois, les sept dans le numéro du vol ne me dérangent pas, disait Xandra d'une voix tranquille. Ce sont les huit qui me font flipper.

— Ouais, mais le huit est un chiffre porte-bonheur en Chine. Tu regarderas le tableau des arrivées internationales quand on sera à McCarran. Tous les vols qui arrivent de Beijing, huit, huit, huit.

— Toi et ta sagesse des Chinois.

— Schéma des nombres. C'est énergétique. La rencontre du ciel et de la Terre.

— Le ciel et la Terre. À t'entendre, on croirait que c'est de la magie.

— Mais c'en est.

— Ah ouais ? »

Ils chuchotaient. Dans le rétroviseur, leurs visages étaient niais, et trop rapprochés ; quand je me suis rendu compte qu'ils étaient sur le point de s'embrasser (un truc qui continuait de me choquer, peu importe le nombre de fois où je les avais vus faire), je me suis tourné pour regarder droit devant moi. Il m'a traversé l'esprit que, si je ne savais pas déjà comment ma mère était morte, aucune puissance sur Terre n'aurait pu me convaincre qu'ils ne l'avaient pas assassinée.

IV

En attendant nos cartes d'embarquement, j'étais raide de peur, convaincu que les services de sécurité allaient ouvrir ma valise et y découvrir le tableau, en plein dans la file de l'enregistrement. Mais la femme grognon à la coupe dégradée dont je n'ai pas oublié le visage (je priais pour que nous ne passions pas à son guichet quand ce serait notre tour) a soulevé ma valise pour la déposer sur le tapis en la regardant à peine.

J'ai vu cette dernière s'éloigner en oscillant en direction de personnel et de procédures inconnus – et je me suis senti oppressé et terrifié au milieu de la masse colorée d'inconnus, j'ai eu l'impression d'être le centre d'attention, comme si tout le monde me dévisageait. Je n'avais pas été dans une foule aussi dense, ni vu autant de flics au même endroit, depuis le jour où ma mère était morte. Immobiles dans leur treillis, et survolant la foule de leurs yeux froids, des membres de la garde nationale munis de fusils étaient plantés à côté des détecteurs de métaux.

Sacs à dos, porte-documents, cabas et poussettes, têtes dansant tout le long du terminal aussi loin que portaient mes yeux. Traînant les pieds devant le contrôle de sécurité, il m'a semblé entendre crier… mon prénom. Je me suis figé sur place.

« Allez, *allez*, ne reste pas planté là, tu retardes toute la file, bon sang… » a lancé mon père en sautillant derrière moi sur un pied tout en essayant d'enlever son mocassin et en me donnant un coup de coude dans le dos.

Passant sous le détecteur de métaux, transi de peur, j'ai gardé les yeux rivés sur la moquette, m'attendant à tout moment à ce qu'une main se pose sur mon épaule. Des bébés pleuraient. Des personnes âgées avançaient sans se presser dans des voiturettes électriques. Qu'est-ce qu'ils me feraient ? Est-ce que je pourrais leur faire comprendre que les apparences étaient trompeuses ? J'imaginais une salle en parpaings comme dans les films, des portes claquées, des flics en bras de chemise et en colère, *oublie ton voyage, tu ne vas nulle part, gamin*.

Une fois sorti du périmètre de sécurité, dans le couloir qui résonnait, j'ai entendu des pas nets et déterminés qui me suivaient de très près. De nouveau, je me suis arrêté.

« Ne me dis pas que tu as oublié quelque chose, a lancé mon père en se retournant pour rouler des yeux d'un air exaspéré.

— Non, ai-je répondu en regardant alentour. Je... » Il n'y avait personne derrière moi. Des passagers me dépassaient de chaque côté en courant.

« Putain, il est blanc comme un linge », a constaté Xandra. S'adressant à mon père, elle lui a demandé : « Il va bien ?

— Oh, ça ira une fois qu'il sera dans l'avion. La semaine a été dure pour tout le monde, a répliqué mon père en continuant d'avancer le long du couloir.

— Putain, si j'étais lui j'aurais la trouille de prendre un avion aussi, après ce qu'il a traversé », a carrément rétorqué Xandra.

Mon père, qui tirait derrière lui sa valise-cabine sur roulettes – un cadeau de ma mère pour son anniversaire plusieurs années auparavant –, s'est de nouveau arrêté.

« Pauvre gosse, tu n'as pas peur, si ? s'est-il enquis en me surprenant par son air compassionnel.

— Non », ai-je répondu trop vite. Je ne voulais surtout pas attirer l'attention de qui que ce soit, ou donner l'impression d'être décalé ne serait-ce que d'un poil par rapport à ce que j'étais vraiment.

Il a froncé les sourcils en me regardant, puis il s'est tourné. « Xandra ? Pourquoi tu ne lui donnes pas un de ces... tu sais quoi ? lui a-t-il proposé en relevant le menton.

— Pigé », a reparti une Xandra finaude en s'arrêtant pour fouiller dans son sac à main et en ressortir deux gros cachets blancs et ronds comme des balles. Elle en a fait tomber un dans la paume tendue de mon père et m'a donné l'autre.

« Merci, a-t-il dit en le glissant dans la poche de son blouson. Allons chercher quelque chose pour les avaler, hein ? Range-le, m'a-t-il conseillé alors que je tenais le cachet en l'air entre le pouce et l'index pour en admirer la taille.

— Il n'a pas besoin d'en prendre un entier, a suggéré Xandra en saisissant le bras de mon père pour se pencher sur le côté et ajuster la bride de sa sandale compensée.

— Effectivement. » Il m'a pris le cachet des mains, l'a coupé en deux d'un geste expert et a laissé tomber l'autre moitié dans la poche de son blouson de sport tandis qu'ils avançaient devant moi d'un pas nonchalant en tirant leur bagage derrière eux.

V

Le cachet n'était pas assez fort pour m'assommer, mais il m'a fait planer, béat, entrant et sortant en culbutant de rêves climatisés. Sur les sièges autour de moi, les passagers chuchotaient pendant qu'une hôtesse de l'air désincarnée annonçait les résultats de la loterie promotionnelle du vol : dîner et boissons pour deux à l'hôtel

310

et au casino de Treasure Island. Le murmure de ses promesses m'a plongé dans un rêve où je nageais en eaux profondes dans une mer vert-noir : armé de torches, je participais à un concours contre des enfants japonais qui plongeaient pour attraper une taie d'oreiller remplie de perles roses. Blanc et lumineux, aussi immuable que la mer, l'avion a traversé mon rêve dans un grondement, bien qu'à un drôle de moment – alors que j'étais confortablement enroulé dans ma couverture bleu roi et rêvais quelque part bien au-dessus du désert – les réacteurs ont donné l'impression de s'arrêter et de devenir silencieux, et je me suis alors vu flotter sur le dos en état d'apesanteur, tout en étant toujours attaché sur mon siège qui s'était détaché des autres je ne sais comment et errait en liberté dans la cabine.

Je suis retombé dans mon corps avec une secousse alors que l'avion touchait la piste et rebondissait, pour s'arrêter dans un hurlement.

« *Et...* bienvenue à Las Vulgas, Nevada, a lancé le pilote dans son micro. Dans la Ville du Péché il est 11 h 47. »

À moitié aveuglé par l'éclat éblouissant, j'ai traîné les pieds derrière mon père et Xandra le long du terminal, abasourdi par les crépitements métalliques et les flashes des machines à sous, ainsi que par la musique retentissante et incongrue si tôt dans la journée. L'aéroport faisait penser à une version réduite de Times Square : palmiers imposants, écrans de cinéma avec feux d'artifice, gondoles, danseuses, chanteurs et acrobates.

Il a fallu longtemps pour que ma seconde valise arrive sur le tapis roulant. Mâchouillant mes ongles, je fixais un panneau d'affichage représentant un dragon de Komodo au large sourire, une pub pour une attraction de casino : « Plus de 2 000 reptiles vous attendent. » Devant le tapis, la foule ressemblait à un groupe bigarré de badauds devant une boîte de nuit de troisième zone :

coups de soleil, chemises disco, petites femmes asiatiques aux gigantesques lunettes de soleil griffées et couvertes de bijoux. Le tapis tournait en rond, vide pour l'essentiel, et mon père (impatient de fumer, je le voyais bien) avait entrepris de s'étirer, de faire les cent pas et de frotter ses doigts contre sa joue comme il le faisait quand il avait envie d'un verre ; c'est alors que ma valise est arrivée, la dernière, toile kaki et étiquette rouge, avec son ruban multicolore que ma mère avait noué autour de la poignée.

En une longue enjambée mon père a fait un brusque mouvement vers l'avant et l'a attrapée avant moi. « Il était temps, a-t-il dit d'une voix enjouée en la lançant sur le chariot à bagages. Allez, partons d'ici, nom de Dieu. »

Nous sommes sortis par les portes automatiques pour nous heurter à un mur de chaleur suffocante. Décapotables et immobiles, des kilomètres de voitures stationnées s'étalaient autour de nous dans toutes les directions. Rigide, j'ai fixé le regard droit devant – des lames chromées brillantes, un horizon miroitant tel du verre ondulé – comme si regarder en arrière, ou hésiter, risquait d'inciter quelque détachement en uniforme à se planter devant nous. Pourtant, personne ne m'a attrapé par le collet ou ne nous a crié de nous arrêter. D'ailleurs, personne ne nous a même regardés.

J'étais tellement désorienté par l'éclat aveuglant que, lorsque mon père s'est arrêté devant une Lexus argentée neuve et a dit : « OK, on y est », j'ai trébuché et failli tomber au bord du trottoir.

— C'est la tienne ? ai-je demandé en regardant entre eux deux.

— Quoi, elle ne te plaît pas ? » a répliqué avec coquetterie Xandra qui se dirigeait d'un pas lourd vers le côté passager dans ses chaussures à talons, tandis que mon père émettait un bip sonore pour déverrouiller les portes.

Une Lexus ? J'étais frappé chaque jour par toutes sortes de choses grandes et petites dont j'avais un besoin urgent de parler à ma mère, et alors que j'étais bêtement planté à observer mon père charger les bagages dans le coffre, ma première pensée a été : *Waouh, attends un peu que je lui raconte.* Pas étonnant qu'il ne nous ait pas envoyé d'argent.

D'un grand geste mon père a jeté sa Viceroy à moitié consumée. « OK, grimpe », a-t-il fait. L'air du désert l'avait rendu magnétique. À New York, il avait eu l'air un peu épuisé et miteux, mais ici dans la chaleur ondulante, son blouson de sport blanc et ses lunettes de soleil de gourou collaient parfaitement au décor.

La voiture, qui démarrait en appuyant sur un bouton, était tellement silencieuse qu'au début je ne me suis pas rendu compte que l'on avançait. On s'est donc mis à glisser vers l'absence de profondeur et l'espace. Habitué que j'étais à tressauter à l'arrière de taxis, la fluidité et la fraîcheur du trajet étaient pour moi inquiétantes, surnaturelles : sable brun, regards vicieux et furieux, extase et silence, détritus soufflés par le vent et fouettant le grillage. À cause du cachet je me sentais encore hébété et en état d'apesanteur, et les façades démentielles comme les superstructures du Strip, le chatoiement violent là où les dunes rejoignaient le ciel, tout cela me donnait l'impression d'avoir atterri sur une autre planète.

Xandra et mon père discutaient tranquillement sur le siège avant. Puis, énergique et enjouée, avec ses bijoux qui flamboyaient sous la forte lumière, elle s'est tournée vers moi en faisant claquer du chewing-gum. « Alors, t'en penses quoi ? m'a-t-elle demandé en soufflant une forte odeur de Juicy Fruit.

— C'est dingue, ai-je répondu en regardant une pyramide voguer devant ma vitre, puis la tour Eiffel, trop dépassé pour intégrer quoi que ce soit.

— Et tu crois que c'est dingue maintenant ? » a lancé mon père en tapotant le volant de ses ongles, d'une manière que j'associais aux nerfs à vif et aux disputes de fins de soirée à son retour du bureau. Attends un peu de voir ça illuminé le soir.

— Regarde là... regarde bien, a dit Xandra en tendant le doigt vers la vitre du côté de mon père. C'est le volcan. Il est vraiment en activité.

— En fait, je crois qu'ils sont en train de le rénover. Mais en théorie, ouais. Il y a de la lave brûlante. À heure précise, toutes les heures. »

« Sortie à gauche dans moins de un kilomètre », a annoncé une voix féminine virtuelle.

Couleurs de fête foraine, têtes géantes de clowns et panneaux XXL : l'étrangeté me rendait euphorique, et me faisait aussi un peu peur. À New York, tout me rappelait ma mère – chaque taxi, chaque coin de rue, chaque nuage passant devant le soleil – mais ici, dans ce vide brûlant et minéral, c'était comme si elle n'avait jamais existé ; je ne pouvais même pas imaginer son esprit me regardant d'en haut. Toute trace d'elle semblait consumée dans l'air fin du désert.

Tandis que nous avancions, la ligne d'horizon improbable allait en s'amenuisant dans une jungle de parkings et de centres commerciaux, boucle impersonnelle après boucle impersonnelle menant aux galeries marchandes, Circuit City, Toys R Us, aux supermarchés et drugstores ouverts vingt-quatre heures sur vingt-quatre, sans que l'on sache où cela finissait ni où cela commençait. Le ciel était vaste et limpide, comme il l'est au-dessus de la mer. Je me battais pour rester éveillé, clignant des yeux face à la lumière éblouissante, et méditais, hébété, sur l'intérieur cuir à l'odeur coûteuse en repensant à une histoire que j'avais souvent entendu ma mère raconter : comment, quand mon père et elle sortaient ensemble, il était arrivé au volant d'une Porsche empruntée à un ami pour l'impressionner. Ce n'est qu'après leur mariage qu'elle avait appris que la voiture n'était pas vraiment à lui. Elle semblait avoir trouvé ça drôle – bien que, à la lumière d'autres faits moins amusants apparus au grand jour sitôt mariés (par exemple, son casier judiciaire de mineur pour des inculpations inconnues), je m'étonnais qu'elle soit capable de trouver quoi que ce soit de drôle dans cette histoire.

« Hum, tu as cette voiture depuis combien de temps ? lui ai-je demandé en interrompant leur conversation sur le siège avant.

— Oh, eh bien… un peu plus de un an maintenant, c'est ça, Xan ? »

Une année ? Je remâchais encore cette info – qui signifiait que mon père avait acquis la voiture (et Xandra) avant de disparaître – quand j'ai levé les yeux et vu que les centres commerciaux du Strip avaient cédé la place à un réseau de petites maisons en stuc qui semblait se dérouler à l'infini. En dépit de leur apparente similitude de cubes blanchis, rangées après rangées, telles des tombes dans un cimetière, certaines des maisons étaient peintes en pastel festifs (vert menthe, rose bonbon, bleu turquoise) et les ombres anguleuses comme les plantes à piquants du désert conféraient à l'ensemble quelque chose d'exotique qui était excitant. Ayant grandi en ville, où il n'y avait jamais assez de place, j'ai été plutôt agréablement surpris. Vivre dans une maison avec jardin serait quelque chose de neuf, même si le jardin consistait seulement en pierres marron et en cactus.

« On est toujours à Las Vegas ? » En guise de jeu, j'essayais de saisir ce qui différenciait les maisons les unes des autres : une porte cintrée ici, une piscine ou un palmier là-bas.

« Maintenant tu en vois une partie totalement différente que les touristes ne voient jamais », a répondu mon père en soufflant vivement et en écrasant sa troisième Viceroy.

Cela faisait un bout de temps que l'on roulait, mais il n'y avait pas de points de repère, et il était impossible de dire où on allait, ni dans quelle direction. La ligne d'horizon était monotone et immuable et je craignais que nous ne dépassions tout à fait les maisons pastel et que nous ne filions vers le désert alcalin au-delà, pour nous retrouver dans un village de mobil-homes écrasé de soleil comme dans les films. Mais à la place – et à ma grande surprise – les maisons sont devenues plus grandes : avec un deuxième étage, des jardins de cactus, des barrières, des piscines et des garages pour plusieurs voitures.

« OK, on y est », a dit mon père en tournant dans une route qui affichait un imposant panneau en granit orné de lettres en cuivre : **THE RANCHES AT CANYON SHADOWS**.

« Tu habites *ici* ? ai-je demandé, impressionné. Il y a un canyon ?

— Non, c'est juste le nom, a répondu Xandra.

— Regarde, ils ont plein de différents lotissements par ici », a expliqué mon père en se pinçant l'arête du nez. À entendre le ton de sa voix – sa voix ancienne et éraillée disant *j'ai besoin d'un verre* – je savais qu'il était fatigué et pas de très bonne humeur.

« Des communautés de maisons de style ranch, c'est comme ça qu'on les appelle, a commenté Xandra.

— Oui. Bon. Oh, la ferme, bordel, a lancé sèchement mon père en tendant la main pour baisser le volume pendant que la dame du GPS faisait de nouveau entendre des consignes.

— Elles ont toutes des thèmes différents, en gros, a poursuivi Xandra qui se mettait du gloss en tapotant avec la pulpe de l'auriculaire. Il y a les Cendres du Pueblo, la Crête des Fantômes, les Villas de la Biche dansante, le Pavillon de l'Esprit, ça c'est la copropriété des golfeurs. Et Encantada c'est la plus élégante, beaucoup de placements immobiliers… Hé, tourne ici, mon chou », a-t-elle interpellé mon père en lui attrapant le bras.

Ce dernier a continué de rouler tout droit sans répondre.

« Merde ! » Xandra s'est retournée sur son siège pour

regarder la route qui s'effaçait derrière nous. « Pourquoi tu prends toujours le chemin le plus long ?

— Arrête avec tes raccourcis. Tu es aussi pénible que la femme du GPS.

— Ouais, mais c'est plus rapide. D'un quart d'heure. Maintenant on va devoir faire le tour de la Biche dansante. »

Mon père a laissé échapper un soupir exaspéré. « Écoute…

— Qu'est-ce qu'il y a de si difficile à couper par les Pistes de la Gitane et à tourner deux fois à gauche puis une fois à droite ? Parce que ça se résume à ça. Si tu sors à Desatoya…

— Bon. Tu veux prendre le volant ? Ou tu veux me laisser conduire cette putain de voiture ? »

Je savais qu'il valait mieux ne pas défier mon père quand il adoptait ce ton-là, et apparemment Xandra le savait aussi. Elle a eu un mouvement d'humeur sur son siège et, d'une manière délibérée qui semblait calculée pour l'irriter, elle a monté la radio très fort et enfoncé les touches pour tomber tantôt sur des parasites tantôt sur des pubs.

La stéréo était si forte que je sentais son bruit lourd et sourd dans mon siège de cuir blanc. *Vacation, all I ever wanted*… La lumière s'est intensifiée et a éclaté à travers les nuages du désert sauvage, le ciel était infini, bleu acide, comme un jeu sur ordinateur ou l'hallucination d'un pilote d'essai.

« Vegas 99, le son des années 1980 et 1990, a claironné la voix survoltée à la radio. Et maintenant, voici Pat Benatar dans notre Déjeuner de Lapdance des Femmes des années 1980. »

Arrivés à Desatoya Ranch Estates, au 6219 Route de la Fin du Désert, où du bois était entassé dans certains jardins et où du sable soufflait dans les rues, on a tourné dans l'allée d'une grande maison à l'air hispanique, ou peut-être était-ce mauresque, avec du stuc beige et des volets clos, des pignons cintrés et un toit de tuiles d'argile aux diverses inclinaisons surprenantes. J'étais frappé par son manque de cohésion et son étendue, par ses corniches et ses colonnes, la porte ouvragée en fer forgé, toute cette impression de décor de théâtre, on aurait dit la maison de l'un des feuilletons de Telemundo que les portiers regardaient *non-stop* dans la salle des colis.

Nous sommes sortis de la voiture que nous avons contournée pour entrer dans le garage avec nos valises, et c'est alors que j'ai entendu un bruit sinistre et pénible : des hurlements, ou des pleurs, qui provenaient de l'intérieur de la maison.

« Mon Dieu, c'est quoi ? » ai-je demandé en laissant tomber mes valises, perturbé.

Xandra était penchée sur le côté, trébuchant un peu à cause de ses hauts talons et se débattant pour trouver la clé. « Oh, la ferme, la ferme, lafermebordel », a-t-elle marmonné dans un souffle. Avant qu'elle ait ouvert la porte en grand, un long balai à franges hystérique est sorti comme une flèche en hurlant et a sauté, dansé et gambadé tout autour de nous.

« Couché ! » a hurlé Xandra. À travers la porte à moitié ouverte, les bruits d'un safari (éléphants barrissant, singes jacassant) était si forts que je les entendais depuis le garage.

« Waouh », ai-je fait en regardant à l'intérieur. L'air y était chaud et fétide : vieille fumée de cigarette, nouvelle moquette et – c'était indéniable – merde de chien.

« Pour le gardien de zoo, les gros félins posent une série unique de défis, mugissait la télévision. Pourquoi ne pas suivre Andrea et son personnel lors de leurs rondes matinales.

« Hé, vous avez laissé la télévision allumée, ai-je dit en m'arrêtant sur le pas de la porte avec mes valises.

— Non, a répondu Xandra – me frôlant –, c'est la

chaîne Animal Planet, je l'ai laissée pour lui. Pour Popper. J'ai dit couché ! » a-t-elle crié sèchement au chien qui griffait ses genoux alors qu'elle entrait en clopinant sur ses talons compensés et éteignait la télévision.

« Il est resté ici tout seul ? » me suis-je étonné en tentant de couvrir les cris du chien. C'était un de ces chiens efféminés à longs poils qui aurait été blanc et duveteux s'il avait été propre.

— Oh, il a une fontaine à eau de chez Animalia, a rétorqué Xandra en s'essuyant le front du dos de la main et en enjambant le chien. Et un de ces grands distributeurs automatiques de nourriture.

— C'est quelle race ?

— Un bichon maltais. Pure race. Je l'ai gagné à une tombola. Enfin, je sais qu'il a besoin d'un bain, quelle galère c'est de s'en occuper. Mais oui, regarde ce que tu as fait à mon pantalon, a-t-elle lancé au chien. Un jean blanc. »

Nous étions debout dans une grande pièce à l'espace bien dégagé, avec de hauts plafonds et un escalier menant à une sorte de mezzanine entourée d'une rambarde d'un côté – une pièce presque aussi grande que l'appartement dans lequel j'avais grandi. Mais quand mes yeux se sont ajustés au soleil éblouissant, j'ai été décontenancé de voir combien elle était nue. Des murs d'un blanc éclatant. Une cheminée en pierre, avec une fausse allure de pavillon de chasse. Un canapé ressemblant à ceux que l'on voit dans les salles d'attente d'hôpitaux. De l'autre côté des portes vitrées du patio s'étendait un mur d'étagères intégrées, vides pour la plupart.

Mon père est entré avec un grincement de chaussures et a laissé tomber les valises par terre. « Seigneur Dieu, Xan, ça sent la merde ici. »

Se penchant pour déposer son sac à main, Xandra a grimacé tandis que le chien sautait, grimpait et la griffait partout. « Eh bien, Janet était supposée passer et le faire sortir, a-t-elle expliqué en tentant de couvrir les cris haut perchés. Elle avait la clé et tout et tout. Bon sang, Popper, tu pues », a-t-elle fait en plissant le nez et en détournant la tête.

Le vide de cet endroit m'a stupéfié. Jusque-là je n'avais jamais remis en question la nécessité de vendre les livres de ma mère, ses tapis et ses antiquités, le besoin de donner presque tout aux bonnes œuvres ou de le mettre à la poubelle. J'avais grandi dans un appartement de quatre pièces où les placards étaient bourrés à craquer, avec des boîtes en dessous de chaque lit, et où casseroles et poêles pendaient du plafond parce qu'il n'y avait pas de place dans les placards. Cela aurait été si facile d'apporter ici certaines de ses affaires, par exemple le coffret en argent qu'elle tenait de sa mère, ou le tableau représentant une jument alezane qui ressemblait à Stubbs, ou même son exemplaire d'enfance de *Black Beauty* d'Anna Sewell ! Il aurait eu bien besoin de quelques jolis tableaux, ou des beaux meubles qu'elle avait hérités de ses parents. En fait il s'était débarrassé de ses affaires parce qu'il la détestait.

« Seigneur Dieu, ce chien a tout détruit. Franchement… s'est emporté mon père dont la voix colérique couvrait les aboiements stridents.

— Eh bien, je ne sais pas… enfin, je sais que c'est le bazar, mais Janet avait promis…

— Je t'avais *dit* que tu aurais dû mettre ce chien au chenil. Ou, je ne sais pas, l'emmener à la fourrière. Je n'aime pas le voir dans la maison. Il devrait être dehors. Est-ce que je ne t'avais pas prévenue qu'il y aurait un problème ? Janet est une putain de nana faux-jeton.

— Il s'est oublié sur le tapis quelques fois ? Et alors ? Qu'est-ce que tu regardes, bordel ? » s'est fâchée Xandra en enjambant le chien qui poussait des cris – et je me suis alors rendu compte avec un petit tressaillement que c'était à moi qu'elle lançait un regard furieux.

VI

Ma nouvelle chambre offrait une telle sensation de nudité et de solitude qu'après avoir vidé mes valises j'ai laissé la porte coulissante du placard ouverte afin de pouvoir regarder mes vêtements accrochés à l'intérieur. En bas mon père continuait de crier au sujet de la moquette. Malheureusement, Xandra criait aussi, l'énervant encore plus, ce qui (j'aurais pu le lui dire, si elle me l'avait demandé) était vraiment la mauvaise façon de le prendre. À la maison, ma mère savait comment étouffer la colère paternelle en se faisant silencieuse, flamme faible et inébranlable de mépris qui aspirait tout l'oxygène de la pièce et rendait ridicules ses paroles comme ses actes. Il finissait alors par se glisser dehors vite fait, puis on entendait le claquement tonitruant de la porte d'entrée ; lorsqu'il revenait – des heures plus tard, sa clé cliquetant doucement dans la serrure – il faisait le tour de l'appartement comme s'il ne s'était rien passé, allait au frigo pour y prendre une bière ou demandait d'une voix parfaitement normale où était son courrier.

Des trois chambres vides en haut j'avais choisi la plus grande qui, comme celle d'un hôtel, avait sa propre salle de bains attenante. Le sol était couvert d'une moquette épaisse d'un bleu acier somptueux. Le matelas était nu, avec des draps sous plastique au pied du lit. *Percales de légende.* Vingt pour cent de réduction. Un doux bourdonnement mécanique émanait des murs, on aurait dit le filtre d'un aquarium. Cela ressemblait au genre de chambre que l'on voit dans les téléfilms, et où une call-girl ou bien une hôtesse de l'air va être assassinée.

Guettant les bruits de mon père et de Xandra, je me suis assis sur le matelas avec le tableau emballé sur les genoux. Même avec la porte fermée à clé, j'hésitais à enlever le papier au cas où ils monteraient, et pourtant le désir de le regarder était irrésistible. Très prudemment, j'ai gratté le Scotch avec l'ongle du pouce et l'ai soulevé par les côtés.

Le tableau a glissé avec plus de facilité que ce à quoi je m'attendais, et j'ai retenu un halètement de plaisir. C'était la première fois que je le voyais à la lumière du jour. Dans la pièce aride – tout en placo et en blancheur – ses couleurs sourdes éclataient de vie ; et bien que la surface du tableau soit très légèrement ombrée de poussière, l'atmosphère dégagée donnait la même impression que la surface d'un mur inondé de lumière face à une fenêtre ouverte. Était-ce pour cela que des gens comme Mrs. Swanson étaient intarrissables sur la lumière du désert ? Elle avait adoré babiller à l'infini sur ce qu'elle appelait son « séjour » au Nouveau-Mexique – larges horizons, cieux vides, clarté spirituelle. Pourtant, comme par un subterfuge de la lumière, le tableau semblait transfiguré, de la même façon que, en quelques étranges moments, la sombre perspective des citernes sur les toits vue depuis la fenêtre de la chambre de ma mère se dorait parfois, ou s'électrifiait, dans la lumière orageuse de fin d'après-midi juste avant une grosse pluie d'été.

« Theo ? » Mon père a frappé un coup vif à la porte. « Tu as faim ? »

Je me suis levé en espérant qu'il n'essaierait pas d'ouvrir la porte pour découvrir alors qu'elle était fermée à clé. Ma nouvelle chambre était aussi vide qu'une cellule de prison ; mais le placard avait des étagères en hauteur, bien au-dessus du niveau des yeux de mon père, et très profondes.

« Je vais chez le Chinois. Tu veux que je te rapporte quelque chose ? »

Mon père saurait-il ce qu'était le tableau, s'il le voyait ? J'en doutais, mais en le regardant à la lumière, et vu la lueur qui en émanait, je comprenais pourtant que n'importe quel imbécile s'en rendrait compte. « Euh, j'arrive », ai-je lancé d'une voix fausse et rauque, en glissant le tableau dans une taie d'oreiller de rechange et en le cachant sous le lit avant de me dépêcher de sortir de la pièce.

VII

Durant les semaines passées à Las Vegas avant la rentrée, à traîner en bas avec les écouteurs de mon iPod enfoncés dans les oreilles sans le son, j'ai appris de nombreuses choses intéressantes. Pour commencer : l'ancien boulot de mon père n'impliquait pas autant de déplacements pour affaires à Chicago et Phoenix qu'il nous l'avait laissé entendre. À l'insu de ma mère et moi, cela faisait plusieurs mois qu'il prenait l'avion pour Vegas, et c'est à Vegas – dans un bar asiatique de l'hôtel Bellagio – que Xandra et lui s'étaient rencontrés. Ils se fréquentaient déjà depuis un moment lorsque mon père avait disparu : un peu plus d'une année, ai-je cru comprendre ; il semblerait qu'ils aient célébré leur « anniversaire » de rencontre peu de temps avant la mort de ma mère, avec un dîner au *Delmonico Steakhouse* et un concert de Jon Bon Jovi à l'hôtel MGM Grand. (Bon Jovi ! Des nombreux détails que je mourais d'envie de raconter à ma mère – et il y en avait des milliers, pour ne pas dire des millions –, il me semblait terrible qu'elle n'apprenne jamais le plus hilarant de tous).

Une autre chose que j'ai découverte, après quelques jours dans la maison de la Route de la Fin du Désert : ce que Xandra et mon père voulaient vraiment dire quand ils racontaient que mon père « avait arrêté de boire », c'est qu'il était passé du scotch (sa boisson préférée) aux bières Corona Light et au Vicodin. J'avais été intrigué par la fréquence avec laquelle le V de Victoire, ou celui du mouvement pacifiste, était brandi entre eux dans toutes sortes de contextes incongrus, et cela aurait pu continuer d'être un mystère pendant longtemps encore si mon père n'avait pas demandé à Xandra de lui apporter un Vicodin alors qu'il croyait que je n'entendais pas.

Je ne connaissais rien à cet analgésique, sauf qu'il avait valu à une actrice de cinéma délirante que j'aimais d'avoir sa photo en permanence dans les tabloïds, qui la montraient trébuchant en sortant de sa Mercedes tandis que les gyrophares de la police clignotaient à l'arrière-plan. Plusieurs jours plus tard, posé sur le plan de travail de la cuisine, à côté d'une bouteille du Propecia appartenant à mon père et d'une pile de factures impayées, je suis tombé sur un sac plastique semblant contenir trois cents cachets – sac que Xandra a saisi d'un geste vif et fourré dans son sac à main.

« C'est quoi ? ai-je demandé.

— Euh, des vitamines.

— Pourquoi est-ce qu'elles sont en vrac dans ce sac ?

— C'est un gars au boulot qui fait du bodybuilding qui me les donne. »

Le truc bizarre était que – et c'était un autre détail dont j'aurais aimé pouvoir discuter avec ma mère – le nouveau père drogué était un compagnon beaucoup plus agréable et prévisible que l'ancien. Quand il buvait, c'était un paquet de nerfs – avec des blagues déplacées et des élans d'énergie agressifs, jusqu'au moment où il perdait connaissance – mais quand il s'arrêtait de boire il était pire. Sur le trottoir il marchait un mètre devant ma mère et moi en lançant des injures, parlant tout seul et tapotant les poches de son costume comme s'il y avait une arme dedans. Il rapportait à la maison des trucs dont on ne voulait pas et qu'on ne pouvait pas se permettre, comme des Manolo en crocodile pour ma mère (qui détestait les talons hauts), même pas à la bonne pointure. Il traînait des piles de documents du bureau à la maison et restait éveillé bien après minuit en buvant du café glacé et en encodant des chiffres sur la calculatrice, la sueur coulant à flots comme s'il venait juste de passer quarante minutes sur le StairMaster. Ou alors il faisait tout un foin à propos d'une soirée à Brooklyn (« Qu'est-ce que tu veux dire par "peut-être que je ne devrais pas y aller" ? Tu crois que je devrais vivre comme un putain d'ermite, c'est ça ? ») puis – après y avoir traîné ma mère – il en ressortait dix minutes plus tard comme un ouragan après avoir insulté quelqu'un ou s'être moqué de gens sous leur nez.

Maintenant c'était différent, avec les cachets il se montrait plus affable : c'était un mélange de mollesse et de vivacité, quelque chose d'hébété, de niais et de flottant. Sa démarche était plus souple. Il faisait davantage de siestes, hochait gentiment la tête, perdait le fil de son raisonnement, déambulait pieds nus dans son peignoir à moitié ouvert. À voir ses jurons avenants, son rasage épisodique, la façon détendue qu'il avait de parler, une cigarette au coin de la bouche, c'était presque comme s'il jouait un personnage : un type cool dans un film noir des années 1950, ou peut-être dans *Ocean's Eleven*, un gangster paresseux et blasé qui n'aurait plus grand-chose à perdre. Pourtant, même doté de ce nouveau flegme, il avait toujours cet air dingue et vaguement kamikaze d'écolier insolent, d'autant plus émouvant qu'il dérivait vers l'automne, à moitié déchu et indifférent à son sort.

Dans la maison de la Route de la Fin du Désert équipée du forfait câble super cher que ma mère n'avait jamais voulu qu'on prenne, il fermait les stores à cause de la lumière éblouissante et s'asseyait devant la télévision en fumant, aussi impassible qu'un fumeur d'opium, regardant ESPN sans le son, aucun sport en particulier, tout et n'importe quoi qui passait à l'écran : le cricket, la pelote basque, le badminton, le croquet. L'air était bien trop frais, avec une odeur fétide et réfrigérée ; assis sans bouger des heures durant, le filament de fumée de sa Viceroy flottant jusqu'au plafond comme celui d'un bâtonnet d'encens, il aurait aussi bien pu contempler le Bouddha, le dharma et le sangha que le classement en ligne de la ligue de golf ou Dieu seul sait quoi.

Ce qui n'était pas clair c'était si mon père avait un boulot – et si oui, de quel genre il s'agissait. Le téléphone sonnait à toute heure du jour et de la nuit. Mon père allait dans le couloir avec le combiné, me tournant le dos, s'arc-boutant avec le bras contre le mur et fixant la moquette tout en parlant, quelque chose dans sa posture suggérant l'attitude d'un entraîneur à la fin d'un match difficile. D'ordinaire il parlait à voix très basse, mais même quand il ne le faisait pas c'était difficile de comprendre sa partie de la conversation : commission, pari sur le vainqueur, grand favori, pari simple et pari avec handicap. Il était absent la plupart du temps, pour des affaires mystérieuses, et il y avait de nombreuses soirées où Xandra et lui ne rentraient pas à la maison. « On a souvent des invit pour le MGM Grand », m'expliquait-il en se frottant les yeux et en se renfonçant dans les coussins du canapé avec un soupir épuisé, et j'avais de nouveau la sensation qu'il jouait un personnage, le play-boy d'humeur changeante, vestige des années 1980, qui s'ennuyait facilement. « J'espère que ça ne te dérange pas. C'est juste que quand elle travaille le soir c'est plus facile pour nous de crécher sur le Strip. »

VIII

« C'est quoi, tous ces papiers partout ? » ai-je demandé un beau jour à Xandra alors qu'elle était dans la cuisine, occupée à y préparer sa boisson de régime blanche. J'étais perturbé par les cartes préimprimées que je n'arrêtais pas de trouver dans la maison : des grilles remplies au crayon comprenant une succession monotone de rangées de chiffres. D'apparence vaguement scientifique, elles vous donnaient la chair de poule avec leur air de séquences d'ADN, ou peut-être qu'il s'agissait de messages d'espions en code binaire.

Elle a éteint le mixeur et écarté d'une chiquenaude ses cheveux de ses yeux. « Pardon ?

— Ces fiches de travail ou je sais pas quoi.

— C'est le baccca-*ra* ! a répondu Xandra en roulant le *r* et en esquissant avec ses doigts une petite pichenette compliquée.

— Oh », ai-je fait après un temps d'arrêt neutre alors que je n'avais jamais entendu le mot jusqu'ici.

Elle a plongé le doigt dans la boisson puis l'a léché. « On va beaucoup au salon de baccara du MGM Grand. Ton père aime surveiller ses jeux.

— Je peux vous accompagner de temps en temps ?

— Non. Eh bien, ouais... je suppose que tu *pourrais*, a-t-elle avancé comme si je me renseignais sur des projets de vacances dans une nation islamique instable. Sauf que dans les casinos ils ne sont pas vraiment ravis d'accueillir les gamins. Tu n'es pas vraiment autorisé à venir nous regarder jouer. »

Et puis après, me suis-je dit. Rester planté à observer mon père et Xandra ne collait pas tellement avec l'idée que je me faisais d'un moment sympa. J'ai lancé à voix haute : « Mais je croyais qu'ils avaient des tigres, des bateaux de pirates et des trucs comme ça.

— Ouais, eh ben. J'imagine que oui. » Elle a tendu le bras pour attraper un verre sur son étagère, dévoilant un quadrilatère de caractères chinois à l'encre bleue entre son T-shirt et son jean taille basse. « Il y a quelques années ils ont essayé de vendre un forfait familial, mais ça n'a pas marché. »

IX

Dans d'autres circonstances j'aurais pu apprécier Xandra – ce qui, je suppose, revient un peu à dire que j'aurais pu apprécier le gosse qui me tabassait s'il ne m'avait pas tabassé. C'est en la voyant que j'ai eu pour la première fois l'idée que les femmes de plus de quarante ans, peut-être pas si jolies que ça au départ, pouvaient être sexy. Même si son visage n'était pas beau (yeux en boules de loto, petit nez mal taillé, dents minuscules), elle était encore en forme, faisait sa gym, et ses bras et ses jambes étaient si luisants et bronzés qu'ils donnaient presque l'impression d'avoir été passés à l'aérosol, comme si elle s'enduisait de tas d'huiles et de crèmes. Vacillant sur ses talons, elle marchait vite, tirant en permanence sur sa jupe trop courte et se penchant vers l'avant, séduisante de manière étrange. À un certain niveau, elle me rebutait – avec son bégaiement, son brillant à lèvres épais et luisant dont le tube annonçait du « Brûlant à lèvres », les nombreux trous dans ses oreilles et l'espace dans ses dents de devant qu'elle aimait taquiner de sa langue – mais il y avait aussi quelque chose de sensuel, d'excitant et de dur chez elle : une force animale, un ronronnement, une allure de maraudeur quand elle enlevait ses talons et marchait pieds nus.

Coca vanille, baume vanille, boisson light à la vanille, vodka Stoli Vanille. Après le travail, elle s'habillait comme une mère de famille gangsta qui jouerait au tennis, courte jupe blanche et nombreux bijoux en or. Même ses chaussures de tennis étaient nouvelles et d'un blanc éclatant. Bronzant près de la piscine, elle portait un bikini blanc en crochet ; son dos était large mais mince, avec les côtes saillantes, on aurait dit un homme qui n'aurait pas mis sa chemise. « Oh, oh, la garde-robe se fait la malle », disait-elle quand elle se relevait de la chaise longue en oubliant de refermer son haut, et je voyais alors que ses seins étaient aussi bronzés que le reste de sa personne.

Elle aimait la télé-réalité : *Survivor*, *American Idol*. Elle aimait acheter ses vêtements en ligne sur Intermix et Juicy Couture. Elle aimait appeler son amie Courtney et « se lâcher », sauf qu'une grande partie de son déballage me concernait, malheureusement. « Est-ce que tu le crois ? l'ai-je entendue dire au téléphone un jour où mon père n'était pas à la maison. Je n'ai pas demandé un gamin ! Un gamin ? Allô, quoi. »

« Ouais, c'est super chiant, a-t-elle poursuivi en tirant paresseusement sur sa Marlboro light et en faisant une pause près des baies vitrées qui menaient à la piscine, fixant ses ongles de pieds fraîchement vernis d'un vert pastèque. Non, a-t-elle fait après une brève pause. Je ne sais pas pour combien de temps. Je veux dire, qu'est-ce qu'il croit que je vais en penser ? Je ne suis pas une putain de mère poule. »

Ses griefs relevaient d'une routine qui n'était ni particulièrement enflammée, ni personnelle. Mais c'était difficile de savoir au juste comment faire pour qu'elle m'apprécie. Jusque-là j'avais l'idée que les femmes en âge d'être mères adoraient qu'on soit à leurs côtés et qu'on leur fasse la conversation, mais avec Xandra j'ai vite appris qu'il valait mieux ne pas plaisanter ni trop la questionner sur sa journée quand elle rentrait de mauvaise humeur. Parfois, quand on était rien que tous les deux, elle abandonnait ESPN pour Lifetime et on mangeait des salades de fruits en regardant des films de manière plutôt paisible. Mais quand elle était remontée contre moi, elle avait une manière froide de répondre « ah bon » à presque chacune de mes phrases qui me donnait l'impression d'être un imbécile.

« Hum, je ne trouve pas l'ouvre-boîtes.

— Ah bon.

— Il va y avoir une éclipse lunaire ce soir.

— Ah bon.

— Regarde, il y a des étincelles qui sortent de la prise dans le mur.

— Ah bon. »

Xandra travaillait le soir. Généralement elle filait en coup de vent vers quinze heures trente, vêtue de son uniforme de travail ajusté : veste noire et pantalon noir taillé dans un tissu élastique moulant, avec le chemisier déboutonné jusqu'à son sternum couvert de taches de rousseur. Le badge épinglé sur son blazer annonçait XANDRA en majuscules, et en dessous : *Floride*. Quand nous étions sortis manger ce soir-là à New York, elle m'avait dit qu'elle essayait de percer dans l'immobilier, mais j'ai vite compris que sa véritable fonction consistait à diriger un bar du nom de *Nickels* dans un casino sur le Strip. Parfois elle revenait avec des plateaux en plastique contenant des amuse-gueules enveloppés dans de la cellophane, du genre boulettes ou bouchées de poulet teriyaki, que mon père et elle mangeaient devant la télévision au son coupé.

Vivre avec eux, c'était comme vivre avec des colocs que j'apprécierais moyennement. Quand ils étaient à la maison, je restais dans ma chambre avec la porte fermée. Et quand ils n'étaient pas là, ce qui était le cas la plupart du temps, je rôdais jusqu'au fond de la maison en essayant de m'habituer à ses vides. Nombre de pièces étaient dépourvues de meubles ou tout comme, et l'espace ouvert, la luminosité que n'obstruait aucun rideau – tout en moquette apparente et en plans parallèles – faisaient que je me sentais légèrement à la dérive.

Pourtant c'était un soulagement de ne pas me sentir en permanence exposé, ou en représentation, ainsi que je l'avais été chez les Barbour. Le ciel était d'un bleu somptueux, indifférent et infini, l'on aurait dit la promesse d'une gloire ridicule qui n'était pas vraiment là. Personne ne se préoccupait que je ne change jamais de vêtements ou que je ne suive pas de thérapie. J'étais libre de paresser, de traîner au lit toute la matinée ou de regarder cinq films avec Robert Mitchum à la suite si j'en avais envie.

Xandra et mon père fermaient la porte de leur chambre à clé, ce qui était bien dommage vu que c'était la pièce où Xandra gardait son ordinateur portable, intouchable à moins qu'elle ne soit à la maison et qu'elle ne me le descende pour que je l'utilise dans le living. Fouinant en leur absence, j'avais trouvé des prospectus d'agences immobilières, des verres à vin encore emballés, une pile de vieux programmes télé, une boîte en carton pleine de livres de poche abîmés : *Vos signes lunaires, Le Régime de South Beach, Le Livre du poker de Caro*, ainsi que *Lovers and Players* de Jackie Collins.

Les villas qui nous entouraient étaient vides – pas de voisins. Cinq ou six maisons plus loin, de l'autre côté de la rue, il y avait une vieille Pontiac garée. Elle appartenait à une femme à l'air fatigué avec de gros seins et des cheveux en queues de rat que je voyais parfois plantée pieds nus devant sa porte en fin d'après-midi, serrant un paquet de cigarettes et parlant dans son portable. Dans ma tête elle était « La Playa », étant donné que la première fois que je l'avais vue elle portait un T-shirt marqué NE DÉTESTEZ PAS LA PLAYA, DÉTESTEZ LE JEU. En dehors de La Playa, le seul autre être vivant aperçu dans notre rue était un homme bedonnant en chemise de sport noire là-bas tout au fond du cul-de-sac, qui traînait un container à roulettes jusqu'au bord du trottoir (alors que j'aurais pu le lui dire : il n'y a pas de ramassage de poubelles dans notre rue. Quand il était temps de la mettre dehors, Xandra me faisait sortir en douce avec le sac que je devais jeter dans la benne à ordures de la maison en construction abandonnée un peu plus loin).

Le soir, en dehors de notre maison et de celle de La Playa, une obscurité totale régnait dans la rue. On s'y sentait aussi isolé que dans ce livre qu'on avait lu en CE2 sur les enfants des pionniers dans la grande prairie du Nebraska, sauf que je n'avais ni frères et sœurs, ni animaux de la ferme sympathiques, ni parents.

La chose la plus dure, et de loin, c'était d'être coincé au milieu de nulle part – sans cinémas ni bibliothèques, sans même une épicerie au coin de la rue. « Il n'y a pas de bus ? ai-je demandé à Xandra un soir où elle était dans la cuisine, occupée à déballer le plateau en plastique contenant des ailes de poulet et une sauce au fromage bleu.

— Un bus ? a fait Xandra en léchant une traînée de la sauce barbecue du poulet qui avait coulé sur son doigt.

— Vous n'avez pas de transports en commun par ici ?

— Nan.

— Ils font comment, les gens ? »

Xandra a penché la tête sur le côté. « Ils conduisent », m'a-t-elle répondu comme si j'étais un attardé n'ayant jamais entendu parler de voitures.

Une chose : il y avait une piscine. Le premier jour, je suis devenu rouge tomate en l'espace d'une heure et j'ai connu une nuit d'insomnie à cause des draps neufs qui me grattaient. Après quoi, j'ai attendu le coucher du soleil pour sortir. Les crépuscules là-bas étaient très rouges et mélodramatiques, avec de grandes traînées orange, cramoisies et vermillon du genre Lawrence-dans-le-désert, puis la nuit tombait, noire et dure comme une porte claquée au nez. Le chien de Xandra, Popper, qui, pour l'essentiel, vivait dans un igloo en plastique marron du côté ombragé de la barrière, courait en tous sens le long de la piscine en jappant tandis que je flottais sur le dos en essayant de reconnaître, dans les éclaboussures blanches et confuses d'étoiles, les constellations que je connaissais déjà : Orion, Cassiopée la reine, Scorpion et son coup de fouet avec le double aiguillon de sa queue, tous les schémas sympathiques de l'enfance qui avaient scintillé au-dessus de mon sommeil grâce aux étoiles du planétarium brillant dans le noir au plafond de ma chambre new-yorkaise. Aujourd'hui, transfigurées – froides et glorieuses comme des divinités débarrassées de leurs déguisements – l'on aurait dit qu'elles s'étaient envolées par le toit et avaient fait du ciel leur authentique et céleste demeure.

X

Mes cours ont débuté la dernière semaine d'août. De loin, le complexe, entouré de barrières et composé de longs bâtiments bas couleur sable, reliés entre eux par des passages piétons couverts, me faisait penser à une prison au régime assoupli. Mais une fois franchies les portes, les affiches aux couleurs vives et les couloirs où tout résonne m'ont donné l'impression de retomber dans un vieux rêve familier du collège : cages d'escaliers bondées, lumières qui bourdonnent, cours de biologie avec un iguane dans un aquarium de la taille d'un piano, couloirs tapissés de casiers et aussi familiers qu'une émission télé cent fois regardée – et bien que la ressemblance de ce lycée avec mon ancien collège ne soit que superficielle, sur une longueur d'onde bizarre c'était aussi réconfortant que réel.

L'autre classe d'anglais avancé étudiait *Les Grandes Espérances,* de Dickens. La mienne travaillait sur *Walden ou la vie dans les bois* de Thoreau ; et je trouvais refuge dans la fraîcheur et le silence du livre, un lieu réconfortant par rapport à l'aveuglant reflet métallique du désert. Pendant la récréation du matin (où l'on nous a rassemblés et demandé de sortir dans une cour entourée d'une chaîne à côté des distributeurs automatiques), je me suis installé dans le coin le plus ombragé que je puisse trouver avec mon livre de poche et, armé d'un crayon de bois rouge, j'ai lu et souligné beaucoup de phrases particulièrement revigorantes : « L'existence que mènent généralement les hommes en est une de tranquille désespoir. » « Il n'est pas jusqu'à ce qu'on appelle les jeux et divertissements de l'espèce humaine qui ne recouvre un désespoir stéréotypé, quoique inconscient. » Qu'est-ce que Thoreau aurait pensé de Las Vegas, de ses lumières et de son vacarme, de sa camelote et de ses rêves éveillés, de ses projections et de ses façades creuses ?

La sensation d'impermanence dans mon lycée était troublante. Il y avait beaucoup de gosses de militaires, beaucoup d'étrangers : nombre d'entre eux étaient des enfants de cadres venus à Las Vegas pour de gros postes de direction, ou bien dans la construction. Certains d'entre eux avaient vécu dans neuf ou dix États en autant d'années, et nombre d'entre eux avaient vécu à l'étranger : Sydney, Caracas, Pékin, Dubaï, Taipei. Il y avait aussi beaucoup de garçons et de filles timides et à moitié invisibles dont les parents avaient fui la dureté de la vie rurale pour des emplois hôteliers comme grooms et femmes de chambre. Dans ce nouvel écosystème, l'argent, ou même un physique avantageux, ne semblait pas déterminer la popularité ; j'ai fini par me rendre compte que ce qui importait le plus c'était d'avoir vécu longtemps à Vegas, ce qui expliquait pourquoi les beautés mexicaines à tomber et les héritiers itinérants du bâtiment déjeunaient à part, tandis que les enfants quelconques et banals des agents immobiliers et des concessionnaires automobiles locaux étaient pom-pom girls et chefs de classe, l'élite indiscutable du lycée.

Les journées de septembre étaient claires et belles ; au fur et à mesure que le mois avançait, le détestable éclat aveuglant cédait le pas à une certaine luminosité, poussiéreuse et dorée. Parfois je déjeunais à la table espagnole, histoire de pratiquer la langue ; parfois à la table allemande bien que je ne le parle pas, juste parce que beaucoup des gamins qui suivaient le cours de deuxième année d'allemand – les enfants des cadres de la Deutsche Bank et de la Lufthansa – avaient grandi à New York. Parmi mes cours, celui d'anglais était le seul que j'attendais avec impatience ; pourtant j'étais perturbé par le nombre de mes camarades qui n'aimaient pas Thoreau, qui l'invectivaient, même, comme s'il était un ennemi et non un ami (lui qui prétendait n'avoir jamais appris quoi que ce soit de valeur de la bouche d'une vieille personne). Son mépris du commerce – vivifiant pour moi – irritait nombre des gamins les plus malins du cours d'anglais avancé. « Ouais, bien sûr, quelle société ce serait si *tout le monde* sortait du système et passait son temps à se morfondre dans les bois, a crié un garçon odieux dont les cheveux étaient enduits de gel et coiffés avec la même raideur qu'un personnage de Dragon Ball Z.

— *Moi, moi, moi*, a pleurniché une voix au fond.

— C'est antisocial, a lancé avec vigueur une fille grande gueule en faisant fi du rire qui avait suivi, remuant sur sa chaise et se tournant vers la prof (une femme molle aux longs os du nom de Mrs. Spear, qui portait en permanence des sandales marron et des couleurs terre et qui semblait souffrir de dépression profonde). Thoreau passe son temps assis sur son postérieur à nous raconter comme il s'amuse… »

« *Parce que*, si tout le monde sortait du système, comme il nous conseille de le faire, quel genre de communauté on aurait, s'il y avait juste des gens comme lui ? On n'aurait pas d'hôpitaux et des trucs de ce genre. Ni de routes, a dit le garçon Dragon Ball Z dont la voix s'amplifiait avec jubilation.

— Pauvre con », a marmonné une voix bienvenue, juste assez fort pour que tout le monde autour puisse l'entendre.

Je me suis tourné pour voir qui avait dit ça : c'était le garçon à l'air épuisé affalé de l'autre côté de l'allée centrale et qui tapotait des doigts sur son pupitre. Quand il a vu que je le regardais, il a relevé un sourcil étonnamment vivant, comme pour dire : *Tu les crois, toi, ces bandes de crétins ?*

« Est-ce que quelqu'un a quelque chose à dire, là-bas ? a interrogé Mrs. Spear.

— Comme si Thoreau se souciait des routes », a lancé le garçon épuisé. Son accent m'a surpris : il était étranger, mais je n'arrivais pas à le situer.

« Thoreau fut l'un des premiers environnementalistes, a rectifié Mrs. Spear.

— C'était aussi le premier végétarien, a renchéri une fille au fond.

— Évidemment, s'est moqué quelqu'un d'autre. Un écolo bouffe-carottes.

— Vous êtes tous passés complètement à côté de ce que je voulais dire, s'est énervé Dragon Ball Z, tout excité. Quelqu'un doit construire des routes et pas se contenter de passer sa journée assis dans les bois à regarder les fourmis et les moustiques. Ça s'appelle la civilisation. »

Mon voisin a laissé échapper un glapissement de rire vif et dédaigneux. Il était pâle et mince, pas très propre, avec des cheveux raides et ternes qui lui tombaient dans les yeux et la pâleur malsaine d'un fugueur, des mains calleuses et des ongles en deuil rongés jusqu'à l'os – pas comme les salauds en skate de mon collège du Upper West side, avec leurs cheveux brillants et leur bronzage de sports d'hiver, des voyous dont les pères étaient cadres supérieurs et chirurgiens sur Park Avenue, mais un gosse qui, en théorie, s'asseyait peut-être sur un trottoir quelque part avec un chien errant tenu en laisse.

« Eh bien, pour répondre à certaines de ces questions, j'aimerais que vous retourniez tous à la page quinze où

Thoreau parle de son expérience de la vie, a suggéré Mrs. Spear.

— Une expérience, d'où ? En quoi est-ce que sa vie dans les bois est différente de celle d'un homme des cavernes ? » a demandé Dragon Ball Z.

Le garçon aux cheveux foncés s'est renfrogné et renfoncé plus profondément sur sa chaise. Il me rappelait les gamins à l'air de SDF plantés sur St. Mark's Place à New York qui faisaient circuler des cigarettes et comparaient leurs cicatrices – c'étaient les mêmes habits déchirés et les mêmes bras blancs et maigres, les mêmes bracelets en cuir noir emmêlés autour des poignets. Leur complexité à de multiples niveaux était un signe que je ne savais pas déchiffrer, bien que le sens général soit assez clair : *On n'est pas de la même tribu, oublie-moi, je suis bien trop cool pour toi, n'essaie même pas de me parler.* Telle fut ma première impression erronée du seul ami que je me sois fait à Vegas, et – ainsi que cela devait se vérifier par la suite – de l'un des grands amis de ma vie.

Il s'appelait Boris. Je ne sais trop comment nous nous sommes retrouvés côte à côte dans la foule qui attendait le bus à la sortie de l'école ce jour-là.

« Hah. Harry Potter, a-t-il lancé en me regardant de la tête aux pieds.

— Va te faire mettre », ai-je répliqué avec apathie. Ce n'était pas la première fois à Vegas que j'entendais le commentaire sur Harry Potter. Mes vêtements new-yorkais – pantalons kaki, chemises Oxford blanches, lunettes d'écaille de tortue dont j'avais malheureusement besoin pour voir – me donnaient un air monstrueux dans un lycée où la plupart des élèves portaient des marcels et des tongs.

« Où est ton balai ?

— Je l'ai laissé à Poudelard. Et toi ? Où est ta planche ?

— Hein ? » a-t-il fait en se penchant vers moi et en

mettant la main derrière l'oreille comme un vieillard sourd. Il avait une demi-tête de plus que moi ; avec des rangers et un drôle de vieux treillis aux genoux déchirés, il portait un T-shirt noir en loques avec un logo de surf des neiges *Never Summer* en lettres gothiques blanches.

« Ton T-shirt, ai-je lancé avec un brusque hochement de tête. On ne doit pas pratiquer beaucoup de surf des neiges dans le désert.

— Nan, a répondu Boris en écartant les cheveux noirs et filandreux de ses yeux. Je ne sais pas en faire. C'est juste que je déteste le soleil. »

Dans le bus on s'est retrouvés côte à côte sur le siège le plus proche de la porte – de toute évidence une place qui n'avait pas de succès, à en juger par l'urgence avec laquelle les autres gamins avaient joué des muscles et poussé vers l'arrière – mais je n'avais pas grandi en prenant un bus scolaire, et apparemment lui non plus puisqu'il semblait considérer aussi naturel que moi de se jeter sur le premier siège vide à l'avant. Pendant quelque temps on n'a pas dit grand-chose, mais le trajet était long et on a fini par se parler. Lui aussi habitait à Canyon Shadows, mais plus loin, du côté où le désert regagnait du terrain, où nombre des maisons n'étaient pas terminées et où les rues étaient couvertes de sable.

« Depuis combien de temps tu es là ? » lui ai-je demandé. C'était la question que se posaient mutuellement tous les gamins de mon nouveau lycée, comme si on était en prison.

« Sais pas. Peut-être deux mois ? » Il avait beau parler anglais plutôt couramment, avec un fort accent australien, il y avait aussi le courant sous-jacent sombre et pâteux d'un autre accent : un relent du comte Dracula, ou peut-être celui d'un agent du KGB. « Tu viens d'où ?

— De New York, ai-je répondu, ce qui fut accueilli par son regard circonspect et silencieux, ses sourcils baissés disant : *Trop cool*. Et toi ? »

Il a fait une grimace. « Eh ben, voyons, a-t-il dit en retombant en arrière sur son siège et en comptant les pays sur ses doigts. J'ai vécu en Russie, en Écosse, ce qui était peut-être cool mais je ne m'en souviens pas, en Australie, en Pologne, en Nouvelle-Zélande, au Texas pendant deux mois, en Alaska, en Nouvelle-Guinée, au Canada, en Arabie Saoudite, en Suède et en Ukraine...

— Ben, dis donc. »

Il a haussé les épaules. « Mais surtout en Australie, en Russie et en Ukraine. Ces trois endroits.

— Tu parles russe ? »

Il a fait un geste que j'ai compris comme signifiant *plus ou moins*. « L'ukrainien aussi, et le polonais. Mais j'ai pas mal oublié. L'autre jour j'ai essayé de me souvenir de quel était le mot pour "libellule" et je n'y suis pas arrivé.

— Dis-moi une phrase. »

Il s'est exécuté, avec quelque chose de crachotant et de guttural.

— Qu'est-ce que ça veut dire ? »

Il a gloussé. « Ça veut dire : "Va te faire enculer."

— Ah bon ? En russe ? »

Il a ri, ce qui a dévoilé des dents grisâtres et très peu américaines. « En ukrainien.

— Je croyais qu'ils parlaient russe en Ukraine.

— Eh ben, oui. Ça dépend quelle partie de l'Ukraine. Les deux langues, elles ne sont pas si différentes que ça. Enfin... (claquement de langue, roulement des yeux) pas terriblement. Les chiffres sont différents, les jours de la semaine, le vocabulaire un peu aussi. Mon nom ne s'écrit pas pareil en ukrainien, mais en Amérique du Nord c'est plus facile d'utiliser l'orthographe russe et d'être Boris, plutôt que B-o-r-y-s. En Occident tout le monde connaît Boris Eltsine... » Il a penché la tête d'un côté : « Boris Becker...

— Boris Badenov...

— Hein ? a-t-il fait brusquement en se retournant comme si je l'avais insulté.

— "Bullwinkle" ? Boris et Natacha ?

— Ah, oui. Le prince Boris ! *La Guerre et la Paix.* C'est le même prénom. Mais le nom de famille du prince Boris est Droubetskoï, pas ce que tu as dit.

— Donc c'est quoi, ta langue maternelle ? L'ukrainien ? »

Il a haussé les épaules. « Peut-être le polonais », a-t-il répondu en se renfonçant sur son siège et en envoyant ses cheveux sombres sur le côté d'un petit mouvement de la tête. Ses yeux étaient durs et pleins d'humour, très noirs. « Ma mère était polonaise, de Rzeszów, près de la frontière avec l'Ukraine. Russe, ukrainien… Comme tu le sais, l'Ukraine était satellite de l'URSS, donc je parle les deux. Peut-être plus beaucoup le russe… ça, c'est mieux pour jurer. Avec les langues slaves – le russe, l'ukrainien, le polonais, même le tchèque – si t'en connais une, tu te débrouilles dans toutes. Mais pour moi c'est l'anglais qui est le plus facile aujourd'hui. Avant, c'était l'inverse.

— Comment tu trouves l'Amérique ?

— Tout le monde sourit tout le temps, grand ! Enfin… la plupart des gens. Toi peut-être pas tant que ça. Je trouve que ça donne l'air idiot. »

Tout comme moi, il était fils unique. Son père (né en Sibérie, citoyen ukrainien de Novoagansk) travaillait dans la mine et la prospection. « Un boulot super important… Il voyage aux quatre coins du monde. » La mère de Boris, la seconde épouse de son père, était morte.

« La mienne aussi », ai-je dit.

Il a haussé les épaules. « Ça fait des lustres », a-t-il précisé. Elle était alcoolique. Un soir où elle était soûle, elle est tombée par la fenêtre et elle est morte.

« Waouh, ai-je fait, un peu soufflé par la légèreté avec laquelle il avait balancé ça.

— Ouais, c'est nul, a-t-il répondu l'air de rien en regardant par la fenêtre.

— Alors, t'es de quelle nationalité ? ai-je repris après un bref silence.

— Hein… ?

— Eh bien, si ta mère est polonaise, ton père ukrainien, et si tu es né en Australie, ça fait de toi un…

— Indonésien », a-t-il répondu avec un sourire sinistre. Il avait des sourcils sombres, diaboliques et très expressifs, qui bougeaient beaucoup quand il parlait.

« Comment ça ?

— Eh ben, mon passeport dit ukrainien. Et j'ai citoyenneté polonaise aussi. Mais c'est en Indonésie que je veux retourner, a confirmé Boris en secouant la tête pour enlever ses cheveux de devant ses yeux. En PNG.

— Où ça ?

— La Papouasie, Nouvelle-Guinée. C'est l'endroit que j'ai préféré habiter.

— La Nouvelle-Guinée ? Je croyais qu'ils avaient des cannibales là-bas.

— Plus maintenant. Ou plus tellement. Ce bracelet vient de là-bas, m'a-t-il expliqué en me montrant un des nombreux fils de cuir noir à son poignet. Mon ami Bami l'a fait pour moi. C'était notre cuisinier.

— C'est comment ?

— Pas trop mal, a-t-il répondu en me jetant un coup d'œil oblique dans son style boudeur teinté d'autodérision. J'avais un perroquet. Et une oie domestique. Et appris là à surfer. Mais ensuite, il y a six mois, mon père m'a traîné avec lui dans cette ville louche en Alaska. La péninsule de Seward, juste en dessous du Cercle arctique. Et puis, à la mi-mai, on a pris un avion à hélice jusqu'à Fairbanks et on est venus ici.

— Waouh.

— C'est trop *mortel* là-haut. Y a des tonnes de poissons morts, et un mauvais réseau Internet. J'aurais dû m'enfuir, je regrette de pas l'avoir fait, a-t-il ajouté avec amertume.

— Pour aller où ?

— En Nouvelle-Guinée. J'aurais vécu sur la plage. Heureusement qu'on n'y est pas restés tout l'hiver. Il y a quelques années, on était dans le nord du Canada, dans l'Alberta, dans cette ville à l'unique rue centrale sur la rivière Pouce Coupé. Il faisait noir tout le temps, d'octobre à mars, et putain y avait rien à faire à part lire et écouter la CB. Fallait se taper cinquante bornes pour laver notre linge. Mais bon… (il a ri) c'était quand même beaucoup mieux que l'Ukraine. Miami Beach, en comparaison.

— Redis-moi ce que fait ton père.

— Il boit, pour l'essentiel, a répondu Boris avec aigreur.

— Il devrait rencontrer le mien, alors. »

De nouveau ce rire soudain et explosif – presque comme s'il vous crachait dessus. « Oui. Super. Il va aux putes ?

— Ça ne m'étonnerait pas », ai-je dit après une petite pause déconcertée. Ce que faisait mon père me choquait difficilement, cependant je ne l'avais jamais tout à fait imaginé traînant dans les clubs de strip-tease devant lesquels on passait parfois sur l'autoroute.

Le bus se vidait ; on était à quelques rues de ma maison. « Hé, c'est mon arrêt ici, ai-je lancé.

— Tu veux venir chez moi regarder la télé ?

— Eh bien…

— Oh, allez. Y a personne. Et j'ai *SOS Iceberg* en DVD.

XI

L'autobus scolaire n'allait pas jusqu'au bout de Canyon Shadows, où vivait Boris. Arrivé au dernier arrêt, il fallait marcher vingt minutes pour atteindre sa maison, sous une chaleur écrasante et à travers des rues couvertes de sable. En dépit de nombreux panneaux de maisons hypothéquées et « À Vendre » dans ma rue (le soir, le bruit de la radio d'une voiture portait sur des kilomètres), je n'étais pourtant pas conscient d'à quel point Canyon Shadows devenait sinistre dans ses extrêmes limites : une ville jouet, s'amenuisant sous des cieux menaçants en bordure du désert. La plupart des maisons donnaient l'impression de n'avoir jamais été habitées. D'autres, qui n'étaient pas terminées, avaient des fenêtres sans vitres aux bords coupants ; elles étaient couvertes d'échafaudages, et grises à cause des vents de sable, avec des piles de béton et de matériel de construction jaunâtres entassées devant l'entrée. Leurs fenêtres condamnées leur donnaient l'air d'être aveugles, rouées de coups, de guingois, pareilles à des visages tabassés couverts de pansements. La sensation d'abandon est devenue de plus en plus dérangeante au fur et à mesure que nous marchions, comme si nous arpentions une planète dépeuplée par les radiations ou la maladie.

« Ils ont construit cette merde beaucoup trop loin, a constaté Boris. Maintenant le désert reprend ses droits. Et les banques. » Il a ri. « Merde à Thoreau, hein ?

— Toute cette ville est un énorme Merde à Thoreau.

— Je vais te dire qui est dans la merde. Les propriétaires de ces maisons. Dans beaucoup d'entre elles on peut même pas avoir de l'eau. Elles sont toutes saisies parce que les gens ne peuvent pas payer… C'est comme ça que mon père loue notre maison bon marché.

— Hmm », ai-je fait après un léger temps d'arrêt étonné. Cela ne m'avait pas traversé l'esprit de me demander comment le mien avait pu s'offrir une maison aussi grande que la nôtre.

— Mon père creuse des mines, a lancé Boris tout à trac.

— Pardon ? »

Il a dégagé ses cheveux sombres et mouillés de son visage. « Partout où on va, les gens nous détestent. Parce qu'ils promettent que la mine ne détruira pas l'environnement, sauf qu'ensuite c'est le cas. Mais ici... (il a haussé les épaules d'une manière russe fataliste) bon sang, cette putain de carrière de sable, qui s'en soucie ?

— Ha, ai-je dit, frappé par la façon dont nos voix portaient le long de la rue déserte, c'est *vraiment vide* par ici, hein ?

— Oui. On dirait un cimetière. Il y a juste une autre famille qui vit ici... ces gens, là-bas. Avec le gros camion devant, tu vois ? Des immigrants illégaux, je crois.

— Ton père et toi vous êtes en règle, hein ? » C'était un problème au lycée ; certains des gamins ne l'étaient pas ; il y avait des affiches à ce sujet dans les couloirs.

Il a émis un *pfft,* comme pour dire *ridicule*. « Bien sûr. La mine s'en occupe. Ou quelqu'un s'en occupe. Mais ces gens, là-bas ? Ils sont peut-être vingt ou trente, rien que des hommes, ils vivent tous dans la même maison. C'est peut-être des dealers.

— Tu crois ?

— Il s'y passe de drôles de choses en tout cas, a répondu Boris avec un air sombre. C'est tout ce que je sais. »

Flanquée de deux maisons vides débordant de détritus, la maison de Boris ressemblait beaucoup à celle de mon père et Xandra : moquette omniprésente, nouveaux appareils électroménagers flambant neufs, même agencement, peu de meubles. Mais à l'intérieur, c'était trop chaud pour être agréable ; la piscine était vide, avec quelques centimètres de sable au fond, et il n'y avait même pas de pseudo-jardin, ne serait-ce qu'avec quelques cactus. Toutes les surfaces – les appareils, les plans de travail, le sol de la cuisine – étaient recouvertes d'une légère pellicule de sable.

« Tu veux boire quelque chose ? m'a demandé Boris en ouvrant le frigo qui contenait une rangée étincelante de bouteilles de bière allemande.

— Oh, waouh, merci.

— En Nouvelle-Guinée, quand j'habitais là-bas, on a eu une méchante inondation, m'a expliqué Boris en s'essuyant le front du revers de la main. Des serpents… très dangereux et effrayants… des mines qui n'avaient pas explosé depuis la Seconde Guerre mondiale et qui flottaient dans le jardin… Beaucoup d'oies sont mortes. Toujours est-il que toute notre eau a été infectée, a-t-il poursuivi en ouvrant une bière. Le typhus. Tout ce qu'on a eu à boire pendant trois bonnes semaines, c'était de la bière – Pepsi disparu, plus de Red Bull ni de tablettes d'iode, mon père et moi, même les musulmans, tout ce qu'on avait à boire, c'était de la bière ! Matin, midi et soir, *non-stop*.

— Ça pourrait être pire. »

Il a fait une grimace. « J'ai eu mal à la tête tout du long. La bière locale, en Nouvelle-Guinée… très mauvais goût. Ça, c'est de la bonne bière ! Il y a aussi de la vodka dans le freezer. »

J'ai commencé par répondre oui, histoire de l'impressionner, puis j'ai pensé à la chaleur et au retour à la maison et j'ai lancé : « Non, merci. »

Il a fait tinter sa bouteille contre la mienne. « Je suis d'accord. Il fait trop chaud pour boire dans la journée. Mon père en avale tellement que les nerfs dans ses pieds sont morts.

— Sérieux ?

345

— Ça s'appelle (dans un effort pour faire sortir les mots il a tordu le visage) la "neuropathie périphérique" (qu'il prononçait en accentuant le milieu des mots "neuroPATHie périPHÉrique"). Au Canada, à l'hôpital, ils ont dû lui réapprendre à marcher. Il se levait, tombait par terre... Son nez saigne... C'était hilarant.

— Ouais, marrant, ai-je dit en pensant à la fois où j'avais vu mon père ramper à quatre pattes pour prendre des glaçons dans le frigo.

— Très marrant. Il boit quoi ? Ton père ?

— Du scotch. Quand il boit. Il est supposé avoir arrêté maintenant.

— Ha, a fait Boris comme s'il avait déjà entendu ça. Mon père devrait changer... Le bon scotch est vraiment pas cher ici. Dis, tu veux voir ma chambre ? »

Je m'attendais à une pièce qui ressemble à la mienne, mais quand il a ouvert la porte j'ai été surpris de découvrir un espace clochardisé couvert d'une tente qui puait la vieille Marlboro, avec des livres empilés partout, de vieilles bouteilles de bière, des cendriers et des tas de serviettes défraîchies et d'habits sales se déversant sur la moquette. Les murs ondulaient sous l'effet de tissus imprimés – jaune, vert, indigo, violet – et un drapeau orné d'une faucille et d'un marteau rouge était planté au-dessus du matelas drapé d'un tissu en batik. On aurait dit qu'un cosmonaute russe s'était écrasé dans la jungle et avait fabriqué un abri avec le drapeau de sa nation ainsi que tous les sarongs et textiles locaux qu'il avait pu trouver.

« C'est toi qui as fait ça ?

— Ça se plie et ça se range dans une valise, a répondu Boris en se jetant sur le matelas aux couleurs sauvages. Ça ne prend que dix minutes pour tout réinstaller. Tu veux regarder *SOS Iceberg* ?

— Bien sûr.

— Ce film est trop génial. Je l'ai vu six fois. J'adore

le moment où elle monte dans son avion pour les sauver sur la glace ! »

Toujours est-il qu'on n'a jamais regardé *SOS Iceberg* cet après-midi-là, peut-être parce qu'on ne pouvait pas s'arrêter de parler assez longtemps pour descendre et allumer la télévision. Boris avait vécu une vie plus intéressante que n'importe qui de mon âge et de ma connaissance. Il semblait avoir été scolarisé de manière sporadique, et pas dans les meilleures écoles ; dans les endroits reculés où son père avait travaillé, il n'y avait souvent pas d'établissement où il puisse aller. « Alors il y a des cassettes, m'a-t-il expliqué en buvant sa bière à même la bouteille avec un œil sur moi. Et des exams à passer. Sauf qu'il faut être dans un endroit avec Internet et parfois, comme tout au nord du Canada ou en Ukraine, on n'a pas ça.

— Qu'est-ce que tu faisais, alors ? »

Il a haussé les épaules. « Je suppose que j'ai beaucoup lu. » Il m'a expliqué qu'un prof au Texas lui avait imprimé un cours sur Internet.

« Ils devaient bien avoir une école, à Alice Springs. »

Boris a ri. « Bien sûr que oui, a-t-il répondu en soufflant sur une mèche de cheveux collante tombée sur son visage. Mais après la mort de ma mère, on a habité dans un territoire du Nord pendant quelque temps, dans la région de l'Arnhemland, la ville s'appelait Karmeywallag. Enfin, « ville » est un grand mot. Pas âme qui vive à des kilomètres à la ronde, des caravanes pour les mineurs et une station-service avec bar à l'arrière, bière, whisky et sandwichs. C'est la femme de Mick qui tenait le bar, elle s'appelait Judy. Ma seule occupation quotidienne (il a pris une gorgée dégoulinante de sa bière) c'était de regarder des feuilletons avec Judy et de rester derrière le bar avec elle le soir pendant que mon père et son équipe de mineurs se bourraient la gueule. Pendant la mousson, on ne recevait même pas la télé. Judy gardait ses cassettes dans le frigo pour qu'elles ne soient pas abîmées.

— Comment ça, abîmées ?

— Par la moisissure due à l'humidité. De la moisissure sur les chaussures, sur les livres. » Il a haussé les épaules. « À cette époque je ne parlais pas autant que maintenant, parce que je ne connaissais pas autant de mots en anglais. J'étais très timide, réservé, je restais assis tout seul. Mais Judy, elle me parlait de toute façon, elle était gentille, même si je comprenais que dalle à ce qu'elle me disait. Chaque matin j'allais la voir, elle me faisait frire quelque chose de bon. De la pluie de la pluie et encore de la pluie. Balayer, faire la vaisselle, aider à nettoyer le bar. Je la suivais partout comme un oison. Ceci est tasse, ceci est balai, ceci est tabouret de bar, et ça crayon à papier. Elle me faisait office d'école. La télévision – les cassettes de Duran Duran et de Boy George – tout était en anglais. Son programme préféré c'était le feuilleton *McLeod's Daughters*. On le regardait toujours ensemble, et quand je ne comprenais pas quelque chose, elle me l'expliquait. On parlait des sœurs comme si elles existaient, et on a pleuré quand Claire est morte dans l'accident de voiture ; elle disait ah si seulement j'avais un endroit comme Drover's Run, elle m'emmènerait y vivre et on serait heureux ensemble, on aurait beaucoup de femmes qui travailleraient pour nous, comme les McLeod. Elle était très jeune et jolie. Avec des cheveux blonds bouclés et du truc bleu sur les yeux. Son mari la traitait de pute et de truie, mais moi je trouvais qu'elle ressemblait à la Jodi du feuilleton. Elle me parlait toute la journée et elle chantait – elle m'a appris les paroles de toutes les chansons du juke-box. *Dark in the city, the night is alive*... Je me suis vite mis à parler couramment. Parle anglais, Boris ! J'en avais appris un peu à l'école en Pologne, bonjour excusez-moi merci beaucoup, mais après deux mois avec elle c'était bavardage à gogo ! Et je ne me suis pas arrêté depuis ! Elle était très sympa et gentille avec moi toujours. Même si chaque jour elle allait dans la cuisine pour pleurer parce qu'elle détestait tellement Karmeywallag. »

Malgré l'heure tardive, il faisait encore chaud et clair dehors. « Dis donc, je meurs de faim, a lancé Boris en se levant et en s'étirant, du coup j'ai vu un bout de ventre entre son treillis et son T-shirt dépenaillé : concave, très blanc, on aurait dit celui d'un saint affamé.

— Qu'est-ce qu'il y a à manger ?

— Du pain et du sucre.

— Tu plaisantes. »

Boris a bâillé et essuyé ses yeux rouges. « Tu n'as jamais mangé de pain avec du sucre versé dessus ?

— Rien d'autre ? »

Il a haussé les épaules d'un air las. « J'ai un coupon pour de la pizza. La belle affaire. Ils ne livrent pas aussi loin.

— Je croyais que tu avais un cuisinier, là où tu habitais.

— Ouais. En Indonésie. Et en Arabie Saoudite. » Il fumait une cigarette – j'avais refusé celle qu'il m'avait offerte ; il avait l'air un peu pété, bougeant et se cognant dans la pièce comme s'il y avait de la musique alors qu'il n'y en avait pas. « Un type super cool qui s'appelait Abdul Fataah. Ça veut dire "Serviteur de l'Ouverture des Portes de la Nourriture".

— Eh bien alors, je propose qu'on aille chez moi. »

Il s'est jeté sur le lit avec les mains entre les genoux. « Ne me dis pas que la salope cuisine.

— Non, mais elle travaille dans un bar qui propose un buffet. Alors parfois elle rapporte de la nourriture et des trucs.

— Super », a fait Boris, en se relevant et en titubant légèrement. Il avait avalé trois bières et en entamait une quatrième. À la porte il a pris un parapluie et m'en a tendu un.

« Hum, c'est pour quoi faire ? »

Il a ouvert le sien et posé un pied dehors. « Ça permet de marcher au frais sans attraper de coup de soleil. » Dans l'ombre son visage était bleu.

XII

Avant Boris, j'avais supporté ma solitude avec stoïcisme, sans me rendre tout à fait compte d'à quel point j'étais seul. Je suppose que si l'un de nous avait vécu dans une maison ne serait-ce qu'à moitié normale, avec des couvre-feux, des tâches ménagères et une supervision adulte, nous ne serions pas devenus aussi vite inséparables, mais pratiquement à partir de ce jour-là on s'est retrouvés ensemble en permanence, à voler nos repas et à partager nos sous.

À New York, j'avais grandi au milieu de tas de gamins ayant de l'expérience – des gosses qui avaient vécu à l'étranger et qui parlaient trois ou quatre langues, qui suivaient des cours d'été à Heidelberg et passaient leurs vacances dans des endroits comme Rio, Innsbruck ou le cap d'Antibes. Mais, tel un vieux capitaine au long cours, Boris les dépassait tous. Il était monté sur un chameau ; il avait mangé des larves, joué au cricket, attrapé la malaria, vécu dans la rue en Ukraine (« mais juste deux semaines »), fait exploser un bâton de dynamite tout seul et nagé dans des rivières australiennes infestées de crocodiles. Il avait lu Tchekhov en russe, ainsi que des auteurs en ukrainien et en polonais dont je n'avais jamais entendu parler. Il avait subi l'obscurité du cœur de l'hiver en Russie où les températures tombaient à moins quarante : blizzards sans fin, neige et glace noire, la seule joie étant le palmier vert en néon qui brillait vingt-quatre heures sur vingt-quatre devant le bar provincial où son père aimait boire. Il n'avait qu'une année de plus que moi – quinze ans – mais il avait déjà couché avec une fille pour de vrai, en Alaska, juste après lui avoir tapé une cigarette sur le parking d'une épicerie. Elle lui avait demandé s'il voulait s'asseoir dans sa voiture avec elle et voilà. (« Mais tu sais quoi ? a-t-il dit en soufflant de la fumée au coin de la bouche. Je ne crois pas que ça lui a beaucoup plu. » – Et à toi ? – Putain, oui. Même si je te le dis, je sais que je n'ai pas fait comme il fallait. Je crois que j'étais trop à l'étroit dans la voiture. »)

Chaque jour on prenait le bus ensemble pour rentrer chez nous. Au foyer municipal à moitié terminé au bord de Desatoya Estates, où les portes étaient cadenassées et les palmiers morts tout marron dans leurs pots, il y avait un terrain de jeux abandonné où l'on apportait des sodas et les barres chocolatées fondues provenant du stock en baisse des distributeurs automatiques, on s'asseyait dehors sur les balançoires, on fumait et on parlait. Ses colères noires et ses élans de mauvaise humeur, qui étaient fréquents, alternaient avec des éclats malsains d'hilarité ; il était farouche et lugubre, parfois il pouvait me faire rire jusqu'à en avoir mal aux côtes, et nous avions toujours tellement de choses à nous raconter que nous en perdions souvent la notion du temps, restant à parler dehors longtemps après que le soir fut tombé. En Ukraine, il avait vu un officiel élu se faire tirer dans le ventre en allant à sa voiture – il avait juste été témoin, pas du tueur mais de l'homme aux larges épaules dans un pardessus trop petit qui était tombé à genoux dans l'obscurité et la neige. Il m'avait raconté sa minuscule école avec un toit métallique près de la réserve de Chippewa dans l'Alberta, m'avait chanté des comptines en polonais (« En guise de devoirs en Pologne, on apprend générale-ment un poème ou une chanson par cœur, peut-être une prière, quelque chose comme ça ») et il m'avait montré comment jurer en russe (« Va te faire foutre », une expression banale au goulag). Il m'avait aussi raconté comment, en Indonésie, il avait été converti à l'islam par son ami Bami le cuisinier : il avait abandonné le porc, observait le jeûne du ramadan et priait vers La Mecque cinq fois par jour. « Mais je ne suis plus musulman », m'avait-il expliqué en frottant son orteil dans la poussière. On était étendus sur le dos sur le tourniquet, étourdis à force d'avoir tourné. « J'ai abandonné il y a quelque temps.

— Pourquoi ?

— Parce que je bois. » (Ça, c'était l'euphémisme de l'année ; Boris buvait de la bière comme les autres gamins boivent du Pepsi, et ça commençait à peu près dès l'instant où l'on rentrait du lycée.)

« Mais qui s'en soucie ? Pourquoi en informer les autres ?

Il a émis un bruit impatient. « Parce que ce n'est pas juste de professer une foi si je n'observe pas correctement ses règles. Ce n'est pas respectueux de l'islam.

— Quand même. "Boris d'Arabie". Ça a de la gueule.

— Va te faire foutre.

— Non, sérieux, ai-je fait en riant et en me redressant sur les coudes. Tu as vraiment cru à tous ces trucs ?

— Tout quoi ?

— Tu sais. Allah et Mohammed. "Il n'y a pas d'autre Dieu qu'Allah"… ?

— Non, a-t-il répondu un peu en colère, mon islam était politique.

— Quoi, tu veux dire, comme celui qui a commis l'attentat à la chaussure ? »

S'étranglant de rire : « Bordel, non. Et puis, l'islam ne prône pas la violence.

— Alors quoi ? »

Il est descendu du tourniquet, le regard vif : « Qu'est-ce que tu veux dire, alors quoi ? Qu'est-ce que tu essaies de me dire ?

— Minute ! Je te pose une question.

— Qui est... ?

— Si tu t'es converti et tout ça, alors qu'est-ce que tu croyais ? »

Il est retombé et a gloussé comme si je lui fichais enfin la paix. « Croire ? Ha ! Je ne crois en *rien*.

— Quoi ? Tu veux dire maintenant ?

— Je veux dire depuis toujours. Eh ben... la Vierge Marie, un peu. Mais Allah et Dieu... ? Pas tant que ça.

— Alors pourquoi tu voulais être musulman, putain ?

— Parce que... (il a tendu les mains, ainsi qu'il le faisait parfois quand il était perplexe) ces gens étaient si merveilleux, ils étaient tous tellement sympas avec moi !

— C'est un début.

— Ben oui, ça l'était. Ils m'ont donné un nom arabe : Badr al-Dine. *Badr* c'est la lune, ça veut dire quelque chose comme lune de la croyance, mais ils ont dit : "Boris, tu es un *badr* parce que tu éclaires partout, en tant que musulman maintenant tu illumines le monde avec ta religion, tu brilles où que tu ailles." J'ai adoré être un *badr*. Et puis aussi la mosquée, c'était super. Un palace en ruine, avec des étoiles qui brillaient au travers le soir, des oiseaux dans le toit. Un vieux Javanais nous a appris le Coran. Ils m'ont nourri aussi, ils étaient gentils, et ils se sont assurés que j'étais propre et que mes vêtements l'étaient aussi. Parfois je m'endormais sur mon tapis de prière. Et pour le *salah*, vers l'aube, quand les oiseaux se réveillaient, toujours le bruit de leurs battements d'ailes ! »

Bien que son accent australo-ukrainien soit des plus bizarres, il parlait anglais presque aussi couramment que moi ; et pour le peu de temps qu'il avait passé en Amérique, il était plutôt au courant des us *amerikanskii*. Il était toujours plongé dans son dictionnaire de poche déchiré (son nom était gribouillé en cyrillique sur la couverture, avec l'anglais soigneusement calligraphié en dessous : BORYS VOLODYMYROVYCH PAVLIKOVSKY) et je trouvais toujours des vieilles serviettes du supermarché 7-Eleven et des morceaux de vieux papiers avec des listes de mots et de termes qu'il avait dressées :

contrainte et domestiquer
célérité
trattoria
petit malin = крутой нацан
affinité
Négligence dans le service

Quand son dictionnaire déclarait forfait, il me consultait. « C'est quoi, un bachelier ? » me demandait-il en parcourant le tableau d'affichage dans les couloirs du lycée. « L'économie domestique ? Sciences-po (qu'il prononçait Ziences-po) ? » Il n'avait jamais entendu parler de la plupart des plats du déjeuner à la cafétéria : tortillas, falafel, risotto. Il avait beau s'y connaître en films et en musique, il avait des décennies de retard ; il était ignare en sports, en jeux ou en télévision et, à part quelques grandes marques européennes comme Mercedes ou BMW, il était incapable de distinguer une voiture d'une autre. L'argent américain le perturbait, ainsi que la géographie américaine, parfois : dans quelle province se trouvait la Californie ? Pouvais-je lui dire quelle ville était la capitale de la Nouvelle-Angleterre ?

Mais il avait l'habitude d'être seul. Il se levait avec entrain pour le lycée, y allait en stop, signait ses propres bulletins, volait sa nourriture et ses fournitures scolaires. Une fois par semaine environ, on faisait des kilomètres en plus sous la chaleur suffocante, protégés par nos parapluies comme de vrais Indonésiens, afin d'attraper le bus local, exigu et sombre, le CAT, que, pour autant que je puisse en juger, personne de notre quartier ne prenait à part des alcooliques, des gens trop pauvres pour avoir une voiture et des gosses. Il ne passait pas régulièrement, et si on le ratait on devait se planter un bon moment à attendre le prochain, mais parmi ses arrêts il y avait un centre commercial doté d'un supermarché frais, étincelant et en sous-effectif, où Boris volait des steaks pour deux, du beurre, des boîtes de thé, des concombres (un grand luxe pour lui), des paquets de bacon – même des bonbons pour la toux un jour où j'étais malade –, les glissant dans la doublure fendue de son vilain imper gris (un imper d'homme, beaucoup trop grand pour lui, avec des épaules tombantes et une sinistre allure de bloc de l'Est évocatrice de rationnements alimentaires, d'usines de la période soviétique et des complexes industriels de Lviv ou d'Odessa). Pendant qu'il repérait les lieux, moi je faisais le guet en tête de gondole, tellement rongé par la nervosité que je craignais parfois de m'évanouir – mais il ne m'a pas fallu longtemps pour qu'à mon tour je remplisse mes propres poches de pommes et de chocolat (autres aliments favoris de Boris) avant de m'approcher effrontément du comptoir afin d'acheter du pain, du lait et d'autres articles trop gros pour être volés.

À New York, j'avais alors onze ans et quelques lorsque ma mère m'avait inscrit à un cours de cuisine pour enfants au centre aéré, où j'avais appris à cuisiner quelques plats simples : des hamburgers, des croque-monsieur (que je préparais parfois pour elle les soirs où elle travaillait tard), et ce que Boris appelait « des œufs et du pain grillé ». Boris, qui s'asseyait sur le plan de travail, donnait des coups de pied dans les placards et me parlait pendant que je cuisinais ou faisais la vaisselle. Il m'avait raconté qu'en Ukraine il avait parfois fait les poches des gens pour prendre de l'argent afin de manger. « J'ai été coursé une fois ou deux, mais jamais attrapé, m'a-t-il expliqué.

— Peut-être qu'on devrait descendre sur le Strip un de ces quatre », ai-je suggéré. On était debout devant le plan de travail chez moi avec fourchettes et couteaux et on mangeait nos steaks direct dans la poêle. « Si on doit s'y mettre, c'est le bon endroit. Je n'ai jamais vu autant d'ivrognes et aucun n'est du coin. »

Il a arrêté de mastiquer ; il avait l'air choqué. « Et pourquoi on ferait ça ? Alors que c'est si facile de voler ici, dans les si grands magasins !

— Je disais ça comme ça. » L'argent que m'avaient donné les portiers – dont Boris et moi dépensions quelques dollars à la fois, dans les distributeurs et au 7-Eleven à côté du lycée que Boris appelait « le magazine » – durerait encore quelque temps, mais pas indéfiniment.

« Ha ! Et qu'est-ce que tu feras si on t'arrête, Potter ? m'a-t-il demandé en laissant tomber un gros morceau de steak pour le chien, auquel il avait appris à danser sur ses pattes arrière. Qui préparera le dîner ? Et qui s'occupera de Snaps ? » Il avait pris le pli d'appeler Popper, le chien de Xandra, « Amylique », « Nitrate », « Popchik » et « Snaps »… tout sauf son vrai nom. Je m'étais mis à laisser entrer ce dernier à l'intérieur alors que c'était interdit, parce que j'étais fatigué qu'il passe son temps à forcer sur sa chaîne en tentant de regarder par la porte-fenêtre tout en aboyant comme un fou. Alors qu'à l'intérieur il était incroyablement tranquille ; en quête d'attention, il nous suivait partout où on allait, trottinant frénétiquement sur nos talons, en haut et en bas, s'endormant couché en rond sur le tapis tandis que Boris et moi lisions, nous disputions ou écoutions de la musique en haut dans ma chambre.

« Sérieux, Boris, je ne vois pas grande différence entre voler des portefeuilles et des steaks, ai-je répondu en enlevant les cheveux de devant mes yeux (j'avais drôlement besoin d'aller chez le coiffeur, mais je ne voulais pas dépenser l'argent).

— Il y a une *grosse* différence, Potter. » Il a écarté les mains pour me montrer l'ordre de grandeur. « Voler travailleur ? Et voler grosse entreprise riche qui vole les gens ?

— Costco ne fait pas ça. C'est un supermarché discount.

— Très bien, alors. Vole produits essentiels à ta survie à des citoyens ; si ça être ton plan super futé. Chut, a-t-il lancé au chien qui avait aboyé avec plus de vigueur pour avoir davantage de steak.

— Je ne volerais pas un travailleur pauvre, ai-je répliqué en lançant un morceau de steak à Popper. Il y a plein de gens louches qui traînent dans Vegas avec des liasses de billets.

— Louches ?

— Douteux. Malhonnêtes.

— Ah. » Le sourcil sombre et effilé s'est relevé. « Fort bien. Mais si tu voles argent à personne louche, un gangster par exemple, il pourrait bien te faire du mal, *nie* ?

— Tu n'avais pas peur qu'on te fasse du mal en Ukraine ? »

Il a haussé les épaules. « Qu'on me batte, peut-être. Pas qu'on me tue.

— Qu'on te tue ?

— Oui, qu'on me *tue*. N'aie pas l'air surpris. Pays de cow-boys ici, qui sait ? Tout le monde possède une arme.

— Je ne te parle pas de flics. Je te parle de touristes éméchés. Il y en a partout le samedi soir.

— Ha ! » Il a posé la poêle par terre pour que le chien puisse la lécher. « Probable que tu finiras en prison, Potter. Pas de morale, esclave de l'économie. Tu es très mauvais citoyen. »

XIII

À ce moment-là – on devait être en octobre – on mangeait ensemble presque tous les soirs. Boris, qui avait souvent pris trois ou quatre bières avant le repas, passait au thé chaud au moment de dîner. Puis, après un verre de vodka en guise de digestif, une habitude que je lui ai vite empruntée (« Ça aide à digérer », m'expliquait-il), on se prélassait en lisant, on faisait nos devoirs, parfois on se disputait, et parfois on buvait jusqu'à ce qu'on s'endorme devant la télévision.

« Ne t'en va pas ! m'a lancé Boris un soir chez lui alors que je me levais vers la fin des *Sept Mercenaires*, la dernière rixe armée, avec Yul Brynner qui rassemble ses hommes. Tu vas rater la meilleure partie.

— Ouais, mais il est près de onze heures. »

Étendu par terre, Boris s'est soulevé sur un coude. Les cheveux longs, le torse étroit, chétif et mince, pour l'essentiel c'était l'exact contraire de Yul Brynner, et pourtant il existait entre eux un curieux air de famille : ils avaient le même air rusé et attentif, amusé et un peu cruel, quelque chose de mongol, ou de tatar, dans l'oblique des yeux.

« Appelle Xandra pour qu'elle vienne te chercher, m'a-t-il suggéré en bâillant. À quelle heure elle sort du boulot ?

— Xandra ? Oublie. »

De nouveau Boris a bâillé, les paupières alourdies par la vodka. « Dors ici, alors, a-t-il proposé en roulant et en se frottant le visage d'une main. Est-ce qu'ils le sauront ? »

Allaient-ils même rentrer ? Il y avait des nuits où ce n'était pas le cas. « J'en doute.

— Chut, a fait Boris en tendant la main pour prendre

ses cigarettes et s'asseoir. Regarde bien maintenant. Voilà les méchants.

— Tu as déjà vu ce film ?

— Doublé en russe, tu ne vas pas me croire. Mais en très mauvais russe. Pour chochottes. Est-ce que c'est le bon mot ? On aurait plutôt cru des instits que des tireurs, c'est ça que j'essaie de dire. »

XIV

Certes j'avais été malheureux comme les pierres chez les Barbour, mais à présent l'appartement sur Park Avenue me manquait et me faisait l'effet d'un paradis perdu. Et même si j'avais accès à mes emails sur l'ordinateur du collège, Andy n'écrivait pas beaucoup et ses messages étaient si impersonnels que c'en était frustrant. (*Salut, Theo. J'espère que tu as passé un bon été. Papa a un nouveau bateau* [*l'Absalom.*] *Maman refuse d'y mettre un pied, mais moi j'y ai, hélas, été obligé. La deuxième année de japonais me donne des migraines, mais tout le reste va bien.*) Mrs. Barbour répondait consciencieusement aux lettres que j'envoyais par la poste – une ligne ou deux sur son papier monogrammé – mais il n'y avait jamais rien de personnel. Elle demandait chaque fois *comment vas-tu ?* et elle terminait par *je pense à toi*, mais il n'y avait jamais un *tu nous manques* ou *nous aimerions bien te voir*.

J'ai écrit à Pippa, au Texas, mais elle était trop malade pour répondre, ce qui était aussi bien puisque je n'ai pas envoyé la plupart des lettres.

Chère Pippa,
Comment tu vas ? Ça te plaît, le Texas ? J'ai beaucoup pensé à toi. Tu as monté ce cheval que tu aimes ?

Ici c'est super. Je me demande s'il fait chaud là-bas,
vu qu'il fait très chaud ici.

C'était ennuyeux ; je l'ai jetée et j'ai recommencé.

Chère Pippa,
Comment tu vas ? J'ai pensé à toi et j'espère que
tu vas bien. J'espère que tout est merveilleux pour
toi au Texas. Je dois l'avouer, ici en fait je déteste,
mais je me suis fait des amis et je m'habitue un peu,
je suppose.
Je me demande si New York te manque. À moi oui.
Beaucoup. Je regrette qu'on n'habite pas plus près l'un
de l'autre. Comment va ta tête maintenant ? Mieux,
j'espère. Je suis désolé que…

« C'est ta copine ? m'a demandé Boris en croquant
une pomme et en lisant par-dessus mon épaule.

— Dégage.

— Qu'est-ce qui lui est arrivé ? » Puis, comme je ne
répondais pas : « Tu l'as tapée ?

— Quoi ? me suis-je exclamé en n'écoutant qu'à
moitié.

— Sa tête ? C'est pour ça que tu t'excuses ? Tu l'as
tapée ou quoi ?

— Ouais, c'est ça, ai-je répondu, puis, voyant son
expression sérieuse et attentive, je me suis rendu compte
qu'il ne plaisantait pas.

— Tu penses que je cogne les filles ? »

Il a haussé les épaules. « Peut-être qu'elle l'avait bien
cherché.

— Hum. En Amérique on ne tape pas sur les femmes. »

Il s'est renfrogné et a recraché un pépin. « Non. Les
Américains se contentent de persécuter les pays plus
petits qui ont croyances différentes des leurs.

— Boris, tais-toi et laisse-moi tranquille. »

Mais il m'avait ébranlé avec son commentaire, et plutôt que de recommencer une nouvelle lettre pour Pippa, j'en ai entamé une pour Hobie.

Cher Mr. Hobart,
Bonjour, comment allez-vous ? Bien, j'espère. Je n'ai jamais écrit pour vous remercier de votre gentillesse pendant mes dernières semaines à New York. J'espère que Cosmo et vous allez bien, même si je sais que Pippa vous manque à tous les deux. Comment va-t-elle ? J'espère qu'elle a pu retourner à sa musique. J'espère aussi...

Mais je n'ai pas envoyé celle-là non plus. Et donc j'ai été ravi quand une lettre – une longue lettre, sur du vrai papier – est arrivée de Hobie en personne.

« Qu'est-ce que c'est que ça ? a demandé mon père, soupçonneux en remarquant le tampon de New York et en m'arrachant la lettre des mains.

— Quoi ? »

Mon père avait déjà déchiré l'enveloppe. Il a lu la lettre en diagonale, vite fait, puis il a perdu tout intérêt. « Tiens, a-t-il dit en me la rendant. Désolé, mon gars, je me suis trompé. »

La lettre elle-même était superbe, en tant qu'artefact : papier somptueux, écriture soignée, le frémissement luxueux des chambres paisibles.

Cher Theo,
J'avais envie de savoir comment tu allais et pourtant je suis content que tu ne m'aies pas appelé, parce que j'espère que cela signifie que tu es heureux et occupé. Ici les feuilles ont changé de couleur, Washington Square est jaune et détrempé et il commence à faire froid. Le samedi matin, Cosmo et moi traînassons dans le Village – je l'emmène chez le fromager – je ne

suis pas sûr que ce soit autorisé, mais les vendeuses derrière le comptoir lui gardent des bouts de fromage. Pippa lui manque autant qu'à moi mais – tout comme moi – il a toujours plaisir à manger. Parfois nous dînons près de la cheminée, maintenant que le Vent d'Hiver approche.

J'espère que tu trouves tes marques et que tu t'es fait des amis. Quand je parle avec Pippa au téléphone, elle ne semble pas très heureuse là où elle est, bien que sa santé se soit incontestablement améliorée. Je vais y aller d'un coup d'avion pour Thanksgiving. Je ne sais pas si Margaret sera très contente de ma visite, mais Pippa veut me voir, donc j'y vais. Si je suis autorisé à prendre Cosmo dans l'avion, peut-être que je l'emmènerai aussi.

Je te joins une photo, que tu auras peut-être plaisir à découvrir, d'un bureau Chippendale qui vient d'arriver, très mal rafistolé, on m'a expliqué qu'il avait été stocké dans une cabane sans chauffage près de Watervliet, dans l'État de New York. Très abîmé, plein d'encoches, et le plateau est en deux morceaux – mais – regarde ces griffes effilées enserrant la boule qui supporte tout le poids. Les pieds ne ressortent pas très bien sur la photo, mais tu peux vraiment voir la pression des griffes qui s'enfoncent. C'est un chef-d'œuvre, je regrette juste que l'on ne s'en soit pas mieux occupé. Je ne sais pas si tu arrives à voir le grain remarquable sur le plateau – il ne s'agit pas de deux morceaux de bois mis bout à bout, au fait, mais d'un seul. Extraordinaire.

Quant à la boutique : je l'ouvre quelques fois par semaine sur rendez-vous, mais pour l'essentiel je m'occupe en bas avec des choses que m'envoient des clients privés. Mrs. Skolnik et plusieurs personnes du quartier ont demandé de tes nouvelles – ici rien n'a changé, sauf que Mrs. Cho du marché coréen a eu

362

*un petit AVC (*très *petit, elle retravaille maintenant).*
Aussi, ce café sur Hudson Street que j'aimais tant a
fait faillite, c'est très triste. Je suis passé devant ce
matin et l'on dirait qu'ils le transforment en – eh bien,
je ne sais pas comment tu appellerais ça, une sorte
de magasin de gadgets japonais.

Je constate que, comme d'habitude, j'ai été trop
bavard et que je vais manquer de place, mais j'espère
vraiment que tu es heureux et que tu vas bien, et que
tu te sens moins seul là-bas que ce que tu craignais.
Si je peux faire quoi que ce soit pour toi ici, ou si
je peux t'aider d'une quelconque manière, sache que
je le ferai.

XV

Ce soir-là, chez Boris – étendu ivre sur le dos, sur
ma moitié du matelas drapé de batik – j'ai tenté de me
souvenir à quoi ressemblait Pippa. Mais la lune était si
grosse et claire à travers la fenêtre dénuée de rideaux
qu'à la place cela m'a fait penser à une histoire que
ma mère m'avait racontée, datant de l'époque où elle
accompagnait ses parents aux concours hippiques quand
elle était petite, assise sur le siège arrière de leur vieille
Buick. « C'était beaucoup de déplacements – dix heures
de traversée d'un pays parfois difficile. Des grands roues,
des arènes de rodéo couvertes de sciure, le tout dans
l'odeur du pop-corn et du fumier. Un soir, on était à
San Antonio et j'ai eu un petit élan de nostalgie – je
voulais ma chambre, tu sais, mon chien, mon lit – alors
papa m'a soulevée en l'air sur le champ de foire et m'a
suggéré de regarder la lune. "Quand tu te sens nostalgique, lève les yeux. Parce que la lune est la même où
que tu ailles." Alors après sa mort, quand j'ai dû aller

chez tante Bess… et même maintenant, en ville, quand je vois une pleine lune, c'est comme s'il me disait de ne pas regarder en arrière ni de me sentir triste, je suis chez moi là où je *me trouve*. » Elle m'a embrassé sur le nez. « Ou là où *tu* te trouves, mon poussin. Le centre de ma Terre, c'est toi. »

Un bruissement à côté de moi. « Potter ? a dit Boris. Tu… réveillé ?

— Je peux te demander quelque chose ? À quoi ressemble la lune en Indonésie ?

— Qu'est-ce que tu veux savoir ?

— Ou, je ne sais pas, en Russie ? C'est juste pareil qu'ici ? »

Il m'a légèrement tapé sur le côté de la tête avec son poing – un geste à lui que je finissais par connaître et qui signifiait *imbécile*. « Elle est pareille partout, a-t-il répondu en bâillant et en se soulevant sur son poignet maigre entouré de bracelets. Pourquoi ?

— Sais pas. » Puis, après une pause tendue : « Tu entends ? »

Une porte avait claqué. « C'est quoi ? » ai-je demandé en roulant sur moi-même pour lui faire face. On s'est regardés en tendant l'oreille. Des voix en bas, des rires, des gens qui se cognent, un fracas comme si quelque chose avait été renversé.

« C'est ton père ? » ai-je demandé en me relevant, puis j'ai entendu une voix de femme, soûle et aiguë.

Osseux et d'une pâleur maladive dans la lumière se déversant de la fenêtre, Boris s'est assis, lui aussi. En bas, on avait l'impression qu'ils jetaient des choses et bougeaient des meubles.

« Qu'est-ce qu'ils disent ? » ai-je chuchoté.

Boris écoutait. Je voyais tous les creux et les os de son cou. « Des conneries. Ils sont soûls. »

On est restés là tous les deux à tendre l'oreille – Boris avec plus d'intensité que moi.

« C'est qui avec lui, alors ?

— Une pute. » Il a écouté un moment, sourcils froncés, son profil anguleux au clair de lune, puis il s'est rallongé. « Elles sont deux. »

J'ai roulé sur moi-même et vérifié mon iPod. 3 : 17 du matin.

« Bordel, a pesté Boris en se grattant le ventre. Pourquoi ils la bouclent pas ?

— J'ai soif », ai-je dit après un timide temps d'arrêt.

Il a grogné. « Ha ! Ne descends pas maintenant, je ne te le conseille pas.

— Qu'est-ce qu'ils fabriquent ? » ai-je demandé après une pause maussade. Une des femmes venait de crier – soit de rire, soit d'effroi, impossible de savoir.

On était étendus là, raides comme des piquets à fixer le plafond et à écouter le fracas inquiétant et les heurts.

« Ce sont des Ukrainiennes ? » ai-je ajouté au bout d'un moment. Je ne comprenais pas un traître mot de ce qu'elles disaient, mais j'avais fréquenté Boris assez longtemps pour commencer à savoir distinguer les intonations de l'ukrainien de celles du russe.

« Dix sur dix, Potter. » Puis : « Allume-moi une cigarette. »

On se l'est échangée plusieurs fois, dans l'obscurité, jusqu'à ce qu'une autre porte claque quelque part et que les voix se taisent. Pour finir, Boris a exhalé un dernier soupir enfumé et s'est retourné sur lui-même afin d'écraser la cigarette dans le cendrier qui débordait à côté du lit. « Bonne nuit, a-t-il chuchoté.

— Bonne nuit. »

Il s'est endormi presque tout de suite – ça s'entendait à sa respiration –, mais je suis resté allongé bien plus longtemps, avec la gorge qui me grattait, pris de vertige et nauséeux à cause de la cigarette. Comment avais-je atterri dans cette drôle de nouvelle vie où des étrangers soûls criaient autour de moi au beau milieu de la nuit, où tous mes vêtements étaient sales et où personne ne m'aimait ? Inconscient, Boris ronflait à mes côtés. Pour finir, quand je me suis enfin endormi à l'aube, j'ai rêvé de ma mère : elle était assise en face de moi dans le métro de la ligne 6, oscillant légèrement, le visage calme sous les lumières artificielles qui vacillaient.

Qu'est-ce que tu fais ici ? m'a-t-elle demandé. *Rentre à la maison ! Tout de suite ! Je te retrouve à l'appartement.* Sauf que la voix n'était pas tout à fait la sienne : et quand j'ai regardé de plus près, j'ai vu que ce n'était pas elle du tout, juste quelqu'un qui se faisait passer pour elle. Et, tout haletant, je me suis réveillé en sursaut.

XVI

Le père de Boris était une figure mystérieuse. Comme me l'avait expliqué ce dernier, il était souvent envoyé au milieu de nulle part, dans sa mine, et il y restait avec son équipe des semaines d'affilée. « Il ne se lave pas et il est soûl comme une barrique », m'a confié Boris d'un air austère. La radio cabossée à ondes courtes dans la cuisine était à lui (« Elle date de l'époque de Brejnev, il refuse de la jeter », m'a-t-il expliqué), *idem* pour les journaux en russe et les *USA Today* que je voyais parfois traîner. Un jour je suis entré dans une des salles de bains chez eux (elles étaient plutôt sinistres, sans rideau de douche ou lunette de W-C, à l'étage comme en bas, avec du truc noir qui germait dans la baignoire) et j'ai eu un choc en voyant un des costumes de son père, trempé et malodorant, pendu comme un corps sans vie à la tringle de la douche : rêche, informe, en laine marron bouloché de la couleur de racines arrachées, il gouttait de manière horrible sur le sol tel un golem au souffle

366

humide de la mère patrie, ou encore un vêtement repêché dans un filet de police.

« Quoi ? a fait Boris quand j'ai émergé.

— Ton père lave ses costumes ? Dans le lavabo ? »

S'appuyant contre le chambranle de la porte et rongeant un côté de l'ongle de son pouce, Boris a haussé les épaules de manière évasive.

« Tu plaisantes », ai-je poursuivi. Puis, comme il continuait de me regarder : « Quoi ? Il n'y a pas de pressing en Russie ?

— Il possède plein de bijoux et de trucs élégants, a grogné Boris de derrière son pouce. Une Rolex, des chaussures Ferragamo. Il peut nettoyer ses costumes comme il veut.

— OK », ai-je répondu, et j'ai changé de sujet. Plusieurs semaines se sont écoulées sans la moindre pensée pour le père de Boris. Puis il y eut le jour où ce dernier est arrivé en retard au cours d'anglais avancé, avec un bleu couleur lie-de-vin sous un œil.

« Ah, j'ai pris un ballon de foot », a-t-il expliqué d'une voix enjouée quand Mrs. Spear (« Spirsetskaya », comme il l'appelait) l'a questionné sur ce qui lui était arrivé avec un air soupçonneux.

Je savais que c'était un mensonge. Lui jetant un coup d'œil de l'autre côté de l'allée pendant une vague discussion autour de Ralph Waldo Emerson, je me suis demandé comment il avait réussi à se faire un œil au beurre noir après que je l'eus laissé la veille pour rentrer chez moi et promener Popper – Xandra le laissait enchaîné dehors si souvent que je commençais à me sentir responsable de lui.

« Qu'est-ce que tu as fabriqué ? ai-je voulu savoir quand je l'ai rattrapé après le cours.

— Hein ?

— Comment tu t'es fait ça ? »

Il m'a adressé un clin d'œil. « Oh, allez, a-t-il dit en cognant son épaule contre la mienne.

— Quoi ? Tu avais bu ?

— Mon père est rentré. » Et puis, comme je ne répondais pas : « Quoi d'autre, Potter ? Qu'est-ce que tu croyais ?

— Bon sang, pourquoi ? »

Il a haussé les épaules. « Content que tu n'aies pas été là, a-t-il continué en se frottant l'œil qui était intact. Quand je l'ai vu, j'y ai pas cru. Il dormait sur le canapé en bas. Au début j'ai pensé que c'était toi.

— Qu'est-ce qui s'est passé ?

— Ah, a fait Boris en soupirant de manière exagérée ; il avait fumé sur le chemin du lycée, je le sentais dans son haleine. Il a vu les bouteilles de bière par terre.

— Il t'a frappé parce que tu avais bu ?

— Parce qu'il était défoncé, bordel, voilà pourquoi. Il était mort pété... Je ne crois pas qu'il savait que c'était moi qu'il battait. Ce matin... quand il a vu mon visage, il a pleuré, il était désolé. De toute façon il va pas revenir avant quelque temps.

— Pourquoi ?

— Il a beaucoup à faire là-bas, d'après lui. Il ne reviendra pas avant trois semaines. La mine est proche de l'un de ces endroits où ils ont des bordels tenus par l'État, tu sais ?

— Ils ne sont pas tenus par l'État », ai-je rectifié, puis je me suis demandé s'ils l'étaient.

« Eh ben, tu vois ce que je veux dire. Mais la bonne nouvelle, c'est qu'il m'a laissé des argents.

— Combien ?

— Quatre mille.

— Tu plaisantes.

— Non, non... (il s'est tapé le front) je pensais en roubles, désolé ! Environ deux cents dollars, mais bon.

J'aurais dû lui demander plus, mais j'ai pas eu le courage. »

Nous avions atteint le croisement dans le couloir où je devais tourner d'un côté pour le cours d'algèbre et Boris de l'autre pour celui de politique américaine : le pensum de sa vie. C'était un cours obligatoire – et facile, même selon les normes incohérentes de notre lycée – mais essayer de faire comprendre à Boris la Déclaration des droits, ainsi que les pouvoirs énumérés du Congrès américain en opposition à ceux qui étaient implicites, me rappelait l'époque où j'avais essayé d'expliquer à Mrs. Barbour ce qu'était un serveur Internet.

« Eh bien, je te verrai après le cours, a lancé Boris. Avant que j'y aille, redis quelle est la différence entre la Banque fédérale et la Réserve fédérale ?

— Tu en as parlé à quelqu'un ?

— De quoi ?

— Tu sais bien.

— Quoi, tu veux me balancer ? a demandé Boris en riant.

— Pas *toi*. Lui.

— Et pourquoi ? Pourquoi est-ce que c'est une bonne idée ? Dis-moi. Pour que je sois expulsé du pays ?

— Tu as raison, ai-je répondu après un temps d'arrêt inconfortable.

— Bon… on devrait sortir manger ce soir ! Dans un restaurant ! Peut-être au mexicain. » Passé la perplexité et les réticences initiales, Boris en était venu à apprécier la cuisine mexicaine, inconnue en Russie selon lui, pas mauvaise une fois qu'on y était habitué, mais quand c'était trop épicé il n'y touchait pas. « On peut prendre le bus.

— Le chinois est plus près. Et la nourriture est meilleure.

— Oui, mais… tu as oublié ?

— Ah, oui, c'est vrai. » La dernière fois qu'on y avait mangé on avait filé sans payer. « Oublie. »

XVII

Boris appréciait Xandra bien plus que moi : il se précipitait pour lui ouvrir les portes, la complimentait sur sa nouvelle coiffure, proposait de lui porter des paquets. Je le taquinais à son sujet depuis que je l'avais surpris à regarder dans son décolleté quand elle s'était penchée en avant pour prendre son portable sur le plan de travail de la cuisine.

« Putain, elle est canon, a déclaré Boris une fois qu'on était dans ma chambre. Tu crois que ça gênerait ton père ?

— Probablement qu'il ne remarquerait même pas.

— Non, sérieux, qu'est-ce que tu crois qu'il me ferait ?

— Si quoi ?

— Si Xandra et moi.

— J'sais pas, probablement qu'il appellerait la police. » Il a grogné de manière moqueuse. « Pour quoi faire ?

— Pas pour toi. Pour elle. Détournement de mineur.

— J'aimerais bien.

— Vas-y et baise-la si tu veux. Je m'en fiche pas mal si elle va en prison. »

Boris a roulé sur le ventre et m'a regardé avec un air narquois. « Elle sniffe de la coke, t'es au courant ?

— Quoi ?

— De la cocaïne. » Il a imité le geste de sniffer.

« Tu plaisantes. » Puis, quand il m'a adressé un petit sourire suffisant : « Comment tu sais ?

— Je le sais. À sa façon de parler. Et puis elle grince des dents. Tu la regarderas à l'occasion. »

Je ne savais pas ce que je devais chercher comme indices. Mais un après-midi, on est arrivés alors que mon père n'était pas là et je l'ai vue se relever de la table basse avec un reniflement en tenant d'une main ses cheveux derrière l'oreille. Quand elle a rejeté la tête en arrière et que ses yeux se sont posés sur nous, il y a eu un moment où personne n'a rien dit, après quoi elle s'est retournée comme si on n'était pas là.

On a continué jusqu'à l'étage, dans ma chambre. Même si je n'avais jamais vu quelqu'un sniffer jusqu'ici, ce qu'elle faisait était clair, même pour moi.

« Putain, sexy, a fait Boris après que j'eus refermé la porte. Je me demande où elle la garde ?

— Je sais pas », ai-je répondu en m'affalant sur le lit. Xandra venait de partir ; j'avais entendu sa voiture dans l'allée.

« Tu crois qu'elle nous en donnerait ?

— Peut-être qu'à *toi* elle en donnera. »

Boris a plongé pour s'asseoir par terre à côté du lit, le genou remonté et le dos contre le mur. « Tu crois qu'elle deale ?

— Impossible, ai-je répondu après un léger temps d'arrêt incrédule. Tu crois ?

— Ha ! Tant mieux pour toi si c'est le cas.

— Comment ça ?

— Ça veut dire qu'il y a du liquide dans la maison !

— Ça me fait une belle jambe. »

Il a tourné son regard perspicace et inquisiteur vers moi. « Qui paie les factures ici, Potter ?

— Euh. » C'était la première fois que cette question, dont j'ai immédiatement reconnu la pertinence d'un point de vue pratique, me traversait l'esprit. « Je ne sais pas. Mon père, je pense. Mais Xandra contribue un peu.

— Et où il les trouve, ses argents ?

— Pas la moindre idée. Il parle à des gens au téléphone, puis il quitte la maison.

— Y a des chéquiers qui traînent ? Du liquide ?

— Non. Jamais. Parfois des jetons.

— Ça vaut du liquide, s'est empressé de répondre Boris en recrachant un bout de l'ongle rongé par terre.

— Oui. Sauf qu'on ne peut pas les encaisser au casino si on a moins de dix-huit ans. »

Boris a gloussé. « Allez. On trouvera une astuce, s'il le faut. On t'enfile cette veste d'uniforme scolaire de poseur avec les armoiries et on t'envoie au guichet : *"Excusez-moi, mademoiselle..."* »

J'ai roulé vers lui et lui ai donné un gros coup dans le bras. « Va te faire foutre, lui ai-je intimé, vexé par son imitation traînante et snob de ma voix.

— Tu peux pas parler comme ça, Potter, a déclaré Boris en jubilant et en se frottant le bras. *Ils te donneront pas un putain de cent.* Tout ce que je veux dire, c'est que je sais où est le chéquier de mon père, et que si jamais il y a une urgence... (il a tendu ses paumes ouvertes) d'accord ?

— D'accord.

— Je veux dire, si je dois écrire chèques en bois, j'écris chèques en bois, a poursuivi Boris avec philosophie. C'est bon de savoir que je peux. Je ne te dis pas de forcer leur porte et de fouiller leurs affaires, mais bon, c'est une bonne idée de garder l'œil ouvert, hein ? »

XVIII

Boris et son père ne célébraient pas Thanksgiving, et Xandra et le mien avaient des réservations pour un Spectacle Somptueux de Vacances Romantiques dans un restaurant français du MGM Grand. « Tu veux venir ? m'a demandé mon père quand il m'a vu regarder la brochure posée sur le plan de travail de la cuisine : cœurs et feux d'artifice, banderoles tricolores au-dessus d'une assiette de dinde rôtie. Ou bien tu fais quelque chose de ton côté ?

— Non, merci. » Il faisait un effort, mais l'idée de

me retrouver avec Xandra et lui autour de leur Spectacle Romantico machin bidule me mettait mal à l'aise. « J'ai quelque chose.

— Qu'est-ce que tu vas faire, alors ?

— Je fête Thanksgiving avec quelqu'un d'autre.

— Qui ça ? Un ami ? a questionné mon père dans un rare élan de sollicitude parentale.

— Laisse-moi deviner, a interrompu Xandra (pieds nus et vêtue du chandail avec les dauphins de Miami dans lequel elle dormait, elle inspectait le frigo), la même personne qui n'arrête pas de manger les oranges et les pommes que je rapporte.

— Oh, allez, a dit mon père d'une voix endormie en arrivant derrière elle et en l'enlaçant, tu l'aimes bien, le petit Russki… Comment il s'appelle déjà… Boris.

— Bien sûr que je l'aime bien. Ce qui est une bonne idée, je suppose, vu qu'il est ici presque en permanence. Merde, a-t-elle fait, se tortillant pour se dégager de son étreinte et taper sa cuisse nue, qui a laissé entrer ce moustique ? Theo, je sais pas pourquoi tu ne peux pas te souvenir de garder la porte de la piscine fermée. Je te l'ai dit cent fois.

— Bon, tu sais, je peux toujours fêter Thanksgiving avec vous, si vous préférez, ai-je lancé mollement en m'appuyant contre le plan de travail. Pourquoi pas ? »

Mon intention avait été de contrarier Xandra, et j'ai été ravi de voir que cela fonctionnait parfaitement. « Mais la réservation est pour deux, a-t-elle rétorqué en rejetant d'un geste ses cheveux vers l'arrière.

— Eh bien, je suis sûr qu'ils trouveront une solution.

— Il faudra les appeler.

— Très bien, appelle, alors », lui a ordonné mon père en lui tapotant le dos d'un geste de mec un peu beurré et en partant tranquillement dans le living vérifier les résultats du foot.

Xandra et moi sommes restés plantés à nous dévisager un moment, puis elle a détourné le regard, comme vers une vision du futur morne et intenable. « J'ai besoin d'un café, a-t-elle bougonné sur un ton apathique.

— Ce n'est pas moi qui ai laissé la porte ouverte.

— Je ne sais pas qui fait ça. Ces gens bizarres qui vendaient des produits Avon là-bas n'ont pas vidé leur réservoir avant de partir, et maintenant il y a des tonnes de moustiques partout, tiens… en voilà un autre, merde.

— Écoute, ne sois pas en colère. Je n'ai pas besoin de vous accompagner. »

Elle a reposé la boîte de filtres à café. « Bon, qu'est-ce que tu décides, alors ? Je la change, cette réservation, ou pas ?

— De quoi vous discutez, tous les deux ? a lancé mon père depuis la pièce voisine, sa tanière remplie de dessous de verres auréolés, de vieux paquets de cigarettes et de feuilles de baccara cochées.

— De rien du tout », lui a répondu Xandra. Puis, quelques minutes plus tard, alors que la cafetière commençait à siffler et émettre un bruit sec, elle s'est frotté l'œil et a ajouté d'une voix rendue rauque par le sommeil : « Je n'ai jamais dit que je ne voulais pas que tu viennes.

— Je sais. Je n'ai jamais prétendu ça non plus. » Ensuite : « Et puis, juste pour que tu saches, ce n'est pas moi qui laisse la porte ouverte. C'est papa, quand il sort pour parler au téléphone. »

Plongeant dans le placard pour prendre son mug Planet Hollywood, Xandra m'a regardé par-dessus son épaule. « Tu ne vas pas vraiment manger chez lui ? Ce petit Russki ou je sais pas trop qui ?

— Nan. On regardera juste la télé ici.

— Tu veux que je te rapporte quelque chose ?

— Boris aime bien ces mini-saucisses. Et moi, j'aime bien les ailes de poulet. Celles qui sont épicées.

— Autre chose ? Et ces mini-*taquitos* ? Tu les aimes aussi, non ?

— Ça serait super.

— OK. Je vous arrangerai un truc. Ne piquez pas mes cigarettes, c'est tout ce que je vous demande. Je me fiche que vous fumiez, a-t-elle dit en levant une main pour me faire taire, c'est pas comme si je vous l'interdisais, mais quelqu'un a volé des paquets dans la cartouche qui est ici et ça me coûte dans les vingt-cinq dollars par semaine. »

XIX

Depuis que Boris s'était pointé avec cet œil au beurre noir, j'avais fait de son père dans mon esprit un Soviétique au cou trapu et aux yeux de cochon avec une coupe tondeuse. En fait – à ma grande surprise, quand j'ai fini par le rencontrer – il avait l'air pâle et émacié d'un poète affamé. Chlorotique, la poitrine enfoncée, il fumait *non-stop*, portait des chemises bon marché qui avaient grisaillé au lavage et buvait tasse sur tasse de thé sucré. Mais quand on le regardait dans les yeux, on se rendait compte que sa fragilité était trompeuse. Il était maigre et nerveux, intense, son mauvais caractère irradiait autour de lui – il avait de petits os et le visage anguleux, comme Boris, mais avec un regard maléfique cerclé de rouge, et de minuscules dents grisâtres crénelées. Il me faisait penser à un renard enragé.

J'avais beau l'avoir entraperçu, et l'avoir entendu (entendu quelqu'un que je supposais être lui) se cogner partout dans la maison le soir, je ne l'avais pas vraiment vu face à face jusqu'à quelques jours avant Thanksgiving : on était entrés chez Boris après les cours en riant et en parlant, et on l'avait découvert courbé au-dessus de la table de la cuisine avec une bouteille et un verre. En dépit de ses habits miteux, il portait des chaussures très coûteuses et beaucoup de bijoux en or ; quand il a levé vers nous des yeux rougis, on s'est arrêtés de parler sur-le-champ. Il avait beau être petit et de corpulence légère, il y avait sur son visage quelque chose qui ne vous donnait pas envie de trop vous approcher de lui.

« Salut, ai-je dit timidement.

— Bonjourrrr », a-t-il répondu, le visage glacial, avec un accent bien plus prononcé que Boris, puis il s'est tourné vers ce dernier et lui a dit un truc en ukrainien. Une brève conversation a suivi, que j'ai observée avec intérêt. C'était curieux de voir le changement qui s'opérait chez Boris quand il parlait une autre langue – une sorte d'animation, ou de vivacité, la sensation d'une personne différente et plus efficace occupant son corps.

Puis, sans crier gare, Mr. Pavlikovsky a tendu les mains vers moi. « Merci », a-t-il fait d'une voix pâteuse.

J'avais peur de m'en approcher – cela me faisait le même effet que m'approcher d'un animal sauvage – mais je me suis avancé quand même et j'ai tendu gauchement les mains. Il les a prises dans les siennes, qui étaient calleuses et froides.

« Tu es bonne personne », a-t-il asséné. Son regard était injecté de sang et bien trop intense. J'avais envie de détourner le mien et me suis senti honteux.

« Que Dieu t'accompagne et te bénisse. Tu es comme fils pour moi. Merci d'avoir laissé mon fils entrer dans ta famille. »

Ma famille ? Dans ma confusion, j'ai jeté un coup d'œil à Boris.

Les yeux de Mr. Pavlikovsky se sont dirigés vers lui. « Tu lui as expliqué ce que j'ai dit ?

— Il a dit que tu fais partie de notre famille ici, a répondu Boris d'une voix ennuyée, et s'il y a quoi que ce soit qu'il peut faire pour toi… »

À ma grande surprise, Mr. Pavlikovsky m'a attiré vers lui et m'a gratifié d'une vigoureuse étreinte tandis que je fermais les yeux et essayais non sans difficulté de faire abstraction de son odeur : lotion capillaire, senteur corporelle, alcool, et un genre d'eau de Cologne forte et désagréable.

« C'était quoi, cette histoire ? » ai-je chuchoté une fois qu'on s'est retrouvés dans la chambre de Boris avec la porte fermée.

Ce dernier a roulé des yeux. « Tu n'as pas envie de savoir. Crois-moi.

— Est-ce qu'il est aussi bourré en permanence ? Comment il garde son boulot ? »

Boris a gloussé. « Il connaît des officiels bien placés dans la compagnie. Ou un truc dans ce goût-là. »

On est restés dans la chambre sombre et drapée de batik de Boris jusqu'à ce qu'on entende la camionnette de son père démarrer dans l'allée. « Il ne va pas revenir avant un moment, m'a précisé Boris tandis que je laissais retomber le rideau devant la fenêtre. Il se sent mal de m'abandonner si souvent. Il sait qu'il y a un jour férié bientôt et il a demandé si je pouvais rester chez toi.

— Eh bien, tu y es en permanence de toute façon.

— Il le sait, a dit Boris en écartant les cheveux de ses yeux. C'est pourquoi il t'a remercié. Mais, j'espère que ça ne te dérange pas, je lui ai donné une fausse adresse pour toi.

— Pourquoi ?

— Parce que... (sans que j'aie à le demander, il avait bougé les jambes pour me faire de la place afin que je puisse m'asseoir à côté de lui) je pense que tu n'as peut-être pas envie qu'il débarque soûl chez toi au milieu de la nuit. En réveillant ton père et Xandra et en les sortant du lit. Et aussi – si jamais il te demande – il croit que ton nom de famille c'est Potter.

— Pourquoi ?

— C'est mieux comme ça, a répondu Boris avec calme. Fais-moi confiance. »

XX

Boris et moi étions allongés par terre devant la télévision chez moi, on mangeait des chips et on buvait de la vodka tout en regardant le défilé de Thanksgiving. À New York, il neigeait. De nombreux ballons venaient juste de passer – Snoopy, Ronald McDonald, Bob l'Éponge, Mr. Peanut – et une troupe de danseuses hawaïennes en pagnes de tissu et jupettes végétales faisait son numéro sur Herald Square.

« J'aimerais pas être à leur place, a commenté Boris. Je parie qu'elles se gèlent le cul.

— Ouais », ai-je fait, même si je ne regardais ni les ballons ni les danseuses ni rien d'autre. Voir Herald Square à la télévision m'avait donné l'impression d'être échoué à des millions d'années-lumière de la Terre et de recevoir des signaux datant des premiers jours de la radio, les voix du présentateur et les applaudissements des spectateurs comme s'ils émanaient d'une civilisation disparue.

« Les idiotes. Je n'en reviens pas qu'elles s'habillent comme ça. Elles vont se retrouver à l'hôpital, ces filles. » Boris avait beau s'être plaint avec insistance de la chaleur à Las Vegas, il entretenait aussi une croyance inébranlable : tout ce qui était « froid » rendait les gens malades : les piscines non chauffées, l'air conditionné chez moi, et même les glaçons dans les boissons.

Il a roulé sur le dos et m'a passé la bouteille. « Ta mère et toi, vous alliez à ce défilé ?

— Nan.

— Pourquoi pas ? a demandé Boris en donnant une chips à Popper.

— *Nekulturny*, ai-je répondu, c'était un mot que je lui avais emprunté. Et trop de touristes. »

Il a allumé une cigarette et m'en a offert une. « Tu es triste ?

— Un peu », ai-je dit en me penchant en avant pour profiter de son allumette. Je ne pouvais m'empêcher de penser au Thanksgiving précédent, qui n'arrêtait pas de passer et de repasser dans ma tête comme un film impossible à arrêter : ma mère qui traînait pieds nus dans un vieux jean aux genoux déchirés, ouvrait une bouteille de vin, me versait du Canada Dry dans une coupe à champagne, sortait quelques olives, montait le son de la stéréo, enfilait son tablier humoristique de circonstance et déballait le filet de dinde qu'elle nous avait acheté à Chinatown, pour plisser le nez et se reculer à cause de l'odeur – « Oh, mon Dieu, Theo, ce truc n'est plus bon, ouvre-moi la porte – », les yeux coulant à cause du relent d'ammoniaque, tenant le filet devant elle comme une grenade non explosée tandis qu'elle dévalait les escaliers de secours avec ça à la main pour le jeter à la poubelle dans la rue pendant que, penché là-haut à la fenêtre, j'imitais des bruits jubilatoires de vomissements. On avait mangé un repas austère composé de haricots verts en boîte, d'airelles en conserve et de riz complet accompagné d'amandes grillées : « Notre Thanksgiving de végétariens socialistes », l'avait-elle surnommé. Elle avait un projet à rendre au travail et, du coup, on n'avait rien préparé ; l'an prochain, promis (tous les deux fatigués à force de rire ; pour une mystérieuse raison, la dinde pourrie nous avait rendus hilares), on louerait une voiture et on irait chez son ami Jed dans le Vermont, ou sinon elle réserverait un super endroit comme *Gramercy Tavern*. Sauf que le futur n'avait pas eu lieu ; et que je célébrais mon Thanksgiving arrosé d'alcool et de chips devant la télévision en compagnie de Boris.

« Qu'est-ce qu'on va manger, Potter ? m'a demandé ce dernier en se grattant le ventre.

— Quoi ? Tu as faim ? »

Il a remué la main : « *Comme ci, comme ça* *. Et toi ?

— Pas vraiment. » La voûte de mon palais était à vif à force de manger des chips, et les cigarettes commençaient à me rendre malade.

Tout à coup, Boris a hurlé de rire ; il s'est assis. « Écoute, tu as entendu ça ? m'a-t-il demandé en me donnant un coup et en pointant la télévision du doigt.

— Quoi ?

— Le présentateur. Il vient juste de souhaiter de bonnes fêtes à ses gamins. "Bâtard et Casey."

— Oh, arrête. » Boris entendait toujours des mots anglais de travers, c'étaient des lapsus auditifs, parfois amusants, mais souvent juste irritants.

« Bâtard et Casey ! C'est dur, hein ? Casey, d'accord, mais appeler son gosse "Bâtard" à la télévision ?

— Il n'a pas dit ça.

— Très bien, alors, toi qui sais tout, qu'est-ce qu'il a dit ?

— Comment je saurais, bordel ?

— Alors pourquoi tu discutes avec moi ? Pourquoi tu crois que tu sais toujours mieux ? C'est quoi, le problème dans ce pays ? Comment nation aussi stupide a pu devenir aussi arrogante et aussi riche ? Les Américains… les vedettes de cinéma… les gens à la télé… ils appellent leurs gamins Pomme, Couverture, Ours, Bâtard et toutes sortes de trucs débiles.

— Où tu veux en venir ?

— Mon idée, c'est que la démocratie est une excuse pour n'importe quel putain de truc. La violence… l'envie… la bêtise… n'importe quoi est acceptable si les Américains le font. Non ? Est-ce que j'ai raison ?

— Tu ne veux vraiment pas la fermer, s'il te plaît ?

— Je sais ce que j'ai entendu, ha ! Bâtard ! Je vais te dire, moi. Si je pensais que mon gamin était un bâtard, bordel, c'est sûr que je lui donnerais un autre prénom que ça. »

Dans le frigo, il y avait des ailes de poulet, des *taquitos* et des mini-saucisses que Xandra avait rapportés, ainsi que des bouchées vapeur du chinois sur le Strip que mon père aimait, mais quand est arrivé le moment de manger, la bouteille de vodka (la contribution de Boris à Thanksgiving) était déjà à moitié vide et on était en passe de vomir. Boris – qui avait parfois une tendance à devenir sérieux quand il avait bu, un penchant russkof pour les sujets lourds et les questions insolubles – était assis sur le plan de travail en marbre, agitant une fourchette avec une mini-saucisse piquée dessus et parlant avec agitation de pauvreté, de capitalisme, de changement climatique et du bordel dans le monde.

À un moment donné, paumé, j'ai dit : « Boris, ta gueule. Je n'ai pas envie d'entendre ça. » Il était allé dans ma chambre prendre mon exemplaire de cours de *Walden* et il lisait à voix haute un long passage qui soulignait un argument qu'il essayait de prouver.

Le livre balancé – heureusement c'était un poche – m'a heurté à la pommette. « *Ischézni !* Casse-toi !

— C'est ma maison, espèce de connard ! »

La mini-saucisse, encore empalée sur la fourchette, a frôlé ma tête, qu'elle a ratée de peu. Mais on riait. C'était le milieu de l'après-midi et on était complètement jetés : on roulait sur la moquette, butant l'un sur l'autre, on riait et on jurait, on rampait à quatre pattes. Il y avait un match de foot, et même si ça nous embêtait tous les deux, c'était trop pénible de trouver la télécommande et de changer de chaîne. Boris était tellement bourré qu'il n'arrêtait pas de me parler en russe.

« Parle anglais ou ferme-la, lui ai-je lancé en essayant de m'accrocher à la rampe, plongeant si maladroitement pour éviter son poing que je me suis écrasé et suis tombé sur la table basse.

— *Ty menjá dostál !! Poshël ty !*

— Bla-bla-bla », ai-je rétorqué avec une voix pleurnicheuse de fille, le visage dans la moquette. Le sol tanguait et secouait comme le pont d'un bateau. « Bala-laïka blablabla.

— Putain de *télik*, a éructé Boris en s'écroulant par terre à côté de moi et en donnant des coups de pied ridicules vers la télévision. Je veux pas regarder cette merde.

— Eh bien, merde alors (et j'ai roulé en m'agrippant le ventre), moi non plus. » Mes yeux ne visaient plus droit et les objets avaient des auréoles qui chatoyaient au-delà de leurs frontières habituelles.

« Regardons les météos, a suggéré Boris en traversant le living à genoux. Je veux voir quels temps ils font en Nouvelle-Guinée.

— Tu vas devoir chercher, je ne sais pas sur quelle chaîne ça se trouve.

— Dubaï ! s'est exclamé Boris en tombant à quatre pattes vers l'avant, puis a suivi un flot de russe telle une bouillie, dans lequel j'ai repéré un juron ou deux.

— *Angliyski !* Parle anglais.

— Il neige là-bas ? » Puis secouant mon épaule. « Le type dit qu'il neige, il est fou, *ty vyezzháesh ?* ! De la neige à Dubaï ! Un miracle, Potter ! Regarde !

— C'est *Dublin,* espèce de trouduc. Pas Dubaï.

— *Valí otsyúda !* Va te faire foutre ! »

Puis j'ai dû tomber dans les pommes (ça arrivait assez souvent quand Boris apportait une bouteille) parce que ce dont je me souviens juste après, c'est que la lumière était complètement différente et que j'étais agenouillé à côté des portes coulissantes avec une flaque de vomi près de moi sur la moquette, le front pressé contre la vitre. Boris dormait à poings fermés sur le ventre et ronflait comme un bienheureux, avec un bras qui pendait du canapé. Popchik dormait aussi, le menton posé avec contentement sur la nuque de Boris. Je me sentais comme une merde. Des papillons morts flottaient à la surface de la piscine. On entendait un moteur bourdonner. Des criquets et des insectes noyés tourbillonnaient dans les paniers en plastique des filtres. Au-dessus de nous, le soleil couchant s'enflammait de strates de nuages rouge sang aux couleurs éclatantes et inhumaines, qui suggéraient des catastrophes en cascade et des ruines dignes de la fin des temps : des détonations dans des atolls du Pacifique, des animaux sauvages courant face à des nappes de flammes.

Si Boris n'avait pas été là, j'aurais pu pleurer. Au lieu de quoi, je suis allé dans la salle de bains et j'ai de nouveau vomi, puis après avoir bu un peu d'eau au robinet je suis revenu avec des serviettes en papier et j'ai nettoyé les cochonneries dont j'étais responsable, en dépit de ma tête qui me faisait tellement mal que j'y voyais à peine. Le vomi était d'un orange horrible à cause des ailes de poulet sauce barbecue, et dur à enlever, il avait laissé une tache ; pendant que je le frottais avec le liquide vaisselle, j'essayais de toutes mes forces de m'accrocher à des pensées réconfortantes de New York – l'appartement des Barbour avec ses porcelaines chinoises et ses portiers sympathiques, et aussi le petit coin tranquille et intemporel que représentait la maison de Hobie, avec ses vieux livres et ses horloges qui tic-taquaient bruyamment, ses vieux meubles, ses tentures en velours, partout des sédiments du passé, des pièces tranquilles où les choses l'étaient aussi et avaient du sens. Souvent le soir, lorsque j'étais dépassé par l'étrangeté de l'endroit où je me trouvais, je m'endormais en pensant à son atelier, aux odeurs puissantes de cire d'abeille et de copeaux de bois de rose, et puis à l'escalier étroit qui montait au salon, où des rayons de soleil poussiéreux brillaient sur des tapis orientaux.

Je vais appeler, me suis-je dit. Pourquoi pas ? J'étais encore assez ivre pour trouver que c'était une bonne idée. Mais le téléphone a sonné dans le vide. Pour finir, après deux ou trois essais puis une morne demi-heure, nauséeux et en sueur, avec mon ventre qui me torturait, passée devant la télévision à fixer la chaîne météo, le gel sur les routes, des fronts froids balayant le Montana, j'ai décidé d'appeler Andy et suis allé dans la cuisine pour ne pas réveiller Boris. C'est Kitsey qui a répondu.

« On peut pas se parler, m'a-t-elle lancé en vitesse quand elle s'est rendu compte que c'était moi. On est en retard. On va manger dehors.

— Où ça ? » ai-je demandé en clignant des yeux. Ma tête me faisait toujours si mal que je pouvais à peine me tenir debout.

« Avec les Van Nesse sur la 5ᵉ Avenue. Des amis de maman. »

À l'arrière-plan, j'entendais des gémissements indistincts de Toddy, avec Platt qui hurlait : « *Lâche*-moi ! »

« Est-ce que je peux dire bonjour à Andy ? ai-je demandé en fixant le sol de la cuisine.

— Non, franchement, on… Maman, j'arrive ! » l'ai-je entendue crier. À moi elle a lancé : « Joyeux Thanksgiving.

— À toi aussi, dis bonjour pour moi à tout le monde », mais elle avait déjà raccroché.

XXI

Mes appréhensions au sujet du père de Boris avaient été quelque peu allégées depuis qu'il m'avait pris dans ses bras et m'avait remercié de m'occuper de son fils. Bien que Mr. Pavlikovsky (« Monsieur ! » gloussait Boris) soit un type carrément patibulaire, je finissais par ne pas le trouver tout à fait aussi horrible qu'il en avait l'air. Par deux fois, la semaine après Thanksgiving, on est arrivés après les cours pour le trouver dans la cuisine – des plaisanteries grommelées, rien de plus, tandis qu'il était assis là à s'envoyer des vodkas et à éponger son front humide avec une serviette en papier, ses cheveux plutôt clairs assombris par une sorte de lotion capillaire huileuse, et à écouter des infos bruyantes en russe sur sa radio cabossée. Mais un soir où on était en bas avec Popper qui m'avait suivi et où on regardait un vieux film de Peter Lorre qui s'appelait *La Bête aux cinq doigts,* la porte d'entrée a claqué avec un grand bruit.

Boris s'est frappé le front. « Bordel. » Avant que je me rende compte de ce qu'il faisait, il m'avait fourré Popper dans les bras, m'avait pris par le col de la chemise, m'avait soulevé et poussé dans le dos.

« Quoi... ? »

Il avait lancé une main... *File.* « Chien, a-t-il sifflé. Mon père le tuera. Dépêche. »

J'ai traversé la cuisine en courant et, aussi discrètement que possible, j'ai décampé par la porte. Il faisait très sombre dehors. Pour une fois dans sa vie, Popper n'a pas fait de bruit. Je l'ai posé par terre sachant qu'il resterait près de moi, puis j'ai effectué un détour qui m'a amené devant les fenêtres du living, dénuées de rideaux.

Son père marchait avec une canne, quelque chose que je n'avais pas encore vu. S'appuyant lourdement dessus, il est entré dans la pièce éclairée en boitant, tel un personnage de pièce de théâtre. Boris était debout, les bras croisés sur sa poitrine maigre comme s'il se serrait dans ses propres bras.

Son père et lui se sont disputés – ou, plutôt, son père s'est adressé à lui sur un ton colérique. Boris fixait le sol. Ses cheveux pendaient sur son visage, donc tout ce que je pouvais voir de lui c'était le bout de son nez.

Abruptement, agitant la tête, Boris a balancé quelque chose de vif puis il a tourné les talons pour s'en aller. Ensuite – de manière si vicieuse que j'ai failli ne pas avoir le temps de le remarquer – son père a jailli tel un serpent avec la canne et a frappé Boris sur les omoplates, ce qui l'a fait chuter. Avant qu'il puisse se relever – il était à quatre pattes – Mr. Pavlikovsky lui a donné un coup qui l'a mis à terre, puis il l'a attrapé par le dos de sa chemise et l'a tiré en le faisant trébucher pour qu'il se relève. Divaguant et criant en russe, il l'a frappé au visage de sa main rouge chargée de bagues, un aller-retour : *vlan, vlan*. Puis le jetant, titubant, au milieu de la pièce, il a soulevé le côté crochu de la canne et l'a frappé en plein visage.

Passablement choqué, je me suis éloigné de la fenêtre, si désorienté que j'ai trébuché et suis tombé à la renverse sur un sac poubelle. Alarmé par le bruit, Popper s'est mis à courir en tous sens et à gémir sur un ton aigu comme pour une mélopée funèbre. Juste au moment où j'allais me relever – paniqué, dans un fracas de canettes et de bouteilles de bière – la porte de derrière s'est ouverte en grand et un carré de lumière jaune a éclaboussé le béton. Je me suis mis debout aussi vite que j'ai pu, ai saisi Popper et couru.

Mais c'était juste Boris. Il m'a rattrapé, m'a pris par le bras et m'a traîné le long de la rue.

« Bon sang, ai-je soufflé en freinant un peu et en essayant de regarder en arrière. C'était quoi, ça ? »

Derrière nous, la porte d'entrée de la maison de Boris s'est ouverte d'un grand coup. Sa silhouette se découpant dans la lumière de la porte, Mr. Pavlikovsky se tenait avec une main, secouant le poing et criant en russe.

Boris m'a tiré. « Allez, *viens*. » Nos chaussures giflant l'asphalte, nous avons couru le long de la rue jusqu'à ce que sa voix s'éteigne enfin.

« Bordel », ai-je fait en ralentissant pour marcher tandis que nous tournions au coin. Mon cœur battait à tout rompre et ma tête tournait ; Popper gémissait et se débattait pour descendre alors je l'ai déposé par terre et il s'est élancé en cercles autour de nous. « Qu'est-ce qui s'est passé ?

— Ah, rien, a répondu Boris inexplicablement enjoué en s'essuyant le nez avec un bruit mouillé de reniflement. "Une tempête dans un verre d'eau", c'est ce qu'on dit, non ? Il avait bu, c'est tout. »

Je me suis penché, les mains posées sur les genoux pour reprendre mon souffle. « Il était en colère ou juste soûl ?

— Les deux. Encore heureux qu'il ait pas vu Popchik, sinon... je ne sais pas ce qui serait arrivé. D'après lui, la place des animaux, c'est dehors. Tiens, a-t-il dit en me tendant la bouteille de vodka, regarde ce que j'ai ! Je l'ai piquée en sortant. »

J'ai senti le sang sur lui avant de l'apercevoir. Il y avait un croissant de lune – pas grand-chose, mais juste assez pour voir – et quand je me suis levé et l'ai regardé en face, je me suis rendu compte que son nez saignait à flots et que sa chemise en était trempée.

« Putain, ça va ? ai-je glapi en continuant de respirer lourdement.

— Allons à l'aire de jeux reprendre notre souffle », a suggéré Boris. Son visage, je l'ai vu, était massacré : œil gonflé et vilaine coupure en forme de crochet sur son front qui pissait le sang.

« Boris ! On devrait aller à la maison. »

Il a relevé un sourcil. « À la maison ?

— La *mienne*. Enfin bon. Tu as l'air amoché. »

Il a eu un large sourire – exposant ainsi des dents ensanglantées – et m'a gratifié d'un coup de coude dans les côtes. « Nan, j'ai besoin d'avaler quelque chose avant de me retrouver face à Xandra. Allez, Potter. Tu n'as pas besoin d'un décontractant ? Après tout ça ? »

XXII

Au foyer municipal abandonné, les toboggans de l'aire de jeu scintillaient, argentés, au clair de lune. On s'est assis sur le bord de la fontaine, nos pieds pendant dans le bassin vide, et on s'est passé la bouteille jusqu'à ce que l'on perde la notion du temps.

« C'était vachement bizarre », ai-je dit en m'essuyant la bouche avec le revers de la main. Les étoiles tournoyaient un peu.

S'appuyant en arrière sur les mains, le visage tourné vers le ciel, Boris se chantait à lui-même en polonais.

> *Wszystkie dzieci, nawet źle,*
> *pogrążone są we śnie,*
> *a ty jedna tylko nie.*
> *A-a-a, a-a-a...*

« Putain, il fait peur, ai-je dit. Ton père.

— Ouais, a répondu Boris sur un ton enjoué en s'essuyant la bouche sur l'épaule de sa chemise tachée de sang. Il a tué des gens. Une fois, il a tabassé un type à mort dans la mine.

— Tu déconnes.

— Non, c'est vrai. En Nouvelle-Guinée ça s'est passé. Il a essayé de maquiller ça en pierres descellées qu'elles seraient tombées et auraient tué l'homme, mais on a quand même dû partir juste après. »

J'ai réfléchi là-dessus. « Ton père n'est pas, euh, très costaud, ai-je poursuivi. Je veux dire, je ne le vois vraiment pas...

— Nan, pas avec ses poings. Avec un, comment vous dites... (il a mimé le geste de heurter une surface) une clé à molette. »

Je suis resté silencieux. Dans le geste de Boris assenant un coup avec la clé à molette imaginaire il y avait quelque chose qui sonnait authentique.

Boris, qui avait tâtonné pour allumer une cigarette, a laissé échapper un soupir enfumé. « Tu en veux une ? » Il me l'a filée et en a pris une autre, puis il s'est effleuré la mâchoire de son poing. « Ah, a-t-il dit en passant sa main de haut en bas.

« Ça te fait mal ? »

L'air endormi, il a ri et m'a donné un coup sur l'épaule. « À ton avis, andouille ? »

Il ne nous a pas fallu longtemps pour tituber en riant, puis pour avancer de manière maladroite à quatre pattes sur le gravier. Soûl comme j'étais, mon esprit se sentait à la fois exalté, froid et étrangement lucide. Puis à un moment donné, couverts de poussière à force d'avoir roulé et de s'être bagarrés par terre, on est repartis en chancelant vers la maison dans une obscurité presque totale, avec des rangées de pavillons abandonnés et la nuit gigantesque du désert tout autour de nous, le grésillement lumineux des étoiles bien au-dessus et Popchik qui trottinait derrière ; enlacés, on riait tellement qu'on en avait des haut-le-cœur, que ça se soulevait et qu'on a presque vomi sur le bas-côté de la route.

Il chantait à tue-tête la même chanson que tout à l'heure :

> *A-a-a, a-a-a,*
> *byly sobie kotki dwa.*
> *A-a-a, kotki dwa,*
> *Szarobure...*

Je lui ai donné un coup. « En anglais !

— Attends, je vais t'apprendre. *A-a-a, a-a-a...*

— Raconte-moi ce que ça veut dire.

389

— D'accord. *"Il était une fois deux petits chatons"*, a chanté Boris :

> *Tous deux étaient gris-brun.*
> *A-a-a...*

— *Deux petits chatons ? »*

Il a essayé de me frapper et a failli tomber. « Va te faire foutre ! Je n'ai pas le beau rôle. » S'essuyant la bouche avec sa main, il a rejeté la tête en arrière et a entonné :

> *Oh, dors, ma chérie,*
> *Et je te donnerai une étoile du ciel,*
> *Tous les enfants dorment à poings fermés*
> *Tous les autres, même les méchants,*
> *Tous les enfants dorment sauf toi.*
> *A-a-a, a-a-a...*
> *Il était une fois deux petits chatons... »*

Arrivés chez moi – beaucoup trop bruyamment, l'un disant à l'autre de se taire, en vain –, le garage était vide : personne au bercail. « Dieu *merci* », a fait Boris avec ferveur en tombant sur le ciment pour se prosterner devant le Seigneur.

Je l'ai attrapé par le col de sa chemise. « Lève-toi ! »

À l'intérieur, sous les lumières, il n'était pas beau à voir : du sang partout, l'œil gonflé ne laissant plus apparaître qu'une fente luisante. « Attends », lui ai-je lancé en le laissant tomber au milieu de la moquette du living, et j'ai chancelé jusqu'à la salle de bains en quête de quelque chose pour sa coupure. Mais il n'y avait rien, à part du shampooing et une bouteille de parfum vert que Xandra avait gagnée à l'occasion d'un jeu au casino Wynn. Me souvenant, malgré mon ivresse, de quelque chose que m'avait dit ma mère, je décidai d'utiliser le parfum comme antiseptique, et retournai au living où Boris était affalé sur la moquette, avec Popper qui reniflait nerveusement sa chemise couverte de sang.

« Voilà, ai-je dit en repoussant le chien et en tamponnant l'endroit ensanglanté sur son front avec un gant mouillé. Tiens-toi tranquille. »

Boris s'est convulsé et a grogné. « Qu'est-ce que tu fiches, bordel ?

— Ta gueule », lui ai-je répondu en écartant les cheveux de ses yeux.

Il a marmonné quelque chose en russe. J'essayais de faire attention, mais j'étais aussi soûl que lui et, quand j'ai vaporisé du parfum sur la coupure, il a crié et m'a flanqué un gnon sur la bouche.

« Bordel, tu fous quoi ? ai-je protesté en me touchant la lèvre, mes doigts à présent ensanglantés. Regarde ce que tu m'as fait.

— *Blyad*, a-t-il rétorqué en toussant et en donnant des coups en l'air, ça pue. Avec quoi tu m'as aspergé, putain ? »

Je me suis mis à rire ; impossible de m'en empêcher.

« *Salaud*, a-t-il grogné en me donnant un coup si rude que je suis tombé. Mais il riait aussi. Il a tendu une main pour m'aider à me relever mais je l'ai rejetée.

« Va te faire foutre ! » Je riais si fort que j'arrivais à peine à parler. « Tu sens comme Xandra.

— Bon sang, je m'étrangle. Il faut que je m'enlève ça. »

On est sortis en trébuchant – nous défaisant de nos vêtements, sautillant sur une jambe en enlevant nos pantalons – puis on a plongé dans la piscine : mauvaise idée, je m'en suis rendu compte au moment de tomber avant d'avoir touché l'eau, ivre mort et trop bourré pour marcher. L'eau froide m'a giflé si fort qu'elle a failli me couper le souffle.

J'ai labouré la surface de mes ongles : les yeux me

piquaient, le chlore me brûlait le nez. Une giclée d'eau m'a frappé en plein visage et je l'ai recrachée vers Boris qui était une tache floue et blanche dans l'obscurité, avec ses joues creuses et ses cheveux noirs plaqués de chaque côté de la tête. On a lutté l'un avec l'autre en riant, puis on s'est fait boire la tasse – alors que mes dents claquaient et que je me sentais bien trop soûl et malade pour chahuter dans deux mètres de profondeur.

Boris a plongé. Une main a serré ma cheville et m'a tiré vers le bas d'un coup sec, je me suis alors retrouvé à fixer un mur sombre de bulles.

Je me suis arraché d'une violente torsion ; j'ai lutté. C'était de nouveau comme au musée, j'étais enfermé dans un espace noir, sans échappatoire, que ce soit vers le haut ou vers le bas. Je me suis débattu et contorsionné tandis que les bulles d'un souffle paniqué flottaient sous mes yeux : cloches subaquatiques et obscurité. Pour finir – juste au moment où l'un de mes poumons était sur le point de se remplir d'eau – je me suis libéré en me tortillant et me suis dégagé vers la surface.

M'étouffant, à bout de souffle, je me suis accroché au rebord de la piscine en haletant. Quand ma vision s'est éclaircie, j'ai vu Boris, toussant et jurant, plonger en direction des marches. Le souffle coupé par la colère, j'ai un peu nagé et un peu sautillé derrière lui, puis j'ai accroché un pied à sa cheville de façon qu'il tombe tête la première avec un claquement.

« Connard », ai-je crachoté quand il s'est débattu pour remonter à la surface. Il a tenté de parler, mais je lui ai envoyé une giclée d'eau au visage, puis une autre, j'ai enroulé mes doigts dans ses cheveux et l'ai poussé sous l'eau. « Espèce de sale crevure, ai-je crié quand il a refait surface, suffoquant, l'eau dégoulinant sur son visage. Ne me refais *jamais* ça. » J'avais les deux mains sur ses épaules et j'étais sur le point de plonger au-dessus de lui – de le pousser vers le bas et de le maintenir là pendant un bon bout de temps – quand il est arrivé par-derrière et m'a serré le bras, j'ai alors vu qu'il était blanc et qu'il tremblait.

« Stop, a-t-il lancé en haletant, et j'ai vu à quel point ses yeux ne focalisaient plus et avaient l'air étrange.

— Hé, ça va ? » Mais il toussait trop fort pour pouvoir me répondre. Son nez saignait de nouveau, du sang foncé jaillissait entre ses doigts. Je l'ai aidé à se soulever et nous nous sommes affalés de concert sur les marches de la piscine – à moitié dans l'eau et à moitié hors de l'eau, trop épuisés pour même grimper complètement au sec.

XXIII

C'est un soleil vif qui m'a réveillé. Nous étions couchés : cheveux mouillés, à moitié habillés et tremblant dans le froid du climatiseur, avec Popper qui ronflait entre nous deux. Les draps étaient humides et puaient le chlore ; j'avais un mal de crâne carabiné et un vilain goût métallique dans la bouche, comme si j'avais sucé une poignée de petite monnaie.

J'étais allongé très immobile, sentant que je risquais de vomir si je bougeais la tête ne serait-ce que d'un milli-mètre, puis, avec une grande prudence, je me suis assis.

« Boris ? » ai-je fait en me frottant la joue du plat de la main. Des coulées de sang couleur rouille avaient taché la taie d'oreiller. « Tu es réveillé ?

— Oh, mon Dieu », a grogné Boris, pâle comme la mort et collant de sueur, roulant sur le ventre pour s'agripper au matelas. Il était nu à part ses bracelets Sid Vicious et ce qui ressemblait à un de mes caleçons. « Je vais vomir.

— Pas ici. » Je lui ai donné un coup. « Lève-toi. »

Grommelant, il est parti en trébuchant. J'entendais ses

haut-le-cœur dans ma salle de bains. Le simple bruit me rendait malade, mais aussi un peu hystérique. Je me suis retourné en roulant sur moi-même et j'ai ri dans mon oreiller. Quand il est revenu en trébuchant et en se serrant la tête à deux mains, j'ai été choqué par son œil au beurre noir, le sang qui avait formé des croûtes autour de ses narines et la coupure qui en formait une sur son front.

« Oh là là, tu m'as l'air mal. Tu as besoin de points.

— Tu sais quoi ? a dit Boris en se jetant sur le ventre sur le matelas.

— Quoi ?

— On est en retard pour les cours, bordel ! »

On a roulé sur le dos et hurlé de rire. Aussi faible et nauséeux que je me sois senti, j'ai cru que je ne pourrais jamais m'arrêter.

Boris s'est retourné pour s'affaler, tentant à l'aveuglette d'attraper quelque chose par terre. En un instant sa tête a rebondi vers le haut. « Ah ! C'est quoi, ça ? »

Je me suis redressé et j'ai tendu avec empressement une main vers le verre d'eau, ou ce que je pensais être de l'eau, et, quand il l'a fourré sous mon nez, j'ai eu un haut-le-cœur à cause de l'odeur.

Boris a hurlé. Vif comme l'éclair, il s'est retrouvé sur moi : tout en os pointus et en chair moite, puant la sueur, le vomi et autre chose de nu et sale, on aurait dit l'eau stagnante d'un étang. Il m'a pincé fort la joue, me renversant le verre de vodka sur le visage. « C'est l'heure de ton médicament ! Maintenant, maintenant », hurlait-il tandis que j'envoyais valdinguer le verre et le heurtais sur la bouche, un coup oblique que je n'ai pas vraiment mesuré. Tout excité, Popper aboyait. Boris a tenté de m'étrangler, a saisi ma chemise sale de la veille et a essayé de me la fourrer dans la bouche, mais j'étais trop rapide pour lui et je l'ai poussé hors du lit, si bien que sa tête a heurté le mur. « Oh, merde », a-t-il fait en se frottant le visage de sa paume ouverte et en gloussant, l'air endormi.

Je me suis levé d'un pas incertain, avec une sensation de sueur froide, et suis allé dans la salle de bains où, en une violente poussée ou deux, la main appuyée contre le mur, j'ai vidé mon estomac dans la cuvette des W-C. J'ai entendu Boris rire dans la pièce voisine.

« Deux doigts dans le gosier », m'a-t-il crié, puis quelque chose que j'ai loupé dans un nouveau frisson nauséeux.

Une fois que j'en ai eu terminé, j'ai craché une ou deux fois, puis je me suis essuyé la bouche du dos de la main. La salle de bains était une vraie cata : douche qui goutte, porte grande ouverte, serviettes trempées et gants de toilette tachés de sang en boule par terre. Tremblant toujours de nausée, j'ai bu dans mes mains au lavabo et me suis aspergé le visage d'eau. Le reflet de mon torse nu était voûté et pâle, et là où Boris m'avait filé un coup la nuit dernière ma lèvre avait gonflé.

Ce dernier était toujours par terre, étendu comme une poupée de chiffon, la tête soutenue par le mur. Quand je suis entré dans la pièce, il a entrouvert son bon œil et a gloussé en me voyant. « Tu te sens mieux ?

— Ta gueule ! Ne me parle pas, bordel.

— Tu l'as bien cherché. Est-ce que je ne t'avais pas dit de ne pas déconner avec ce verre ?

— Moi ?

— Tu ne te souviens pas, si ? » De sa langue il a touché sa lèvre supérieure pour voir si elle s'était remise à saigner. Sa chemise enlevée, on voyait tous les espaces entre ses côtes, les marques d'anciennes raclées et la rougeur liée à la chaleur, en haut de sa poitrine. « Ce verre par terre, *très* mauvaise idée. Malchance ! Je t'avais dit de ne pas le laisser là ! Ça va nous porter la poisse !

— Tu n'avais pas besoin de me le verser sur la tête, ai-je rétorqué en tâtonnant en quête de mes lunettes et en tendant la main vers le premier pantalon que j'avais vu sur la pile de linge commun par terre.

Boris s'est pincé l'arête du nez et a ri. « J'essayais juste de t'aider. Avec un peu d'alcool tu te sentiras mieux.

— Ouais, merci beaucoup.

— C'est vrai. Si tu ne le vomis pas. Il t'enlèvera ton mal de tête comme par magie. Mon père n'est pas personne secourable, mais son avis l'est : une bonne bière fraîche, c'est ce qu'il y a de mieux si tu en as.

— Hé, viens ici. » J'étais debout près de la fenêtre et je regardais la piscine.

« Hein ?

— Jette un coup d'œil. Je veux que tu voies ça.

— Dis-moi ce que c'est, j'ai pas envie de me lever, a marmonné Boris par terre.

— Tu ferais mieux. » En bas on aurait dit une scène de crime. Une ligne de gouttes de sang se déroulait autour des pavés menant à la piscine. Une débauche de chaussures, de jeans et de chemises trempées de sang avaient été violemment jetés en tous sens. Un des rangers abîmés de Boris était au fond du côté le plus profond de la piscine. Pire : une écume grasse de vomi flottait sur l'eau peu profonde affleurant sur les marches.

XXIV

Plus tard, après quelques essais sans conviction avec le robot de piscine, on s'est assis sur le plan de travail et on a fumé les Viceroy de mon père en discutant. Il était près de midi – trop tard pour même songer à aller en cours. Déguenillé, l'air délirant, sa chemise découvrant d'un côté une épaule, Boris a fait claquer les portes des placards en se plaignant amèrement qu'il n'y ait pas de thé – il a fini par préparer un horrible café à la russe, en faisant bouillir les grains dans une casserole sur la gazinière.

« Non, non, a-t-il dit quand il m'a vu me verser une tasse de taille normale. C'est très fort, prendre très peu. »

Je l'ai goûté et j'ai fait une grimace.

Il a plongé un doigt dedans et l'a léché. « Un biscuit, ça serait sympa.

— Tu plaisantes.

— Du pain et du beurre ? » a-t-il demandé avec une once d'espoir.

J'ai glissé du plan de travail – aussi doucement que possible parce que ma tête me faisait mal – et j'ai cherché partout jusqu'à ce que je trouve un tiroir avec des sachets de sucre et des paquets de tortillas, que Xandra avait rapportés du buffet de son bar.

« C'est fou, ai-je dit en regardant son visage.

— Quoi ?

— Ce qu'a fait ton père.

— C'est rien, a marmonné Boris en tournant la tête sur le côté pour pouvoir faire rentrer toute la tortilla. Une fois il m'a cassé une côte. »

Après une longue pause, et parce que je ne trouvais rien d'autre à répondre, j'ai rétorqué : « Une côte cassée, c'est pas si grave.

— Non, mais ça fait mal. C'est celle-ci, a-t-il dit en remontant sa chemise et en me la montrant.

— J'ai cru qu'il allait te tuer. »

Il m'a donné un coup d'épaule avec la sienne. « Ah, je l'ai provoqué exprès. Je lui ai répondu. Pour que tu aies le temps d'emmener Popchik. Écoute, ça va, a-t-il dit sur un ton condescendant pendant que je ne cessais de le regarder. Hier soir, il écumait de rage, mais il sera désolé quand il me verra.

— Peut-être que tu devrais rester ici quelque temps. »

Boris s'est appuyé en arrière sur les mains et m'a

adressé un sourire dédaigneux. « Y a pas de quoi en faire un plat. Parfois il est déprimé, c'est tout.

— Ha. » À la vieille époque sombre du Johnny Walker – avec du vomi sur ses jolies chemises et des collègues en colère qui appelaient à la maison –, mon père (parfois en larmes) avait mis ses rages sur le compte de « la dépression ».

Boris a ri et son amusement semblait authentique. « Et alors ? Tu n'es pas triste par moments, toi ?

— Il devrait aller en prison pour ça.

— Oh, je t'en prie. » Boris en avait assez de son mauvais café et il s'est aventuré vers le frigo en quête d'une bière. « Mon père... mauvais caractère, oui, mais il m'aime. Il aurait pu me laisser chez un voisin quand il a quitté l'Ukraine. C'est ce qui est arrivé à mes amis Maks et Seryozha... Maks s'est retrouvé à la rue. En plus, je devrais être en prison moi-même, si tu veux suivre ta logique.

— Pardon ?

— Une fois, j'ai essayé de le tuer. Sérieux ! a-t-il dit quand il a vu la façon dont je le regardais. Si.

— Je ne te crois pas.

— Non, vrai, a-t-il rétorqué sur un ton résigné. Je me sens mal rien que d'y penser. Notre dernier hiver en Ukraine, je l'ai piégé en lui suggérant d'aller marcher dehors... et il était tellement ivre qu'il a accepté. Puis j'ai fermé la porte à clé. En me disant que, sûr, il allait mourir dans la neige. Je suis content que non, hein ? a-t-il ajouté avec un grand éclat de rire. Parce que alors je serais coincé en Ukraine, mon Dieu. À dormir à la gare.

— Qu'est-ce qui s'est passé ?

— Sais pas. Il n'était pas assez tard dans la soirée. Quelqu'un l'a vu et l'a pris en voiture... Une femme, j'imagine, qui sait ? Toujours est-il qu'il est sorti et qu'il a bu encore plus, puis il est rentré à la maison quelques jours plus tard... Heureusement pour moi, il ne se souvenait plus de ce qui s'était passé ! À la place, il m'a rapporté un ballon de foot et m'a dit qu'à partir de maintenant il ne boirait plus que de la bière. Ça a duré un mois peut-être. »

Je me suis frotté l'œil en dessous de mes lunettes. « Qu'est-ce que tu vas leur raconter au lycée ? »

Il a ouvert la bière. « Hein ?

— Eh bien, je veux dire. » Le bleu sur son visage avait la couleur de la viande crue. « Les gens vont poser des questions. »

Il a eu un large sourire et m'a donné un coup de coude. « Je leur dirai que c'est *toi*.

— Non, sérieux.

— Je suis sérieux.

— Boris, c'est pas drôle.

— Oh, allez. Football, skateboard. » Ses cheveux noirs lui tombaient sur la figure comme une ombre et il les a rejetés en arrière. « Tu ne veux pas qu'ils m'emmènent, si ?

— Tu as raison, ai-je répondu après un temps d'arrêt inconfortable.

— Parce que la Pologne… (il m'a passé la bière) je pense qu'ils m'enverraient là-bas. En cas d'expulsion. Bien que la Pologne (il a ri, un aboiement surprenant), ça soit mieux que l'Ukraine, bon sang !

— Ils ne peuvent pas te renvoyer là-bas, si ? »

Il a froncé les sourcils en regardant ses mains, qui étaient sales, les ongles entourés de sang séché. « Non, a-t-il fait sur un ton féroce. Parce que je me suiciderai d'abord.

— Oh, ouiiiiiiin. » Boris passait son temps à menacer de se suicider pour un oui ou pour un non.

« Je ne plaisante pas ! Je mourrai d'abord ! Je préfère être mort.

— Mais non.

— Mais si ! L'hiver… tu ne sais pas comment c'est.

399

Même l'air est mauvais. On ne voit que du ciment gris, et le vent...

— Eh bien, ça doit bien être l'été là-bas par moments.

— Ah, tu parles. » Il a tendu le bras vers ma cigarette, a tiré à fond dessus, puis a soufflé un jet de fumée vers le plafond. « Les moustiques. La boue puante. Tout qui sent le moisi. Je mourais tellement de faim et je me sentais si seul... Je t'assure, parfois j'avais tellement faim, sérieux, que je marchais le long de la rivière en envisageant de m'y noyer. »

J'avais mal à la tête. Les vêtements de Boris (qui étaient à moi, en fait) tournaient dans le sèche-linge. Dehors le soleil brillait, fort et virulent.

« Je ne sais pas toi, mais de la vraie nourriture me ferait du bien, ai-je dit en reprenant la cigarette.

— Qu'est-ce qu'on fait, alors ?

— On aurait dû aller en cours.

— Hmpf. » Boris avait clairement exprimé qu'il n'y allait que parce que moi j'y allais, et parce qu'il n'y avait rien d'autre à faire.

« Non... je veux dire. On aurait dû y aller. Aujourd'hui y a de la pizza. »

Boris a eu un clin d'œil empli d'un authentique regret. « Bordel. » C'était l'autre truc à propos du lycée ; au moins ils nous nourrissaient. « Trop tard maintenant. »

XXV

Parfois je me réveillais en hurlant au beau milieu de la nuit. Le pire, dans l'explosion, c'était que je la portais dans mon corps – la chaleur et la secousse dans mes os, ainsi que le fracas. Dans mes rêves, il y avait toujours une sortie lumineuse et une autre plongée dans l'obscurité. Je devais emprunter le chemin obscur parce que le côté lumineux était brûlant et lançait des étincelles enflammées. Mais ce chemin-là était celui où se trouvaient les corps.

Heureusement, Boris ne semblait jamais dérangé, ni même très surpris, quand je le réveillais, comme s'il venait d'un monde où hurler à la mort la nuit était monnaie courante. Parfois il prenait Popchik, qui ronflait au pied de notre lit, et il déposait ce tas mou et endormi sur ma poitrine. Alourdi de la sorte, avec leur chaleur à tous les deux qui m'entourait, je restais étendu, occupé à compter intérieurement en espagnol, ou alors à essayer de me souvenir de tous les mots que je connaissais en russe (des jurons, pour l'essentiel) jusqu'à ce que je me rendorme.

Quand je suis arrivé à Vegas, au début, j'ai tenté de me sentir mieux en imaginant ma mère toujours en vie qui suivait son petit train-train à New York, papotant avec les portiers, achetant un café et un muffin au snack, attendant sur le quai le métro de la ligne 6, à côté du kiosque à journaux. Mais ça n'avait pas marché très longtemps. Maintenant, quand j'enfonçais mon visage dans un oreiller inconnu qui ne portait ni son odeur ni celle de la maison, je pensais à l'appartement des Barbour sur Park Avenue ou, parfois, à la maison de Hobie dans le Village.

Je suis désolé que ton père ait vendu les affaires de ta mère. Si tu m'en avais parlé, j'aurais pu en acheter quelques-unes et te les garder. Quand on est triste – en tout cas moi je suis comme ça – cela peut être réconfortant de s'accrocher à des objets familiers, aux choses intemporelles.

Tes descriptions du désert – cet éclat aveuglant, infini et océanique – sont terribles, mais aussi très belles. Peut-être convient-il de saluer son âpreté et sa vacuité. La lumière de jadis est différente de celle d'aujourd'hui, et pourtant ici, dans cette maison, le passé se rappelle à moi à la moindre occasion. Mais quand je pense à toi, c'est comme si tu étais parti en mer sur un bateau – là-bas dans une luminosité étrangère dénuée de chemins, avec juste les étoiles et le ciel.

Cette lettre était arrivée, glissée dans une vieille édition reliée de *Vol de nuit,* de Saint-Exupéry, que j'ai lu et relu. J'ai gardé la lettre dans le livre, où elle s'est froissée et salie à force de fréquentes relectures.

Boris était la seule personne à Vegas à qui j'avais raconté comment ma mère était morte – information qu'il avait accueillie avec sang-froid, ce qui était tout à son honneur ; sa propre vie avait été tellement fantasque et violente que mon récit ne l'a pas choqué plus que ça. Il avait vu de grosses explosions, dans les mines de son père autour de Batu Hijau et dans d'autres endroits dont je n'avais jamais entendu parler et, sans connaître les détails, il était capable de se risquer à une estimation à peu près juste du genre d'explosifs utilisés. Aussi bavard qu'il soit, il avait également un côté secret et je lui faisais confiance pour n'en parler à personne sans que j'aie à le lui demander. Peut-être parce que lui-même avait perdu sa mère et noué des liens forts avec des gens comme Bami, le « lieutenant » de son père, Evgeny, et Judy, la femme du gérant de bistrot à Karmeywallag, il ne semblait pas du tout trouver mon attachement à Hobie étrange. « Les gens promettent d'écrire, puis ils ne le font pas, a-t-il dit alors que nous étions dans la cuisine et regardions la dernière lettre de Hobie. Mais ce type t'écrit tout le temps.

— Ouais, il est sympa. » J'avais abandonné l'idée d'essayer d'expliquer Hobie à Boris : la maison, l'atelier, son écoute attentive si différente de celle de mon père mais, plus que tout, une sorte de plaisante atmosphère spirituelle : brumeuse, automnale, un microclimat tempéré et accueillant qui faisait que je me sentais en sécurité et à l'aise en sa compagnie.

Boris a plongé son doigt dans le pot de beurre de cacahuètes ouvert entre nous sur la table et l'a léché. Il s'était pris de passion pour ce produit (ainsi que pour la pâte de marshmallow, une autre de ses faiblesses) que l'on ne trouvait pas en Russie. « Vieux pédé ? » a-t-il demandé.

J'ai été décontenancé. « Non, me suis-je empressé de répondre. » Puis : « Je ne sais pas.

— C'est pas grave, a rétorqué Boris en me tendant le pot. J'en ai connu qui étaient adorables.

— Je ne crois pas qu'il le soit », ai-je dit sans en être certain.

Boris a haussé les épaules. « Et puis après ? S'il est gentil avec toi ? On n'a jamais trop de gentillesse dans le monde, hein ? »

XXVI

Boris en était venu à apprécier mon père, et inversement. Il comprenait mieux que moi comment ce dernier gagnait sa vie ; et sans que l'on ait besoin de le prévenir il savait qu'il valait mieux se tenir à distance de lui quand il perdait, parce qu'il comprenait aussi que mon père avait besoin de quelque chose que j'étais peu désireux de lui donner : à savoir un public quand il était dans la fièvre du gain, qu'il faisait les cent pas dans la cuisine, monté sur ressorts et incisif, désireux que quelqu'un écoute ses histoires et le félicite pour ses succès. Quand on l'entendait au rez-de-chaussée, prétentieux et shooté par les retombées d'un gain, se cognant partout avec jubilation et faisant beaucoup de bruit, Boris posait alors son livre et filait en bas, où il écoutait patiemment mon père lui faire le récit ennuyeux du jeu de la soirée à la table de baccara, carte par carte, récit qu'il enchaînait souvent avec des histoires insupportables d'autres triomphes apparentés, remontant jusqu'à ses années d'étudiant et à sa carrière d'acteur brisée.

« Tu ne m'avais pas dit que ton père avait joué dans des films ! m'a lancé Boris en revenant à l'étage avec une tasse de thé à présent froide.

— Pas dans beaucoup. Deux maximum.

— Mais bon. Celui-là, c'était vraiment un *grand* film… ce polar, tu sais, celui avec les policiers qui acceptent des pots-de-vin. Comment il s'appelle déjà ?

— Il n'avait pas un très grand rôle. Il apparaît une seconde. Il jouait un avocat tué dans la rue. »

Boris a haussé les épaules. « On s'en fout. C'est intéressant quand même. S'il allait en Ukraine un jour, les gens le traiteraient comme une star.

— Qu'il y aille, alors, et qu'il emmène Xandra avec lui. »

L'enthousiasme de Boris pour ce qu'il appelait les « discussions intellectuelles » trouvait un écho approbateur auprès de mon père. Ne m'intéressant moi-même pas à la politique, et encore moins à l'opinion que mon père en avait, je ne souhaitais pas m'engager dans le genre de discussions absurdes sur les événements du monde que mon père affectionnait, je le savais. Mais, soûl ou sobre, Boris s'y pliait avec bonheur. Souvent, lors de ces échanges, mon père agitait les bras et imitait l'accent de Boris pendant des conversations entières, d'une manière qui me faisait grincer des dents. Toutefois Boris lui-même ne semblait pas remarquer ou s'en offenser. Parfois, quand il descendait faire chauffer la bouilloire et qu'il ne revenait pas, je les trouvais discutant joyeusement dans la cuisine de la dissolution de l'Union soviétique ou que sais-je, tels deux acteurs dans une production théâtrale.

« Ah, Potter ! a-t-il dit en arrivant à l'étage. Ton père. Il est super sympa ! »

J'ai enlevé les écouteurs de mon iPod. « Si tu le dis.

— Je suis sérieux, a poursuivi Boris en s'affalant par terre. Il est si intéressant et si intelligent ! Et il t'adore.

— Je ne sais pas ce qui te fait dire ça.

— Allez ! Il veut que ça se passe bien avec toi, mais il ne sait pas comment s'y prendre. Il aimerait que ce soit toi qui sois en bas à discuter avec lui, pas moi.

— Il te l'a dit ?

— Non. Mais c'est vrai ! Je le sais.

— Il le cache bien. »

Boris m'a lancé un regard inquisiteur. « Pourquoi tu le détestes autant ?

— Je ne le *déteste* pas.

— Il a brisé le cœur de ta mère. Quand il l'a quittée. Mais tu dois lui pardonner. Tout ça c'est du passé maintenant », a affirmé Boris avec fermeté.

Je l'ai fixé. Est-ce que c'était là ce que mon père racontait aux gens ?

« C'est des conneries, ai-je rétorqué en me relevant et en jetant ma BD. Ma mère... (Comment pouvais-je l'expliquer ?) Tu ne comprends pas, avec nous c'était un salopard, on était *contents* quand il est parti. Enfin, bon, je sais que tu trouves que c'est un mec super et tout et tout...

— Et pourquoi il est si terrible ? Parce qu'il voyait autres femmes ? a demandé Boris, tendant les mains, paumes tournées vers le haut. Ça arrive. Il a sa vie. Qu'est-ce que ça a à voir avec toi ? »

J'ai secoué la tête, incrédule. « Mec, il t'a roulé dans la farine. » Je ne cessais d'être étonné par la façon dont mon père pouvait charmer des inconnus et les mettre dans sa poche. Ils lui prêtaient de l'argent, le recommandaient pour des promotions, le présentaient à des gens importants, l'invitaient à occuper leur résidence secondaire, tombaient complètement sous son charme – puis tout s'écroulait et il passait à quelqu'un d'autre.

Boris a entouré ses genoux de ses bras et a appuyé la tête contre le mur. « OK, Potter, est-il convenu d'une voix agréable. Ton ennemi… mon ennemi. Si tu le détestes, je le déteste aussi. Mais (il a penché la tête sur le côté) je suis ici. Et j'y reste. Qu'est-ce que je dois faire, alors ? Je dois parler, être sympa et agréable ? Ou lui manquer de respect ?

— Je n'ai pas dit *ça*. Je dis juste, ne va pas croire tout ce qu'il te raconte. »

Boris a gloussé. « Je ne crois rien ni *personne*, a-t-il asséné en me donnant un coup de pied amical. Pas même toi. »

XXVII

Aussi fan de Boris que soit mon père, je passais mon temps à tenter de détourner son attention du fait que ce dernier, en clair, avait emménagé avec nous – ce qui n'était pas si difficile vu qu'entre le jeu et les drogues mon père avait la tête tellement ailleurs que, si j'avais rapporté un lynx et l'avais installé dans la chambre du haut, il n'aurait rien remarqué. C'était un peu plus dur de négocier avec Xandra, plus encline à se plaindre des dépenses, en dépit de la nourriture volée que Boris rapportait. Quand elle était là, il restait en haut, hors de sa vue, fronçant les sourcils sur *L'Idiot* en russe et écoutant de la musique sur mes haut-parleurs portables. Je lui remontais des bières et de quoi manger et j'ai appris à lui faire du thé comme il l'aimait : bouillant, avec trois sucres.

On arrivait presque à Noël, mais vu la météo, on ne l'aurait pas cru : il faisait frais le soir, mais clair et chaud dans la journée. Quand le vent soufflait, le parasol près de la piscine se refermait d'un coup sec avec un bruit de détonation. Il y avait des éclairs la nuit, mais pas de pluie ; et parfois le sable se soulevait et volait en petits tourbillons qui tournoyaient de-ci de-là dans la rue.

J'étais déprimé à cause des fêtes, alors que Boris le prenait bien. « C'est pour les petits enfants et tout et tout, disait-il sur un ton dédaigneux, couché sur mon lit et appuyé sur les coudes. L'arbre, les jouets. On aura notre propre *praznyky* pour le réveillon de Noël. Qu'est-ce que tu en dis ?

— *Praznyky* ?

— Tu sais. Une sorte de soirée de fêtes. Pas un vrai repas de fête religieuse, juste un bon repas. On préparera un truc spécial… Peut-être qu'on invitera ton père et Xandra. Tu crois qu'ils voudront manger avec nous ? »

À ma grande surprise, mon père – et même Xandra – ont semblé enchantés par l'idée (mon père, je pense, surtout parce qu'il aimait le mot *praznyky*, qu'il adorait faire répéter à voix haute à Boris). Le 23, Boris et moi sommes allés faire les courses, avec de l'argent en bonne et due forme que mon père nous avait donné (ce qui tombait bien, vu que notre supermarché habituel était trop rempli de clients à cause des fêtes pour que nous puissions y voler en paix) et on est revenus avec des pommes de terre, un poulet et une série d'ingrédients peu appétissants (choucroute, champignons, pois et crème aigre) pour un repas de fête polonais que Boris prétendait savoir préparer : des bouchées au pain de seigle (Boris avait insisté sur ce pain ; du pain blanc n'irait pas du tout pour le repas, avait-il expliqué) ; cinq cents grammes de beurre ; des cornichons ; et des bonbons au sucre candi.

Boris avait dit que nous mangerions dès l'apparition de la première étoile dans le ciel – celle du berger. Mais on n'avait pas l'habitude de cuisiner pour plus que nous deux, et du coup on s'est mis en retard. La veille de Noël, à environ vingt heures, le plat avec la choucroute était prêt et le poulet (qu'on avait compris comment préparer en suivant les indications sur le paquet) avait encore besoin de cuire dix minutes avant qu'on puisse le sortir du four, quand mon père est descendu, en sifflotant *Jingle Bells*, et a donné un petit coup sec et joyeux sur une porte de placard pour attirer notre attention.

« Allez, les garçons ! » a-t-il lancé. Son visage était rouge et luisant et son débit très rapide, avec un *staccato* tendu que je ne connaissais que trop. Il portait un de ses vieux costumes chic Dolce et Gabbana de son époque new-yorkaise, mais sans cravate, la chemise flottante et pas boutonnée au col. « Va te peigner et te faire un peu beau. Je vous emmène manger dehors. Tu as quelque chose de mieux à te mettre, Theo ? Sûrement.

— Mais… » Je l'ai fixé, frustré. Ça, c'était bien mon père : entrer d'un air dégagé et changer de plans au dernier moment.

« Oh, allez. Le poulet peut attendre. Non ? Mais si. » Il parlait à toute vitesse. « Vous pouvez remettre l'autre truc dans le frigo aussi. On le mangera demain pour le repas de Noël… Ce sera toujours *praznyky* ? Est-ce que *praznyky* c'est juste pour le réveillon ? Je me trompe ? Bon, OK, on aura le nôtre… le jour de Noël. Nouvelle tradition. Les restes, c'est meilleur, de toute façon. Écoute, ça va être *génial*. Boris (il le poussait déjà hors de la cuisine), c'est quoi ta taille, camarade ? Tu ne sais pas ? Certaines de mes vieilles chemises Brooks Brothers, je devrais vraiment toutes te les donner, elles sont super, ne rêve pas, elles te tomberont probablement au genou, mais elles sont un peu trop justes au niveau du col pour moi, et si tu remontes les manches, sur toi elles auront l'air parfaites… »

XXVIII

J'avais beau être à Las Vegas depuis plus de six mois, c'était seulement ma quatrième ou cinquième fois sur le Strip – et Boris (qui se contentait avec bonheur de notre petite orbite entre le lycée, le centre commercial et la maison) était à peine allé dans Vegas même. Émerveillés, on a fixé les cataractes de néon, l'électricité qui explosait, vibrait et tombait en cascades de bulles tout autour de nous, le visage de Boris tourné vers le haut brillait en rouge et or dans ce déluge affolant de lumières.

À l'intérieur du *Venetian*, des gondoliers avançaient le long d'un vrai canal, avec de la vraie eau qui sentait les produits chimiques, tandis que des chanteurs lyriques en costumes entonnaient *Douce Nuit* et *Ave Maria* sous des cieux artificiels. Mal à l'aise, Boris et moi suivions en nous sentant miteux et en traînant les pieds, trop stupéfaits pour tout absorber. Mon père avait fait des réservations pour nous dans un restaurant italien chic en panneaux de chêne, l'avant-poste de son célèbre jumeau à New York. « Vous commandez ce que vous voulez, a-t-il annoncé en tirant sa chaise à Xandra. C'est moi qui régale. Lâchez-vous. »

Nous lui avons obéi à la lettre. Nous avons mangé du flan aux asperges avec une vinaigrette aux échalotes ; du saumon fumé ; un carpaccio de cabillaud fumé ; des *perciatelli* aux cardons et truffes noires ; de la perche noire et croquante au safran accompagnée de fèves ; du flanchet grillé, un plat de côtes braisées, de la *panna cotta*, du gâteau au potiron et de la glace aux figues en dessert. C'était, et de loin, le meilleur repas que j'aie avalé depuis des mois, ou peut-être même de ma vie ; et Boris, qui avait englouti deux assiettes de carpaccio à lui tout seul, jubilait. « Ah, *merveilleux*, a-t-il dit pour la quinzième fois – il en ronronnait presque d'aise – tandis que la jolie serveuse nous apportait une assiette supplémentaire de bonbons et de *biscotti* avec le café. Merci ! Merci, Mr. Potter, Xandra, a-t-il répété. C'est délicieux. »

Mon père, qui n'avait pas mangé tant que ça comparé à nous (Xandra non plus), a repoussé son assiette. Les cheveux sur ses tempes étaient mouillés et son visage était tellement éclatant et rouge qu'il en luisait presque. « Remerciez le petit Chinois avec la casquette des Cubs qui n'a pas arrêté de parier contre la banque au salon cet après-midi, a-t-il lancé. Mon Dieu. C'était comme s'il nous était *impossible* de perdre. » Dans la voiture il nous avait déjà montré sa manne : le gros rouleau de billets de cent entouré d'un élastique. « Les cartes n'arrêtaient pas de sortir, encore et encore. Mercure en rétrograde, et dans le ciel la lune était haute ! Je veux dire… c'était magique. Vous savez, quelquefois il y a une lumière à la table, comme un halo que l'on peut voir, et on est à l'intérieur, vous comprenez ? On *est* la lumière. Il y a ce super croupier ici, Diego, *j'adore* Diego… C'est fou, c'est le portrait craché du peintre Diego Rivera sauf qu'il porte un putain de smoking de mes deux. Je vous ai déjà parlé de Diego ? Ça fait quarante ans qu'il est ici, depuis l'époque du vieux Flamingo. Grand, solide, super look. Il est mexicain, vous savez. Des mains rapides et glissantes ornées de grosses bagues (il a agité les doigts)… Ba-ca-RRRAT ! Bon sang, j'adore ces Mexicains de la vieille école dans le salon de baccara, ils ont un putain de style. Ce sont des vieux gars surannés et élégants qui portent bien leur poids, vous voyez ? Quoi qu'il en soit, on était à la table de Diego, le petit Chinois et moi ; il était impayable lui aussi, avec des lunettes cerclées d'écaille et pas un mot d'anglais, vous voyez le genre, juste « San Bin ! San Bin ! » tout en buvant ce putain de thé au ginseng qu'ils boivent tous, ça a un goût de poussière mais j'adore l'odeur. On croirait que c'est

410

l'odeur de la chance, et c'était incroyable, on était sur une *telle* vague, bon sang, toutes ces Chinoises derrière nous, chaque main était gagnante… Est-ce que tu crois que ça serait une bonne idée si je les emmenais au salon de baccara pour rencontrer Diego ? a-t-il dit à Xandra. Je suis sûr qu'ils l'adoreraient. Je me demande s'il est toujours de service. Qu'est-ce que tu en penses ?

— Il n'y sera pas. » Xandra avait belle allure, l'œil vif et étincelant, en mini-robe en velours et sandales ornées de pierreries, avec un rouge à lèvres plus rouge que d'ordinaire. « Pas maintenant.

— Parfois, il fait un double service, au moment des fêtes.

— Oh, il ne faut pas qu'ils aillent là-bas. En plus, c'est loin. Il faudra déjà une demi-heure pour traverser le casino puis revenir.

— Ouais, mais je sais qu'il aimerait rencontrer mes gosses.

— Ouais, probable », a répondu Xandra sur un ton aimable en faisant tourner un doigt autour du bord de son verre de vin. La minuscule colombe en or de son collier a scintillé au bas de son cou. « C'est un mec sympa. Mais, Larry, enfin, je sais que tu ne me prends pas au sérieux, mais si tu te mets à copiner avec les croupiers, un jour tu vas arriver là-bas et tu auras les gardes de la sécurité au cul. »

Mon père a ri. « Bon sang ! » s'est-il écrié avec un air de jubilation et en frappant la table, avec tellement de bruit que j'ai sursauté. « Si je n'avais pas su à quoi m'en tenir, j'aurais bel et bien cru que Diego aidait *vraiment* à la table aujourd'hui. Enfin, peut-être que c'était le cas. Le baccara télépathique ! Tes chercheurs soviétiques devraient travailler *là-dessus*, a-t-il lancé à Boris. Ça mettrait votre système économique au pas, là-bas. »

Boris s'est raclé mollement la gorge et a levé son verre d'eau. « Excusez-moi, est-ce que je peux dire un truc ?

« — C'est l'heure du discours ? Il fallait préparer des toasts ?

— Je vous remercie pour votre présence. Et je nous souhaite à tous santé et bonheur, et que nous vivions jusqu'à Noël prochain. »

Dans le silence étonné qui a suivi, un bouchon de champagne a sauté dans la cuisine, suivi d'un éclat de rire. Il était juste un peu plus de minuit : c'était Noël depuis deux minutes. Mon père s'est appuyé contre le dossier de sa chaise et a ri. « Joyeux Noël ! » a-t-il hurlé en sortant de sa poche une boîte qu'il a fait glisser vers Xandra, ainsi que deux liasses de billets de vingt (cinq cents dollars chacune !) qu'il a jetées en travers de la table vers Boris et moi. Et bien que dans la nuit intemporelle et climatisée du casino, des mots comme *jour* et *Noël* soient des constructions mentales plutôt dénuées de sens, au milieu des verres avec lesquels on trinquait bruyamment, le *bonheur* ne semblait pas une idée si maudite ni si funeste que cela.

6

Vol de nuit

I

Durant l'année suivante, je me suis tellement efforcé d'essayer de chasser New York et mon ancienne vie de mon esprit que j'ai à peine vu le temps passer. Les jours se déroulaient, tous identiques, dans la lumière éblouissante et l'absence de saison définie : gueule de bois matinale dans le bus scolaire, nos dos cramoisis de s'être endormis près de la piscine, l'écœurante odeur d'essence de la vodka, et celle de Popper, mélange permanent de chien mouillé et de chlore. Boris m'apprenait à compter, à demander mon chemin et à offrir un verre en russe, tout aussi patiemment qu'il m'avait appris à jurer. Oui, s'il vous plaît, ça me plairait. Merci, vous êtes très aimable. *Govorite li vy po-angliyski ?* Vous parlez anglais ? *Ja nemnogo govorju po-russki.* Je parle russe, un peu.

Hiver comme été, le jour nous aveuglait, l'air du désert nous brûlait les narines et nous asséchait la gorge. Tout était drôle ; tout nous faisait rire. Parfois, juste avant le coucher du soleil, au moment où le bleu du ciel s'assombrissait pour devenir violet, on apercevait ces nuages extravagants avec des zébrures orageuses à la Maxfield Parrish qui roulaient, blancs et dorés, vers le désert telle la Divine Révélation menant les mormons vers l'ouest. *Govorite medlenno*, ai-je dit, parlez lentement, et *Povtorite, pozhalujsta.* Répétez, s'il vous plaît. Mais nous étions tellement en phase l'un avec l'autre que nous n'avions pas besoin de nous parler du tout si nous n'en avions pas envie ; d'un simple soulèvement du sourcil ou d'un sourire en coin nous savions comment nous faire basculer mutuellement dans des crises de fou rire. Le soir, nous mangions par terre assis en tailleur, laissant des traces de doigts gras sur nos livres de classe. Notre régime alimentaire nous avait fait basculer dans la malnutrition, avec des ecchymoses brun pâle sur les bras et les jambes ; carences en vitamines, a asséné l'infirmière du lycée en nous administrant à chacun une piqûre douloureuse dans le cul et un pot coloré de vitamines junior à mâcher. (« Mes fesses me font mal », a dit Boris en se frottant le derrière et en maudissant les sièges métalliques du bus scolaire.) De mon côté, j'étais couvert de taches de rousseur des pieds à la tête à cause de toute la natation qu'on faisait ; mes cheveux (plus longs à l'époque qu'ils ne l'ont jamais été ensuite) se paraient de mèches blondes dues aux produits chimiques de la piscine, et dans l'ensemble je me sentais bien, à part une lourdeur indélogeable dans la poitrine et mes dents du fond qui pourrissaient à force de manger des bonbons. À part ça, j'allais bien. Et donc les jours passaient de manière plutôt agréable ; mais par la suite – peu de temps après mon quinzième anniversaire – Boris a rencontré une fille du nom de Kotku ; et là, tout a chaviré.

Le prénom Kotku (variante ukrainienne : Kotyku) la rendait plus intéressante que ce qu'elle était en réalité ; il ne s'agissait pas de son vrai prénom, juste d'un surnom (« chaton », en polonais) que Boris lui avait donné. Son nom de famille était Hutchins ; son vrai prénom était en fait quelque chose comme Kylie ou Keiley ou Kaylee ; et elle avait vécu dans le comté de Clark, Nevada, toute sa vie. Elle avait beau fréquenter notre lycée, où elle était juste une classe au-dessus de nous, elle était beaucoup plus âgée – mon aînée de trois bonnes années. Boris semblait avoir l'œil sur elle depuis un bout de temps, mais moi je ne l'avais pas remarquée jusqu'à cet après-midi où il s'est jeté au pied de mon lit et m'a lancé : « Je suis amoureux.

— Ah ouais ? Et de qui ?

— La fille du cours d'instruction civique. À qui j'ai acheté un peu d'herbe. Hé, elle a dix-huit ans, tu y crois ? *Putain*, elle est *sublime*.

— Tu as de l'herbe ? »

D'un geste joueur il a fait un brusque mouvement en avant et m'a attrapé par l'épaule ; il savait à quel endroit j'étais le plus sensible, juste sous l'omoplate, et qu'il pouvait y enfoncer ses doigts et me faire glapir. Mais je n'étais pas d'humeur et je lui ai asséné un grand coup.

« Aïe ! Putain ! s'est écrié Boris en roulant loin de moi et en se frottant la joue du bout des doigts. Pourquoi tu as fait ça ?

— J'espère bien que ça t'a fait mal. Elle est où, cette herbe ? »

Nous n'avons plus parlé de la vie amoureuse de Boris, en tout cas pas ce jour-là, mais, quelque temps plus tard alors que je sortais du cours de maths, je l'ai vu surgir derrière cette fille à côté des casiers. Boris n'était pas spécialement grand pour son âge, mais la fille était minuscule tout en ayant l'air beaucoup plus âgée que nous : pas de poitrine, hanches maigres, pommettes saillantes, front brillant et visage triangulaire anguleux et luisant. Nez piercé. Débardeur noir. Vernis noir écaillé ; cheveux noirs et mèches orange ; yeux plats, vifs, bleu lagon, durement soulignés au crayon noir. Elle était certes mignonne, je dirais même sexy ; mais le regard qu'elle a glissé dans ma direction était angoissant, il y avait en elle quelque chose de la vendeuse de McDo acerbe ou de la baby-sitter hargneuse.

« Alors, qu'est-ce que tu en penses ? » s'est empressé de me demander Boris quand il m'a rattrapé après les cours.

J'ai haussé les épaules. « Elle est mignonne, sans doute.

— Sans doute ?

— Eh bien, Boris, à mon avis elle a l'air d'avoir, quoi, vingt-cinq ans.

— Je sais ! C'est génial ! s'est-il exclamé, l'air ébloui. Dix-huit ans ! Majeure ! Elle peut acheter de la gnôle sans problème ! Et puis elle a vécu ici toute sa vie, alors comme ça elle connaît les endroits où on ne vérifie pas âge. »

II

Hadley, la bavarde au blouson orné de lettres découpées qui était ma voisine de pupitre au cours d'histoire américaine, a plissé le nez quand je l'ai interrogée sur cette fille plus âgée que fréquentait Boris. « *Elle ?* s'est-elle écriée. C'est une *vraie* pute. » La sœur aînée de Hadley, Jan, était dans la même classe que Kyla ou Kayleigh ou Dieu sait comment elle s'appelait. « Et sa mère est une pute finie, à ce qu'on m'a dit. Ton copain ferait bien de faire attention à pas se ramasser une maladie.

— Eh bien », ai-je répondu, surpris par sa véhémence ; sauf que je n'aurais peut-être pas dû l'être. Fille de militaire, Hadley faisait partie de l'équipe de natation et chantait dans la chorale du collège ; elle avait une famille normale et trois frères et sœurs, une (chienne) weimaraner baptisée Gretchen qu'elle avait ramenée d'Allemagne et un père qui l'engueulait si elle rentrait après le couvre-feu.

« Je ne plaisante pas, a poursuivi Hadley. Elle sort avec les petits copains d'autres filles – et avec d'autres filles aussi – elle sort avec *n'importe qui*. Et puis je crois qu'elle fume de l'herbe.

— Oh », ai-je fait. À mes yeux aucun de ces facteurs n'était une raison de ne pas aimer Kylie ou peu importe son prénom, surtout depuis que Boris et moi avions adopté ces derniers mois l'habitude de fumer de l'herbe sans réserve. Mais ce qui me tracassait – beaucoup – c'était comment Kotku (je continuerai de l'appeler par ce surnom que Boris lui avait donné, puisque je ne peux pas me souvenir de son vrai prénom) avait débarqué du jour au lendemain et pour ainsi dire mis le grappin sur Boris.

D'abord il a été occupé le vendredi soir. Puis ça a été tout le week-end – pas juste la nuit, le jour aussi. Assez vite j'ai eu droit à Kotku ceci et Kotku cela, après quoi Popper et moi avons fini par manger et regarder des films tout seuls.

« Tu la trouves pas incroyable ? » m'a redemandé Boris après la première fois où il l'a amenée à la maison – une soirée éminemment ratée qui nous avait vus tous les trois si pétés qu'on pouvait à peine bouger, puis eux deux roulant sur le canapé en bas pendant que j'étais assis par terre, leur tournant le dos et essayant de me concentrer sur une rediffusion de *Au-delà du réel*. « Qu'est-ce que tu en penses ?

— Ben, à mon avis… » Qu'est-ce qu'il voulait que je réponde ? « Elle t'aime bien. C'est sûr. »

Il a remué, nerveux, incapable de tenir en place. Nous étions dehors à côté de la piscine, mais il y avait trop de vent et il faisait trop frais pour nager. « Non, franchement ! Qu'est-ce que *toi* tu penses *d'elle* ? Dis-moi la vérité, Potter, a-t-il insisté en me voyant hésiter.

— Je ne sais pas, ai-je répondu d'un ton dubitatif, puis,

alors qu'il restait assis à me regarder : La vérité ? Je ne sais pas, Boris. Moi, elle me semble un peu désespérée.

— Ah bon ? C'est pas bien ? »

Le ton de sa voix était vraiment curieux – ni colère, ni sarcasme. « Eh bien, ai-je répliqué, décontenancé. Peut-être que non. »

Les joues roses à cause de la vodka, Boris a mis sa main sur son cœur. « Je l'aime, Potter. Je suis sincère. C'est la chose la plus vraie qui me soit arrivée dans ma vie. »

Je me suis senti si gêné que j'ai dû détourner le regard.

« Mon ensorceleuse maigrichonne ! » Il a soupiré, heureux. « Dans mes bras, elle est si légère, tout en os, comme de l'air. » C'était mystérieux, mais Boris semblait adorer Kotku pour nombre de raisons qui faisaient que, moi, je la trouvais dérangeante : son corps ondulant de chat de gouttière, son air d'adulte, sa silhouette squelettique, affamée. « Et elle est si courageuse et mûre, avec un si grand cœur ! Tout ce que je veux, c'est prendre soin d'elle et la protéger de ce Mike. Tu comprends ? »

Sans un mot, je me suis versé une autre vodka, dont je n'avais vraiment pas besoin. L'affaire Kotku était compliquée à double titre parce que – comme Boris lui-même m'en avait informé, non sans une évidente pointe d'orgueil – Kotku avait déjà un petit ami : un type de vingt-six ans qui s'appelait Mike McNatt, possédait une moto et travaillait pour une entreprise d'entretien de piscines. « Excellent, avais-je dit quand Boris m'avait confié cette info plus tôt. On devrait le faire venir ici pour aider avec le robot piscine. » J'en avais ma claque de m'en occuper (un boulot qui reposait presque en totalité sur mes épaules), surtout vu que Xandra ne rapportait jamais assez de produits nettoyants à la maison, ni ceux qui convenaient.

Boris s'est essuyé les yeux avec l'intérieur de ses poignets. « C'est sérieux, Potter. Je crois qu'elle a peur de lui. Elle veut rompre, mais elle a peur. Elle essaie de le convaincre d'aller voir un recruteur de l'armée.

— Tu ferais bien de te méfier que ce type ne vienne pas te courser.

— Moi ! a-t-il grogné. C'est pour elle que je m'inquiète ! Elle est si minuscule ! Quarante kilos !

— Ouais, ouais. » Kotku prétendait être « anorexique *borderline* » et mettait Boris dans tous ses états quand elle lui disait n'avoir rien mangé de la journée.

Boris m'a tapé sur le côté de la tête. « Tu restes trop tout seul ici, m'a-t-il dit en s'asseyant à côté de moi et en mettant ses pieds dans l'eau. Viens chez Kotku ce soir. Amène quelqu'un.

— Comme qui ? »

Boris a haussé les épaules. « Comme petite blonde sexy avec cheveux courts de ton cours d'histoire ? La nageuse ?

— Hadley ? » J'ai secoué la tête. « Impossible.

— Si ! Tu devrais ! Elle est sexy ! Et elle sera d'accord !

— Crois-moi, ce n'est pas une bonne idée.

— Je lui demanderai pour toi ! Allez. Elle est sympa avec toi, elle parle toujours. On l'appelle ?

— Non ! C'est pas ça... Arrête, ai-je dit en lui attrapant la manche alors qu'il faisait mine de se lever.

— T'as pas de couilles !

— Boris. » Il se dirigeait vers le téléphone à l'intérieur. « Ne fais pas ça. Je ne plaisante pas. Elle ne viendra pas.

— Et pourquoi ? »

Le côté railleur de sa voix m'a contrarié. « Tu veux vraiment savoir ? Parce que... » Je m'apprêtais à dire *Parce que Kotku est une pu*, qui était la seule vérité à dire, mais à la place j'ai dit : « Écoute, Hadley fait partie

419

des meilleurs élèves, le tableau d'honneur, ce genre de trucs. Elle ne va pas vouloir traîner chez Kotku.

— Quoi ? s'est exclamé Boris en tournoyant, hors de lui. Cette pute. Qu'est-ce qu'elle a raconté ?

— Rien. C'est juste…

— Si, elle t'a raconté quelque chose ! » Il fonçait vers la piscine à présent. « Tu ferais mieux de me dire.

— Allez. C'est rien. Calme-toi, Boris, lui ai-je répondu quand j'ai vu combien il était en colère. Kotku est vachement plus âgée. Elles ne sont même pas dans la même classe.

— Cette pétasse. Qu'est-ce que Kotku lui a fait ?

— *Calme*-toi. » Mon œil s'est posé sur la bouteille de vodka, illuminée par un rayon de soleil blanc et propre comme un sabre lumineux. Il avait beaucoup trop bu et je n'avais aucune envie de me battre. Mais j'étais trop soûl moi-même pour penser à une façon drôle ou facile de le faire changer de sujet.

III

Beaucoup d'autres filles bien mieux et de notre âge appréciaient Boris – en particulier Saffi Caspersen, une Danoise qui parlait anglais avec un accent britannique distingué, avait un rôle mineur dans une production du Cirque du Soleil, et qui était de loin la plus belle fille de notre classe. Saffi suivait le cours d'anglais avancé avec nous (elle avait des choses intéressantes à dire sur *Le cœur est un chasseur solitaire* de Carson McCullers) et bien qu'elle ait la réputation d'être hautaine avec tout le monde, elle appréciait Boris. Ça se voyait. Elle riait à ses blagues, délirait dans son groupe de travail, je l'avais vue lui parler, tout excitée, dans le hall – et Boris lui répondre, tout aussi excité, à sa manière russe gesticulatrice. Pourtant – et cela demeurait un mystère – elle ne semblait pas l'attirer le moins du monde.

« Mais pourquoi pas ? lui demandais-je. C'est la plus jolie fille de la classe. » J'avais toujours cru que les Danoises étaient grandes et blondes, mais Saffi était plutôt petite et brunette, avec un visage de conte de fées accentué par son maquillage théâtral qui étincelait sur la photo professionnelle que j'avais vue d'elle.

« Jolie, oui. Mais pas très sexy.

— Boris, elle est sexy à *mort*. T'es fou ou quoi ?

— Ah, elle bosse trop, a rétorqué Boris en s'affalant à côté de moi, une bière à la main et tendant l'autre vers ma cigarette. Elle est trop clean. Elle passe son temps à étudier, à répéter ou je sais pas quoi. Kotku (il a soufflé un nuage de fumée et m'a rendu la cigarette), elle est comme nous. »

Je suis resté silencieux. Comment, sachant qu'elle avait suivi des cours de soutien dans toutes les matières, m'étais-je retrouvé dans le même sac qu'une Kotku ?

Boris m'a donné un coup de coude. « Je crois que toi tu l'aimes bien. Saffi.

— Non, pas vraiment.

— Si si. Demande-lui de sortir avec toi.

— Ouais, peut-être », ai-je répondu tout en sachant que je n'en avais pas le courage. Dans mon ancien collège, où les étrangers et les élèves en programmes d'échange avaient tendance à rester poliment en marge, une fille comme Saffi aurait été plus accessible, mais à Vegas elle était bien trop populaire, trop entourée – et il y avait aussi le problème plutôt costaud de l'endroit où l'emmener pour une sortie. À New York ç'aurait été facile ; j'aurais pu l'inviter à faire du patin à glace, aller au cinéma ou au planétarium. Mais je voyais difficilement Saffi Caspersen sniffer de la colle ou boire de la bière cachée dans un sac en papier au terrain de jeu, ou faire aucun des trucs qu'on faisait ensemble.

IV

Je le voyais toujours – mais pas autant. Il passait de plus en plus de nuits avec Kotku et sa mère aux *Double R Apartments,* un hôtel pour clients de passage, pour tout dire un motel Motor Court décati des années 1950 situé sur l'autoroute entre l'aéroport et le Strip, où des mecs qui ressemblaient à des immigrants illégaux se réunissaient dans la cour près de la piscine vide et discutaient de pièces détachées de motos. (« Double R ? Tu sais ce que ça veut dire, hein ? m'a demandé Hadley : "Rats et Rôdeurs". ») Heureusement, Kotku n'accompagnait pas Boris chez moi si souvent que ça, mais même quand elle n'était pas là il parlait d'elle sans discontinuer. Kotku avait des goûts musicaux cool et elle lui avait fait une compil avec un tas de hip-hop trop génial qu'il fallait absolument que j'écoute. Kotku aimait sa pizza avec juste des poivrons verts et des olives. Kotku avait vraiment *vraiment* envie d'un clavier électronique, et aussi d'un chaton siamois, ou peut-être d'un furet, mais aux *Double R* elle n'avait pas le droit d'avoir d'animal domestique. « Sérieux, tu devrais passer plus de temps avec elle, Potter, m'a-t-il suggéré en cognant son épaule contre la mienne. Elle te plairait bien.

— Oh, allez, ai-je fait en pensant à ses minauderies avec moi, à ses rires aussi déplacés que déplaisants, à sa façon de toujours m'envoyer chercher des bières dans le frigo.

— Non ! Elle t'aime bien ! Si, si ! Enfin, elle te voit plutôt comme un petit frère. C'est ce qu'elle m'a dit.

— Elle ne me parle jamais.

— C'est parce que, toi, tu ne lui parles pas.

— Vous baisez ? »

Boris a eu un bruit impatient, celui qu'il faisait quand les choses n'allaient pas comme il voulait.

« Quel esprit mal tourné, a-t-il répondu en enlevant d'un geste les cheveux de ses yeux, puis : Quoi ? Qu'est-ce que tu crois ? Tu veux que je te donne un dessin ?

— *Fasse* un dessin.

— Hein ?

— C'est l'expression. "Tu veux que je te fasse un dessin." »

Boris a levé les yeux au ciel. Agitant les mains en l'air, il a repris sa tirade sur l'intelligence de Kotku, qu'elle était « vachement maline », et mature, et qu'elle avait vécu des trucs dingues, que j'avais tort de la juger et de la mépriser sans me donner la peine d'apprendre à la connaître ; mais pendant que j'étais assis à l'écouter d'une oreille et à suivre un vieux film noir à la télévision de l'autre (*Crime passionnel*, Dana Andrews), je ne pouvais m'empêcher de penser qu'il avait rencontré Kotku dans un cours de soutien destiné aux élèves qui n'étaient pas assez futés (même pour le médiocre niveau d'exigence de notre lycée) pour s'en sortir sans aide complémentaire. Natuellement bon en maths, et meilleur en langues que quiconque de ma connaissance, Boris avait été forcé de prendre l'instruction civique pour les nuls parce qu'il était étranger, obligation qu'il détestait cordialement. (« Pourquoi ? Est-ce qu'un jour je risque de voter pour le Congrès ? ») Mais Kotku – dix-huit ans, née et élevée dans le comté de Clark – n'avait pas ce genre d'excuse !

Je me suis très souvent surpris à entretenir de telles mauvaises pensées, tout en essayant de les éliminer. Qu'est-ce que ça pouvait bien me faire ? Oui, Kotku était une salope ; oui, elle était trop bête pour suivre le cours d'instruction civique normal, oui, elle portait des créoles bon marché achetées au drugstore qui s'accrochaient partout et, oui, même si elle pesait à peine quarante kilos, elle me flanquait la trouille, comme si, sous le coup de la colère, elle risquait de me donner des coups mortels avec ses bottes à bout pointu. (« C'est une tite néglesse bagaleuse », disait Boris lui-même, bombant le torse, sautant d'un pied sur l'autre, lançant ses bras en avant façon gangsta – en tout cas dans ce qu'il pensait être une gestuelle de gangs – tout en me racontant l'histoire de Kotku arrachant une touffe de cheveux sanguinolente à une fille ; c'était un autre truc à propos d'elle : elle passait son temps à se retrouver dans des bagarres effroyables entre filles (surtout avec ces autres nanas blanches et trash comme elle, mais de temps à autre avec de vraies délinquantes latina et black). Au fond, peu importait de quelle crétine Boris était amoureux. Est-ce qu'on n'était pas toujours amis ? Meilleurs amis ? Presque frères ?

En fait, il n'y avait pas de mot exact pour nous décrire, Boris et moi. Jusqu'à l'arrivée de Kotku, je n'y avais d'ailleurs jamais beaucoup réfléchi. Peut-être qu'on ne partageait rien d'autre que des après-midi somnolents dans l'air conditionné et la pénombre des stores baissés pour se protéger du soleil, sachets de sucre vides et pelures d'oranges jonchant la moquette, à écouter « *Dear Prudence* » de l'« Album blanc » (que Boris adorait), paresseux et ivres, ou le même vieux Radiohead lugubre, encore et encore :

> *For a minute there*
> *I lost myself, I lost myself...*

La colle que l'on sniffait générait un sombre grondement mécanique semblable à un vrombissement orageux d'hélices : *lancez les moteurs* ! Dans l'obscurité on retombait sur le lit, tels des parachutistes qui culbutent vers l'arrière en sautant d'un avion, bien que – pétés et partis comme on l'était – il faille faire attention au sac sur son visage, sinon on se retrouvait à enlever des gouttes de colle séchées sur ses cheveux et sur le bout de son nez quand on redescendait. Dormir épuisés, colonne vertébrale contre colonne vertébrale, dans des draps sales qui sentaient le tabac froid et le chien mouillé, avec Popchik qui ronflait le ventre à l'air, et les aérations murales dans les murs qui, si l'on tendait bien l'oreille, soufflaient dans l'air des chuchotements subliminaux. Des mois entiers s'écoulaient sans que le vent ni le sable projeté qui crépitait contre les fenêtres s'arrêtent jamais, tandis que la surface de la piscine se ridait puis prenait un air sinistre. Du thé fort le matin, du chocolat volé au supermarché. Avec Boris qui me tirait sur les cheveux par poignées et me donnait des coups dans les côtes. *Réveille-toi, Potter. Allez, lève-toi et marche.*

J'essayais de me convaincre qu'il ne me manquait pas, mais c'était faux. Je planais tout seul, regardais des films X et la chaîne Playboy, lisais *Les Raisins de la colère* et *La Maison aux sept pignons* d'Hawthorne, *ex aequo* selon moi au concours du livre le plus ennuyeux jamais écrit, et pendant ce qui me semblait être des milliers d'heures – de quoi apprendre le danois ou à jouer de la guitare si j'avais essayé – je traînais dans la rue avec un skate naze que Boris et moi avions trouvé dans l'une des maisons hypothéquées plus loin. J'allais à des soirées de l'équipe de natation avec Hadley – pas d'alcool, et les parents étaient là – et, le week-end, j'allais aux soirées sans parents de gamins que je connaissais à peine, où circulaient du Xanax et des verres de Jägermeister ; après quoi je rentrais à la maison à deux heures du mat avec le bus CAT poussif à souhait, tellement ivre que je devais m'accrocher au siège de devant pour ne pas tomber dans l'allée centrale. Après les cours, si je m'ennuyais, c'était assez facile de traîner avec l'un des grands groupes de fumeurs de joints apathiques qui zonaient entre Del Taco et les jeux d'arcade pour gamins sur le Strip.

Mais malgré tout je me sentais seul. Boris et ses pulsions désordonnées, sa noirceur, son imprudence, toujours à prendre des risques, démarrant au quart de tour sans réfléchir ; Boris pâle et vaseux, avec ses pommes volées et ses romans en russe, ses ongles rongés et ses lacets qui traînaient dans la poussière ; de la graine d'alcoolique, capable de jurer couramment en quatre langues, piquant la nourriture à sa guise dans mon assiette et tombant soûl par terre, le visage rouge comme si on l'avait frappé ; Boris me manquait. Même quand il prenait des trucs sans demander, ce qu'il faisait souvent – de petites choses comme des DVD et des fournitures scolaires disparaissaient en permanence dans mon casier ; plus d'une fois je l'avais surpris à me faire les poches en quête d'argent – ses propres possessions représentaient si peu à ses yeux que ces larcins-là n'étaient pas du vol pour lui, en quelque sorte ; en contrepartie, chaque fois qu'il avait du liquide il le partageait équitablement avec moi, et tout ce qui lui appartenait, il me le donnait avec plaisir si je le lui demandais (et parfois quand je ne le lui demandais pas, comme la fois où le briquet en or de Mr. Pavlikovsky, que j'avais admiré en passant, s'était retrouvé dans la poche extérieure de mon sac de classe).

Le plus drôle, c'était que je m'étais inquiété que, de nous deux, ce soit Boris qui soit un peu trop affectueux, si tant est qu'*affectueux* soit le bon mot. La première fois qu'il s'était retrouvé dans mon lit et avait mis un bras autour de ma taille, j'étais resté là à moitié endormi pendant un moment, ne sachant que faire : fixant mes vieilles chaussettes par terre, les bouteilles de bière vides, mon exemplaire de *La Conquête du courage* de Stephen Crane. Pour finir – gêné –, j'avais fait semblant de bâiller et tenté de m'éloigner de lui en roulant, mais lui avait soupiré et m'avait attiré plus près de lui d'un mouvement endormi, après quoi il s'était blotti contre moi.

Chut, Potter, avait-il chuchoté dans ma nuque. *C'est juste moi.*

C'était bizarre. Est-ce que c'était bizarre ? Ça l'était ; et en même temps, ça ne l'était pas. Je m'étais rendormi peu de temps après, apaisé par son odeur amère de bière et de saleté, ainsi que par son souffle paisible dans mon oreille. J'avais conscience de ne pouvoir l'expliquer sans y donner plus d'importance que cela n'en avait. Les nuits où je me réveillais étranglé de peur, il était là, m'attrapant quand je sursautais dans le lit, terrifié, me ramenant sous les couvertures à côté de lui, marmonnant dans un polonais inintelligible, une voix que le sommeil rendait gutturale et étrange. On s'assoupissait dans les bras l'un de l'autre, on écoutait de la musique sur mon iPod (Thelonious Monk, Velvet Underground, ce qu'aimait ma mère) et parfois on se réveillait accrochés l'un à l'autre comme des naufragés, ou des enfants bien plus jeunes.

Et pourtant (c'était la partie trouble, celle qui me dérangeait), il y avait aussi eu d'autres nuits bien plus perturbantes et merdiques, avec des luttes à moitié habillés, sous une pâle lumière filtrant depuis la salle de bains et où, sans mes lunettes, tout était entouré d'un halo et instable : nos mains l'une sur l'autre, rudes et rapides, des bières renversées qui moussaient sur la moquette – c'était drôle et sans importance sur le moment, et rien que pour le vif halètement où mes yeux roulaient vers l'arrière et où j'oubliais tout, ça valait sacrément le coup ; mais quand on se réveillait le lendemain matin, l'estomac retourné et grognant à deux bouts opposés du lit, le souvenir s'éloignait pour se muer en une incohérence de vacillements en contre-jour, fragmentés et mal éclairés, comme dans un film expérimental, la distorsion peu familière des traits de Boris disparaissant déjà de la mémoire, rien de tout cela n'ayant pas plus d'incidences sur nos vraies vies qu'un rêve. On n'en parlait jamais ; ce n'était pas tout à fait réel. Puis on se préparait pour le lycée, on jetait des chaussures, on s'aspergeait mutuellement d'eau, on mâchouillait de l'aspirine pour notre gueule de bois, on riait et on plaisantait tout en marchant jusqu'à l'arrêt de bus. Je savais que les gens penseraient à mal s'ils savaient, je ne voulais pas que quiconque le découvre et je savais que Boris non plus, mais en même temps, il semblait si peu perturbé par tout ça que j'étais presque sûr que c'était juste une blague, rien qu'il faille prendre trop au sérieux ni sur lequel il faille s'énerver. Pourtant, je m'étais demandé plus d'une fois si je devais rassembler tout mon courage et parler : poser un genre de limites, mettre les choses au clair, juste pour m'assurer une bonne fois pour toutes qu'il ne pensait pas à mal. Mais l'occasion ne s'était jamais présentée. Et maintenant cela ne servait plus à rien d'en parler franchement et d'être gêné, ce qui ne me consolait guère.

Je détestais le fait qu'il me manque autant. Ça buvait sec chez moi, du côté de Xandra en tout cas, et il y avait beaucoup de portes claquées (« Eh bien, si ce n'était pas moi alors ça *devait* être toi », l'ai-je entendue crier) ; et en l'absence de Boris (tous deux se retenaient davantage quand il était à la maison) c'était plus dur. Une partie du problème était que les horaires de Xandra au bar avaient changé – les emplois du temps à son travail avaient été modifiés ; elle subissait beaucoup de stress, des gens avec lesquels elle avait travaillé étaient partis, ou n'avaient plus le même planning ; quand je me levais pour aller en cours le mercredi et le lundi, je la trouvais souvent qui rentrait juste du travail, assise seule devant son émission matinale préférée, trop tendue pour dormir et avalant des rasades de Pepto-Bismol directement à la bouteille.

« Je suis morte crevée, m'a-t-elle dit avec un vague sourire quand elle m'a vu dans les escaliers.

— Tu devrais aller nager. Ça t'aidera à dormir.

— Non, merci, je pense que je vais rester ici avec mon Pepto. Quel produit. C'est vraiment un truc génial au goût de chewing-gum. »

Quant à mon père, il passait beaucoup plus de temps à la maison – traînant avec moi, ce qui me plaisait, même si ses sautes d'humeur m'épuisaient. C'était la saison du football américain, on sentait de l'énergie dans son pas. Après avoir vérifié son BlackBerry, il me tapait dans la main et dansait autour du living : « Alors, c'est qui le génie, hein ? Hein ? » Il analysait les écarts de points entre les équipes, les fiches statistiques des matchs et, plus rarement, un livre de poche qui s'appelait *Scorpion : vos prévisions sportives pour cette année.* « Toujours en quête d'un filon, m'expliquait-il en scrutant les classements des équipes et en tapant des chiffres sur la calculatrice comme s'il remplissait sa feuille d'impôts. Pour bien gagner sa vie avec ce truc-là, il suffit de tomber juste cinquante-trois, cinquante-quatre pour cent du temps, le baccara c'est pour se divertir, ça ne demande aucune aptitude particulière, je me mets des limites et je ne les dépasse jamais, mais avec les paris sportifs tu peux vraiment gagner gros à condition d'être discipliné. Il faut s'y prendre comme un investisseur. Pas comme un fan, pas même comme un joueur, parce que le secret c'est que c'est en général la meilleure équipe qui gagne et qu'il faut un bon coteur. Mais sa marge de manœuvre est limitée par l'avis général. Ce qu'il prédit ce n'est pas qui va gagner, mais qui, d'après le grand public, va gagner. Donc cet écart, entre le favori et la réalité – *merde*, tu vois ce receveur dans la zone d'en-but, c'est encore un avantage pour l'équipe de Pittsburg, faut surtout pas qu'ils marquent maintenant – bon, comme je te disais, si je me mets vraiment au boulot, contrairement à Mr. Tartempion qui mise sur telle ou telle équipe après avoir regardé la page des sports cinq minutes, qui a le plus de chances ? Tu vois, je ne suis pas une de ces andouilles avec des étoiles plein les yeux à propos des Giants quoi qu'il advienne… Merde, ça, ta mère aurait pu te le confirmer. Le scorpion cherche toujours à contrôler – et c'est mon cas. J'ai l'esprit de compétition. Je veux gagner coûte que coûte. C'est pour ça que j'ai été acteur, à une certaine époque. Le soleil en scorpion, le lion en ascendant. Tout est dans mon thème. Toi tu es un cancer, le crabe ermite, très secret et replié dans ta coquille, c'est une manière de fonctionner tout à fait différente. Ce n'est ni bien ni mal, c'est comme ça. De toute façon, je me fie toujours à ma stratégie de défense-attaque, mais quoi qu'il en soit, le jour du match, ça ne fait jamais de mal de faire attention à ces transits et à ces progressions de l'arc solaire…

— C'est Xandra qui t'a amené à t'intéresser à tout ça ?

— Xandra ? La moitié des gens qui misent sur les paris sportifs à Vegas ont un astrologue qu'ils peuvent appeler dans la seconde… Comme je te disais, est-ce que les planètes font une différence, l'un dans l'autre ? Oui. Je dois reconnaître que oui. C'est comme un joueur qui a son jour de chance, est-ce qu'il est dans un mauvais jour, est-ce qu'il n'est pas d'attaque, peu importe. Honnêtement, ça aide d'avoir ce filon quand tu es un peu, comment dire, ha ha, *tendu*, bien que (il m'a montré la grosse liasse de ce qui ressemblait à des billets de cent entourée d'un élastique) ça ait été une année tout à fait étonnante pour moi. Cinquante-trois pour cent, mille jeux par an. Magique. »

Les dimanches étaient ce qu'il appelait des jours qui rapportent. Quand je me levais, je le trouvais en bas au beau milieu d'un éparpillement de journaux crissants ; en proie à une agitation fébrile et joyeuse, il sifflait comme si c'était le matin de Noël, ouvrait et fermait les placards, commentait à haute voix les infos sportives qui défilaient sur son BlackBerry et croquait des chips au maïs à même le paquet. Si je descendais et regardais avec lui ne serait-ce qu'un court moment des grands matchs retransmis, il me donnait parfois ce qu'il appelait « une participation », vingt dollars, cinquante s'il gagnait. « C'est pour t'intéresser, m'expliquait-il en se penchant en avant sur le canapé et en se frottant nerveusement les mains. Tu vois… ce qu'il nous faut c'est que les Colts se fassent démolir dès la première mi-temps. Laminer. Pour les Cowboys et les Niners, il faut que le score dépasse trente dans la seconde mi-temps... oui ! criait-il en sautant de joie et le poing levé. Ils ont perdu le ballon ! C'est les Redskins qui l'ont. Ça baigne pour nous ! »

Mais c'était déroutant, parce que c'étaient les Cowboys qui avaient perdu le ballon. Or je croyais que ces derniers étaient supposés gagner d'au moins quinze points. Ses changements de camp en milieu de match étaient trop abrupts pour que je puisse les suivre, et je me ridiculisais souvent à encourager la mauvaise équipe ; pourtant, déferlant au hasard entre les matchs et les ouvertures, j'aimais son délire, ainsi que passer la journée à grignoter des trucs gras, et j'acceptais ses billets de vingt et de cinquante qu'il me balançait comme s'ils tombaient du ciel. D'autres fois – montant au top puis se ressourçant à quelque vague rauque d'enthousiasme – un malaise indéfini s'emparait de lui et, pour autant que je puisse en juger, ça n'avait pas grand-chose à voir avec le déroulement de ses matchs ; il se mettait à faire les cent pas sans raison décelable à mes yeux, mains jointes au-dessus de la tête, fixant le poste avec l'air d'un homme secoué par un échec commercial : il s'adressait alors aux entraîneurs, aux joueurs, leur demandant ce qui n'allait pas, bordel, ce qui se passait, bordel. Parfois il me suivait dans la cuisine avec un comportement bizarrement suppliant. « Je me fais massacrer là-bas », annonçait-il avec humour en s'appuyant contre le plan de travail, son attitude était comique, il y avait quelque chose dans sa posture voûtée qui suggérait un malfrat dévalisant une banque et plié en deux à cause d'un coup de feu qui l'aurait blessé.

Cotes x. Cotes y. Nombre de mètres parcourus, couvrir l'écart. Le jour du match, jusqu'à dix-sept heures et quelques, la lumière blanche du désert éloignait la morne ambiance du dimanche, avec l'automne qui s'abîmait dans l'hiver, la solitude du crépuscule d'octobre et les cours le lendemain, mais il y avait toujours un long moment immobile vers la fin de ces après-midi de foot où l'humeur de la foule changeait et où tout devenait désespéré et incertain, à l'écran et hors écran, la lueur métallique projetée par les vitres du patio s'estompant vers le doré puis le gris, avec des ombres allongées et la nuit qui tombait dans l'immobilité du désert, une tristesse impossible à chasser, une sensation de gens silencieux se dirigeant vers les sorties du stade et de pluie froide tombant sur les villes universitaires de la côte Est.

La panique qui s'emparait de moi à ce moment-là était difficile à expliquer. Ces journées passées devant les matchs rompaient avec une rapidité, une quasi-impression de perdre du sang qui me rappelait l'époque où j'avais observé l'appartement à New York se faire mettre en boîtes puis déménager : pas d'origine, ni de mouvement, rien à quoi se raccrocher. En haut, la porte de ma chambre fermée, j'allumais toutes les lumières, fumais de l'herbe si j'en avais, écoutais de la musique sur mes enceintes portables – de la musique jamais entendue auparavant comme Chostakovitch et Erik Satie, que j'avais mise sur mon iPod pour ma mère puis que je n'avais pas pris le temps d'enlever – et je regardais les livres empruntés à la bibliothèque : des livres d'art, pour l'essentiel, parce qu'ils me la rappelaient.

Les Chefs-d'œuvre de la peinture hollandaise. Delft : l'âge d'or. Dessins de Rembrandt, ses élèves anonymes et ses admirateurs. Sur l'ordinateur du collège, j'avais vu qu'il existait un livre sur Carel Fabritius (un livre minuscule, de juste cent pages) mais ils ne l'avaient pas à la bibliothèque et notre temps employé à surfer y était tellement compté que j'étais trop parano pour effectuer des recherches en ligne – surtout après avoir cliqué sans réfléchir sur un lien (*Het Puttertje, Le Chardonneret,* 1654) qui m'avait emmené vers un site à l'air terriblement officiel du nom de Base de données des œuvres d'art disparues qui me demandait de m'inscrire avec mon nom et mon adresse. J'avais tellement flippé à la vue inattendue des mots *Interpol* et *disparues* que j'avais paniqué et éteint complètement l'ordinateur, chose qui nous était interdite. « Qu'est-ce que tu viens de faire ? » avait interrogé Mr. Ostrow, le bibliothécaire, avant que j'aie pu le remettre en route. Il a tendu la main par-dessus mon épaule pour taper le mot de passe.

« Je… » Malgré moi et une fois qu'il s'est mis à dérouler l'historique, je me suis senti soulagé de ne pas avoir été surfer sur du porno. J'avais eu l'intention de m'acheter un ordinateur portable bon marché avec les cinq cents dollars que mon père m'avait donnés pour Noël, mais cet argent m'avait filé entre les doigts sans que je sache comment – œuvre d'art disparue, me suis-je dit : pas de raison de paniquer à cause de cet adjectif, les œuvres d'art détruites étaient disparues aussi, non ? Même si je n'avais pas encodé de nom, cela m'inquiétait d'avoir tenté de vérifier la base de données depuis l'adresse IP du lycée. Pour ce que j'en savais, les enquêteurs qui étaient venus me voir continuaient leur surveillance et ils savaient que j'étais à Vegas ; aussi ténu qu'il soit, le lien était là.

Le tableau était caché, fort intelligemment selon moi, dans une taie d'oreiller propre en coton scotchée avec de l'adhésif à l'arrière de ma tête de lit. Hobie m'avait appris comment il convenait de manipuler avec soin les vieilles choses (parfois il utilisait des gants en coton blanc pour les objets particulièrement délicats) et je ne l'ai jamais touché de mes mains nues, juste par les côtés. Je ne le sortais jamais, sauf quand mon père et Xandra n'étaient pas là et que je savais qu'ils ne rentreraient pas avant longtemps – quand je ne pouvais pas le voir, j'aimais le savoir là à cause de la profondeur et de la solidité qu'il donnait aux choses, du renforcement de l'infrastructure, d'une précision invisible, de la justesse d'une assise qui me rassurait, tout comme il était rassurant de savoir que, au loin, les baleines nageaient sans crainte dans les eaux de la Baltique et que des moines de mystérieuses zones temporelles psalmodiaient sans discontinuer pour le salut de l'humanité.

Le sortir, le tenir, le regarder n'était pas une chose à prendre à la légère. Même dans l'acte de tendre la main pour l'attraper il y avait une sensation d'expansion, un souffle et une élévation ; et ce à un point si étrange que, lorsque je l'avais regardé assez longtemps, les yeux asséchés par l'air réfrigéré du désert, tout l'espace entre lui et moi semblait s'évanouir et, quand je levais les yeux, c'était le tableau qui était réel, et non moi.

1622-1654. Fils d'instituteur. Moins de douze tableaux lui ont été correctement attribués. D'après Van Bleyswijck, l'historien de la ville de Delft, Fabritius était dans son atelier, où il peignait le sacristain de la Oude Kerk de Delft quand, à dix heures trente du matin, a eu lieu l'explosion de la poudrerie. Des voisins avaient retiré le corps du peintre Fabritius des décombres de son atelier « avec grande tristesse », selon les écrits, et « non sans efforts ». Ce qui m'accrochait, dans ces brefs comptes rendus des livres de la bibliothèque, c'était l'élément de hasard : les désastres aléatoires, le sien et le mien, convergeaient vers le même point invisible, le *big bang* comme l'appelait mon père sans sarcasme ni mépris, plutôt une reconnaissance respectueuse des pouvoirs du hasard qui gouvernaient sa propre vie. On pouvait étudier les liens pendant des années et ne jamais comprendre – c'était une affaire d'éléments qui se rencontrent, ou qui s'écroulent, de *distorsion spatiale et temporelle*, ma mère, debout devant le musée quand le temps a vacillé et que la lumière est devenue bizarre, les incertitudes planant au seuil d'une vaste luminosité. La chance errante qui changerait tout, ou pas.

À l'étage, l'eau du lavabo de la salle de bains contenait trop de chlore pour être buvable. Le soir, un vent sec soufflait des cochonneries et des canettes de bière le long de la rue. Hobie m'avait expliqué que l'humidité était la pire chose au monde pour les antiquités ; sur la grande comtoise qu'il réparait au moment de mon départ, il m'avait montré comment le bois avait été pourri en dessous (« Quelqu'un a nettoyé des dalles à grande eau avec un seau, tu vois comme ce bois est mou, comme il est usé ? »).

Distorsion spatiale et temporelle : une façon de voir les choses deux fois, ou davantage. À l'image des rituels paternels, de ses systèmes de paris, de tous ses oracles et de sa magie qui étaient prédits dans un champ de conscience constitué de schémas invisibles, l'explosion à Delft faisait aussi partie d'un complexe d'événements qui, par ricochets, étaient arrivés jusque dans le présent. Les multiples issues pouvaient vous donner le vertige. « L'argent n'est pas important, disait mon père. Tout ce que l'argent représente c'est l'énergie, tu comprends ? Tout est dans la façon de la pister. Le flux de la chance. » Le chardonneret me regardait fixement et droit dans les yeux, les siens brillants et immuables. Le panneau en bois était minuscule, « juste un peu plus grand qu'un feuillet A4 », ainsi que le soulignait l'un de mes livres d'art, bien que tous ces trucs sur les dates et les dimensions, l'info morte du manuel scolaire, soient aussi inutiles à leur manière que les statistiques des pages sportives quand les Packers avaient deux points d'avance vers la fin du match et qu'une fine pellicule de neige gelée se mettait à tomber sur le terrain. Le tableau – sa magie et sa vivacité – était comme ce curieux moment aérien quand tombe la neige, lumière verdâtre et flocons tourbillonnant devant les caméras, où l'on ne se préoccupait plus du match, de qui gagnait ou qui perdait, mais où l'on voulait juste se délecter de ce moment silencieux apporté par le vent. Quand je regardais le tableau, j'éprouvais la même convergence en un seul et unique point : un bref instant touché par le soleil qui existait maintenant et pour toujours. C'est fortuitement que je remarquais la chaîne à la cheville de l'oiseau, ou que je songeais combien la vie de cette petite créature, battant brièvement des ailes puis toujours forcée, sans espoir, d'atterrir au même endroit, avait dû être cruelle.

V

La bonne nouvelle, c'est que mon père était gentil. Au moins une fois par semaine, il m'invitait à dîner dans de bons restaurants avec nappes blanches, rien que tous les deux. Parfois il conviait Boris à se joindre à nous, ce que ce dernier s'empressait toujours d'accepter – l'attrait d'un bon repas était assez puissant pour passer outre même l'attraction gravitationnelle de Kotku – mais, bizarrement, je préférais quand j'étais seul avec mon père.

« Tu sais, j'ai vraiment pris plaisir à apprendre à mieux te connaître depuis que tu es ici, Theo, m'avait-il dit lors de l'un de ces dîners où nous traînions au moment du dessert, à parler du lycée et de tas d'autres choses (ce nouveau père impliqué, d'où venait-il ?).

— Eh bien, euh, ouais, moi aussi, ai-je répondu, gêné, néanmoins sincère.

— Je veux dire… (mon père s'est passé une main dans les cheveux) merci de m'avoir donné une deuxième chance, fiston. Parce que j'avais commis une énorme erreur. Je n'aurais jamais dû laisser ma relation avec ta mère interférer avec ma relation avec toi. Non, non, a-t-il fait en levant la main, je ne l'accuse pas, j'ai dépassé ce stade-là. C'est juste qu'elle t'aimait *tellement* que je me suis toujours senti un intrus entre vous deux. Étranger-dans-ma-propre-maison, ce genre de truc. Vous étiez si proches tous les deux… (il a eu un rire triste) qu'il n'y avait pas beaucoup de place pour trois.

— Eh bien… (ma mère et moi marchant sur la pointe des pieds dans l'appartement, chuchotant, essayant de l'éviter ; des secrets, des rires) eh bien, j'ai juste…

— Non, non, je ne te demande pas d'excuses. Je suis le père, c'est moi qui aurais dû être plus vigilant. C'est que c'était devenu une sorte de cercle vicieux, si tu vois ce que je veux dire. Moi me sentant exclu, minable, buvant beaucoup. Et je n'aurais jamais dû laisser cette situation s'installer. J'ai raté, oui, j'ai raté quelques très importantes années de ta vie. Et c'est moi qui vais devoir vivre avec ça.

— Hmm… » Je me sentais si mal que je ne savais pas quoi dire.

« Je n'essaie pas de te coincer, mon gars. Je dis juste que je suis content que maintenant nous soyons amis.

— Ben, ouais, moi aussi, ai-je assuré en fixant l'assiette de ma crème brûlée impeccablement nettoyée.

— Et, bon… je veux me rattraper auprès de toi. Écoute, je me débrouille tellement bien avec les paris sportifs cette année… (mon père a avalé une gorgée de son café) que je veux t'ouvrir un compte épargne. Tu sais, juste un peu d'argent de côté. Parce que je ne me suis pas aussi bien comporté avec toi que ta mère, et puis il y a eu tous ces mois où j'ai été parti.

— Papa, ai-je émis, déconcerté. Tu n'as pas besoin de faire ça.

— Oh, mais j'en ai envie ! Tu as un numéro national d'identité, non ?

— Oui.

— Eh bien, j'ai déjà mille dollars de côté. C'est un bon début. Si tu y penses quand on sera à la maison, tu me donnes ton numéro, et la prochaine fois que j'irai à la banque j'ouvrirai un compte à ton nom, d'accord ? »

VI

En dehors des cours je voyais à peine Boris, sauf lors d'une virée un samedi après-midi où mon père nous avait emmenés au *Carnegie Deli*, à l'hôtel Mirage, pour des sablés et des *bialys*. Mais ensuite, quelques semaines avant Thanksgiving, il est arrivé à l'étage d'un pas lourd alors que je ne l'attendais pas et il a annoncé : « Ton père, il traverse une mauvaise passe, tu le savais ? »

J'ai reposé *Silas Marner*, de George Eliot, que l'on étudiait en cours. « Quoi ?

— Ben, il a joué à des tables à deux cents dollars : deux cents dollars par mise. Et on peut y perdre mille dollars en cinq minutes, facile.

— Mille dollars, c'est rien pour lui ; et puis, comme Boris ne répondait pas : Combien il a dit qu'il avait perdu ?

— Je ne sais pas. Mais beaucoup.

— Tu es sûr qu'il n'est pas en train de te mener en bateau ? »

Boris a ri. « C'est pas impossible, a-t-il ricané en s'appuyant sur les coudes. Tu n'es au courant de rien ?

— Eh bien… » Pour ce que j'en savais, mon père avait fait son beurre quand les Bills de Buffalo avaient gagné la semaine précédente. « Je ne vois pas comment il pourrait aller *trop* mal. Il m'a emmené chez *Bouchon* et des endroits comme ça.

— Oui, mais il y a peut-être bonne raison pour ça, a avancé Boris avec sagesse.

— Une raison ? Laquelle ? »

Boris semblait sur le point de répondre quelque chose, puis il a changé d'avis.

« Qui sait, a-t-il lancé en allumant une cigarette et

en inhalant une longue bouffée. Ton père... il est en partie russe.

— C'est vrai », ai-je convenu en tendant la main pour prendre la cigarette. J'avais souvent entendu Boris et mon père, durant leurs « discussions intellectuelles » où ils gesticulaient en discutant de joueurs célèbres de l'histoire russe : Pouchkine, Dostoïevski, et d'autres noms que je ne connaissais pas.

« Eh ben... c'est très russe, tu sais, de se plaindre en permanence que les choses vont mal ! Même si tout va bien... tu gardes ça pour toi. Tu n'as pas envie de tenter le diable. » Il portait une chemise de costume mise au rebut par mon père, tellement lavée qu'elle en était presque transparente, et si grande qu'elle ondulait sur lui comme un vêtement arabe ou hindou. « Sauf qu'avec ton père, parfois c'est difficile de distinguer quand il blague et quand il est sérieux. » Puis, me regardant attentivement : « À quoi tu penses ?

— À rien.

— Il sait qu'on se parle. C'est pour ça qu'il m'a confié l'info. Il ne l'aurait pas fait s'il n'avait pas voulu que *tu* saches.

— Ouais. » J'étais assez sûr que ce n'était pas le cas. Mon père était le genre de mec qui, dans l'humeur *ad hoc*, n'hésitait pas à discuter de sa vie privée avec la femme de son patron ou toute autre personne mal choisie.

« Il te le dirait lui-même s'il pensait que tu avais envie de savoir, a poursuivi Boris.

— Écoute. Comme tu l'as dit... » Mon père avait un goût pour le masochisme, le geste démesuré ; les dimanches que nous passions ensemble, il adorait exagérer ses malheurs, gémir en chancelant, se plaignant à voix forte qu'il était « fini » ou « HS » après un match qu'il avait perdu, même s'il en avait gagné une demi-douzaine d'autres et additionnait les profits sur sa calculatrice. « Parfois il y va un peu fort.

— Oui, c'est vrai », a acquiescé Boris. Il a repris la cigarette, inspiré puis, en bon camarade, me l'a repassée. « Tu peux la finir.

— Non, merci. »

Il y a eu un silence, durant lequel on entendait gronder les foules du match de foot de mon père à la télévision. Puis Boris s'est de nouveau appuyé sur ses coudes et a dit : « Qu'est-ce qu'il y a à manger en bas ?

— Rien de rien, bordel.

— Je croyais qu'il y avait des restes du chinois.

— Y en a plus. Quelqu'un les a finis.

— Merde. Peut-être que je vais allez chez Kotku, sa mère a des pizzas surgelées. Tu veux venir ?

— Non, merci. »

Boris a ri et exécuté un pseudo-signe de ralliement de gang. « Comme tu veux, yo, a-t-il fait avec une voix de "racaille" (qui ne se démarquait de sa voix habituelle qu'à cause du signe et du "yo"), après quoi il s'est levé et il est parti d'une démarche chaloupée. Il faut que j'mange, mon frère. »

VII

Ce qui était spécial chez Boris et Kotku, c'était la rapidité avec laquelle leur relation avait pris un caractère intense et conflictuel. Ils passaient leur temps à se réconcilier et avaient du mal à ne pas se toucher en permanence, mais à la minute où ils ouvraient la bouche on aurait cru un couple marié depuis quinze ans. Ils se chicanaient à propos de petites sommes d'argent, du genre qui avait payé le déjeuner au fast-food la dernière fois ; et quand je les surprenais, leurs conversations se déroulaient comme suit :

Boris : Quoi ! J'essayais d'être sympa !

Kotku : Eh bien, ça l'était pas franchement.

Boris, courant pour la rattraper : Je suis sérieux, Kotyku ! Je t'assure ! J'essayais juste d'être sympa !

Kotku (faisant la moue) : …

Boris, essayant sans succès de l'embrasser : Qu'est-ce que j'ai fait ? Qu'est-ce qu'il y a ? Pourquoi tu trouves que je ne suis plus sympa ?

Kotku (silence) : …

Le problème de Mike le pisciniste – le rival romantique de Boris – avait été résolu par la décision fort opportune de Mike de rejoindre les gardes-côtes. Apparemment, Kotku passait encore des heures au téléphone avec lui chaque semaine, ce qui, pour une raison que j'ignore, ne dérangeait pas Boris (« Elle essaie juste de le soutenir, tu comprends »). Mais c'était perturbant de voir combien il était jaloux d'elle au lycée. Il connaissait son emploi du temps par cœur, et à la minute où nos cours étaient terminés il se précipitait pour la retrouver, vu qu'il la soupçonnait de le tromper pendant la classe d'espagnol professionnel ou je ne sais plus trop lequel. Un jour, alors que Popper et moi étions seuls à la maison, il m'a téléphoné pour me demander : « Tu connais un type qui s'appelle Tyler Olowska ?

— Non.

— Il est dans notre cours d'histoire américaine.

— Désolé. On est nombreux.

— Eh bien, écoute. Tu peux te renseigner sur lui ? Savoir peut-être où il habite ?

— Où il *habite* ? C'est à propos de Kotku ? »

Tout d'un coup – à ma grande surprise – quatre coups de sonnette. Depuis que j'habitais Las Vegas, personne n'avait jamais sonné chez nous, pas une seule fois. À l'autre bout, Boris l'avait entendue aussi. « C'est quoi ? » Le chien tournait en rond et aboyait à en perdre la tête.

« Il y a quelqu'un à la porte.

— À la *porte ?* » Dans notre rue déserte – pas de

voisins, pas de ramassage des poubelles, pas même de lampadaires – c'était un grand événement. « C'est qui, tu crois ?

— Je ne sais pas. Je te rappelle. »

J'ai attrapé Popchik, presque hystérique, et (tandis qu'il se tortillait et jappait dans mes bras, se débattant pour descendre) j'ai réussi à ouvrir la porte de l'autre main.

« Regardez-moi ça, a lancé une voix agréable avec un accent du New Jersey. Quel adorable petit bonhomme. »

Je me suis retrouvé à cligner des yeux dans cette luminosité de fin d'après-midi face à un homme grand, très très bronzé, mince, et d'âge indéterminé. On aurait dit un croisement entre un cow-boy de rodéo et un artiste de salon aviné. La partie supérieure de ses lunettes de sport cerclées d'or était teintée en mauve ; il portait un blouson de sport blanc sur une chemise de cow-boy rouge ornée de boutons-pressions en nacre, ainsi qu'un jean noir, mais ce que j'ai surtout remarqué c'étaient ses cheveux : moitié postiche, moitié implants, ou alors ils avaient été vaporisés avec une texture semblable à de l'isolant en fibre de verre marron foncé, on aurait dit du cirage en boîte.

« Vas-y, pose-le par terre ! » a-t-il lancé en hochant la tête vers Popper qui continuait de se débattre pour se libérer. Sa voix était profonde, et ses manières calmes et amicales ; à part l'accent, c'était un parfait Texan, avec les bottes et tout l'attirail. « Laisse-le courir ! Ça ne me dérange pas. J'adore les chiens. »

Quand j'ai libéré Popchik, il s'est baissé pour lui tapoter la tête, dans la posture du cow-boy dégingandé à côté d'un feu de camp. Aussi bizarre que cet inconnu ait eu l'air avec ses cheveux et tout le reste, je ne pouvais m'empêcher d'admirer son côté cool et bien dans sa peau.

« Ouais, ouais, a-t-il fait. Gentil p'tit chien. Mais oui ! » De près, ses joues bronzées avaient un aspect de pomme fripée et séchée ornée de rides minuscules. « J'en ai trois chez moi. Des pennies nains.

— Pardon ? »

Il s'est relevé ; quand il m'a souri, il a exhibé des dents régulières d'un blanc éclatant. « Des pinschers nains, a-t-il expliqué. Des petits salopiauds névrosés qui mâchent tout dans la maison quand je n'y suis pas, mais je les adore. Comment tu t'appelles, mon petit ?

— Theodore Decker », ai-je répondu en me demandant qui il était.

De nouveau, il a souri ; derrière les lunettes teintées, ses yeux étaient petits et pétillants. « Hé ! Encore un New-Yorkais ! C'est bien ça ton accent, je me trompe ?

— Non.

— Un gars de Manhattan, je dirais. J'ai pas raison ?

— En effet », ai-je convenu en me demandant exactement ce qu'il avait entendu dans ma voix. Personne n'avait jamais deviné que je venais de Manhattan juste en m'écoutant parler.

« Eh bien, hé… je viens de Canarsie, un quartier de Brooklyn. J'y suis né et j'y ai grandi. C'est toujours sympa de croiser un autre gars de la côte Est. Je m'appelle Naaman Silver. » Il a tendu la main.

« Enchanté, monsieur Silver.

— Monsieur ! » Il a ri affectueusement. « J'aime les enfants polis. On n'en fait plus beaucoup des comme toi. Tu es juif, Theodore ?

— Non, monsieur, ai-je répondu, et j'ai immédiatement regretté de ne pas avoir acquiescé.

— Bon, je vais te dire. Selon moi, n'importe qui venant de New York est un Juif honoraire. C'est comme ça que je vois les choses. Tu as déjà été à Canarsie ?

— Non, monsieur.

— Ah, c'était une super communauté à l'époque, mais maintenant… » Il a haussé les épaules. « Ma famille, ils étaient là-bas depuis quatre générations. Mon grand-père

Saul a tenu un des premiers restaurants casher d'Amérique, tu vois. Un grand endroit célèbre. Mais qui a fermé quand j'étais petit. Après la mort de mon père, ma mère nous a emmenés à Brooklyn même pour qu'on puisse être plus près de mon oncle Harry et de sa famille. » Il a posé la main sur sa hanche fine et m'a regardé. « Est-ce que ton père est là, Theo ?

— Non.

— Non ? » Il a jeté un œil à l'intérieur par-dessus mon épaule. « C'est dommage. Tu sais quand il rentre ?

— Non, monsieur.

— *Monsieur.* Ça me plaît. Tu es un gosse sympa. Je vais te dire, tu me rappelles moi au même âge. Tout droit sorti de la yeshiva (il a tendu les mains, découvrant des bracelets en or autour de ses poignets bronzés et poilus) et avec ces mains laiteuses comme les tiennes.

— Hum… (j'étais toujours planté à la porte comme un empaillé) vous voulez entrer ? » Je n'étais pas sûr d'avoir le droit de faire pénétrer un inconnu dans la maison, mais je me sentais seul et je m'ennuyais. « Vous pouvez attendre si vous voulez. Mais je ne sais pas quand il sera là. »

De nouveau, il a souri. « Non, merci. J'ai d'autres gens à voir. Mais je vais te dire, je vais être direct avec toi, parce que tu es un gosse sympa. J'ai une grosse ardoise pour ton père. Tu sais ce que ça signifie ?

— Non, monsieur.

— Eh bien, que Dieu te bénisse. Tu n'as pas besoin de savoir, et j'espère que tu ne sauras jamais. Mais laisse-moi juste te dire que ce n'est pas une bonne politique commerciale. » Il a posé une main amicale sur mon épaule. « Crois-moi ou pas, Theodore, je sais parler aux gens. Et je n'aime pas me présenter chez un type et avoir affaire à son gamin, comme avec toi maintenant. Ce n'est pas bien. Normalement je devrais aller où ton père travaille et c'est là qu'on aurait notre petite discussion. Sauf que c'est un homme un peu difficile à pister, comme tu l'as peut-être remarqué. »

Dans la maison, j'ai entendu le téléphone sonner : Boris, j'en étais à peu près sûr. « Peut-être que tu ferais bien d'aller répondre, a suggéré Mr. Silver sur un ton agréable.

— Non, c'est bon.

— Vas-y. Je crois que tu devrais. Je t'attends ici. »

De plus en plus perturbé, je suis rentré et j'ai pris le téléphone. Comme je m'y attendais, c'était Boris. « C'était qui ? Pas Kotku, si ?

— Non. Écoute…

— Je pense qu'elle a été chez ce Tyler Olowska. J'ai cette drôle d'intuition. Enfin, peut-être qu'elle n'a pas été *chez lui* chez lui. Mais ils ont quitté le lycée ensemble, elle lui parlait sur le parking. Tu comprends, elle a son dernier cours avec lui, ébénisterie ou je sais pas trop quoi –

— Boris, je suis désolé, je ne peux *vraiment* pas parler maintenant, je te rappelle, d'accord ? »

« Je te crois sur parole si tu me dis que ce n'était pas ton père au bigophone », a lancé Mr. Silver quand je suis revenu à la porte. J'ai regardé derrière lui, vers la Cadillac blanche garée le long du trottoir. À l'intérieur il y avait deux types : un conducteur et un autre homme à côté de lui. « Ce n'était pas ton père, hein ?

— Non, monsieur.

— Si c'était lui, tu me le dirais, hein ?

— Oui, monsieur.

— Pourquoi je ne te crois pas ? »

J'étais silencieux, ne sachant quoi répondre.

« C'est pas grave, Theodore. » De nouveau il s'est baissé pour gratter Popper derrière les oreilles. « Je le trouverai bien tôt ou tard. Tu te souviendras de ce que je lui ai dit ? Et de le prévenir que je suis passé ?

— Oui, monsieur. »

Il a pointé vers moi un long doigt. « Redis-moi comment je m'appelle ?

— Mr. Silver.

— Mr. Silver. Parfait. Juste pour être sûr.

— C'est quoi, votre message ?

— Dis-lui de ma part que jouer c'est pour les touristes, pas pour les gens du coin. » Il m'a très légèrement touché le dessus de la tête de sa fine main brune. « Que Dieu te bénisse. »

VIII

Quand Boris est apparu à la porte une demi-heure plus tard, j'ai essayé de lui parler de la visite de Mr. Silver, mais bien qu'il m'ait écouté, un peu, pour l'essentiel il était furieux que Kotku flirte avec un autre garçon, ce Tyler Olowska machin-chose, un fumeur de cannabis plus âgé que nous d'une année et qui faisait partie de l'équipe de golf. « Qu'elle aille se faire foutre, a-t-il lancé d'une voix rauque alors qu'on était assis par terre en bas et qu'on fumait l'herbe de Kotku. Elle ne répond pas au téléphone. Je sais qu'elle est avec lui maintenant, je le *sais*.

— Allez. » Aussi inquiet que j'aie été au sujet de Mr. Silver, j'en avais encore plus marre de parler de Kotku. « Probablement qu'il lui achetait juste de l'herbe.

— Ouais, mais il se passe autre chose, je le *sais*. Elle ne veut plus que je sois chez elle, tu as remarqué ? Maintenant elle a toujours des *trucs à faire*. Elle ne porte même pas le collier que je lui ai offert. »

Mes lunettes étaient de travers et je les ai repoussées sur l'arête de mon nez. Boris n'avait même pas acheté ce fichu collier, il l'avait volé au centre commercial, s'en emparant puis courant pendant que moi (citoyen modèle en blazer d'uniforme) j'accaparais l'attention de la vendeuse avec des questions bêtes mais polies concernant le cadeau que papa et moi devions acheter à maman pour son anniversaire. « Hmm », ai-je fait pour essayer d'avoir l'air compatissant.

Boris s'est renfrogné, son front faisait penser à un nuage noir chargé d'orage. « C'est une pute. Autre jour elle a fait semblant de pleurer en cours... Elle essayait que ce connard d'Olowska la prenne en *pitié*. Quelle salope. »

J'ai haussé les épaules – je n'allais pas discuter ce point-là – et lui ai passé le joint.

« Elle l'aime juste parce qu'il a de l'argent. Ses parents ont deux Mercedes. Classe E.

— C'est une voiture de vieille dame.

— Mais non. En Russie c'est ce que conduisent les truands. Et (il a pris une longue taffe, retenant la fumée à l'intérieur, agitant les mains, les yeux larmoyants, *attends, attends, tu veux le meilleur ? attends, écoute, d'accord ?*) tu sais comment il l'appelle ?

— Kotku ? » Boris insistait tant pour la surnommer comme ça qu'au lycée les gens, y compris les profs, s'étaient mis à l'appeler Kotku aussi.

« Exactement ! » s'est exclamé Boris, outré, avec de la fumée qui sortait de sa bouche. « *Mon* surnom ! Le *kliytchka* que *moi* je lui ai donné. Et l'autre jour dans le hall ? Je l'ai vu lui ébouriffer les cheveux. »

Sur la table basse il y avait quelques bonbons à la menthe à moitié fondus que mon père avait sortis de sa poche, ainsi que quelques reçus et de la monnaie, et j'en ai déballé un que j'ai mis dans ma bouche. Je planais comme un parachutiste et la douceur du bonbon a traversé mon corps de fourmillements, on aurait dit du feu. « Ébouriffer ? ai-je fait tandis que le bonbon cliquetait bruyamment contre mes dents. Comment ?

— Comme ça, a-t-il répondu en faisant avec sa main

le geste de mettre en désordre, tout en aspirant une dernière taffe du joint qu'il a écrasé ensuite. Je ne connais
pas le mot.

— T'inquiète, ai-je dit en faisant de nouveau rouler
ma tête contre le canapé. Dis donc, tu devrais essayer
un de ces bonbons à la menthe. Ils ont un super goût. »

Boris a frotté une main sur son visage, puis il a secoué
la tête comme un chien qui s'ébroue. « Waouh, s'est-
il exclamé en faisant glisser ses deux mains dans ses
cheveux emmêlés.

— Ouais. Moi aussi », ai-je renchéri après une pause
frémissante. Mes pensées étaient étales et visqueuses,
lentes à se frayer un chemin vers la surface.

« Quoi ?

— Je suis pété.

— Ah bon ? » Il a ri. « À quel point ?

— Vachement, mon pote. » Dans ma bouche, le
bonbon à la menthe me faisait l'impression d'être intense
et énorme, de la taille d'un rocher, il me permettait tout
juste de parler.

Un silence paisible a suivi. Il était environ dix-sept
heures trente, mais la lumière était toujours pure et austère. Des chemises blanches à moi pendaient dehors près
de la piscine et elles étaient d'un blanc éclatant, ondulant
et claquant comme des voiles. J'ai fermé les yeux, le
rouge brûlant à travers mes paupières, et j'ai plongé de
nouveau dans le canapé (tout à coup très confortable)
comme dans un bateau qui tangue, puis j'ai pensé au
poème de Hart Crane qu'on avait lu en cours d'anglais.
« *To Brooklyn Bridge* ». Comment n'avais-je jamais lu
ce poème quand j'habitais New York ? Et comment
n'avais-je jamais fait attention à ce pont alors que je
le voyais presque tous les jours ? Mouettes et gouttes
étourdissantes. *Je pense à des cinémas, à des trucages
panoramiques...*

« Je pourrais l'étrangler, a lancé Boris abruptement.

— Quoi ? ai-je réagi, alarmé, n'ayant entendu que le mot *étrangler* et le ton méchant qui caractérisait Boris.

— Putain de bordel de sac d'os. Elle me fait péter les plombs. » Boris m'a donné un coup d'épaule. « Allez, Potter. Est-ce que tu n'aimerais pas lui effacer ce sourire narquois du visage ?

— Ben... ai-je fait après un temps d'arrêt hébété ; de toute évidence c'était une question piège. C'est quoi, un sac d'os ?

— Dans son cas ça veut dire salope, en fait.

— Oh.

— Je veux dire, elle se prend pour...

— Ouais. »

Un long silence assez bizarre a suivi, si bien que j'ai envisagé de me lever et de mettre de la musique, sauf que je ne pouvais pas décider quoi. Un morceau entraînant ne semblait pas une bonne idée, et la dernière chose que je voulais, c'était mettre un truc sombre ou angoissant qui allait le faire flipper.

« Hum, suis-je intervenu après ce que j'espérais être une pause assez longue, *La Guerre des mondes* passe dans un quart d'heure.

— Je vais lui en donner, moi, de la guerre des mondes », a menacé Boris avec un air sombre. Il s'est levé.

« Où tu vas ? Aux *Double R* ? »

Boris s'est renfrogné. « Vas-y, rigole, a-t-il ricané avec amertume, accoudé sur son imper *sovietskoye* gris. Ça va être les trois R pour ton père s'il ne paie pas au mec l'argent qu'il lui doit.

— Les trois R ?

— Revolver, ravin ou bastonnade », a précisé Boris avec un gloussement rauque aux sonorités slaves.

IX

C'était un film ou quoi ? Je me suis posé la question. Les trois R ? D'où il sortait ça ? Je m'étais bien débrouillé pour m'enlever les événements de l'après-midi de la tête, mais Boris m'avait fait flipper avec son commentaire en partant et je me suis assis en bas, raide comme un piquet pendant une heure et quelques devant *La Guerre des mondes,* le son coupé, écoutant le boucan de la machine à glaçons et le cliquetis du vent dans le parasol du patio. Popper, qui avait perçu mon humeur, était aussi tendu que moi et n'arrêtait pas d'aboyer violemment, puis de sauter du canapé pour vérifier des bruits dans la maison – si bien que lorsqu'une voiture a bel et bien tourné dans l'allée peu après la tombée de la nuit, il s'est précipité vers la porte et a fait un vacarme qui m'a flanqué une sacrée trouille.

Mais ce n'était que mon père. Il avait l'air tout chiffonné et bourré, et pas de très bonne humeur.

« Papa ? » Je planais encore suffisamment pour que ma voix me donne l'impression d'être bien trop forte et bizarre.

Il s'est arrêté au pied de l'escalier et m'a regardé.

« Y a un gars qui est venu pour toi. Un Mr. Silver.

— Ah oui ? » a fait mon père sur un ton anodin. Mais il se tenait très droit, la main sur la rampe.

« Il a expliqué qu'il essayait de te joindre.

— C'était quand ? a-t-il demandé en revenant dans la pièce.

— Vers seize heures, je crois.

— Xandra était là ?

— Je ne l'ai pas vue. »

Il a posé une main sur mon épaule et a semblé réfléchir pendant une minute. « Eh bien, je te serais reconnaissant de ne pas lui en parler », a-t-il répondu.

Je me suis rendu compte que le bout du joint de Boris était toujours dans le cendrier. Il m'a vu le regarder, l'a pris et l'a reniflé.

« Je me disais aussi que je sentais quelque chose, a-t-il constaté en le faisant tomber dans la poche de sa veste. Tu pues un peu, Theo. Où est-ce que vous avez trouvé ça ?

— Tout va bien ? »

Les yeux de mon père avaient l'air un peu rouges et vagues. « Bien sûr. Je vais juste aller en haut passer quelques coups de fil. » Il émanait de lui une forte odeur de tabac froid et de ce thé au ginseng qu'il buvait *non-stop*, une habitude qu'il avait empruntée aux hommes d'affaires chinois dans le salon de baccara : ça donnait à sa sueur une forte odeur étrangère. Je l'ai observé monter les escaliers jusqu'à l'étage, puis je l'ai vu prendre le bout de joint dans la poche de sa veste et se le repasser sous le nez d'un air pensif.

X

À l'étage, avec la porte de la chambre fermée à clé et Popper encore nerveux et tournant dans la pièce avec raideur, mes pensées se sont dirigées vers le tableau. J'avais été fier de moi et de l'idée de la-taie-d'oreiller-derrière-la-tête-de-lit ; mais je me rendais compte à présent combien c'était stupide de le garder ici – non que j'aie d'autres options, sauf si je voulais le cacher dans la benne quelques maisons plus loin (jamais vidée de toute la période où j'ai habité à Vegas), ou bien dans l'une des maisons abandonnées de l'autre côté de la rue. Celle de Boris n'offrait pas davantage de sécurité que la mienne, et il n'y avait personne d'autre que je connaissais assez, ou bien en qui j'avais confiance. Le lycée était la seule alternative, mauvaise idée aussi, mais même si je savais qu'il devait y avoir un meilleur choix, je n'arrivais pas à trouver lequel. Il y avait des inspections ponctuelles de nos casiers pris au hasard, et maintenant que j'étais un ami de Boris – et donc lié à Kotku – j'étais le genre de naze qu'ils risquaient bien d'inspecter. Enfin, même si quelqu'un le découvrait dans mon casier – que ce soit le principal ou Mr. Detmars, le terrifiant entraîneur de basket, ou alors les vigiles de l'agence de sécurité qu'ils faisaient venir de temps à autre pour effrayer les élèves – ce serait toujours mieux que si c'était mon père ou Mr. Silver.

À l'intérieur de la taie d'oreiller, le tableau était enveloppé dans plusieurs épaisseurs de papier à dessin scotché – du bon papier, du papier kraft pris dans la salle de dessin du collège – avec une double épaisseur à l'intérieur constituée par un torchon propre en coton blanc qui protégeait la surface des produits acides du papier (à supposer qu'il y en ait). Mais j'avais sorti le tableau si souvent pour le regarder – ouvrant le rabat supérieur du côté scotché pour le faire glisser – que le papier était déchiré et le Scotch même plus collant. Après être resté allongé sur le lit quelques minutes à fixer le plafond, je me suis levé pour prendre le rouleau extralarge d'adhésif résistant qui restait de notre déménagement et j'ai détaché la taie d'oreiller de derrière la tête de lit.

C'était trop tentant, en posant les mains dessus, de le sortir pour le regarder. Je l'ai donc fait glisser rapidement, et presque sur-le-champ sa lueur quasi musicale m'a enveloppé, douceur intrinsèque et inexplicable au-delà d'une harmonie d'authenticité profonde qui vous berçait le sang au même titre que votre cœur battait lentement et sûrement en compagnie de quelqu'un avec qui vous vous sentiez aimé et en sécurité. Une puissance, un éclat en émanaient, une fraîcheur semblable à la lumière matinale dans mon ancienne chambre new-yorkaise qui était à la fois sereine et vivifiante, une lumière qui avivait tous les angles et en même temps le rendait plus tendre et adorable qu'il n'était en réalité, plus adorable encore parce qu'il appartenait à un passé irrécupérable : le papier peint luisant et le vieux globe Rand McNally dans la pénombre.

Petit oiseau ; oiseau jaune. Me secouant de mon hébétude, je l'ai glissé dans le torchon entouré de papier et je l'ai de nouveau enveloppé de deux ou trois (quatre ? cinq ?) vieilles pages sportives de mon père, puis – impulsivement, lancé là-dedans à corps perdu dans mon état à la fois déterminé et ivre – je l'ai entouré d'adhésif encore et encore, jusqu'à ce que plus un atome de papier journal ne soit visible et que le rouleau extralarge d'adhésif soit épuisé. Personne n'allait ouvrir ce paquet sur un coup de tête. Même avec un couteau, un bon couteau, pas juste des ciseaux, il faudrait un bon moment pour en venir à bout. Pour finir, une fois que j'en ai eu terminé – le paquet ressemblait à un cocon bizarre de science-fiction – j'ai glissé le tableau momifié et la taie d'oreiller dans mon sac d'école puis j'ai fourré ce dernier sous les couvertures à côté de mes pieds. Agacé, Popper a bougé avec un grognement pour me faire de la place. Aussi minuscule qu'il soit, et en dépit de son air ridicule, c'était quand même un aboyeur féroce qui avait le sens du territoire quand il s'agissait de sa place à mes côtés ; je savais que si quiconque ouvrait la porte de la chambre pendant que je dormais – même Xandra ou mon père, et il n'aimait aucun des deux – il se lèverait d'un bond et donnerait l'alerte.

Ce qui avait commencé comme une idée rassurante se transformait de nouveau en des pensées perturbantes à propos d'inconnus et de cambriolages. L'air conditionné était si froid que je tremblais ; et quand j'ai fermé les yeux, je me suis senti m'élever au-dessus de mon corps – et monter rapidement en flottant, comme un ballon qui se serait échappé – pour sursauter à cause d'une vive secousse de tout mon être quand j'ai ouvert les yeux. Donc je les ai gardés fermés et j'ai tenté de me rappeler ce que je pouvais du poème de Hart Crane, c'est-à-dire pas grand-chose, même si des mots isolés comme *mouette*, *circulation*, *tumulte* et *crépuscule* évoquaient un peu de ses distances aériennes, son grand mouvement circulaire de haut en bas ; et juste au moment où je commençais à m'assoupir, je suis tombé dans une sorte de souvenir sensoriel puissant du petit parc venteux qui sentait le tuyau d'échappement près de notre ancien appartement, à côté de l'East River, les grondements de la circulation baignant le tout de manière abstraite tandis que la rivière tourbillonnait avec des courants rapides et désordonnés et semblait parfois couler dans deux directions différentes.

XI

Je n'ai pas beaucoup dormi cette nuit-là et j'étais tellement épuisé au moment d'aller au lycée et de ranger le tableau dans mon casier que je n'ai même pas remarqué que Kotku (pendue au cou de Boris à présent, comme s'il ne s'était rien passé) arborait une lèvre enflée. C'est seulement quand j'ai entendu ce dur de terminale, Eddie Riso, demander : « T'as pris un pain ? » que j'ai remarqué qu'elle avait reçu un bon coup sur le visage. Elle riait un peu nerveusement et racontait aux gens qu'elle avait reçu une portière de voiture sur la bouche, mais d'une manière gênée qui (à mes yeux en tout cas) ne sonnait pas particulièrement vraie.

« C'est toi qui lui as fait ça ? » ai-je interrogé Boris quand je l'ai vu seul ensuite (ou relativement seul) en cours d'anglais.

Boris a haussé les épaules. « Je voulais pas.

— Qu'est-ce que tu veux dire par "Je voulais pas" ? »

Boris a eu l'air choqué. « C'est elle qui m'a poussé !

— Elle t'a poussé, ai-je répété.

— Écoute, c'est pas parce que tu es jaloux...

— Va te faire mettre. Je me contrefous de toi et Kotku, j'ai mes propres soucis. Tu peux la battre à mort si tu en as envie.

— Oh, bon sang, Potter, a fait Boris, tout à coup sobre. Est-ce qu'il est revenu ? Ce type ?

— Non, ai-je répondu après un bref temps d'arrêt. Pas encore. Eh bien, bon, et merde, ai-je poursuivi alors que Boris continuait de me dévisager. C'est *son* problème, pas le mien. Il va bien falloir qu'il s'en sorte.

— Il doit combien ?

— Pas la moindre idée.

— Tu peux pas trouver l'argent pour lui ?

— *Moi ?* »

Boris a détourné le regard. Je lui ai donné un coup dans le bras. « Non, qu'est-ce que tu veux dire, Boris ? Est-ce que *je* ne peux pas trouver l'argent pour lui ? De quoi tu parles ? » ai-je demandé vu qu'il ne répondait pas.

— Pas grave », a-t-il dit en vitesse en s'appuyant contre le dos de sa chaise, et je n'ai pas eu l'occasion de poursuivre la conversation parce que Spirsetskaya est entrée dans la salle, toute prête à nous parler de l'ennuyeux *Silas Marner* de George Eliot, et notre échange s'est donc arrêté là.

XII

Ce soir-là, mon père est rentré tôt avec des sacs contenant des plats à emporter de son chinois préféré, y compris une portion supplémentaire des bouchées épicées à la vapeur que j'aimais – et il était de si bonne humeur que c'était comme si j'avais rêvé Mr. Silver et les trucs de la veille.

« Et donc… » ai-je dit, puis je me suis arrêté. Xandra avait fini ses rouleaux de printemps et rinçait des verres au robinet, mais il y avait des limites à ce que je me sentais libre de discuter devant elle.

Il m'a adressé son grand sourire de papa, celui qui incitait parfois les hôtesses de l'air à l'installer en première classe.

« Quoi donc ? a-t-il demandé en repoussant son carton de crevettes à la mode sichuan pour attraper un biscuit chinois.

— Euh… (Xandra faisait couler l'eau à fond et c'était bruyant) est-ce que tu as tout réglé ?

— Quoi donc, a-t-il répété sur un ton léger, tu parles de Bobo Silver ?

— Bobo ?

— J'espère que tu ne t'inquiétais pas pour ça. Tu ne t'inquiétais pas, si ?

— Eh bien…

— Bobo… (il a ri) les gens l'appellent le *mensch*. En fait, c'est un brave type… enfin, tu lui as parlé toi-même… on s'était juste mal compris, c'est tout.

— Ça veut dire quoi, une ardoise ?

— Écoute, c'était juste un malentendu. Enfin bon, ces gens sont des personnages. Ils ont leur propre langue, leurs propres façons de faire. Mais, hé (il a ri), c'est super… quand je l'ai retrouvé chez *Caesars* – c'est ce que Bobo appelle son "bureau", tu sais, la piscine chez *Caesars*… – enfin bon, quand je l'ai retrouvé, tu sais ce qu'il n'a pas arrêté de me répéter ? "Il est bien, ton fils, Larry. Un vrai petit gentleman." Bon, je ne sais pas ce que tu lui as raconté, mais je te dois une fière chandelle.

— Euh », ai-je fait d'une voix neutre en reprenant du riz. Mais intérieurement j'étais presque ivre en voyant l'amélioration de son humeur – le même flot d'exultation que j'avais ressenti, enfant, quand les silences prenaient fin, quand ses pas redevenaient légers et qu'on l'entendait rire et fredonner devant le miroir en se rasant.

Mon père a ouvert son biscuit chinois, et il a ri. « Regarde, a-t-il dit en faisant une boulette de la prédiction à l'intérieur et en me la jetant. Je me demande qui se concerte avec qui à Chinatown pour élaborer ces trucs ? »

Je l'ai lu à voix haute : « Vous êtes curieusement outillé pour le destin, soyez prudent !

— Curieusement outillé ? est intervenue Xandra en arrivant par-derrière et en glissant ses bras autour de son cou. C'est pas un peu coquin, ça ?

— Ah… (mon père s'est retourné pour l'embrasser). L'esprit mal tourné. Ma fontaine de jouvence.

— Ah bon. »

XIII

« Je t'ai déjà donné un coup sur la lèvre, a dit Boris qui se sentait clairement coupable pour l'affaire Kotku, vu qu'il en avait parlé tout à trac dans le bus, rompant ainsi notre silence convivial du matin.

— Ouais, et moi je t'ai tapé la tête contre le putain de mur.

— Je ne voulais pas !

— Tu ne voulais pas quoi ?

— Te frapper sur la bouche !

— Et avec elle tu voulais ?

— En un sens, ouais, a-t-il répondu de manière évasive.

— En un sens. »

Boris a émis un son exaspéré. « Je lui ai dit que

j'étais désolé ! Tout va bien entre nous maintenant, pas de souci ! Et puis, en quoi ça te concerne ?

— C'est *toi* qui as amené le sujet, pas moi. »

Il m'a regardé pendant un curieux moment décalé, puis il a ri. « Je peux te raconter un truc ?

— Quoi ? »

Il a approché sa tête de la mienne. « Kotku et moi on a tripé hier soir, a-t-il avoué tranquillement. On a pris de l'acide ensemble. C'était super.

— Ah bon ? Où vous en avez trouvé ? » C'était assez facile de se procurer de l'ecstasy au lycée – Boris et moi en avions déjà pris une bonne dizaine de fois au moins, des nuits magiques sans paroles, à marcher dans le désert à moitié délirants en s'adressant aux étoiles – mais personne n'avait jamais eu d'acide.

Boris s'est frotté le nez. « Ah. Eh bien. Sa mère connaît ce vieux type effrayant qui s'appelle Jimmy et qui travaille chez un armurier. Il nous a dégoté cinq doses, je ne sais pas pourquoi j'en ai acheté cinq, j'aurais dû en acheter six. Toujours est-il que j'en ai encore. Putain, c'était génial.

— Ah ouais ? » Maintenant que je le regardais de plus près, je me rendais compte que ses pupilles étaient dilatées et étranges. « Tu tripes toujours ?

— Peut-être un peu. Je n'ai dormi que deux heures. Quoi qu'il en soit, on est tout à fait réconciliés. C'était comme… même les fleurs sur le dessus-de-lit de sa mère étaient sympas. On était comme les fleurs et on s'est rendu compte combien on s'aimait, et combien on avait besoin l'un de l'autre quoi qu'il advienne, que tout ce qui était arrivé de haineux entre nous c'était juste par amour.

— Waouh, ai-je fait avec une voix qui, je pense, avait dû sembler plus triste que je ne le souhaitais, vu la façon dont Boris a froncé les sourcils et m'a regardé. Quoi ? ai-je lancé tandis qu'il continuait de me regarder. Qu'est-ce qu'il y a ? »

Il a cligné des yeux et secoué la tête. « Non, je peux juste le *voir*. Ce voile de tristesse, genre, autour de ta tête. C'est comme si tu étais un soldat ou un truc comme ça, un personnage *historique*, marchant sur un champ de bataille peut-être, avec tous ces sentiments profonds…

— Boris, tu planes toujours.

— Pas vraiment, a-t-il répondu avec un air rêveur. Ça va, ça vient, on dirait. Mais si je regarde comme il faut du coin de l'œil, je continue de voir des étincelles colorées sortir des choses. »

XIV

Une semaine et quelque s'est écoulée, sans incident, que ce soit avec mon père ou du côté Boris-Kotku – un laps de temps suffisant pour que je me sente rassuré à l'idée de rapporter la taie d'oreiller à la maison. Quand je l'ai sortie de mon casier, j'ai remarqué comme elle semblait incroyablement épaisse (et lourde), et quand je l'ai prise en haut et que j'ai sorti le tableau de la taie, j'ai compris pourquoi. De toute évidence j'avais été défoncé tous azimuts quand je l'avais enveloppée et scotchée : toutes ces couches de papier journal, entourées de tout un rouleau extralarge d'adhésif résistant et renforcé, m'avaient semblé une sage précaution quand j'étais flippé et soûl, mais de retour dans ma chambre, dans la lumière sobre de l'après-midi, on avait l'impression que ça avait été relié et enveloppé par un fou et/ou un SDF – momifié, pour ainsi dire : il y avait tant d'adhésif que ce n'était plus vraiment carré, même les coins étaient ronds. J'ai pris le plus aiguisé des couteaux de cuisine que j'aie pu trouver et j'ai scié un coin – avec prudence au début, inquiet que le couteau ne glisse à l'intérieur et n'endommage le tableau – puis avec plus d'énergie.

Mais je n'étais arrivé qu'à la moitié d'une section de sept centimètres et mes mains commençaient à se fatiguer lorsque j'ai entendu Xandra entrer en bas, du coup je l'ai remis dans la taie et l'ai de nouveau scotché à l'arrière de la tête de lit en attendant d'être sûr qu'ils soient partis pour quelque temps.

Boris m'avait promis qu'on prendrait deux des doses d'acide restantes dès que son esprit serait revenu à son état normal, ainsi qu'il le formulait ; il se sentait toujours un peu déphasé, m'avait-il confié, voyait des motifs bouger dans le faux bois de son pupitre au lycée, et les quelques premières fois où il avait fumé de l'herbe il avait recommencé à triper comme un malade.

« Ça a l'air plutôt fort, ai-je constaté.

— Non, c'est cool. Je l'arrête quand je veux. Je pense qu'on devrait en prendre au terrain de jeux. Pendant les vacances de Thanksgiving peut-être. » Le terrain de jeux abandonné était l'endroit où on était allés pour prendre de l'ecstasy ; la première fois – quand Xandra était venue frapper à la porte de ma chambre en nous demandant de l'aider à réparer la machine à laver, ce que bien sûr nous étions incapables de faire – les quarante-cinq minutes passées avec elle dans la lingerie durant la meilleure partie du trip avaient été une énorme déception.

« Est-ce que ça ne va pas être beaucoup plus fort que l'ecstasy ?

— Non… Eh bien, si, mais c'est génial, fais-moi confiance. Je me suis obstiné à exiger de Kotku qu'on soit dehors à l'air libre, sauf c'était *trop* près autoroute, les phares, les voitures… Peut-être ce week-end ? »

C'était une perspective réjouissante. Mais juste au moment où je commençais à me sentir bien, et même de nouveau optimiste – mon père n'avait pas regardé ESPN de la semaine, ce qui était une forme de record – je suis tombé sur lui qui m'attendait à mon retour du lycée.

« J'ai besoin de te parler, Theo, m'a-t-il annoncé au moment où je suis entré. Tu as une minute ? »

Je me suis arrêté. « Euh, oui, bien sûr. » Le living donnait presque l'impression d'avoir été cambriolé – il y avait des papiers disséminés partout, et même les coussins du sofa étaient légèrement déplacés.

Il a arrêté de faire les cent pas – il bougeait d'une manière un peu raide, comme si son genou lui faisait mal. « Viens ici, assieds-toi », a-t-il proposé d'une voix amicale.

Je me suis assis. Mon père a soupiré ; puis il a passé une main dans ses cheveux.

« L'avocat », a-t-il dit en se penchant vers l'avant, les mains serrées entre ses genoux et croisant mon regard avec franchise.

J'ai attendu.

« L'avocat de ta mère. Eh bien… je sais que je te prends un peu au dépourvu mais j'ai vraiment besoin que tu l'appelles pour moi. »

Il y avait du vent ; à l'extérieur, du sable soufflé crépitait contre les portes en verre et l'auvent du patio battait avec un bruit qui faisait penser à un drapeau qui claque. « Quoi ? » ai-je fait après une pause prudente. Elle avait parlé de consulter un avocat après son départ – au sujet d'un divorce, imaginais-je – mais ce qu'il en était ressorti, je l'ignorais.

« Eh bien… » Mon père a pris une profonde inspiration ; il a regardé le plafond. « Voilà ce qui se passe. Je pense que tu as remarqué que je ne m'occupe plus de paris sportifs, hein ? En fait, je veux arrêter. Tant que j'ai une avance, pour ainsi dire. Ce n'est pas… (il a marqué un temps d'arrêt et semblé réfléchir)… eh bien, pour être très honnête, je suis devenu très bon à ces trucs-là en faisant mes devoirs et en étant discipliné. Je me penche sur les chiffres. Je ne parie pas de manière impulsive.

Et à vrai dire, ça marche plutôt bien. J'ai économisé beaucoup d'argent ces derniers mois. C'est juste...

— Oui, l'ai-je encouragé d'une manière hésitante dans le silence qui a suivi, me demandant où il voulait en venir.

— Alors, pourquoi tenter le diable ? Parce que (la main sur le cœur) je *suis* alcoolique. Je suis le premier à l'admettre. Je ne peux pas boire *du tout*. Un seul verre est un verre de trop et un millier n'est pas suffisant. Abandonner l'alcool est la meilleure chose que j'aie jamais faite. Et tu vois, avec le jeu, même avec mes tendances à l'addiction, ce genre de trucs, ça a toujours été différent ; bien sûr j'ai eu des difficultés, mais je n'ai jamais été comme, disons, certains de ces types qui, je ne sais pas, qui s'enfoncent tellement qu'ils détournent de l'argent et détruisent l'entreprise familiale ou que sais-je. Mais (il a ri) si tu ne veux pas une coupe de cheveux tôt ou tard, mieux vaut arrêter de traîner chez le coiffeur, non ?

— Et donc ? ai-je demandé prudemment après avoir attendu qu'il poursuive.

— Eh bien... pfffff. » Mon père s'est passé les deux mains dans les cheveux ; il avait l'air d'un gamin, hébété, incrédule. « Voilà. Je veux vraiment mettre en place de grands changements maintenant. Parce que j'ai l'occasion de mettre un pied dans cette grande entreprise. Un pote à moi a un restaurant. Eh bien, je pense que ça va être un truc *vraiment* super pour nous tous... le genre d'occasion qui se présente une fois dans une vie, en fait. Tu vois ? Xandra a des gros soucis au boulot pour l'instant, avec son patron qui est une vraie merde et, je ne sais pas, je pense juste que ce serait beaucoup mieux. »

Mon père ? Un restaurant ? « Waouh... c'est super.

— Ouais. » Mon père a hoché la tête. « C'est *vraiment* super. Mais le truc, c'est que pour ouvrir ce genre d'endroit...

— Quel genre de restaurant ? »

Mon père a bâillé et essuyé ses yeux rouges. « Oh, tu sais… juste de la nourriture américaine simple. Des steaks, des hamburgers, des trucs comme ça. Juste très simple et bien préparé. Le truc c'est que, pour que mon copain puisse ouvrir l'endroit et payer les taxes du restaurant…

— Des taxes ?

— Oh, mon Dieu, oui, tu n'imagines pas le genre de frais qu'ils ont par ici. Il faut payer les taxes sur le restaurant, les redevances sur l'alcool, l'assurance responsabilité civile… c'est une énorme mise de fonds en liquide pour faire fonctionner un endroit pareil.

— Eh bien. » Je voyais où il voulait en venir. « Si tu as besoin de l'argent sur mon compte épargne… »

Mon père a eu l'air alarmé. « Quoi ?

— Tu sais. Ce compte que tu as ouvert pour moi. Si tu as besoin de l'argent, ce n'est pas un problème.

— Ah, ouais. » Mon père est resté un moment silencieux. « Merci. C'est super sympa, mon gars. Mais en fait… (il s'était levé et faisait les cent pas) le truc c'est que, je vois une façon vraiment maligne de faire ça. C'est juste une solution à court terme, pour que l'affaire puisse être lancée, tu comprends. On récupérera l'argent en quelques semaines – un endroit pareil, l'emplacement et tout ça, ça revient à avoir une planche à billets. C'est juste la mise de départ. Cette ville est une folie en termes de taxes, de redevances, etc. Enfin bon… (il a ri, à moitié pour s'excuser) tu sais que je ne te le demanderais pas si ce n'était pas une urgence…

— Pardon ? ai-je fait après une pause perplexe.

— Enfin, j'ai vraiment besoin que tu passes ce coup de fil pour moi. Voilà le numéro. » Il m'avait tout écrit sur un bout de papier : un numéro à Manhattan, ai-je remarqué. « Tu dois appeler ce type et lui parler toi-même. Il s'appelle Bracegirdle. »

J'ai regardé le papier, puis mon père. « Je ne comprends pas.

— Il n'y a rien à comprendre. Tout ce que tu dois faire, c'est répéter ce que je te dis.

— Quel rapport avec moi ?

— Écoute, tu le fais, c'est tout. Tu lui dis qui tu es, que tu as besoin de lui parler, une question financière à régler, bla-bla-bla.

— Mais… » C'était qui, ce type ? « Qu'est-ce que tu veux que je dise ? »

Mon père a pris une grande inspiration ; il veillait à contrôler son expression, ce pour quoi il était plutôt doué.

« C'est un avocat, a-t-il répondu dans un souffle. Celui de ta mère. Il doit faire le nécessaire pour virer *cette* somme (mes yeux se sont arrondis en voyant le montant qu'il pointait : *65 000 $*) sur *ce* compte (traînant son doigt vers la kyrielle de chiffres en dessous). Dis-lui que j'ai décidé de t'envoyer dans un lycée privé. Il aura besoin de ton nom et de ton numéro national d'identité. C'est tout.

— Un lycée privé ? ai-je demandé après un temps d'arrêt, désorienté.

— Eh bien, tu vois, c'est pour des raisons fiscales.

— Je ne veux pas aller dans un lycée privé.

— Attends, attends, écoute-moi. Tant que cet argent est utilisé pour ton bénéfice, au sens officiel du terme, il n'y a pas de souci. Et le restaurant est pour notre bénéfice à *tous*, tu comprends. Peut-être, au bout du compte, pour le tien plus que quiconque. Et tu vois, je pourrais passer cet appel moi-même, c'est juste que si on s'y prend de la bonne manière on peut économiser trente mille dollars qui sinon iraient à l'État. Bon sang, je t'y *enverrai*, dans un lycée privé, si tu en as envie. Dans un pensionnat. Je pourrais t'envoyer à Andover avec tout cet argent supplémentaire. Simplement, je ne veux pas que la moitié revienne au fisc, tu me comprends ? Et puis… voilà, étant donné la façon dont ce truc est organisé, quand viendra le moment d'entrer en fac ça finira par *te* coûter de l'argent, parce que avec la somme qu'il y a là-dedans tu ne pourras pas demander de bourse. Les gens de l'université qui décident de l'attribution de l'aide financière vont regarder ce compte et te mettre dans une différente fourchette de revenus puis en retirer soixante-quinze pour cent la première année, pouf. Si on fait comme j'ai dit, au moins comme ça tu en auras le plein usage, tu comprends ? Tout de suite. Quand ça pourrait être vraiment utile.

— Mais…

— *Mais...* (voix de fausset, langue pendante, regard toqué). Oh, allez, Theo, a-t-il dit de sa voix normale alors que je n'arrêtais pas de le dévisager. Je te jure que je n'ai pas de temps pour tes hésitations. J'ai besoin que tu passes ce coup de fil au plus vite, avant que les bureaux ferment sur la côte Est. Si tu as besoin de signer quelque chose, demande-lui de t'envoyer les papiers par FedEx. Ou par fax. Il faut juste que ce soit fait dès que possible, OK ?

— Mais pourquoi est-ce que c'est *moi* qui dois le faire ? »

Mon père a roulé des yeux. « Écoute, arrête avec ça, Theo. Je sais que tu es au courant parce que je t'ai vu vérifier le courrier… Oui, a-t-il asséné pour couvrir mes objections, mais si, chaque jour tu files vers la boîte aux lettres comme une putain de flèche. »

J'ai été si dérouté par sa remarque que je n'ai même pas su comment répondre. « Mais… » J'ai jeté un œil vers le papier et le chiffre m'a de nouveau sauté au visage : *65 000 $*.

Sans crier gare, mon père a pété un câble et m'a giflé, si dur et si vite que l'espace d'une seconde je n'ai pas su ce qui venait de m'arriver. Puis, avant même que je puisse dire ouf, il m'a frappé de nouveau, un WHAM de BD qui a claqué comme un flash d'appareil photo, cette fois-ci avec son poing. J'ai chancelé – mes genoux s'étaient dérobés, tout était blanc – et il m'a attrapé à la gorge en me tirant violemment vers le haut, me forçant à me mettre sur la pointe des pieds.

« Écoute-moi bien. » Il me hurlait au visage, son nez était à cinq centimètres du mien, mais Popper sautait et aboyait comme un fou et le tintement dans mes oreilles avait atteint un tel volume que j'avais l'impression qu'il me criait dessus à travers un brouillage radio. « Tu vas appeler ce type (agitant le papier sous mes yeux) et lui répéter ce que je te dis, bordel. Ne complique pas les choses plus qu'il ne le faut parce que je te *forcerai* à le faire, Theo, je ne plaisante pas, je te casserai le bras, je te *tabasserai* si tu ne prends pas ce téléphone sur-le-champ. OK ? OK ? » a-t-il répété dans le silence vertigineux qui me faisait bourdonner les oreilles. Son haleine de fumeur était aigre. Il m'a lâché la gorge et a reculé d'un pas. « Tu m'entends ? Dis quelque chose. »

Je me suis passé la main sur le visage. Une larme coulait sur mes joues mais c'était une réaction automatique, comme de l'eau coulant du robinet, aucune émotion n'y était attachée.

Mon père a fermé très fort les yeux ; il a secoué la tête. « Écoute, a-t-il jeté d'une voix sèche, sa respiration encore sifflante. Je suis désolé. » Il ne semblait pas l'être *vraiment*, ai-je remarqué dans un lointain recoin endurci de mon esprit ; il avait l'air de toujours vouloir me flanquer une raclée. « Mais, je le jure, Theo. Faismoi confiance là-dessus. Tu dois faire ça pour moi. »

Tout était flou et j'ai tendu les deux mains pour redresser mes lunettes. Ma respiration était si forte que c'était ce qu'il y avait de plus bruyant dans la pièce.

La main sur la hanche, mon père a tourné les yeux vers le plafond. « Oh, allez, arrête. »

Je n'ai rien répondu. On est restés là pendant un long moment. Popper avait cessé d'aboyer et regardait entre nous avec appréhension comme s'il essayait de comprendre ce qui se passait.

« C'est juste… eh bien, tu sais ? » Maintenant il était de nouveau raisonnable. « Je suis désolé, Theo, je jure que je suis, mais totalement coincé, on a besoin de cet argent tout de suite, à l'instant même, on en a vraiment besoin. »

Il essayait de croiser mon regard : le sien était franc, sensé. « C'est qui, ce mec ? ai-je demandé en ne le regardant pas, lui, mais en regardant le mur derrière sa tête, ma voix, pour une raison que j'ignore, donnant l'impression d'être écorchée et étrange.

— L'avocat de ta mère. Combien de fois je dois te le répéter ? » Il se massait les articulations comme s'il s'était fait mal en me frappant. « Tu vois, Theo, le truc c'est que… (nouveau soupir) eh bien, je suis désolé, mais je jure que je ne serais pas aussi en colère si ça n'était pas aussi important. Parce que je suis vraiment vraiment dans le pétrin. C'est juste temporaire, tu comprends, jusqu'à ce que l'affaire décolle. Parce que tout pourrait s'écrouler, juste comme ça (il a claqué des doigts) à moins que je paie certains de ces créanciers. Et le reste, je m'en servirai – *oui*, pour t'envoyer dans un meilleur lycée. Un lycée privé peut-être. Ça te plairait, non ? »

Emporté par sa propre conversation, il composait déjà le numéro. Il m'a tendu le téléphone et – avant que quiconque réponde – s'est précipité pour prendre le deuxième combiné à l'autre bout de la pièce.

« Allô, ai-je dit à la femme qui a répondu, hum, excusez-moi (ma voix était éraillée et instable, je n'en revenais toujours pas de ce qui était en train de se passer). Est-ce que je pourrais parler à Mr., euh… »

Mon père a pointé le doigt vers le papier : *Bracegirdle.*

« … Mr. euh, Bracegirdle.

— Et qui dois-je annoncer ? » Sa voix comme la

mienne était trop forte vu que mon père écoutait sur l'autre combiné.

« Theodore Decker.

— Ah, oui, s'est exclamé l'homme quand il a pris la communication sur un autre poste. Bonjour ! Theodore ! Comment vas-tu ?

— Bien.

— J'ai l'impression que tu as un rhume. Dis-moi. Est-ce que tu as un petit rhume ?

— Euh, oui », ai-je acquiescé en hésitant. De l'autre côté de la pièce, mon père articulait le mot *laryngite*.

« C'est bien dommage, a compati la voix en écho (si fort que j'ai dû un peu éloigner le téléphone de mon oreille). J'ai du mal à imaginer que les gens attrapent des rhumes au soleil, là où tu te trouves. Quoi qu'il en soit, je suis content que tu m'appelles… je n'avais pas de moyen de te contacter directement. Je sais que ça doit être encore très dur. Mais j'espère que ça va mieux que la dernière fois que je t'ai vu. »

J'étais silencieux. J'avais donc rencontré cette personne ?

« C'était une sale période », a poursuivi Mr. Bracegirdle en interprétant correctement mon silence.

La voix veloutée et fluide me disait quelque chose. « Oui.

— La tempête de neige, tu te souviens ?

— Oui. » Il avait fait son apparition peut-être une semaine après la mort de ma mère : un homme un peu âgé avec une manne de cheveux blancs – chic, chemise à rayures et nœud papillon. Mrs. Barbour et lui semblaient se connaître, ou en tout cas lui semblait la connaître. Il était assis en face de moi dans le fauteuil le plus proche du canapé et parlait beaucoup, des trucs déroutants, bien que ce qui m'avait vraiment marqué c'était l'histoire qu'il m'avait racontée sur sa première rencontre avec ma mère : une énorme tempête de neige, pas de taxis en vue quand – soulevant un éventail de neige fondue – un taxi occupé s'est avancé avec peine au coin de la 84ᵉ Rue et de Park Avenue. La vitre s'est baissée – ma mère (« une vision adorable ! ») allait jusqu'à la 57ᵉ Rue Est, est-ce que c'était sa direction ?

« Elle en parlait toujours, de cette tempête de neige. » Mon père, le combiné collé à l'oreille, m'a jeté un coup d'œil sévère. « C'était la fois où la ville a été bloquée. »

Il a ri. « Quelle adorable jeune femme ! Je sortais d'une réunion tardive avec une administratrice âgée qui habitait sur Park Avenue et la 92ᵉ Rue, une héritière de la marine marchande, aujourd'hui décédée, hélas. Quoi qu'il en soit, je suis descendu du penthouse dans la rue, traînant avec moi mon sac de dossiers du procès, bien sûr, et il était tombé trente centimètres de neige. Silence parfait. Les gosses tiraient des luges sur Park Avenue. Les métros ne circulaient pas au-delà de la 72ᵉ Rue, j'étais enfoncé jusqu'aux genoux et marchais péniblement, quand, holà ! voici qu'arrive un taxi avec ta mère dedans ! Qui s'arrête en crissant. Comme si elle avait été envoyée par une équipe de secours. "Montez, je vous dépose." Le centre de Manhattan était absolument désert… les flocons tombaient en tournoyant et toutes les lumières de la ville étaient allumées. Nous voilà donc, avançant à environ trois kilomètres à l'heure – nous n'aurions pas été plus lents sur une luge – grillant tous les feux rouges puisqu'il était inutile de s'arrêter. Je me souviens que nous avions parlé de Fairfield Porter – il venait juste d'y avoir une exposition à New York – puis du poète Frank O'Hara et de Lana Turner, et de l'année où ils avaient fini par fermer le vieux café *Horn & Hardart*. Pour finir nous avons découvert que nous travaillions dans la même rue, en face l'un de l'autre ! Ce fut le début d'une belle amitié, comme on dit. »

J'ai jeté un coup d'œil à mon père. Il arborait un

drôle d'air, les lèvres serrées comme s'il allait vomir sur la moquette.

« Nous avons un peu discuté de la succession de ta mère, si tu t'en souviens, a dit la voix à l'autre bout du téléphone. Pas beaucoup. Ce n'était pas le moment. Mais j'espérais que tu viendrais me voir quand tu serais prêt à en parler. Je t'aurais volontiers appelé avant que tu quittes New York, si j'avais su que tu partais. »

J'ai jeté un coup d'œil à mon père ; puis au papier dans ma main. « Je veux aller dans un lycée privé, ai-je lâché.

— Vraiment ? Ça pourrait être une excellente idée. Tu pensais aller où ? Retourner sur la côte Est ? Ou quelque part là-bas ? »

On n'avait pas réfléchi à ça. J'ai regardé mon père.

« Euh, ai-je fait, euh, pendant que mon père m'adressait des grimaces et agitait la main comme un fou.

— Il y a peut-être de bons pensionnats à l'ouest, mais je ne les connais pas. Je suis allé à Milton, ce qui fut une merveilleuse expérience. Mon fils aîné y a été aussi, pour une année en tout cas, mais ce n'était pas du tout le bon endroit pour lui… »

Pendant qu'il parlait – de Milton, de Kent, puis de différents pensionnats fréquentés par des enfants d'amis et de connaissances – mon père avait gribouillé une note ; il me l'a jetée. Il y était écrit : *Envoyez-moi l'argent. Un acompte.*

« Hum, ai-je commencé, ne sachant pas comment introduire le sujet, est-ce que ma mère m'a laissé des sous ?

— Eh bien, pas vraiment, a répondu Mr. Bracegirdle qui semblait légèrement refroidi par la question, ou peut-être était-ce juste dû à la gaucherie de mon interruption. Vers la fin, elle avait des soucis financiers, ce que tu sais pertinemment, je pense. Mais tu bénéficies d'un plan d'investissement. Et elle avait aussi mis en place un petit TUM pour toi juste avant sa mort.

— C'est quoi ? » Les yeux posés sur moi, mon père écoutait très attentivement.

« Transferts Uniformes vers Mineurs. Destiné à tes études. Rien d'autre… Pas tant que tu es mineur en tout cas.

— Pourquoi pas ? ai-je demandé après une brève pause, vu qu'il avait l'air de souligner le dernier point.

— Parce que c'est la loi, a-t-il rétorqué d'un ton cassant. Mais sûrement qu'un arrangement est possible, si tu veux aller dans un lycée privé. Je connais une cliente qui a utilisé une partie du plan d'investissement de son fils aîné pour envoyer son benjamin dans une maternelle sophistiquée. Non que j'estime une dépense de vingt mille dollars par an avisée à ce niveau – sûrement les crayons de couleur les plus chers de tout Manhattan ! – mais donc tu vois, c'est comme cela que ça fonctionne. »

J'ai regardé mon père. « Donc c'est impossible pour vous de m'envoyer, disons, soixante-cinq mille dollars. Si j'en avais besoin sur-le-champ.

— Non ! Absolument pas ! Sors-toi ça de la tête. » Son attitude avait changé : de toute évidence il avait révisé son opinion sur moi, je n'étais plus le fils de ma mère et un Gamin Sympa, mais un sale gosse raccroc. « Au fait, puis-je te demander comment tu es parvenu à ce chiffre précis ?

— Euh… (j'ai jeté un coup d'œil à mon père, qui avait posé une main sur ses yeux). *Merde*, ai-je pensé, puis je me suis rendu compte que je l'avais dit à voix haute.

— Eh bien, ce n'est pas grave, a continué Mr. Bracegirdle d'une voix onctueuse. Ce n'est tout bonnement pas possible.

— Absolument pas ?

— Certainement pas.

— OK, très bien… » Je me suis creusé la tête pour réfléchir, mais mon esprit allait dans deux directions en même temps. « Vous pourriez m'en envoyer une partie, alors ? La moitié ?

— Non. Il faudrait que tout soit arrangé directement avec l'université ou le lycée de ton choix. En d'autres termes, j'aurais besoin de voir des factures, et de les régler. Il y a aussi beaucoup de paperasse. Dans l'éventualité peu probable où tu déciderais de ne *pas* aller à l'université… »

Au fur et à mesure qu'il parlait, de manière confuse, des divers tenants et aboutissants des fonds que ma mère avait souscrits pour moi (tous étaient plutôt restrictifs, interdisant à mon père ou à moi de mettre nos mains immédiatement sur du vrai liquide à dépenser), mon père, qui tenait le téléphone loin de son oreille, affichait sur le visage quelque chose qui ressemblait fort à une expression d'horreur.

« Eh bien, euh, c'est bon à savoir, merci, monsieur, ai-je répondu en essayant de mettre un terme à la conversation.

— Il y a des avantages fiscaux bien sûr, dans ce montage. Du fait de l'avoir mis en place selon ces règles. Mais ce qu'elle voulait surtout, c'était s'assurer que ton père ne serait jamais en mesure d'y toucher.

— Oh ? » ai-je fait d'une voix hésitante, durant le trop long silence qui a suivi. Quelque chose dans son ton m'avait fait soupçonner qu'il savait que mon père pouvait être le Dark Vador qui respirait de manière audible (pour moi en tout cas… pour lui je ne sais pas) sur l'autre poste.

« Il y a d'autres facteurs à prendre en compte aussi. Eh bien… (silence bienséant) je ne sais pas si je devrais t'en informer, mais une personne non autorisée a tenté par deux fois d'effectuer un retrait sur le compte.

— Quoi ? me suis-je écrié après une pause nauséeuse.

— Vois-tu, je suis le tuteur du compte, a poursuivi Mr. Bracegirdle dont la voix était aussi lointaine que s'il me parlait depuis le fond de la mer. Et environ deux mois après le décès de ta mère, quelqu'un s'est présenté à la banque à Manhattan aux heures de bureau et a tenté d'imiter ma signature sur les papiers. Eh bien, il se trouve qu'ils me connaissent à l'agence principale, et ils m'ont donc appelé tout de suite, mais pendant qu'ils étaient au téléphone avec moi l'homme a disparu avant que le responsable de la sécurité ait pu l'accoster et lui demander une pièce d'identité. C'était, mon Dieu, il y a deux ans de cela. Mais ensuite, la semaine dernière tout juste… As-tu reçu la lettre que je t'ai écrite à ce sujet ?

— Non, ai-je répondu quand j'ai fini par me rendre compte que je devais répondre quelque chose.

— Eh bien, sans trop entrer dans les détails, il y a eu un drôle de coup de fil. De quelqu'un qui s'est présenté comme étant ton mandataire là-bas, et qui a demandé un transfert de fonds. Puis, après vérification, nous avons découvert qu'une personne ayant eu accès à ton numéro national d'identité avait demandé, et obtenu, une plutôt grosse autorisation de crédit à ton nom. Tu es au courant ?

« Pas d'inquiétude, a-t-il enchaîné en réponse à mon silence. J'ai une copie de ton extrait de naissance, je l'ai faxée à la banque en question puis j'ai fait annuler cette autorisation de crédit sur-le-champ. Ensuite j'ai alerté Equifax et tous les organismes de crédit. Bien que tu sois mineur, et dans l'incapacité légale de signer un tel contrat, tu pourrais être tenu responsable de toute dette contractée en ton nom une fois majeur. Quoi qu'il en soit, je t'incite à être très prudent à l'avenir avec ton numéro national d'identité. Il est possible de s'en faire réattribuer un nouveau, en théorie, mais la paperasserie est telle que je ne te le recommande pas… »

Quand j'ai raccroché, j'avais des sueurs froides – et je n'étais absolument pas préparé au hurlement qu'a poussé mon père. J'ai cru qu'il était en colère, en colère contre moi, mais quand je l'ai vu planté là, le téléphone toujours à la main, je l'ai regardé d'un peu plus près et me suis rendu compte qu'il pleurait.

C'était horrible. Je ne savais pas quoi faire. On aurait dit qu'on lui avait versé de l'eau bouillante dessus, qu'il se transformait en loup garou, ou qu'on le torturait. Je l'ai laissé là et – avec Popchik qui s'est dépêché de me précéder à l'étage, et qui de toute évidence ne voulait rien avoir à faire avec ce hurlement non plus – je suis allé dans ma chambre dont j'ai fermé la porte à clé ; puis je me suis assis au bord de mon lit, la tête entre les mains, j'aurais eu besoin d'une aspirine mais je ne voulais pas aller en chercher à la salle de bains, j'espérais que Xandra allait se dépêcher de rentrer à la maison. Les cris du rez-de-chaussée étaient inhumains, on aurait dit qu'on l'avait brûlé avec une lampe à souder. J'ai pris mon iPod, tenté de trouver de la musique un peu forte qui n'aggrave pas l'état de mes nerfs (bien que classique, la quatrième symphonie de Chostakovitch *était* bel et bien susceptible de me stresser) et je me suis étendu sur mon lit avec les écouteurs en fixant le plafond, pendant que Popper restait là, les oreilles dressées et les yeux sur la porte fermée, les poils de son cou hérissés.

XV

« D'après lui tu serais à la tête d'une fortune », m'a expliqué Boris plus tard ce soir-là au terrain de jeux pendant qu'on attendait que la drogue fasse son effet. J'aurais préféré que l'on choisisse un autre soir pour en prendre, mais Boris m'avait assuré que cela m'aiderait à me sentir mieux.

« Tu croyais que je possédais une fortune et que je te l'aurais caché ? » On était assis sur les balançoires depuis ce qui semblait une éternité, dans l'attente de je ne sais quoi.

Boris a haussé les épaules. « Je ne sais pas. Il y a beaucoup de choses que tu ne me dis pas. *Moi*, je t'en aurais parlé. Mais pas de souci.

— Je ne sais pas quoi faire. » Même si c'était très subtil, j'avais commencé à remarquer des motifs de kaléidoscope gris et brillants qui tournaient mollement dans le gravier à mes pieds : de la glace salie, des diamants, des étincelles de verre brisé. « Ça commence à faire peur. »

Boris m'a donné un coup de coude. « Il y a quelque chose que je ne t'ai pas dit non plus, Potter.

— Quoi ?

— Mon père doit partir. Pour son boulot. Il retourne en Australie dans quelques mois. Puis ensuite en Russie, je pense. »

Il y a eu un silence qui a peut-être duré cinq secondes, sauf que j'ai eu l'impression qu'il durait une heure. Boris ? Parti ? Tout me semblait gelé, comme si la planète s'était arrêtée de tourner.

« Mais *moi*, je ne pars pas », a annoncé Boris avec sérénité. Au clair de lune son visage avait adopté un tremblotement électrique perturbant, on aurait dit un film noir et blanc de l'époque du muet. « Merde enfin. Je ferai une fugue.

— Où ?

— Sais pas. Tu veux venir ?

— Oui, ai-je répondu sans même réfléchir, puis : Kotku va t'accompagner ? »

Il a fait une grimace. « Je ne sais pas. » L'aspect cinématographique était devenu si théâtral et total que tout semblant de vraie vie s'était envolé ; on avait été neutralisés, fictionalisés, aplatis ; mon champ de vision était bordé d'un rectangle noir, je voyais les sous-titres courir en dessous de ses paroles. Puis, presque au même moment, le fond de mon estomac s'est détaché. *Oh, mon*

Dieu, me suis-je dit en passant les mains dans mes cheveux et en me sentant bien trop submergé pour expliquer ce que je ressentais.

Boris continuait de parler, et je me suis rendu compte que je ne voulais pas faire partie pour toujours de ce monde granuleux à la Nosferatu, composé d'ombres anguleuses et d'achromatisme, c'était important de l'écouter et de ne pas être aussi accroché à la texture artificielle des choses.

« … Enfin, je suppose que je comprends, disait-il sur un ton lugubre tandis que des mouchetures et des gouttes de pourriture dansaient tout autour de lui. Avec elle ce n'est même pas fuguer, elle est majeure, tu comprends ? Mais elle a vécu dans la rue autrefois et ça lui a pas plu.

— Kotku a vécu dans la rue ? » J'ai éprouvé un élan inattendu de compassion pour elle – orchestré en quelque sorte, presque accompagné d'un crescendo de musique de film, bien que la tristesse elle-même soit tout à fait réelle.

« Eh bien, moi aussi, en Ukraine. Mais j'étais avec amis Maks et Seryozha… jamais plus quelques jours à la fois. Parfois c'était cool. On créchait dans la cave de bâtiments abandonnés… on buvait, on prenait du butorphanol, c'est comme de l'opium, on faisait même des feux de camp. Mais je rentrais toujours chez moi une fois que mon père était sobre. Pour Kotku, ça a été différent. Ce petit ami de sa mère… il lui faisait des trucs. Alors elle est partie. Elle a dormi sur des pas de portes. Elle a mendié… taillé des pipes pour de l'argent. Elle a été en décrochage scolaire quelque temps… Elle a été courageuse de retourner au lycée pour essayer de finir, après ce qui s'était passé. Parce que, bon, les gens racontent des trucs. Tu sais bien. »

On en a contemplé toute l'horreur en silence, avec ces quelques mots, moi j'avais l'impression d'avoir fait l'expérience de tout le poids et de toute l'ampleur de la vie de Kotku, ainsi que de celle de Boris.

« Je suis désolé de ne pas aimer Kotku ! ai-je lancé en toute sincérité.

— Eh bien, moi aussi », a répondu Boris sur un ton posé. Sa voix semblait atteindre directement mon cerveau sans passer par mes oreilles. « Mais elle ne t'aime pas non plus. Elle trouve que tu es gâté. Que tu n'as pas vraiment traversé autant de trucs qu'elle et moi. »

Cette critique me semblait juste. « Ça me semble juste. »

Un interlude temporel lourd et vacillant a semblé passer : des ombres tremblantes, de l'électricité statique, le sifflement d'un projecteur invisible. Quand j'ai tendu la main et que j'ai regardé, tout était moucheté de poussière et brillant comme un bout de pellicule qui s'effrite.

« Waouh, je le vois aussi maintenant », s'est exclamé Boris en se tournant vers moi en une sorte de mouvement ralenti, à la manivelle, quatorze images seconde. Son visage était pâle comme un linge et ses pupilles étaient sombres et énormes.

« Tu vois quoi… ? ai-je demandé sur un ton prudent.

— Tu sais bien. » Il a agité en l'air sa main noir et blanc inondée de lumière. « C'est tout plat, comme un film.

— Mais toi… » Ce n'était pas juste moi ? Lui aussi il le voyait ?

« Bien sûr, a répondu Boris qui, au fur et à mesure, ressemblait de moins en moins à une personne et de plus en plus au fragment dégradé d'un support argentique des années 1920, avec la lumière brillant derrière lui depuis une source cachée. J'aimerais qu'on voie quelque chose en couleurs, tout de même. Peut-être *Mary Poppins*. »

Quand il a dit ça, je me suis mis à rire de manière incontrôlable, si fort que j'ai failli en tomber de la balançoire, parce que je savais alors avec certitude qu'il voyait la même chose que moi. Mieux : nous la *créions* ensemble. Ce que la drogue nous donnait à voir, on le construisait ensemble. Et avec cette prise de conscience, le simulateur de réalité virtuelle a basculé d'un coup en couleurs. Ça a eu lieu pour tous les deux au même moment, pop ! On s'est regardés, et on a ri ; tout était hilarant, même le toboggan du terrain de jeux nous souriait, et à un moment donné, au cœur de la nuit, alors qu'on se balançait sur la cage à poules et que des torrents d'étincelles s'envolaient de nos bouches, j'ai eu la révélation que le rire était de la lumière, que la lumière était du rire et que c'était là le secret de l'univers. Pendant des heures, on a regardé les nuages se réorganiser en motifs intelligents ; on a roulé dans la poussière en croyant que c'était des algues (!) ; on s'est allongés sur le dos et on a chanté « *Dear Prudence* » aux étoiles bienveillantes qui nous tendaient les bras. Ce fut une nuit fabuleuse – une des nuits géniales de ma vie, en fait, en dépit de ce qui s'est passé ensuite.

XVI

Boris est resté chez moi, vu que c'était moi qui habitais le plus près du terrain de jeux et qu'il était (selon son terme favori pour défoncé : *v gavno*, ce qui signifiait « la tête dans l'cul » ou « dans cul » ou quelque chose dans ce goût-là – enfin bon, trop défoncé pour rentrer seul chez lui dans la nuit. Et ça tombait bien puisque cela signifiait que je n'étais pas seul à la maison à quinze heures trente le lendemain après-midi quand Mr. Silver est passé.

On avait à peine dormi, et on était un peu flageolants, tout nous faisait encore l'effet d'être un petit peu magique et nimbé de lumière. On buvait du jus d'orange et on regardait des dessins animés (une bonne idée, puisque ça semblait prolonger l'hilarante humeur en Technicolor de la soirée) et – mauvaise idée – on venait juste de partager notre deuxième joint de l'après-midi quand on a entendu la sonnette. Popchik – qui avait été très tendu, il sentait qu'on était décalés, en quelque sorte, et nous avait aboyé dessus comme si on était possédés – Popchik a tout de suite recommencé, on aurait dit qu'il n'attendait que ça.

En un instant, tout est revenu me percuter. « Bordel de merde, ai-je fait.

— *J'y* vais », a proposé Boris sur-le-champ, fourrant Popchik sous son bras. Le voilà parti en se cognant, pieds nus et sans chemise, l'air tout à fait détaché. Mais en l'espace de ce qui m'a semblé une seconde, il était de retour, livide.

Il n'a rien dit ; ce n'était pas la peine. Je me suis levé, j'ai enfilé mes tennis et les ai solidement lacées (comme j'avais pris l'habitude de le faire avant nos expéditions de vol à l'étalage, au cas où il faudrait fuir) et je me suis dirigé vers la porte. Mr. Silver était de nouveau là – blouson de sport blanc, cheveux passés au cirage et tout et tout – sauf que cette fois-ci, debout à côté de lui, il y avait un grand type avec des tatouages bleus flous mélangés partout sur ses avant-bras, et qui tenait à la main une batte de base-ball en aluminium.

— Eh bien, Theodore ! » s'est exclamé Mr. Silver. Il semblait vraiment heureux de me voir. « Comment va ?

— Bien, ai-je répondu en m'émerveillant de me sentir si peu défoncé tout à coup. Et vous ?

— Je n'ai pas à me plaindre. C'est un fameux bleu que tu as là, mon garçon. »

Dans un réflexe j'ai tendu la main et me suis touché la joue. « Euh…

— Tu ferais bien de le soigner. Ton pote me dit que ton père n'est pas là.

— Hum, c'est vrai.

— Tout va bien pour tous les deux ? Vous avez eu des problèmes cet après-midi ?

« — Hum, non, pas vraiment. » Le type ne brandissait pas la batte, il n'était menaçant en rien, mais malgré tout je ne pouvais m'empêcher d'être vaguement conscient qu'il la tenait à la main.

« Parce que si jamais vous en avez, des problèmes de quelque nature que ce soit, je peux m'en occuper comme *ça* », a poursuivi Mr. Silver.

De quoi parlait-il ? J'ai regardé derrière lui, dans la rue, en direction de sa voiture. En dépit des vitres teintées, je voyais les autres hommes qui attendaient.

Mr. Silver a soupiré. « Je suis content d'entendre que tu n'as pas de problèmes, Theodore. Je regrette juste de ne pas pouvoir en dire autant de mon côté.

— Pardon ?

— Parce que voilà, a-t-il poursuivi comme si je n'avais rien dit. J'ai un souci. Un très gros souci. Avec ton père. »

Ne sachant quoi répondre, j'ai fixé ses bottes de cow-boy. Elles étaient en crocodile noir, très pointues au bout et tellement cirées qu'elles me rappelaient les bottes de cow-boy pour filles que portait en permanence Lucie Lobo, une styliste excentrique du bureau de ma mère.

« Tu comprends, voilà ce qui se passe. J'ai un papier de ton père disant qu'il me doit cinquante mille dollars. Et ça me cause de très gros problèmes.

— Il est en train de rassembler l'argent, ai-je répondu gauchement. Peut-être, je ne sais pas, si vous pouviez juste lui laisser un peu plus de temps… »

Mr. Silver m'a regardé. Il a ajusté ses lunettes.

« Écoute, a-t-il ajouté sur un ton posé. Tant mieux pour lui si ton père veut risquer sa chemise sur la façon dont des crétins manipulent un putain de ballon… enfin, pardonne-moi ma grossièreté. Mais c'est dur pour moi d'avoir de la compassion pour un mec pareil. Qui n'honore pas ses obligations, qui a trois semaines de retard sur ma commission, qui ne me rappelle pas (il comptait les manquements sur ses doigts), qui prévoit de me retrouver aujourd'hui à midi et puis qui ne se pointe pas. Tu sais combien de temps je suis resté assis à attendre ce bon à rien ? *Une heure et demie.* Comme si je n'avais pas d'autres choses plus intéressantes à faire. » Il a penché la tête sur le côté. « Ce sont des mecs comme ton père qui font que des types comme Yurko et moi devons nous pointer ici pour affaires. Tu crois que ça m'amuse de venir chez toi ? De devoir faire tout ce trajet jusqu'ici ? »

J'avais cru qu'il s'agissait d'une question rhétorique – de toute évidence aucune personne saine d'esprit ne viendrait en voiture jusque chez nous – mais vu qu'un laps de temps insensé s'était écoulé et qu'il continuait de me regarder comme s'il attendait une réponse, j'ai fini par cligner des yeux, gêné, et par répondre : « Non.

— *Non.* C'est correct, Theodore. Ça ne m'amuse pas du tout. Crois-moi, Yurko et moi on a mieux à faire que de passer l'après-midi à poursuivre un loser comme ton père. Alors rends-moi service, s'il te plaît, et dis-lui qu'on peut régler cette affaire comme des gentlemen à la minute où il s'assied avec moi pour trouver une solution.

— Une solution ?

— Il doit m'apporter ce qu'il me doit. » Il souriait, mais le gris en haut de ses lunettes de sport donnait à ses yeux un air dissimulé qui était perturbant. « Et je veux que tu lui demandes de faire ça pour moi, Theodore. Parce que la prochaine fois que je devrai revenir ici, crois-moi, je ne serai pas aussi gentil. »

XVII

De retour dans le living, j'ai trouvé Boris tranquille, assis devant les dessins animés sans le son tout en caressant Popper, qui, en dépit de sa contrariété antérieure, était maintenant profondément endormi sur ses genoux.

— Ridicule », a-t-il résumé.

Il a prononcé le mot d'une telle façon que ça m'a pris un moment pour me rendre compte de ce qu'il avait dit. « T'as vu, je t'avais prévenu que c'était un phénomène », ai-je renchéri.

Boris a secoué la tête et s'est appuyé de nouveau contre le dossier du canapé. « Je ne parle pas du vieux mec qui ressemble à Leonard Cohen, celui avec la perruque.

— Tu penses que c'en est une ? »

Il a eu une mimique signifiant *on s'en tape*. « Lui aussi, mais je te parle du grand Russe avec le truc en métal – comment vous appelez ça ?

— Une batte de base-ball.

— Ça, c'était pour l'esbroufe, a-t-il répliqué sur un ton dédaigneux. Il essayait juste de te flanquer la trouille, ce connard.

— Comment tu sais qu'il était russe ? »

Il a haussé les épaules. « Parce que je le sais. Personne n'a des tatouages pareils dans les États-Unis. C'est un Russe, sans aucun doute. Il savait que j'étais russe aussi, la minute où j'ai ouvert la bouche. »

Un certain laps de temps s'est écoulé avant que je me rende compte que j'étais assis là, les yeux dans le vague. Boris a soulevé Popchik et l'a posé sur le canapé, avec tellement de douceur qu'il ne s'est pas réveillé. « Tu veux te tailler d'ici quelque temps ?

— Ah, ça, ai-je répondu en secouant tout à coup la tête (pour une raison que j'ignore l'impact de la visite venait juste de m'atteindre, une réaction à retardement), bordel, je *regrette* que mon père n'ait pas été à la maison. Tu sais quoi ? J'aimerais que ce type lui foute une râclée. Vraiment. Il le mérite. »

Boris m'a donné un coup dans la cheville. Ses pieds étaient noirs de saleté et il avait aussi du vernis noir sur ses ongles de pieds, un souvenir de Kotku.

« Tu sais ce que j'ai mangé hier ? m'a-t-il demandé sur

un ton aimable. Deux barres Nestlé et un Pepsi. » Pour
Boris, toutes les barres chocolatées étaient des « barres
Nestlé », et tous les sodas étaient du « Pepsi ». « Et tu
sais ce que j'ai mangé aujourd'hui ? » Il a fait un zéro
avec le pouce et l'index. « *Zéro.* »

— Pareil pour moi. Ce truc te coupe l'appétit.

— Ouais, mais j'ai besoin de manger quelque chose.
Mon estomac... » Il a fait une grimace.

« Tu veux qu'on aille chercher des pancakes ?

— Oui... n'importe quoi, ça m'est égal. Tu as de
l'argent ?

— Je vais regarder.

— D'accord. Moi je crois que j'ai peut-être cinq dollars. »

Pendant que Boris fouillait partout en quête de chaussures et d'une chemise, j'ai éclaboussé d'eau mon visage,
vérifié mes pupilles et le bleu sur ma joue, reboutonné
ma chemise quand j'ai vu qu'elle était de travers, puis
fait sortir Popchik en lui lançant sa balle de tennis pour
l'occuper quelque temps, vu qu'il n'avait pas été promené
et que je savais qu'il se sentait enfermé. À notre retour,
Boris, à présent habillé, était en bas ; on a effectué une
recherche rapide dans le living en riant et en plaisantant ;
on était occupés à rassembler notre petite monnaie, à
essayer de trouver où on voulait aller et la façon la plus
rapide de s'y rendre, quand tout à coup on a remarqué
que Xandra était entrée et qu'elle était plantée devant la
porte avec un regard bizarre.

On s'est tous les deux arrêtés sur-le-champ de parler
et on a effectué le tri de notre petite monnaie en silence.
D'ordinaire Xandra ne rentrait pas à la maison à cette
heure-là, mais parfois son emploi du temps était irrégulier et il lui était déjà arrivé de nous surprendre. Elle a
prononcé mon prénom d'une voix incertaine.

On a arrêté la petite monnaie. Généralement, Xandra

m'appelait *gamin* ou *hé toi,* tout sauf Theo. J'ai remarqué qu'elle portait toujours son uniforme de travail.

« Ton père a eu un accident de voiture », m'a-t-elle annoncé. On a eu l'impression qu'elle le disait plus à Boris qu'à moi.

« Où ? ai-je demandé.

— Ça s'est passé il y a deux heures. L'hôpital m'a appelée au travail. »

Boris et moi nous sommes regardés. « Waouh. Qu'est-ce qui s'est passé ? Est-ce qu'il a bousillé la voiture ?

— Son taux d'alcoolémie était de 3,9. »

Le chiffre ne me disait rien, mais qu'il ait bu, si. « Waouh, ai-je fait en mettant la monnaie dans ma poche, puis : Quand est-ce qu'il revient à la maison, alors ? »

Son regard vide a croisé le mien. « À la maison ?

— À sa sortie de l'hôpital. »

Elle a vite secoué la tête et cherché du regard une chaise sur laquelle s'asseoir ; puis s'y est assise. « Tu ne comprends pas. » Son visage était vide et étrange. « Il est mort. »

XVIII

Les six ou sept heures suivantes ont été vécues dans l'hébétude. Plusieurs amis de Xandra ont défilé : sa meilleure amie Courtney ; Janet de son travail, et un couple qui se prénommait Stewart et Lisa, des gens plus gentils et bien plus normaux que ceux que Xandra invitait d'ordinaire à la maison. Généreux, Boris, a sorti ce qui restait de l'herbe de Kotku, ce que tout le monde a apprécié ; quelqu'un (peut-être était-ce Courtney) avait eu la bonne idée de commander des pizzas – comment cette personne avait obtenu de Domino's qu'ils viennent livrer jusque chez nous, je ne sais pas, vu que depuis plus d'une année

Boris et moi avions tout essayé : charme, supplications, toutes les flatteries et excuses possibles, sans succès.

Pendant que Janet était assise avec le bras autour de Xandra, que Lisa lui caressait les cheveux, que Stewart faisait du café dans la cuisine et que Courtney roulait un joint presque aussi parfait que ceux de Kotku sur la table basse, Boris et moi nous tenions à l'arrière-plan, abasourdis. Comment mon père pouvait-il être mort alors que ses cigarettes étaient toujours sur le plan de travail de la cuisine et ses vieilles tennis blanches à côté de la porte de derrière. En apparence – tout m'était arrivé dans le désordre et il me fallait le réordonner dans mon esprit – mon père avait planté la Lexus sur l'autoroute un peu avant quatorze heures, virant de bord sur le mauvais côté et plongeant tête baissée dans un poids lourd transportant des tracteurs, ce qui l'avait tué sur le coup (pas le chauffeur du camion heureusement, ni les passagers de la voiture qui avait embouti ce dernier, bien que le conducteur de la voiture ait une jambe cassée). L'info concernant son taux d'alcoolémie était surprenante sans l'être – j'avais soupçonné mon père de s'être remis à boire, même si je ne l'avais pas vu à l'œuvre – mais ce qui semblait le plus dérouter Xandra, ce n'était pas qu'il ait été totalement ivre (il était pratiquement inconscient au volant) mais l'endroit de l'accident : à l'extérieur de Vegas, vers l'ouest, en direction du désert. « Il me l'aurait dit, il me l'aurait dit », répétait-elle d'un air triste en réponse à l'une ou l'autre question de Courtney, sauf que pourquoi pensait-elle qu'il était dans la nature de mon père de raconter la vérité sur quoi que ce soit ? me suis-je demandé l'air lugubre, assis par terre, les mains sur les yeux.

Boris avait mis son bras sur mon épaule. « Elle n'est pas au courant, si ? »

Je savais qu'il parlait de Mr. Silver. « Est-ce que je devrais… ?

— Où est-ce qu'il allait ? » Xandra posait la question à Courtney et Janet, sur un ton presque agressif, comme si elle les soupçonnait de lui cacher des informations. « Qu'est-ce qu'il fabriquait là-bas ? » Ça faisait drôle de la voir encore en uniforme de travail, étant donné que d'ordinaire elle l'enlevait à la minute où elle passait la porte.

« Il n'est pas allé voir ce mec comme prévu, a chuchoté Boris.

— Je sais. » Il est possible qu'il *ait eu* l'intention d'aller au rendez-vous avec Mr. Silver. Mais – ainsi que ma mère et moi l'avions si souvent vu faire, c'était irrésistible – il s'était probablement arrêté dans un bar quelque part pour un godet ou deux, histoire de se calmer les nerfs, comme il le disait toujours. À ce moment-là... qui sait ce qui a pu lui traverser l'esprit ? Rien d'utile à raconter à Xandra au vu des circonstances, mais ce n'était pas non plus la première fois qu'il fuyait ses obligations en fuyant tout court.

Je ne pleurais pas. Même si des vagues froides d'incrédulité et de panique m'assaillaient en permanence, tout cela me semblait incroyablement irréel et je n'arrêtais pas de le chercher du regard, frappé encore et encore par l'absence de sa voix au milieu des autres, cette voix décontractée et pondérée de publicité pour aspirine (*quatre médecins sur cinq...*) reconnaissable entre toutes dans une pièce. Xandra oscillait entre une attitude plutôt terre à terre – s'essuyer les yeux, apporter des assiettes pour la pizza, verser à tout le monde des verres du vin rouge sorti tout à coup de nulle part – puis s'écrouler de nouveau en larmes. Seul Popchik était heureux ; c'était rare que l'on ait autant de visiteurs à la maison et il courait d'une personne à l'autre, ne se laissant pas décourager par les rebuffades répétées. À un moment larmoyant au cœur de la soirée – avec Xandra qui pleurait dans les bras de Courtney pour la vingtième fois, *oh, mon Dieu, il est parti. Je n'arrive pas à y croire* – Boris m'a attiré à l'écart et m'a dit : « Potter, je dois y aller.

— Non, ne pars pas, s'il te plaît.

— Kotku va péter un câble. Je devrais déjà être chez sa mère ! Ça fait quarante-huit heures qu'elle ne m'a pas vu.

— Écoute, dis-lui de venir ici si elle veut... Raconte-lui ce qui s'est passé. Ça va vraiment être l'enfer si tu dois partir maintenant. »

Xandra était suffisamment distraite par les invités et le chagrin pour que Boris puisse monter à l'étage passer l'appel dans sa chambre – pièce d'ordinaire fermée à clé que Boris et moi n'avions jamais vue. Au bout de dix minutes il est redescendu en vitesse, touchant à peine les marches.

« Kotku m'a encouragé à rester, a-t-il annoncé en s'affalant à côté de moi. Elle m'a demandé de te dire qu'elle était désolée.

— Waouh, ai-je fait au bord des larmes, me frottant le visage avec la main afin qu'il ne voie pas à quel point j'étais étonné et touché.

— Eh ben, bon, elle sait de quoi elle parle. Son père est mort aussi.

— Ah bon ?

— Oui, il y a quelques années. Dans un accident de voiture, lui aussi. Ils n'étaient pas très proches...

— Qui est mort ? a demandé Janet en oscillant vers nous, présence crépue en chemisier de soie qui sentait l'herbe et les produits de beauté. Quelqu'un d'autre est mort ?

— Non », ai-je répondu sur un ton cassant. Je n'aimais pas Janet : c'était l'écervelée qui s'était portée volontaire pour s'occuper de Popper puis qui l'avait laissé enfermé à clé, seul avec son distributeur de nourriture.

« Pas toi, lui, m'a-t-elle dit en reculant d'un pas et en concentrant son attention embrumée sur Boris. Quelqu'un est mort ? Dont tu étais proche ?

— Plusieurs personnes, ouais. »

Elle a cligné des yeux. « D'où tu viens ?

— Pourquoi ?

— Ta voix est bizarre. Comme si tu étais anglais ou un truc dans ce goût-là, enfin non. Comme un mélange d'anglais et de transylvanien. »

Boris a mugi. « Transylvanien ? s'est-il exclamé en lui montrant ses canines. Vous voulez que je vous morde ?

— Oh, t'es un marrant, toi », a-t-elle répliqué d'un air distrait avant de lui donner une tape sur la tête avec le dessous de son verre à vin, s'éloignant ensuite pour dire au revoir à Stuart et Lisa qui s'apprêtaient à partir.

Xandra avait pris un cachet, semblait-il. (« Peut-être même plus d'un », m'a chuchoté Boris à l'oreille.) Elle paraissait sur le point de s'évanouir. Boris – c'était dégueulasse de ma part, mais je n'avais juste pas envie de le faire – lui a enlevé sa cigarette et l'a écrasée, puis il a aidé Courtney à la monter jusque dans sa chambre, où elle est restée étendue à plat ventre sur le dessus-de-lit avec la porte ouverte.

J'étais planté sur le pas de la porte pendant que Boris et Courtney lui enlevaient ses chaussures, ça m'intéressait de voir, pour une fois, la pièce que mon père et elle avaient toujours fermée à clé : tasses sales et cendriers, piles de *Glamour*, dessus-de-lit vert cotonneux, ordinateur portable que je n'ai jamais pu utiliser et vélo d'appartement – qui aurait cru qu'ils avaient un vélo d'appartement là-dedans ?

Les chaussures de Xandra étaient enlevées, mais ils avaient décidé de ne pas la déshabiller. « Tu veux que je passe la nuit ici ? » a demandé Courtney à Boris à voix basse.

Sans la moindre gêne, Boris s'est étiré et a bâillé. Sa chemise était remontée et son jean était si bas qu'on voyait qu'il ne portait pas de caleçon. « C'est gentil à vous, mais je crois qu'elle est HS.

— Ça ne me dérange pas. » Peut-être que j'étais défoncé – je l'étais en effet – mais elle était tellement penchée contre lui qu'on avait l'impression qu'elle essayait de le draguer ou un truc du genre, ce qui était désopilant.

J'ai dû émettre un bruit à mi-chemin entre l'étranglement et le rire, parce que Courtney s'est retournée juste à temps pour voir mon geste comique à l'adresse de Boris, un pouce secoué vers la porte, comme pour dire *fais-la sortir de là !*

« Ça va ? » a-t-elle questionné froidement en m'inspectant des pieds à la tête. Boris riait aussi, mais il s'était déjà redressé quand elle s'est de nouveau tournée vers lui avec une expression toute sentimentale et soucieuse, ce qui m'a semblé encore plus drôle.

XIX

Xandra était HS au moment où ils sont tous partis, endormie si profondément que Boris a sorti un miroir de son sac à main (qu'il avait vidé, en quête de cachets et de liquide) et l'a tenu sous son nez pour vérifier qu'elle respirait bien. Dans son portefeuille il y avait deux cent vingt-neuf dollars, que je n'ai pas eu trop de scrupules à piquer puisqu'elle avait encore ses cartes de crédit et un chèque non encaissé de deux mille vingt-cinq dollars.

« Je savais que Xandra n'était pas son vrai prénom, ai-je dit en lançant à Boris son permis de conduire : visage teinté d'orange, cheveux ébouriffés et différents, nom Sandra Jaye Terrell. Je me demande à quoi servent ces clés ? »

Avec les postures du médecin dans les vieux films en noir et blanc – les doigts sur son pouls, assis à côté d'elle au bord du lit – Boris a tenu le miroir à la lumière. « *Da, da*, a-t-il marmonné, puis autre chose que je n'ai pas compris.

— Hein ?

— Elle est partie. » D'un doigt il a poussé doucement son épaule, puis il s'est penché et a jeté un œil interrogateur dans le tiroir de la table de chevet où j'étais occupé à trier en vitesse un sacré bazar : petite monnaie, jetons, brillant à lèvres, sous-verres, faux cils, dissolvant, livres de poche abîmés (*Vos zones erronées*), échantillons de parfums, vieilles cassettes, cartes de sécu ayant expiré depuis dix ans, ainsi qu'un assortiment de boîtes d'allumettes d'un cabinet d'avocats à Reno qui disaient POUR CONDUITE EN ÉTAT D'IVRESSE ET AUTRES DÉLITS LIÉS AUX DROGUES.

« Hé, file-moi ça, a lancé Boris en tendant la main et en empochant un paquet de capotes. « C'est quoi, ça ? » Il a pris quelque chose qui, à première vue, ressemblait à une canette de Coca, mais, quand il l'a secoué, ça a cliqueté. Il y a collé son oreille. « Ha ! a-t-il fait en me la lançant.

— Bonne pioche. » J'ai dévissé le dessus – il s'agissait d'une fausse canette – et j'ai déversé le contenu sur la table de chevet.

« Waouh », me suis-je exclamé au bout de quelques instants. De toute évidence c'était là que Xandra gardait ses pourboires : en partie du liquide, en partie des jetons. Il y avait beaucoup d'autres choses aussi – tellement que j'ai eu du mal à tout analyser – mais mes yeux se sont dirigés directement vers les boucles d'oreilles en diamant et émeraude que ma mère n'avait plus retrouvées juste avant la disparition de mon père.

« Waouh », ai-je répété en en prenant une entre le pouce et l'index. Ma mère avait porté ces boucles d'oreilles à presque tous les cocktails ou soirées habillées où elle s'était rendue – la transparence bleu-vert des pierres, leur lueur malicieuse des trois heures du matin, faisaient partie d'elle au même titre que la couleur de ses yeux ou l'odeur épicée et sombre de ses cheveux.

Boris gloussait. Au milieu du liquide il avait immédiatement repéré, et saisi d'un geste vif, un boîtier pour pellicule photo qu'il a ouvert avec des mains tremblantes. Il a trempé le bout de son petit doigt dedans et a goûté. « Gagné, s'est-il réjoui en passant le doigt sur ses gencives. Kotku va être furieuse de ne pas être venue. »

Je lui ai montré les boucles d'oreilles dans mes mains ouvertes. « Ouais, jolies », a-t-il commenté en leur accordant à peine un regard. Il était occupé à tapoter le boîtier pour en faire sortir un tas de poudre sur la table de chevet. « Tu peux en tirer quelques milliers de dollars.

— Elles étaient à ma mère. » Mon père avait vendu la plupart de ses bijoux à New York, y compris son alliance. Mais maintenant, je le voyais, Xandra en avait piqué pour elle-même et ça me rendait curieusement triste de voir ce qu'elle avait choisi, non pas les perles ou la broche en rubis, mais les trucs bon marché datant de l'adolescence de ma mère, dont son bracelet à breloques du collège où cliquetaient fers à cheval, ballerines et trèfles à quatre feuilles.

Boris s'est redressé, s'est pincé une narine et m'a tendu le billet enroulé. « Tu en veux ?

— Non.

— Allez. Tu te sentiras mieux.

— Non, merci.

— Il doit y avoir près d'un sachet de cocaïne là-dedans. Peut-être plus ! On peut en vendre un peu et garder le reste.

— Tu as déjà fait ce genre de truc ? » lui ai-je demandé sur un ton dubitatif tout en lorgnant le corps étendu de Xandra. Même si elle était de toute évidence

K-O, je n'aimais pas avoir ce genre de conversations dans son dos.

« Ouais. Kotku aime ça. Mais c'est cher. » L'espace d'une minute il a semblé ailleurs, puis il a vite cligné des yeux. « Waouh. Allez, a-t-il dit en riant. Tiens. Tu ne sais pas ce que tu rates.

— Je suis assez défoncé comme ça, ai-je répondu en comptant l'argent.

— Ouais, mais ça va te remettre les idées en place.

— Boris, je peux pas déconner, ai-je rétorqué en mettant les boucles dans ma poche, ainsi que le bracelet à breloques. Si on doit y aller, il faut le faire maintenant. Avant que les gens commencent à arriver.

— Quels gens ? a demandé Boris, sceptique, en passant et repassant son doigt sous son nez.

— Crois-moi, ils rappliquent vite. Les services d'aide à l'enfance et tout le bordel. » J'avais compté le liquide : mille trois cent vingt et un dollars, et la monnaie ; il y avait beaucoup plus en jetons, près de cinq mille dollars, mais autant lui laisser ça. « Moitié pour toi et moitié pour moi, ai-je dit en commençant à diviser le liquide en deux piles égales. Ici il y a assez pour deux billets. Probablement qu'il est trop tard pour attraper le dernier vol, mais on devrait foncer et prendre un taxi jusqu'à l'aéroport.

— Maintenant ? Ce soir ? »

Je me suis arrêté de compter et je l'ai regardé. « Je n'ai personne ici. Personne. *Nada.* Ils me mettront dans un foyer d'accueil avant que j'aie le temps de dire ouf. »

Boris a hoché la tête en direction du corps de Xandra – qui était très perturbant : étant donné son étalement, avec le nez dans le matelas, elle ressemblait beaucoup trop à une morte. « Et elle ?

— Ben quoi, bordel ? me suis-je énervé après un bref temps d'arrêt. Qu'est-ce qu'on est supposés faire ? Attendre qu'elle se réveille et découvre qu'on l'a volée ?

— Je ne sais pas, a répondu Boris en lui jetant un œil dubitatif. J'ai juste pitié d'elle.

— Eh ben, tu devrais pas. *Elle* ne veut pas de moi. Elle les appellera elle-même quand elle se rendra compte qu'elle m'a sur les bras.

— Qui ça, les ? Je ne comprends pas qui sont *les.*

— Boris, je suis mineur. » Je sentais la panique monter de manière on ne peut plus familière ; peut-être que la situation n'était pas une question de vie ou de mort au sens strict du terme, mais c'était l'effet que cela me faisait, avec la maison qui se remplissait de fumée et toutes les sorties qui se refermaient. « Je ne sais pas comment ça fonctionne dans ton pays, mais moi je n'ai *pas* de famille, pas d'amis ici…

— Moi ! Tu m'as, moi !

— Qu'est-ce que tu vas faire ? M'adopter ? » Je me suis levé. « Écoute, si tu viens, on doit se grouiller. Tu as ton passeport ? Tu en auras besoin pour l'avion. »

Boris a levé les mains avec son geste à sa manière russkof qui disait *ça suffit.* « Attends ! Tout ça va trop vite. »

Je me suis arrêté sur le pas de la porte. « C'est quoi ton problème, bordel, Boris ?

— *Mon* problème ?

— C'est *toi* qui voulais fuguer ! C'est toi qui m'avais demandé de t'accompagner ! Hier soir.

— Tu vas où ? À New York ?

— Où d'autre ?

— Je veux aller dans un endroit chaud. En Californie.

— C'est de la folie. Qui on connaît…

— La Californie ! a-t-il crié.

— Eh bien… » Je ne connaissais presque rien à la Californie, et l'on pouvait supposer que (à part la mesure de *California Über Alles* qu'il fredonnait) Boris en savait encore moins que moi. « Où, en Californie ? Quelle ville ?

— On s'en fiche.

— C'est un grand État.

— Génial ! Ça va être super. On sera défoncés *non-stop*, on lira des livres, on fera des feux de camps. On dormira sur la plage. »

Je l'ai regardé pendant un long moment insupportable. Son visage était en feu et sa bouche tachée de noir à cause du vin rouge.

« D'accord, ai-je répondu, sachant très bien que je faisais un pas dans le vide vers la grande erreur de ma vie, le chapardage, la tasse pour faire la manche, les petits sommes sur le trottoir et l'absence de domicile fixe, le bordel dont je ne me remettrais jamais.

Il jubilait. « La plage, alors ? Oui ? »

Et c'est comme ça qu'on a pris la mauvaise route : très vite. « Où tu veux », ai-je poursuivi en enlevant les cheveux de mon visage. J'étais épuisé. « Mais on doit y aller maintenant. S'il te plaît.

— Quoi, à l'instant ?

— Oui. Tu as besoin de passer chez toi prendre des trucs ?

— *Ce soir ?*

— Je ne plaisante pas, Boris. » Plus je discutais avec lui, plus je paniquais. « Je ne peux pas me permettre de m'asseoir et d'attendre… » Le tableau était un problème, je ne savais pas trop comment cela allait s'organiser, mais une fois que Boris serait parti je trouverais bien quelque chose. « Allez, s'il te plaît.

— Est-ce que la prise en charge de l'État est si mauvaise que ça en Amérique ? a demandé un Boris dubitatif. À t'entendre, on croirait que c'est des flics que tu parles.

— Tu viens avec moi ? Oui ou non ?

— J'ai besoin d'un peu de temps. Enfin, on ne peut pas partir maintenant ! a-t-il insisté en me suivant. Vraiment… je te jure. Attends un petit peu. Donne-moi un jour ! Juste un jour !

— Pourquoi ? »

Il a eu l'air déconcerté. « Eh bien, bon, parce que…

— Parce que… ?

— Parce que… parce que je dois voir Kotku ! Et puis… toutes sortes de choses ! Honnêtement, tu ne peux pas partir *ce soir*, a-t-il répété en enlevant les cheveux de ses yeux alors que je ne répondais rien. Fais-moi confiance. Tu vas le regretter, je peux te l'assurer. Viens chez moi ! Attends le matin pour partir !

— Je ne peux pas attendre, ai-je répliqué sur un ton sec en prenant ma moitié de l'argent et en me dirigeant vers ma chambre.

— Potter… (il m'a suivi).

— Oui ?

— Je dois te dire quelque chose d'important.

— Boris, qu'est-ce qui se passe, bordel, ai-je fait en me tournant. C'est quoi (debout, on se dévisageait mutuellement)… Si tu as quelque chose à dire, vas-y, dis-le.

— J'ai peur que ça te mette en colère.

— C'est quoi ? Qu'est-ce que tu as fait ? »

Silencieux, Boris rongeait le côté de son pouce.

« Eh bien, quoi ? »

Il a détourné le regard. « Tu dois rester, a-t-il dit dans le vague. Tu fais une erreur.

— Oublie, ai-je ajouté sèchement, me détournant de nouveau. Si tu ne veux pas m'accompagner, ne viens pas, OK ? Mais moi je ne peux pas rester ici toute la nuit. »

Je me suis dit que Boris risquait de me demander ce qu'il y avait dans la taie d'oreiller, surtout depuis qu'elle était si rebondie et de forme bizarre après mon empaquetage un peu trop enthousiaste. Mais quand je l'ai détachée de l'arrière de ma tête de lit et l'ai fourrée dans ma valise (avec mon iPod, mon carnet, mon chargeur, *Vol de nuit*, quelques photos de ma mère, ma brosse à dents et des vêtements de rechange) il s'est contenté de se renfrogner et n'a rien dit. Quand, au fond de mon placard, j'ai récupéré le blazer de mon uniforme scolaire (trop petit pour moi, alors qu'il était trop grand quand ma mère l'avait acheté) il a hoché la tête et fait remarquer : « Bonne idée, ça.

— Quoi ?

— Ça te donne l'air moins SDF.

— On est en novembre. » Je n'avais apporté qu'un seul pull chaud de New York ; je l'ai glissé dans la valise et j'ai tiré la fermeture Éclair. « Il va faire froid. »

Boris s'est appuyé, l'air insolent, contre le mur. « Qu'est-ce que tu vas faire, alors ? Vivre dans la rue, à la gare, où ?

— Je vais appeler l'ami chez qui j'ai logé avant.

— S'ils avaient voulu de toi, ces gens, ils t'auraient déjà adopté.

— Ils ne pouvaient pas ! Comment ils auraient pu ? »

Boris a croisé les bras. « Cette famille ne voulait pas de toi. Tu me l'as dit toi-même… des tas de fois. Et puis, tu n'as jamais de leurs nouvelles.

— Ce n'est pas vrai », ai-je rétorqué après une brève pause déconcertée. Il y a encore quelques mois, Andy m'avait envoyé un email un peu long (pour lui) me racontant des trucs qui se passaient, un scandale avec le prof de tennis qui tripotait des filles de notre classe, mais cette vie était si lointaine que c'était comme lire des infos sur des gens que je ne connaissais pas.

« Trop d'enfants, m'a-t-il semblé ? a lancé Boris, sur un ton un peu suffisant. Pas assez de place ? Tu te souviens de ça ? Tu m'as dit que les parents étaient contents de te voir partir.

— Va te faire foutre. » J'avais déjà un gros mal de tête. Qu'est-ce que je ferais si les services sociaux débarquaient et m'emmenaient sur le siège arrière d'une voiture ? Qui pouvais-je appeler dans le Nevada ? Mrs. Spear ? La Playa ? La grosse vendeuse du magasin de modélisme qui nous avait vendu de la colle pour modèles réduits sans les modèles réduits ?

Boris m'a suivi en bas, où on a été arrêtés au milieu du living par un Popper à l'air torturé, qui a couru pour se mettre sur notre chemin, puis s'est arrêté et nous a fixés comme s'il savait exactement ce qui se passait.

« Oh, merde », ai-je fait en posant ma valise. Il y a eu un silence.

« Boris, est-ce que tu ne peux pas…

— Non.

— Et Kotku… ?

— Non.

— Eh bien, merde, ai-je lâché en prenant Popper et en le coinçant sous mon bras. Je ne vais pas le laisser ici pour qu'elle l'enferme et qu'il meure de faim.

— Et où tu vas ? m'a demandé Boris en voyant que je me dirigeais vers la porte d'entrée.

— Hein ?

— À pied ? À l'aéroport ?

— Attends », ai-je dit en déposant Popchik par terre. Tout à coup j'ai eu envie de vomir le vin rouge partout sur la moquette. « Est-ce qu'ils accepteront un chien dans l'avion ?

— Non », a répondu Boris sans ménagement et en recrachant un bout d'ongle mâchouillé.

Il se comportait comme un trou-du-cul ; j'avais envie de le frapper. « Très bien, alors. Peut-être que quelqu'un à l'aéroport voudra de lui. Ou bien, merde, je prendrai le train. »

Il était sur le point de lancer quelque chose de sarcastique, les lèvres pincées d'une manière que je connaissais bien, mais, tout à coup, son expression a vacillé ; quand je me suis retourné, j'ai découvert Xandra, les yeux grands ouverts, le mascara dégoulinant, qui oscillait sur le palier en haut des escaliers.

On l'a regardée, pétrifiés. Après une pause qui a semblé durer des siècles, elle a ouvert la bouche, l'a refermée, a attrapé la rampe pour garder son équilibre, puis a dit d'une voix rouillée : « Est-ce que Larry a laissé ses clés dans le coffre-fort de la banque ? »

Toujours pétrifiés, on l'a regardée pendant quelques instants supplémentaires, avant de se rendre compte qu'elle attendait une réponse. Ses cheveux ressemblaient à une meule de foin ; elle semblait complètement désorientée et si instable qu'elle risquait de dégringoler les escaliers.

« Euh, oui, l'a rassurée Boris d'une voix forte. Je veux dire non. » Puis, alors qu'elle restait toujours plantée là : « Tout va bien. Retournez vous coucher. »

Elle a grommelé quelque chose et elle est repartie, chancelant d'un pas mal assuré. On est restés immobiles pendant quelques instants. Puis, très calme, avec ma nuque qui picotait, j'ai pris ma valise et me suis glissé dehors furtivement (mon ultime vision de cette maison, et d'elle, sauf que je n'ai même pas lancé un dernier regard), Boris et Popchik m'ont suivi. Ensemble, tous les trois, on s'est éloignés de la maison d'un pas vif et on est descendus jusqu'au bout de la rue, avec les griffes de Popchik qui cliquetaient sur le trottoir.

« Très bien, a fait Boris, avec le ton humoristique plein de sous-entendus qu'il utilisait quand on manquait de se faire prendre au supermarché. OK. Peut-être qu'elle n'était pas tout à fait aussi *partie* que ce que je croyais. »

Mon corps était couvert de sueurs froides et, bien que frais, l'air nocturne m'a fait du bien. Là-bas à l'ouest, des éclairs silencieux à la Frankenstein se tordaient dans l'obscurité.

« Eh bien, au moins elle n'est pas morte, hein ? a-t-il gloussé. Je m'inquiétais pour elle. Putain.

— Passe-moi ton téléphone, lui ai-je demandé en me débattant pour enfiler ma veste. Je dois appeler un taxi. »

Il a fouillé dans sa poche et me l'a tendu. C'était un

téléphone à carte, celui qu'il avait acheté pour pister Kotku.

« Non, garde-le », m'a-t-il assuré en levant les mains quand j'ai essayé de le lui rendre après avoir passé mon appel : Lucky Cab, 777-7777, le numéro placardé sur chaque Abribus déglingué de Vegas. Puis il a sorti la liasse de billets – sa moitié de ce que l'on avait pris à Xandra – et il a tenté de me forcer à l'accepter.

« Oublie », ai-je dit en me retournant pour jeter un œil anxieux à la maison. Je craignais qu'elle ne se réveille de nouveau et ne descende dans la rue pour nous chercher. « C'est à toi.

— Non ! Tu pourrais en avoir besoin !

— Je n'en veux pas, ai-je rétorqué en fourrant les mains dans mes poches pour l'empêcher de me les refiler. Tu pourrais en avoir besoin toi-même.

— Allez, Potter ! J'aimerais que tu ne partes pas *maintenant*. » Il a fait un geste vers le fond de la rue et les rangées de maisons vides. « Si tu ne veux pas venir chez moi... crèche là-bas pendant un jour ou deux ! Cette maison en briques est même meublée. Je t'apporterai à manger si tu veux.

— Oh, hé, je peux appeler Domino's, ai-je fait en mettant le téléphone dans la poche de ma veste. Puisque maintenant ils livrent par ici. »

Il a grimacé. « Ne sois pas énervé.

— Je ne le suis pas. » Et, non, je ne l'étais pas – j'étais juste tellement désorienté que je sentais que je risquais de me réveiller pour découvrir que je m'étais endormi avec un livre ouvert sur le visage.

Je me suis rendu compte que Boris regardait le ciel et fredonnait pour lui-même un passage d'une des chansons du Velvet Underground de ma mère : « *But if you close the door... the night could last forever...* »

« Et toi ?. lui ai-je demandé en me frottant les yeux.

— Hein ? a-t-il lancé en me regardant avec un sourire.

— Qu'est-ce que tu vas faire ? Est-ce qu'on se reverra ?

— Peut-être, a-t-il répondu sur le même ton enjoué que je l'imaginais utiliser avec Bami et Judy, la femme du gérant de bar à Karmeywallag, et avec toute autre personne à qui il ait dit au revoir au cours de sa vie. Qui sait ?

— Tu me rejoindras dans un jour ou deux ?

— Eh bien...

— Retrouve-moi plus tard. Prends un avion... Tu as de l'argent. Je t'appellerai et je t'indiquerai où je suis. Ne me dis pas non.

— OK, alors, est convenu Boris de la même voix enjouée. Je ne te dirai pas non. » Mais clairement, à l'entendre, c'est ce qu'il était en train de faire.

J'ai fermé les yeux. « Oh, mon Dieu. » J'étais si fatigué que je titubais ; j'ai dû combattre l'envie impérieuse de m'étendre par terre, une tension physique qui me tirait vers le bord du trottoir. Quand j'ai ouvert les yeux, j'ai vu Boris qui m'observait, l'air préoccupé.

« Regarde-toi, m'a-t-il dit. Tu es à deux doigts de tomber par terre. » Il a mis la main dans sa poche.

« Non, non, non, ai-je refusé en reculant d'un pas quand j'ai vu ce qu'il tenait. Non. Oublie.

— Tu te sentiras mieux !

— C'est ce que tu m'as dit à propos de l'autre truc. » Un supplément d'algues et d'étoiles chantantes ne me tentait pas.

« Franchement, je n'en veux pas.

— Mais ça, c'est différent. Complètement différent. Ça te remettra les idées en place. Ça va te nettoyer la tête... promis.

— Mais bien sûr. » Une drogue qui vous remet les idées en place et vous nettoie la tête, ça ne me semblait pas être le style de Boris du tout, même s'il semblait bien plus vif que moi.

« Regarde-moi, m'a-t-il ordonné sur un ton posé. Oui. » Il savait qu'il me tenait. « Est-ce que je délire ? Est-ce que j'ai de l'écume aux lèvres ? Non... j'essaie juste de t'aider ! Tiens, a-t-il dit en en tapotant un peu sur le dos de sa main, allez. Laisse-moi te le donner. »

Je m'attendais un peu que ce soit un piège – que je m'évanouisse sur-le-champ et me réveille Dieu sait où, peut-être dans l'une des maisons vides de l'autre côté de la rue. Mais j'étais trop fatigué pour réfléchir, et peut-être que ce serait une bonne chose après tout. Je me suis penché vers l'avant et l'ai laissé me fermer une narine avec un doigt. « Voilà ! m'a-t-il encouragé. Comme ça. Et maintenant, sniffe. »

Je me suis senti *mieux* presque tout de suite. C'était comme un miracle. « Waouh, me suis-je écrié en me pinçant le nez à cause du picotement vif et agréable.

— Qu'est-ce que je t'avais dit ? » Il en tapotait déjà un peu plus. « Allez... autre narine. Ne souffle pas. OK, *maintenant*. »

Tout semblait plus lumineux et plus clair, y compris Boris lui-même.

« Qu'est-ce que je t'avais dit ? » Il en prenait de son côté à présent. « Dis que tu regrettes de ne pas m'avoir écouté.

— Tu vas vendre ce truc, *putain*, ai-je fait en regardant vers le ciel. Pourquoi ?

— Ça vaut beaucoup. Quelques milliers dollars.

— Ce truc minus ?

— Pas si minus que ça ! Ça fait beaucoup de grammes... vingt, peut-être plus. Je pourrais en tirer une petite fortune si je le divisais en tas et vendais à des filles comme K.T. Bearman.

— Tu connais K.T. Bearman ? » Elle était une année au-dessus de nous, avait sa propre voiture – une décapotable noire – et elle était à tellement d'années-lumière de notre milieu social qu'elle aurait aussi bien pu être star de cinéma.

« Bien sûr. Skye, K.T., Jessica, toutes ces filles. Enfin bon (il m'a de nouveau tendu le boîtier) maintenant je peux acheter à Kotku ce clavier électronique dont elle a envie. Plus de soucis d'argent. »

On a continué de sniffer la même ligne jusqu'à ce que je commence à me sentir beaucoup plus optimiste sur l'avenir et sur la vie en général. Debout, là, en train de nous frotter le nez et de jacasser dans la rue tandis que Popper nous regardait avec curiosité, la magie de New York semblait au bout de ma langue, un rêve à portée de la main. « Eh bien, c'est super », ai-je décrété. Les mots sortaient en culbutes et en spirales. « Franchement, tu *dois* venir. On ira à Brighton Beach... c'est là que se retrouvent tous les Russes. Enfin, je n'y suis jamais allé. Mais le métro y va... c'est le dernier arrêt sur la ligne. Il y a une grande communauté russe, des restaurants avec du poisson fumé et des œufs d'esturgeons. Ma mère et moi on parlait toujours d'aller y manger un jour, le joaillier avec lequel elle travaillait lui avait indiqué les bons endroits, mais on a pas eu le temps. Il paraît que c'est génial. Et puis, je veux dire... j'ai de l'argent pour mes études... tu peux aller dans *mon* bahut. Non... vraiment. J'ai une bourse. Enfin, j'en avais une. Mais le gars a dit que tant que l'argent de mon fonds était utilisé pour des études... ça peut être celles de *n'importe qui*. Pas juste les miennes. Il y a plus qu'assez pour nous deux. Mais, je veux dire, l'école publique, les établissements publics à New York sont bons, j'y connais des gens, l'école publique moi ça me va. »

J'étais toujours occupé à babiller quand Boris a lancé : « Potter. » Avant que je puisse lui répondre, il avait posé les deux mains sur mon visage et m'avait embrassé sur la bouche. Et pendant que j'étais là à cligner des yeux – c'était terminé presque avant que je sache ce qui s'était passé – il a soulevé Popper en le prenant sous les pattes et l'a embrassé aussi, en l'air, en plein sur le bout de la truffe.

Puis il me l'a tendu. « Ton taxi est là-bas », m'a-t-il signalé en lui ébouriffant une dernière fois la tête. Et, effectivement, quand je me suis retourné j'ai vu une voiture avancer au ralenti le long de la rue et passer les adresses de l'autre côté en revue.

On est restés plantés à se regarder – ma respiration était forte, j'étais complètement assommé.

« Bonne chance, je ne t'oublierai pas », m'a lancé Boris. Puis il a tapoté Popper sur la tête. « Salut, Popchik. Occupe-toi de lui, hein ? » m'a-t-il recommandé.

Plus tard, dans le taxi et ensuite, je me suis repassé ce moment et me suis émerveillé d'avoir pris congé et d'être parti de manière aussi désinvolte. Pourquoi ne lui avais-je pas agrippé le bras et ne l'avais-je pas supplié une dernière fois de monter dans le taxi, allez, *merde*, *Boris*, c'est juste comme sauter les cours, on mangera le petit déjeuner au-dessus des champs de maïs quand le soleil se lèvera ? Je le connaissais assez pour savoir que si on lui demandait de la bonne manière, au bon moment, il était partant pour presque n'importe quoi ; même les talons tournés, je savais qu'il m'aurait couru après et aurait sauté dans le taxi en riant si je le lui avais demandé une dernière fois.

Mais je ne l'ai pas fait. Et, à vrai dire, c'était peut-être mieux – je dis ça maintenant, bien que je l'aie amèrement regretté pendant quelque temps. Plus que tout j'étais soulagé que, dans mon état inconnu qui consistait à babiller et à vouloir parler, je m'étais retenu de lâcher ce que j'avais sur le bout de la langue, ce que je n'avais jamais dit, même si c'était un truc que nous savions tous les deux pertinemment sans que j'aie à le lui balancer à voix haute dans la rue – et qui était bien sûr *je t'aime*.

XX

J'étais si fatigué que l'effet de la drogue n'a pas duré longtemps, en tout cas pas la partie où l'on se sent bien. Le chauffeur du taxi, un New-Yorkais déraciné si j'en croyais son accent, a tout de suite pigé que quelque chose ne tournait pas rond et a essayé de me donner une carte pour le standard de SOS Fugues, que j'ai refusé de prendre. Quand je lui ai demandé de m'emmener à la gare (sans même savoir s'il y avait un train à Vegas, or il devait y en avoir un, sûrement), il a secoué la tête et m'a répondu : « Tu le sais sans doute, Binoclard, qu'Amtrak n'accepte pas les chiens ?

— Ah bon ? ai-je fait en sentant mon cœur plonger.

— L'avion, peut-être, je sais pas. » C'était un gars assez jeune au visage poupin et en léger surpoids, qui parlait vite et portait un T-shirt où il était marqué PENN ET TELLER : EN DIRECT AU RIO. « Il te faudra une caisse à claire-voie ou un truc dans ce goût-là. Peut-être que le bus est ta meilleure option. Mais ils n'acceptent pas les enfants en dessous d'un certain âge sans autorisation parentale.

— Je vous l'ai dit ! Mon père est mort ! Sa copine me renvoie dans ma famille sur la côte Est.

— Eh bien, hé, alors tu n'as à t'inquiéter de rien, hein ? »

Je n'ai plus rien dit pendant le restant de la course. La réalité du décès de mon père n'avait pas encore fait son chemin, et de temps à autre les phares qui passaient comme des flèches sur l'autoroute m'y renvoyaient avec une précipitation maladive. Un accident. Au moins à New York on n'avait pas eu à s'inquiéter de sa conduite en état d'ivresse – la grosse crainte là-bas c'était qu'il passe sous les roues d'une voiture ou qu'on le poignarde pour lui prendre son portefeuille à sa sortie titubante d'un bouge à trois heures du matin. Qu'allait-on faire de son corps ? J'avais éparpillé les cendres de ma mère dans Central Park, bien qu'apparemment un règlement s'y oppose ; un soir à la tombée de la nuit, j'avais marché avec Andy vers un endroit désert du côté ouest de l'étang et, pendant que ce dernier faisait le guet, j'avais déversé l'urne. Ce qui m'avait dérangé, bien plus que l'éparpillement des restes en soi, c'était que cette dernière avait été emballée dans des morceaux déchirés de petites annonces porno : GAMINES ASIATIQUES ENDUITES DE SAVON et BRÛLANTS ORGASMES MOUILLÉS étaient deux expressions au hasard qui avaient accroché mon œil tandis que la poudre grise, couleur de roche lunaire, était happée et tournoyait dans le crépuscule de mai.

Puis il y a eu des lumières et le taxi s'est arrêté. « OK, Binoclard », a dit mon chauffeur en se tournant et en allongeant le bras le long du siège. On était sur le parking de la gare de bus Greyhound. « C'est quoi ton nom, déjà ?

— Theo, ai-je répondu sans réfléchir et en le regrettant sur-le-champ.

— OK, Theo. Moi c'est J.P. » Il a tendu la main vers le siège arrière pour serrer la mienne. « Tu veux suivre mon conseil ?

— Bien sûr », ai-je acquiescé en tremblant un peu. Même avec tout ce qui se passait, et il y en avait un paquet, je me sentais très mal à l'aise que ce type ait probablement vu Boris m'embrasser dans la rue.

« C'est pas mes oignons, mais tu vas avoir besoin de quelque chose dans lequel mettre Mr. Toutou.

— Pardon ? »

Il a hoché la tête vers ma valise. « Tu arriverais à le caser là-dedans ?

— Hum…

— Tu devras sans doute faire enregistrer ce bagage

de toute façon. Il risque d'être trop gros pour que tu puisses le prendre à bord, ils le rangeront en dessous. C'est pas comme l'avion.

— Je... » Ça demandait trop de réflexion. « Je n'ai rien.

— Attends. Laisse-moi vérifier dans mon bureau derrière. » Il s'est levé, s'est dirigé vers le coffre et en est revenu avec un grand sac à commissions en toile provenant d'un magasin bio, où il était inscrit *Pour une Amérique verte*.

« Si j'étais toi, j'irais acheter le billet sans Mr. Toutou. Laisse-le ici avec moi au cas où, d'accord ? »

Mon nouveau pote avait eu raison quand il avait parlé de ne pas pouvoir prendre un bus Greyhound sans un formulaire pour mineur signé par un parent – sans parler d'autres restrictions pour les gamins. L'agent au guichet, une Latina blafarde aux cheveux tirés vers l'arrière, a entamé sur un ton monocorde la lecture de leur longue liste menaçante. Pas de changements. Pas de voyages de plus de cinq heures. À moins que la personne nommée sur le formulaire ne vienne m'accueillir dans ma ville d'arrivée avec une pièce d'identité, on me remettrait aux services de protection de l'enfance ou à des responsables locaux ayant des pouvoirs de police.

— Mais...

— C'est pour tous les enfants en dessous de quinze ans. Il n'y a pas d'exceptions.

— Mais je n'ai pas *moins* de quinze ans, me suis-je indigné en cafouillant pour lui montrer ma carte d'identité new-yorkaise à l'air officiel. *J'ai* quinze ans. Regardez. » Envisageant peut-être la possibilité que j'entre dans ce qu'il appelait Le Système, Enrique m'avait emmené me faire photographier peu de temps après la mort de ma mère ; et bien que la serre à longue portée de Big Brother m'ait contrarié à l'époque (« Waouh, ton propre code barre », s'était exclamé Andy en le regardant d'un air curieux), j'étais à présent reconnaissant qu'il ait eu la prévoyance de m'inscrire au même titre qu'un véhicule à moteur d'occasion. L'air hébété, tel un réfugié, j'ai attendu sous les néons sordides que l'employée ait regardé la carte sous des tas d'angles différents et sous de multiples lumières, finissant par l'estimer authentique.

« Quinze ans », a-t-elle énoncé d'un air soupçonneux en me la rendant.

— Oui. » Je savais que je ne faisais pas mon âge. Et je me rendais compte qu'il n'était pas question d'être honnête à propos de Popper, vu qu'une grande pancarte près du guichet annonçait en lettres rouges : LES CHIENS, LES CHATS, LES OISEAUX, LES RONGEURS, LES REPTILES OU AUTRES ANIMAUX NE SERONT PAS ACCEPTÉS.

Quant au bus, j'avais de la chance : il y en avait un à une heure quarante-cinq avec des correspondances pour New York et il quittait la gare routière quinze minutes plus tard. La machine a craché mon billet avec un bruit sec et mécanique, j'étais debout, hébété, ne sachant que diable faire de Popper. Je suis sorti en espérant à moitié que mon chauffeur de taxi serait parti – pour faire disparaître Popper dans un foyer plus aimant et rassurant, mais je l'ai trouvé buvant une canette de Red Bull et parlant sur son portable, sans le moindre Popper à l'horizon. Quand il m'a vu, il a mis fin à sa conversation. « Qu'est-ce que tu crois ?

— Où il est ? » En vacillant j'ai regardé sur le siège arrière. « Qu'est-ce que vous en avez fait ? »

Il a ri. « Maintenant tu ne le vois pas et… maintenant tu le vois ! » D'un grand geste, il a enlevé l'exemplaire mal replié de *USA Today* qu'il avait posé sur le sac en toile sur le siège passager à côté de lui ; et là, installé comme un bienheureux dans une boîte en carton au fond du sac et croquant des chips, il y avait Popper.

« Fausse piste, a-t-il dit. La boîte remplit le sac qui n'épouse pas les formes d'un chien et offre à ce dernier un peu plus d'espace pour bouger. Le journal est un accessoire parfait. Il le recouvre, donne l'impression que le sac est plein et n'ajoute pas de poids.

— Vous pensez qu'il y sera à l'aise ?

— Eh bien, bon, il est si petit... quoi, trois kilos ou moins ? Il est tranquille ? »

Je l'ai regardé avec un air dubitatif, lové au fond de la boîte. « Pas toujours. »

J.P. s'est essuyé la bouche du revers de la main et m'a tendu le paquet de chips. « Donne-lui-en quelques-unes s'il s'agite. Vous allez faire des arrêts fréquents. Assieds-toi au fond du bus, aussi loin que tu peux, et assure-toi de l'emmener loin de la gare avant de le laisser faire ses petites affaires. »

J'ai mis le sac sur mon épaule et mon bras autour. « On voit quelque chose ?

— Non. Pas si je ne savais pas. Est-ce que je peux te donner un conseil ? Un secret de magicien ?

— Bien sûr.

— *Arrête* de regarder ton sac comme ça. N'importe où mais pas le sac. Le paysage, ton lacet... oui, voilà... comme ça. Confiant et naturel, c'est ça, l'astuce. Toujours maladroit, chercher une lentille de contact tombée par terre fonctionne aussi, au cas où tu penserais que les gens te regardent d'un air soupçonneux. Renverse tes chips... cogne-toi l'orteil... tousse en buvant... n'importe quoi. »

Waouh, me suis-je dit. De toute évidence les Lucky Cab portaient bien leur nom de taxis de la chance.

Il a ri de nouveau, comme si j'avais parlé à voix haute. « Hé, c'est un règlement ridicule, pas de chiens dans le bus, a-t-il lancé en prenant une autre grande gorgée du Red Bull. Alors quoi, qu'est-ce qu'on est supposé faire ? Le jeter sur le bas-côté de la route ?

— Vous êtes magicien, ou quoi ? »

Il a ri. « Comment tu as deviné ? J'ai un numéro où je fais des trucs de cartes dans un bar à l'hôtel-casino

Orleans… si tu étais assez âgé pour y entrer, je t'aurais dit de venir me voir à l'occasion. De toute façon, le secret c'est qu'il faut toujours détourner leur attention *loin* de l'endroit où se passe le truc délicat. C'est la première règle de la magie, Binoclard. La fausse piste. N'oublie jamais ça. »

XXI

L'Utah. Au lever du soleil le canyon du San Rafael Swell a déroulé son horizon aussi inhumain que Mars : grès et schiste argileux, gorges et plateaux rouge-rouille déserts. J'avais eu beaucoup de mal à dormir, en partie à cause des drogues, en partie par peur que Popper ne s'agite ou ne gémisse, mais il est resté tout à fait tranquille tandis que le bus cheminait sur les routes de montagnes sinueuses, assis gentiment dans son sac posé sur le siège voisin, du côté le plus proche de la fenêtre. Ma valise était bel et bien assez petite pour que je puisse l'emporter à bord, ce qui me réjouissait pour plusieurs raisons : mon pull, *Vol de nuit*, mais surtout mon tableau qui, même enveloppé et caché, comme une sainte icône que porterait un croisé pendant la bataille, me faisait l'effet d'un objet porte-bonheur. Il n'y avait pas d'autres passagers à l'arrière à part un couple hispano à l'air timide, avec plusieurs boîtes en plastique contenant de la nourriture posées sur leurs genoux, et un vieux pochard qui se parlait à lui-même, tandis que nous continuions d'avancer gaillardement sur les routes sinueuses qui traversaient l'Utah jusqu'à Grand Junction, Colorado, où l'on a fait un arrêt de cinquante minutes. Après avoir enfermé ma valise dans une consigne, j'ai emmené Popper derrière la gare, loin du chauffeur pour qu'il ne le voie pas, je nous ai acheté deux hamburgers au Burger King et lui ai donné de l'eau dans le couvercle d'un vieux pot en plastique trouvé dans la poubelle. À partir de Grand Junction, j'ai dormi jusqu'à notre halte à Denver, une heure et seize minutes au moment du coucher du soleil, lors de laquelle Popper et moi avons couru encore et encore par simple soulagement d'être descendus de ce bus, tellement loin le long de rues ombragées et inconnues que j'ai presque eu peur de me perdre ; mais j'ai eu le plaisir de tomber sur un magasin hippy où les vendeurs étaient jeunes et sympathiques (« Fais-le entrer ! On adore les chiens ! » a lancé la fille aux cheveux violets derrière le comptoir quand elle a vu Popper attaché dehors) et où j'ai acheté non seulement deux sandwichs à la dinde (un pour moi, un pour lui) mais aussi un brownie végétalien et un sac en papier graisseux contenant des biscuits végétariens maison pour chiens.

J'ai lu tard, le papier crème jaunissait sous le halo des faibles liseuses tandis que l'obscurité inconnue défilait à toute vitesse, on a dépassé le milieu du continent, puis les Rockies, Popper satisfait après sa virée autour de Denver et roupillant comme un bienheureux dans son sac.

À un moment donné j'ai dormi, puis je me suis réveillé et j'ai lu encore un peu. À deux heures du matin, juste au moment où Saint-Exupéry racontait l'histoire de son accident d'avion dans le désert, on est arrivés à Salina, Kansas (« nœud routier de l'Amérique ») – vingt minutes de pause, sous une lampe à sodium où se cognaient les phalènes, pause durant laquelle Popper et moi avons couru en rond dans l'obscurité autour du parking d'une station-service déserte, ma tête toujours pleine du livre pendant que j'exultais aussi de l'étrangeté qu'il y avait à me trouver pour la première fois de ma vie dans l'État d'où venait ma mère – avait-elle traversé cette ville lors de ses virées avec son père, s'étaient-ils mêlés au flot des voitures filant sur la 9e Rue menant à l'autoroute, longeant des silos à grain allumés tels des vaisseaux interstellaires qui surgissaient du vide à quelques kilomètres les uns des autres ? De retour dans le bus – somnolent, sale, fatigué, réfrigéré – Popchik et moi avons dormi de Salina à Topeka, et de Topeka à Kansas City, Missouri, où nous sommes arrivés juste à l'aube.

Ma mère m'avait souvent dit combien c'était plat là où elle avait grandi, si plat que l'on voyait les cyclones tourbillonner à travers les grandes prairies sur des kilomètres, mais je n'arrivais pas tout à fait à croire à cette immensité, ce ciel sans fin, si vaste que l'on se sentait écrasé et oppressé par l'infini. À St. Louis, aux alentours de midi, on a fait une halte de une heure et demie (plus que le temps nécessaire pour la promenade de Popper et un horrible sandwich au roast-beef pour déjeuner, bien que le quartier soit trop risqué pour s'aventurer loin) et, de retour à la station-service, correspondance vers un tout autre bus. Puis, juste une heure ou deux plus tard, je me suis réveillé, le bus s'était arrêté, pour trouver Popper assis tranquillement avec le bout de sa truffe qui pointait hors du sac et une femme noire d'âge mûr au rouge à lèvres rose vif penchée au-dessus de moi et qui tonnait : « Tu ne peux pas garder ce chien dans le bus. »

Je l'ai dévisagée, désorienté. Puis, horrifié, je me suis rendu compte qu'il ne s'agissait pas d'un passager lambda mais de la conductrice en personne, en casquette et en uniforme.

« Tu entends ce que je te dis ? » a-t-elle répété avec un oscillement agressif de la tête d'un côté puis de l'autre. Sa carrure était celle d'un boxeur professionnel ; épinglé sur une poitrine impressionnante, son badge disait *Denese*. « Tu ne peux pas *prendre* ce chien dans ce *bus*. » Puis, impatiente, elle a fait un geste de la main comme pour dire : *Rentre-le dans ce sac, bon sang !*

Je lui ai couvert la tête, ça n'a pas semblé le déranger, et me suis assis avec les tripes retournées. On était arrêtés dans une ville du nom d'Effingham, dans l'Illinois, avec des maisons à la Edward Hopper, un tribunal d'opérette et une banderole où il était écrit à la main *Carrefour de l'occasion* !

La conductrice a balayé mon environnement immédiat du doigt. « Est-ce qu'il y a des gens ici à l'arrière que cet animal dérange ? »

Les autres passagers (un type à la moustache en guidon de vélo négligée ; une femme portant un appareil dentaire ; une maman noire nerveuse avec sa fillette qui devait être en primaire ; un vieux monsieur avec des tubes dans le nez et une bonbonne à oxygène qui ressemblait à W.C. Fields) ont eu tous l'air trop surpris pour parler, sauf la petite fille aux yeux ronds qui a secoué la tête de manière presque imperceptible *: non.*

La conductrice a attendu. Elle a jeté un regard circulaire. Puis elle s'est à nouveau tournée vers moi. « OK. Voilà une bonne nouvelle pour toi et ton clebs, mon bonhomme. Mais si UN SEUL (elle a agité son doigt sous mon nez), UN SEUL des autres passagers se plaint du fait que tu aies un animal à bord à UN SEUL moment, je devrai te demander de descendre. C'est compris ? »

Ce n'était pas pour maintenant, alors ? J'ai cligné des yeux en la regardant, craignant de bouger ou de prononcer le moindre mot.

« *C'est compris ?* a-t-elle répété sur un ton plus sinistre.

— Merci… »

Elle a secoué la tête de manière un peu belliqueuse. « *Oh*, non. Ne me remercie pas, mon bonhomme. Parce que à la minute où il y aura la moindre plainte je te demanderai de quitter ce bus. Et il en suffit d'une. »

Je me suis assis en tremblant tandis qu'elle remontait l'allée centrale à grands pas et faisait démarrer le bus. On a quitté le parking en oscillant et je craignais ne serait-ce que de jeter un coup d'œil aux autres passagers, qui, eux, me regardaient, je le sentais.

À côté de mon genou Popper a discrètement fait part

de sa vexation puis a retrouvé son calme. J'aimais beaucoup Popper, et j'avais pitié de lui, mais je ne l'avais jamais trouvé particulièrement intéressant ni intelligent, comme chien. J'avais plutôt passé du temps à espérer qu'il soit plus cool, un border collie, un labrador ou un saint-bernard peut-être, un pitbull croisé intelligent et égaré trouvé dans un refuge, un petit corniaud en piteux état courant derrière les balles et mordant les gens – en fait tout sauf ce qu'il était bel et bien : un chien de fille, un jouet, un truc de gonzesse, un chien que j'étais gêné de promener dans la rue. Non que Popper ne soit pas mignon ; en fait, c'était exactement le genre de boule de poils minuscule et réjouissante que beaucoup de gens aimaient – peut-être pas moi, mais sûr qu'une fillette comme celle de l'autre côté de l'allée centrale l'emmènerait chez elle et lui mettrait un ruban sur la tête si elle le trouvait au bord de la route.

J'étais assis là, raide comme un piquet, revivant sans répit l'emballement de la peur : la conductrice qui s'approche, mon choc. Ce qui m'avait vraiment terrifié, c'était que je savais maintenant que, si elle m'obligeait à faire sortir Popper du bus, je devrais descendre avec lui aussi (et faire quoi ?), quand bien même on serait au beau milieu de nulle part dans l'Illinois. Pluie, champs de maïs : debout sur le bas-côté de la route. Comment m'étais-je autant attaché à un animal aussi ridicule ? Un chien de salon choisi par Xandra ?

Durant la traversée de l'Illinois et de l'Indiana, je suis resté assis, immobile et vigilant : j'avais trop peur pour m'endormir. Les arbres étaient nus et, sous les vérandas, il y avait des citrouilles de Halloween pourries. De l'autre côté de l'allée centrale, la mère avait mis le bras autour de la fillette et lui chantait très doucement : *You are my sunshine.* Je n'avais rien à manger à part les miettes des chips que le chauffeur de taxi m'avait données ; et – avec le vilain goût du sel dans ma bouche, les plaines industrielles et des petites villes de nulle part qui défilaient – je me suis senti gelé et abandonné, regardant les champs lugubres et pensant à des chansons que ma mère me chantait autrefois. *Toot toot tootsie goodbye, toot toot tootsie, don't cry.* Pour finir, dans l'Ohio, alors qu'il faisait nuit et que les lumières s'étaient allumées dans les petites maisons tristes et isolées, je me suis senti suffisamment en sécurité pour m'assoupir, dodelinant de la tête jusqu'à Cleveland, ville froide illuminée de blanc où j'ai changé de bus à deux heures du matin. De crainte que quelqu'un ne nous voie (parce qu'on ferait quoi, si on était découverts ? On resterait pour toujours à Cleveland ?) j'hésitais à faire faire à Popper la longue promenade dont, je le savais, il avait besoin. Mais lui aussi semblait avoir peur ; on est donc restés à grelotter à un coin de rue pendant dix minutes avant que je lui donne un peu d'eau, que je le remette dans le sac et que je reparte vers la gare pour prendre mon bus.

C'était le milieu de la nuit et tout le monde semblait à demi endormi, ce qui a rendu la correspondance plus facile ; on a changé de nouveau à midi le lendemain, à Buffalo, où le bus a traversé la gare en faisant crisser de la neige fondue qui s'était amoncelée. Le vent était mordant, une gifle humide ; après deux années dans le désert, j'avais oublié à quoi ressemblait un véritable hiver – douloureux et glacial. Boris n'avait répondu à aucun de mes textos, ce qui était sans doute compréhensible puisque je les envoyais vers le téléphone de Kotku, mais j'en ai expédié un autre quoi qu'il en soit : **a Buffalo, NY ce soir. T'espere ok des news de X ?**

Buffalo est loin de New York ; mais hormis un arrêt onirique et fiévreux à Syracuse – où j'ai fait promener Popper, lui ai donné de l'eau et ai acheté quelques fromages danois faute d'autre chose – j'ai réussi à dormir presque tout du long, traversant Batavia, Rochester, Syracuse et Binghamton, la joue contre la vitre avec de l'air froid qui entrait par une fissure, l'atmosphère me ramenant à *Vol de nuit* et à un cockpit solitaire au-dessus du désert.

Je crois que j'avais dû commencer à tomber malade en douceur lors de l'arrêt à Cleveland, mais quand j'ai fini par descendre du bus à New York, à la gare routière de Port Authority, c'était le soir et je brûlais de fièvre. J'étais gelé, je tremblais sur mes jambes et la ville – qui m'avait manqué si cruellement – me semblait étrangère, bruyante et froide, avec des gaz d'échappement, des poubelles et des inconnus se précipitant dans toutes les directions.

Le terminal était bourré de flics. Partout où je regardais il y avait des panneaux annonçant des refuges pour fugueurs ainsi que des numéros de téléphone, et une femme flic en particulier m'a jeté un regard soupçonneux tandis que je me dépêchais de sortir – après soixante heures et plus dans le bus, j'étais sale et fatigué et je savais que mon apparence me trahirait – mais personne ne m'a arrêté et je ne me suis pas retourné avant d'être dans la rue et à bonne distance. Plusieurs hommes d'âges et de nationalités diverses m'ont interpellé, douces voix venant de plusieurs directions (*hé, petit frère ! tu vas où ? tu as besoin qu'on t'emmène ?*), mais bien qu'un type roux en particulier m'ait semblé sympa et normal, et pas beaucoup plus vieux que moi – on aurait presque cru quelqu'un avec qui je pourrais être ami – je connaissais assez la ville pour ignorer son bonjour enjoué et continuer à marcher avec l'air de quelqu'un qui sait où il va.

J'aurais cru que Popper serait super content de sortir et de marcher, mais quand je l'ai déposé sur le trottoir de la 8e Avenue, c'était trop pour lui et il avait peur de dépasser la rue suivante ; il n'avait jamais été dans une ville auparavant et tout le terrifiait (les voitures, les klaxons, les jambes des piétons, les sacs plastique vides emportés par le vent le long du trottoir), il n'arrêtait pas de tirer par saccades vers l'avant, se précipitant vers le passage piéton, sautant de-ci de-là, faisant des mouvements brusques derrière moi, terrifié et enroulant la laisse autour de mes jambes si bien que j'ai trébuché et failli tomber devant une camionnette qui accélérait pour passer au rouge.

Chancelant, je l'ai pris dans mes bras, puis l'ai remis dans le sac (où il a gratté et soupiré d'exaspération avant de se calmer et, planté au milieu de la foule de l'heure de pointe, j'ai essayé de m'orienter. Tout me semblait tellement plus sale et plus hostile que dans mon souvenir – plus froid aussi, les rues grises comme des vieux journaux. *Que faire* * ? ainsi que ma mère aimait à le dire. Je pouvais presque entendre sa voix légère et insouciante.

Lorsque mon père arpentait la cuisine en tapant sur les placards et en se plaignant qu'il voulait boire, je m'étais souvent demandé à quoi ressemblait la sensation de « vouloir un verre », quel effet cela faisait de désirer de l'alcool et uniquement de l'alcool, pas de l'eau ni du Pepsi ni quoi que ce soit d'autre. *Maintenant, je sais,* me suis-je dit l'air sombre. Je mourais d'envie de boire une bière, mais je savais qu'il valait mieux ne pas aller dans une épicerie et essayer d'en acheter une en étant mineur. J'ai songé avec regret à la vodka de Mr. Pavlikovsky, au rugissement de cette chaleur quotidienne que j'avais prise pour acquise.

Plus pertinent : je mourais de faim. J'étais à quelques pas d'un magasin chic de cupcakes, et j'avais si faim que j'y suis entré et que j'ai acheté le premier qui a attiré mon regard (au thé vert, ai-je découvert, fourré avec une sorte de crème à la vanille, bizarre mais délicieux quand même). Presque tout de suite le sucre m'a aidé à me sentir mieux ; alors que je mangeais, léchant la crème sur mes doigts, j'ai fixé, stupéfait, la foule déterminée. Pour l'une ou l'autre raison, quand j'avais quitté Vegas, je m'étais senti beaucoup plus confiant sur le déroulement de mon arrivée. Mrs. Barbour appellerait-elle les services sociaux pour les informer de mon apparition ? J'imaginais que non ; sauf que maintenant je m'interrogeais. Il y avait aussi la question pas si insignifiante que ça de Popper, vu que (en même temps que les produits laitiers, les noix, le Scotch, la moutarde pour sandwichs et environ vingt-cinq autres produits de consommation courante) Andy était violemment allergique aux chiens, en plus des chats, des chevaux, des animaux de cirque et du cochon d'Inde de la classe (« Newton ») que l'on avait eu en CE1, ce qui expliquait pourquoi il n'y avait pas d'animaux domestiques chez les Barbour. Bizarrement, cela ne m'avait pas semblé être un obstacle aussi insurmontable vu depuis Vegas, mais maintenant, planté sur la 8e Avenue dans le froid et la pénombre – c'en était un.

Ne sachant quoi faire, j'ai entrepris de marcher vers l'est en direction de Park Avenue. Le vent cinglait mon visage et l'odeur de la pluie dans l'air me rendait nerveux. Les cieux new-yorkais semblaient beaucoup plus bas et lourds qu'à l'ouest : les nuages étaient sales, comme floutés à la gomme, on aurait dit du crayon gris sur du papier rêche. C'était comme si le désert et son infinitude avaient modifié ma vision à distance. Tout semblait humide et resserré.

Marcher m'a aidé à atténuer le roulis dans mes jambes. J'ai avancé vers l'est en direction de la bibliothèque (les lions ! Je suis resté un moment immobile, comme un soldat qui, à son retour, revoit son foyer pour la première fois) puis j'ai tourné sur la 5e Avenue – réverbères allumés, encore plutôt fréquentée même si ça se vidait pour la nuit – jusqu'à Central Park South. J'avais beau être fatigué et avoir froid, mon cœur s'est quand même serré quand j'ai vu le parc et j'ai couru pour traverser la 57e Rue (Rue de la Joie !) vers l'obscurité feuillue. Les odeurs, les ombres, même les troncs tachetés et pâles des platanes me rendaient heureux, pourtant c'était comme si je voyais un autre parc en dessous de celui qui était visible, une cartographie du passé, un parc fantôme assombri de souvenirs, de sorties scolaires et de visites au zoo reléguées si loin dans ma mémoire. J'ai marché le long du trottoir du côté qui donnait sur la 5e Avenue, jetant un coup d'œil, les sentiers étaient ombragés par des arbres avec le halo des réverbères, arbres mystérieux et accueillants comme les bois dans *Le Monde de Narnia*. Si je bifurquais et marchais le long de l'un de ces chemins éclairés, est-ce que je ressortirais dans une année différente, peut-être même dans un avenir différent où ma mère, tout juste sortie du travail, m'attendrait légèrement décoiffée par le vent sur le banc (notre banc) à côté de l'étang : elle rangerait son téléphone portable et se lèverait pour m'embrassser : *Bonjour, mon poussin, c'était comment tes cours, qu'est-ce que tu veux manger ce soir* ?

Puis, tout à coup, je me suis arrêté. Une présence familière en costume-cravate venait de me dépasser en me frôlant l'épaule et marchait à grands pas devant moi sur le trottoir. La manne de cheveux blancs se détachait dans l'obscurité, des cheveux qui donnaient l'impression qu'ils auraient dû être portés longs et noués en catogan ; l'homme était préoccupé, plus ébouriffé que d'habitude, mais malgré tout j'ai tout de suite reconnu son port de tête et cette vague ressemblance avec Andy : il s'agissait de Mr. Barbour qui rentrait chez lui, son attaché-case à la main.

J'ai couru pour le rattraper. « Mr. Barbour ? » Il se parlait tout seul, mais je n'arrivais pas à entendre ce qu'il disait. « Mr. Barbour, c'est Theo », ai-je crié en l'attrapant par la manche.

Avec une violence choquante, il s'est retourné et a fait voltiger ma main. C'était bien Mr. Barbour ; je l'aurais reconnu n'importe où. Mais ses yeux posés sur moi étaient ceux d'un inconnu – brillants, durs et méprisants.

« Plus d'aumône ! a-t-il protesté d'une voix forte. Fiche le camp ! »

J'aurais dû reconnaître la folie qui me faisait face. C'était une version amplifiée de l'air qu'avait parfois mon père les jours de match – ou juste avant de me frapper. Je n'avais jamais côtoyé Mr. Barbour quand il ne prenait pas ses cachets (Andy, ça lui ressemblait bien, avait décrit les « élans » de son père par un euphémisme ; je ne savais rien alors des épisodes où il avait essayé d'appeler le secrétaire d'État ou pris le chemin du travail en pyjama) et sa rage cadrait tellement peu avec le Mr. Barbour ahuri et distrait que je connaissais que ma seule solution a été de reculer, honteux. Il m'a lancé un long regard furieux, puis il s'est brossé la manche (comme si j'étais sale, comme si je l'avais contaminé en le touchant), après quoi il s'est éloigné d'un pas raide.

« Tu demandais de l'argent à cet homme ? est intervenu un autre type sorti je ne sais trop d'où pendant que j'étais planté sur le trottoir, sidéré. Hein ? » a-t-il insisté quand je me suis détourné. Il était grassouillet dans son costume de fonctionnaire et de père de famille lambda, le type même du pauvre gars qui me donnait la chair de poule. J'ai tenté de le contourner, il s'est mis sur mon chemin et a laissé tomber une lourde main sur mon épaule ; paniqué, je l'ai esquivé et j'ai détalé dans le parc.

Je me suis dirigé vers l'étang, le long de sentiers jaunes et trempés de feuilles mortes, et d'instinct je suis allé directement vers le point de rendez-vous (ainsi que ma mère et moi appelions notre banc) et m'y suis assis en tremblant. Avoir repéré Mr. Barbour dans la rue me semblait relever du hasard le plus incroyable ; l'espace de peut-être cinq secondes, je m'étais dit qu'après sa gaucherie initiale et sa perplexité il m'accueillerait avec joie, me poserait quelques questions, *oh, peu importe, peu importe, on verra ça plus tard*, et que l'on marcherait ensemble jusqu'à l'appartement. *Mon Dieu, quelle aventure. Andy sera ravi de te voir !*

Seigneur, me suis-je dit en me passant la main dans les cheveux et en me sentant toujours secoué. Dans un monde idéal, Mr. Barbour aurait été le membre de la famille que j'aurais le *plus* souhaité croiser dans la rue – plus qu'Andy, certainement plus que ses frères et sœurs, plus même que Mrs. Barbour avec ses pauses figées, ses mondanités et ses codes de conduite qui m'étaient inconnus, sans parler de son regard glacial et indéchiffrable.

Par réflexe, j'ai vérifié mon portable dans l'espoir d'y trouver des textos, pour la dix millième fois m'a-t-il semblé, et j'ai été content malgré moi d'y lire enfin un message, venant d'un numéro que je ne reconnaissais pas, mais ça devait être Boris. **Hé ! T'espere ok. Pas trop furax. Appelle X elle me prend la tete.**

J'ai essayé de le rappeler – je lui avais envoyé environ cinquante textos quand j'étais sur la route – mais personne n'a jamais décroché à ce numéro et le téléphone de Kotku me renvoyait tout de suite vers sa boîte vocale. Xandra pouvait attendre. Repartant vers Central Park South, avec Popper, j'ai acheté trois hot dogs à un vendeur qui finissait sa journée (un pour Popper et deux pour moi) et pendant que nous mangions, sur un banc excentré à l'intérieur de l'entrée du parc dite Scholar's Gate, j'ai évalué mes différentes options. Dans mes fantasmes de New York vu depuis le désert, j'avais parfois visualisé des images perverses de Boris et moi vivant dans la rue, autour de St. Mark's Place ou de Tompkins Square, peut-être même faisant cliqueter nos gobelets en compagnie de ces mêmes salauds en skate qui, autrefois, s'étaient moqués d'Andy et moi dans nos uniformes scolaires. Mais la perspective bien réelle de dormir dans la rue, seul et fiévreux dans le froid de novembre, était beaucoup moins attirante.

L'empoisonnant, c'était que je n'étais qu'à cinq rues

de chez Andy. J'ai pensé lui téléphoner – peut-être lui demander de me retrouver – puis j'ai changé d'avis. Bien sûr je pouvais l'appeler si j'étais désespéré – il serait heureux de sortir en douce, de m'apporter des vêtements de rechange et de l'argent piqué dans le sac à main de sa mère, ainsi que, qui sait, peut-être quelques canapés au crabe ou ces cacahuètes salées dont les Barbour étaient friands. Mais le mot *aumône* continuait de me brûler. J'avais beau apprécier Andy, il s'était écoulé deux années. Et je ne pouvais oublier la façon dont Mr. Barbour m'avait regardé. De toute évidence quelque chose avait mal tourné, très mal, sauf que je n'étais pas très sûr de ce dont il s'agissait – il y avait des chances que j'en sois responsable d'une manière ou d'une autre, me suis-je dit au milieu des relents de honte et de dépréciation généralisée dont je souffrais, auxquels s'ajoutait le sentiment, qui ne m'avait jamais tout à fait quitté, d'être un fardeau.

Sans en avoir l'intention, regardant dans le vague, j'ai croisé par accident les yeux d'un homme assis sur un banc en face. J'ai vite détourné la tête mais c'était trop tard ; il s'était levé et marchait vers moi.

« Mignon, ce clebs, a-t-il dit en se baissant pour caresser Popper, puis, voyant que je ne répondais pas : Comment tu t'appelles ? Ça te dérange si je m'assieds ? » C'était un type maigre et nerveux, petit mais apparemment costaud ; il sentait mauvais. Je me suis levé, évitant ses yeux, mais alors que je me tournais pour partir il a lancé le bras et m'a attrapé par le poignet.

« C'est quoi le problème, je ne te plais pas ? » a-t-il demandé d'une vilaine voix.

Je me suis tortillé pour me libérer et j'ai couru – Popper sur mes talons, vers la rue, trop vite, il n'avait pas l'habitude de la circulation en ville, des voitures qui arrivaient dans tous les sens – puis je l'ai attrapé juste à temps et j'ai traversé la 5e Avenue toujours en courant, en direction du restaurant *Chez Pierre*. Coincé de l'autre côté par le feu qui avait changé, mon poursuivant s'était attiré les regards de certains piétons, et quand, en sécurité dans le cercle lumineux de l'entrée chaude et bien éclairée de l'hôtel – couples bien habillés ; portiers hélant des taxis – j'ai regardé de nouveau dans sa direction, j'ai vu qu'il s'était évanoui dans le parc.

Les rues étaient beaucoup plus bruyantes que dans mon souvenir, plus malodorantes aussi. Debout à l'angle à côté de la galerie *À la vieille Russie,* je me suis retrouvé submergé par l'ancienne puanteur familière du centre de Manhattan : chevaux de fiacre, fumées des pots d'échappement des bus, parfum, et urine. Pendant si longtemps j'avais considéré Vegas comme une étape – ma vraie vie c'était New York – mais était-ce bien le cas ? *Plus maintenant,* me suis-je dit, découragé, en passant en revue le filet éclairci de piétons qui pressaient le pas devant Bergdorf.

J'avais mal, j'étais gelé et j'avais de nouveau de la fièvre, mais j'ai descendu une dizaine de rues en continuant d'essayer d'éliminer les bourdonnements dans ma tête et la légèreté dans mes jambes, ainsi que la vibration envahissante du bus. Pour finir, le froid a eu raison de moi et j'ai hélé un taxi ; en bus ça aurait été un trajet facile, une demi-heure peut-être, en droite ligne depuis la 5e Avenue vers le Village, sauf qu'après trois jours et trois nuits en Greyhound je ne supportais pas l'idée de tressauter dans un énième bus ne serait-ce qu'une minute de plus.

Je n'étais pas si à l'aise que ça à l'idée de débarquer chez Hobie sans prévenir, pas à l'aise du tout vu que nous n'avions pas correspondu depuis quelque temps, ce par ma faute, pas la sienne ; à un moment donné j'avais juste arrêté de lui répondre. En un sens, c'était le cours naturel des choses ; or en réalité, la suggestion lancée par Boris (« Vieux pédé ? ») m'avait fait reculer, et ses deux ou trois dernières lettres étaient restées sans réponse.

Je me sentais mal ; horriblement mal. Même si la course n'était pas longue, j'avais dû m'assoupir sur le siège arrière parce que, lorsque le chauffeur s'est arrêté et a demandé : « Ça te va ici ? », je suis revenu à moi en sursaut, et l'espace d'un moment je suis resté assis, abasourdi et luttant pour me rappeler où j'étais.

Alors que le taxi s'éloignait, j'ai remarqué que la boutique était fermée et sombre, comme si elle n'avait jamais été rouverte pendant toute la période où j'avais été absent de New York. Les vitres étaient sales et, en regardant à l'intérieur, j'ai vu que certains des meubles étaient recouverts de draps. Strictement rien d'autre n'avait changé, sauf que tout le vieux bric-à-brac – les cacatoès en marbre, les obélisques – était couvert d'une couche supplémentaire de poussière.

Mon cœur a défailli. Je suis resté planté dans la rue durant une longue minute ou deux avant de trouver le courage de sonner. J'ai eu l'impression d'être resté là une éternité à écouter l'écho distant, alors qu'il est probable que cela n'a pas duré longtemps du tout ; je m'étais presque convaincu qu'il n'y avait personne (et que ferais-je alors ? Je remonterais à pied jusqu'à Times Square, j'essayerais de dégoter un hôtel pas cher quelque part, ou bien je me rendrais à la brigade des mineurs ?) lorsque la porte s'est ouverte d'un coup et je me suis retrouvé, non pas face à Hobie, mais face à une fille de mon âge.

C'était elle – Pippa. Toujours minuscule (j'étais devenu beaucoup plus grand qu'elle) et mince, mais l'air en bien meilleure santé que la dernière fois que je l'avais vue, le visage plus rond ; beaucoup de taches de rousseur ; des cheveux différents aussi, qui semblaient avoir repoussé avec une couleur et texture autres, pas blond vénitien mais d'un rouille plus sombre et un peu hirsutes, semblables à ceux de sa tante Margaret. Elle était habillée comme un garçon, avec des chaussettes à orteils et un vieux pantalon en velours côtelé, un pull trop grand et un foulard déjanté à rayures roses et orange digne d'une mamie loufoque. Les sourcils froncés, polie mais méfiante, ses yeux marron doré m'ont jeté un regard vide : une inconnue. « Je peux vous aider ? »

Elle m'a oublié, me suis-je dit, consterné. Comment avais-je pu espérer qu'elle se souvienne ? Cela faisait si longtemps ; je savais que j'avais l'air différent, moi aussi. C'était comme voir quelqu'un que j'avais cru mort.

Puis, descendant lourdement les escaliers et arrivant derrière elle vêtu d'un pantalon en serge de coton couvert de taches de peinture et d'un gilet usé aux coudes : Hobie. Ma première pensée a été : *Il s'est fait couper les cheveux* ; ils étaient très courts et bien plus blancs que dans mon souvenir. Son expression était légèrement irritée ; pendant le moment où mon cœur a défailli, je me suis dit qu'il ne m'avait pas reconnu non plus, puis : « Mon Dieu, a-t-il fait en reculant tout à coup.

— C'est moi, me suis-je empressé de répondre. Je craignais qu'il ne me referme la porte au nez. Theodore Decker. Vous vous souvenez ? »

Pippa l'a aussitôt regardé – de toute évidence elle reconnaissait mon nom, même si elle ne me reconnaissait pas, *moi* – et la surprise amicale sur leurs deux visages était si étonnante que je me suis mis à pleurer.

« Theo. » Son étreinte était forte et paternelle, et si puissante que cela m'a fait pleurer encore plus fort. Puis sa main s'est posée sur mon épaule, une lourde main, comme une ancre, la sécurité et l'autorité mêmes ; il m'a fait entrer dans l'atelier, sombres dorures et fortes odeurs de bois dont j'avais rêvé, ensuite on a monté les escaliers pour pénétrer dans le petit salon perdu de vue depuis si longtemps, avec ses velours, ses urnes et ses bronzes. « C'est merveilleux de te voir », a-t-il dit. Puis : « Tu as l'air crevé », « Tu es arrivé quand ? », « Tu as faim ? »,

« Mon Dieu, tu as grandi ! », « Ces cheveux ! On dirait Mowgli l'enfant sauvage ! » Inquiet à présent : « Est-ce que c'est trop confiné ici ? Peut-être qu'il faudrait que j'ouvre une fenêtre ? » Et, quand Popper a sorti la tête du sac : « Oh ! C'est qui, lui ? »

Pippa l'a soulevé et pris dans les bras en riant. D'un rouge luisant et éclatant, à l'image des barres d'un chauffage électrique, ma tête tournait à cause de la fièvre, et j'étais tellement ailleurs que cela ne me dérangeait même pas de pleurer. Je n'étais conscient de rien hormis du soulagement d'être là et de mon cœur douloureux et débordant.

Dans la cuisine, il y avait de la soupe aux champignons qui ne me faisait pas envie mais qui était chaude, et j'étais gelé jusqu'aux os. Tout en mangeant (Pippa assise en tailleur par terre jouait avec Popchik, agitant le pompon de son écharpe de grand-mère sous son nez, Popper/Pippa, comment n'avais-je jamais remarqué la parenté de leurs noms ?) je lui ai un peu raconté, d'une manière embrouillée, la mort de mon père et ce qui s'était passé. Les bras croisés, Hobie affichait un air des plus inquiets, son front buté se fronçant de plus en plus au fur et à mesure de mon récit.

« Tu dois l'appeler. La femme de ton père, a-t-il suggéré.

— Mais ce n'est pas sa femme ! C'est juste sa petite amie ! Et elle se contrefiche de moi. »

Il a secoué la tête avec fermeté. « Peu importe. Tu dois l'appeler et l'informer que tu vas bien. Oui, oui, tu dois, a-t-il insisté en parlant plus fort que moi qui tentais d'objecter. Il n'y a pas de mais qui tienne. Maintenant. Tout de suite. À l'instant. Pips (il y avait un vieux téléphone à l'ancienne dans la cuisine), viens, on lui laisse la place une minute. »

Bien que Xandra soit à peu près la dernière personne à qui j'aie envie de parler – surtout après avoir pillé sa chambre et volé l'argent de ses pourboires – j'étais tellement submergé de soulagement à l'idée d'être là qu'il aurait pu me demander n'importe quoi, je l'aurais fait. Tout en composant le numéro, j'ai essayé de me dire qu'elle ne répondrait sans doute pas (tant d'avocats et d'agents de recouvrement de créances nous appelaient, en permanence, qu'il était rare qu'elle prenne des appels inconnus). J'ai donc été surpris quand elle a réagi à la première sonnerie.

« Tu as laissé la porte ouverte, a-t-elle lancé presque tout de suite d'une voix accusatrice.

— Quoi ?

— Tu as laissé partir le chien. Il s'est enfui... je ne le trouve nulle part. Il s'est probablement fait renverser par une voiture.

— Non. » Je fixais l'obscurité de la cour de brique. Il pleuvait, des gouttes frappaient fort sur les vitres, c'était la première vraie pluie que je voyais en près de deux années. « Il est avec moi.

— Oh. » Elle a eu l'air soulagé. Puis, tout à coup : « Où tu es ? Avec Boris quelque part ?

— Non.

— Je lui ai parlé... il était défoncé un max, en tout cas c'est l'effet qu'il m'a fait. Il a refusé de me dire où tu étais. Mais je sais qu'il sait. » Bien qu'il soit encore tôt là-bas, sa voix était râpeuse comme si elle avait bu, ou pleuré. « Je devrais appeler les flics à ton sujet, Theo. Je sais que c'est toi qui as volé cet argent et le reste.

— Ouais, comme toi tu as volé les boucles d'oreilles de ma mère.

— Quoi... ?

— Celles en émeraude. Elles appartenaient à ma grand-mère.

— Je ne les ai pas *volées*. » Elle était en colère à présent. « Comment tu oses. Larry me les a *données*, il me les a données après...

— Ouais. Après les avoir volées à ma mère.

— Euh, excuse-moi, mais ta mère est morte.

— Oui, mais elle ne l'était pas quand il les a volées. C'était une année avant sa mort. Elle a contacté la compagnie d'assurances, ai-je dit en parlant plus fort qu'elle. Et elle a déposé plainte à la police. » Je ne savais pas si le dernier point était vrai, mais ça aurait très bien pu l'être.

« Euh, je suppose que tu n'as jamais entendu parler d'un petit quelque chose qui s'appelle la communauté de biens.

— Mais si. Et je suppose que tu n'as jamais entendu parler de quelque chose qui s'appelle un bien d'héritage. Mon père et toi n'étiez même pas mariés. Il n'avait aucun droit de te les donner. »

Silence. J'ai entendu le déclic du briquet pour sa cigarette à l'autre bout, puis une inspiration lasse. « Écoute, mon gars. Je peux te dire quelque chose ? Pas à propos de l'argent, juré. Ou du coup. Sauf que je peux t'assurer que je ne faisais rien dans ce goût-là quand j'avais ton âge. Tu te crois intelligent, et je suppose que tu l'es, mais tu files un très mauvais coton, toi et Machin-chose. Ouais. Ouais, a-t-elle dit en élevant la voix pour couvrir la mienne, je l'aime bien moi aussi, mais ce gamin c'est de la mauvaise graine.

— Tu sais de quoi tu parles. »

Elle a ri, d'un rire morose. « Tu seras peut-être étonné, mais j'ai un peu vécu… et je *sais* de quoi je parle. À dix-huit ans il finira en prison, celui-là, et c'est couru d'avance que tu t'y retrouveras avec lui. Enfin bon, je ne t'accuse pas, a-t-elle poursuivi en élevant de nouveau la voix, j'adorais ton père, mais c'était un bon à rien et, d'après ce qu'il m'a raconté, ta mère ne valait pas beaucoup mieux.

— OK. C'est bon. Va te faire foutre. » J'étais tellement en colère que j'en tremblais. « Je raccroche.

— Non… attends. Attends. Je suis désolée. Je n'aurais pas dû dire ça sur ta mère. Ce n'est pas pour ça que je voulais te parler. S'il te plaît. Tu peux attendre une seconde ?

— J'attends.

— Tout d'abord… à supposer que ça t'intéresse : je vais faire incinérer ton père. Ça te va ?

— Fais ce que tu veux.

— Tu n'en as jamais rien eu à foutre, hein ?

— C'est tout ?

— Encore une chose. Je me fiche de savoir où tu es, très franchement. Mais j'ai besoin d'une adresse où on peut te contacter.

— Et pourquoi ?

— Ne fais pas ton malin. À un moment donné quelqu'un de ton lycée ou d'ailleurs va appeler…

— Ça m'étonnerait.

— … et j'aurai besoin, je ne sais pas, d'une sorte d'explication sur l'endroit où tu te trouves. À moins que tu veuilles que les flics mettent ta photo avec un avis de recherche sur une brique de lait ou un truc dans ce goût-là.

— Ça me semble peu probable.

— *Peu probable*, a-t-elle répété dans une imitation cruelle et traînante de ma voix. Eh bien, peut-être. Mais donne-la-moi quand même et comme ça on sera quittes. Enfin bon, que les choses soient claires, de nouveau, je me contrefiche de l'endroit où tu es, a-t-elle poursuivi face à mon silence. Je n'ai juste pas envie d'être ici avec tout sur les bras au cas où il y aurait un problème et que j'aie besoin de te contacter.

— Il y a un avocat à New York. Il s'appelle Bracegirdle. George Bracegirdle.

— Tu as son numéro ?

— Il est dans l'annuaire. » Pippa était entrée dans

la pièce pour y prendre un bol d'eau pour le chien et, gauchement, je me suis tourné vers le mur afin de ne pas avoir à la regarder.

« Brace *Girdle* ? a fait Xandra. Ça s'écrit comme ça se prononce ? C'est quoi ce nom, putain ?

— Écoute, je suis sûr que tu pourras le trouver. »

Il y a eu un silence. Puis Xandra a dit : « Tu sais quoi ?

— Quoi ?

— C'est ton père qui est mort. Ton propre père. Et tu te comportes comme si c'était, je ne sais pas, le chien, allez, mais *même pas* le chien. Parce que je sais que tu serais peiné si c'était le chien qui avait été renversé par une voiture, en tout cas c'est ce que je crois.

— Disons que je me souciais de lui à peu près autant qu'il se souciait de moi.

— Eh bien, laisse-moi *te* dire une chose. Toi et ton père vous êtes beaucoup plus semblables que ce que tu crois. Tu es bien son gamin, y a pas d'erreur là-dessus.

— Et toi tu es une grosse conne », ai-je lancé après une brève pause méprisante – une réplique qui, selon moi, semblait très bien résumer la situation. Mais, longtemps après avoir raccroché, alors que j'éternuais et tremblais dans un bain chaud, et dans le brouillard lumineux qui a suivi (avalant les aspirines que Hobie m'avait données, le suivant le long du couloir jusqu'à la chambre d'amis sentant le renfermé, *tu m'as l'air crevé, il y a des couvertures supplémentaires dans la malle, non, on ne parle plus, je te laisse maintenant*), sa dernière remarque n'en finissait pas de résonner dans mon esprit tandis que je tournais mon visage dans le lourd oreiller à l'odeur inconnue. Ce n'était pas vrai, pas plus que ce qu'elle avait dit sur ma mère n'était vrai. Au seul souvenir de sa voix sèche et râpeuse à l'autre bout de la ligne, je me sentais sale. *Qu'elle aille se faire foutre*, me suis-je dit aux portes du sommeil. Oublie-la. Elle était à un million de kilomètres d'ici. Mais j'avais beau être mort de fatigue – et plus que ça encore – et le lit en cuivre branlant avait beau être le lit le plus moelleux dans lequel j'aie jamais dormi, ses mots étaient comme un fil hideux courant toute la nuit à travers mes rêves.

III

---

*Il ne faut pas s'offenser
que les autres nous cachent la vérité,
puisque nous nous la cachons si souvent
à nous-mêmes.*

François de La Rochefoucauld

7

L'arrière-boutique

I

En entendant le fracas des camions poubelles à mon réveil, je me serais cru parachuté dans un autre univers. Ma gorge était douloureuse. Allongé immobile sous l'édredon, je respirais l'odeur sombre de pot-pourri séché et de bois brûlé dans la cheminée ainsi que – c'était très léger – l'immuable et puissante pointe de térébenthine, de résine et de vernis.

Je suis resté comme ça quelque temps. Jusque-là enroulé à mes pieds, Popper n'était nulle part en vue. J'avais dormi tout habillé, or mes vêtements étaient dégoûtants. Pour finir, secoué par une série d'éternuements, je me suis assis, j'ai enfilé mon pull par-dessus ma chemise et fouillé dans la valise pour m'assurer que la taie d'oreiller y était toujours, puis d'un pas traînant sur des sols froids j'ai marché jusqu'à la salle de bains. Mes cheveux avaient séché avec des nœuds trop emmêlés pour y passer le peigne d'un coup sec, et même après les avoir mouillés et avoir recommencé, un gros morceau était si emmêlé que j'ai fini par abandonner et l'ai coupé, laborieusement, avec une paire de ciseaux à ongles rouillés trouvée dans le tiroir.

Bon sang, me suis-je dit en me détournant du miroir pour éternuer. Je n'en avais pas vu depuis un certain temps et c'est à peine si je me suis reconnu : bleu sur la joue, éruption d'acné sur le menton, visage barbouillé et enflé à cause de mon rhume – yeux gonflés aussi, paupières lourdes et ensommeillées me donnant l'air idiot et sournois d'un étudiant par correspondance. Je ressemblais à un gamin élevé dans une secte qui viendrait juste d'être sauvé par les flics du coin et que l'on sortirait clignant des yeux d'une cave bourrée d'armes à feu et de lait en poudre.

Il était tard : neuf heures. En quittant ma chambre j'ai entendu le programme matinal de musique classique sur WNYC, familiarité onirique de la voix du présentateur, numéros de Köchel, calme soporifique, le même ronronnement chaud du service public au son duquel je m'étais réveillé tant de matins à Sutton Place. Dans la cuisine, j'ai trouvé Hobie attablé devant un livre.

Mais il ne lisait pas ; il fixait le mur en face de lui. Quand il m'a vu, il a sursauté.

« Eh bien, te voilà », a-t-il lancé en se levant pour repousser en désordre une pile de courrier et de factures afin que je puisse m'asseoir. Il était habillé pour l'atelier, pantalon trop court en velours côtelé et vieux pull marron foncé, effiloché et mangé aux mites, avec sa nouvelle coupe de cheveux courts et son début de calvitie frontale qui lui donnait l'air lourdaud de la statue en marbre du sénateur aux tempes dégarnies qui ornait la couverture de mon livre de latin.

« Comment va ?

— Bien, merci. » Voix râpeuse et croassante.

Ses sourcils se sont de nouveau froncés et il m'a fixé avec dureté. « Bon sang ! Tu as la voix d'un corbeau ce matin », s'est-il exclamé.

Que voulait-il dire ? Enflammé par la honte, je me suis glissé sur la chaise qu'il avait débarrassée pour moi et, trop gêné pour croiser son regard, j'ai jeté un œil sur son livre : cuir craquelé, *La Vie et les Lettres* de Lord quelque chose, un vieux volume qui provenait sans doute de l'une de ses ventes publiques, la vieille Mrs. Truc-muche là-haut à Poughkeepsie, fracture de la hanche, pas d'enfants, quelle tristesse.

Il m'a versé du thé et a poussé une assiette dans ma direction. Dans une tentative pour cacher ma gêne, j'ai baissé la tête et attaqué la tranche de pain grillé, manquant de m'étouffer car ma gorge était trop à vif pour avaler. J'ai tendu la main vers le thé trop vite et l'ai renversé sur la nappe, puis me suis précipité pour éponger.

« Non... non, ce n'est pas grave... Attends... »

Ma serviette était trempée, je ne savais qu'en faire ; dans ma confusion, je l'ai laissée tomber sur la tranche de pain et j'ai glissé les doigts sous mes lunettes pour me frotter les yeux. « Je suis désolé, ai-je lâché.

— Désolé ? » Il me regardait comme si je lui avais demandé mon chemin et qu'il n'était pas sûr de savoir où était l'endroit où je voulais aller. « Oh, mais enfin...

— S'il vous plaît, ne me demandez pas de partir.

— De quoi tu parles ? Te demander de *partir* ? Partir où ? » Il a abaissé ses lunettes demi-lunes et m'a regardé par-dessus. « Ne sois pas ridicule, a-t-il poursuivi d'une voix enjouée et un peu irritée. Je vais te dire où je crois que tu devrais aller : directement dans ton lit. On dirait que tu as attrapé la peste noire. »

Mais son attitude n'a pas réussi à me rassurer. Paralysé par la gêne, déterminé à ne pas pleurer, je fixais le coin abandonné près de la gazinière, où se trouvait jadis le panier de Cosmo.

« Ah, a fait Hobie quand il m'a vu regarder dans cette direction. Oui. Nous y voilà. Sourd comme un pot, trois à quatre attaques par semaine, pourtant nous persistions à penser qu'il vivrait éternellement. J'ai pleuré comme un veau. Si l'on m'avait dit que Welty partirait avant

Cosmo – il avait passé la moitié de sa vie à traîner ce chien chez le vétérinaire... Écoute, a-t-il dit d'une voix altérée en se penchant en avant et en essayant de croiser mon regard alors que j'étais toujours assis, muet et malheureux. Allons. Je sais que tu as traversé beaucoup d'épreuves, mais il n'est vraiment pas nécessaire que tu t'étendes là-dessus maintenant. Tu m'as l'air très remué... Allons, allons, mais si, a-t-il enchaîné d'un ton alerte. Très très remué et... À tes souhaits (tressaillant un peu). C'est trop ou pas assez pour toi. Ne te tracasse pas, tout va bien. Retourne te coucher, hein, et on en reparlera plus tard.

— Je sais, mais... » J'ai détourné la tête afin de réprimer un éternuement mouillé et gargouillant. « Je n'ai nulle part où aller. »

Il s'est appuyé contre le dossier de sa chaise : courtois, prévenant, désuet presque. « Theo (il a tapoté sa lèvre inférieure), quel âge as-tu ?

— Quinze ans. Quinze ans et demi.

— Et... (il semblait chercher une manière de le formuler) et ton grand-père ?

— Oh, ai-je émis en désespoir de cause après un temps d'arrêt.

— Tu lui as parlé ? Il sait que tu n'as nulle part où aller ?

— Eh bien... merde... (ça venait de m'échapper ; Hobie a tendu la main pour me rassurer), vous ne comprenez pas. Je veux dire... je ne sais pas s'il a Alzheimer ou quoi, mais quand ils l'ont appelé, il n'a même pas demandé à me parler.

— Et donc (Hobie a posé pesamment son menton dans sa main et m'a regardé comme le ferait un instituteur sceptique) tu ne lui as pas parlé...

— Non... enfin, pas en personne... Il y avait cette femme qui était là et qui aidait... » L'amie de Xandra, Lisa (sur mes talons avec toute sa sollicitude, exprimant un souci modéré mais de plus en plus pressant que « la famille » soit informée), s'était retirée dans un coin à un moment donné pour composer le numéro que je lui avais donné – et elle avait raccroché avec une tête telle qu'elle avait déclenché chez Xandra le seul rire de la soirée.

« Et alors, cette dame ? a insisté Hobie dans le silence qui a suivi, d'une voix que l'on emploierait pour un patient en psychiatrie.

— Oui. Enfin… (ma main a frictionné vigoureusement mon visage ; les couleurs dans la cuisine étaient trop intenses, la tête me tournait, c'était incontrôlable) je suppose que c'est Dorothy qui a répondu, et Lisa a raconté qu'elle avait dit un truc comme "OK, attendez" – pas même "Oh non !" ou "Que s'est-il passé ?" ou encore "C'est terrible !" – juste "Attendez, je vais vous le chercher" ; puis mon grand-père est arrivé et Lisa lui a expliqué l'accident, il a écouté puis il a dit, eh bien, qu'il était désolé de l'apprendre, mais sur un *ton morne,* a expliqué Lisa. Pas "Qu'est-ce que je peux faire" ou "L'enterrement est pour quand", ni rien de ce style-là. Juste merci d'avoir appelé, nous vous en sommes reconnaissants, au revoir. C'est sûr… j'aurais pu la prévenir, ai-je ajouté quand Hobie n'a pas répondu. Parce que bon, ils n'aimaient vraiment pas mon père – *vraiment* pas – Dorothy, sa belle-mère, et lui se sont détestés au premier regard, mais il ne s'est jamais entendu avec grand-père Decker non plus…

— D'accord, d'accord. Calme-toi…

— … et, bon, mon père a eu des ennuis quand il était gosse, ça avait peut-être un rapport – il a été arrêté mais je ne sais pas pourquoi… honnêtement je ne sais pas pourquoi, mais ils n'ont jamais voulu avoir quoi que ce soit à faire avec lui depuis aussi longtemps que je m'en souvienne, et pareil avec moi…

— Calme-toi ! Je n'essaie pas de…

— … parce que, je le jure, je les ai à peine vus, je ne

537

les connais pas du tout, mais ils n'ont pas de raison de me détester… Non pas que mon grand-père soit un mec super, il a été plutôt agressif avec mon père, en fait…

— Chuuut – arrête ! Je n'essaie pas de te mettre une quelconque pression, je veux juste savoir… Pas maintenant, écoute, a-t-il dit alors que j'essayais de l'interrompre, repoussant mes mots en battant des mains comme s'il essayait de chasser une mouche de la table.

— L'avocat de ma mère est ici. À New York. Est-ce que vous m'accompagneriez à son cabinet ? Non, ai-je lancé en pleine confusion quand j'ai vu ses sourcils se rapprocher, ce n'est pas un *avocat* avocat, mais il gère l'argent. Je lui ai parlé au téléphone. Avant mon départ.

— OK, a fait Pippa (elle riait, les joues rosies par le froid), qu'est-ce qui cloche chez ce chien ? Il n'a jamais vu de voiture ? »

Cheveux roux flamboyants ; bonnet vert en laine ; le choc de la voir en pleine lumière m'a fait l'effet d'un filet d'eau froide. Il y avait un petit problème dans sa démarche, probablement à cause de l'accident, mais elle possédait la légèreté d'une sauterelle, avec ce qui semblait être le préliminaire curieux et gracieux à un pas de danse ; et elle était enveloppée de tant d'épaisseurs pour se protéger du froid qu'elle ressemblait à un petit cocon coloré doté de pieds.

« Il miaulait comme un chat, a-t-elle expliqué en déroulant une de ses nombreuses écharpes à motifs pendant que Popchik dansait à ses pieds avec le bout de sa laisse dans la gueule. Est-ce qu'il fait toujours ce bruit bizarre ? Du genre, un taxi passe et… hop ! il saute en l'air ! Je l'ai promené comme si je tenais un cerf-volant ! Les gens se tordaient de rire. Oui (se penchant pour parler au chien, lui frottant le dessus de la tête avec le dos de sa main fermée), toi, tu as besoin d'un bain, hein ? C'est un bichon ? » a-t-elle demandé en levant les yeux.

J'ai hoché la tête avec énergie, le dos de ma main posé sur la bouche pour tenter de contenir un éternuement.

« J'adore les chiens. » J'entendais à peine ce qu'elle disait tant j'étais ébloui par ses yeux sur les miens. « J'ai un livre sur eux et j'ai appris toutes les races par cœur. Si j'avais un gros chien ce serait un terre-neuve comme Nana dans *Peter Pan*, et si j'avais un petit chien… eh bien, je n'arrête pas de changer d'avis. J'aime tous les petits terriers – surtout les Jack Russell, ils sont trop drôles et sympas dans la rue. Mais je connais aussi un merveilleux terrier du Congo. Et l'autre jour j'ai croisé un pékinois vraiment génial. Super super minuscule et drôlement intelligent. En Chine, seule la royauté pouvait en posséder. C'est une race très ancienne.

— Les bichons maltais aussi sont anciens, ai-je croassé, heureux de pouvoir apporter une information intéressante. Ils remontent à la Grèce antique.

— C'est pour ça que tu as choisi un bichon ? Parce que c'est ancien ?

— Euh… » J'ai réprimé une quinte de toux.

Elle disait autre chose – à l'adresse du chien, pas de moi – mais j'avais succombé à une autre série d'éternuements. Hobie s'est dépêché de trouver à tâtons ce qui lui tombait sous la main – en l'occurrence une serviette de table – et me l'a passée.

« Allez, ça suffit ! Au lit ! Non, non, a-t-il fait alors que j'essayais de lui rendre la serviette, garde-la. Maintenant, dis-moi ce que je peux t'apporter pour le petit déjeuner ? » a-t-il poursuivi en regardant le naufrage dans mon assiette, le thé renversé et le pain grillé trempé.

Pris par les éternuements, je lui ai adressé un lumineux haussement d'épaules doublé d'un accent russe emprunté à Boris : *n'importe quoi.*

« D'accord, alors, si cela ne te dérange pas, je vais te préparer du porridge. C'est facile à avaler. Tu n'as pas de chaussettes ?

— Euh… » Pippa était occupée avec le chien, pull moutarde et cheveux comme des feuilles d'automne, ses couleurs étaient mélangées et se confondaient avec celles de la cuisine, qui étaient vives : pommes striées luisant dans un bol jaune, éclat vif de l'argent scintillant de la boîte à café dans laquelle Hobie gardait ses pinceaux.

« Un pyjama ? a demandé Hobie. Non ? Je vais voir ce que je peux trouver dans les affaires de Welty. Et quand tu auras enlevé tes habits, je les mettrai dans la machine. Et maintenant, vas-y, m'a-t-il ordonné en posant sa main sur mon épaule avec une telle soudaineté que j'ai sursauté.

« Je…

— Tu peux rester. Aussi longtemps que tu veux. Et ne t'inquiète pas, je t'accompagnerai chez ton avocat, tout ira bien. »

II

Groggy, tremblant, j'ai avancé le long du couloir sombre et me suis glissé entre les draps, qui étaient lourds et gelés. La pièce sentait l'humidité, et bien qu'il y ait beaucoup de choses intéressantes à regarder – deux griffons en terre cuite, des tableaux victoriens en perles, et même une boule de cristal –, les murs marron foncé, leur texture sèche et profonde comme de la poudre de cacao, je m'en suis imprégné encore et encore tout en sentant la voix de Hobie, ainsi que celle de Welty, un brun amical qui me trempait jusqu'à la moelle et parlait en des tons chauds et désuets si bien que, dérivant sur un horrible flot de fièvre, je me suis senti enveloppé et rassuré par leur présence tandis que Pippa avait ajouté un halo mouvant et coloré de son cru ; dans la confusion j'ai songé à des feuilles écarlates et à des étincelles de feux de joie volant dans l'obscurité, et aussi à mon tableau, à quoi il ressemblerait sur un fond aussi somptueux, sombre et absorbant la lumière. Des plumes jaunes. Des éclairs cramoisis. Des yeux noirs vifs.

Je me suis réveillé en sursaut – terrifié, battant l'air, de retour dans le Greyhound avec quelqu'un qui sortait le tableau de ma valise – pour découvrir Pippa qui soulevait le chien endormi, ses cheveux plus lumineux que le restant de la pièce.

« Désolée, mais il a besoin de sortir, m'a-t-elle expliqué. Ne m'éternue pas dessus. »

Je me suis soulevé tant bien que mal sur les coudes. « Désolé, salut, ai-je répondu comme un imbécile en passant un bras sur mon visage ; et puis : Je me sens mieux. »

Ses yeux brun doré troublants ont fait le tour de la pièce. « Tu t'ennuies ? Tu veux que je t'apporte des crayons de couleur ?

— Des crayons de couleur ? » J'étais dérouté. « Pourquoi ?

— Euh, pour dessiner… ?

— Eh bien…

— Pas grave. Il te suffisait de dire non. »

Elle a disparu en un clin d'œil avec Popchik trottinant sur ses talons, laissant derrière elle une odeur de chewing-gum à la cannelle, et j'ai caché mon visage dans l'oreiller, atterré par ma stupidité. Plutôt mourir que de le raconter à quiconque, mais je craignais que mon usage exubérant de drogues n'ait endommagé mon cerveau et mon système nerveux, peut-être même mon âme, d'une manière irréparable qui n'apparaissait pas forcément au premier coup d'œil.

Pendant que j'étais étendu là à m'inquiéter, mon portable a émis un bip :

Devine où je suis ? piscine @ MGM grand !!!!!
J'ai cligné des yeux.

Boris ?

oui, c moi !

Qu'est-ce qu'il faisait là ?

CA VA ?

**Oui mais tres sommeil ! on a pris ces sachets d'héro
Oh la la :-)**

Puis un autre tintement :

*** trop * fun. On fé la fête. Et toi ? sous les ponts ?
NY. malade. Pourquoi tu es à MGM Grd
Ici avec KT Amber & 7 clique !!! ;-)**

Une seconde plus tard :

**tu connais 7 boisson ki s'appel wite RUsian ? tres
bon gout mé pas tres bon nom**

Un coup à la porte. « Ça va ? a demandé Hobie en
glissant la tête dans l'entrebâillement. Je peux t'apporter
quelque chose ? »

J'ai posé le téléphone. « Non, merci.

— Eh bien, fais-moi signe quand tu auras faim, s'il
te plaît. Il y a des tonnes de nourriture, le frigo est si
rempli que je peux à peine fermer la porte, on a eu des
invités pour Thanksgiving... C'est quoi, ce boucan ? a-t-il
voulu savoir en jetant un regard circulaire.

— C'est juste mon téléphone. » Boris avait envoyé
comme texto :

cé derniers jours tro cools !!!

« Eh bien, je te laisse. Dis-moi si tu as besoin de quoi
que ce soit. »

Après son départ je me suis retourné vers le mur, puis
j'ai répondu :

MGM Grand ? Avec KT Bearman ?!

La réponse a pratiquement fusé :

**oui ! et Amber & Mimi & Jesica & Jordan la sœur
de KT qui est en * fac * :-D**

put1 !!!

tu É parti o mauvais moment !!! :-D

Puis, presque tout de suite, avant que je puisse répondre :

jy vé, Ambr a besoin de son tel

appel moi + tard, ai-je envoyé. Mais pas de réponse de son côté – et il s'est écoulé beaucoup beaucoup de temps avant que j'aie des nouvelles de lui.

III

Ce jour-là et les suivants, je traînassais dans un pyjama de Welty extraordinairement doux, j'étais totalement déboussolé, déréglé par la fièvre, me revoyant sans cesse à Port Authority, courant pour échapper à des gens, ou esquivant des foules puis plongeant dans des tunnels avec de l'eau graisseuse qui me coulait dessus, ou encore de retour à Las Vegas dans le bus CAT, traversant des zones industrielles battues par les vents, avec des rafales de sable qui heurtaient les vitres, sans argent pour payer mon billet. Le temps glissait sous mes pieds, j'étais comme une voiture dérapant sur des plaques de verglas, interrompu par de soudains éclairs vifs où mes roues se grippaient, me projetant alors vers le temps ordinaire : Hobie m'apportait des aspirines et du Canada dry avec des glaçons, Popchik, fraîchement baigné, duveteux et blanc comme neige, sautillait au pied du lit et faisait des allers-retours énergiques sur mes pieds.

« Allez, a lancé Pippa en s'avançant vers le lit et en me donnant un petit coup dans les côtes pour pouvoir s'asseoir. Bouge. »

Je me suis assis, tâtonnant pour trouver mes lunettes. J'avais rêvé du tableau : je l'avais sorti et je le regardais, ou pas ? Et je me suis retrouvé à inspecter avec nervosité autour de moi pour m'assurer que je l'avais bien rangé avant de m'endormir.

« Qu'est-ce qu'il y a ? »

Je me suis forcé à tourner mes yeux vers elle. « Rien. » J'avais rampé sous le lit à plusieurs reprises juste pour poser les mains sur la taie d'oreiller, et je ne pouvais m'empêcher de me demander si je n'avais pas été négligent et si elle ne dépassait pas de sous le lit. *Ne regarde pas en dessous, regarde-la, elle*, me suis-je dit.

« Tiens, a ajouté Pippa. J'ai un cadeau pour toi. Tends la main.

— Waouh, me suis-je exclamé en fixant l'origami vert pomme pointu dans ma paume. Merci.

— Tu sais ce que c'est ?

— Euh… Un cerf ? Un corbeau ? Une gazelle ? » Paniqué, j'ai levé les yeux vers elle.

« Tu donnes ta langue au chat ? C'est une grenouille ! Tu ne le vois pas ? Tiens, pose-la sur la table de chevet. Elle est supposée sauter quand tu presses dessus comme ça, tu vois ? »

Je me suis amusé gauchement avec, tout en étant conscient de ses yeux posés sur moi – des yeux qui possédaient une lumière et une intensité, une puissance insouciante, on aurait cru ceux d'un chaton.

« Je peux regarder ? » Elle a pris l'iPod et l'a passé en revue. « Hmm, a-t-elle fait. Cool ! Magnetic Fields, Mazzy Star, Nico, Nirvana, Oscar Peterson. Pas de classique ?

— Si, il y en a un peu », ai-je répondu, gêné. À part le Nirvana, tout ce qu'elle avait mentionné provenait en fait de ma mère, et même quelques titres de ce groupe étaient les siens.

« Je te graverais bien des CD. Sauf que j'ai laissé mon ordinateur au collège. Je suppose que je pourrais t'en envoyer par email, j'ai écouté beaucoup de Arvo Pärt ces derniers temps, ne me demande pas pourquoi, mais je dois mettre les écouteurs parce que ça rend mes camarades dingues. »

Terrifié qu'elle me surprenne à la dévisager, incapable de détourner les yeux, je l'ai regardée explorer mon iPod tête baissée : oreilles roses, trace du bourrelet d'une cicatrice à peine marquée sous des cheveux d'un roux brûlant. De profil, ses yeux baissés étaient allongés, ses paupières lourdes, il émanait d'elle une tendresse qui me rappelait les anges et certaines pages de *Chefs-d'œuvre d'Europe du Nord* que j'avais sorti et ressorti de la bibliothèque.

« Hé... » Les mots s'asséchaient dans ma bouche.

— Oui ?

— Hum... » Pourquoi ce n'était pas comme avant ? Pourquoi je n'arrivais pas à trouver un truc à dire ?

« Oooh... » Elle m'avait jeté un coup d'œil rapide, puis elle s'était remise à rire, à rire trop fort pour pouvoir parler.

« Qu'est-ce qu'il y a ?

— Pourquoi tu me regardes comme ça ?

— Comme quoi ? ai-je questionné, alarmé.

— Comme... » Je n'étais pas sûr de la façon dont il fallait interpréter la grimace aux yeux exorbités qu'elle m'a adressée. Quelqu'un qui s'étrangle ? Un Mongol ? Un poisson ?

« Ne te fâche pas. Tu es tellement sérieux. C'est juste... » Elle a baissé les yeux vers l'iPod et s'est remise à rire. « Ooh, Chostakovitch, *ça c'est du lourd* », a-t-elle remarqué.

De quoi se souvenait-elle ? Enflammé par l'humiliation et pourtant incapable de détacher mes yeux d'elle, je m'interrogeais. Ce n'était pas le genre de choses que l'on pouvait demander, mais je voulais quand même savoir. Est-ce qu'elle faisait des cauchemars, elle aussi ? Redoutait-elle les foules ? Est-ce qu'elle suait et paniquait ? Éprouvait-elle jamais la sensation de s'observer de l'extérieur, ce qui était souvent mon cas, comme si, sous l'effet du choc, l'explosion avait séparé mon corps de mon âme en deux entités distinctes qui demeuraient à environ deux mètres l'une de l'autre ? Il y avait dans son grand éclat de rire une témérité forcée que je ne connaissais que trop depuis mes folles nuits avec Boris, une pointe d'étourdissement et d'hystérie que j'associais (chez moi en tout cas) au fait d'avoir failli mourir. Il y avait eu des nuits dans le désert où j'avais tellement ri, convulsé et plié en deux avec une douleur au ventre des heures d'affilée, que je me serais volontiers jeté sous une voiture pour que cela s'arrête.

IV

Le lundi matin, loin d'aller bien, je me suis réveillé de mon brouillard de douleurs et de sommes et me suis traîné consciencieusement à la cuisine pour appeler le cabinet de Mr. Bracegirdle. Mais quand j'ai demandé à lui parler, sa secrétaire (après m'avoir mis en attente puis être revenue un peu trop vite) m'a informé que Mr. Bracegirdle n'était pas au cabinet et, non, elle n'avait pas de numéro où le joindre et, non, elle regrettait de ne pouvoir me dire quand il rentrerait. Autre chose ?

« Eh bien… » Je lui ai laissé le numéro de Hobie et regrettais d'avoir été trop lent à réagir et de ne pas avoir arrangé de rendez-vous, lorsque le téléphone a sonné.

« De retour à New York, alors ? a lancé la voix chaleureuse et intelligente.

— Oui, j'ai quitté Vegas, ai-je bêtement répondu ; mon rhume me donnait la voix nasale d'un individu obtus. Et je suis de retour ici.

— Oui, je vois ça. » Le ton de sa voix était amical mais distant. « Que puis-je faire pour toi ? »

Quand je lui ai expliqué pour mon père, j'ai entendu une longue respiration. « Eh bien, je suis désolé d'entendre ça, a-t-il commenté sur un ton prudent. Ça s'est passé quand ?

— La semaine dernière. »

Il a écouté sans m'interrompre ; durant les cinq minutes et quelques qu'il m'a fallu pour lui expliquer, je l'ai entendu refuser au moins deux autres appels. « Mazette, quelle histoire, Theodore », a-t-il dit quand j'ai eu fini mon récit.

Mazette : si j'avais été d'une autre humeur, j'aurais souri. C'était vraiment quelqu'un que ma mère avait connu et apprécié.

« Cela a dû être terrible pour toi là-bas, a-t-il poursuivi. Mes condoléances. Tout cela est *très* triste. Bien que très franchement – et je me sens plus à l'aise pour te le dire maintenant – quand il s'est présenté, personne n'a su quoi faire. Ta mère m'avait confié certaines choses bien sûr… Même Samantha Barbour avait exprimé des réserves… Enfin, comme tu le sais, la situation était difficile. Mais personne n'imaginait ça. Des voyous avec des battes de base-ball.

— Eh bien… » *Des voyous avec des battes de base-ball*, je ne m'attendais pas à ce qu'il s'empare de ce détail-là non plus. « Il était juste planté là, la batte à la main. Ce n'est pas comme s'il m'avait frappé.

— Enfin… (il a ri, d'un rire spontané qui a rompu la tension) soixante-cinq mille dollars semblait être une somme *un peu trop* précise. Je dois t'avouer aussi que j'ai quelque peu outrepassé mes fonctions de conseiller quand on s'est parlé au téléphone, au vu des circonstances, j'espère que tu me pardonneras. C'est juste que j'ai senti qu'il y avait anguille sous roche.

— Pardon ? ai-je fait après un temps d'arrêt las.

— Au téléphone. L'argent. Tu *peux* en retirer, du plan d'investissement en tout cas. Il y a une grosse pénalité fiscale, mais c'est possible. »

Possible ? J'aurais pu débloquer l'argent ? Un autre avenir étincelait dans mon esprit : Mr. Silver payé, mon père en peignoir vérifiant les résultats sportifs sur son BlackBerry, moi au cours de Spirsetskaya avec Boris occupé à paresser de l'autre côté de l'allée centrale.

« Bien qu'il me faille t'informer que l'argent du plan est d'un montant un peu inférieur, en fait, a enchaîné Mr. Bracegirdle. Mais il est en sécurité et il n'arrête pas de croître ! Ce qui ne signifie pas que l'on ne puisse pas faire en sorte que tu en utilises une partie dès maintenant, mais ta mère était déterminée à ne pas y toucher même quand elle a eu des soucis financiers. La dernière chose qu'elle aurait voulu, c'était que ton père mette la main dessus. Et, oui, juste entre toi et moi, je pense que c'est très intelligent de ta part d'être revenu à New York de ton propre chef. Désolé… (conversation étouffée) j'ai un rendez-vous à onze heures, je dois y aller. Tu es chez Samantha maintenant, je suppose ? »

La question m'a sidéré. « Non, chez des amis dans le Village.

— Eh bien, merveilleux. Tant que tu t'y trouves bien. Quoi qu'il en soit, je suis désolé mais je dois vraiment y aller à présent. Que dirais-tu de poursuivre cette conversation dans mon cabinet ? Je te repasse Patsy pour qu'elle puisse arranger un rendez-vous.

— Super, merci », mais quand j'ai raccroché je me suis senti mal, comme si quelqu'un venait juste de plonger la main dans ma poitrine et avait arraché d'une torsion des tas de vilains trucs mouillés autour de mon cœur.

« Ça va ? m'a demandé Hobie qui traversait la cuisine et s'est arrêté tout à coup en voyant mon visage.

— Oui, oui. » Mais le chemin jusqu'à ma chambre était long – et une fois que j'ai eu fermé la porte et regagné mon lit, je me suis mis à pleurer, ou à sangloter, de vilaines respirations bruyantes et sèches, le visage enfoncé dans l'oreiller pendant que Popchik donnait des coups de pattes à ma chemise et reniflait ma nuque avec nervosité.

V

Je me sentais mieux avant cet échange, et en un sens c'était comme si ces nouvelles m'avaient de nouveau rendu complètement malade. Au fur et à mesure de la journée la fièvre m'a de nouveau étourdi et fait trembler, mon père était au cœur de toutes mes pensées : *Je dois l'appeler*, me suis-je dit, n'en finissant pas de sursauter juste au moment de m'endormir, comme si sa mort n'était pas réelle mais juste une répétition, un coup d'essai ; la mort véritable (permanente) restait à advenir, et il y avait encore du temps pour l'arrêter si je le *trouvais*, s'il répondait à son portable, si Xandra pouvait le joindre du travail, *je dois le contacter, je dois lui dire*. Puis, plus tard – c'était la fin de la journée, il faisait noir –, j'avais sombré dans un demi-sommeil agité où mon père me reprochait violemment d'avoir mal effectué des réservations d'avion, et j'ai tout d'un coup pris conscience de lumières dans le couloir et d'une minuscule ombre en contre-jour – Pippa était tout à coup entrée dans la pièce en trébuchant, un peu comme si on l'avait poussée, elle a regardé derrière elle avec un air dubitatif et dit : « Je devrais le réveiller ?

— Attends », ai-je répondu – en partie à elle et en partie à mon père qui repartait à toute vitesse vers l'obscurité, avec une foule violente dans un stade de l'autre côté d'un grand portail cintré. Après avoir chaussé mes lunettes, j'ai vu qu'elle avait enfilé son manteau comme si elle allait partir.

« Désolé, ai-je fait, le bras sur mes yeux, désorienté par la lueur de la lampe.

— Non, c'est moi qui le suis. C'est juste... Voilà (enlevant une mèche de sur son visage), je m'en vais et je voulais te dire au revoir.

— Au revoir ?

— Oh. » Ses sourcils pâles se sont froncés ; elle a regardé en arrière vers le seuil en quête de Hobie (qui avait disparu), puis de nouveau vers moi. « Bon. Eh bien. » Sa voix semblait légèrement paniquée. « Je repars. Ce soir. Quoi qu'il en soit, c'était sympa de te revoir. J'espère que ça va aller pour toi.

— Ce soir ?

— Oui, mon vol est maintenant. Elle m'a mise dans un pensionnat, a-t-elle expliqué quand j'ai continué de la regarder avec des yeux ronds. J'étais venue pour Thanksgiving. Pour voir le médecin. Tu te souviens ?

— Oh. Oui. » Je la fixais en espérant être toujours endormi. Le pensionnat m'a semblé une idée vaguement familière, mais j'ai cru l'avoir entendue en rêve.

« Ouais… (elle aussi semblait mal à l'aise) dommage que tu ne sois pas arrivé plus tôt, c'était sympa. Hobie a cuisiné… On a reçu des tonnes de gens. Quoi qu'il en soit, j'ai eu de la chance d'avoir pu venir tout court… J'ai dû obtenir la permission du docteur Camenzind. On n'a pas de congés de Thanksgiving dans mon pensionnat.

— Ils font quoi, alors ?

— Rien. Enfin… je pense qu'ils préparent peut-être de la dinde ou un truc pour celles qui le fêtent.

— C'est quoi, ton pensionnat ? »

Quand elle m'a donné le nom, avec un pincement railleur de la bouche, j'ai été choqué. L'Institut Mont-Haefeli était en Suisse – tout juste accrédité, selon Andy – et il était fréquenté uniquement par les filles les plus bêtes et les plus perturbées.

« Le Mont-Haefeli ? Ah bon ? Je croyais que c'était très… (le mot *psychiatrique* était incorrect) waouh.

— Oui, enfin. D'après Tante Margaret je m'habituerai. » Elle tripotait la grenouille en origami sur la table de chevet, essayant de la faire sauter, sauf qu'elle était tordue et penchait d'un côté. « Et la vue qu'on y a ressemble à la montagne qui est sur la boîte de Caran d'Ache. Sommets enneigés, prairies fleuries et tout et tout. Sinon, c'est comme un de ces bêtes films d'horreur européens où il ne se passe pas grand-chose.

— Mais… » J'avais l'impression de rater un truc, ou peut-être d'être encore endormi. La seule personne de ma connaissance qui soit allée au Mont-Haefeli était la sœur de James Villiers, Dorit Villiers, et on racontait qu'elle y avait été envoyée parce qu'elle avait planté un couteau dans la main de son petit copain.

« Ouais, c'est un drôle d'endroit, a-t-elle poursuivi et ses yeux las ont fait le tour de la pièce en vacillant. Un endroit pour cinglées. Mais il n'y en avait pas beaucoup que je puisse intégrer avec ma blessure à la tête. Ils ont une clinique attenante, a-t-elle ajouté en haussant les épaules. Il y a des médecins dans le personnel. C'est plus important que tu ne le crois. Depuis que j'ai reçu un coup sur la tête j'ai des problèmes, mais ce n'est pas comme si j'étais zinzin ou cleptomane.

— Ouais, mais… (j'essayais toujours d'ôter la notion de *film d'horreur* de mon esprit) la Suisse ? C'est cool.

— Si tu le dis.

— Je connaissais cette fille, Lallie Foulkes, elle allait au Rosey. Elle m'avait expliqué qu'ils faisaient une pause chocolat chaque matin.

— Eh bien, nous, on n'a même pas de confiture sur notre pain grillé. » Sa main ressortait tachetée et pâle sur son manteau noir. « Seules les filles qui souffrent de désordre alimentaire y ont droit. Si tu veux du sucre dans ton thé, tu dois voler les sachets dans le bureau de l'infirmière.

— Hum… » De pire en pire. « Tu connais une fille qui s'appelle Dorit Villiers ?

— Non. Elle était là un petit moment, mais ensuite ils l'ont envoyée ailleurs. Je crois qu'elle a essayé de griffer quelqu'un au visage et qu'ils ont dû l'enfermer.

— Quoi ?

— Ce n'est pas comme ça qu'ils *disent*, a-t-elle répondu en se frottant le nez. Il s'agit d'un bâtiment fermé qui ressemble à une ferme et qu'ils appellent La Grange… tu sais, rempli de trayeuses et de faux rustique. Plus joli que les résidences. Mais les portes sont équipées d'alarmes et ils ont des gardes et tout et tout.

— Eh bien, eh bien… » J'ai pensé à Dorit Villers – cheveux dorés et frisés, yeux bleus vides qui la faisaient ressembler à un ange cinglé sur un sapin de Noël – et je n'ai pas su quoi répondre.

« Ils n'y mettent que les filles vraiment folles. À La Grange. Moi je suis à Bessonet, avec un groupe de filles qui parlent français. C'est supposé m'aider à mieux apprendre la langue, mais le résultat c'est que personne ne m'adresse la parole.

— Tu devrais lui expliquer que ça ne te plaît pas ! À ta tante. »

Elle a eu une grimace. « Bien sûr. Mais du coup elle me rappelle combien ça coûte. Ou alors elle me dit que je lui fais de la peine. Enfin bon, a-t-elle conclu, mal à l'aise, avec une voix genre : *Je dois y aller* en regardant par-dessus son épaule.

— Euh », ai-je dit après une pause dans les vapes. De jour comme de nuit, mon délire avait été coloré par la conscience de sa présence dans la maison, par des élans énergétiques et heureux récurrents au son de sa voix dans le couloir, de ses pas : on allait faire une tente avec une couverture, elle m'attendrait à la patinoire, bourdonnement lumineux et excité à l'idée de tout ce que l'on ferait quand j'irais mieux… En fait il me semblait que l'on avait *bel et bien* fait des choses, comme des colliers de bonbons couleur arc-en-ciel sur une ficelle pendant que la radio diffusait *Belle and Sebastian* puis, plus tard, que l'on avait flâné dans une salle de jeux vidéo inexistante dans Washington Square.

J'ai remarqué Hobie discrètement planté dans le couloir. « Désolé, est-il intervenu en jetant un coup d'œil à sa montre. Je ne veux pas vous presser...

— J'arrive », a-t-elle répondu. À moi elle a lancé : « Au revoir, alors. J'espère que tu vas aller mieux.

— Attends !

— Quoi ? a-t-elle interrogé en se tournant à moitié.

— Tu reviendras pour Noël, hein ?

— Nan. Je serai chez Tante Margaret.

— Tu reviens quand, alors ?

— Eh bien... (haussement d'épaule). Sais pas. Peut-être aux vacances de Pâques.

— Pips... a insisté Hobie, même s'il s'adressait vraiment à moi plutôt qu'à elle.

— D'accord », a-t-elle concédé en balayant les cheveux qui lui tombaient sur les yeux.

J'ai attendu jusqu'à ce que j'entende la porte d'entrée se refermer. Puis je suis sorti du lit et j'ai ouvert le rideau. À travers le verre poussiéreux, je les ai regardés descendre les marches de devant, Pippa avec son écharpe et son chapeau roses pressant le pas à côté de la large et élégante silhouette de Hobie.

Pendant quelque temps, après qu'ils eurent tourné au coin, je suis resté planté à la fenêtre et j'ai observé la rue déserte. Puis, abandonné et vidé, je me suis traîné jusqu'à sa chambre et – incapable de résister – j'ai entrouvert la porte.

C'était pareil que deux ans plus tôt, en plus sommaire. Posters du *Magicien d'Oz* et de « Sauvez le Tibet ». Pas de chaise roulante. Rebord extérieur de la fenêtre couvert de galets blancs de neige fondue. Mais il y avait son odeur dans l'air encore chaud et vivant de sa présence, et alors que j'étais figé là à respirer le même air qu'elle, j'ai senti un énorme sourire heureux sur mon visage, à la simple idée d'être debout là avec ses livres de contes de fées, ses flacons de parfum, son plateau étincelant de barrettes et sa collection de cartes de la

Saint-Valentin : dentelle en papier, cupidons et colombines, galants édouardiens avec des bouquets de roses pressés sur le cœur. Marchant doucement sur la pointe de mes pieds nus, je me suis dirigé vers les photos dans leur cadre argenté sur la commode – Welty et Cosmo, Welty et Pippa, Pippa et sa mère (mêmes cheveux, mêmes yeux) avec un Hobie plus jeune et plus mince…

Bourdonnement sourd à l'intérieur de la pièce. Je me suis retourné, coupable – quelqu'un arrivait ? Non : c'était juste Popchik, d'un blanc éclatant après son bain, niché au milieu des oreillers de son lit défait et ronflant, bavant, bienheureux, pour moitié cela ressemblait à un ronronnement. Et bien que ce soit un peu pathétique – se réconforter avec tout ce qu'elle avait laissé derrière elle, comme un chiot pelotonné dans un vieux manteau – j'ai rampé sous les draps et me suis lové à côté de lui, souriant comme un imbécile de l'odeur de son édredon et de sa sensation soyeuse contre ma joue.

VI

« Eh bien, eh bien, a fait Mr. Bracegirdle en serrant la main de Hobie puis la mienne. Theodore, je dois te dire qu'en grandissant tu ressembles beaucoup à ta mère. Je regrette qu'elle ne puisse pas te voir à présent. »

J'ai tenté de croiser son regard sans paraître gêné. La vérité était que j'avais les cheveux raides de ma mère, et quelque chose de son teint à la fois clair et foncé, mais je ressemblais beaucoup plus à mon père, une ressemblance si forte qu'aucun passant bavard ni aucune serveuse de cafétéria ne s'était privé de le faire remarquer – non que cela m'ait jamais enchanté de ressembler au parent que je ne pouvais pas saquer, mais voir dans le miroir une version plus jeune de son visage morose de conducteur ivre était particulièrement pénible maintenant qu'il était mort.

Hobie et Mr. Bracegirdle discutaient à voix basse – Mr. Bracegirdle expliquait à Hobie comment il avait rencontré ma mère, ravivant des souvenirs chez ce dernier : « Oui ! Je me souviens... Trente centimètres en moins d'une heure ! Mon Dieu, je suis sorti de ma vente aux enchères et plus rien ne bougeait, j'étais en haut de Manhattan, dans les anciennes galeries Parke-Bernet.

— Sur Madison Avenue en face du *Carlyle* ?

— Oui... ce n'est pas la porte à côté.

— Vous êtes dans les antiquités ? À Greenwich, me dit Theo ? »

Je suis resté assis poliment et j'ai écouté leur conversation : les amis en commun, propriétaires de galeries et collectionneurs d'art, les Raker et les Rehnberg, les Fawcett et les Vogel, les Mildeberger et les Depew, puis les points de repère new-yorkais envolés, la fermeture du *Lutèce*, de *La Caravelle*, du *Café des artistes*, qu'en aurait pensé ta mère, Theodore, elle adorait le *Café des artistes*. (Comment le savait-il ? me suis-je demandé.) Même si je ne croyais pas un seul instant les choses que, dans ses accès de méchanceté, mon père avait insinuées sur ma mère, il semblait *bel et bien* que Mr. Bracegirdle la connaissait mieux que je ne le pensais. Même les livres sur son étagère qui n'étaient pas juridiques semblaient suggérer entre eux des correspondances, des centres d'intérêts communs. Des livres d'art : Agnes Martin, Edwin Dickinson. De poésie aussi, des premières éditions : Ted Berrigan. Frank O'Hara, *Méditations dans l'urgence*. Je me souvenais du jour où elle était arrivée toute rouge et heureuse avec exactement la même édition de Frank O'Hara sous le bras – je supposais qu'elle l'avait trouvée d'occasion chez *Strand*, vu que nous n'avions pas l'argent pour ce genre d'achat. Mais, en y repensant, je me suis rendu compte qu'elle ne m'avait jamais dit où elle se l'était procuré.

« Eh bien, Theodore », a lancé Mr. Bracegirdle en me ramenant sur Terre. Bien que plus âgé, il possédait l'air calme et le bronzage de quelqu'un qui passe beaucoup de son temps libre sur le court de tennis ; les poches sombres sous les yeux lui donnaient l'air doux d'un panda. « Tu es assez âgé pour que dans cette histoire un juge puisse donner la priorité à tes souhaits. Surtout vu que votre tutelle ne serait pas contestée... Bien sûr, a-t-il poursuivi en s'adressant à Hobie, nous pourrions en établir une provisoire pour le laps de temps à venir, mais je ne pense pas que ce sera nécessaire. De toute évidence cet arrangement est au mieux des intérêts du mineur, pour autant que cela vous convienne ?

— Absolument, a acquiescé Hobie. Je suis heureux s'il l'est.

— Vous êtes prêt à agir de manière officieuse en tant que tuteur légal de Theodore pour le moment ?

— Officieux, cravate noire, je ferai le nécessaire.

— Il faudra aussi s'occuper de tes études. Je me souviens que nous avions discuté de pensionnat. Mais ça fait beaucoup de choses à envisager en même temps, non ? a-t-il demandé en remarquant mon air affligé. T'envoyer ailleurs alors que tu viens juste d'arriver, et avec les vacances qui approchent ? Inutile de prendre une quelconque décision maintenant, je pense, a-t-il dit en jetant un coup d'œil à Hobie. J'imagine qu'il n'y a pas de souci si tu rates le restant de ce trimestre, on pourra arranger ça plus tard. Et tu sais bien sûr que tu peux m'appeler *n'importe quand*. De jour comme de nuit. » Il a écrit un numéro de téléphone sur une carte de visite. « C'est mon numéro personnel, et celui-ci c'est mon portable... Mon Dieu, mon Dieu, c'est une vilaine toux que tu as là ! s'est-il exclamé en levant les yeux. Une fameuse toux, même, est-ce qu'on s'en occupe ? Et ça c'est mon numéro à Bridgehampton. J'espère que tu n'hésiteras pas à m'appeler pour n'importe quelle raison et si tu as besoin de quoi que ce soit. »

J'ai essayé de toutes mes forces, et fait de mon mieux, pour réprimer un autre accès de toux. « Merci...

— C'est bien ce que tu veux ? » Il me regardait très attentivement, avec une expression qui me donnait l'impression d'être sur le banc des accusés. « Rester chez Mr. Hobart les semaines qui viennent ? »

Je n'aimais pas le son des *semaines qui viennent*. « Oui, ai-je répondu dans mon poing, mais...

— Parce que... le pensionnat. » Il a croisé les mains, s'est appuyé contre le dossier de son fauteuil et m'a observé.

« Il est presque certain que c'est ce qu'il y a de mieux pour toi sur le long terme, et très franchement, étant donné la situation, je crois que je pourrais appeler mon ami Sam Ungerer à Buckfield et qu'il serait possible de t'y envoyer tout de suite. Un arrangement est toujours possible. C'est un excellent établissement. Et je pense que ce serait envisageable pour toi de loger dans la maison du directeur ou de l'un des enseignants plutôt que le dortoir, pour que tu sois dans un environnement plus familial, si tu penses que cela te plairait. »

Hobie et lui me regardaient, d'un air encourageant, me semblait-il. J'ai fixé mes chaussures, je n'avais pas envie de paraître ingrat, mais j'espérais ne plus avoir à entendre ce genre de suggestion.

« Eh bien. » Mr. Bracegirdle et Hobie ont échangé un regard – ai-je eu tort de voir un soupçon de résignation et/ou de déception dans l'expression de Hobie ? « Tant que c'est ce que tu souhaites, et que Mr. Hobart est souple, je ne vois pas de problème dans cet arrangement pour le moment. Mais je t'encourage à réfléchir à l'endroit où tu aimerais étudier, Theodore, pour que l'on puisse mettre les choses en route et trouver une solution pour le prochain trimestre, ou peut-être même un cours d'été, si tu le souhaites. »

VII

Tutelle provisoire. Durant les semaines qui ont suivi, j'ai fait de mon mieux pour m'atteler à la tâche et ne pas trop réfléchir à ce que pouvait signifier l'adjectif *provisoire.* J'avais postulé pour un programme de classes préparatoires à New York – mon raisonnement étant que cela m'éviterait d'être envoyé loin de la ville si, pour une raison quelconque, ça ne fonctionnait pas chez Hobie. Enfermé toute la journée dans ma chambre sous une faible lampe pendant que Popchik somnolait à mes pieds sur le tapis, j'étais penché sur des livrets de préparation aux examens, mémorisant des dates, des théorèmes, des mots de vocabulaire latin, tellement de verbes irréguliers en espagnol que même dans mes rêves je révisais des lignes et des lignes de longs tableaux tout en désespérant de m'en souvenir.

C'était comme si j'essayais de me punir – peut-être même de réparer le tort créé à ma mère – en visant aussi haut. J'avais perdu l'habitude d'étudier – on ne peut pas dire que je m'étais donné cette peine à Vegas – et la seule quantité d'information à retenir me procurait une sensation de torture, de lumières braquées sur moi, d'ignorance de la réponse correcte, de catastrophe si j'échouais. Me frottant les yeux, essayant de rester éveillé à coups de douches froides et de cafés glacés, je me motivais en me rappelant le bien-fondé de ce que je faisais, même si le bourrage de crâne me faisait plus l'effet d'une auto-destruction que n'importe quel reniflage de colle auquel j'aurais pu me consacrer ; à un certain moment, le travail lui-même s'est transformé en une sorte de drogue qui m'épuisait au point que j'étais devenu à peine conscient de ce qui se passait autour de moi.

Et pourtant j'étais reconnaissant à ce travail de m'assommer au point de ne plus avoir le temps de penser. La honte qui me tourmentait était d'autant plus corrosive qu'elle n'avait pas d'origine claire : je ne savais pas pourquoi je me sentais aussi sali, minable et coupable – sauf que c'était le cas, et que lorsque je levais le nez de mes livres j'étais submergé par des eaux visqueuses se précipitant de tous côtés.

C'était en partie lié au tableau. Je savais que rien de bon ne sortirait du fait de l'avoir en ma possession, et pourtant je savais aussi que je l'avais gardé trop long-temps pour parler. Me confier à Mr. Bracegirdle était imprudent. Ma position était trop précaire ; il rongeait déjà son frein concernant le pensionnat. Et quand je son-geais, ce qui m'arrivait souvent, à me confier à Hobie, je me retrouvais à voguer sur divers scénarios théoriques dont chacun semblait ni plus ni moins probable que le suivant.

Je donnerais le tableau à Hobie, il dirait : « Oh, pas de souci » et (j'avais un problème avec cette partie-là, sa logistique) d'une manière ou d'une autre il s'en occupe-rait, ou bien il appellerait des gens qu'il connaissait, ou encore il aurait une super idée sur ce qu'il fallait faire ou que sais-je et ne s'inquiéterait de rien, ne serait pas en colère, et l'un dans l'autre tout irait bien dans le meilleur des mondes ?

Ou : je donnerais le tableau à Hobie et il appellerait la police.

Ou : je donnerais le tableau à Hobie et il le garderait pour lui en disant : « Quoi, tu es fou ? Un tableau ? Je ne sais pas de quoi tu parles. »

Ou : je donnerais le tableau à Hobie, il hocherait la tête avec compassion, puis me dirait que j'avais bien fait ; mais dès que j'aurais quitté la pièce il appellerait son avocat et on m'enverrait en pensionnat ou dans une maison d'accueil (ce qui, tableau ou pas, était l'endroit où aboutissaient la plupart de mes scénarios de toute façon).

Mais la plus grande partie de mon malaise, et de loin, était liée à mon père. Je savais que sa mort n'était pas ma faute et pourtant, à un niveau viscéral, irrationnel et inébranlable, je savais aussi que si. Vu la façon dont je l'avais froidement laissé tomber lors de son ultime accès de désespoir, l'hypothèse qu'il ait menti était hors sujet. Peut-être savait-il que j'étais en mesure de payer sa dette – chose qui me hantait depuis que Mr. Bracegirdle l'avait très vaguement sous-entendue. Dans les ombres au-delà de la lampe de bureau, les griffons en terre cuite de Hobbie me dévisageaient avec des yeux de verre en boutons de bottines. Pensait-il que je l'avais roulé délibérément ? Que je voulais qu'il meure ? La nuit, je rêvais qu'il était battu et poursuivi à travers les parkings du casino, et plus d'une fois je me suis réveillé en sursaut pour le trouver assis sur la chaise près de mon lit d'où il m'observait très tranquillement, le bout rougeoyant de sa cigarette luisant dans l'obscurité. « Mais on m'avait dit que tu étais décédé », ai-je lancé à voix haute, avant de me rendre compte qu'il n'était pas là.

En l'absence de Pippa, il régnait dans la maison un silence de mort. Fermées, les pièces solennelles dégageaient une vague odeur d'humidité, on aurait dit des feuilles mortes. Je traînassais en regardant ses affaires, me demandant où elle était, ce qu'elle faisait, et tentant de toutes mes forces de me sentir relié à elle par des fils aussi ténus qu'un cheveu roux dans la crépine de la bonde de la baignoire, ou une chaussette roulée en boule sous le canapé. Mais même si le picotement nerveux de sa présence me manquait terriblement, j'étais apaisé par la maison, le sentiment de sécurité et de protection qu'elle offrait : vieux portraits et couloirs mal éclairés, pendules qui tictaquent bruyammment. C'était comme si je m'étais inscrit comme garçon de cabine sur la *Marie Céleste*. Alors que je me frayais un chemin entre les silences stagnants, les flaques d'ombre et de soleil profond, les vieux parquets grinçaient sous mes pieds comme le pont d'un navire, et le remous de la circulation sur la 6ᵉ Avenue venait se briser, à peine audible, contre mon oreille. À l'étage, pendant que, la tête vide, je m'interrogeais sur des équations différentielles, la loi de refroidissement de Newton, les variables indépendantes, *nous nous sommes servis du fait que Ta est une constante afin d'éliminer sa dérivée*, la présence de Hobie en bas agissait comme une ancre, un poids amical : j'étais réconforté d'entendre les petits coups de son maillet monter en flottant depuis l'atelier, et de savoir qu'il y bricolait tranquillement avec ses outils, ses colles gommes et ses bois de différentes couleurs.

Chez les Barbour, mon absence d'argent de poche avait été un perpétuel souci ; devoir en permanence solliciter Mrs. Barbour pour le déjeuner, les frais du laboratoire de sciences au collège et autres menues dépenses avait déclenché chez moi une appréhension et une angoisse tout à fait disproportionnées par rapport aux sommes qu'elle déboursait par ailleurs avec insouciance. Ici, le pécule alloué par Mr. Bracegirdle me permettait de me sentir beaucoup plus à l'aise de m'être imposé sans préavis dans le foyer de Hobie. Je pouvais payer les honoraires du vétérinaire pour Popchik, une petite fortune vu qu'il avait de mauvaises dents et un léger cas de dirofilariose – à ma connaissance Xandra ne lui avait jamais donné de cachet, pas plus qu'elle ne l'avait emmené se faire vacciner pendant toute la durée de mon séjour à Vegas. J'étais aussi en mesure de me payer le dentiste, ce qui n'était pas rien (six caries, dix heures d'enfer dans son fauteuil), de m'acheter un ordinateur portable ainsi qu'un iPhone, et les chaussures et les vêtements d'hiver dont j'avais besoin. Bien que Hobie n'accepte pas d'argent pour les courses, je sortais tout de même en faire et les payais de ma poche : lait, sucre, lessive au supermarché, mais le plus souvent des produits frais du marché bio sur

Union Square, champignons sauvages et reinettes, pain aux raisins, des petits luxes qui semblaient lui faire plaisir, contrairement aux gros barils de Tide qu'il regardait avec tristesse et emportait dans la réserve sans un mot.

C'était très différent de l'atmosphère surpeuplée, compliquée et par trop formelle qui régnait chez les Barbour, où tout était répété et millimétré comme une pièce sur Broadway, une perfection irrespirable qu'Andy fuyait en permanence, filant vers sa chambre tel un calmar effrayé. Au contraire, Hobie vivait et glissait tel un grand mammifère marin dans sa propre atmosphère légère, le marron foncé des taches de thé et de tabac, dans une maison où chaque pendule indiquait une heure différente et où le temps ne se réglait pas vraiment sur la mesure standard mais préférait serpenter selon son propre tic-tac paisible, obéissant au rythme de ces eaux dormantes chargées d'antiquités, loin d'une version du monde usinée et collée à la résine époxy. Bien qu'il ait plaisir à aller au cinéma, il n'y avait pas de télévision ; il lisait de vieux romans avec des pages de garde jaspées et ne possédait pas de téléphone portable ; son ordinateur, un IBM préhistorique, était de la taille d'une valise et inutilisable. Dans un calme irréprochable, il s'enterrait dans son travail, courbant les placages à la vapeur ou bien filetant à la main avec une gouge des pieds de table, et sa concentration joyeuse montait en nuages depuis l'atelier puis se diffusait partout dans la maison avec la chaleur d'un poêle à bois en hiver. Il était distrait et gentil ; négligent, brouillon, humble et doux ; souvent quand il était en bas, il n'entendait pas la première fois où on l'appelait, ni même la deuxième ; il perdait ses lunettes, égarait son portefeuille, ses clés, ses tickets de nettoyage à sec, et m'appelait toujours pour que je descende me mettre à quatre pattes afin de l'aider à chercher une minuscule garniture ou quelque article de petite quincaillerie tombé par terre. De temps à autre, il ouvrait la boutique sur rendez-vous, pour une heure ou deux d'affilée, mais – pour autant que je puisse en juger – ce n'était guère plus qu'une excuse pour sortir la bouteille de sherry et voir amis et connaissances ; et s'il montrait un meuble, ouvrait et refermait des tiroirs salué par des ooh et des aah, cela semblait surtout être dans l'esprit où Andy et moi sortions nos jouets de temps à autre pour les exhiber et les admirer.

S'il lui était arrivé de vendre quelque chose, je n'en avais jamais été témoin. Son champ d'action (comme il l'appelait) était l'atelier, ou plutôt « l'hôpital », où les chaises et les tables estropiées s'empilaient en attente de ses soins. Tel un jardinier dans une serre s'affairant sur des spécimens et enlevant les pucerons des feuilles de chaque plante, il s'imprégnait de la texture et du grain de chaque pièce, des tiroirs cachés, des cicatrices et des merveilles. Il possédait certes quelques outils d'ébénisterie moderne : une défonceuse, une perceuse sans fil et une scie circulaire – mais il était rare qu'il s'en serve. (« S'il faut des boules Quies pour les utiliser, je n'en ai pas vraiment besoin. ») Il descendait tôt à l'atelier et parfois, s'il avait un projet, il y restait le soir, mais en général il remontait dès la tombée de la nuit et, avant de se laver pour dîner, se versait le même doigt de whiskey pur dans un petit gobelet : fatigué, convivial, avec du noir de fumée sur les mains et quelque chose de dur et de militaire dans sa fatigue.

Il t'a invité a diner, m'a écrit Pippa dans un texto.
Oui 3 ou 4 x
Il n'aime ke les restos vides où personne ne va
C'est vré l'endroit où il m'a emmené semaine dernière on aurait cru le tombeau de Toutankhamon
Oui il ne va ke ds les endroits où il a pitié des patrons ! Pc qu'il a peur qu'ils fassent faillite et qu'après il se sente coupable
Je préfère qd lui cuisine
Demande lui de te faire du pain d'épice je regrette de pas en avoir ss la main

Le dîner était le moment de la journée que je préférais. À Vegas, surtout après que Boris avait commencé à sortir avec Kotku, je ne m'étais jamais habitué à la tristesse de devoir chercher vite fait de quoi me nourrir le soir, assis au bord de mon lit avec un paquet de chips ou peut-être un restant desséché du riz rapporté du chinois par mon père. Par un heureux contraste, la journée entière de Hobie tournait autour du dîner. Où va-t-on manger ? Qui va venir ? Qu'est-ce que je vais cuisiner ? Est-ce que tu aimes le pot-au-feu ? Non ? Tu n'en as jamais goûté ? Et le riz au citron ou au safran ? Et la confiture de figues ou d'abricots ? Tu veux m'accompagner aux halles de Jefferson Market ? Parfois le dimanche il y avait des invités qui, entre les professeurs de l'université de la New School et de Columbia, les membres de l'orchestre de l'Opéra, les dames des associations pour la sauvegarde et la conservation des sites et des monuments et différentes autres vieilles personnes du haut et du bas de la rue, comprenaient aussi bon nombre de marchands et de collectionneurs de toute espèce, qu'il s'agisse de vieilles dames timbrées portant mitaines et vendant des bijoux géorgiens au marché aux puces, ou de gens riches qui n'auraient pas fait tache chez les Barbour (Welty, ai-je appris, avait aidé nombre de ces personnes à élaborer leurs collections, en les conseillant sur les pièces à acheter). L'essentiel de la conversation me laissait en rade (Saint-Simon ? Le Festival de l'opéra à Munich ? Coomaraswamy ? La villa à Pau ?). Mais même quand c'étaient des occasions officielles et que les invités étaient « intelligents », ses dîners étaient le genre d'endroit où les gens ne voyaient aucun inconvénient à se servir eux-mêmes ou à manger dans des assiettes posées sur leurs genoux, ce qui tranchait avec les soirées guindées avec buffet de traiteur dans l'appartement des Barbour, qui se déroulaient toujours dans un scintillement glacial.

En fait, aussi agréables et intéressants que soient

les invités de Hobie, je m'inquiétais en permanence de l'éventuelle présence à ces dîners de quelqu'un qui m'aurait connu chez les Barbour. Je me sentais coupable de ne pas appeler Andy ; et pourtant, après ce qui s'était passé dans la rue avec son père, je me sentais encore plus honteux à l'idée qu'il apprenne que j'avais de nouveau échoué à New York sans endroit à moi où habiter.

Même si ce n'était qu'un bien petit souci, je continuais d'être dérangé par la façon dont j'avais atterri chez Hobie la première fois. Bien qu'il n'ait jamais raconté l'histoire devant moi, comment j'avais atterri sur le pas de sa porte, parce qu'il voyait combien cela me mettait mal à l'aise, il la racontait quand même aux gens – je ne lui en voulais pas ; elle était trop bonne pour être passée sous silence. « C'est tellement cohérent quand on connaissait Welty », disait la grande amie de Hobie, Mrs. DeFrees, marchande d'aquarelles du XIXe qui, en dépit de ses vêtements guindés et de ses parfums capiteux, aimait vous étreindre et vous câliner, avec cette habitude qu'ont les vieilles dames de vous tenir le bras ou de vous tapoter la main tout en parlant. « Parce que, mon cher, Welty était un agora*phile*. Il adorait les gens, tu sais, et les affaires. Les allées et venues. Les transactions, les marchandises, la conversation, l'échange. C'était lié à ce petit bout du Caire dans son enfance, j'ai toujours dit qu'il aurait été parfaitement à l'aise à traînasser en babouches et à vendre des tapis dans le souk. En tant qu'antiquaire il avait un don, tu sais : il savait quel objet convenait à quelle personne. Quelqu'un entrait dans la boutique qui n'avait jamais eu l'intention d'acheter quoi que ce soit, pour se protéger de la pluie peut-être, et il lui offrait une tasse de thé ; après quoi ça se terminait par l'expédition d'une table à l'autre bout du pays. Ou bien un étudiant entrait en flânant juste pour regarder, et il lui sortait une petite reproduction bon marché. Chacun y trouvait son compte, tu sais. Il savait que tout le monde n'était pas en mesure d'entrer et d'acheter un gros meuble… que c'était une affaire d'appariement, de rencontrer la bonne maison.

— En fait, les gens lui faisaient confiance, a lancé Hobie en revenant avec le dé à coudre de sherry pour Mrs. DeFrees et un verre de whisky pour lui-même. Il disait toujours que c'était son handicap qui faisait de lui un bon vendeur, et à mon avis ce n'était pas faux. "L'infirme bienveillant". Qui ne prêche pour aucune paroisse. Toujours à l'extérieur et regardant vers l'intérieur.

— Ah, Welty n'était jamais à l'extérieur de quoi que ce soit, a rétorqué Mrs DeFrees en acceptant son verre de sherry et en tapotant affectueusement Hobie sur la manche, sa petite main à la peau parcheminée étincelant de diamants taillés en rose. Il était toujours au cœur de l'action, béni soit-il, riant à gorge déployée, jamais un mot pour se plaindre. Quoi qu'il en soit, mon cher, ne t'y trompe pas, a-t-elle dit en se tournant de nouveau vers moi. Welty savait *exactement* ce qu'il faisait quand il t'a confié cette bague. Parce que, en te la donnant, à toi, il t'a amené à Hobie, tu vois ?

— En effet », ai-je répondu. Puis j'ai dû me lever pour aller dans la cuisine tant j'étais troublé par ce détail. Parce qu'il ne m'avait pas donné que la bague, bien sûr.

VIII

Le soir, dans l'ancienne chambre de Welty qui était maintenant la mienne, avec ses vieilles lunettes de lecture et ses stylos à plume toujours dans les tiroirs du bureau, j'étais allongé, éveillé, à écouter les bruits et l'agitation de la rue. Cela m'avait traversé l'esprit à Vegas que si mon père ou Xandra découvraient le tableau, ils risquaient de ne pas savoir de quoi il s'agissait, en tout cas pas tout de suite. Mais Hobie saurait, lui. Je ne cessais d'envisager des scénarios où je rentrais à la maison et le trouvais m'attendant avec le tableau entre les mains – « Qu'est-ce que c'est ? » – parce qu'il n'y avait pas de bla-bla, pas d'excuse, pas de mise en garde avant une telle catastrophe ; et quand je m'agenouillais et tendais les mains sous le lit pour les poser sur la taie d'oreiller (ce que je faisais, à l'aveuglette et à intervalles irréguliers, pour m'assurer de sa présence), c'était une feinte rapide, après quoi je laissais retomber la taie comme si j'avais sorti un plat trop chaud du micro-ondes.

Un incendie dans la maison. La visite d'un employé de la désinfection. INTERPOL en grosses lettres rouges dans la Base de données des œuvres d'art disparues. Si quiconque prenait la peine de faire le lien, la bague de Welty était la preuve irréfutable que j'avais été dans la même pièce que le tableau. La porte de ma chambre était si vieille et raboteuse sur ses gonds qu'elle ne fermait même pas bien, je devais la maintenir close avec un butoir en fer. Et si, mû par une impulsion imprévue, il se mettait en tête de monter à l'étage et de nettoyer ? De toute évidence cela ne ressemblait pas au Hobie distrait et peu ordonné que je connaissais… **Non il se fiche pas mal que tu sois désordonné il n'entre jamais ds ma chambre sauf pr changer les draps & épousseter**, m'avait écrit Pippa dans un SMS, ce qui m'avait incité à défaire mon lit sur-le-champ et, pendant trois quarts d'heure de folie à nettoyer la moindre surface de ma chambre – les griffons, la boule de cristal, la tête de lit – avec un T-shirt propre. Épousseter est vite devenu une habitude obsessionnelle – suffisamment pour que je sorte et achète mes propres chiffons, même si Hobie en avait déjà plein ; je ne voulais pas qu'il me *voie* en train de faire la poussière, mon seul espoir était que le mot *poussière* ne lui traverse jamais l'esprit s'il lui arrivait de mettre le nez dans ma chambre.

Pour cette raison, parce que je ne me sentais vraiment à l'aise que lorsque je quittais la maison en sa compagnie pour de longues périodes, je passais la plupart des journées dans ma chambre, à mon bureau, faisant à peine une pause pour les repas. Et quand il sortait, je le suivais vers les galeries, les ventes publiques, les salles d'exposition et les ventes aux enchères, où je me tenais à ses côtés tout au fond (« Non, non, il faut qu'on puisse voir les enchères », disait-il quand je lui désignais les chaises vides devant) – c'était excitant au départ, on se serait cru dans un film, puis au bout de quelques heures c'était aussi ennuyeux que le contenu de *Le Calcul : concepts et rapports*.

Mais bien que j'aie essayé (avec un certain succès) d'adopter un comportement blasé, le suivant dans Manhattan l'air indifférent comme si rien ne m'importait, en fait je lui collais aux basques avec la même anxiété que Popchik – désespérément seul – qui n'avait cessé de nous suivre à Vegas, Boris et moi. Je l'accompagnais à des déjeuners snobs. Je l'accompagnais dans ses estimations. Je l'accompagnais chez son tailleur. Je l'accompagnais à des conférences clairsemées sur d'obscurs ébénistes d'art de Philadelphie dans les années 1770. Je l'accompagnais à l'orchestre de l'Opéra, bien que les spectacles soient si ennuyeux et durent si longtemps que je craignais toujours de m'évanouir et de basculer dans l'allée centrale. Je l'accompagnais à dîner chez les Amstiss (sur Park Avenue, désagréablement proches des Barbour) ainsi que chez les Vogel, les Krasnow et les Mildeberger, où la conversation était ou plate à mourir, ou me passait tellement au-dessus de la tête que je n'arrivais jamais à émettre davantage qu'un *hum*. (« Pauvre garçon, nous devons être incroyablement barbants pour toi », disait Mrs. Mildeberger sur un ton jovial, sans paraître se rendre compte à quel point son constat était vrai.) D'autres amis, comme Mr. Abernathy – de l'âge de mon père, traînant derrière lui quelque vague scandale ou déshonneur dans son passé –, étaient si vifs et clairs, me comptant pour quantité on ne peut plus négligeable (« Et *où* m'as-tu dit avoir trouvé cet enfant, James ? ») que je demeurais assis, sidéré, au milieu des antiquités chinoises et des vases grecs, désireux de dire quelque chose d'intelligent, et en même temps terrifié à l'idée que son attention se tourne vers moi, muet et complètement largué. Une fois ou deux par semaine au moins, nous allions rendre visite à Mrs. DeFrees dans sa maison bourrée d'antiquités (comme chez Hobie, mais au nord de Manhattan) sur la 63ᵉ Rue Est, où je m'asseyais au bord d'une chaise fragile et tentais de ne pas faire cas de ses effrayants chats du Bengale qui enfonçaient leurs griffes dans mes genoux. (« C'est un petit bonhomme socialement alerte, non ? » l'ai-je entendue remarquer pas si *sotto voce* que cela alors qu'ils étaient à l'autre bout de la pièce, occupés à s'extasier sur des aquarelles d'Edward Lear.) Parfois elle nous accompagnait aux expositions chez Christie's et Sotheby's où Hobie étudiait chaque pièce de près, ouvrant et refermant des tiroirs, me montrant différentes particularités, signes d'une fabrication soignée, cochant son catalogue avec un crayon, puis, après un arrêt ou deux dans une galerie sur le chemin, elle s'en retournait à la 63ᵉ Rue Est tandis que nous poursuivions vers *Sant Ambroeus* où Hobie, dans son costume élégant, s'accoudait au comptoir pour boire un expresso pendant que je mangeais un pain au chocolat et regardais entrer les gamins avec leur sac rempli de bouquins, priant pour ne pas croiser un élève de mon ancien collège.

« Est-ce que ton père aimerait un autre expresso ? m'a demandé le barman quand Hobie s'est éclipsé aux toilettes.

— Non merci, juste l'addition. » J'adorais, et c'était lamentable, quand les gens se méprenaient et croyaient que nous étions parents. Il était assez vieux pour être mon grand-père, mais il se dégageait de lui une vigueur davantage en adéquation avec les pères européens plus âgés que l'on voyait dans l'East Side – des pères raffinés, corpulents, indépendants, qui en étaient à leur second mariage et avaient eu des enfants à cinquante et soixante ans. À le voir dans ses vêtements élégants, sirotant son expresso et jetant un regard paisible vers la rue, il aurait pu être un magnat suisse de l'industrie ou un restaurateur avec une ou deux étoiles au Michelin : solide, marié sur le tard, prospère. Pourquoi, me suis-je dit avec tristesse tandis qu'il revenait avec son manteau sur le bras, pourquoi ma mère n'avait-elle pas épousé quelqu'un comme lui… ? Ou un Mr. Bracegirdle ? Quelqu'un avec qui elle avait vraiment quelque chose en commun – plus âgé peut-être, mais bien de sa personne, quelqu'un qui aimait les galeries, les quatuors à cordes et fouiner dans les librairies d'occasion, quelqu'un de prévenant, de cultivé, de gentil ? Qui l'aurait appréciée, lui aurait acheté de beaux vêtements, l'aurait emmenée à Paris pour son anniversaire et lui aurait offert la vie qu'elle méritait ? Cela n'aurait pas été dur pour elle de trouver quelqu'un comme ça, si elle avait essayé. Les hommes l'adoraient : depuis les portiers jusqu'à mes profs et aux pères de mes copains, sans parler de son patron, Sergio (qui, pour des raisons que j'ignorais, l'avait surnommée Dollybird) ; même Mr. Barbour s'était toujours précipité pour l'accueillir quand elle venait me chercher après que j'eus passé la nuit chez eux, tout sourires et s'empressant de la prendre par le coude pour la conduire jusqu'au canapé, la voix basse et amicale, vous voulez vous asseoir ? vous aimeriez boire quelque chose, un thé ou autre ? Je ne pense pas que c'était mon imagination – pas complètement – mais Mr. Bracegirdle m'avait regardé de très près : presque comme s'il la regardait, elle, ou cherchait une trace de son fantôme en moi. Pourtant, même dans la mort, mon père était indéracinable, j'avais beau essayer de toutes mes forces de l'effacer du paysage, il y avait toujours quelque chose, dans mes mains, ma voix et ma démarche, dans mon regard furtif tandis que je quittais le café avec Hobie, le port même de ma tête qui rappelait son ancienne coquetterie consistant à se réajuster dans n'importe quelle surface pouvant lui faire office de miroir.

IX

En janvier, j'ai passé mes examens : le facile et le difficile. Le facile avait lieu dans la salle de classe d'un lycée du Bronx : mères enceintes, divers chauffeurs de taxi et troupeau bruyant de bandes de copines avec de courtes vestes en fourrure et du vernis à ongles scintillant. Mais l'examen n'était pas vraiment aussi facile que je le croyais : il y avait beaucoup plus de questions que prévu sur des sujets obscurs concernant le gouvernement de l'État de New York (pendant combien de mois de l'année le corps législatif siège-t-il à Albany ? Comment étais-je supposé le savoir, bon sang ?), et c'est préoccupé et déprimé que je suis rentré à la maison en métro. L'examen difficile (salle de classe fermée à clé, parents stressés faisant les cent pas dans les couloirs, atmosphère tendue de tournoi d'échecs) semblait avoir été conçu pour quelques reclus bachoteurs bourrés de tics, avec nombre des réponses aux questions à choix multiples tellement proches les unes des autres que j'en suis ressorti sans la moindre idée de ce que j'avais fait.

Oh et puis zut, me suis-je dit en me dirigeant vers Canal Street pour y prendre le métro, les mains bien enfoncées dans mes poches, mes aisselles puant la transpiration nerveuse de salle de classe. Peut-être que je n'arriverais pas à intégrer le programme de classes préparatoires... et puis après ? Il fallait que je réussisse bien, voire très bien, que je sois dans le premier tiers si je voulais avoir la moindre chance.

Orgueil : un mot de vocabulaire qui était souvent revenu lors de mes examens préliminaires, mais pas lors des examens mêmes. J'étais en concurrence avec cinq mille postulants pour environ trois cents places. Si je ne réussissais pas, je ne savais pas ce qui se passerait, je ne supporterais pas de devoir aller dans le Massachusetts et rester chez ces Ungerer dont Mr. Bracegirdle n'arrêtait pas de me parler, ce bon directeur et son « équipage », ainsi qu'il les appelait, une mère et trois fils que j'imaginais d'un seul tenant, en ordre décroissant sur des marches, un alignement aux sourires éclatants de ces mêmes voyous d'école privée qui, avec une ponctualité enjouée à l'époque du sinistre temps jadis, nous avaient battus, Andy et moi, et nous avaient fait mordre la poussière. Mais si je ratais les examens (ou, plus précisément, ne réussissais pas assez bien pour intégrer le programme de classes préparatoires), comment pourrais-je m'arranger pour rester à New York ? De toute évidence j'aurais dû viser un but plus facile à atteindre, un lycée correct dans Manhattan où j'aurais au moins eu une chance d'être accepté. Or Mr. Bracegirdle avait tellement insisté sur l'idée de pensionnat, d'air frais, de couleurs automnales, de cieux étoilés et des nombreuses joies de la campagne (« *Stuyvesant*. Pourquoi rester ici et aller à Stuyvesant alors que tu pourrais sortir de New York ? Te dégourdir les jambes, mieux respirer ? Être en famille ? ») que j'avais complètement éliminé l'idée de lycées, même les meilleurs.

« Je sais ce que ta mère aurait voulu pour toi, Theodore, ne cessait-il de répéter. Elle aurait voulu que tu repartes de zéro. Loin de New York. » Il avait raison. Mais comment pouvais-je lui expliquer, dans l'enchaînement désordonné et absurde qui avait suivi son décès, à quel point ces anciens souhaits n'étaient plus pertinents ?

Encore perdu dans mes pensées alors que je tournais au coin vers la station et fouillais dans ma poche en quête de ma carte de métro, je suis passé devant un kiosque où j'ai vu un gros titre disant :

CHEFS-D'ŒUVRE DU MUSÉE RETROUVÉS DANS LE BRONX
DES MILLIONS EN ŒUVRES D'ART VOLÉES

Je me suis arrêté sur le trottoir tandis que les passagers se déversaient autour de moi, à ma gauche comme à ma droite. Puis, raide, me sentant observé et le cœur battant la chamade, je suis revenu sur mes pas et j'ai acheté un exemplaire (se payer un journal était un acte moins suspect qu'il n'y paraissait pour un gamin de mon âge) et j'ai traversé la rue en courant vers les bancs de la 6e Avenue pour le lire.

Alertée par un tuyau, la police avait retrouvé trois peintures – un George van der Mijn ; un Wybrand Hendriks et un Rembrandt, tous disparus du musée depuis l'explosion – dans un immeuble du Bronx. Les tableaux avaient été entreposés dans une réserve enveloppés dans du papier aluminium et empilés au milieu d'un tas de filtres de réserve pour l'unité centrale d'air climatisé du bâtiment. Le voleur, son frère et la belle-mère du frère, propriétaire des lieux, étaient en garde à vue où ils attendaient leur mise en liberté sous caution ; s'ils étaient reconnus coupables pour tous les chefs d'accusation, ils encouraient des condamnations combinées pouvant aller jusqu'à vingt ans.

L'article était long de plusieurs pages et comportait aussi des tableaux chronologiques et un diagramme. Le voleur – un auxiliaire médical – avait traîné après l'ordre d'évacuation ; il avait enlevé les tableaux du mur, les avait enveloppés d'un drap, les avait cachés en dessous d'un brancard replié et était sorti du musée sans être inquiété le moins du monde. « Choisis sans intérêt pour leur valeur, a expliqué l'enquêteur du FBI interviewé pour l'article. Enlevés et emportés. Le type n'y connaissait rien en matière d'art. Une fois les tableaux rapportés chez lui, il n'a su qu'en faire, alors il a consulté son frère et ensemble ils ont caché les œuvres chez la belle-mère, sans la mettre au courant, selon elle. » Après une petite recherche sur Internet, les frères se sont apparemment rendu compte que le Rembrandt était trop célèbre pour être vendu, et ce sont leurs efforts pour écouler l'un des tableaux moins connus qui a mené les enquêteurs jusqu'à leur cachette dans le grenier.

Mais le dernier paragraphe de l'article ressortait comme s'il avait été imprimé en rouge sang.

Quant aux autres œuvres toujours manquantes, les espoirs des enquêteurs ont été ravivés et les autorités cherchent maintenant du côté de plusieurs pistes locales. « Plus on secoue les arbres et plus il en tombe, a lancé Richard Nunnally, officier de liaison de la police de New York en lien avec la division des délits artistiques du FBI. Généralement, avec le vol d'œuvres d'art, le schéma veut que les tableaux soient très vite emportés hors du pays, mais cette prise dans le Bronx ne fait que confirmer que nous avons probablement affaire à des amateurs, des gens sans expérience qui ont volé sous l'effet d'une impulsion et qui ne possèdent pas le savoir-faire pour vendre ou cacher ces objets. » D'après Nunnally, quelques-unes des personnes présentes sur la scène du drame sont en cours d'interrogatoire, contactées et de nouveau questionnées. « De toute évidence maintenant, l'idée est que beaucoup de ces tableaux manquants pourraient bien être en ville sous notre nez. »

J'ai été pris de nausée. Je me suis levé et j'ai jeté le journal dans la poubelle la plus proche, puis, au lieu de prendre le métro, j'ai descendu Canal Street et traîné dans Chinatown pendant une heure dans le froid glacial, au milieu des appareils électroniques bon marché et des tapis rouge sang des restaurants de *dim sum*, fixant dans les devantures embuées les rangées acajou de canards laqués en train de rôtir et me disant : *Merde, merde.* Des vendeurs de rue aux joues rouges et emmaillotés comme des Mongols criaient au-dessus de braseros fumants. Procureur de la République. FBI. Nouvelles informations. *Nous sommes déterminés à poursuivre ces cas aussi loin que le permet la loi. Les autres tableaux vont bientôt réapparaître, nous sommes confiants. Interpol, l'Unesco et d'autres organismes fédéraux et internationaux coopèrent activement avec les autorités locales dans cette affaire.*

C'était partout. Tous les journaux en parlaient : même ceux en mandarin, au milieu des flots de caractères chinois, le portrait du Rembrandt jetait un œil furtif depuis des bacs de légumes inconnus et d'anguilles posées sur de la glace.

« *Franchement* perturbant », a lancé Hobie plus tard ce soir-là au dîner avec les Amstiss, les sourcils froncés par l'angoisse. Les tableaux retrouvés étaient son unique sujet de conversation. « Des gens blessés partout, d'autres qui saignent à mort, et ce type enlève des tableaux aux murs. Puis les emporte dehors sous la *pluie*.

— Eh bien, je ne peux pas dire que je sois étonné, a constaté Mr. Amstiss qui en était à son quatrième scotch avec des glaçons. Après la seconde crise cardiaque de maman, vous n'imaginez pas le bazar qu'ont laissé ces imbéciles de l'hôpital Beth Israel. Des traces de pas noires sur toute la moquette. On a retrouvé des capuchons en plastique d'aiguilles partout sur le sol pendant des semaines, le chien a failli en avaler un. Sans parler de ce qu'ils ont cassé, hein, Martha, quelque chose dans le placard à porcelaines, non ?

— Écoutez, ce n'est pas moi qui vais me plaindre des auxiliaires médicaux, a rétorqué Hobie. J'ai été vraiment impressionné par ceux qu'on a eus quand Juliet était malade. Je suis juste content qu'ils aient retrouvé les tableaux avant qu'ils ne soient trop endommagés, cela aurait pu être un véritable... Theo ? m'a-t-il lancé tout à trac, m'obligeant à vite lever les yeux de mon assiette. Tout va bien ?

— Désolé. Je suis juste fatigué.

— Ce n'est pas étonnant », a gentiment commenté Mrs. Amstiss. Elle enseignait l'histoire américaine à Columbia ; dans le couple, c'était elle qu'appréciait Hobie et avec qui il était ami, Mr. Amstiss étant la moitié d'orange qu'il fallait supporter. « Tu as eu une dure journée. Tu t'inquiètes pour ton examen ?

— Non, pas vraiment, ai-je répondu sans réfléchir, puis je l'ai regretté.

— Oh, je suis *sûr* qu'il va réussir, a asséné Mr. Amstiss. Tu vas réussir, a-t-il répété sur un ton qui laissait entendre que c'était à la portée du premier imbécile venu, puis, se tournant de nouveau vers Hobie : La plupart de ces programmes de classes préparatoires ne méritent pas leur nom, est-ce que ce n'est pas vrai, Martha ? Ce sont juste des lycées montés en épingle. C'est difficile d'y entrer, mais ensuite c'est du gâteau. C'est comme ça de nos jours avec les gamins : ils participent, se montrent, puis espèrent récolter un prix. Tout le monde est gagnant. Savez-vous ce que l'un des étudiants de Martha lui a dit l'autre jour ? Raconte-leur, Martha. Ce gamin est venu après les cours pour lui parler. Je ne devrais pas dire gamin, il s'agissait d'un troisième cycle. Et vous savez ce qu'il lui a dit ?

— Harold, a fait Mrs. Amstiss.

— Il lui a dit qu'il s'inquiétait pour l'examen et qu'il avait un conseil à lui demander. Parce qu'il *avait des problèmes de mémoire*. Est-ce que ce n'est pas le pompon, ça ? Un troisième cycle en histoire américaine. *Il avait des problèmes de mémoire !*

— Eh bien, Dieu m'est témoin que moi aussi j'ai des problèmes de mémoire », a enchaîné Hobie sur un ton affable, et se levant pour débarrasser les plats il a orienté la conversation vers d'autres sujets.

Mais tard ce soir-là, après le départ des Amstiss et quand Hobie se fut endormi, je suis resté assis dans ma chambre à fixer la rue par la fenêtre, à écouter les grincements distants des camions sur la 6ᵉ Avenue à deux heures du matin et à m'efforcer de ne pas paniquer.

Et pourtant que faire d'autre ? J'avais passé des heures sur mon ordinateur à cliquer frénétiquement sur ce qui me semblait être des centaines d'articles : *Le Monde, The Daily Telegraph, Times of India, La Repubblica,* dans des langues que j'étais incapable de lire, tous les journaux du monde en parlaient. En plus de la peine de prison, les amendes étaient exorbitantes : deux cent mille, cinq cent mille dollars. Pire : la femme qui possédait cet immeuble était condamnée parce que les tableaux avaient été retrouvés dans sa propriété. Ce qui signifiait que Hobie aurait très probablement des ennuis aussi – et bien pires que les miens. Esthéticienne à la retraite, la femme prétendait ne pas avoir la moindre idée que les tableaux étaient chez elle. Mais Hobie ? Un antiquaire ? Peu importe qu'il m'ait hébergé en toute innocence et par bonté d'âme. Qui croirait qu'il n'était pas au courant ?

Mes pensées plongeaient vers le haut, vers le bas et dans tous les sens, on aurait dit un mauvais tour d'attraction foraine. *Bien que ces voleurs aient agi sur impulsion et n'aient pas de casier judiciaire antérieur, leur manque d'expérience ne nous empêchera pas d'instruire cette affaire à la lettre conformément aux dispositions juridiques.* Un commentateur londonien avait évoqué mon tableau dans la foulée du Rembrandt retrouvé : *... a attiré l'attention sur d'autres œuvres de plus grande valeur*

toujours disparues, plus particulièrement Le Chardonneret *de Carel Fabritius, 1654, une pièce unique dans
les annales de l'art et donc d'une valeur inestimable...*

J'ai redémarré l'ordinateur pour la troisième ou quatrième fois, puis l'ai fermé ; un peu raide, j'ai grimpé
dans mon lit et éteint la lumière. J'avais toujours le sac
de cachets volé à Xandra – il y en avait des centaines,
de différentes tailles et couleurs, tous des analgésiques
d'après Boris, mais si parfois ils assommaient mon père,
je l'avais aussi entendu se plaindre que parfois ils le
tenaient éveillé la nuit. Donc, après être resté allongé
paralysé d'inconfort et d'indécision pendant une heure
et plus, nauséeux et agité, fixant les rais des phares de
voitures qui tournaient au plafond, j'ai rallumé la lumière
d'un coup sec et tâtonné dans le tiroir de la table de
chevet à la recherche du sac pour finir par sélectionner
deux cachets de couleurs différentes, un bleu et un jaune,
mon raisonnement étant que si l'un ne m'endormait pas,
l'autre le ferait peut-être.

Valeur inestimable. J'ai roulé sur moi-même pour être
face au mur. Le Rembrandt retrouvé avait été évalué à
quarante millions. Cela avait donc un prix.

Sur l'avenue, un camion de pompiers hurlait haut et
fort pour s'évanouir ensuite au loin. Voitures, camions,
couples riant bruyamment à la sortie des bars. Tandis
que j'étais allongé, éveillé, tentant de penser à des choses
apaisantes comme la neige et les étoiles dans le désert,
espérant ne pas avoir avalé le mauvais mélange et m'être
suicidé par erreur, j'ai fait de mon mieux pour m'accrocher au seul fait utile ou réconfortant glané lors de ma
lecture en ligne : les tableaux volés étaient pratiquement
introuvables à moins que les gens n'essaient de les vendre
ou de les changer d'emplacement, ce qui expliquait pourquoi seuls vingt pour cent des voleurs d'œuvres d'art se
faisaient attraper.

8

L'arrière-boutique, suite

I

Ma terreur et mon angoisse concernant le tableau étaient telles que d'une certaine manière elles ont éclipsé l'arrivée de la lettre : j'avais été accepté pour le troisième trimestre du programme de classe préparatoire. La nouvelle était si énorme que j'ai mis l'enveloppe dans le tiroir d'un bureau, où elle est restée deux jours à côté d'un tas de papier à lettres de Welty portant son monogramme, jusqu'à ce que j'aie le courage de me poster en haut de l'escalier (grincement vigoureux de scie manuelle montant en flottant de la boutique) et de lancer : « Hobie ? »

La scie s'est arrêtée.

« J'ai été accepté. »

Son large visage pâle est apparu au pied des marches. « Pardon ? a-t-il interrogé, encore dans l'exaltation de son travail, pas tout à fait présent, s'essuyant les mains et laissant des marques blanches sur son tablier noir, puis son expression a changé quand il a vu l'enveloppe. Est-ce que c'est ce à quoi je pense ? »

Je la lui ai tendue sans un mot. Il l'a regardée, puis m'a regardé, moi, après quoi il a ri de ce que j'avais surnommé son rire irlandais, rauque et se surprenant lui-même.

« Bravo, dis donc ! s'est-il exclamé en dénouant son tablier et en le jetant sur la rampe de l'escalier. Je suis ravi, je ne vais pas te mentir. Je détestais l'idée de devoir t'envoyer là-bas tout seul. Quand allais-tu m'en parler ? Le premier jour de tes cours ? »

Je me suis senti très mal de le voir aussi heureux. Lors de notre dîner de célébration – Hobie, Mrs. DeFrees et moi-même dans un petit italien en difficulté du quartier –, j'ai observé le couple qui buvait du vin à la seule autre table occupée en plus de la nôtre ; et, au lieu de me sentir heureux, ainsi que je l'espérais, j'étais juste irrité et paralysé.

« Félicitations ! s'est réjoui Hobie. Le plus difficile est derrière toi. Tu peux souffler un peu maintenant.

— Tu dois être *tellement* content », s'est exclamée Mrs. DeFrees qui avait glissé son bras sous le mien, m'avait gratifié de légers tapotements et de gazouillis ravis tout au long de la soirée. (« Vous m'avez l'air *bien élégante* », lui avait dit Hobie en l'embrassant sur la joue : cheveux gris rassemblés sur le dessus de la tête et rubans en velours entrelacés aux maillons de son bracelet en diamants).

« Un modèle de persévérance ! » lui a répondu Hobie. Du coup, je me suis senti encore plus mal de l'entendre raconter à ses amis combien j'avais travaillé dur et quel excellent étudiant j'étais.

« Eh bien, c'est merveilleux. *Tu* n'es pas content ? Et à la dernière minute en plus ! Aie l'air un peu plus heureux, mon cher. Il commence quand ? » a-t-elle demandé à Hobie.

II

L'agréable surprise fut qu'après le traumatisme d'avoir été accepté la classe préparatoire s'est révélée pas vraiment aussi rigoureuse que ce que j'avais craint. Par certains aspects, c'était même l'établissement le moins exigeant que j'aie jamais fréquenté : pas de cours de soutien, pas de harcèlement à propos de l'examen d'entrée en université, ni de l'admission en université prestigieuse, pas de cursus obligatoire éreintant en maths et en langues – en fait, il n'y avait pas de cursus obligatoire du tout. Avec un ahurissement croissant, j'ai regardé autour de moi ce paradis universitaire débile dans lequel j'avais atterri, et j'ai compris pourquoi autant de gamins doués et talentueux des cinq districts de New York s'étaient tués à la tâche pour être admis ici. Il n'y avait pas de tests, d'examens, de notes. Il y avait des cours où l'on fabriquait des panneaux solaires et où l'on suivait des séminaires donnés par des prix Nobel d'économie, et d'autres où l'on se contentait d'écouter des disques de Tupac ou de regarder de vieux épisodes de *Twin Peaks*. Les étudiants pouvaient réaliser leurs propres travaux dirigés en robotique ou en histoire du jeu s'ils le souhaitaient. J'étais libre de choisir parmi des cours facultatifs intéressants, avec juste des dissertations à faire chez soi en milieu de trimestre et un projet à la fin. Mais bien que je sois conscient de la chance que j'avais, il m'était néanmoins impossible de me sentir heureux, ni même de reconnaître ma bonne fortune. C'était comme si j'avais subi une modification chimique de l'esprit, comme si l'équilibre acide de ma psyché avait été modifié et laissait s'exfiltrer ma vie de façon irréparable ou irréversible, telle une fronde de corail ossifiée.

Je pouvais faire ce qu'il fallait. Je connaissais la chanson : faire le vide et aller de l'avant. Quatre matinées par semaine, je me levais à huit heures du matin, prenais une douche dans le tub à l'ancienne de la salle de bains qui donnait dans la chambre de Pippa (rideau de douche à pissenlits, odeur de son shampooing à la fraise flottant vers moi en vapeurs moqueuses nimbées de sa présence souriante). Puis – plongeon brutal vers la Terre – je sortais du nuage de vapeur et m'habillais en silence dans ma chambre et, après avoir traîné Popchik autour du pâté de maisons où il filait dans tous les sens en hurlant de terreur, je glissais la tête dans l'atelier, prenais congé de Hobie, remontais mon sac sur l'épaule et sautais dans le métro pour en descendre deux stations plus loin.

La plupart de mes camarades suivaient cinq ou six cours, mais moi j'avais opté pour le minimum, quatre : cours de dessin, français, introduction au cinéma européen et littérature russe en traduction. J'avais voulu prendre un cours de conversation russe, mais celui de russe débutant – préambule obligatoire – n'était pas disponible avant l'automne. Armé d'une froideur réflexe, j'allais en cours, répondais quand on m'adressait la parole, faisais mes exercices et rentrais à la maison à pied. Parfois, après les cours, je mangeais dans un mexicain ou un italien bon marché près de la New York University, avec des flippers et des plantes en plastique, du sport sur les télévisions à écran large et de la bière à un dollar pendant l'happy hour (mais pas pour moi : c'était bizarre de me réadapter à ma vie en tant que mineur, on aurait dit que je retournais aux crayons de couleur et au jardin d'enfants). Ensuite, gavé de sucre à cause du Sprite disponible à volonté, je repartais à pied chez Hobie en traversant Washington Square Park, la tête baissée et mon iPod à fond. L'angoisse (le Rembrandt retrouvé faisait toujours l'actualité) me créait de gros problèmes pour dormir, et quand la sonnette retentissait à l'improviste (chez Hobie) je sursautais comme s'il s'agissait de cinq alarmes incendie.

« Tu rates beaucoup de choses, Theo, m'a dit Susanna, ma conseillère (prénoms uniquement : on est copains). Les activités parascolaires sont ce qui ancre nos étudiants dans un campus urbain. Surtout les plus jeunes. Il est facile de s'y perdre.

— Eh bien… » Elle avait raison : j'étais seul. Les étudiants de dix-huit et dix-neuf ans ne fréquentaient pas les gamins plus jeunes, et bien qu'il y ait plein d'étudiants de mon âge et moins encore (il y avait même un gamin frêle de douze ans supposé avoir un QI de 260), leurs vies étaient si cloîtrées et leurs préoccupations tellement bêtes et loin des miennes que c'était comme s'ils parlaient un langage de premier cycle secondaire que moi-même j'avais oublié. Ils vivaient chez leurs parents ; se préoccupaient de choses comme les courbes de notes, apprendre l'italien à l'étranger et faire leur stage d'été aux Nations unies ; pétaient un câble si on allumait une cigarette sous leur nez ; étaient sérieux, bien intentionnés, intacts, innocents. Vu le peu que j'avais en commun avec eux, fréquenter les gosses de huit ans de l'école primaire voisine m'aurait fait le même effet.

« Je vois que tu prends des cours de français. Le Club de français se réunit une fois par semaine, dans un restaurant français sur University Place. Et le mardi, ils vont à l'Alliance française voir des films en français. Ça te plairait sûrement.

— Peut-être. » Le directeur du département de français, un Algérien d'un certain âge, m'avait déjà abordé (d'une manière choquante : lorsque sa large main s'était abattue sur mon épaule, j'avais sursauté comme si l'on m'attaquait) et m'avait informé tout de go qu'il animait un séminaire auquel j'aimerais peut-être assister, sur les racines du terrorisme moderne, à commencer par le FLN et la guerre d'Algérie – je détestais cette façon dont tous les enseignants du programme paraissaient savoir qui j'étais, s'adressant à moi en semblant être déjà au courant de « la tragédie » ainsi que mon prof de cinéma, Mrs. Lebowitz (« Moi, c'est Ruthie »), l'appelait. Elle aussi – Mrs. Lebowitz – m'avait suggéré de rejoindre le Club de cinéma après avoir lu une dissertation que j'avais écrite sur *Le Voleur de bicyclette* ; elle avait suggéré aussi que je pourrais aimer le Club de philo, qui comprenait une discussion hebdomadaire autour de ce qu'elle appelait La Grande Question. « Hum, peut-être, ai-je répondu poliment.

— Eh bien, si j'en crois ta dissertation, il semble que tu sois attiré par ce que j'appellerai, faute de mieux, le territoire métaphysique. À savoir : pourquoi les bonnes personnes souffrent-elles ? a-t-elle poursuivi tandis que je continuais à lui adresser un regard vide. Et le destin frappe-t-il au hasard ? Ce dont tes dissertations parlent ce n'est pas tant de l'aspect cinématique de De Sica que du chaos fondamental et de l'incertitude du monde dans lequel nous vivons.

— Je ne sais pas », ai-je dit pendant le temps d'arrêt inconfortable qui a suivi. Ma dissertation parlait-elle vraiment de ces choses-là ? Je n'avais même pas aimé *Le Voleur de bicyclette* (ou *Kes*, ou *La Mouette*, ou *Lacombe Lucien*, ou aucun des autres films étrangers extrêmement déprimants que nous avions visionnés pendant le cours de Mrs. Lebowitz).

Cette dernière m'a regardé si longtemps que je me suis senti mal à l'aise. Puis elle a ajusté ses lunettes rouge vif et a décrété : « Eh bien, l'essentiel de ce que nous traitons en cinéma européen est plutôt pénible. C'est la raison pour laquelle je pense que tu aimerais peut-être assister à un de mes séminaires pour spécialistes. "Comédies cinglées des années 30" ou peut-être même "Le cinéma muet". Nous étudions *Le Cabinet du Dr. Caligari*, mais aussi beaucoup de films de Buster Keaton et de Charlie

Chaplin... Le chaos, tu sais, mais dans un cadre qui n'est pas menaçant. Des trucs positifs.

— Peut-être », ai-je répondu. Mais je n'avais pas la moindre intention de m'alourdir ne serait-ce que d'un iota de travail supplémentaire, aussi positif soit-il. Parce que, dès l'instant même où j'avais passé la porte, le flot d'énergie trompeur avec lequel je m'étais accroché pour intégrer le programme de classe préparatoire s'était effondré. Ses offres généreuses me laissaient de marbre ; je n'avais pas le moindre désir de me fatiguer plus que nécessaire. Tout ce que je voulais, c'était garder la tête hors de l'eau.

Du coup, l'accueil enthousiaste de mes enseignants s'est vite mué en résignation et en une sorte de vague regret impersonnel. Je ne cherchais ni à relever des défis, ni à développer mes talents, ni à élargir mes horizons, ni à utiliser les nombreuses ressources disponibles. Ainsi que Susanna l'avait délicatement exprimé, ce n'était pas une affaire de s'adapter au programme. En fait, au fur et à mesure que le trimestre tirait vers sa fin, que mes enseignants prenaient peu à peu leurs distances et qu'un ressentiment croissant commençait à se profiler (« Les opportunités universitaires offertes ne semblent pas motiver Theodore à faire davantage d'efforts, dans quelque domaine que ce soit »), je soupçonnais de plus en plus que la seule raison pour laquelle j'avais été autorisé à suivre le programme était due à « la tragédie ». Quelqu'un avait dû signaler ma candidature au bureau des admissions, puis l'avait transmise à un des administrateurs, mon Dieu, ce pauvre enfant, victime du terrorisme, bla-bla-bla, le système éducatif a une responsabilité, combien de places nous reste-t-il, vous pensez que l'on peut lui en attribuer une ? Il est presque certain que j'avais bousillé la vie d'un cerveau méritant du Bronx – un pauvre loser de cités joueur de clarinette qui continuerait de se faire tabasser à cause de ses devoirs d'algèbre, et qui allait passer sa vie à poinçonner des billets dans une guérite au lieu d'enseigner la mécanique des fluides au California Institute of Technology parce que je lui avais pris la place qui lui revenait de droit.

De toute évidence, il y avait eu maldonne. « Theodore participe très peu en cours et ne semble pas avoir de désir de consacrer plus d'attention à ses études que le strict nécessaire, écrivait mon prof de français dans un rapport bimensuel cinglant que, en l'absence d'un adulte me surveillant de près, personne n'avait lu à part moi. Espérons que ses échecs le mèneront à se prouver à lui-même qu'il pourrait mettre sa situation à profit durant la seconde moitié du trimestre. »

Mais je n'en éprouvais pas le moindre désir, encore moins celui de me prouver quoi que ce soit à moi-même. À l'image d'un amnésique, j'arpentais les rues (au lieu de faire mes devoirs, d'aller au laboratoire de langues ou de me rendre à n'importe lequel des clubs auxquels j'avais été convié) et prenais le métro seul vers des quartiers purgatoires en bout de ligne, où j'errais entre bodegas et bazars offrant du tressage de cheveux. Toutefois je me suis vite lassé de ma nouvelle mobilité – des centaines de kilomètres de rails, parcourus juste pour l'amusement – et à la place, telle une pierre sombrant sans bruit en eaux profondes, je me suis perdu dans du travail futile dans le sous-sol de Hobie, torpeur bienvenue en dessous du niveau du trottoir, où j'étais isolé du vacarme de la ville et de tout le hérissement aérien des tours de bureaux et des gratte-ciel se dressant vers les nues, sous-sol où j'étais heureux de cirer des tables et d'écouter de la musique classique sur WNYC pendant des heures d'affilée.

Après tout : je me fichais pas mal du *passé composé** ou des œuvres de Tourgeniev. Était-ce mal de vouloir dormir tard, les couvertures tirées sur la tête, et de flâner dans une maison paisible avec de vieux coquillages dans les tiroirs, des paniers en osier remplis de tissus d'ameublement pliés et stockés sous le secrétaire du salon, tandis que les rayons corail du soleil couchant traversaient l'imposte au-dessus de la porte d'entrée ? Entre les cours et l'atelier, il ne m'a pas fallu longtemps pour me glisser dans une sorte d'assoupissement oublieux, version déformée et onirique de mon ancienne vie où je marchais dans des rues familières tout en vivant une situation qui ne l'était pas, au milieu de visages différents ; et bien que je me rende souvent vers le campus à pied, je pensais à mon ancienne vie perdue en même temps que ma mère – la station de Canal Street, les seaux de fleurs du marché coréen éclairé le soir, un rien pouvait déclencher ça – et c'était comme si un rideau noir était tombé sur ma vie à Vegas.

Sauf que parfois elle resurgissait brutalement à des moments inattendus, en éclats si rebelles que je m'arrêtais sur le trottoir, soufflé. En un sens, le présent avait rétréci pour devenir un endroit plus petit et bien moins intéressant. Peut-être était-ce juste que je m'étais un peu dégrisé, *exit* le gâchis chronique ou la splendeur de ces poivrots adolescents flamboyants, notre propre petite tribu de deux guerriers se déchaînant dans le désert ; peut-être que cela se passait juste quand on grandissait, même s'il m'était impossible d'imaginer Boris (à Varsovie, à Karmeywallag, en Nouvelle-Guinée, où que ce soit) menant en guise de prélude à la vie adulte la même vie paisible que celle que j'avais adoptée. Andy et moi – même Tom Cable et moi – avions toujours parlé de manière obsessionnelle de ce que l'on ferait quand on serait grands, mais chez Boris, le futur n'avait jamais semblé pénétrer son crâne au-delà du prochain repas. Je ne pouvais pas l'imaginer se préparant d'une quelconque manière à gagner sa vie ou à devenir un membre productif de la société. Et pourtant, être avec Boris revenait à savoir que la vie était pleine de possibilités à la fois géniales et ridicules – plus grandes que tout ce que l'on pouvait vous apprendre en cours. J'avais abandonné depuis longtemps l'idée d'essayer de lui adresser des textos ou de l'appeler ; les messages envoyés vers le téléphone de Kotku restaient sans réponse et sa ligne fixe à Vegas avait été coupée. Étant donné le large spectre de ses mouvements, j'imaginais mal le revoir un jour. Je pensais néanmoins à lui presque au quotidien. Les romans russes que j'avais dû lire en cours me le rappelaient ; les romans russes et *Les Sept Piliers de la sagesse*, et donc aussi le Lower East Side, avec ses boutiques de tatoueurs et celles de *pierogi*, l'odeur d'herbe flottant dans l'air, les vieilles Polonaises oscillant côte à côte et vacillant d'un côté à l'autre avec des sacs de courses, sans parler des gosses fumant sur le seuil des bars le long de la 2ᵉ Avenue.

Et parfois, de manière inattendue, avec une vivacité presque douloureuse, je me souvenais de mon père. Par son sens de l'épate et son aspect miteux à la fois, Chinatown me faisait penser à lui et à ses humeurs ondoyantes et indéchiffrables : miroirs et aquariums, vitrines avec fleurs en plastique et pots de bambou porte-bonheur. Quelquefois, quand je descendais jusqu'à Canal Street chez Pearl Paint pour acheter à Hobie du tripoli anglais et de la térébenthine de Venise, je me retrouvais sur Mulberry Street, devant un restaurant que mon père aimait pas loin de la ligne de métro E, huit marches descendant vers un sous-sol aux tables en Formica tachées où j'achetais des crêpes croquantes aux échalotes, du porc épicé, des plats que je devais montrer du doigt parce que le menu était en chinois. La première fois où j'étais arrivé chez Hobie chargé de sacs en papier graisseux, son expression vide m'avait arrêté net et j'étais resté planté là comme un somnambule réveillé au milieu de son rêve, me demandant à quoi j'avais bien pu penser – certainement pas à Hobie ; de toute évidence ce n'était pas le genre de personne qui mourait d'envie de manger chinois à toute heure du jour ou de la nuit.

« Oh, *j'aime* bien ça, sauf que je ne pense jamais à en acheter », s'était-il empressé de m'assurer. Et nous avions mangé en bas dans la boutique directement dans les boîtes, Hobie perché sur un tabouret avec son tablier de travail noir, les manches roulées jusqu'aux coudes, les baguettes ayant l'air étrangement petites entre ses grands doigts.

III

La nature informelle de mon séjour chez Hobie m'inquiétait aussi. Bien que, dans sa générosité nébuleuse, Hobie lui-même ne semblât pas dérangé par ma présence chez lui, il était clair pour Mr. Bracegirdle que cet arrangement était temporaire, et lui comme ma conseillère avaient pris grand soin de m'expliquer que bien que les dortoirs du campus soient réservés aux étudiants plus âgés, dans mon cas un arrangement était négociable. Mais chaque fois que surgissait le sujet du logement, je devenais silencieux et fixais mes chaussures. Les cités U étaient bondées, parsemées de chiures de mouches, les cages d'ascenseur couvertes de graffitis et cliquetant comme les grilles d'une prison ; les murs étaient tapissés d'affichettes pour groupes musicaux, les sols collants de bière renversée et une foule zombifiée de lourdauds enroulés dans des couvertures étaient assoupis dans les canapés de la salle de télévision, à côté de mecs à l'air défoncé avec du poil au menton – des adultes de mon point de vue, des grands mecs effrayants dans la vingtaine – qui se jetaient d'énormes canettes vides dans le couloir. « Eh bien, tu es encore un peu jeune », a répondu Mr. Bracegirdle quand, acculé, j'ai exprimé mes réserves, bien qu'il me soit impossible d'en exprimer la raison véritable : étant donné ma situation, comment pouvais-je vivre avec un camarade de chambre ? Et la sécurité ? Et l'installation d'extinction automatique d'incendie ? Et le vol ? *L'établissement n'est pas responsable des effets personnels des étudiants,* disait le livret que l'on m'avait remis. *Nous leur recommandons donc de contracter une police d'assurance pour les objets de valeur qu'ils pourraient apporter dans l'établissement.*

Comme dans une transe angoissée, je me suis lancé dans la tâche consistant à me rendre indispensable à Hobie : lui faire des courses, nettoyer les pinceaux, l'aider à dresser l'inventaire de ses restaurations ainsi que trier les garnitures et les vieux morceaux de bois d'ébénisterie. Pendant qu'il taillait des lattes et tournait de nouveaux pieds de chaises pour qu'ils soient assortis aux anciens, je faisais fondre de la cire d'abeille et de la résine sur la plaque électrique (qui servait à faire la cire) : seize mesures de cire d'abeille, quatre mesures de résine et une mesure de térébenthine de Venise donnaient un éclat caramélisé odorant, épais comme du bonbon et plaisant à remuer dans la casserole. Bientôt il m'a montré comment appliquer le rouge sur un fond blanc pour les dorures : toujours un peu de doré frotté à l'endroit où la main se poserait naturellement ; puis un peu de lavis sombre avec du noir de fumée frotté dans les interstices et les renforcements. (« L'ancrage de la patine est toujours l'un des plus gros problèmes dans un meuble. Avec du bois neuf, si ton but est de créer un effet vieilli, une patine dorée est toujours la plus facile à truquer. ») Et si, après le noir de fumée, la dorure était encore trop lumineuse et semblait trop brute, il m'a appris à la marquer avec une pointe d'épingle – des griffures légères et irrégulières de différentes profondeurs – puis à laisser de légères traces à l'aide d'un trousseau de vieilles clés, avant de renverser l'aspirateur dessus afin de la ternir. « Pour les meubles trop fortement restaurés où il n'y a pas de parties usées ni de cicatrices honorables, tu dois en distribuer quelques anciennes et honorables toi-même. Le truc c'est de ne jamais être trop gentil », m'a-t-il expliqué en s'essuyant le front du revers de la main. Par *gentil* il voulait dire *régulier*. Tout ce qui était usé de manière trop régulière se trahissait tout de suite ; l'âge véritable, ainsi que j'en suis venu à le constater sur les meubles authentiques que j'ai eus en main, était variable, capricieux, chantant ici et rébarbatif là, avec des veines chaudes et asymétriques sur un meuble en bois de rose là où un rayon de soleil l'avait frappé, tandis que l'autre côté était aussi sombre que le jour où il avait été débité. « Qu'est-ce qui vieillit le bois ? Tout et n'importe quoi. La chaleur et le froid, la suie de cheminée, trop de chats… ou ça, a-t-il lancé en reculant tandis que mon doigt courait le long du dessus rugueux et terne d'une commode en acajou. À ton avis, qu'est-ce qui a abîmé cette surface ?

— Mon Dieu… » Je me suis accroupi au niveau de l'endroit où la finition – noire et collante, semblable à la croûte brûlée et immangeable d'un gâteau cuit dans un four de dînette – se muait graduellement en un poli clair et somptueux.

Hobie a ri. « De la laque à cheveux. Des décennies de laque. Incroyable, non ? a-t-il dit en grattant un coin avec l'ongle de son pouce afin d'en détacher une boucle noire. L'ancienne beauté s'en servait comme coiffeuse. Au fil des ans, ça s'accumule comme du vernis. Je ne sais pas ce qu'ils mettent dedans, mais c'est un cauchemar à enlever, surtout le truc des années 1950 et 1960. Ce serait un meuble vraiment intéressant si elle n'avait pas bousillé la finition. Tout ce que l'on peut faire c'est le nettoyer, sur le dessus, pour que le bois soit de nouveau visible, peut-être y passer une cire légère. Mais c'est un beau meuble ancien, non ? m'a-t-il interpellé sur un ton chaleureux en passant un doigt sur le côté. Regarde le galbe du pied et ce grain, sa forme… regarde ce velouté, ici et ici, comment il est assorti avec soin ?

— Vous allez le démonter ? » Bien que Hobie voie cela comme une étape indésirable, j'adorais le drame chirurgical qui consistait à démembrer un meuble et à le reconstruire à partir de zéro, en travaillant vite avant que la colle ne sèche, comme des médecins se dépêchant d'opérer une appendicite à bord d'un navire.

« Non... (le tapant de l'envers du poing, l'oreille collée au bois) il me semble plutôt en bon état, mais il y a des soucis au niveau de la glissière, a-t-il expliqué en ouvrant un tiroir qui a grincé et s'est coincé. Voilà ce qui arrive quand on les bourre de trop de cochonneries. On va le réajuster (il lui a donné une petite saccade pour l'ouvrir, grimaçant en entendant le crissement aigu du bois contre le bois), on rabotera les points où ça grippe. Tu vois, l'arrondi ? La meilleure façon de le réparer, c'est d'équarrir la rainure... ça l'élargira, mais je ne pense pas que nous aurons à forcer les anciennes glissières hors des queues d'aronde... Tu te souviens de ce que l'on avait fait sur ce meuble en chêne, hein ? Mais (il a laissé courir le bout du doigt le long du bord) l'acajou est un peu différent. Le noyer aussi. C'est surprenant avec quelle fréquence le bois est enlevé à des endroits qui ne sont pas à l'origine du vrai problème. Avec l'acajou en particulier, le grain est si serré, surtout l'acajou de cette période, que l'on ne veut vraiment pas raboter, sauf là où c'est incontournable. Un peu de paraffine sur les glissières et il sera comme neuf. »

IV

Et c'est ainsi que le temps s'est écoulé. Le printemps s'est mué en été, avec son cortège d'humidité, d'odeurs de poubelles et de rues pleines de gens tandis que les feuilles d'ailantes poussaient drues et sombres ; puis l'été s'est mué en automne, triste et froid. Je passais les soirées à lire *Eugène Onéguine,* ou sinon à dévorer l'un des nombreux livres de Welty sur les meubles (mon préféré : un ancien ouvrage en deux volumes intitulé *Les Meubles Chippendale : authentiques et faux*) ou *L'Histoire de l'art* de Janson, un gros ouvrage complet. Même si parfois je travaillais au sous-sol avec Hobie pendant six ou sept heures d'affilée, parlant à peine, je ne me suis jamais senti seul en sa présence rayonnante : qu'un adulte qui n'était pas ma mère puisse être aussi compatissant et à l'écoute, aussi présent, ne cessait de m'étonner. Notre grande différence d'âge nous intimidait mutuellement ; il y avait un formalisme, une réserve générationnelle ; et pourtant nous en étions arrivés à partager dans la boutique une sorte de télépathie, si bien que je lui tendais le bon rabot ou la bonne gouge avant même qu'il me l'ait demandé. « Collé à l'époxy » était son raccourci pour du travail bâclé, et les choses bon marché en général ; il m'avait montré nombre de meubles d'origine où les assemblages avaient tenu sans problème pendant deux cents ans ou plus, tandis que le souci avec une grande partie du travail moderne c'était qu'il était trop serré, collé trop fort au bois qu'il faisait craquer et ne laissait pas respirer. « Souviens-toi toujours, la personne pour qui nous travaillons vraiment est celle qui restaurera ce meuble dans une centaine d'années. C'est elle que nous voulons impressionner. » Chaque fois qu'il collait un morceau, c'était mon travail de disposer tous les serre-joints corrects, chaque série devant la bonne ouverture, tandis que lui déposait les morceaux dans un ordre précis allant du tenon à la mortaise – une préparation minutieuse en vue du collage et du serrage réels, après quoi nous devions travailler à toute vitesse durant les quelques minutes disponibles avant que la colle prenne, les mains de Hobie aussi assurées que celles d'un chirurgien, saisissant la bonne pièce alors que moi je tâtonnais, mon travail étant surtout de maintenir les morceaux ensemble après la mise en place des serre-joints (pas juste les habituels G et F, mais aussi un assortiment excentrique d'articles qu'il gardait sous la main dans ce seul but : ressorts de matelas, pinces à linge, vieux cerceaux à broderie, chambres à air de vélos, et, en guise de poids, sacs de sable colorés cousus dans du calicot, puis différents objets détournés comme de vieux et lourds butoirs de portes et des tirelires en fonte). Quand il n'avait pas besoin de mains supplémentaires, je balayais la sciure et replaçais les outils sur le râtelier et, quand il n'y avait rien d'autre à faire, j'étais heureux de m'asseoir et de le regarder affûter des gouges ou cintrer du bois à la vapeur en plaçant un bol d'eau sur la plaque chauffante. **Oh, mon Dieu ça pue là-dedans**, m'avait écrit Pippa dans un texto. **Les émanations sont horribles comment tu supportes ?** Mais j'adorais l'odeur – dont je trouvais la toxicité revigorante – et la sensation du vieux bois sous mes mains.

V

Durant tout ce temps, j'avais suivi avec attention les actualités concernant mes camarades du Bronx voleurs d'œuvres d'art. Ils avaient tous plaidé coupables – la belle-mère aussi – et ils avaient écopé des peines les plus sévères que prévoyait la loi : des amendes de centaines de milliers de dollars, et des peines de prison fermes allant de cinq à quinze ans. Le sentiment général semblait être qu'ils vivraient tous encore très heureux à Morris Heights et mangeraient encore de grands repas italiens chez maman s'ils n'avaient pas commis l'erreur idiote d'essayer de vendre le Wybrand Hendriks à un marchand d'art qui avait appelé les flics.

Mais cela n'a pas apaisé mon angoisse. Il y avait eu ce jour où j'étais rentré de cours pour trouver l'étage rempli de fumée et de pompiers rassemblés dans le couloir devant ma chambre. « Il y a des souris, m'avait expliqué Hobie, l'air pâle et hébété, parcourant la maison dans sa blouse de travail, ses lunettes protectrices sur la tête tel un savant fou. Je ne supporte pas les pièges avec de la colle, ils sont cruels, et j'ai repoussé le moment de faire venir un dératiseur, mais bon sang, c'est scandaleux, je ne peux pas les laisser mâchouiller les fils électriques, s'il n'y avait pas eu l'alarme, la maison aurait pu s'embraser comme *ça*, ici… (au pompier) ça va si je l'amène ici ? (faisant un pas de côté pour éviter du matériel). Il faut que tu voies ça… (se reculant le plus possible pour désigner un fouillis de squelettes de souris carbonisés qui se consumaient dans la plinthe). Regarde-moi ça ! Un nid entier ! » Bien que la maison de Hobie soit truffée d'alarmes – pas juste pour les incendies, mais aussi contre le vol – et que le feu n'ait pas fait de réels dégâts excepté une partie du plancher dans le couloir, l'incident m'avait néanmoins méchamment secoué (et si Hobie n'avait pas été à la maison ? et si le feu s'était déclenché dans ma chambre ?) ; déduisant qu'autant de souris dans cinquante centimètres de plinthes ne pouvait que signifier davantage de souris (et de fils mâchouillés) ailleurs, je me suis demandé si, en dépit de l'aversion de Hobie pour les pièges, je ne devrais pas en installer moi-même. Ma suggestion qu'il achète un chat, saluée avec enthousiasme par Hobie et Mrs. DeFrees qui adorait ces bêtes, a été discutée et adoptée, mais il n'y a pas eu de suite concrète et le projet est vite tombé aux oubliettes. Puis, quelques semaines plus tard, juste quand je me demandais si je devrais relancer le sujet du chat, j'ai failli tomber raide quand je suis entré dans ma chambre et que j'ai trouvé Hobie agenouillé sur le tapis près de mon lit – tâtonnant *sous* le lit, m'a-t-il semblé, mais en fait tendant la main vers le couteau de vitrier posé par terre ; il remplaçait un carreau fêlé en bas de la fenêtre de la chambre.

« Oh, bonjour, a-t-il dit en se relevant pour épousseter la jambe de son pantalon. Désolé ! Je ne voulais pas te faire peur ! Depuis ton arrivée déjà j'avais l'intention de poser ce nouveau carreau. Bien sûr, j'aime utiliser du verre ondulé sur ces fenêtres anciennes, du Bendheim, mais si on met quelques morceaux translucides ça n'a pas vraiment d'importance... Hé, fais attention, là, ça va ? » m'a-t-il demandé tandis que je laissais tomber mon sac de classe et m'enfonçais dans le fauteuil comme un premier lieutenant commotionné rentrant du champ de bataille en flageolant.

C'était dingue, comme aurait dit ma mère. Je ne savais pas quoi faire. Bien que je sois on ne peut plus conscient du regard étrange que Hobie posait parfois sur moi, et du fait que je devais lui paraître fou, je vivais néanmoins dans un vacarme et un brouillard intérieurs lamentables, sursautant chaque fois que quelqu'un se présentait à la porte ; bondissant comme si je m'étais brûlé quand le téléphone sonnait ; secoué par des décharges électriques « prémonitoires » qui, au beau milieu d'un cours, me poussaient à me lever et à me précipiter à la maison pour m'assurer que le tableau était toujours dans la taie d'oreiller, que personne n'avait touché à l'emballage ou essayé d'arracher le Scotch. Sur mon ordinateur, j'ai épluché Internet à la recherche de la législation ayant trait au vol d'œuvres d'art, mais les bribes que j'ai trouvées partaient dans tous les sens et ne m'ont fourni aucune vision pertinente ou cohérente. Puis, au bout d'un séjour de huit mois sans autre ennui chez Hobie, voilà qu'une solution inattendue s'est présentée.

J'étais en bons termes avec tous les types qui s'occupaient de transporter et de stocker les meubles de Hobie. La plupart étaient des Irlandais de New York, des gars lents, de bonne composition, qui n'avaient pas réussi à intégrer les forces de police ou le corps des pompiers – Mike, Sean, Patrick, Petit Frank (qui n'était pas petit du tout, plutôt une véritable armoire à glace) – mais il y avait aussi deux Israéliens prénommés Raviv et Avi, et, mon préféré, un Juif russe qui s'appelait Grisha. (« "Juif russe" c'est contradictoire, m'a-t-il expliqué dans un grand panache de fumée mentholée. Pour un esprit russe en tout cas. Puisque pour un esprit antisémite, "juif" n'est pas la même chose que Russe authentique... La Russie est connue pour ça. ») Grisha était né à Sébastopol, dont il prétendait se souvenir (« eau noire, sel »,) alors que ses parents avaient émigré quand il avait deux ans. Les cheveux clairs, le visage rouge brique avec des yeux aussi bleus que les œufs de rouge-gorge, la boisson l'avait rendu ventripotent et tellement négligé dans son habillement que parfois les boutonnières inférieures de sa chemise bâillaient, et pourtant, à sa façon désinvolte et arrogante de se tenir, on sentait que, de toute évidence, il se croyait beau (et qui sait, peut-être l'avait-il été, jadis). Au contraire de Mr. Pavlikovsky au visage impassible, il était très volubile, débitant des tas de blagues ou *anekdoty,* comme il les appelait, qu'il racontait à toute allure et sur un ton monocorde qui était drôle. « Tu crois que tu peux jurer, *mazhor* ? me lançait-il sur un ton bon enfant depuis l'échiquier installé dans un coin de la boutique, où Hobie et lui jouaient parfois l'après-midi. Vas-y. Chauffe-moi les oreilles. » Et j'avais laissé échapper un tel torrent d'insanités que même Hobie, qui n'en comprenait pas un traître mot, s'était reculé sur son siège et avait ri en se bouchant les oreilles.

Par un lugubre après-midi, peu de temps après le début de mon premier trimestre, j'étais seul dans la maison lorsque Grisha est venu décharger quelques meubles. « Voici, *mazhor* », a-t-il dit en envoyant valser son mégot de cigarette d'une chiquenaude entre son pouce

abîmé et son index. *Mazhor*, un de ses nombreux sur-
noms moqueurs à mon adresse, signifiait « comman-
dant » en russe. « Rends-toi utile. Viens m'aider avec
ces cochonneries dans la camionnette. » Pour Grisha, tous
les meubles étaient « des cochonneries ».

J'ai regardé l'engin derrière lui. « Qu'est-ce que tu as
là ? C'est lourd ?

— Si c'était lourd, *poprygountchik*, est-ce que je te
demanderais ? »

On a rentré les meubles – un miroir au cadre doré
enveloppé d'un emballage de protection ; un chandelier
sur pied ; deux chaises de salle à manger – et dès que
ça a été déballé, Grisha s'est appuyé contre un buffet
sur lequel Hobie travaillait (après y avoir d'abord passé
un doigt pour s'assurer qu'il n'était pas collant) et s'est
allumé une Kool. « Tu en veux une ?

— Non merci. » En réalité j'en aurais bien voulu une,
mais je craignais que Hobie ne la sente dans mon haleine.

Grisha a éventé la fumée de cigarette avec une main
aux ongles sales. « Alors, qu'est-ce que tu fais ? Tu veux
m'aider cet après-midi ? m'a-t-il demandé.

— T'aider comment ?

— Pose ton livre de femmes à poil (*L'Histoire de
l'art* de Janson) et viens à Brooklyn avec moi.

— Pour quoi faire ?

— Je dois aller stocker quelques-unes de ces cochonneries, j'aurais besoin d'aide. Mike était supposé venir,
mais *malade* aujourd'hui. Ha ! Les Giants ont joué un
match hier soir, ils ont perdu, il avait misé beaucoup de
thunes dessus. Je parie qu'il est au lit chez lui à Inwood
avec une gueule de bois et un œil au beurre noir. »

VI

En chemin vers Brooklyn dans une camionnette remplie de meubles, Grisha nourrissait un monologue continu
sur les belles qualités de Hobie d'une part, et de l'autre
sur la façon dont il conduisait l'affaire de Welty à sa
ruine. « Un homme honnête dans un monde malhonnête ?
Qui vit comme un reclus ? Ça me fait mal là, dans mon
cœur, de le voir jeter son argent par les fenêtres tous
les jours. Non, non, a-t-il objecté en levant une paume
crasseuse alors que j'allais répondre, ça prend du temps
ce qu'il fait, les restaurations, travailler à la main comme
les anciens maîtres… je comprends. Lui est artiste…
pas homme d'affaires. Mais explique-moi, s'il te plaît,
pourquoi il paie pour entreposer dans le Brooklyn Navy
Yard au lieu de faire tourner les stocks et de payer les
factures ? Enfin… regarde le foutoir au sous-sol ! Des
choses que Welty a achetées aux enchères… Il en rentre
des nouvelles chaque semaine. En haut, la boutique est
pleine à craquer ! Il est assis sur une fortune… Il faudrait un siècle pour tout vendre ! Les gens regardent sa
vitrine, avec du liquide à la main, ils veulent acheter…
Désolé, madame ! Allez vous faire foutre ! La boutique
est fermée ! Et lui il est en bas avec ses outils de menui-
serie et il passe dix heures à sculpter *ce petit* (pouce
et index) morceau de bois pour une chaise de merde
destinée à une vieille dame.

— Ouais, mais il fait aussi entrer des clients. Il a
vendu plein de trucs encore la semaine dernière.

— Quoi ? a grogné Grisha en colère en détournant
vivement la tête de la route pour me lancer un regard
furieux. Vendu ? À qui ?

— Aux Vogel. Il a ouvert la boutique pour eux, ils
ont acheté une bibliothèque, une table de jeu… »

Grisha s'est renfrogné. « *Ces* gens. Ses *amis*, soi-disant. Tu sais pourquoi ils lui achètent ? Parce qu'ils savent qu'il leur fera un bon prix… "Ouvert sur rendez-vous", ha ! Ce serait mieux pour lui s'il fermait sa boutique à ces vautours. Je veux dire… (poing sur le sternum) tu connais mon cœur. Pour moi, Hobie est comme de la famille. Mais (il a frotté trois doigts les uns contre les autres, un vieux geste de Boris, *l'argent ! l'argent !*) il n'est pas prudent en affaires. Il donnerait sa dernière allumette, son dernier bout de nourriture, n'importe quoi, à n'importe quel mec bidon ou n'importe quel escroc. Observe et tu verras… Bientôt, dans quatre-cinq ans, il sera à la rue sans le sou à moins de trouver quelqu'un qui gère la boutique pour lui.

— Comme qui ?

— Eh bien… (il a haussé les épaules) peut-être quelqu'un comme ma cousine Lidiya. Cette femme pourrait vendre de l'eau à un noyé.

— Tu devrais lui dire. Je sais qu'il veut embaucher quelqu'un. »

Grisha a eu un rire cynique. « Lidiya ? Travailler dans ce *gourbi* ? Écoute, Lidiya vend de l'or, des Rolex et des diamants du Sierra Leone. Elle a un chauffeur. Elle porte des pantalons en cuir blanc… de la zibeline jusque par terre… Elle a des ongles *longs comme ça*. Impossible pour femme comme elle d'être assise dans une boutique de brocante avec de la poussière et des vieilles cochonneries toute la journée. »

Il a arrêté la camionnette et coupé le moteur. On était devant un bâtiment massif gris cendré dans un endroit désert sur les quais, avec des parkings vides et des ateliers de carrosserie, le genre de quartier où les gangsters dans les films amènent le type qu'ils vont tuer.

« Lidiya… Lidiya elle est sexy, a-t-il dit d'un air pensif. Des longues jambes, des nichons… belle. Elle adore la vie. Mais cette affaire… Il ne faut pas quelqu'un trop voyant comme elle.

— Alors qui ?

— Quelqu'un comme Welty. Il avait quelque chose innocent, tu sais ? Comme un érudit. Ou un prêtre. C'était le grand-père de tout le monde. Mais en même temps, il était très malin en affaires. C'est bien d'être sympas, gentils, bons amis avec tout le monde, mais une fois que ton client te fait confiance et qu'il pense que tu lui offres les prix les plus bas, il faut faire ton profit, ha ! C'est ça la vente au détail, *mazhor*. C'est comme ça que fonctionne ce putain de monde. »

À l'intérieur, après que l'on nous eut ouvert la porte grâce à l'interphone, il y avait un bureau avec un Italien solitaire qui lisait un journal. Grisha a signé pour entrer et j'ai parcouru une brochure sur un présentoir à côté de l'étalage de papier bulle et de gros adhésif :

ARISTON STOCKAGE D'OBJETS D'ART
INSTALLATIONS DERNIER CRI
SURPRESSION EN CAS D'INCENDIE,
ATMOSPHÈRE CONTROLÉE,
SÉCURITÉ 24 H SUR 24
INTÉGRITÉ-QUALITÉ-SÉCURITÉ
POUR TOUS VOS BESOINS EN MATIÈRE D'OBJETS D'ART
NOUS GARDONS VOS OBJETS DE VALEUR
EN SÉCURITÉ DEPUIS 1968

En dehors du type derrière son bureau, l'endroit était désert. On a rempli l'ascenseur de service et, à l'aide d'une carte magnétique et après avoir tapé un code, on est montés jusqu'au sixième étage. On a arpenté un long couloir impersonnel après l'autre, il y avait des caméras au plafond et des portes numérotées de manière anonyme, elles aussi, Aile D, Aile E, des murs Étoile de la mort sans fenêtres qui semblaient s'étirer à l'infini, impression d'archives militaires souterraines, ou peut-être de murs de columbarium dans un cimetière futuriste.

Hobie occupait l'un des plus grands espaces – portes à double battant, assez larges pour laisser passer un camion. « On y est, a lancé Grisha en faisant cliqueter la clé dans le cadenas et en ouvrant la porte en grand avec un fracas métallique. Regarde-moi toutes ces merdes qu'il a entassées ici. » C'était tellement bourré de meubles et d'autres articles (des lampes, des livres, de la porcelaine, des petits bronzes ; des vieux sacs de chez B. Altman pleins de papiers et de chaussures moisies) qu'à première vue, déconcerté, j'avais eu envie de reculer et de refermer la porte, comme si nous avions pénétré accidentellement dans l'appartement de quelque vieux collectionneur qui viendrait de décéder.

« Deux mille dollars par mois, il paie pour cet endroit, m'a-t-il expliqué d'un air sombre tandis que nous enlevions les emballages de protection des chaises et que nous les empilions avec soin sur un bureau en merisier. Vingt-quatre mille dollars par an ! Il ferait mieux d'utiliser cet argent pour allumer ses cigarettes plutôt que de payer du loyer pour ce trou à rats.

— Et les espaces plus petits ? » Certaines des portes étaient plutôt minuscules – de la taille d'une valise.

« Les gens sont fous, a répondu Grisha sur un ton résigné. Pour un espace de la taille d'un coffre de voiture ? Des centaines de dollars par mois !

— Enfin, bon… (je ne savais pas comment le formuler) qu'est-ce qui empêche les gens de stocker ici des trucs illégaux ?

— Illégaux ? » Grisha a épongé la sueur sur son front avec un mouchoir sale, puis il a plié le bras pour éponger l'intérieur de son col de chemise. « Tu veux dire comme quoi, des fusils ?

— Oui. Ou, tu sais, des trucs volés.

— Qu'est-ce qui les empêche ? Je vais te le dire. Rien du tout. Enterre quelque chose ici et personne le trouvera, à moins que tu te fasses descendre ou que tu sois envoyé en taule et que tu payes plus le loyer.

Quatre-vingt-dix pour cent de ces trucs... des vieilles photos de bébés, des cochonneries vendues sur des sites de vieilleries. Mais... si les murs pouvaient parler, tu sais ? Il y a probablement des millions de dollars cachés – si on savait où chercher. Toutes sortes de secrets. Des armes, des bijoux, les corps de victimes de meurtres... des trucs fous. Tiens (il avait claqué la porte avec fracas et tâtonnait en quête du verrou), aide-moi à fermer ce bordel. Je déteste cet endroit, bon sang. Ça sent la mort, tu comprends ? » Il a fait un geste vers le couloir désertique qui semblait se dérouler à l'infini. « Tout est fermé, scellé, y a pas de vie ! Chaque fois que je viens ici, j'éprouve sensation comme mal à respirer. Pire qu'une putain de bibliothèque. »

VII

Ce soir-là, j'ai pris les Pages jaunes dans la cuisine de Hobie et je les ai emportées dans ma chambre, où j'ai regardé sous *Stockage : œuvres d'art*. Il y avait des dizaines d'endroits dans Manhattan et dans les arrondissements périphériques, beaucoup d'entre eux avec des pubs en caractères majestueux détaillant leurs services : gants blancs, de notre porte à la vôtre ! Un majordome de BD présentait une carte de visite sur un plateau d'argent : BLINGEN & TARKWELL, DEPUIS 1928. *Nous offrons des solutions de stockage dernier cri, discrètes et confidentielles, pour une large gamme de clients professionnels comme privés. Matériel artistique. Œuvres patrimoniales. Solutions d'archivage. Emplacements surveillés par équipement d'enregistrement hygrothermographique. Nous appliquons les paramètres de l'AMA (l'Association des Musées Américains) et maintenons le contrôle de la température à 21 degrés et cinquante pour cent d'humidité relative.*

Tout cela était beaucoup trop sophistiqué. La dernière chose que je souhaitais, c'était attirer l'attention sur le fait que je stockais une œuvre d'art. Ce dont j'avais besoin, c'était un endroit sécurisé et discret. Une des chaînes les plus grandes et les plus populaires possédait vingt succursales dans Manhattan – dont un dans les rues 60 à l'est de la rivière, mon ancien quartier, juste à quelques rues de celle où ma mère et moi habitions. *Nos locaux sont sécurisés par notre centre de commandes surveillé par des vigiles 24 heures sur 24 et proposent le dernier cri de la technologie en termes de détection de fumée et d'incendie.*

Hobie me demandait quelque chose depuis le couloir. « Quoi ? » ai-je grincé. Ma voix sonnait faux, et j'ai refermé l'annuaire sur mon doigt.

« Moira est là. Tu veux nous accompagner au coin pour un hamburger ? » Le coin, c'était le nom qu'il donnait au *White Horse.*

— Super, j'arrive dans une minute. » Je suis retourné à la pub dans les Pages jaunes. *Faites de la place pour les distractions de l'été ! Solutions faciles pour vos équipements de sports et de loisirs !* Comme c'était simple : pas besoin de carte de crédit, du liquide et c'était réglé.

Le lendemain, au lieu d'aller en cours, j'ai récupéré la taie d'oreiller en dessous de mon lit ; je l'ai bien fermée avec de l'adhésif solide, l'ai glissée dans un sac en papier marron de chez Bloomingdale's et j'ai pris un taxi jusqu'au magasin d'articles de sport sur Union Square où, après une petite hésitation, j'ai acheté une tente à deux places bon marché et repris un taxi jusqu'à la 60e Rue.

Dans le bureau futuriste en verre de l'entrepôt, j'étais le seul client ; et bien que j'aie arrangé une histoire toute faite (campeur acharné ; mère obsédée du rangement) les types à l'accueil ont semblé se désintéresser complètement de mon grand sac de sport bien étiqueté, avec le prix de la tente pour deux qui pendait artistiquement à l'extérieur. Personne non plus n'a semblé trouver digne d'intérêt, ou inhabituel, le fait que je veuille payer pour la consigne une année à l'avance, en liquide – ou était-ce peut-être deux années ? Est-ce que ça irait ? « Le distributeur est là », a indiqué le Portoricain à la caisse en tendant le doigt sans lever les yeux de son sandwich aux œufs et au bacon.

C'était donc aussi facile que ça ? me suis-je dit dans l'ascenseur qui me ramenait en bas. « Écrivez le numéro de votre consigne et votre combinaison aussi, et gardez-les dans un endroit sûr », a suggéré le type à la caisse, mais j'avais déjà mémorisé les deux, j'avais vu assez de films de James Bond pour connaître la routine, et à la minute où j'ai posé un pied dehors j'ai jeté le papier à la poubelle.

En quittant le bâtiment, son silence de salle des coffres et le bourdonnement continu de la petite brise fétide qui sortait des prises d'air, je me suis senti étourdi, débarrassé d'œillères, et le ciel bleu comme le soleil éblouissant, le brouillard familier et matinal des gaz d'échappement comme l'appel et le cri des klaxons, tout cela m'a semblé s'étaler le long de l'avenue en une vision améliorée et élargie : un royaume ensoleillé plein de foules et de chance. Depuis mon retour à New York, c'était la première fois que je me retrouvais près de Sutton Place, et c'était comme retomber dans un vieux rêve sympathique, un fondu transversal entre passé et présent, avec la texture vérolée des trottoirs, le même endroit fissuré par-dessus lequel je sautais chaque fois que je rentrais chez moi en courant, me penchant en avant, m'imaginant dans un avion, virage sur l'aile *J'arrive*, dernière ligne droite, bombardement en règle tout en rentrant au bercail – beaucoup d'endroits familiers toujours en activité, l'épicerie fine, le snack grec, le caviste, tous les visages oubliés du quartier se mélangeaient dans mon esprit, Sal le fleuriste, Mrs. Battaglina du restaurant italien et Vinnie du pressing avec son mètre ruban autour du cou, agenouillée devant ma mère pour lui raccourcir sa jupe.

J'étais juste à quelques rues de notre ancien immeuble : en regardant vers la 57e Rue, cette ruelle familière et lumineuse avec le soleil qui la frappait et rebondissait en doré sur les fenêtres, je me suis dit : *Goldie ! José !*

À cette seule pensée, mon pas s'est accéléré. C'était le matin ; l'un des deux était forcément de service. Je n'avais jamais envoyé de carte postale de Vegas comme promis : ils seraient ravis de me voir, de m'entourer, de me serrer dans leurs bras et de me donner des tapes dans le dos, intéressés (et consternés) d'entendre raconter tout ce qui s'était passé, y compris la mort de mon père. Ils m'inviteraient derrière dans la salle des colis, peut-être qu'ils appelleraient Henderson, le gérant, et me raconteraient tous les potins de l'immeuble. Mais quand j'ai tourné à l'angle, au milieu des voitures immobilisées et des klaxons, une fois arrivé au milieu de la rue j'ai vu que l'immeuble était balafré d'échafaudages et que les fenêtres étaient condamnées par des avis officiels collés dessus.

Je me suis arrêté, consterné. Puis, incrédule, je me suis approché et me suis planté là, épouvanté. Les portes art déco avaient disparu ; et à la place du hall frais et sombre aux parquets cirés et aux boiseries en rayons de soleil, une cavité de gravillons était béante, avec de gros blocs de ciment et des ouvriers casqués qui en sortaient des brouettées de gravats.

« Qu'est-ce qui s'est passé ici ? ai-je demandé à un type casqué, voûté et couvert de poussière qui buvait son café à grand bruit un peu à l'écart et avec un air coupable.

— Qu'estcequetuveuxdirequ'estcequis'estpassé ?

— Je… » Me reculant et levant les yeux, j'ai vu que ce n'était pas juste le hall ; ils avaient étripé tout l'immeuble, du coup on pouvait voir jusqu'à la cour au fond ; la mosaïque vernissée sur la façade était toujours intacte, mais les fenêtres étaient poussiéreuses et vides, sans rien derrière. « J'ai habité ici. Qu'est-ce qui se passe ?

— Les propriétaires ont vendu. » Il criait pour couvrir les marteaux-piqueurs dans le hall. « Ils ont fait sortir les derniers locataires il y a quelques mois.

— Mais… » J'ai levé les yeux vers la coquille vide, puis j'ai regardé d'un air inquiet à l'intérieur de la maison poussiéreuse et illuminée réduite à ses moellons – avec des hommes qui criaient et des fils qui pendillaient. « Qu'est-ce qu'ils font ?

— Des appartements chic. Cinq millions et plus, avec une piscine sur le toit, incroyable, non ?

— Oh, là, là.

— Ouais, tu croirais que c'est classé, hein ? Un vieil endroit aussi joli… Hier on a dû passer l'escalier en marbre du hall au marteau-piqueur, tu te souviens de cet escalier ? C'est vraiment dommage. J'aurais aimé pouvoir le ressortir entier. On ne voit plus beaucoup de marbre de cette qualité, du bon vieux marbre comme ça. Mais bon… » Il a haussé les épaules. « C'est comme ça New York maintenant. »

Il a crié à quelqu'un au-dessus – un homme qui faisait descendre un seau de sable au bout d'une corde – et j'ai continué de marcher, la nausée au ventre, juste en dessous de la fenêtre de notre ancien living, ou plutôt de sa version explosée par une bombe, trop perturbé pour lever les yeux. *Hors de la vue, mon chou*, avait dit José en hissant ma valise sur l'étagère de la salle des colis. Certains des locataires, comme le vieux Mr. Leopold, avaient vécu dans l'immeuble plus de soixante-dix ans. Qu'était-il devenu ? Et Goldie, et José ? Ou… tiens : Cinzia ? Cinzia qui, à certains moments, jonglait avec une douzaine et plus de boulots d'entretien à mi-temps, mais qui ne travaillait que quelques heures par semaine dans l'immeuble ; non que j'aie souvent repensé à elle jusqu'à présent, mais tout m'avait semblé si solide, immuable, tout le système social de l'immeuble représentait pour moi un lieu de ralliement où je pouvais toujours m'arrêter et voir des gens, dire bonjour, me tenir au courant. Des gens qui avaient connu ma mère. Des gens qui avaient connu mon père.

Plus je m'en éloignais et plus j'étais bouleversé par la perte de l'un des quelques points d'ancrage stables et immuables que j'avais tenus pour acquis dans mon existence : visages familiers, saluts enjoués : *Hey manito !* Parce que j'avais cru qu'au moins cette dernière pierre de touche du passé resterait là où je l'avais laissée. C'était bizarre de penser que je ne pourrais jamais remercier José et Goldie pour l'argent qu'ils m'avaient donné – ou, encore plus bizarre, que je ne serais jamais en mesure de leur apprendre que mon père était mort : qui connaissais-je d'autre l'ayant connu, lui ? Ou qui s'en soucierait ? Même le trottoir me donnait l'impression d'être friable sous mes pas, et peut-être que, arrivé à la 57ᵉ Rue, je chuterais dans une fosse sans fond.

IV

*Ce n'est pas la chair et le sang, mais le cœur
qui fait de nous des pères et des fils.*

Schiller.

9

Tout est possible

I

Un après-midi huit années plus tard – j'avais fini mes études et travaillais pour Hobie –, je sortais juste de la Bank of New York et remontais Madison Avenue contrarié et préoccupé, lorsque j'ai entendu crier mon nom.

Je me suis retourné. La voix m'était familière, mais je n'ai pas reconnu l'homme : la trentaine, plus grand que moi, avec des yeux gris moroses et des cheveux blonds ternes qui lui tombaient sur les épaules. Ses vêtements – un pantalon miteux en tweed ; un pull rêche avec un col châle – auraient été davantage à leur place dans un chemin de campagne boueux qu'en milieu urbain ; il avait cet air indéfinissable des gens qui ont reçu des privilèges et les ont perdus, comme s'il avait dormi sur les canapés d'amis, pris des drogues et dilapidé une bonne partie de l'argent de ses parents.

« C'est Platt. Platt Barbour, m'a-t-il annoncé.

— Platt, ai-je dit après un temps d'arrêt stupéfait. Ça fait un bail, bon sang. » Difficile de reconnaître dans ce piéton sobre à l'air attentif l'ancienne brute joueuse de hockey. Envolés l'insolence et l'ancien éclair agressif ; aujourd'hui il avait l'air usé et il flottait dans ses yeux quelque chose d'anxieux et de fataliste. C'était peut-être un mari malheureux des quartiers chic, inquiet que sa femme le trompe, ou peut-être un enseignant d'établissement de seconde zone tombé en disgrâce.

« Eh bien. Voyons. Platt. Comment va ? lui ai-je demandé après un silence inconfortable et en me reculant. Tu habites toujours New York ?

— Oui, a-t-il répondu en posant une main sur sa nuque, l'air fort mal à l'aise. Je viens juste de commencer un nouveau boulot, en réalité. » Il n'avait pas bien vieilli ; autrefois c'était le plus blond et le plus beau des trois frères, mais il s'était empâté au niveau de la mâchoire et du ventre, et son visage, alourdi lui aussi, n'avait plus la beauté perverse d'un vieux *Jungvolk*. « Je travaille pour un éditeur universitaire. Blake-Barrows. Ils sont implantés à Cambridge, mais ils ont un bureau ici.

— Super, ai-je commenté comme si j'avais déjà entendu parler de l'éditeur en question alors que non, hochant la tête, tripotant la monnaie dans ma poche, préparant déjà ma fuite. C'est super de te revoir. Comment va Andy ? »

Son visage a semblé se figer. « Tu n'es pas au courant ?

— Eh bien… (temps d'hésitation) j'avais entendu dire qu'il était entré au Massachusetts Institute of Technology. Je suis tombé sur Win Temple dans la rue il y a un an ou deux de ça… Il m'a appris qu'Andy avait décroché un poste d'enseignement et de recherche, en astrophysique, non ? En fait, je ne suis plus beaucoup en contact avec les gens du collège… », ai-je ajouté avec nervosité, décontenancé par son regard fixe.

Platt a passé la main sur sa nuque. « Je suis désolé. Je ne suis pas sûr que l'on savait comment te contacter. C'est encore embrouillé. Mais j'étais convaincu que tu avais dû apprendre la nouvelle depuis.

— Laquelle ?

— Il est mort.

— Andy ? ai-je dit, puis, comme il ne réagissait pas :
Non. »

Grimace fugitive, envolée presque dès que je l'ai vue.
« Si. C'était assez horrible, désolé de te l'apprendre.
Andy, et papa aussi.

— Quoi ?

— Il y a cinq mois. Papa et lui se sont noyés.

— Non. » J'ai regardé le trottoir.

« Le bateau a chaviré. En route vers Northeast Harbor.
On n'était vraiment pas loin des côtes, peut-être qu'on
n'aurait pas dû être là du tout, mais papa... tu sais comment il était...

— Oh, mon Dieu. » Planté là, cet après-midi d'un
printemps incertain, avec des enfants sortant de l'école et
courant partout autour de moi, je me suis senti abattu et
perdu, victime d'une mauvaise blague. J'avais beaucoup
pensé à Andy au fil des ans, et raté l'occasion de le voir
une fois ou deux, mais on n'avait jamais repris contact
depuis mon retour à New York. J'étais sûr de tomber
sur lui à un moment donné, tout comme j'avais rencontré Win, James Villiers, Martina Lichtblau, et quelques
autres élèves du collège. Mais même si j'avais souvent
songé à prendre mon téléphone pour lui dire bonjour, je
ne l'avais jamais fait.

« Ça va ? m'a demandé Platt en se massant la nuque,
l'air aussi mal à l'aise que moi.

— Hum... » Je me suis tourné vers la vitrine d'un
magasin pour reprendre mes esprits, et j'ai croisé le
regard de mon fantôme transparent tandis qu'une foule
passait dans la vitre derrière moi.

« Bon sang. Je n'y crois pas. Je ne sais pas quoi dire.

— Désolé de te lâcher ça dans la rue comme ça, a-t-il
poursuivi en se frottant la joue. On dirait que tu vas
dégobiller. »

Dégobiller : une expression de Mr. Barbour. Avec un pincement au cœur, je l'ai revu fouillant les tiroirs dans la chambre de Platt pour me trouver un pyjama et me proposant de faire un feu pour me réchauffer. *C'est un putain de truc qui vient d'arriver, bon sang.*

« Ton père aussi ? ai-je insisté en clignant des yeux comme si l'on venait juste de me réveiller d'un profond sommeil. C'est bien ce que tu viens de dire ? »

Il a regardé autour de lui, avec un menton relevé qui, l'espace d'un instant, a fait revivre l'ancien Platt arrogant dont je me souvenais, puis il a jeté un coup d'œil à sa montre.

« Allez, tu as une minute ?

— Eh bien…

— Allons prendre un verre, a-t-il proposé en abattant une main tellement lourde sur mon épaule que j'ai vacillé. Je connais un endroit tranquille sur la 3ᵉ Avenue. Qu'est-ce que tu en dis ? »

II

On s'est assis dans le bar presque vide, un tripot aux lambris en chêne jadis célèbre qui sentait la graisse de hamburger et arborait des fanions d'universités renommées sur les murs. Platt parlait d'une voix radoteuse, chargée et monocorde, si bas que je devais tendre l'oreille pour le comprendre.

« Papa, a-t-il commencé, le regard baissé sur son gin citron vert : la boisson de Mrs. Barbour. On répugnait tous à en parler… mais. Un déséquilibre chimique, voilà comment notre grand-mère résumait ça. Désordre bipolaire. Il avait eu son premier épisode, ou attaque, peu importe le nom, en première année de fac de droit à Harvard… Du coup il n'est jamais passé en deuxième année. Tous ses plans déments et ses enthousiasmes… combatif en cours, parlant quand ce n'était pas son tour, il s'était même lancé dans l'écriture d'un poème épique de la longueur d'un livre sur le baleinier *Essex* qui était un ramassis d'absurdités ; puis son camarade de chambre, qui apparemment avait une influence stabilisante plus importante qu'on ne le soupçonnait, est parti étudier un semestre en Allemagne et… eh bien. Mon grand-père a dû prendre le train pour Boston pour aller le chercher. Il avait été arrêté pour avoir démarré un feu devant la statue de Samuel Eliot Morison sur Commonwealth Avenue, et quand le policier a essayé de l'emmener il a résisté à l'arrestation.

— Je savais qu'il avait eu des problèmes. Mais j'ignorais que c'était à ce point-là.

— Enfin. » Platt a fixé sa boisson, puis il l'a avalée d'un coup. « C'était bien avant ma naissance. Les choses ont changé après son mariage, il prenait ses cachets depuis un certain temps, bien que notre grand-mère ne lui ait jamais fait confiance après tout ça.

— Tout quoi ?

— Oh, bien sûr *nous*, les petits-enfants, on s'entendait très bien avec elle, s'est-il empressé de préciser. Mais tu n'imagines pas les problèmes que papa leur a causés quand il était plus jeune… Il déchirait des tas de billets, il entrait dans de terribles disputes et des rages, il a eu des problèmes déments avec des mineures… après quoi il pleurait et s'excusait, puis ça recommençait… Gaga l'a toujours tenu responsable de la crise cardiaque de notre grand-père, tous deux étaient en train de se disputer dans le bureau de mon grand-père quand *boum*. Mais une fois qu'il a commencé le traitement, c'est devenu un agneau. Un père merveilleux… enfin… tu sais. Merveilleux avec nous les enfants.

— Il était adorable. À l'époque où je l'ai connu.

— Oui. » Platt a haussé les épaules. « Il pouvait l'être. Après son mariage, il a été stable quelque temps.

Ensuite… je ne sais pas ce qui est arrivé. Il a fait des investissements terriblement risqués… ça a été le premier signe. Puis il a passé des appels gênants à des gens tard le soir, ce genre de trucs. Il a fait une fixation sur une étudiante qui effectuait un stage dans son bureau… une fille dont maman connaissait la famille. C'était horrible. »

Quelle qu'en soit la raison, j'étais infiniment touché de l'entendre appeler Mrs. Barbour « maman ». « Je n'ai jamais rien su de tout ça », ai-je lâché.

Platt a froncé les sourcils : une expression désespérée et résignée où sa ressemblance avec Andy ressortait de manière évidente. « On le savait à peine nous-mêmes, nous les enfants, a-t-il expliqué avec amertume en faisant courir son pouce le long de la nappe. "Papa est malade", c'est tout ce que l'on nous disait. Quand ils l'ont envoyé à l'hôpital, moi j'étais en pension, tu vois, et ils ne m'ont jamais laissé lui parler au téléphone, ils disaient qu'il était trop malade, et pendant des semaines et des semaines j'ai cru qu'il était mort et qu'on ne voulait pas me le dire.

— Je me souviens de tout ça. C'était horrible.

— Tout quoi ?

— Les, euh, les problèmes nerveux.

— Ouais, eh bien. » Il y a eu un inquiétant déclic colérique dans ses yeux. « Comment j'étais, *moi,* supposé savoir si c'étaient des "problèmes nerveux" ou un cancer en phase terminale, ou je ne sais pas quoi, bordel ? "Andy est si sensible… Il vaut mieux pour Andy qu'il reste à New York… Nous ne pensons pas qu'Andy s'épanouirait dans un pensionnat…" Eh bien, tout ce que je peux dire, c'est que maman et papa m'y ont expédié, *moi,* pratiquement dès que j'ai pu lacer mes souliers, une putain d'école équestre à la con qui s'appelait Prince George's, le summum du troisième ordre, mais oh, waouh, une expérience tellement formatrice pour le caractère, une préparation tellement super pour Groton, et en plus ils acceptaient des enfants très jeunes, de sept à treize ans. Tu aurais dû voir la brochure, paradis de la chasse en Virginie et tout et tout, sauf que ce n'était pas comme sur les photos et qu'il n'y avait pas que des collines verdoyantes et des tenues équestres. Je me suis fait piétiner dans un box et me suis cassé l'épaule, après quoi je me suis retrouvé à l'infirmerie et je me souviens de l'allée vide sans la moindre voiture qui la remonte. Pas *une* putain de visite, pas même Gaga. En plus, le docteur était un poivrot qui a mal remis mon épaule, j'en souffre encore aujourd'hui. Je hais les chevaux depuis ce putain de jour.

« *Quoi* qu'il en soit (changement de ton emprunté) ils m'ont arraché de là et m'ont inscrit à Groton au moment où papa commençait vraiment à avoir des problèmes et où on l'a fait interner. Apparemment il y a eu un incident dans le métro… Les versions se contredisent, papa raconte une chose et les flics une autre *mais* (il a relevé les sourcils, avec une sorte de fantaisie affectée teintée d'humour noir) papa s'est retrouvé chez les cinglés ! Pendant huit semaines. Pas de ceinture ni de lacets ni rien de tranchant. Mais ils lui ont fait des électrochocs, qui ont vraiment eu l'air de marcher parce que, quand il en est ressorti, il était transformé. Enfin… tu te souviens. C'était pratiquement Super Papa.

— Et donc… (j'ai repensé à ma vilaine rencontre avec Mr. Barbour dans la rue mais j'ai décidé de ne pas en parler) qu'est-ce qui s'est passé ?

— Va-t'en savoir. Il s'est remis à avoir des problèmes il y a quelques années et il a dû être de nouveau interné.

— Quel genre de problèmes ?

— Oh… (Platt a poussé un soupir bruyant) plus ou moins les mêmes, coups de fil gênants, crises en public, etc. Rien ne clochait chez lui, bien sûr, il allait tout à fait *bien*, ça a commencé quand ils ont entamé des rénovations sur l'immeuble auxquelles il était opposé, marteaux et scies *non-stop* et tous ces corps de métier qui détruisent la ville, il n'avait pas tort, d'ailleurs, puis ça a fait boule de neige, en quelque sorte, au point qu'il était convaincu d'être suivi, photographié et espionné en permanence. Il a écrit des lettres passablement dérangées à des gens, y compris à quelques clients de sa boîte... Il est devenu *persona non grata* au Yacht Club... Beaucoup de membres se sont plaints, même quelques très vieux amis, et comment leur en vouloir ?

« Quoi qu'il en soit, quand papa est sorti de l'hôpital la deuxième fois, il n'était plus tout à fait le même. Les écarts étaient moins extrêmes, mais il ne parvenait pas à se concentrer et il était en permanence très irritable. Il y a six mois environ, il a changé de médecin, pris un congé sans solde et il est parti dans le Maine : notre oncle Harry a une maison sur une petite île là-haut, sans personne à part le gardien, et à entendre papa, l'air de la mer lui faisait du bien. On a tous été le voir à tour de rôle... Andy était à Boston, au Massachussets Institute of Technology, il n'avait sûrement pas envie de s'encombrer de papa, mais vu que c'était, hélas, lui le plus proche géographiquement, il s'est retrouvé un peu coincé.

— Il n'est pas retourné chez les, euh... (je ne voulais pas dire *les allumés*) là où il avait été avant ?

— Eh bien, comment l'obliger ? Ce n'est pas facile de faire interner quelqu'un contre son gré, surtout quand la personne ne veut pas admettre que quelque chose cloche, ce qui était son cas à ce moment-là ; en plus, on nous a fait croire que tout ça était une affaire de traitement, qu'il serait remis sur pied dès que le nouveau dosage ferait effet. Le gardien était en contact avec nous, s'assurait qu'il mangeait correctement et qu'il prenait bien ses cachets, papa s'entretenait au téléphone chaque jour avec son psy... Je veux dire, *d'après* le médecin, il allait bien, a-t-il poursuivi, sur la défensive. Papa pouvait conduire, nager et faire de la voile s'il en avait envie. Probablement que ce n'était pas une super idée de sortir si *tard* dans la journée, mais les conditions météo n'étaient pas si mauvaises quand on est partis, et bien sûr tu connais papa. Le genre marin intrépide. Jamais en mal d'actes de bravoure et de prouesses.

— Oui. » J'avais entendu beaucoup beaucoup d'histoires de Mr. Barbour partant sur des « eaux agitées » qui se révélaient être des tempêtes du nordet, avec avis d'urgence dans trois États et panne d'électricité tout le long de la côte Atlantique, tandis qu'un Andy malade et nauséeux écopait l'eau salée du bateau. De nuits passées penchés sur le flanc, échoués sur des bancs de sable, dans l'obscurité et la pluie torrentielle. Mr. Barbour lui-même, riant aux éclats devant sa Vierge Marie et ses œufs au bacon le dimanche matin, avait plus d'une fois raconté comment les enfants et lui avaient été poussés au large de Long Island Sound durant un ouragan, avec la radio HS, et comment Mrs. Barbour avait appelé un prêtre à St. Ignatius Loyola entre Park Avenue et la 84e Rue et passé la nuit à prier (Mrs. Barbour !) jusqu'à l'appel des gardes-côtes en liaison radio. (« Premiers vents un peu forts et elle file vers Rome à toute vitesse, n'est-ce pas ma chère ? Ha ! »)

« Papa… » Platt a secoué la tête avec tristesse. « D'après maman, si Manhattan n'avait pas été une île, il n'aurait jamais pu y habiter, pas une seule minute. Sur Terre il était malheureux, il se languissait de la mer en permanence, il lui fallait la *voir*, la *sentir*… Je me souviens d'un voyage en voiture avec lui depuis le Connecticut, quand j'étais petit, où au lieu de prendre la nationale 84 directement vers Boston il a fallu faire un détour de plusieurs kilomètres pour longer la côte. Il regardait toujours vers l'Atlantique… il y était vraiment très très sensible, ainsi qu'au fait que les nuages changeaient au fur et à mesure que l'on se rapprochait de l'océan. » Platt a fermé ses yeux gris souris pendant un moment, puis les a rouverts. « Tu sais que la petite sœur de papa s'est noyée, non ? » a-t-il lancé d'une voix si monotone qu'un instant j'ai cru avoir mal entendu.

J'ai cligné des yeux, ne sachant quoi répondre. « Non. Je n'étais pas au courant.

— Eh bien, si, a continué Platt d'une voix blanche. Kitsey porte son prénom. Elle a sauté d'un bateau sur l'East River lors d'une fête… Apparemment il s'agissait d'une blague, c'est ce qu'ils ont tous dit, un "accident", mais bon, tout le monde sait que ce n'est pas le truc à faire, les courants étaient déchaînés et ils l'ont entraînée vers le fond tout de suite. Un autre gamin est mort, lui aussi, il avait sauté pour essayer de la sauver. Et puis il y a eu l'oncle de papa, Wendell, dans les années 1960, à moitié croulant, qui avait essayé de nager vers la terre ferme un soir suite à un défi… Je veux dire, papa n'arrêtait pas de jacasser à propos de l'eau qui était pour lui source de vie, fontaine de jouvence, etc. Et oui, ça l'était. Mais ça n'a pas été qu'une source de vie pour lui. C'est aussi devenu source de mort. »

Je n'ai pas répondu. Les histoires de bateau de Mr. Barbour, rarement pertinentes, peaufinées ou instructives sur le sport en lui-même, avaient toujours vibré d'une urgence majestueuse toute personnelle, d'un attirant frisson de désastre.

« Et (la bouche de Platt était pincée en une ligne serrée), bien sûr, ce qui était démentiel dans tout ça, c'était qu'il se croyait immortel dès qu'il s'agissait d'eau. Fils de Poséidon ! Insubmersible ! À ses yeux, plus les flots étaient déchaînés, mieux c'était. Les tempêtes lui donnaient le vertige, tu le sais, ça ? Et les basses pressions atmosphériques lui faisaient l'effet de gaz hilarants. Sauf que ce jour-là… C'était agité mais chaud, c'était une de ces journées ensoleillées et lumineuses d'automne où l'on n'a qu'une idée en tête, sortir en mer. Andy était contrarié à l'idée de devoir l'accompagner, il avait un début de rhume et il était au milieu d'une manip compliquée sur l'ordinateur, mais aucun de nous deux n'a pensé qu'il y avait de *danger* véritable. L'idée, c'était de le faire sortir, de le calmer, puis avec un peu de chance de filer au restaurant sur la jetée et d'essayer de le faire manger. Tu vois... (il a croisé les jambes avec nervosité) on n'était que tous les deux, Andy et moi, et pour être très honnête papa était déjà un peu déboussolé. Il était remonté depuis la veille, tenant des propos incohérents, vraiment en ébullition. Andy a appelé maman parce qu'il avait du travail et ne se sentait pas en mesure de faire face, et maman m'a appelé, moi. Au moment où je suis arrivé, après avoir pris le ferry, papa était déjà en plein délire. Il s'extasiait sur les projections d'écume, les embruns et tout ça... l'Atlantique vert et sauvage... Il planait complètement. Andy n'avait jamais pu le supporter dans ces humeurs-là, il était monté dans sa chambre où il s'était enfermé à clé. Je suppose qu'il avait déjà eu sa dose avant mon arrivée.

« Avec le recul, je sais que cela semble irréfléchi, mais... tu vois, *j'aurais* pu partir en mer tout seul. Papa pétait un câble dans la maison, qu'est-ce que je devais faire, me battre pour qu'il descende et l'enfermer ? Et puis, tu connais Andy, il ne pensait jamais à la nourriture, le placard était vide et il n'y avait rien dans le frigo à part des pizzas surgelées... Une petite balade, quelque chose à manger sur la jetée, ça semblait être un bon plan, tu vois ? "Nourris-le, disait toujours maman quand papa commençait à être un peu trop euphorique. Il faut lui faire avaler quelque chose." C'était toujours la première ligne de défense. Fais-le asseoir, fais-lui manger un bon steak. Souvent c'était tout ce qu'il fallait pour le remettre sur pied. Et tu vois... j'avais la vague idée que si son esprit ne se calmait pas une fois à terre, on oublierait le grill-room et on l'emmènerait aux urgences s'il le fallait. J'ai juste demandé à Andy de m'accompagner par prudence. Je m'étais dit qu'une paire de bras supplémentaires pouvait se révéler utile… Très franchement j'étais sorti tard la veille, je ne me sentais pas très guilleret, comme disait papa. » Il a marqué un temps d'arrêt et a frotté les paumes de ses mains sur les jambes de son pantalon en tweed. « Eh bien. Andy n'a jamais beaucoup aimé l'eau. Comme tu le sais.

— Je m'en souviens. »

Platt a grimacé. « J'ai vu des chats nager mieux que lui. Enfin bon, pour être honnête, c'était le gamin le plus maladroit que j'aie jamais vu, alors qu'il n'était ni handicapé moteur ni retardé… Bon sang, tu aurais dû le voir sur le court de tennis, on plaisantait à l'idée de l'inscrire aux jeux Olympiques spéciaux, il aurait remporté chaque événement. Toujours est-il qu'il avait effectué assez d'heures sur un bateau, bon sang oui… et que ça semblait malin d'avoir un autre homme à bord, avec papa qui n'était pas au mieux de sa forme, tu comprends ? On aurait pu facilement maîtriser le bateau… Enfin bon, ça *allait*, ça aurait pu être parfait, sauf que je n'avais pas surveillé le ciel comme je l'aurais dû, le vent s'est levé, on a essayé de prendre un ris dans la grand-voile et papa a gesticulé dans tous les sens, puis crié à propos des espaces vides entre les étoiles, vraiment un florilège de discours cinglés, il y a eu un coup de houle, puis il a perdu l'équilibre et il est passé par-dessus bord. On a essayé de le remonter, Andy et moi… Puis on a été attaqués par le travers juste sous le mauvais angle, une énorme vague, du genre verticale avec une crête, de celles qui apparaissent tout d'un coup et qui vous heurtent sans qu'on les ait vues venir, et boum, on a chaviré. On ne peut même pas dire qu'il faisait si froid que ça, mais une eau à onze degrés suffit à vous plonger en hypothermie si on y reste assez longtemps, ce qui a malheureusement été notre cas, et je veux dire que papa, il *planait* jusque dans la stratosphère… »

Notre serveuse-étudiante très liante s'approchait dans le dos de Platt et allait nous demander si on voulait autre chose – j'ai croisé son regard et secoué légèrement la tête, la prévenant ainsi de s'éloigner.

« C'est l'hypothermie qui a achevé papa. Il était devenu si mince, il n'avait plus que la peau sur les os, une heure et demie dans l'eau à cette température a suffi, il se débattait. On perd de la chaleur plus vite quand on n'est pas parfaitement immobile. Andy… (apparemment il avait senti la présence de la serveuse car Platt s'est retourné et a tendu deux doigts), *la même chose*… Le gilet d'Andy, eh bien, ils l'ont retrouvé qui traînait derrière le bateau, toujours attaché à la corde de sûreté.

— Oh, mon Dieu.

— Il a dû lui passer par-dessus la tête quand il a basculé par dessus bord. Il y a une sangle à l'entrejambe… C'est un peu inconfortable, personne n'aime porter ça… Toujours est-il, le gilet d'Andy était là, toujours accroché à la corde de sûreté, mais apparemment il ne l'avait pas bouclé en entier, le petit con. Eh bien, bon, a-t-il poursuivi d'une voix devenue plus forte, ça lui *ressemble* tellement. Tu vois ? Il ne voulait pas s'embêter à fermer son truc correctement. Ça a toujours été un putain de manche… »

J'ai jeté un coup d'œil à la serveuse, soudain conscient que Platt s'était mis à parler fort.

« Bon sang. » Platt s'est brusquement reculé de la table. « J'ai toujours détesté Andy. C'était un petit saligaud.

— Platt. » J'avais envie de lui dire : Non tu ne l'as pas toujours détesté, sauf que si.

Il a levé les yeux vers moi et a secoué la tête. « Enfin, bon sang. » Ses yeux étaient exorbités et semblaient vides, comme les pilotes Huey dans ce jeu électronique (*Air Cav II : invasion du Cambodge*) auquel Andy et moi aimions jouer. « Quand je repense à certaines des choses que je lui ai faites. Je ne me le pardonnerai jamais, jamais.

— Eh bien », ai-je dit après une pause gênée en regardant ses mains aux grosses articulations posées sur la table – des mains qui, après toutes ces années, avaient toujours l'air massives et brutales, résidu d'une ancienne cruauté. Bien que nous ayons tous deux enduré notre lot de harcèlement à l'école, la façon inventive, joyeuse et sadique dont Platt persécutait Andy avait frôlé la torture pure et dure : cracher dans sa nourriture, oui, démembrer ses jouets, mais aussi laisser sur son oreiller les guppies morts de l'aquarium et des photos d'autopsie prises sur Internet, soulever ses couvertures et lui pisser dessus pendant qu'il dormait (puis crier *Androïd a fait pipi au lit !*) ; lui maintenir la tête sous l'eau dans le bain style Abou Ghraib ; lui fourrer le visage dans le bac à sable du terrain de jeux alors qu'il pleurait et se débattait pour respirer ; tenir son inhalateur au-dessus de sa tête tandis qu'il suppliait en respirant difficilement : *Tu le veux ? tu le veux ?* Sans parler d'une histoire horrible à propos de Platt et d'une ceinture, un grenier dans une maison de campagne, les mains liées, un nœud coulant de fortune : vilenie. *Il m'aurait tué si la babysitter ne m'avait pas entendu donner des coups par terre*, je me souvenais des paroles d'Andy, de sa voix lointaine qui ne laissait filtrer aucune émotion.

Une légère pluie printanière tapotait les vitres du bar. Platt a baissé les yeux vers son verre vide, puis les a relevés.

« Viens chez maman, a-t-il suggéré. Je sais qu'elle veut vraiment te voir.

— Maintenant ? me suis-je étonné quand je me suis rendu compte qu'il voulait dire tout de suite.

— Oh, viens, s'il te plaît. Si pas maintenant, plus tard. Ne lance pas de promesse en l'air comme on en fait tous dans la rue. Ça lui ferait très plaisir.

— Eh bien… » Maintenant c'était mon tour de regarder ma montre. J'avais quelques courses à faire, en réalité, beaucoup de soucis en tête dont plusieurs très pressants, mais il était tard, la vodka m'avait rendu brumeux et l'après-midi s'était envolé.

« S'il te plaît », a-t-il insisté. D'un signe de la main il a demandé l'addition. « Elle ne me pardonnera jamais si elle apprend que je t'ai croisé et que je t'ai laissé filer. Tu ne veux pas venir juste une minute ? »

III

Poser un pied dans l'entrée revenait à s'avancer sous le portail qui ramène à l'enfance : porcelaines chinoises, tableaux de paysages éclairés, lampes tamisées aux abat-jour de soie, tout était exactement comme quand Mr. Barbour m'avait ouvert la porte le soir où ma mère était morte.

« Non, non, a dit Platt, lorsque par habitude je me suis avancé vers le miroir vénitien convexe en direction du living. Par ici. » Il s'est dirigé vers l'arrière de l'appartement. « Nous sommes devenus très informels… Maman reçoit généralement les gens ici, quand elle en reçoit… »

À l'époque, je n'avais jamais pénétré dans le sanctuaire de Mrs. Barbour, mais alors que nous nous en approchions, la senteur de son parfum – reconnaissable entre tous, fleurs blanches et étrangeté poudrée en note de fond – ressemblait à un rideau voletant devant une fenêtre ouverte.

« Elle ne sort plus comme autrefois, a expliqué Platt avec douceur. *Exit* ces grands dîners ou soirées… Elle invite quelqu'un à prendre le thé ou bien elle sort dîner avec une amie une fois par semaine, quelque chose comme ça. Mais c'est tout. »

Platt a frappé et écouté. « Maman ? a-t-il dit et, vu la réponse vague, il a entrouvert la porte. J'ai un invité pour toi. Tu ne devineras jamais qui j'ai croisé dans la rue… »

C'était une pièce énorme, couleur pêche pour vieille dame, années 1980. Directement à côté de l'entrée il y avait un ensemble canapé et fauteuil sans accoudoirs, beaucoup de bric-à-brac, des coussins brodés et neuf ou dix dessins du XVIIe siècle : la fuite en Égypte, Jacob et l'ange, des peintres de l'école de Rembrandt pour l'essentiel, bien qu'il y ait une minuscule esquisse bistre à la plume représentant le Christ lavant les pieds de saint Pierre qui était si habile (dos drapé voûté et las du Christ ; tristesse vide et complexe sur le visage de saint Pierre) qu'il aurait pu être de la main de Rembrandt lui-même.

Je me suis penché vers l'avant pour regarder de plus près ; et à l'autre bout de la pièce, une lampe avec un abat-jour en forme de pagode s'est allumée d'un coup. « Theo ? » l'ai-je entendue dire, puis je l'ai vue, appuyée contre des piles de coussins dans un lit d'une largeur extravagante.

« Toi ! Je n'en reviens pas ! s'est-elle exclamée en tendant les bras vers moi. Tu es un adulte à présent ! Mais où étais-tu donc caché ? Tu vis à New York maintenant ?

— Oui. Ça fait déjà quelque temps que je suis rentré. Vous êtes superbe, ai-je ajouté respectueusement alors que ce n'était pas vrai.

— Et toi donc ! » Elle a posé ses deux mains sur les miennes. « Comme tu es beau ! Je suis impressionnée. » Elle avait l'air à la fois plus âgée et plus jeune que dans mon souvenir : très pâle, sans rouge à lèvres, des rides au coin des yeux, mais la peau toujours blanche et lisse. Ses cheveux blond platine (avaient-ils toujours été aussi platine, ou est-ce que c'était récent ?) étaient défaits et ébouriffés et lui tombaient sur les épaules ; elle portait des lunettes en demi-lunes et une liseuse en satin retenue par une énorme broche en diamant en forme de flocon de neige.

« Et voilà où tu me trouves, dans mon lit, avec mes travaux d'aiguille, comme une vieille veuve de marin », a-t-elle constaté en désignant de la main la broderie inachevée sur ses genoux. Deux chiens minuscules – des Yorkshire Terriers – étaient endormis sur un pâle jeté de lit en cachemire posé à ses pieds et, m'ayant remarqué, le plus petit des deux a bondi et s'est mis à aboyer avec fureur.

Mal à l'aise, j'ai souri quand elle a essayé de le calmer – l'autre chien s'était joint au boucan – puis j'ai regardé autour de moi. Le lit était moderne, grand, mais il y avait là beaucoup de vieilles choses intéressantes auxquelles je n'aurais pas su être attentif quand j'étais jeune. De toute évidence, ici c'était la mer des Sargasses de l'appartement, où atterrissaient les objets bannis des pièces de réception décorées avec soin : tables basses dépareillées ; bric-à-brac asiatique ; collection incroyable de cloches de table argentées ; table de jeu en acajou qui, de là où je me trouvais, pouvait être une Duncan Phyfe, avec dessus (parmi des cendriers en émail cloisonné et nombre de sous-verre bon marché) un cardinal rouge empaillé : mangé par les mites, fragile, les plumes fanées couleur rouille, la tête penchée à angle droit et son œil telle une perle noire poussiéreuse et horrifiée.

« Ting-a-Ling, chut, tiens-toi tranquille s'il te plaît, c'est insupportable. Je te présente Ting-a Ling, a annoncé Mrs. Barbour en prenant dans les bras le chien qui se débattait, lui c'est le vilain, hein, mon chéri, jamais un moment tranquille, et l'autre, avec le ruban rose, c'est Clementine. Platt, a-t-elle lancé en couvrant les aboiements, Platt, tu peux l'emmener dans la cuisine ? Il est un peu gênant quand il y a des invités, je devrais faire venir un éducateur canin… » m'a-t-elle expliqué.

Pendant que Mrs. Barbour roulait sa broderie et la déposait dans un panier ovale avec une sculpture en coquillage incrustée dans le couvercle, je me suis assis dans le fauteuil près de son lit. La tapisserie était usée, et les rayures estompées m'étaient familières : il s'agissait d'un ancien fauteuil exilé à la chambre, dans lequel j'avais trouvé ma mère assise des années auparavant quand elle était venue me chercher chez les Barbour après que j'y eus passé la nuit. D'un doigt j'ai effleuré le tissu. Tout d'un coup, j'ai vu ma mère se levant pour m'accueillir, vêtue du caban vert vif qu'elle portait ce jour-là, suffisamment à la mode pour que les gens l'arrêtent dans la rue afin de lui demander où elle l'avait acheté, mais tout à fait déplacé chez les Barbour.

« Theo ? a demandé Mrs. Barbour. Tu as soif ? Un thé ? Ou quelque chose de plus fort ?

— Non, merci. »

Elle a tapoté la courtepointe en brocart. « Viens donc t'asseoir à côté de moi. S'il te plaît. Je veux pouvoir te voir.

— Je... » Au son de sa voix, à la fois intime et formel, une terrible tristesse s'est emparée de moi, et quand nous nous sommes regardés il m'a semblé que ce moment clair comme de l'eau de roche, la complexité tranquille de cet après-midi de printemps pluvieux, avec une chaise au bois sombre dans le couloir et sa main légère comme l'air sur ma nuque, redéfinissaient tout le passé en faisant le point.

« Je suis si contente de ta visite.

— Mrs. Barbour, mon Dieu, ai-je dit en m'avançant vers le lit et en m'asseyant en biais avec précaution. Je n'arrive pas à y croire. Je viens juste d'apprendre. Je suis vraiment désolé. »

Elle a pressé ses lèvres l'une contre l'autre comme un enfant qui se retiendrait pour ne pas pleurer. « Oui, eh bien, a-t-elle dit, et un atroce silence entre nous a suivi, apparemment impossible à rompre.

— Je suis terriblement désolé », ai-je répété sur un ton plus pressant, conscient de ma gaucherie comme si, en parlant plus fort, je pouvais communiquer l'acuité de mon chagrin.

Elle a cligné des yeux avec un air malheureux ; ne sachant que faire, j'ai tendu une main que j'ai posée sur la sienne et nous sommes restés assis pendant un laps de temps très inconfortable.

Pour finir, c'est elle qui a parlé la première. « Enfin soit. » D'un geste ferme, elle a vite essuyé une larme qui coulait pendant que je me débattais en quête de quelque chose à dire. « Il avait parlé de toi moins de trois jours avant sa mort. Il s'était fiancé. À une Japonaise.

— Sans blague. Vraiment ? » Aussi triste que j'aie été, je n'ai pu m'empêcher d'esquisser un sourire : Andy avait choisi le japonais comme seconde langue précisément parce qu'il avait flashé sur les *miko* du fanservice et les salopes des mangas en uniforme de marin. « Une Japonaise du Japon ?

— Tout à fait. Une petite chose minuscule avec une voix aiguë et un sac à main en forme de peluche. Oh oui, je l'avais rencontrée, a-t-elle poursuivi en haussant un sourcil. On était allés chez *Pierre* et Andy avait servi de traducteur autour des sandwichs qui accompagnaient le thé. Elle était à l'enterrement, bien sûr, la fille, elle s'appelait Miyako… Eh bien. Il y a des différences culturelles, soit, mais c'est vrai ce que l'on dit des Japonais qui ne sont pas démonstratifs. »

La petite chienne, Clementine, s'était approchée en rampant pour s'enrouler autour de l'épaule de Mrs. Barbour tel un col en fourrure. « Je dois admettre que je songe à en prendre un troisième, a-t-elle dit en tendant la main pour la caresser. Qu'est-ce que tu en penses ?

— Je ne sais pas », ai-je répondu, décontenancé. Cela ne ressemblait vraiment pas à Mrs. Barbour de demander son opinion à qui que ce soit sur un quelconque sujet, encore moins à moi.

« Je dois avouer qu'ils m'ont été d'un grand réconfort, tous les deux. Ma vieille amie Maria Mercedes de la Pereyra est arrivée avec ces deux-là une semaine après l'enterrement, de manière tout à fait inattendue, deux chiots dans un panier avec des rubans, et je dois reconnaître qu'au début je n'étais pas sûre, mais en fait je crois que c'est le cadeau le plus judicieux que j'aie jamais reçu.

Je n'aurais pas pu avoir de chien avant, à cause d'Andy.
Il était tellement allergique. Tu te souviens.

— Oui. »

Platt avait réapparu, toujours vêtu de sa veste en tweed
de chasse avec de grandes poches pendantes pour les
oiseaux morts et les cartouches de fusil. Il a approché
une chaise. « Alors, maman, a-t-il dit en se mordant la
lèvre inférieure.

— Et alors, mon poussin. » Silence formel. « Bonne
journée au travail ?

— Super. » Il a hoché la tête, comme s'il essayait
de se rassurer là-dessus. Ouais. Vraiment très débordé.

— Je suis ravie de l'entendre.

— Des nouveaux livres. Sur le Congrès de Vienne.

— Encore ? » Elle s'est tournée vers moi. « Et toi, Theo ?

— Pardon ? » J'étais occupé à regarder la sculpture en
coquillage (un baleinier) incrustée dans le couvercle de
son panier à couture, et je pensais à ce pauvre Andy :
eaux noires, sel dans la gorge, nausée et mouvements de
bras. L'horreur et la cruauté de mourir dans l'élément
qu'il détestait le plus. *Le problème c'est surtout que je
méprise les bateaux.*

« Dis-moi. Qu'est-ce que tu fais de beau maintenant ?

— Hum, je suis antiquaire. De meubles américains
pour l'essentiel.

— Non ! » Elle était enthousiaste. « Mais c'est *magnifique* !

— Oui… dans le Village. Je fais tourner la boutique
et m'occupe des ventes. Mon associé… (c'était si récent
que je n'avais pas l'habitude d'en parler) mon associé
dans l'affaire, James Hobart, lui c'est l'artisan, il s'occupe
des restaurations. Vous devriez venir nous voir un de
ces quatre.

— Oh, c'est charmant. Antiquaire ! » Elle a soupiré.
« Eh bien… tu sais combien j'apprécie les vieilles choses.
J'aurais aimé que mes enfants s'y intéressent. J'ai tou-

jours espéré que ce serait le cas d'au moins l'un d'entre eux.

— Il reste encore Kitsey, a lancé Platt.

— C'est curieux, a poursuivi Mrs. Barbour comme si elle n'avait rien entendu. Pas un seul de mes enfants n'a eu de penchant artistique. N'est-ce pas incroyable ? Des petits béotiens, tous les quatre.

— Oh, voyons, ai-je rétorqué sur un ton aussi badin que possible. Je me souviens de Toddy et Kitsey et de toutes ces leçons de piano. Et d'Andy avec son violon Suzuki. »

Elle a eu un geste dédaigneux. « Oh, tu sais ce que je veux dire. Aucun de mes enfants n'a d'aptitudes *visuelles*. Pas la moindre appréciation pour la peinture, les intérieurs ou quoi que ce soit dans ce genre. Mais… (elle m'a pris de nouveau la main) quand *tu* étais jeune, je te voyais souvent dans le couloir qui étudiais mes tableaux. Tu allais toujours directement vers les meilleurs. Le paysage de Frederic Church, mon Raphaelle Peale, ou le John Singleton Copley… Tu sais, le portrait ovale, la fille au bonnet, une huile sur cuivre ?

— C'était un Copley ?

— Eh oui. Et je t'ai vu à l'instant avec le petit Rembrandt.

— Donc c'en *est* bien un ?

— Oui. Juste l'un d'eux, le lavage des pieds. Les autres sont tous de son école. Mes propres enfants ont vécu toute leur vie avec ces tableaux et n'ont jamais montré la moindre étincelle d'intérêt, ce n'est pas vrai, Platt ?

— Certains d'entre nous ont tout de même excellé dans d'autres domaines. »

Je me suis raclé la gorge. « Vous savez, je suis juste venu dire bonjour. C'est super de vous revoir, de vous revoir tous les deux… (et je me suis tourné pour inclure Platt). Je regrette juste que ce soit dans des circonstances aussi tristes.

— Tu restes manger ?

— Je suis désolé, ai-je répondu en me sentant coincé.

Ce soir je ne peux pas. J'avais juste envie de venir vous voir au plus vite.

— Alors tu reviendras dîner ? Ou déjeuner ? Ou prendre un verre ? » Elle a ri. « Ou ce que le cœur te dira.

— Dîner, avec plaisir. »

Elle a tendu la joue pour un baiser, ce qu'elle n'avait jamais fait quand j'étais jeune, pas même avec ses propres enfants d'ailleurs.

« C'est magnifique de t'avoir de nouveau parmi nous ! s'est-elle exclamée en m'attrapant la main et en la pressant contre son visage. Tout est redevenu comme avant. »

IV

Alors que je me dirigeais vers la porte, Platt m'a gratifié d'une poignée de main étrange – le genre qu'on s'échange entre membres d'un gang ou d'une confrérie étudiante ou même entre sourds et muets – que je ne savais trop comment la rendre. Dans ma confusion j'ai retiré ma main et, ne sachant quoi faire, j'ai cogné son poing contre le mien en me sentant ridicule.

« Eh bien, oui. Content de t'avoir croisé, ai-je dit dans le silence emprunté. Appelle-moi.

— Pour le dîner ? Ah, oui. On mangera probablement à la maison, si ça te va, maman n'aime vraiment plus beaucoup sortir. » Il a plongé ses mains dans les poches de sa veste. Puis il m'a lancé de manière choquante : « J'ai pas mal vu ton vieux copain Cable ces derniers temps. Un peu plus que nécessaire, en fait. Ça l'intéressera de savoir que je t'ai croisé.

— *Tom* Cable ? » J'ai ri, incrédule, même si ce n'était pas vraiment un rire ; le souvenir amer de la façon dont nous avions été temporairement exclus du collège ensemble et de sa défection à la mort de ma mère me mettait encore mal à l'aise. « Tu es en contact avec lui ? ai-je demandé, vu que Platt ne réagissait pas. Ça fait des années que je n'ai pas pensé à Tom. »

Platt a eu un sourire narquois. « Je dois admettre qu'à l'époque je trouvais bizarre qu'un ami de ce gamin supporte une lavette comme Andy, a-t-il dit tranquillement en s'affaissant de nouveau contre le chambranle de la porte. Non que ça me dérange. Dieu sait qu'Andy avait besoin de quelqu'un qui le sorte et le décoince un peu. »

Andycapé. Androïde. N'a qu'une couille. Face d'acné. Slip sale de Bob l'éponge.

« Non ? a dit Platt, l'air de rien, en interprétant de travers mon regard vide. Je croyais que tu faisais ce genre de trucs aussi. Cable était certainement un sacré fumeur de joints à l'époque.

— Ça a dû être après mon départ.

— Eh bien, peut-être. » Platt m'a regardé d'une manière que je n'étais pas sûr d'apprécier. « Maman avait beau vouloir te donner le bon Dieu sans confession, moi je savais que tu étais copain avec Cable. Et que Cable était un petit voleur. » Tout à coup, d'une façon qui a réveillé l'ancien Platt déplaisant, il a ri. « J'avais d'ailleurs conseillé à Kitsey et Toddy de fermer leurs chambres à clé pour que tu ne leur voles rien.

— Ah, c'était donc ça ? » Je n'avais pas repensé à l'incident de la tirelire depuis des années.

« Eh bien, enfin, Cable… (il a jeté un œil vers le plafond). Tu comprends, je sortais avec la sœur de Tom, Joey, putain, c'était quelque chose cette nana.

— En effet. » Comment oublier Joey Cable, seize ans, bien roulée, qui m'avait frôlé dans le couloir de leur maison des Hamptons en T-shirt minuscule et string noir quand j'avais douze ans.

« Jo la salope ! Quel cul elle avait. Tu te souviens comment elle paradait à poil près du jacuzzi là-bas ? Oui, Cable. Dans les Hamptons, au club de papa, il s'était fait attraper alors qu'il dévalisait les casiers dans les vestiaires des hommes, il ne devait pas avoir plus de douze ou treize ans. C'était après ton départ, hein ?

— Je crois.

— Ce genre d'incident a eu lieu dans *plusieurs* des clubs là-bas. Pendant les grands tournois et tout et tout, il entrait en douce dans le vestiaire et volait tout ce sur quoi il pouvait faire main basse. Puis, peut-être était-il en fac à ce moment-là... oh, flûte, c'était où, pas à Maidstone mais... Enfin bon, Cable avait décroché un job d'été au club-house pour aider au bar, ramenant chez elles les vieilles personnes trop bourrées pour conduire. Un gars aimable, beau parleur... enfin, tu sais. Il faisait raconter aux vieux leurs histoires de guerre et tout ça. Il leur allumait leurs cigarettes, riait de leurs blagues. Sauf que parfois il aidait les vieux bonshommes jusqu'à leur porte et le lendemain leur portefeuille avait disparu.

— Eh bien, ça fait des années que je ne l'ai pas vu », ai-je rétorqué d'un ton cassant. Je n'aimais pas celui que Platt avait employé. « Qu'est-ce qu'il devient ?

— Oh, tu sais. Il continue ses vieux trucs. En fait, il voit ma sœur de temps à autre, ce que je déplore. Enfin bon, je t'empêche de partir, là, a-t-il ajouté sur une note légèrement altérée. Je suis impatient de raconter à Kitsey et Toddy que je t'ai vu... surtout Todd. Tu lui avais fait forte impression, il n'arrête pas de parler de toi. Il sera à New York le week-end prochain et je suis sûr qu'il voudra te voir. »

V

Au lieu de prendre un taxi j'ai marché, histoire de m'éclaircir les idées. C'était une journée de printemps propre et humide, avec des nuages orageux percés de rais de lumière et des employés de bureau qui fourmillaient aux passages cloutés, mais le printemps à New York a toujours été une période empoisonnée pour moi, écho saisonnier de la mort de ma mère, débarquant en même temps que les jonquilles, les arbres bourgeonnant et les taches de sang, mince gerbe d'hallucination et d'horreur (*Super ! Génial !* comme aurait dit Xandra). Avec ces nouvelles d'Andy, c'était comme si quelqu'un avait touché un commutateur de rayons X et tout inversé en négatif, si bien que même avec les jonquilles, les gens qui promenaient leurs chiens et les agents de la circulation qui sifflaient aux coins des rues, je ne voyais que la mort : trottoirs grouillant de défunts, cadavres se déversant des bus et se dépêchant de rentrer chez eux après le travail, tout ce qu'il resterait d'eux dans cent ans, ce seraient des plombs dentaires, des pacemakers et peut-être quelques bouts de vêtements et d'os.

C'était inimaginable. J'avais pensé appeler Andy un million de fois, et seule la gêne m'en avait empêché ; c'était vrai que je n'étais plus en contact avec quiconque de cette époque-là, mais de temps à autre je croisais quelqu'un de notre collège et notre vieille camarade Martina Lichtblau (avec qui j'avais eu une brève liaison insatisfaisante l'année précédente, un total de trois baises furtives sur un canapé-lit) – Martina Lichtblau m'avait parlé de lui, Andy est dans le Massachusetts à présent, tu es toujours en contact avec lui, ah ouais, il est toujours mégadébile sauf que maintenant il y va tellement à fond que c'est presque rétro et cool, avec des lunettes en culs-de-bouteille, des pantalons en velours côtelé orange et une coupe de cheveux qui ressemble au casque de Dark Vador.

Waouh, Andy, m'étais-je dit en secouant la tête avec affection et en tendant la main par-dessus l'épaule nue de Martina pour prendre une de ses cigarettes. À l'époque j'avais songé que ce serait sympa de le revoir – dommage qu'il ne soit pas à New York – peut-être que je l'appellerais un de ces quatre pendant les congés quand il serait chez ses parents.

Sauf que je ne l'avais pas fait. Par paranoïa, je n'étais pas sur Facebook et il était rare que je regarde les infos, mais je n'arrivais toujours pas à comprendre comment j'avais pu louper celle-là – si ce n'est que, ces dernières semaines, je m'étais inquiété pour la boutique au point de ne pas penser à grand-chose d'autre. Non que l'on ait des soucis financiers : on avait fait rentrer de l'argent presque en un tour de main, si bien que, m'attribuant son salut (il avait été au bord de la faillite), Hobie avait insisté pour faire de moi son associé, ce pour quoi je n'étais pas très partant au vu des circonstances. Mais mes efforts pour l'en dissuader ne l'ont rendu que plus déterminé à ce que je partage les profits ; plus j'essayais de refuser son offre et plus il persistait ; avec une générosité qui lui ressemblait bien, il attribuait ma réticence à de la « modestie », alors qu'en fait ma véritable crainte était qu'un partenariat ne braque une lumière officielle sur les activités officieuses et louches qui avaient lieu dans la boutique – des activités qui choqueraient ce pauvre Hobie jusque dans les semelles de ses John Lobb étincelantes s'il savait. Ce qui n'était heureusement pas le cas. Parce que j'avais délibérément vendu un faux à un client, que ce dernier s'en était rendu compte et qu'il faisait tout un ramdam.

Je l'aurais volontiers remboursé – la seule chose à faire c'était de racheter le meuble à perte. Par le passé, cela avait bien fonctionné. J'avais vendu des meubles lourdement modifiés, ou carrément reconstruits, comme étant des originaux ; si, loin de la lumière obscure de chez Hobart & Blackwell, le collectionneur rapportait le meuble chez lui et remarquait que quelque chose clochait (« Aie toujours une lampe de poche sur toi, m'avait conseillé Hobie au tout début ; ce n'est pas sans raison qu'il fait sombre chez beaucoup d'antiquaires »), je me désolais alors de la méprise, tout en défendant ma conviction qu'il était authentique : j'offrais avec élégance de le racheter dix pour cent plus cher que ce que le collectionneur l'avait payé, selon les conditions et les termes d'une vente ordinaire. Cela me faisait passer pour quelqu'un de bien, confiant dans l'intégrité de mon article et désireux de me plier en quatre pour satisfaire mon client, et très souvent ce dernier était apaisé et décidait d'ailleurs de garder le meuble. Mais il y avait eu trois ou quatre occasions où des collectionneurs méfiants m'avaient pris au mot : ce dont le collectionneur ne se rendait pas compte, c'était que le faux – en passant de ses mains aux miennes, à un prix révélateur de son apparente valeur – avait acquis du jour au lendemain une provenance. Une fois que je l'avais de nouveau en main, je détenais un document prouvant qu'il faisait partie de la collection de l'illustre Mr. Machin-chose. En dépit de la majoration que j'avais payée en rachetant le faux à Mr. Machin-chose (idéalement un comédien ou un couturier, collectionneur à ses heures perdues, ou sinon quelqu'un de connu en tant que collectionneur tout court), je pouvais alors me retourner en le revendant parfois deux fois le prix du rachat à un plouc de Wall Street incapable de reconnaître un Chippendale d'un Ethan Allan, mais qui était emballé à l'idée de « documents officiels » prouvant que son secrétaire Duncan Phyfe, ou n'importe quel autre meuble, provenait de la collection de Mr. Machin-chose, philanthrope notoire/décorateur d'intérieur/étoile de Broadway – cochez la case *ad hoc* svp.

Et jusque-là cela avait fonctionné. Sauf que cette fois-ci, Mr. Machin-chose – en l'occurrence, un homosexuel notoire de l'Upper East Side du nom de Lucius Reeve – ne mordait pas à l'hameçon. Ce qui me dérangeait, c'était qu'il semblait penser que A : il s'était fait gruger sciemment, ce qui était vrai, et que B : Hobie était au courant, qu'en réalité il était le cerveau de toute cette arnaque ; or rien ne pouvait être plus faux. Quand j'avais essayé de sauver la situation en insistant sur le fait que l'erreur m'incombait totalement – hum, hum, franchement, monsieur, il s'agit d'un malentendu avec Hobie, je suis *nouveau* dans la profession et j'espère que vous ne m'en voudrez pas, le travail qu'il accomplit est d'une telle qualité que vous pouvez imaginer comment parfois ces erreurs ont lieu, non ? – Mr. Reeve (« Appelez-moi Lucius ») silhouette bien habillée d'âge et de profession incertains, était resté implacable. « Vous ne niez donc pas que l'ouvrage est de la main de James Hobart ? avait-il demandé lors d'un éprouvant déjeuner au Harvard Club, en s'enfonçant d'un air narquois dans sa chaise et en faisant courir son doigt sur le bord de son verre d'eau de seltz.

— Écoutez... » Je m'étais rendu compte que j'avais commis une erreur tactique en le rencontrant sur son territoire où il connaissait les serveurs, passait la commande avec un carnet et un crayon, et où je ne pouvais pas me montrer magnanime ni lui suggérer d'essayer ceci ou cela.

« Ou qu'il ait délibérément pris ce phœnix sculpté sur un Thomas Affleck – oui, oui, je pense que *c'est* un Affleck, en tout cas un Philadelphia – et l'ait fixé sur le dessus de cette véritable antiquité qui est sinon un chiffonnier quelconque de la même période ? Ne parlons-nous pas du même meuble ?

— Je vous en prie, si seulement vous me laissiez... » Nous étions assis à une table près de la fenêtre, j'avais le soleil dans les yeux, je suais et j'étais mal à l'aise.

« Comment pouvez-vous donc affirmer que la tromperie n'était pas délibérée ? De sa part et de la vôtre ?

— Écoutez... (le serveur rôdait, j'avais envie qu'il parte) c'est moi qui ai commis l'erreur. Ainsi que je vous l'ai déjà expliqué. Et j'ai offert de racheter le meuble avec une majoration, donc je ne suis pas sûr de voir ce que vous voudriez que je fasse de plus. »

Mais en dépit de ma voix calme, j'étais pris dans un bouillonnement d'angoisse encore aggravé par les douze jours qui s'étaient écoulés depuis que j'avais remis le chèque à Lucius Reeve, qui ne l'avait toujours pas encaissé – je sortais de la banque où j'avais vérifié lorsque j'étais tombé sur Platt.

Ce que voulait Lucius Reeve, je l'ignorais. Pendant l'essentiel de sa vie professionnelle, Hobie avait fabriqué ces pièces avec des bouts récupérés, ce qui les modifiait lourdement (il les appelait des « mutants ») ; l'espace de stockage au Brooklyn Navy Yard débordait de pièces avec des étiquettes remontant à trente années ou plus. La première fois que j'y étais allé tout seul et avais fouiné, j'avais été sidéré de découvrir ce qui ressemblait à du vrai Hepplewhite, du vrai Sheraton, la caverne d'Ali Baba débordant de trésors – « Oh, Seigneur, non, m'avait répondu Hobie dont la voix grésillait sur le portable (l'endroit était comme un bunker, il n'y avait pas de réseau, j'avais dû sortir tout de suite pour l'appeler en me plantant sur la plateforme de chargement venteuse, un doigt dans l'oreille). Crois-moi, si c'étaient des vrais, j'aurais téléphoné au département de meubles américains de Christie's il y a bien longtemps… »

Cela faisait des années que j'admirais les mutants de Hobie et j'avais même aidé à travailler sur certains d'entre eux, mais c'était le choc d'avoir été berné par ces meubles inconnus jusque-là qui (pour employer une de ses expressions favorites) avait fait germer dans mon esprit cette folle idée. De temps à autre, passait dans la boutique un meuble digne d'un musée par sa qualité, mais trop abîmé ou cassé pour être sauvé ; aux yeux de Hobie, qui se désolait devant ces vieux vestiges élégants comme s'il s'agissait d'enfants affamés ou de chats maltraités, il était de son devoir de réparer ce qu'il pouvait (quelques fleurons ici, un ensemble de pieds joliment tournés là), puis, avec ses talents de charpentier et de menuisier, il les recombinait en de superbes jeunes Frankenstein qui, dans certains cas, étaient de toute évidence pleins d'imagination, mais dans d'autres des modèles si fidèles de la période qu'ils étaient impossibles à distinguer de l'original.

Acides, peinture, feuille d'or et noir de fumée, cire, saleté et poussière. Vieux clous rouillés par de l'eau salée. Acide nitrique sur du noyer neuf. Glissières de tiroirs patinées au papier de verre, quelques semaines sous une lampe à bronzer pour faire vieillir du bois neuf d'une centaine d'années. À partir de cinq chaises Hepplewhite détruites, il était capable d'en fabriquer un solide lot de huit à l'apparence complètement authentique en démontant les originaux, en les copiant (il se servait de bois récupéré sur d'autres meubles abîmés de la même période) et en les réassemblant avec l'original pour une moitié d'entre eux, et pour l'autre moitié avec de nouveaux morceaux. (« Un pied de chaise… (passant un doigt dessus) normalement, ils sont éraflés et entaillés en bas… Même si tu prends du vieux bois, tu dois utiliser une chaîne au bas des nouveaux pieds si tu veux qu'ils aient tous la même apparence… très très légèrement, je ne dis pas d'en faire des tonnes… Le motif aussi doit être très caractéristique, les pieds de devant sont généralement un peu plus entaillés que ceux de derrière, tu vois ? ») Je l'avais vu reconstituer le bois d'origine d'un buffet du XVIIIe siècle pratiquement en éclats pour en sortir une table qui aurait pu être de la main de Duncan Phyfe lui-même. (« Ça va, tu crois ? » m'avait demandé Hobie en se reculant, l'air angoissé, ne semblant pas comprendre la merveille qu'il avait façonnée.) Ou, comme avec le chiffonnier « Chippendale » de Lucius Reeve, un simple meuble pouvait, grâce à l'ajout d'un ornement récupéré sur une grande belle ruine de la même période, devenir entre ses mains pratiquement impossible à distinguer d'un chef-d'œuvre.

Un homme à l'esprit plus pratique ou moins scrupuleux aurait affiné ce talent afin de parvenir à des fins rentables et se serait fait une fortune (ou, selon la phrase irrésistible de Grisha, « des couilles en or »). Mais, pour autant que je sache, l'idée de vendre les mutants en les faisant passer pour des originaux, ou effectivement de les vendre tout court, n'avait jamais traversé l'esprit de Hobie ; et son total manque d'intérêt pour mes activités louches dans la boutique m'avait offert la liberté considérable de mettre en place une idée pour faire rentrer du liquide et honorer les factures. Avec un seul canapé « Sheraton » et quelques chaises au dossier en rubans que j'avais vendus aux prix d'Israel Sack à la jeune épouse californienne confiante d'un banquier d'affaires, j'avais réussi à rembourser des centaines de milliers de dollars d'impôts locaux impayés. Avec d'autres meubles de salle à manger et un canapé « Sheraton » – vendus à un client qui n'était pas de New York et qui aurait dû être plus avisé, mais qui était aveuglé par les réputations irréprochables de Hobie et Welty en tant que marchands – j'avais sorti la boutique des dettes.

« C'est très pratique qu'il vous laisse toutes les affaires à gérer ? Qu'il ait un atelier qui produise ces faux mais qu'il se lave les mains de la façon dont vous les écoulez, non ? a demandé Lucius Reeve en plaisantant.

— Vous avez mon offre. Je ne vais pas rester ici à vous écouter.

— Alors pourquoi êtes-vous toujours assis ? »

Je ne doutais pas un seul instant de l'étonnement de Hobie s'il apprenait que je vendais ses mutants en les faisant passer pour des originaux. Pour commencer, beaucoup de ses efforts créatifs regorgeaient de petites inexactitudes qui étaient presque des plaisanteries pour initiés, et il n'était pas toujours aussi méticuleux avec ses matériaux que l'aurait été un vrai faussaire. Mais si je vendais à environ vingt pour cent du prix du meuble authentique, j'avais trouvé très facile de duper même des acheteurs relativement avertis. Les gens adoraient croire qu'ils faisaient une affaire. Quatre fois sur cinq, ils omettaient de regarder ce qu'ils n'avaient pas envie de voir. Je savais comment attirer leur attention sur les qualités extraordinaires d'un meuble, le placage fait main, la belle patine, les cicatrices respectables, en passant un doigt sur une courbe exquise (que Hogarth lui-même avait baptisée « ligne de beauté ») afin de détourner le regard des endroits retravaillés à l'arrière où, sous une forte lumière, ils auraient pu se rendre compte que le grain n'était pas le bon. J'avais refusé avec courtoisie l'idée de conseiller aux clients d'examiner le dessous du meuble, ainsi que Hobie lui-même – désireux d'éduquer, au prix de fatalement saboter ses propres intérêts – était trop prompt à le suggérer. Mais juste au cas où quelqu'un voulait regarder, je m'assurais que le sol autour du meuble était très très sale, et que la lampe de poche que j'avais en main était très très faible. Il y avait beaucoup de gens à New York avec beaucoup d'argent, et des tas de décorateurs pressés par le temps qui, si on leur montrait une photo d'un même article dans un catalogue d'enchères, étaient contents de se décider pour ce qu'ils estimaient être une affaire, surtout s'ils dépensaient l'argent de quelqu'un d'autre. Un autre truc – calculé pour tromper le client plus sophistiqué – consistait à enterrer un meuble à l'arrière de la boutique, à lui renverser l'aspirateur dessus (antiquité instantanée !) et à laisser le client fouineur le découvrir par lui-même – regardez, en dessous de toutes ces cochonneries poussiéreuses, un canapé Sheraton ! Avec ce genre de tricherie, que je prenais grand plaisir à monter, le truc, c'était de faire l'imbécile, d'avoir l'air de s'ennuyer, de rester plongé dans mon livre, d'agir comme si j'ignorais ce que je possédais, et de les laisser croire que c'étaient *eux* qui m'escroquaient : même quand leurs mains tremblaient d'excitation, même quand ils essayaient de paraître peu pressés tout en se précipitant à la banque pour y retirer beaucoup de liquide. Si le client était quelqu'un de trop important, ou s'il connaissait Hobie, je pouvais toujours prétendre que l'objet n'était pas à vendre. Un « ce n'est pas à vendre » cassant était souvent la bonne attitude de départ avec les inconnus aussi, parce que non seulement cela rendait le genre d'acheteur que je recherchais plus désireux de faire une affaire rapide, en liquide, mais cela préparait aussi le terrain pour faire avorter l'affaire en cours de route si quoi que ce soit tournait mal. Que Hobie vienne traîner à l'étage au mauvais moment, voilà surtout ce qui pouvait aller de travers. Que Mrs. DeFrees passe à la boutique à un mauvais moment pouvait aussi faire capoter une transaction, cela s'était déjà produit – j'avais dû m'arrêter à deux doigts de conclure une vente, au grand dam de l'épouse d'un réalisateur de cinéma qui s'était lassée d'attendre et avait disparu pour ne jamais revenir. Grâce à l'obscurité, et faute d'une analyse en laboratoire, la plupart des trucages de Hobie n'étaient pas visibles à l'œil nu ; et bien qu'il reçoive la visite de nombreux collectionneurs sérieux, il y avait aussi plein de gens qui, entre autres exemples, ne sauraient jamais qu'une psyché Queen Anne n'avait jamais existé. Mais même si une personne était assez futée pour détecter une erreur d'authenticité – disons, un style de sculpture ou un type de bois anachronique pour le fabricant ou la période – j'avais une fois ou deux été suffisamment effronté pour utiliser des arguments qui contournaient même ce problème-là : en prétendant que la pièce avait été fabriquée sur mesure pour un client spécial, et donc qu'elle avait, strictement parlant, plus de valeur que l'article ordinaire.

Tremblant et agité, j'avais tourné presque inconsciemment dans le parc et descendu le chemin vers l'étang où Andy et moi, en parkas, nous étions assis lors de nombreux après-midi d'hiver en primaire en attendant que ma mère vienne nous chercher après le zoo ou nous emmène au cinéma – *point de rendez-vous, dix-sept heures zéro zéro !* Mais ces jours-ci, malheureusement, je m'étais retrouvé assis ici plus souvent qu'à mon tour à attendre Jerome, le coursier à vélo à qui j'achetais mes drogues. Les cachets que j'avais volés à Xandra toutes ces années auparavant m'avaient entraîné sur la mauvaise pente : OxyContin, Roxycodone, morphine et Dilaudid quand j'en trouvais, cela faisait des années que j'en achetais dans la rue ; ces derniers mois je m'en tenais (pour l'essentiel) à un programme de un jour avec, un jour sans (en fait, jour « sans » signifiait que je prenais juste ce dont j'avais besoin pour ne pas être malade) ; bien qu'officiellement aujourd'hui soit un jour « sans », je me sentais de plus en plus sombre, les vodkas que j'avais prises avec Platt ne me faisaient plus d'effet, et bien que je sache très bien que je n'avais rien sur moi, je n'arrêtais pas de me tâter, mes mains ne cessaient de voler encore et encore vers mon manteau et les poches de ma veste de costume.

À l'université, je n'avais rien accompli de louable ni de remarquable. Mes années à Las Vegas m'avaient rendu inapte à toute tâche difficile ; quand j'avais fini par obtenir mon diplôme, à vingt et un ans (il m'avait fallu six années, au lieu des quatre habituelles), ça avait été sans la moindre mention. « Pour être très honnête, je ne vois pas grand-chose dans ton dossier qui m'incite à autoriser ton inscription en Master, m'avait expliqué ma conseillère. D'autant que tu aurais besoin d'une bourse conséquente. »

Ce n'était pas un souci ; je savais ce que je voulais faire. Ma carrière d'antiquaire avait débuté quand j'avais environ dix-sept ans et que je m'étais trouvé dans la boutique un des rares après-midi où Hobie avait décidé de l'ouvrir. À cette époque, je commençais à prendre conscience de ses problèmes financiers ; Grisha avait, hélas, dit la vérité quand il avait parlé des terribles conséquences si Hobie continuait à accumuler du stock sans l'écouler. (« Il sera encore en bas à peindre ou à sculpter le jour où ils viendront poser un avis d'expulsion sur la porte d'entrée. ») Mais en dépit des enveloppes des impôts qui s'accumulaient entre les catalogues de Christie's et les vieux programmes de concert sur la table du couloir (avis de solde débiteur, rappel d'avis de solde débiteur, deuxième rappel d'avis de solde débiteur), Hobie ne s'embêtait pas à ouvrir le magasin plus d'une demi-heure à la fois à moins que des amis ne débarquent ; et quand il était temps pour ces derniers de s'en aller, il chassait souvent les vrais clients et fermait la boutique à clé. Quand je rentrais de la fac, je trouvais presque toujours la pancarte « Fermé » sur la porte, et des gens qui scrutaient la vitrine d'un œil inquisiteur. Pire que tout, quand il parvenait à rester ouvert quelques heures, il était dans ses habitudes de filer se préparer une tasse de thé en toute confiance, laissant la porte ouverte et la caisse sans surveillance ; bien que Mike, son homme à tout faire, ait eu la prévoyance de fermer à clé les boîtes contenant argenterie et bijoux, un certain nombre de majoliques et d'objets en cristal s'étaient envolés, et moi-même j'avais débarqué dans la boutique à l'improviste un beau jour pour tomber sur une mère de famille sportive vêtue de façon décontractée semblant sortir tout droit d'une séance de Pilates et qui glissait un presse-papiers dans son sac.

« C'est huit cent cinquante dollars », avais-je assené, et en entendant ma voix elle s'était figée et avait levé les yeux, horrifiée. En fait il n'en coûtait que deux cent cinquante, mais elle m'a tendu sa carte de crédit sans piper mot et m'a laissé encaisser la vente – probablement la première transaction profitable qui ait eu lieu depuis le décès de Welty ; parce que les amis de Hobie (ses principaux clients) étaient on ne peut plus conscients qu'avec lui ils pouvaient faire descendre les prix à des

645

niveaux indécents par rapport à ses estimations déjà trop basses. Mike, qui aidait aussi à la boutique à l'occasion, les augmentait par contre à tort et à travers et refusait de négocier, du coup il vendait très peu.

« Bravo ! » s'était exclamé Hobie, ravi, en clignant des yeux sous la lumière éblouissante de sa lampe de travail quand j'étais descendu à l'atelier et l'avais informé de ma grosse vente (dans ma version il s'agissait d'une théière argentée ; je ne voulais pas avoir l'air d'avoir carrément volé la femme, de plus je savais qu'il ne s'intéressait pas à ce qu'il appelait les petites ventes dont, de par ma lecture de livres sur les antiquités, j'étais venu à prendre conscience qu'elles constituaient pourtant une énorme partie du stock de la boutique). « Sacré lascar à l'œil vif, Welty t'aurait adoré, comme si on t'avait déposé sur le pas de sa porte dans un berceau, ha ! Tu t'intéresses à son argenterie ! »

À partir de ce jour-là, j'ai pris l'habitude de m'asseoir en haut avec mes livres de cours pendant les après-midi où Hobie s'affairait en bas. Au début c'était juste pour m'amuser – un amusement qui faisait cruellement défaut dans ma morne vie estudiantine jalonnée de cafés et de cours magistraux sur Walter Benjamin. Durant les années qui avaient suivi la mort de Welty, Hobart & Blackwell avait de toute évidence acquis une réputation de cible facile pour les voleurs ; et l'excitation de bondir sur ces barboteurs et chapardeurs bien habillés et de leur extorquer de larges sommes revenait presque à du vol à l'étalage inversé.

Mais j'ai aussi appris une leçon : une leçon qui a fait son chemin en moi petit à petit, et qui était en fait la vérité profonde de ce métier. C'était le secret dont personne ne vous parlait, la chose qu'il vous fallait apprendre par vous-même : à savoir que, dans le commerce d'antiquités, le prix « correct » n'existait pas. La valeur objective – le prix affiché – ne signifiait rien. Si un client entrait sans la moindre idée de ce qu'il voulait et avec de l'argent à la main (ce qui était le cas de la plupart d'entre eux), peu importait ce que disaient les livres, les experts, et à combien s'étaient vendus des objets semblables chez Christie's. Un objet – *n'importe* lequel – valait le prix que l'on pouvait en obtenir.

Du coup, j'avais entrepris de faire le tour de la boutique en enlevant quelques étiquettes (ce qui obligeait le client à m'aborder pour connaître le prix) et en modifiant d'autres – pas toutes, mais quelques-unes. Le truc, que j'ai découvert en tâtonnant, était de garder un quart des prix environ au minimum et de faire grimper les autres, parfois jusqu'à quatre cents et cinq cents pour cent. Des années de prix anormalement bas avaient créé un fonds de clients fidèles ; laisser un quart des prix modiques entretenait leur fidélité, et garantissait que les gens en quête d'une bonne affaire puissent toujours en trouver une s'ils la cherchaient. Cela signifiait aussi que, par le biais d'une alchimie perverse, les prix élevés semblaient légitimes en comparaison : quelle qu'en soit la raison, certaines personnes étaient plus enclines à dépenser mille cinq cents dollars pour une théière Meissen si elle était placée à côté d'un objet plus simple mais comparable, vendu (prix honnête mais bon marché) quelques centaines de dollars.

Voilà comment cela avait commencé ; et comment, après avoir dépéri des années durant, Hobart & Blackwell s'était mis à faire du profit sous ma houlette. Mais il ne s'agissait pas seulement d'argent. Ce jeu me plaisait. Au contraire de Hobie – supposant, à tort, que quiconque pénétrait dans sa boutique était aussi fasciné par les meubles que lui (qui était extrêmement réaliste quand il désignait les défauts et les qualités de l'un d'eux) – j'avais découvert que je possédais le talent contraire : celui des faux-fuyants et du mystère, la capacité de parler d'objets de moindre qualité d'une manière qui suscitait le désir. Quand je vendais un meuble, je le vantais (au lieu de m'asseoir et d'autoriser les clients non avertis à tomber dans mon piège) et c'était un jeu que de jauger un client et de trouver l'image qu'il souhaitait projeter – pas tant la personne qu'il était (décorateur branché ? Mère au foyer du New Jersey ? Homosexuel intimidé ?) que celle qu'il rêvait d'être. Même aux niveaux les plus élevés, c'était une affaire d'enfumage et de miroirs ; chaque personne offrait les éléments d'une mise en scène. Le truc, c'était de s'adresser à la projection, au moi fantasmé – le connaisseur, le bon vivant perspicace – en opposition à la personne peu sûre d'elle qui était en face de soi. C'était mieux de rester un peu en retrait et de ne pas être trop direct. J'ai vite appris comment m'habiller (du côté superficiel du conservatisme) et comment traiter avec les clients sophistiqués, et ceux qui ne l'étaient pas, en déployant différents dosages de courtoisie et d'indolence : cela supposait un savoir double, l'art de flatter vite et celui de perdre vite de l'intérêt, ou de savoir s'éloigner pile au bon moment.

Et pourtant, avec ce Lucius Reeve, j'avais salement déconné. Ce qu'il voulait, je l'ignorais. En fait il était si acharné à ne pas tenir compte de mes excuses et à diriger toute sa colère contre Hobie que je commençais à me dire qu'il s'agissait d'une rancune ou d'une haine préexistantes. Je ne voulais pas me trahir auprès de Hobie en évoquant le nom de Reeve, mais qui pouvait bien entretenir une animosité aussi féroce contre lui alors qu'il était la personne la mieux intentionnée et la plus naïve au monde ? En dehors de quelques lignes anodines dans le *Bottin mondain*, mes recherches Internet ne m'avaient rien révélé sur Lucius Reeve, pas même une inscription à Harvard ou une affiliation au Harvard Club, rien si ce n'est une adresse respectable sur la 5e Avenue. Apparemment il n'avait pas de famille, pas d'emploi ou de moyen de subsistance visible. Ça avait été stupide de lui faire un chèque – avidité de ma part, j'avais songé à établir une filiation pour le meuble, bien qu'à ce stade-ci, même une enveloppe contenant du liquide placée sous une serviette et glissée en travers de la table ne garantissait pas qu'il laisserait tomber l'affaire.

J'étais debout, les poings enfoncés dans les poches de mon manteau, les lunettes embuées par l'humidité printanière, fixant les eaux boueuses de l'étang avec l'air malheureux : quelques tristes canards bruns, des sacs en plastique échoués au milieu des roseaux. La plupart des bancs portaient le nom de leurs donateurs – à la mémoire de Mrs. Ruth Klein ou que sais-je – mais celui de ma mère, le Point de Rendez-vous, était le seul de tous les bancs dans cette partie du parc à arborer de la part de son donateur anonyme un message plus mystérieux et accueillant : TOUT EST POSSIBLE. C'était Son Banc déjà avant ma naissance ; durant ses premiers jours à New York, elle allait s'asseoir là avec un livre de la bibliothèque les après-midi où elle ne faisait rien, sautant le déjeuner quand elle avait besoin de s'acheter une entrée au MOMA ou un billet de cinéma au *Paris Theatre*. Plus loin, après l'étang, là où le sentier devenait vide et sombre, s'ouvrait la partie mal entretenue et déserte où Andy et moi avions dispersé ses cendres. C'était Andy qui m'avait convaincu de nous y glisser en douce et de les éparpiller en dépit du règlement, qui plus est dans cet endroit particulier : *eh bien, bon, c'était là qu'elle nous retrouvait.*

Oui, mais y a de la mort aux rats, regarde ces pancartes.

Vas-y. Maintenant tu peux. Il n'y a personne.

Elle adorait aussi les otaries. Il fallait toujours aller les voir.

Ouais, mais, franchement, tu ne vas pas la balancer là-bas, ça sent le poisson. Sauf que ça me flanque le bourdon d'avoir ce pot – ou comment ça s'appelle déjà ? – dans ma chambre.

VI

« Mon Dieu, a dit Hobie quand il m'a regardé de près sous les lumières. Tu es blanc comme un linge. Tu ne couverais pas quelque chose ?

— Hum… » Son manteau sur le bras, il était sur le point de sortir ; derrière lui, boutonnés jusqu'au cou, Mr. et Mrs. Vogel affichaient un sourire venimeux. Mes relations avec les Vogel (« les Vautours », comme les appelait Grisha) s'étaient nettement rafraîchies depuis que je m'occupais de la boutique ; n'oubliant pas les très nombreux meubles qu'à mes yeux ils avaient pratiquement volés à Hobie, je gonflais désormais systématiquement le prix de tous les objets susceptibles de les intéresser, même de loin ; et bien que Mrs. Vogel, qui n'était pas sotte, ait résolu de téléphoner directement à Hobie, je réussissais en général à la contrecarrer en prétendant (par exemple) auprès de Hobie que j'avais déjà vendu le meuble en question et oublié de l'étiqueter.

« Tu as mangé ? » Dans sa douce distraction ouatée et son manque de clairvoyance, Hobie continuait d'ignorer totalement que les Vogel et moi n'éprouvions plus qu'une cordiale politesse à l'égard les uns des autres. « On va juste dîner au bout de la rue. Viens avec nous, non ?

— Non merci », ai-je répondu, conscient du regard fixe et pénétrant de Mrs. Vogel, de son sourire froid et faux, de ses yeux tels des fragments d'agate sur son visage lisse de laitière vieillissante. D'ordinaire et par principe, je prenais plaisir à m'approcher d'elle et à lui sourire au nez, mais sous les lumières dures du couloir je me sentais moite et exténué, rétrogradé en quelque sorte. « Je pense, hum, hum, que je vais manger à la maison ce soir, merci.

— Tu ne te sens pas bien ? a demandé Mr. Vogel

platement – c'était un type du Midwest, dégarni et portant des lunettes sans monture, guindé dans son caban, et tant pis pour vous si c'était votre banquier alors que vous étiez en retard dans le remboursement de la maison. Comme c'est dommage.

— Ce fut un plaisir de te voir, a lancé Mrs. Vogel en faisant un pas en avant et en posant sa main potelée sur ma manche. Tu as apprécié la visite de Pippa ? Je regrette de ne pas l'avoir vue, mais elle était tellement occupée avec son petit ami. Comment tu le trouves... Il s'appelle comment déjà ? Elliot ?

— Everett, a corrigé Hobie sur un ton neutre. Un gentil garçon.

— Ouais », ai-je fait en me retournant pour enlever mon manteau. L'apparition de Pippa fraîchement descendue de l'avion de Londres avec cet « Everett » avait été un des chocs les plus désagréables de ma vie. Comptant les jours, les heures, tremblant à cause du manque de sommeil et de l'excitation, incapable de m'arrêter de regarder ma montre toutes les cinq minutes, bondissant dès que j'avais entendu la sonnette et courant littéralement pour ouvrir la porte en grand – j'étais tombé sur elle, main dans la main avec cet Anglais miteux.

« Qu'est-ce qu'il fait dans la vie ? Il est musicien, lui aussi ?

— Médiathécaire, a répondu Hobie. Je ne sais vraiment pas ce que cela recouvre de nos jours, avec les ordinateurs et tout ça.

— Oh, je suis sûre que Theo est au courant, a suggéré Mrs. Vogel.

— Non, pas vraiment.

— *Cyber*thécaire ? » a proposé Mr. Vogel, avec un gloussement fort et joyeux qui ne lui ressemblait pas. S'adressant à moi : « Est-ce vrai ce que l'on raconte, que les jeunes gens d'aujourd'hui peuvent réussir leurs études sans jamais mettre un pied à la bibliothèque ?

— Je ne sais pas. » Un médiathécaire ! Ça m'avait pris chaque gramme de maîtrise en ma possession pour garder un visage impassible (le ventre se délitant, la fin de tout) et pour accepter sa main anglaise moite, *Bonjour. Everett. Tu dois être Theo, j'ai tellement entendu parler de toi*, bla-bla-bla, pendant que j'étais planté, figé, sur le pas de la porte, tel un Yankee ayant reçu un coup de baïonnette et fixant l'inconnu qui l'avait mis à mort. C'était un petit gars bondissant aux grands yeux, innocent, falot, enjoué au point d'être énervant, vêtu d'un jean et d'un sweat à capuche comme un ado ; son furtif sourire contrit lorsque nous nous étions retrouvés seuls dans le living m'avait fait pâlir de rage.

Chaque moment de leur visite avait été une torture. Je l'avais supportée tant bien que mal, mais non sans faux pas. J'avais beau avoir essayé de me tenir le plus loin d'eux possible (aussi doué que je sois pour la dissimulation, j'arrivais tout juste à être poli avec lui ; tout ce qui le concernait, sa peau rosâtre, son rire nerveux, les poils qui sortaient de ses manches de chemise, me donnaient envie de lui bondir dessus et de faire sauter ses dents chevalines à l'anglaise ; est-ce que ce ne serait pas une surprise, me disais-je avec détermination, le fixant depuis l'autre côté de la table, si ce « bon vieux Theo » marchand d'antiquités entreprenait de lui casser la gueule ?) ; toujours est-il que malgré tous mes efforts, je n'avais pu rester loin de Pippa, rôdant de façon importune et me détestant de ne pouvoir m'en empêcher, tant j'avais été douloureusement excité par sa proximité : ses pieds nus au petit déjeuner, ses jambes nues, sa voix. Voir de manière inattendue ses aisselles blanches quand elle passait son pull par-dessus sa tête. La torture de sa main sur ma manche. « Salut, mon cœur. Salut, mon trésor. » Elle arrivait derrière moi et mettait ses mains sur mes yeux : surprise ! Elle voulait tout savoir de moi, tout ce que je faisais. Elle se glissait à mes côtés sur la causeuse Queen Anne si bien que nos jambes se touchaient : Oh, Seigneur. Qu'est-ce que je lisais ? Est-ce qu'elle pouvait regarder mon iPod ? Où est-ce que j'avais trouvé cette montre géniale ? À chacun de ses sourires, c'était le paradis. Et pourtant, chaque fois que je trouvais un prétexte pour être seul avec elle, lui arrivait, boum boum boum, large sourire penaud, le bras autour de ses épaules, détruisant tout. Conversation dans la pièce d'à côté, éclat de rire : ces deux-là parlaient-ils de moi ? Et il mettait ses mains sur sa taille ! Et il l'appelait « Pips » ! Le seul moment vaguement tolérable ou amusant de sa visite a été quand Popchik, devenu jaloux de son territoire sur son vieil âge, lui avait sauté dessus sans même qu'il l'ait provoqué et l'avait mordu au pouce – « Oh, mon Dieu ! » et Hobie qui se précipitait pour trouver de l'alcool à 90, et Pippa qui se tracassait, et Everett qui essayait de rester cool mais qui de toute évidence était contrarié : bien sûr, les chiens, c'est super ! Je les adore ! On n'en a jamais eu parce que ma mère est allergique. C'était le « parent pauvre » (son expression) d'une ancienne camarade de cours de Pippa ; mère américaine, nombreux frères et sœurs, père qui enseignait un machin mathématico-philosophique incompréhensible à Cambridge ; comme Pippa, il était végétarien « ascendant végétalien » ; à mon grand désarroi, il est apparu qu'ils partageaient un appartement (!) – il avait bien sûr dormi dans sa chambre pendant leur visite ; et durant cinq nuits, durée de leur séjour, j'étais resté allongé éveillé, vert de rage et de tristesse, guettant le moindre bruissement de draps, le moindre soupir et le moindre chuchotement en provenance de la pièce voisine.

Pourtant – alors que j'agitais la main à l'adresse de Hobie et des Vogel, *bonne soirée !* puis me détournais avec un air sinistre – qu'est-ce que j'avais espéré ? Ça m'avait fait enrager, le ton prudent et gentil qu'elle avait employé avec moi à propos de cet « Everett » m'avait entaillé jusqu'à l'os – « Non, avais-je répondu poliment quand elle m'avait demandé si je sortais avec quelqu'un, pas vraiment », alors que (j'en étais fier avec une triste lucidité) je couchais en fait avec deux filles différentes, aucune n'étant au courant de l'existence de l'autre. L'une avait un petit ami dans une autre ville, et l'autre avait un fiancé dont elle était fatiguée et dont elle filtrait les appels quand nous étions au lit. Les deux étaient mignonnes, la fille au fiancé cocufié était carrément superbe – la jeune Carole Lombard – mais aucune des deux n'avait de réalité à mes yeux ; elles n'étaient que des substituts d'elle.

Mes sentiments m'horripilaient. Rester là « le cœur brisé » (le premier mot, malheureusement, qui me vienne à l'esprit) était ridicule, c'était larmoyant, méprisable et faible – oh bouh hou, elle vit à Londres, avec quelqu'un d'autre ; va chercher du vin et baiser Carole Lombard, remets-toi. Mais penser à elle m'angoissait tellement, et en permanence, qu'elle était aussi difficile à oublier qu'une rage de dents. C'était involontaire, désespéré, compulsif. Pendant des années elle avait été ma première pensée au réveil, la dernière chose qui dérivait dans mon esprit quand je m'endormais, et toute la journée elle m'habitait de manière importune et obsessionnelle, avec toujours cette sensation de choc douloureux : quelle heure était-il à Londres ? Toujours à additionner et soustraire, à calculer le décalage horaire, à vérifier la météo londonienne sur mon téléphone, 11 degrés, 22 : 12, légères précipitations ; alors que j'étais debout au coin de Greenwich Avenue et de la 7e Avenue, à côté du centre médical de St. Vincent's à présent condamné et en route vers le centre de Manhattan pour y retrouver mon dealer, où était Pippa ? à l'arrière d'un taxi, sortie dîner, buvant un verre avec des gens que je ne connaissais pas, dormant dans un lit que je n'avais jamais vu ? Je crevais d'envie de voir des photos de son appartement afin d'ajouter à mes fantasmes des détails dont j'avais un cruel besoin, mais j'étais trop gêné pour le lui demander. Avec un pincement au cœur, j'avais pensé à ses draps, je les imaginais de la couleur sombre d'une chambre de cité U, défaits, sales, tanière sombre d'étudiante, sa joue couverte de taches de rousseur se détachant avec pâleur sur une taie d'oreiller bordeaux ou violette, tandis que de la pluie anglaise tapait contre sa fenêtre. Les photos d'elle qui tapissaient le couloir à l'extérieur de ma chambre – plusieurs Pippa différentes, à différents âges – étaient un supplice quotidien, toujours inattendues, toujours nouvelles ; j'avais beau essayer de détourner les yeux, j'avais en permanence l'impression de les lever par erreur et de la trouver là, riant de la blague d'un autre ou souriant à quelqu'un qui n'était pas moi, une douleur toujours nouvelle, un coup qui m'allait directement au cœur.

Et le plus curieux, c'était que je savais que la plupart des gens ne la voyaient pas comme je la voyais – ils lui trouvaient plutôt un air un peu bizarre, avec sa démarche bancale et sa sinistre pâleur de rousse. Allez savoir pourquoi, c'était bête mais je m'étais toujours piqué d'être la seule personne au monde qui l'appréciait vraiment – elle serait choquée et touchée, et peut-être même qu'elle en viendrait à se voir sous un tout autre angle, si elle savait à quel point je la trouvais belle. Mais cela n'avait jamais eu lieu. En colère, je me concentrais sur ses défauts, étudiant avec obstination les photos qui l'avaient surprise à des âges bizarres et sous des angles moins flatteurs : long nez, joues maigres, ses yeux (en dépit de leur couleur à vous briser le cœur) presque transparents surmontés de cils pâles – une banalité à la Huckleberry Finn. Pourtant tous ces aspects étaient, pour moi, si tendres et particuliers qu'ils m'émouvaient jusqu'au désespoir. Avec une fille superbe j'aurais pu me consoler en me disant qu'elle n'était pas pour moi ; que je sois aussi hanté et remué, y compris par sa banalité, laissait supposer – et c'était de mauvais augure – un attachement plus solide que la simple affection physique, une fosse à goudron pour l'âme où je risquais de me laisser choir et de dépérir des années durant.

Parce que dans la partie la plus profonde et la plus inébranlable de moi-même, la raison ne servait à rien. Pippa représentait le royaume perdu, la partie non meurtrie de mon être qui avait disparu avec ma mère. Tout ce qui la concernait constituait une tempête de neige fascinante, depuis les vieilles cartes de la Saint-Valentin et les vestes chinoises brodées qu'elle collectionnait, jusqu'aux minuscules flacons parfumés du magasin bio Neal's Yard Remedies ; il y avait toujours eu quelque chose de lumineux et de magique à propos de sa vie lointaine et inconnue : Vaud Suisse, 23, rue de Tombouctou, Blenheim Crescent CR2-6BN, des chambres meublées dans des pays que je n'avais jamais vus. De toute évidence cet Everett (« pauvre comme Job », ses propres mots) vivait grâce à son argent à elle, ou plutôt celui de l'Oncle Welty, la vieille Europe dévorant la jeune Amérique, pour utiliser une expression que j'avais employée dans ma dissert sur Henry James durant mon dernier semestre de fac.

Pouvais-je lui donner un chèque pour lui demander de la laisser tranquille ? Seul dans la boutique, durant les après-midi lents et frais, l'idée m'avait traversé l'esprit : *Cinquante mille si tu pars ce soir, cent mille si tu ne la revois plus jamais.* De toute évidence l'argent était pour lui un souci ; durant sa visite, il avait passé son temps à plonger une main angoissée dans ses poches, avec des arrêts constants aux distributeurs où il retirait vingt dollars à la fois, bon sang.

C'était sans espoir. Il n'était tout bonnement pas possible qu'elle puisse être moitié aussi importante aux yeux de M. Médiathécaire qu'aux miens. On était faits l'un pour l'autre ; entre nous il y avait une justesse onirique et de la magie, c'était indiscutable ; sa seule pensée inondait de lumière le moindre recoin de mon esprit et en déversait dans des greniers miraculeux dont j'ignorais l'existence, des images qui semblaient ne pas exister du tout si ce n'est en rapport avec elle. Je n'arrêtais pas d'écouter son Arvo Pärt préféré, une façon d'être avec elle ; et il lui suffisait de mentionner un roman lu récemment pour que je m'en empare, affamé, afin de pénétrer dans ses pensées, une sorte de télépathie. Certains objets qui passaient par la boutique – un piano Pleyel ; un drôle de petit camée russe déniché – semblaient être des artefacts tangibles de la vie qu'elle et moi aurions dû vivre ensemble, c'était légitime. Je lui avais écrit des emails de trente pages que j'avais effacés sans les lui envoyer, optant à la place pour la formule mathématique que j'avais mise au point afin de ne pas trop me ridiculiser : toujours trois lignes de moins que l'email qu'elle m'avait envoyé, toujours un jour de plus que le temps qu'il m'avait fallu, moi, pour recevoir sa réponse. Parfois, dans mon lit, perdu dans mes rêveries opiacées érotiques emplies de soupirs, je menais avec elle de longues conversations à cœur ouvert : *Nous sommes inséparables*, nous imaginais-je déclamer à l'autre (c'était éculé), chacun avec une main sur la joue de l'autre, *nous ne pourrons jamais être séparés*. Tel un désaxé, j'amassais des bouts de cheveux couleur feuilles d'automne récupérés dans la poubelle après qu'elle se fut coupé la frange dans la salle de bains – et, même plus effrayant, un chemisier sale, enivrant parce que portant encore la trace de sa sueur végétarienne qui sentait le foin.

C'était sans espoir. Plus que sans espoir : humiliant. Toujours laisser la porte de ma chambre entrouverte quand elle venait en visite, une invitation pas bien subtile. Même l'adorable traînaillement dans sa démarche (comme la petite sirène, trop fragile pour marcher sur Terre) me rendait fou. Elle était le fil doré qui courait à travers toute chose, une loupe qui magnifiait la beauté, si bien qu'à travers elle, et elle seule, le monde entier était transfiguré. À deux reprises j'avais essayé de l'embrasser : une fois soûl dans un taxi, l'autre à l'aéroport, désespéré à l'idée que je ne la reverrais pas avant des mois (ou, allez savoir, des années). « Désolé... avais-je lancé, un temps trop tard.

— C'est pas grave.

— Non, vraiment, je...

— Écoute... (doux sourire vague) y a pas de souci. Mais mon vol embarque bientôt (c'était faux). Je dois y aller. Prends soin de toi, d'accord ? »

Prends soin de toi. Que diable voyait-elle chez cet « Everett » ? Elle devait me trouver bien ennuyeux si elle me préférait un mollusque aussi tiède. *Un jour, quand nous aurons des enfants...* Bien qu'il ait lancé ça comme une semi-boutade, mon sang s'était figé. C'était bien le genre de pauvre mec que l'on voyait traîner un sac de couches et un tas de matériel matelassé pour bébé... Je m'en voulais de ne pas être plus entreprenant avec elle, bien qu'à la vérité il ne me soit pas possible de la poursuivre davantage sans au moins un petit encouragement de sa part. C'était d'ores et déjà bien assez gênant : le tact de Hobie chaque fois que surgissait son prénom, sa voix plate et prudente. Et pourtant, mon désir pour elle était comme un mauvais rhume qui durait depuis des années, même si j'étais sûr d'être capable de m'en remettre dès que je le déciderais. Même ce chameau de Mrs. Vogel l'avait senti. Ce n'était pas comme si Pippa m'avait donné de faux espoirs, bien au contraire ; si elle avait eu quelque sentiment pour moi, elle serait revenue à New York au lieu de rester en Europe après ses études ; et pourtant, pour je ne sais quelle raison idiote, je ne pouvais oublier la façon dont elle m'avait regardé lors de ma première visite, et aussi quand je m'étais assis au bord de son lit. Le souvenir de cet après-midi de mon enfance m'avait nourri des années durant ; c'était comme si, malade de solitude à cause de ma mère, j'avais focalisé sur elle comme l'aurait fait un animal orphelin ; alors qu'en réalité – rire jaune – elle avait été dopée et sonnée de manière dingue à cause d'une blessure au crâne et était prête à se jeter à la tête du premier inconnu qui passerait par là.

Mes « opis », comme Jerome appelait mes opiacés, étaient dans une vieille tabatière. Sur le dessus en marbre de la commode j'ai écrasé un des OxyContin de ma vieille réserve secrète, l'ai coupé et réparti en lignes avec ma carte de chez Christie's et, enroulant le billet le plus crissant de mon portefeuille, me suis penché en avant, les yeux humides d'anticipation : Ground Zero, boum, goût amer à l'arrière de la gorge puis bouffée de soulagement, après quoi je suis tombé à la renverse sur le lit tandis que ce bon vieux coup de poing me frappait directement au cœur : pur plaisir, lancinant et lumineux, loin du fracas métallique de la douleur.

VII

Le soir de mon dîner chez les Barbour, l'orage était déchaîné, une pluie battante et des vents rugissants m'empêchaient presque d'ouvrir mon parapluie. Pas le moindre taxi en vue sur la 6e Avenue, les piétons avançaient tête baissée et se frayaient un chemin à coups d'épaule sous la pluie oblique ; dans la moiteur de bunker du quai de métro, les gouttes tombaient du plafond en ciment dans un tintement monotone.

Quand j'ai émergé dans la rue, Lexington Avenue était déserte, les gouttes de pluie dansaient, criblant les trottoirs, amplifiant avec violence le chaos de la circulation. Les taxis passaient en trombe dans de bruyantes gerbes d'eau. À quelques mètres de la station, je me suis engouffré dans un marché pour y acheter des fleurs... des lis, trois branches, une seule semblait trop minable ;

dans la minuscule échoppe surchauffée leur parfum m'a dérangé, et c'est seulement à la caisse que j'ai compris pourquoi : c'était la même odeur douceâtre et écœurante qu'au service funèbre de ma mère. J'ai plongé vers l'extérieur et couru le long du trottoir inondé en direction de Park Avenue, avec mes chaussettes qui faisaient un bruit de succion et la pluie froide qui me bombardait le visage, je regrettais de les avoir mises et n'ai pas été loin de les jeter dans une poubelle, sauf que les rafales de pluie étaient si violentes que je ne pouvais me forcer à ralentir un seul instant, alors j'ai continué de courir.

Debout dans le vestibule – les cheveux collés sur la tête, mon pardessus prétendument imperméable trempé comme si je l'avais plongé dans la baignoire – la porte s'est ouverte tout à coup pour laisser apparaître le visage replet et avenant d'un étudiant, et il m'a fallu un moment ou deux pour reconnaître Toddy. Avant que j'aie le temps de m'excuser pour l'eau qui ruisselait, il m'a serré fort dans ses bras en me donnant une tape dans le dos.

« Oh, là, là, s'est-il exclamé en m'entraînant dans le living. Donne-moi ton imperméable… et ça, maman va adorer. C'est super de te voir ! Ça fait combien de temps ? » Il était plus fort et robuste que Platt, avec des cheveux d'un blond plus foncé, une couleur carton pâte qui n'était pas Barbour, et un sourire qui n'était pas très Barbour non plus – enthousiaste, lumineux et totalement dénué d'ironie.

« Eh bien… » Sa chaleur, qui semblait fondée sur une ancienne intimité joyeuse que nous n'avions pas partagée, m'avait rendu gauche. « Ça fait un bail. Tu dois être en fac maintenant, hein ?

— Oui, à Georgetown… Je suis venu passer le week-end. J'étudie les sciences politiques, mais ce que j'espère vraiment, c'est me lancer dans la gestion à but non lucratif, quelque chose en rapport avec les jeunes. » Avec son sourire tout prêt d'étudiant se présentant aux élections du campus, il avait de toute évidence grandi pour devenir un gagneur, position que, à un moment donné, Platt donnait l'impression de viser. « Et, bon, j'espère que ce n'est pas trop bizarre à dire de ma part, mais c'est en partie à toi que je le dois.

— Pardon ?

— Je veux dire... vouloir travailler avec des jeunes en difficulté. Tu m'as fait une sacrée impression, tu sais, à l'époque où tu avais séjourné chez nous il y a toutes ces années. Ta situation m'avait vraiment ouvert les yeux. Parce que, même en CE2, tu m'as fait réfléchir... C'était ce que je voulais faire plus tard, tu sais, un truc comme aider des gosses.

— Waouh, ai-je répondu, toujours gêné par l'expression *en difficulté*. Euh. C'est super.

— Et, bon, c'est super excitant, parce qu'il y a tant de façons d'offrir quelque chose aux jeunes qui en ont besoin. Enfin, je ne sais pas si tu connais bien Washington DC, mais il y a beaucoup de quartiers pauvres, je fais partie d'une association qui épaule des gamins en grave difficulté en lecture et en maths, et cet été je pars à Haïti avec Habitat for Humanity...

— Il est là ? » Cliquetis bienséant de chaussures sur le parquet, doigts qui m'effleurent la manche, et voilà Kitsey qui enroule ses bras autour de mon cou et moi qui souris dans sa chevelure blond blanc.

« Oh, tu es complètement trempé, s'est-elle écriée en me tenant à distance. Regarde-toi. Comment diable es-tu venu ici ? Tu as nagé ? » Elle avait le long nez fin de Mr. Barbour et la clarté lumineuse, presque niaise, de son regard – un peu le même que lorsqu'elle avait neuf ans, qu'elle rougissait sous ses cheveux ébouriffés et se débattait avec son sac d'école dans son uniforme scolaire – sauf que maintenant, quand elle me regardait, j'étais baba de voir combien elle était devenue froidement et objectivement belle.

« Je... » Afin de dissimuler ma confusion, j'ai regardé de nouveau Toddy, qui s'affairait avec mon imperméable et les fleurs. « Désolé, c'est juste tellement étrange. Enfin... surtout toi (à l'adresse de Toddy). Quel âge avais-tu la dernière fois que je t'ai vu ? Sept ans ? Huit ans ?

— Je sais, a répondu Kitsey. Le petit salopard, il ressemble *tellement* à une grande personne maintenant, hein ? Platt... (ce dernier était entré d'un pas tranquille dans le living, mal rasé, avec un pantalon en tweed et un pull irlandais rustique, on aurait dit un pêcheur sinistre dans une pièce de Synge) elle veut qu'on la retrouve où ?

— Hum... (il semblait gêné et frottait le chaume sur sa joue) dans sa chambre. Ça ne te dérange pas, hein ? Etta y a installé une table. »

Kitsey a froncé les sourcils. « Oh, flûte. Eh bien, ça ira, je suppose. Pourquoi tu ne mets pas les chiens dans la cuisine ? Allez... (me prenant par la main et, penchée en avant, écervelée et voltigeante, m'emmenant le long du couloir) tu dois boire quelque chose, il te faut un verre. » Il y avait quelque chose d'Andy dans la fixité de son regard, et aussi dans ses difficultés respiratoires – son bâillement asthmatique remodelé, c'était délicieux entre des lèvres entrouvertes, on aurait dit une starlette chuchotante. « J'espérais que l'on irait dans la salle à manger, ou au moins à la cuisine, c'est franchement pas top dans sa tanière... Qu'est-ce que tu prends ? m'a-t-elle demandé en se tournant vers le bar à côté de l'office, où des verres et un seau de glaçons avaient été préparés.

— Un peu de cette Stolichnaya serait super. Avec des glaçons, s'il te plaît.

— Vraiment ? Tu es sûr ? Aucun de nous n'en boit... Papa commandait toujours *celle-là* (elle hissa une bouteille de Stoli) parce qu'il aimait l'étiquette... très guerre froide... redis-moi comment tu prononces...

— Stolichnaya.

— Ça sonne *très* authentique. Je n'essaierai même pas. Tu sais, j'avais peur que tu ne viennes pas, a-t-elle dit en tournant ses yeux gris vers moi.

— Il ne fait pas si mauvais dehors.

— Oui mais... (clin d'œil) je croyais que tu nous détestais.

— Vous détester ? Non.

— Non ? » Quand elle riait, c'était fascinant d'observer en elle la pâleur leucémique d'Andy remodelée et embellie, le scintillement exquis d'une princesse Disney. « Mais j'étais tellement insupportable !

— Je m'en fichais.

— Bon. » Après une pause trop longue, elle s'est retournée vers les boissons. « On a été horribles avec toi, a-t-elle dit platement. Todd et moi.

— Mais non. Vous étiez juste petits.

— Oui mais (elle s'est mordu la lèvre inférieure) on savait ce qu'on faisait. Surtout après ce qui t'était arrivé. Et maintenant... je veux dire avec papa et Andy... »

J'ai attendu, puisque apparemment elle essayait de formuler une pensée, mais à la place elle a juste pris une gorgée de son vin (blanc : Pippa buvait du rouge) puis elle m'a touché le poignet. « Maman t'attend. Elle est impatiente, elle en parle depuis ce matin. On y va ?

— Mais oui. » Légèrement, si légèrement, j'ai posé ma main sur son coude ainsi que j'avais vu Mr. Barbour le faire avec les invitées « du beau sexe » et je l'ai guidée le long du couloir.

VIII

Enchevêtrement onirique de passé et de présent, la soirée passait d'un monde de l'enfance miraculeusement intact à son double terriblement altéré, comme si le Fantôme de Noël dernier et celui du prochain Noël s'étaient rassemblés et dînaient à la même table que nous. Mais en dépit du vilain grincement que produisait l'absence d'Andy (*Andy et moi... ? Tu te souviens quand Andy... ?*) et du dîner méconnaissable et chiche (des tourtes à la viande servies sur une table pliante dans la chambre de Mrs. Barbour ?), l'aspect le plus étrange de la soirée était mon sentiment profond et irrationnel de me sentir de retour à la maison. Quand je suis allé lui dire bonjour à la cuisine, même Etta a dénoué son tablier et s'est précipitée pour me prendre dans ses bras : *C'était mon soir de congé mais je voulais être là, je voulais te voir.*

Toddy (« Maintenant c'est Todd, s'il te plaît ») avait pris la place de son père en tant que Capitaine de la Table, menant la conversation avec un charme en apparence légèrement automatique, mais de toute évidence sincère, bien que Mrs. Barbour n'ait pas vraiment envie de parler à qui que ce soit à part moi – elle évoquait un peu Andy, mais surtout ses meubles de famille, dont quelques-uns avaient été achetés chez Israel Sack dans les années 1940 et la plupart légués au sein de sa famille depuis l'époque coloniale, se levant même de table à un moment donné au milieu du repas pour me prendre par la main et me montrer des chaises et une commode basse en acajou – Queen Anne, Salem, Massachusetts – c'était dans la famille de sa mère depuis 1760. (Salem ? me suis-je dit. Ses ancêtres du nom de Phipps avaient-ils brûlé des sorcières ? Ou en faisaient-ils partie eux-mêmes ? À part Andy – secret, isolé, autosuffisant, incapable de malhonnêteté et complètement dénué de méchanceté et de charisme – les autres Barbour, même Todd, possédaient tous quelque chose de légèrement mystérieux, un amalgame éveillé et sournois de bienséance et de malice, qui rendait très facile d'imaginer leurs ancêtres se rassemblant de nuit dans la forêt puis se défaisant de leurs atours puritains pour gambader autour du feu de joie païen.) Kitsey et moi n'avions pas beaucoup parlé, c'était impossible à cause de Mrs. Barbour ; mais pratiquement chaque fois que j'avais glissé un œil dans sa direction, j'avais senti les siens posés sur moi. Platt, la voix épaisse après cinq (six ?) grands gins et citron vert, m'a attiré vers le bar après le repas et m'a confié : « Elle est sous antidépresseurs.

— Ah bon ? ai-je fait, décontenancé.

— Je parle de Kitsey. Maman ne veut même pas en entendre parler.

— Eh bien… » Sa voix assourdie me mettait mal à l'aise, comme s'il me demandait mon avis ou voulait que j'intervienne. « J'espère qu'ils fonctionneront mieux pour elle que pour moi. »

Platt a ouvert la bouche puis il a semblé se raviser. « Oh… (chancelant légèrement vers l'arrière) je suppose qu'elle tient le coup. Mais ça a été dur pour elle. Kits était très proche des deux… je dirais plus proche d'Andy que n'importe lequel d'entre nous.

— Oh vraiment ? » « Proche » n'est pas l'adjectif que j'aurais utilisé pour décrire leur relation dans l'enfance bien que, à la différence des frères d'Andy, elle soit toujours restée à l'arrière-plan, y compris quand il s'agissait de se plaindre ou de taquiner.

Platt a soupiré, exhalant une rafale de gin qui a bien failli me faire tourner de l'œil. « Ouais. Pour le Wellesley College elle est officiellement en congé maladie… Je ne sais pas si elle y retournera, peut-être qu'elle suivra quelques cours à la New School, peut-être qu'elle cherchera un boulot, c'est trop dur pour elle d'être dans le Massachusetts, après, tu sais. Ils se voyaient beaucoup à Cambridge… Elle se sent très mal, bien sûr, de ne *pas* avoir été auprès de papa. Elle s'entendait mieux avec lui que quiconque, mais elle avait une soirée en vue, alors elle a téléphoné à Andy et l'a supplié d'y aller à sa place…

— Merde. » J'étais au bar, consterné, les pinces à glaçons à la main, malade rien qu'à l'idée d'un être détruit par ce même poison – *pourquoi j'ai fait ça* et *si seulement* – qui avait bousillé ma vie.

« Vouais, a convenu Platt en se versant un autre rasade de gin bien tassée. Dur dur.

— Franchement, elle ne devrait s'accuser de rien. Ce n'est pas possible. C'est de la folie. Enfin, ai-je insisté, perturbé par le regard humide et mort que me lançait Platt par-dessus son verre, si elle avait été sur ce bateau, c'est *elle* qui serait morte aujourd'hui, pas lui.

— Mais non, a répondu Platt sur un ton catégorique. Kits est un marin hors pair. Bons réflexes, tête bien sur les épaules depuis toute petite. Andy… Andy pensait à ses résonances orbite-orbite, ou Dieu seul sait à quelle merde statistique qui l'occupait sur son ordinateur portable à la maison et il a paniqué. Ce qui était tout à fait typique de lui, bordel. Enfin bon, il a poursuivi calmement, sans sembler remarquer mon étonnement face à cette remarque, elle est un peu paumée pour l'instant, ce que tu comprendras j'en suis sûr. Tu devrais l'inviter à dîner, maman serait plus que ravie. »

IX

Quand je suis reparti, il était plus de vingt-trois heures, la pluie avait cessé, les rues luisaient comme un miroir, et c'est Kenneth le portier de nuit (mêmes yeux lourds, même haleine chargée de bière, plus ventripotent qu'autrefois mais sinon égal à lui-même) qui était de service. « N'oublie pas de revenir nous dire bonjour, hein ? » a-t-il lancé, la même phrase que quand j'étais gosse et que ma mère venait me chercher après une nuit passée chez Andy – même voix apathique, trop lente de juste une demi-mesure. Dans un Manhattan postapocalyptique enfumé, on pouvait l'imaginer oscillant, cordial, devant la porte et dans les haillons de son ancien uniforme, pendant que les Barbour brûleraient des vieux numéros du *National Geographic* dans leur appartement en haut pour se chauffer et vivraient de gin et de crabe en boîte.

Bien qu'elle ait imprégné le moindre instant de la soirée comme une toxine sur le point de se libérer, la mort d'Andy était encore trop énorme pour être appréhendée (même si elle paraissait étrangement inévitable *a posteriori*, bizarrement prévisible, comme s'il avait souffert d'un défaut congénital fatal. Même à l'âge de six ans – rêveur, trébucheur, asthmatique, désespérant – l'empreinte du malheur et d'un décès prématuré était parfaitement visible sur sa petite personne rachitique, le marquant tel un symbole cosmique accroché à son dos et qui aurait dit *frappez-moi*).

Pourtant, il était tout aussi remarquable de voir comment son petit monde continuait de tourner clopin-clopant sans lui. C'était étrange de voir comment quelques heures pouvaient tout changer, me suis-je dit en sursautant alors qu'une nappe d'eau m'éclaboussait au bord du trottoir – ou plutôt de découvrir que le présent contenait un éclat aussi lumineux du passé vivant, endommagé et érodé, mais pas détruit. Andy avait été gentil avec moi quand je n'avais personne d'autre. Le moins que je puisse faire, c'était d'être gentil avec sa mère et sa sœur. Cela ne m'avait pas traversé l'esprit alors, mais maintenant oui, et cela faisait certainement des années que je ne m'étais pas secoué de ma stupeur pétrie de malheur et d'égocentrisme ; entre l'anomie et la transe, l'inertie, la parenthèse et mon propre cœur à ronger, il y avait plein de petits gestes gentils et faciles à côté desquels je passais chaque jour ; et même le mot *gentil* évoquait le passage d'un état d'inconscience à celui d'un malade hospitalisé qui prend tout à coup conscience des voix et des gens au milieu d'un flot de machines numérisées.

X

Une habitude d'un jour sur deux restait quand même une habitude, ainsi que Jerome me l'avait souvent rappelé, surtout quand je ne m'en tenais pas particulièrement ni fidèlement à ladite routine. New York regorgeait de toutes sortes d'horreurs quotidiennes cachées dans le métro et les foules ; la soudaineté de l'explosion ne m'avait jamais quitté, je m'attendais toujours à ce qu'il se passe quelque chose, je guettais en permanence du coin de l'œil, certaines configurations de gens dans des endroits publics pouvaient le déclencher, urgence de temps de guerre, quelqu'un qui me coupait la route dans le mauvais sens ou qui marchait trop vite à un angle particulier suffisait à déclencher de la tachycardie et une panique de type marteau à bascule, le genre qui me faisait trébucher jusqu'au banc du parc le plus proche ; les antalgiques de mon père, qui au départ soulageaient mon angoisse presque incontrôlable, offraient une échappatoire tellement délirante que je me suis vite mis à les prendre en guise de récompense : d'abord juste le week-end, puis après les cours, puis pour la béatitude éthérée et ronronnante qui venait à mon secours chaque fois que j'étais malheureux ou que je m'ennuyais (ce qui, malheureusement, arrivait assez souvent) ; à ce moment-là j'ai fait cette découverte stupéfiante, qui était que les minuscules cachets que je laissais de côté parce qu'ils avaient l'air si insignifiants et ne semblaient pas forts étaient en fait dix fois plus puissants que les Vicodin et les Percocet que j'avais avalés par poignées – les OxyContin 80 mg étaient assez puissants pour tuer quiconque ne les supporterait pas, ce qui, à ce stade-là, n'était absolument pas mon cas ; et quand mon trésor de narcotiques, qui semblait éternel, a fini par s'épuiser, peu de temps avant mon dix-huitième anniversaire, j'ai été forcé d'en acheter dans la rue. Même les dealers critiquaient mes dépenses, des milliers de dollars toutes les quelques semaines ; assis dans le fauteuil dégueulasse depuis lequel il gérait son affaire, Jack (le prédécesseur de Jerome) m'avait rabroué à ce sujet à plusieurs reprises tout en comptant mes billets de cent tout chauds sortis du guichet de la banque. « Tu ferais aussi bien de les brûler, mon pote. » L'héroïne était moins chère : quinze dollars le sachet. Même si je ne me shootais pas – Jack avait effectué pour moi un calcul laborieux sur l'emballage papier d'un hamburger –, ce serait une dépense beaucoup plus raisonnable, quelque chose dans les quatre cent cinquante dollars par mois.

Toutefois l'héroïne, je n'en prenais que lorsque l'on m'en offrait – un sniff par-ci, un sniff par-là. J'adorais ce truc, et j'en avais envie en permanence, mais je n'en achetais sous aucun prétexte. Sinon, il n'y aurait jamais de raison d'arrêter. D'un autre côté, avec les produits pharmaceutiques, la dépense était un facteur positif puisque non seulement cela m'aidait à contrôler mon habitude, mais aussi cela m'offrait une excellente raison de descendre chaque jour vendre des meubles. L'idée qu'on ne pouvait pas vivre normalement quand on prenait des opiacés était un mythe : se shooter était une chose, mais pour quelqu'un comme moi – affligé du syndrome de stress post-traumatique atteignant presque la paralysie spasmodique et cérébrale et qui sursautais quand des pigeons se battaient sur le trottoir – les cachets étaient la clé qui permettait non seulement d'être opérationnel, mais aussi terriblement efficace. L'alcool détendait les gens au point de les rendre larmoyants et déconcentrés : il suffisait de regarder Platt Barbour assis chez *J.G. Melon* à trois heures de l'après-midi, s'apitoyant sur son sort. Quant à mon père : même après qu'il eut dessoûlé, il gardait la vague maladresse d'un boxer groggy, téléphone ou minuteur lui échappaient alors des mains ; les gens parlaient d'avoir le cerveau en compote, mais il s'agissait en fait des dommages cérébraux dus à la boisson à hautes doses, des trucs neurologiques qui ne disparaissaient jamais. Son raisonnement avait été sérieusement altéré, il avait été dans l'incapacité de garder un travail quel qu'il soit sur le long terme. Moi... eh bien, peut-être que je n'avais pas de petite amie, ou d'amis qui ne se droguaient pas, mais je travaillais douze heures par jour, rien ne m'épuisait, je portais des costumes Thom Browne, discutais en souriant avec des gens que je ne pouvais pas souffrir, nageais deux fois par semaine, jouais au tennis à l'occasion, et je ne touchais ni au sucre ni aux aliments traités. J'étais cool et aimable, mince comme un fil et je ne me vautrais pas dans l'autoapitoiement ou la pensée négative de quelque sorte que ce soit ; de l'avis général j'étais un excellent vendeur, et les affaires marchaient si bien que ce que je dépensais en drogues ne me manquait pas beaucoup.

J'avais connu quelques petites défaillances – des glissements imprévisibles où les choses étincelaient, incontrôlables, l'espace de quelques clignotements surnaturels, comme un dérapage sur un pont verglacé, et je voyais alors comment les choses pouvaient mal tourner, et avec quelle rapidité. Ce n'était pas une histoire d'argent, davantage une affaire d'escalade dans les doses, d'oublis de certaines ventes ou de certaines factures, d'un Hobie me regardant d'un drôle d'air quand j'avais forcé sur la dose et que je descendais l'œil un peu trop vitreux et l'air ailleurs. Dîners, clients... Désolé, vous me disiez quelque chose, vous venez de me parler ? Non, juste un peu fatigué, je dois couver un truc, peut-être que j'irai me coucher un peu tôt, mes amis. J'avais hérité des yeux clairs de ma mère ce qui, faute de lunettes de soleil lors de vernissages, rendait pratiquement impossible de cacher des pupilles rétrécies – non que quiconque dans l'entourage de Hobie semble le remarquer, sauf (parfois) quelques-uns des jeunes homos dans le vent : « Tu es un vilain garçon », m'avait chuchoté à l'oreille lors d'un dîner formel le petit ami bodybuilder d'un client qui m'avait sérieusement fait flipper. Et je redoutais de me rendre dans le service comptable de l'une des sociétés de vente aux enchères, parce qu'un des types qui travaillait là, plus âgé, britannique, lui-même accro, me draguait chaque fois. Bien sûr cela arrivait aussi avec des femmes : une des filles avec qui je couchais – la stagiaire mode – je l'avais rencontrée dans le mini-parc pour chiens dans Washington Square où je promenais Popchik, et après trente secondes passées sur le banc du parc, il nous était vite apparu à tous deux qu'elle était dans le même état que moi. Chaque fois que la situation n'était plus sous contrôle je prenais du recul, et j'ai même arrêté complètement à plusieurs reprises – la plus longue ayant duré six semaines. Tout le monde n'en était pas capable, me disais-je. Simple affaire de discipline. Mais à ce stade-ci, c'est-à-dire mon vingt-sixième printemps, je n'avais pas été clean plus de trois jours à la suite ces trois dernières années.

J'avais mis au point un système pour arrêter pour de bon si jamais j'en éprouvais l'envie : réduction drastique, programme de sept jours, beaucoup de Lopéramide ; suppléments de magnésium et acides aminés libres pour remplir à nouveau mes neurotransmetteurs grillés ; poudre de protéines, poudre électrolyte, mélatonine (et herbe) pour dormir, ainsi que différentes teintures et potions herbales que ma stagiaire mode recommandait chaudement, bois de réglisse et chardon Marie, orties, houblon et huile de graines de cumin noir, racine de valériane et extrait de scutellaire. J'avais un sac du magasin bio contenant tous les trucs nécessaires posé par terre au fond de mon placard depuis une année et demie. Je n'avais pas touché à la plupart d'entre eux sauf à l'herbe, qui avait disparu depuis longtemps. Le problème (ainsi que je l'avais appris à diverses reprises) était ces trente-six heures qu'il fallait passer enfermé, le corps en pleine révolte et la perspective lugubre comme un couloir de prison du restant d'une existence sans opiacée ; il fallait des raisons plutôt impérieuses pour continuer d'avancer – dans la grisaille, la douleur, le désespoir – et ne pas retomber illico sur le superbe matelas de plumes aussi bêtement abandonné.

Le soir où je suis rentré de chez les Barbour, j'ai avalé un cachet de morphine à effet lent et à action longue, ainsi que j'en avais l'habitude chaque fois que je rentrais à la maison d'humeur coupable en sentant que j'avais besoin de me reprendre : une faible dose, moins de la moitié de ce dont j'avais besoin pour ressentir quoi que ce soit, juste assez en plus de l'alcool pour m'empêcher de me coucher trop agité. Le lendemain matin, j'ai perdu courage (parce que, d'ordinaire, à ce stade du plan de décrochage je me réveillais malade et étais à cran très vite) et j'ai écrasé trente, puis soixante, milligrammes de Roxicodone sur le dessus en marbre de la table de chevet, que j'ai aspirés au travers d'une paille coupée ; après quoi, n'ayant pas envie de jeter aux toilettes le restant des cachets (d'une valeur supérieure à deux mille dollars), je me suis levé, me suis habillé, me suis nettoyé le nez avec une solution saline et, après avoir amassé quelques doses supplémentaires de morphine à action longue au cas où les « manques », comme les appelait Jerome, deviendraient trop inconfortables, j'ai glissé la boîte de tabac à pipe Redbreast Flake dans ma poche et, à six heures du matin, avant que Hobie se réveille, j'ai pris un taxi jusqu'à l'entrepôt.

Ouvert vingt-quatre heures sur vingt-quatre – n'eût été un employé au yeux vides qui regardait la télé à l'accueil, on aurait dit un complexe funéraire maya. Je me suis dirigé vers les ascenseurs d'un pas nerveux. Je n'avais mis les pieds dans ces locaux que trois fois en sept ans, toujours avec appréhension, ne m'aventurant jamais en haut vers la consigne elle-même, mais plongeant juste la tête vite fait dans le hall pour payer la location, en liquide : deux années à la fois, le maximum autorisé par la loi de l'État.

Pour l'ascenseur de marchandises il fallait une carte magnétique, que je m'étais heureusement souvenu d'apporter. Sauf qu'elle ne s'est pas insérée comme il fallait ; et, l'espace de plusieurs minutes, en espérant que l'employé à l'accueil était trop déphasé pour le remarquer, je suis resté planté dans l'ascenseur ouvert en essayant de finasser pour introduire la carte, jusqu'à ce que les portes en acier sifflent et se referment en glissant. Me sentant nerveux et observé, faisant de mon mieux pour détourner le visage de mon ombre floutée sur l'écran, j'ai été jusqu'au huitième étage, 8 D 8 E 8 F 8 G, murs en parpaings et rangées de portes anonymes comme une sorte d'Éternité préfabriquée dénuée de couleurs à part le beige, et où aucune poussière ne se déposerait jamais.

8 R, deux clés et un cadenas avec une combinaison, 7522, les quatre derniers chiffres du fixe de Boris à Vegas. La consigne a grincé avec un crissement métallique. À l'intérieur le sac de Paragon Sporting Goods, avec l'étiquette de la tente pour deux qui pendait, Marquise royale, $43.99, aussi impeccable et neuve que lorsque je l'avais achetée il y a sept ans de cela. Et bien que la texture de la taie d'oreiller dépassant du sac déclenche en moi un vilain court-circuit, comme un bruit sec et électrique dans la tempe, j'ai surtout été frappé par l'odeur, parce que celle du plastique, de toile pour piscine de l'adhésif, était devenue dominante à force d'avoir été enfermée dans un si petit endroit, odeur émotionnellement évocatrice et oubliée, ou à laquelle je n'avais pas pensé pendant des années, puanteur particulière du polyvinyle qui m'a renvoyé sur-le-champ à l'enfance et à ma chambre à Vegas : produits chimiques et nouvelle

moquette, s'endormir et se réveiller chaque matin avec le tableau scotché derrière ma tête de lit et la même odeur d'adhésif dans les narines. Je ne l'avais pas correctement déballé depuis des années ; l'ouvrir prendrait déjà dix à quinze minutes avec un cutter, mais tandis que j'étais planté là, submergé (dérapage et confusion, presque comme la fois où je m'étais réveillé, somnambule, sur le seuil de la chambre de Pippa, ne sachant pas ce qui m'avait traversé l'esprit ou ce que je devais faire), j'ai été transpercé en sentant monter une forte envie quasi délirante : l'avoir de nouveau à portée de main, après tant d'années, revenait à me trouver tout à coup sur la crête dangereuse d'un désir impétueux dont je n'étais même pas conscient. Dans l'ombre, le paquet mommifié – le peu qui en était visible – avait une apparence effilochée, poignante et bizarrement humaine, moins comme un objet inanimé que quelque pauvre créature ligotée et impuissante dans l'obscurité, incapable de pousser un cri ni d'imaginer qu'on la sauve. Je n'avais pas été aussi proche du tableau depuis mes quinze ans et, l'espace d'un moment, c'était tout ce que je pouvais faire pour m'empêcher de le saisir, de le glisser sous le bras et de partir avec. Mais je sentais les caméras de sécurité siffler dans mon dos ; et, d'un rapide mouvement spasmodique, j'ai laissé tomber ma boîte de Redbreast Flake dans le sac Bloomingdale's, fermé la porte et tourné la clé. « Jette-les dans les toilettes si tu veux vraiment décrocher un jour, sinon tu ramèneras ton cul dans cet entrepôt à deux heures du mat », m'avait conseillé Mya, la petite amie sexy de Jerome ; sauf qu'en repartant, la tête légère et bourdonnante, les cachets étaient bien les dernières choses qui m'occupaient l'esprit. La simple vue du tableau empaqueté, seul et pathétique, m'avait secoué des pieds à la tête, comme si un signal satellite venu du passé avait fait irruption et bloqué toutes les autres transmissions.

XI

Bien que mes (quelques) jours de congé aient empêché ma dose de monter en flèche, le manque s'est fait
sentir plus tôt que prévu, et même avec les cachets que
j'avais gardés pour réduire petit à petit, j'ai passé les
jours suivants dans un état déplorable : trop malade pour
manger et incapable d'arrêter d'éternuer. « C'est juste un
rhume, ai-je expliqué à Hobie. Ça va aller.

— Non, si tu as l'estomac dérangé, c'est une grippe
intestinale, a répondu, l'air sévère, un Hobie tout juste
rentré de chez Bigelow avec de l'antihistaminique et de
l'Immodium, ainsi que des biscuits salés et du Canada
Dry de Jefferson Market. Il n'y a pas de raison... À
tes souhaits ! Si j'étais toi, j'irais chez le médecin sans
faire d'histoire.

— Écoutez, c'est juste un microbe. » Hobie avait une
constitution solide ; chaque fois qu'il couvait quelque
chose il se contentait de boire un Fernet-Branca et la
vie reprenait son cours.

« Peut-être, mais cela fait des jours que tu n'as presque
rien mangé. Ce n'est pas la peine de descendre gratouiller
ici et de te rendre encore plus malade. »

Mais travailler m'évitait de penser à mon inconfort.
Les frissons arrivaient par spasmes de dix minutes, puis
je suais. Nez et yeux coulaient, et il y avait des saccades
électriques saisissantes. Le temps avait changé, la boutique était pleine de gens, de murmures et de mouvement ;
dehors, les arbres qui fleurissaient dans les rues laissaient
éclater leur délire. J'arrivais encore à maîtriser mes mains
quand elles s'affairaient à la caisse, mais intérieurement
j'étais au supplice. « Ce n'est pas ton premier rodéo le
pire, m'avait prévenu Mya. C'est vers le troisième ou
le quatrième environ que tu te mettras à regretter de ne

pas être mort. » Mon estomac s'agitait pesamment et se déchaînait, aussi frénétique qu'un poisson au bout d'un hameçon ; douleurs, muscles qui tressaillent, impossibilité de rester allongé tranquille ou d'être bien dans mon lit, et le soir, après avoir fermé la boutique, je restais assis, le visage rouge et éternuant, dans un tub presque trop brûlant pour être supportable, avec un verre de Canada Dry et des glaçons fondus que je pressais contre ma tempe pendant que Popchik, trop raide et rhumatisant pour se tenir debout sur ses pattes au bord de la baignoire ainsi qu'il aimait jadis le faire, était assis sur le tapis de bain et me regardait, l'air anxieux.

Rien de tout cela n'était aussi pénible que ce que j'avais craint. Mais ce que je n'avais pas imaginé, c'est le quart de la violence avec laquelle m'a frappé ce que Mya dénommait le « truc mental », qui était tout bonnement insupportable, un rideau noir dégoulinant d'horreur. Mya, Jerome, ma stagiaire mode : la plupart de mes amis drogués étaient camés depuis plus longtemps que moi ; et quand ils s'asseyaient, défoncés, et parlaient de ce que ça faisait d'arrêter (et apparemment, c'était le seul moment où ils supportaient de l'évoquer), ils disaient tous la même chose : ce n'étaient pas les symptômes physiques le plus dur, même avec une petite dépendance comme la mienne, la dépression ne ressemblerait « en rien à ce que j'avais imaginé », et j'avais souri poliment en me penchant vers le miroir et en me disant : *Vous voulez parier* ?

Mais *dépression* n'était pas le mot juste. Il s'agissait d'un plongeon dans le chagrin et le dégoût, ça allait bien au-delà de la sphère personnelle, une nausée écœurante en réaction à l'humanité et à toute entreprise humaine depuis la nuit des temps, et qui me lessivait. Les convulsions répugnantes de l'ordre biologique. La vieillesse, la maladie, la mort. Pas d'échappatoire. Pour personne. Même ceux qui étaient beaux étaient comme des fruits ramollis sur le point de pourrir. Et pourtant, tant bien que mal, les gens continuaient de baiser, de se reproduire et d'affourager la tombe, produisant de plus en plus de nouveaux êtres qui souffriront comme si c'était chose rédemptrice ou bonne, ou même, en un sens, moralement admirable : entraînant d'autres créatures innocentes dans le jeu perdant-perdant. Des bébés qui se tortillent et des mères qui avancent d'un pas lourd, suffisant, shootées aux hormones. *Oh, comme il est mignon ! Ooooooh.* Des gamins qui crient et qui glissent sur le terrain de jeux sans la moindre idée des futurs enfers qui les attendent : boulots ennuyeux et emprunts immobiliers ruineux, mauvais mariages, calvitie, prothèses de la hanche, tasses de café solitaires dans une maison vide et poche pour colostomie à l'hôpital. La plupart des gens semblaient satisfaits du mince vernis décoratif et de l'éclairage de scène artistique qui, parfois, rendaient l'atrocité basique de la condition humaine plus mystérieuse ou moins odieuse. Les gens s'adonnaient au jeu, au golf, travaillaient, priaient, plantaient des jardins, vendaient des actions, copulaient, achetaient de nouvelles voitures, pratiquaient le yoga, redécoraient leurs maisons, s'énervaient devant les infos, s'inquiétaient pour leurs enfants, cancanaient sur leurs voisins, dévoraient les critiques de restaurants, fondaient des organisations caritatives, soutenaient des candidats politiques, assistaient aux matches de tennis de l'US Open, dînaient, voyageaient et se distrayaient avec toutes sortes de gadgets et de trucs, se noyant sans cesse dans l'information, les textos, la communication et la distraction tous azimuts pour tenter d'oublier : où nous étions et ce que nous étions. Mais sous une forte lumière il n'y avait rien de positif à voir. C'était pourri de A jusqu'à Z. Faire vos heures au bureau ; pondre consciencieusement vos 2,5 enfants ; sourire poliment au moment de votre départ à la retraite ; puis mâchouiller votre drap et vous étouffer sur vos pêches au sirop en maison du même nom. Mieux valait ne jamais être né – ne jamais avoir désiré quoi que ce soit, ne jamais avoir rien espéré. Toute cette dégelée et cette agitation mentale se mélangeait à des images récurrentes, ou à des rêves éveillés, de Popchik étendu sur le flanc, faible et amaigri, avec le mouvement de ses côtes – je l'avais oublié quelque part, l'avais laissé seul et omis de le nourrir, il était sûrement mourant – encore et encore, même quand il était avec moi dans la chambre, bruits secs dans la tête et alors je me réveillais en sursaut, coupable, où est Popchik ; à son tour cela se mélangeait à des flashes à vous éclater la tête où je voyais la taie d'oreiller empaquetée et enfermée dans son cercueil d'acier. Quelle que soit la raison que j'aie eue d'avoir caché le tableau il y a bien des années – d'abord de l'avoir gardé, puis de l'avoir sorti du musée – je ne m'en souvenais plus à présent. Le temps l'avait rendue flou. Cela appartenait à un monde qui n'existait pas – ou, plutôt, c'était comme si je vivais dans deux mondes et que la consigne de l'entrepôt fasse partie de celui qui était imaginaire plutôt que du réel. C'était facile d'oublier cet endroit, de faire comme s'il n'existait pas ; je m'étais presque attendu à l'ouvrir et à trouver le tableau envolé, même si je savais que c'était impossible, qu'il serait toujours enfermé dans l'obscurité et qu'il m'attendrait éternellement tant que je le laisserais là, comme le corps d'une personne que j'aurais assassinée et fourré dans une cave quelque part.

Le matin du huitième jour, je me suis réveillé trempé de sueur après quatre heures d'un mauvais sommeil, vidé jusqu'à la moelle et plus désespéré que jamais par ma vie, mais assez stable pour faire faire le tour du pâté de maisons à Popchik puis monter à la cuisine et manger le petit déjeuner de convalescent – œufs pochés et muffin – que Hobie me forçait à avaler.

« Il est grand temps. » Il avait fini le sien et débarrassait la table sans se presser. « Tu es blanc comme un linge... Je le serais aussi si j'avais passé ma semaine à ne me nourrir que de biscuits salés. Un peu de soleil, voilà ce qu'il te faut, et aussi un peu d'air frais. Le chien et toi devriez faire une bonne balade.

— D'accord. » Mais je n'avais pas l'intention d'aller où que ce soit, à part à la boutique où c'était tranquille et sombre.

« Je ne voulais pas t'embêter, tu as été si mal... (sa voix professionnelle en même temps que l'inclinaison amicale de sa tête m'ont fait détourner les yeux, mal à l'aise, et fixer mon assiette) mais pendant que tu étais HS tu as eu des appels sur le fixe.

— Ah bon ? » J'avais éteint mon portable et l'avais laissé dans un tiroir, je ne l'avais même pas regardé de peur d'y trouver des messages de Jerome.

« D'une très gentille fille... (il a consulté le carnet, puis m'a regardé par-dessus ses lunettes) Daisy Horsley ? (C'était le vrai nom de Carole Lombard.) Elle a dit qu'elle était occupée par son boulot (code pour *Le fiancé est là, ne viens pas*) et elle te demande de lui envoyer un texto si tu veux la contacter.

— OK, super, merci. » Le grand mariage de Daisy à la National Cathedral se déroulerait en juin s'il avait lieu, après quoi elle déménagerait à Washington avec le « fiancé », ainsi qu'elle le nommait.

« Mrs. Hildesley a appelé aussi, à propos du chiffonnier en merisier, pas celui avec le chapiteau, l'autre. Face à une bonne offre – huit mille dollars – j'ai accepté, j'espère que cela ne te dérange pas, ce meuble ne vaut pas plus de trois mille, si tu veux mon avis. Et aussi... ce type a appelé deux fois... un certain Lucius Reeve ? »

J'ai failli m'étouffer avec mon café, le premier que j'avais réussi à avaler depuis des jours, mais Hobie n'a pas semblé remarquer.

« Il a laissé un numéro. Il a dit que tu saurais de quoi il s'agissait. Oh… (il s'est assis, tout à coup, a tapoté la table avec sa paume) et un des enfants Barbour a appelé !

— Kitsey ?

— Non… (il avalé une gorgée de son thé) Platt ? Ça te dit quelque chose ? »

XII

L'idée d'avoir affaire à Lucius Reeve sans médocs suffisait presque à me faire filer à l'entrepôt. Quant aux Barbour, je n'étais pas très désireux de parler à Platt non plus, mais à mon grand soulagement, c'est Kitsey qui a répondu.

« On voulait t'inviter à dîner, a-t-elle annoncé sur-le-champ.

— Pardon ?

— On ne t'a pas dit ? Oh… peut-être que j'aurais dû téléphoner ! Quoi qu'il en soit, maman a été *tellement* contente de te voir. Elle veut savoir quand tu vas revenir.

— Eh bien…

— Tu as besoin d'une invitation ?

— Ben, un peu.

— Tu as l'air bizarre.

— Désolé, j'ai eu, euh, la grippe.

— Vraiment ? Oh, mon Dieu. Nous, on va tous très bien, je ne pense pas que tu aies pu l'attraper chez nous… Pardon ? a-t-elle lancé à une vague voix derrière elle. Tiens… Platt essaie de me prendre le combiné. À bientôt.

— Salut, mon pote, a fait Platt quand ça a été son tour.

— Salut, ai-je répliqué en me frottant la tempe et en essayant de ne pas trouver bizarre que Platt m'appelle son *pote*.

— Je… (des pas, une porte que l'on ferme) j'irai droit au but.

— Oui ?

— Il s'agit de quelques meubles, a-t-il expliqué sur un ton cordial. Tu crois que tu pourrais en vendre pour nous ?

— Bien sûr. » Je me suis assis. « Lesquels pense-t-elle vendre ?

— Eh bien, j'aimerais mieux ne pas embêter maman avec ça, si c'était possible. Je ne suis pas sûr qu'elle soit prête, si tu vois ce que je veux dire.

— Oh ?

— Eh bien, enfin, elle a tant de trucs... des choses là-haut dans le Maine, et aussi en garde-meubles, qu'elle ne regardera plus jamais, tu comprends ? Pas juste des meubles. De l'argenterie, une collection numismatique... des céramiques qui sont supposées avoir de la valeur, je crois, mais, je vais être franc avec toi, qui sont de vraies merdes. Je ne parle pas au sens figuré. Je veux dire qu'on dirait littéralement des bouses de vache.

— Tu te doutes de ma question : pourquoi tu veux les vendre ?

— Il n'y a pas de réel *besoin* de vendre, s'est-il empressé de répondre. Mais le truc, c'est qu'elle est tellement têtue concernant certains articles de ce vieux bazar... »

Je me suis frotté l'œil. « Platt...

— Enfin, c'est juste entreposé là. Toutes ces cochonneries. Dont la plupart m'appartiennent, les pièces de monnaie, quelques vieux revolvers et autres que Gaga m'a laissés. Enfin bon... (sèchement) je vais être franc avec toi. J'ai un autre type avec qui je peux faire affaire, mais pour être honnête je préférerais que ça soit avec toi. Tu nous connais, tu connais maman, je sais que tu me feras une proposition honnête.

— Certes », ai-je hésité. Une attente silencieuse, en apparence interminable, a suivi, comme si nous déchiffrions un scénario et qu'il attendait avec confiance que je lise le restant de ma réplique. Je me demandais comment le repousser, quand mon œil est tombé sur le nom et le numéro de Lucius Reeve noté de l'écriture déliée et expressive de Hobie.

« Eh bien, hum, c'est très compliqué. Enfin, il faudrait que je voie ces objets en personne avant de pouvoir me prononcer. D'accord, d'accord... (il essayait d'ajouter quelque chose à propos de photos) mais des photos, ça ne suffit pas. Et puis je ne m'occupe pas d'objets, ou du genre de céramiques dont tu parles. Pour les objets, tu dois vraiment aller chez un marchand qui ne vend que ça. Mais en attendant... (il essayait toujours de me couper la parole) si c'est histoire de rassembler quelques milliers de dollars, je peux t'aider. »

Voilà qui lui a fermé le clapet. « Ah oui ? »

J'ai glissé le doigt sous mes lunettes pour me pincer l'arête du nez. « Bon, voilà. J'essaie d'établir la provenance d'un meuble... C'est un vrai cauchemar, le type ne me lâche pas, j'ai essayé de le lui racheter, on dirait qu'il a l'intention de faire un scandale. Pour quelle raison, je l'ignore. Quoi qu'il en soit, ça m'aiderait si je pouvais montrer un contrat de vente qui prouverait que j'ai acheté ce meuble à un autre collectionneur.

— Maman te trouve merveilleux, a-t-il dit sur un ton amer. Je suis sûr qu'elle fera tout ce que tu voudras.

— Le truc c'est que... (Hobie était en bas et le router tournait, mais j'ai baissé la voix quand même). On se parle en toute confidentialité bien sûr ?

— Bien sûr.

— Je ne vois aucune raison d'impliquer ta mère d'aucune manière. Je peux rédiger un contrat de vente et l'antidater. Mais si le type pose la moindre question, et ça se pourrait, ce que j'aimerais c'est le renvoyer vers toi, lui donner ton numéro, fils aîné, mère veuve depuis peu, bla-bla-bla...

— C'est qui, ce type ?

— Un certain Lucius Reeve. Tu en as déjà entendu parler ?

— Nan.

— Eh bien… juste à titre d'info, il n'est pas impossible qu'il connaisse ta mère, ou qu'il l'ait rencontrée à un moment donné.

— Ça ne devrait pas poser de problème. Maman voit très peu de gens en ce moment. » Pause ; je l'ai entendu allumer une cigarette. « Donc… ce type appelle. »

Je lui ai décrit le chiffonnier. « Je serai ravi de t'envoyer une photo par email. Sa caractéristique, c'est le phœnix sculpté au sommet. S'il appelle, tout ce que *toi* tu as besoin de lui expliquer, c'est que le meuble était chez vous dans le Maine jusqu'à ce que ta mère me le vende il y a des années de ça. Elle l'aura acheté à un marchand en faillite, tu vois, un vieux monsieur mort il y a quelques années, tu ne te souviens plus du nom, flûte, tu vas devoir vérifier. Mais s'il insiste (c'était stupéfiant comment quelques taches de thé et quelques minutes de séchage dans un four à basse température pouvaient vieillir les reçus vierges du quittancier des années 1960 que j'avais acheté aux puces), ce sera facile pour moi de te procurer ce contrat de vente.

— Pigé.

— Bien. En tout cas (je cherchais à tâtons une cigarette que je n'avais pas), si tu t'occupes de cette affaire de ton côté… tu sais, si tu t'engages à me soutenir si le type *appelle*… je te donnerai dix pour cent du prix du meuble.

— C'est-à-dire ?

— Sept mille dollars. »

Platt a ri – un rire au son curieusement heureux et insouciant. « Papa avait raison quand il disait que vous étiez véreux, vous, les antiquaires. »

XIII

J'ai raccroché en me sentant bêtement soulagé. Mrs. Barbour possédait pas mal d'antiquités de second et de troisième ordre, mais elle possédait aussi bon nombre de meubles de valeur et cela me dérangeait de penser que Platt veuille vendre des trucs dans son dos. Quant au fait d'être « à sa merci », si quelqu'un pouvait insinuer qu'il était coincé dans une sorte de problème continu et indéfini, c'était bien Platt. Je n'avais pas repensé à son expulsion depuis des années, les détails avaient été étouffés avec tant de zèle qu'il me semblait probable qu'il ait commis une faute assez sérieuse qui, dans un contexte moins encadré, aurait pu impliquer la police : ce qui, d'une manière bizarre, m'incitait à lui faire confiance pour empocher son liquide et la boucler ensuite. De plus, cela me réjouissait d'y penser, s'il y avait bien un être sur Terre qui pouvait imposer sa loi ou intimider Lucius Reeve, c'était Platt, snob de première classe et tyran pur et dur, s'il en est.

« Monsieur Reeve ? ai-je demandé avec courtoisie quand il a décroché.

— Lucius, voyons.

— Eh bien, Lucius, alors. » Sa seule voix m'avait rendu vert de rage ; mais le fait de savoir que j'avais Platt dans ma manche me rendait plus effronté que je n'avais de raisons de l'être. « Vous m'avez appelé. Il y a un souci ?

— Probablement pas ce que vous croyez, fut sa prompte réponse.

— Non ? ai-je répliqué avec aisance, bien que le ton de sa voix m'ait décontenancé. Eh bien, alors. Dites-moi.

— Je pense qu'il serait préférable d'en discuter face à face.

— D'accord. Dans Manhattan, donc, puisque vous avez eu l'amabilité de m'emmener à votre club la dernière fois ? » ai-je rétorqué vivement.

XIV

Le restaurant que j'ai choisi était dans Tribeca, assez loin pour que je n'aie pas à trop m'inquiéter d'y croiser Hobie ou un quelconque de ses amis, et avec une clientèle suffisamment jeune (espérais-je) pour déstabiliser Reeve. Du bruit, des lumières, des conversations, une foule incessante de corps : avec mes sens neufs et aiguisés, les odeurs étaient accablantes, qu'il s'agisse de vin, d'ail, de parfum ou de sueur, et les assiettes grésillantes de poulet à la citronnelle apportées en vitesse depuis la cuisine, tout comme les banquettes turquoise et la robe orange vif de la fille à côté de moi, étaient comme des produits industriels chimiques que l'on aurait projetés dans mes yeux. Mon ventre se tordait d'angoisse, et je mâchais une pastille Rennie prise dans la boîte glissée dans ma poche quand j'ai levé les yeux et vu une hôtesse superbement tatouée semblable à une girafe, indolente et dénuée de toute expression, qui montrait ma table à Lucius Reeve d'un air indifférent.

« Eh bien, bonjour, lui ai-je dit sans me lever pour le saluer. Ravi de vous voir. »

Il a jeté un œil dégoûté autour de lui. « Nous devons vraiment rester ici ?

— Pourquoi pas ? » ai-je répondu mollement. J'avais fait exprès de choisir une table au beau milieu, pas bruyante au point qu'il nous faille crier, mais assez pour être dérangeante ; de plus, je lui avais laissé la place qui *lui* vaudrait d'avoir le soleil dans les yeux.

« C'est tout à fait ridicule.

— Oh. Je suis désolé. Si cela ne vous convient pas… »

J'ai fait un signe à la jeune girafe égocentrique oscillante de retour à son poste, l'air absent.

Forcé d'admettre que le restaurant était bondé, il s'est assis. Il était tendu et élégant dans son discours comme dans ses gestes, son costume arborait une coupe à la mode pour un homme de son âge, mais son comportement m'a fait penser à un poisson-globe, ou bien à un Hercule de dessin animé, ou encore à un membre de la police montée gonflé avec une pompe à vélo : menton à fossette, nez comme une boule de pâte, fente crispée de la bouche, le tout regroupé au milieu d'un visage luisant d'un rose empâté, enflammé et hyper tendu. Après que l'on eut servi la nourriture – fusion asiatique, avec beaucoup d'arcs-boutants croustillants composés de wonton et d'échalotes grillées, pas vraiment à son goût à voir son expression – j'ai attendu que ce soit lui qui aborde ce dont il voulait me parler. La copie carbone du faux contrat de vente, que j'avais rédigé sur une page vierge de l'un des vieux quittanciers de Welty et antidaté de cinq ans, était dans ma poche de poitrine, mais je n'avais pas l'intention de la sortir plus tôt que nécessaire.

Il avait demandé une fourchette ; sur son assiette légèrement inquiétante de « crevettes scorpion » il a retiré plusieurs filaments architecturaux de matière végétale qu'il a déposés sur le côté. Puis il m'a regardé. Ses petits yeux brillants étaient bleu vif dans son visage rose jambon. « Je suis au courant pour le musée, a-t-il annoncé.

— Au courant de quoi ? ai-je demandé après un flottement de surprise.

— Oh, je vous en prie. Vous savez très bien de quoi je parle. »

J'ai senti une décharge d'adrénaline en bas de ma colonne vertébrale, mais j'ai pris soin de garder les yeux sur mon assiette : riz blanc et légumes frits, ce qu'il y avait de plus neutre sur le menu. « Eh bien, si cela ne vous dérange pas, je préfère ne pas en parler. C'est un sujet douloureux.

— Oui, j'imagine. »

Il a lancé cela sur un ton tellement persifleur et provocant que j'ai levé vers lui un regard mauvais. « Ma mère est morte, si c'est ce dont vous parlez.

— Oui, en effet. » Longue pause. « Welton Blackwell aussi.

— Effectivement.

— Eh bien, voyons. C'était dans les journaux, bon sang. Sur la place publique. Mais… (il a pointé le bout de sa langue contre sa lèvre supérieure) il y a quelque chose qui m'intrigue. Pourquoi James Hobart est-il allé répéter cette histoire aux quatre coins de la ville ? Vous sur le pas de sa porte avec la bague de son associé ? Parce que s'il l'avait bouclée, personne n'aurait jamais fait le rapprochement.

— Je ne comprends pas de quoi vous voulez parler.

— Mais si, vous comprenez très bien. Vous possédez quelque chose que je veux. Que beaucoup de gens veulent, en fait. »

Je me suis arrêté de manger et les baguettes sont restées suspendues à mi-chemin vers ma bouche. Mon impulsion immédiate et irréfléchie a été de me lever et de sortir du restaurant, mais presque aussi vite je me suis rendu compte à quel point ce serait stupide.

Reeve s'est appuyé contre le dossier de sa chaise. « Vous ne dites rien.

— C'est parce que vous racontez n'importe quoi », ai-je répliqué vivement en déposant les baguettes et, l'espace d'un court instant, quelque chose dans la rapidité du geste, mes pensées sont allées vers mon père. Comment gérerait-il cette situation ?

« Vous semblez très perturbé. Je me demande bien pourquoi.

— C'est que je vois mal le rapport avec le chiffonnier.

Or j'avais l'impression que c'était la raison de notre rendez-vous de ce jour.

— Vous savez très bien de quoi je parle.

— Non… (rire incrédule à la résonance authentique) je crains que non.

— Vous voulez que je sois plus clair ? Ici même ? Très bien, je vais l'être. Vous étiez avec Welton Blackwell et sa nièce, tous les trois, dans la salle 32 et *vous* (sourire lent et taquin) avez été la seule personne à en ressortir. Or nous savons qu'autre chose est sorti aussi de la salle 32, n'est-ce pas ? »

C'était comme si tout mon sang s'était retiré vers mes pieds. Autour de nous, partout, cliquetis de couverts, rires, écho des voix rebondissant contre les murs carrelés.

« Vous voyez ? » a fait Reeve d'un air suffisant. Il s'était remis à manger. « C'est très simple. Enfin, ne me dites pas que vous pensiez que personne n'avait fait le rapprochement ? a-t-il poursuivi sur un ton de réprimande en reposant sa fourchette. Vous avez emporté le tableau, et quand vous avez apporté la bague à l'associé de Blackwell, vous le lui avez donné aussi, pour une raison que j'ignore… Oui, oui, a-t-il enchaîné tandis que j'essayais de lui couper la parole, bougeant légèrement sa chaise, levant la main pour protéger ses yeux du soleil, vous vous retrouvez être la *pupille* de James Hobart, bon sang, sa pupille, et depuis il exploite votre petit souvenir çà et là pour récolter des fonds. »

Récolter des fonds ? Hobie ? « Il *l'exploite* ? me suis-je exclamé ; puis, me reprenant : Il exploite quoi ?

— Écoutez, votre petit jeu du "mais de quoi parlez-vous donc ?" commence à devenir un peu lassant.

— Non, je suis sincère. De quoi diable me parlez-vous ? »

Reeve a pincé les lèvres, l'air très satisfait de lui.

« C'est un tableau exquis. Une superbe petite anomalie… absolument unique. Je n'oublierai jamais la première fois où je l'ai vu au Mauritshuis... franchement très différent de toutes les autres œuvres qui y sont exposées, ou de n'importe quelle autre œuvre de son époque, si vous voulez mon avis. Difficile de croire que cela a été peint dans les années 1600. Un des plus grands tableaux miniatures de tous les temps, n'est-ce pas ? Qu'est-ce que... (il a marqué un temps d'arrêt moqueur) qu'est-ce que le collectionneur a dit... vous savez, le critique d'art, le Français qui l'a redécouvert ? Qui l'a retrouvé enterré dans la réserve de quelque noble, dans les années 1890, et à partir de là a fait des "efforts désespérés" (ajout de guillemets avec ses doigts) pour l'acquérir. "N'oubliez pas, je dois obtenir ce petit *Chardonneret* quel qu'en soit le prix." Mais bien sûr, ce n'est pas la citation exacte. Je veux dire, celle qui est célèbre. Vous la connaissez certainement. Après tout ce temps, vous devez tout savoir sur le tableau et son histoire. »

J'ai posé ma serviette. « Je ne sais pas de quoi vous parlez. » Je ne pouvais rien faire d'autre, à part m'en tenir à ma version et continuer de la maintenir. *Niez, niez, niez*, ainsi que mon père, dans sa grande apparition cinématographique en tant qu'avocat de la mafia, l'avait conseillé à son client dans la scène, juste avant de se faire descendre.

Mais ils m'ont vu.
Ça devait être quelqu'un d'autre.
Il y a trois témoins.
M'en fiche. Ils se trompent tous. « *Ce n'était pas moi.* »
Ils vont amener des témoins contre moi toute la journée.
Eh bien, d'accord. Qu'ils le fassent.

Quelqu'un avait tiré un store et du coup notre table était plongée dans une ombre zébrée. Reeve, qui me regardait avec un air suffisant, a embroché une crevette orange vif et l'a mangée.

« Eh bien, j'ai essayé de réfléchir, a-t-il lancé. Peut-être que vous pouvez m'aider. Quel autre tableau de sa taille aurait sa classe ? Peut-être cet adorable petit Vélasquez, vous savez, le *Jardin de la Villa Médicis*. Bien sûr la rareté n'entre même pas en ligne de compte.

— Redites-moi encore de quoi nous parlons ? Parce que je ne suis pas vraiment sûr de comprendre où vous voulez en venir.

— Bon, continuez ce petit jeu si vous en avez envie, a-t-il répondu sur un ton affable en s'essuyant la bouche avec sa serviette. Vous ne trompez personne. Même si je dois dire que c'est plutôt irresponsable de le confier à ces imbéciles pour qu'ils le mettent en gage un peu partout. »

Face à mon ahurissement, tout à fait authentique, j'ai vu une lueur proche de la surprise traverser son visage. Mais elle s'est envolée aussi vite.

« On ne peut pas faire confiance à des gens comme ça pour un objet d'une telle valeur, a-t-il dit en mastiquant activement. Des voyous... des ignares.

— Je ne vous suis pas du tout, ai-je rétorqué sur un ton sec.

— Non ? » Il a posé sa fourchette. « Eh bien. Ce que j'offre, si vous vous souciez un jour de comprendre de quoi je vous parle, c'est de vous acheter l'objet. »

Vieil écho de l'explosion, mon acouphène s'était réveillé, ce qu'il faisait souvent en cas de stress, un bourdonnement aigu semblable à un avion qui s'approche.

« Dois-je vous proposer un chiffre ? Je pense qu'un demi-million devrait convenir, étant donné que je suis en mesure de passer un coup de fil à l'instant (il a enlevé son portable de sa poche et l'a déposé à côté de son verre d'eau) et de mettre un terme à votre entreprise. »

J'ai fermé les yeux, puis les ai rouverts. « Écoutez. Combien de fois dois-je le répéter ? Je ne sais vraiment pas à quoi vous pensez, mais...

— Je vais vous dire exactement à quoi je pense, Theodore. Je pense conservation, préservation. Des préoccupations qui, de toute évidence, n'ont pas été primordiales pour vous ou pour les gens pour qui vous travaillez. Vous comprendrez certainement que c'est la chose la plus sage à faire... pour vous, et aussi pour le tableau. De toute évidence, vous avez gagné une fortune, mais c'est irresponsable, n'êtes-vous pas d'accord, de continuer à le faire circuler dans des conditions aussi précaires ? »

Ma confusion sincère face à ces arguments a semblé jouer en ma faveur. Après un décalage bizarre, il a plongé dans la poche de poitrine de son costume...

« Tout se passe bien ? a demandé notre serveur beau comme un mannequin apparu tout à coup de nulle part.

— Oui oui, ça va. »

Le serveur a redisparu, traversant la salle d'un pas glissant pour aller parler à la superbe hôtesse. Reeve a sorti de sa poche plusieurs feuilles pliées qu'il m'a glissées sur la nappe.

C'était la version papier d'une page Web. Je l'ai lue vite fait en diagonale : FBI... agences internationales... descente de police bâclée... enquête...

« C'est quoi ce truc, bordel ? » me suis-je écrié, si fort qu'une femme à la table voisine a sursauté. Reeve, à présent occupé par son déjeuner, n'a rien répondu.

« Non, je suis sérieux. Quel rapport avec moi ? » Parcourant la page avec irritation... procès pour décès collatéral... Carmen Huidobro, femme de ménage d'une agence d'intérim de Miami, a été tuée par des agents qui ont pris d'assaut la maison... J'étais sur le point de redemander en quoi le contenu de cet article me concernait d'une quelconque manière, quand je me suis arrêté net.

Un vieux tableau de maître que l'on a jadis cru détruit (*Le Chardonneret*, Carel Fabritius, 1654) aurait été utilisé comme nantissement subsidiaire dans l'accord passé avec

Contreras, mais malheureusement il n'a pas été récupéré lors de la descente de police sur le complexe Floride Sud. Bien que des œuvres d'art volées soient souvent utilisées comme garantie d'une dette pour couvrir les risques d'un trafic de drogues et des ventes d'armes, l'Agence de lutte antidrogue (ALAD) s'est défendue contre la critique du Service des œuvres d'art volées du FBI : ils ont qualifié de « fiasco » et de « travail d'amateur » le règlement de l'affaire, lançant une déclaration publique qui déplorait le décès accidentel de Mrs. Huidobro, tout en expliquant que leurs agents ne sont pas formés pour identifier ou récupérer des œuvres d'art volées. Turner Stark, porte-parole du service de presse de l'ALAD, a dit : « Dans des situations tendues comme celle-ci, notre priorité sera toujours la sécurité des agents et des civils pendant que nous assurons les poursuites judiciaires des grandes violations des lois américaines visant le contrôle des stupéfiants. » La fureur qui s'est déchaînée, surtout dans le sillage du procès autour du décès accidentel de Mrs. Huidobro, a résulté en un appel à une plus grande coopération entre agences fédérales. « Il aurait suffi d'un coup de fil, a souligné Hofstede Von Moltke, porte-parole de la Division des vols d'œuvres d'art d'Interpol lors d'une conférence de presse hier à Zurich. Mais ces gens ne pensaient à rien d'autre qu'à effectuer leur arrestation et obtenir leur condamnation, ce qui est fort regrettable parce que maintenant ce tableau a disparu dans le circuit clandestin et il pourrait s'écouler des décennies avant qu'il ne réapparaisse. »

Le trafic de tableaux et sculptures volés est une industrie mondiale estimée à six milliards de dollars. Bien que la localisation du tableau ne soit pas confirmée, les détectives pensent que ce chef-d'œuvre hollandais unique a rapidement quitté le pays, peut-être vers Hambourg, où il est probablement passé de main en main pour un montant infime par rapport aux nombreux millions qu'il atteindrait s'il était mis aux enchères…

J'ai posé le papier. Reeve, qui s'était arrêté de manger, me dévisageait avec un mince sourire félin. Peut-être était-ce dû à l'air guindé de ce minuscule sourire dans son visage en forme de poire, mais j'ai éclaté de rire de manière inattendue : rire contenu à cause à la fois de la terreur et du soulagement, un rire semblable à ceux que Boris et moi avions partagés quand le gros flic du centre commercial qui nous avait poursuivis (et qui avait bien failli nous attraper) avait glissé sur du carrelage mouillé du côté des cafétérias et était tombé sur le cul.

« Oui ? » a fait Reeve. Le vieil épouvantail avait une tache orange sur la bouche à cause des crevettes. « Vous avez lu quelque chose qui vous amuse ? »

Mais ma seule réaction a été de hocher la tête et de jeter un regard circulaire à la salle du restaurant. « Bon sang, je ne sais pas quoi vous répondre, ai-je dit en m'essuyant les yeux. De toute évidence vous hallucinez ou… je ne sais pas. »

Reeve, et c'était tout à son honneur, n'avait pas l'air perturbé le moins du monde, même s'il n'était de toute évidence pas ravi non plus.

« Non, franchement, ai-je ajouté en secouant la tête. Je suis désolé. Je ne devrais pas rire. Mais c'est le putain de truc le plus absurde que j'aie jamais lu. »

Reeve a plié sa serviette et l'a posée. « Vous êtes un menteur, a-t-il répliqué sur un ton aimable. Vous pensez peut-être que vous pourrez vous en sortir en bluffant, mais c'est impossible.

— Procès pour mort collatérale ? Un complexe en Floride ? Quoi ? Vous croyez vraiment que ça a un rapport avec moi ? »

Reeve m'a dévisagé de ses minuscules yeux bleu vif avec un air cruel. « Soyez raisonnable. Je vous offre une porte de sortie.

— Une porte de *sortie* ? » Miami, Hambourg, même

les noms de ces endroits me faisaient éclater d'un rire incrédule. « Une sortie d'où ça ? »

Reeve a tapoté ses lèvres avec sa serviette. « Je suis ravi que vous trouviez cela aussi amusant, a-t-il susurré. Puisque je suis tout à fait prêt à appeler ce monsieur au Service des œuvres d'art volées dont ils donnent le nom et à lui raconter exactement ce que je sais sur vous et James Hobart, et sur ce plan que vous manigancez ensemble. Qu'en diriez-vous ? »

J'ai jeté le papier et repoussé ma chaise. « Je dirais : allez-y et appelez-le. Je vous en prie. Et quand vous voudrez parler de l'autre affaire, appelez-moi. »

XV

J'ai bondi hors du restaurant si vite que j'ai à peine remarqué où j'allais ; mais dès que j'ai été à trois-quatre rues de là, je me suis mis à trembler avec une telle violence que j'ai dû m'arrêter dans le petit parc pisseux juste en dessous de Canal Street et m'asseoir sur un banc, en hyperventilation, la tête entre les genoux, les aisselles de mon costume Turnbull & Asser trempées de sueur, l'air (je le savais au regard soupçonneux des nounous jamaïcaines revêches et des vieilles Italiennes s'éventant avec des journaux) d'un jeune trader sous cocaïne ayant appuyé sur le mauvais bouton et venant de perdre dix millions.

De l'autre côté de la rue, il y avait un drugstore familial. Une fois ma respiration apaisée, me sentant moite et isolé dans la légère brise printanière, je me suis dirigé vers lui et j'ai pris un Pepsi dans le frigo, puis suis ressorti sans récupérer ma monnaie et retourné à l'ombre feuillue du parc, au banc couvert de suie. Des pigeons se battaient dans les airs. La circulation se dirigeait en grondant vers le tunnel et vers d'autres quartiers, d'autres villes, des centres commerciaux et des parkings, de vastes flots impersonnels de commerce interétatique. Il y avait une grande solitude séduisante dans ce bourdonnement qui ressemblait presque à une sommation, l'appel de la mer, et pour la première fois j'ai compris l'impulsion qui avait poussé mon père à vider son compte en banque, à aller chercher ses chemises au pressing, à faire le plein et à quitter la ville sans un mot. Les autoroutes écrasées de soleil, les boutons tripotés sur la radio, les silos à grains et les gaz d'échappement, les vastes étendues de terre se déroulant comme un vice secret.

Mes pensées se sont tournées inévitablement vers Jerome. Il vivait là-bas, sur Adam Clayton Powell Street, à quelques rues de la dernière station de la ligne 3, mais il y avait un bar du nom de *Brother J's* où on se retrouvait parfois, sur la 110ᵉ Rue : un bouge pour ouvriers avec Bill Withers dans le juke-box, un sol gluant et des alcooliques professionnels affalés devant leur troisième bourbon à deux heures de l'après-midi. Mais Jerome n'écoulait pas de produits pharmaceutiques pour moins de mille dollars, et même si je savais qu'il serait tout à fait heureux de me vendre quelques doses d'héroïne, ça me semblait beaucoup moins dangereux de tracer ma route et de prendre un taxi jusqu'à Brooklyn Bridge.

Une vieille femme avec un chihuahua ; des gosses qui se chamaillaient autour d'une glace à l'eau. Au-dessus de Canal Street ruisselait un délire lointain de sirènes, note formelle en aparté et en conflit avec le tintement dans mes oreilles : il y avait là-dedans quelque chose qui rappelait une guerre mécanique, un vrombissement soutenu de missiles sur le point d'être lâchés.

Les mains pressées sur les oreilles (ce qui ne soulageait pas du tout l'acouphène, au contraire), je restais assis, totalement immobile, en essayant de réfléchir. Mes machinations enfantines autour du chiffonnier me semblaient à présent ridicules : je n'aurais qu'à confesser à Hobie ce que j'avais fait : ce ne serait pas très drôle, carrément chiant, en réalité, mais mieux valait qu'il l'apprenne de ma bouche. Je n'arrivais pas à imaginer sa réaction ; les antiquités étaient son seul univers, j'aurais du mal à trouver un autre boulot dans la vente, mais j'étais suffisamment adroit pour dégoter une place en atelier s'il le fallait, à dorer des cadres ou à découper des fuseaux ; les restaurations ne payaient pas bien, mais si peu de gens savaient réparer les antiquités pour les rendre acceptables que quelqu'un m'embaucherait sûrement. Quant à l'article : j'étais perdu face à ce que j'avais lu, un peu comme si j'étais entré dans une salle de cinéma au milieu du mauvais film. À un certain niveau, c'était assez clair : un escroc entreprenant avait fait un faux de mon chardonneret (en termes de taille et de technique, ce n'était pas une œuvre si difficile que cela à imiter), ce dernier flottait quelque part dans la nature et il était utilisé comme nantissement subsidiaire dans des affaires de drogues, identifié à tort par différents barons de la drogue et autres agents fédéraux ignares. Mais peu importait que l'histoire soit fantaisiste ou fausse, qu'elle n'ait aucun rapport avec le tableau ou avec moi, le rapprochement que Reeve avait effectué était bel et bien réel. Qui savait à combien de gens Hobie avait raconté comment j'avais atterri chez lui ? ou à combien de gens ces gens-là l'avaient raconté ? Jusque-là personne, pas même Hobie, n'avait fait le rapprochement et compris que la bague de Welty trahissait ma présence *dans* la même salle que le tableau. Le détail qui tue, comme aurait dit mon père. Celui qui me ferait mettre en prison. Le voleur d'art français qui avait paniqué et *brûlé* beaucoup des tableaux qu'il avait volés (Cranach, Watteau, Corot) n'avait écopé que de vingt-six mois de prison. Mais c'était en France, peu de temps après le 11 Septembre ; et, sous la nouvelle rubrique des lois fédérales antiterroristes, les vols commis dans des musées comportaient une inculpation supplémentaire et plus sérieuse de « pillage d'artefacts culturels ». Les peines étaient devenues beaucoup plus conséquentes, surtout en Amérique. Et ma vie personnelle ne résisterait pas longtemps à un examen minutieux. Même si j'avais de la chance, j'en prendrais pour cinq ou dix ans.

Honnêtement, je le méritais. Comment avais-je pu croire que je pouvais le garder caché ? Cela faisait des années que j'avais eu envie de gérer cette histoire, de rendre le tableau, et pourtant, d'une manière ou d'une autre je n'avais cessé de trouver de bonnes raisons de ne pas le faire. L'imaginer enveloppé et scellé au nord de Manhattan me donnait la sensation de m'être autodétruit, d'être devenu une abstraction, comme si l'enterrer à l'abri des regards n'avait fait qu'accroître son pouvoir et lui avait conféré plus de vitalité, l'avait rendu plus terrifiant. Quoi qu'il en soit, même dans son linceul, enfoui dans la consigne de l'entrepôt, il avait réussi à se libérer pour devenir un récit public frauduleux dont l'éclat rayonnait dans les esprits.

XVI

« Hobie, je suis dans le pétrin », lui ai-je annoncé.

Il a levé les yeux du coffre laqué qu'il retouchait : coqs et grues, pagodes dorées sur fond noir. « Je peux t'aider ? » Il traçait le contour de l'aile d'une grue avec de l'acrylique à base d'eau – très différente de l'original à base de laque mais, ainsi qu'il me l'avait appris dès le départ, la première règle des restaurations était de ne jamais entreprendre ce que l'on ne pouvait pas défaire.

« En fait, le problème, c'est que je vous ai mis dans le pétrin aussi. Sans le faire exprès.

— Eh bien… (la ligne de son pinceau n'a pas oscillé) si tu es allé dire à Barbara Guibbory qu'on l'aiderait pour la maison qu'elle décore à Rhinebeck, à toi de gérer. "Les couleurs des chacras." Je n'ai jamais entendu parler d'un truc pareil.

— Non. » J'ai essayé de penser à quelque chose de drôle ou de facile à dire : Mrs. Guibbory, judicieusement surnommée « Mrs. Groovy », était généralement un bon ressort comique, mais mon esprit était complètement vide. « Je crains que ce ne soit pas ça. »

Hobie s'est redressé, s'est coincé le pinceau derrière une oreille, épongé le front avec un mouchoir à gros motifs d'un mauve psychédélique comme si une violette africaine avait vomi dessus, qu'il avait probablement trouvé parmi les effets d'une vieille dame foldingue lors de l'une de ses ventes au nord de l'État. « Qu'est-ce qui se passe, alors ? » a-t-il demandé sur un ton posé en tendant la main pour attraper une des soucoupes dans lesquelles il mélangeait sa peinture. Maintenant que j'étais dans la vingtaine, le formalisme générationnel entre nous s'était envolé, si bien que nous parlions en camarades, d'une manière difficile à imaginer avec mon père s'il avait vécu – avec lui, j'étais toujours anxieux, essayant en permanence de deviner à quel point il était à l'ouest et quelle chance j'avais d'obtenir de sa part une réponse franche.

« Je… » J'ai tendu la main pour m'assurer que la chaise derrière moi n'était pas collante avant de m'y asseoir. « Hobie, j'ai commis une erreur stupide. Non, vraiment stupide, ai-je insisté en voyant son geste dédaigneux et bon enfant.

— Eh bien… (il ajoutait de la terre de Sienne pure dans la soucoupe à l'aide d'un compte-gouttes) stupide, je ne sais pas, moi je peux te dire que ça a complètement bousillé ma journée la semaine dernière de voir cette perceuse traverser le dessus de la table de Mrs. Wasserman.

C'était une bonne table William & Mary. Je sais qu'elle ne verra pas l'endroit où j'ai bouché le trou, mais crois-moi, ça a été un mauvais moment à passer. »

Son insouciance rendait la situation encore plus pénible. Rapidement, avec une sorte de glissement écœuré et onirique, j'ai plongé tête la première dans l'affaire de Lucius Reeve et du chiffonnier, laissant de côté Platt et le reçu antidaté dans ma poche de poitrine. Une fois lancé, on aurait dit que j'étais incapable de m'arrêter, comme si la seule chose à faire était de parler sans arrêt, à l'image d'un tueur d'autoroute débitant des aveux placides sous l'ampoule nue d'un poste de police en rase campagne. À un moment donné, Hobie a cessé de travailler et a coincé le pinceau derrière l'oreille ; il a écouté sans m'inter-rompre, les sourcils vaguement froncés, avec ce regard glacial de lagopède-des-Alpes-tourné-vers-lui-même que je lui connaissais bien. Puis il a saisi le pinceau noir derrière son oreille et l'a tapoté dans un peu d'eau avant de l'essuyer sur un bout de tissu.

« Theo…, m'a-t-il calmé en levant une main et en fer-mant les yeux (je m'étais embourbé, ne cessant de parler du chèque non encaissé, de l'impasse, de la mauvaise position). Arrête. J'ai compris.

— Je suis vraiment désolé. » J'étais volubile. « Je n'aurais jamais dû faire ça. *Jamais*. Mais c'est un vrai cauchemar. Il est furieux et vindicatif, il semble avoir une dent contre nous, mais je ne sais pas pourquoi… vous savez, une autre raison, qui va plus loin que cette histoire.

— Eh bien. » Hobie a enlevé ses lunettes. Je devinais sa confusion à sa façon délicate de tâtonner durant la pause qui a suivi, il essayait de formuler sa réponse. « Ce qui est fait est fait. Ce n'est pas la peine de noircir le trait. Mais… (il s'est tu et a réfléchi). J'ignore qui est ce bonhomme, mais s'il a cru que ce chiffonnier était un Affleck, il a plus d'argent que de bon sens. Payer soixante-quinze mille dollars... c'est ce qu'il t'a donné pour ce meuble ?

— Oui.

— Eh bien, il a besoin de consulter un psy, c'est tout ce que je peux en dire. Des meubles de cette qualité-là apparaissent une à deux fois par décennie, *peut-être*. Et ils ne sortent pas du néant non plus.

— Oui, mais...

— Autre chose, n'importe quel *idiot* sait qu'un véritable Affleck vaudrait beaucoup plus. Qui achète un meuble pareil sans avoir potassé la question ? Un idiot, voilà tout. Tu as eu la bonne réaction une fois qu'il t'a coincé, a-t-il poursuivi en parlant au-dessus de ma tête. Tu as essayé de le rembourser et il n'a pas accepté, c'est bien ce que tu m'as expliqué ?

— Je n'ai pas offert de le rembourser. J'ai essayé de lui racheter le meuble.

— Plus cher qu'il ne l'a payé ! De quoi cela va-t-il avoir l'air s'il nous assigne en justice ? Ce qu'il ne fera pas, je puis te l'assurer. »

Dans le silence qui a suivi, dans l'éblouissement clinique de sa lampe de travail, j'étais conscient que nous n'étions ni l'un ni l'autre sûrs de la façon de poursuivre. Popchik, qui faisait une sieste sur la serviette pliée que Hobie avait installée pour lui entre les pieds griffus d'une console, a bougé et grogné dans son sommeil.

« Enfin bon... (il a essuyé le noir de ses mains, en a tendu une pour attraper son pinceau avec la fixité digne d'une apparition, on aurait dit un fantôme déterminé à accomplir sa tâche) le côté ventes n'a jamais été mon fort, tu le sais, mais cela fait longtemps que je suis dans ce métier. Et parfois... (petit mouvement rapide du pinceau) la différence entre charlatanisme et imposture est effectivement très brumeuse. »

J'ai attendu, incertain, les yeux posés sur le coffre en laque. Il était superbe, un trophée pour capitaine de la marine marchande à la retraite dans ce petit coin tranquille qu'est Boston, avec des sculptures en ivoire et de minuscules coquillages, des abécédaires de l'Ancien Testament brodés au point de croix par des sœurs célibataires, l'odeur de l'huile de baleine brûlant le soir, l'immobilisme lié au vieillissement.

Hobie a de nouveau posé le pinceau. « Oh, Theo, a-t-il fait, à moitié en colère, se frottant le front du dos de la main et y laissant une traînée sombre. Tu t'attends à ce que je te réprimande ? Tu as menti à ce type. Tu as essayé de rectifier ton erreur. Mais le type ne veut pas vendre. Qu'est-ce que tu peux faire de plus ?

— Ce n'est pas le seul meuble.

— Quoi ?

— Je n'aurais jamais dû faire ça. » Incapable de croiser son regard. « D'abord c'était pour payer les factures, pour nous sortir du gouffre… enfin certains de ces meubles sont *extraordinaires*, moi-même je m'y suis trompé, et ils étaient là dans l'entrepôt… »

Je suppose que je m'attendais en retour à de l'incrédulité, le ton qui monte, une indignation quelconque. Mais c'était pire. J'aurais pu encaisser une engueulade. Au lieu de quoi, il n'a rien répondu, se contentant de me fixer avec une sorte de bonhomie peinée, auréolé par sa lampe de travail, les outils disposés sur les murs derrière lui telles des icônes maçonniques. Il m'a laissé lui raconter ce que je devais, il a écouté tranquillement pendant que je le faisais, et quand il a fini par parler, sa voix était plus calme que d'habitude et sans la moindre trace d'emportement.

« Fort bien. » L'on aurait cru un personnage allégorique : le charpentier mystique au tablier noir, à moitié dans l'ombre. « OK. Alors comment suggères-tu de résoudre cette situation ?

— Je… » Ce n'était pas la réaction que j'avais anticipée. Redoutant sa colère (parce que bien qu'accommodant et lent à s'énerver, Hobie avait du caractère), j'avais toutes sortes de justifications et d'excuses toutes prêtes, mais face à son calme surnaturel il m'était impossible de justifier mon comportement. « Je ferai ce que vous me direz de faire. » Je ne m'étais pas senti aussi honteux ou humilié depuis l'enfance. « C'est ma faute… j'assume la pleine responsabilité.

— Bon. Les meubles sont dans la nature. » Il semblait réfléchir tout en s'exprimant, se parlant en partie à lui-même. « Personne d'autre ne t'a contacté ?

— Non.

— Cela dure depuis combien de temps ?

— Oh… (il s'agissait de cinq années au moins) une année ou deux ? »

Il a grimacé. « Seigneur. Non, non, je suis content que tu sois honnête avec moi, s'est-il empressé d'ajouter. Mais tu vas juste devoir te remuer, contacter les clients, expliquer que tu as des doutes, tu n'as pas besoin d'entrer dans tous les détails, juste d'expliquer que tu t'interroges, que la provenance est suspecte, et offrir de racheter les meubles au prix où ils les ont payés. S'ils n'acceptent pas… fort bien. Au moins, tu auras proposé. Mais si oui… il te faudra serrer les dents, compris ?

— Compris. » Ce que je ne lui avais pas avoué – et je ne le pouvais pas – c'était qu'il n'y avait pas assez d'argent pour rembourser ne serait-ce qu'un quart des clients. Nous ferions faillite dans la journée.

« Tu me parles d'autres meubles. Lesquels ? Combien ?

— Je ne sais pas.

— Tu ne sais *pas* ?

— Eh bien, si, c'est juste que…

— Theo, je t'en prie. » Il était en colère à présent ; c'était un soulagement. « Arrête, maintenant. Sois franc avec moi.

— Eh bien… je faisais ces affaires au noir. En liquide. Et, bon, vous n'auriez jamais pu le découvrir, même en vérifiant les livres de comptes…

— Theo. Ne m'oblige pas à te demander. Combien de meubles ?

— Oh… (j'ai soupiré) une dizaine ? Peut-être ? » ai-je ajouté quand j'ai vu son air stupéfait. En vérité c'était trois fois plus, mais j'étais assez sûr que la plupart des gens que j'avais escroqués n'avaient pas les moyens de s'en rendre compte, ou étaient trop riches pour s'en soucier.

« Bon sang, Theo, a exhalé Hobie après un silence abasourdi. *Dix meubles ?* Pas à ces prix-là ? Pas comme l'Affleck ?

— Non, non, me suis-je empressé de répondre (alors qu'en fait j'en avais vendu certains deux fois plus cher). Et à aucun de nos clients fidèles. » Cette partie-là était vraie, au moins.

« À qui, alors ?

— Côte Ouest. Des gens dans le cinéma, dans l'industrie. Wall Street… Des mecs jeunes, vous savez, des spéculateurs. De l'argent bête.

— Tu as une liste des clients ?

— Pas une vraie liste, mais je…

— Tu peux les contacter ?

— Eh bien, voyez-vous, c'est compliqué, parce que… » Je ne m'inquiétais pas pour les gens qui croyaient avoir déterré de l'authentique Sheraton à des prix imbattables et qui s'étaient dépêchés de filer avec leurs faux en pensant m'avoir arnaqué. La vieille règle des risques pris par l'acheteur s'appliquait plus que jamais. Je n'avais jamais prétendu que ces meubles étaient authentiques. Ce qui m'inquiétait davantage, c'étaient les gens auxquels je les avais vendus de manière délibérée – et auxquels j'avais menti de manière tout aussi délibérée.

« Tu n'as pas gardé de documents.

— Non.

— Mais tu as une petite idée. Tu peux retrouver leur trace.

— Plus ou moins.

— "Plus ou moins". Je ne sais pas ce que cela signifie.

— Il y a des annotations… des formulaires d'expédition. Je peux tout rassembler.

— Pouvons-nous nous permettre de tous les racheter ?

— Eh bien…

— On le peut ? Oui ou non ?

— Hum… (impossible de lui dire la vérité, qui était non) ce sera difficile. »

Hobie s'est frotté l'œil. « Bon, difficile ou pas, il faudra le faire. Pas le choix. On se serrera la ceinture. Même si c'est dur pendant quelque temps, même si on oublie les impôts. Parce que nous ne pouvons pas nous permettre d'avoir un seul de ces meubles en circulation se faisant passer pour authentique, a-t-il poursuivi alors que je continuais de le regarder. Bon sang… (il a secoué la tête d'un air incrédule) comment diable as-tu réussi ton coup ? Ce ne sont même pas de bonnes imitations ! Certains des matériaux que j'ai utilisés… j'ai pris ce que j'avais sous la main… bricolés ensemble n'importe comment…

— En fait… » La vérité était que le travail de Hobie avait été assez bon pour duper certains collectionneurs plutôt sérieux, même si ce n'était probablement pas une bonne idée de le lui révéler.

« … et, tu vois, le truc c'est que si un des meubles que tu as vendus comme étant authentiques est un faux, alors ils sont *tous* faux. *Tout* est remis en question… Chaque meuble jamais sorti de cette boutique. Je ne sais pas si tu as réfléchi à ça.

— Euh… » J'y avais réfléchi, beaucoup. J'y avais réfléchi presque sans arrêt depuis le déjeuner avec Lucius Reeve.

Il s'est tu, si longtemps que je suis devenu nerveux. Mais il s'est contenté de soupirer et de se frotter les yeux, puis il s'est détourné et s'est penché de nouveau sur son travail.

J'étais silencieux, regardant la ligne noire et luisante de son pinceau tracer une branche de cerisier. Tout était nouveau maintenant. Hobie et moi avions une SRL ensemble, nous remplissions une feuille d'impôts commune. J'étais son exécuteur testamentaire. Au lieu de déménager et de prendre mon propre appartement, j'avais choisi de rester en haut et lui payer un loyer à peine symbolique de quelques centaines de dollars par mois. Ma maison, ma famille, c'était lui. Quand je descendais pour l'aider à coller, ce n'était pas tant parce qu'il avait besoin de moi que pour le plaisir de chercher des pinces à tâtons et de crier plus fort que le Mahler poussé à fond ; et, le soir, quand parfois nous nous baladions jusqu'au *White Horse* prendre un verre et un club-sandwich au bar, c'était très souvent pour moi le meilleur moment de la journée.

« Oui ? a fait Hobie sans abandonner son travail, conscient que j'étais toujours debout dans son dos.

— Je suis désolé. Je n'avais pas l'intention que ça aille aussi loin.

— Theo. » Le pinceau s'est arrêté. « Tu le sais très bien... beaucoup de gens te donneraient une tape de félicitations dans le dos à l'instant même. Et je serai franc avec toi, une partie de moi est du même avis parce que, franchement, je ne sais pas comment tu as réussi un truc pareil. Même Welty... Welty était comme toi, les clients l'adoraient, il pouvait vendre n'importe quoi, mais même lui avait beaucoup de mal en haut avec les plus beaux meubles. Du vrai Hepplewhite, du vrai Chippendale ! Il n'arrivait pas à les écouler ! Et toi là-haut qui te débarrasses de ces cochonneries pour une fortune !

— Ce ne sont pas des cochonneries, ai-je rétorqué, heureux de dire la vérité, pour une fois. Beaucoup de ces meubles sont vraiment bons. Je m'y suis trompé. Je pense que vous ne le voyez pas, parce que vous en êtes l'auteur. Vous ne pouvez pas voir combien c'est convaincant.

— Oui mais… (apparemment à court de mots, il a fait une pause) les gens qui ne s'y connaissent pas en mobilier, c'est difficile de leur faire dépenser de *l'argent* pour ça.

— Je sais. » Nous avions une importante commode haute style Queen Anne, que durant les années maigres j'ai désespérément essayé de vendre au prix correct, dans les deux cent mille dollars au minimum. Cela faisait des années qu'elle était dans la boutique. Mais bien que des offres raisonnables aient récemment été faites je les avais toutes déclinées, simplement parce qu'une pièce aussi irréprochable dans l'entrée bien éclairée de la boutique jetait une lueur flatteuse sur les faux enterrés au fond.

« Theo, tu es incroyable. Tu es un génie, dans ton genre, c'est indéniable. Mais… (le ton de sa voix était de nouveau incertain ; je le sentais qui cherchait comment poursuivre) eh bien, les marchands vivent de leur réputation. C'est le code d'honneur. Et tu le sais très bien. Les gens parlent. Donc, voilà… (plongeant son pinceau, scrutant le coffre d'un regard de myope) la contrefaçon est difficile à prouver, mais si tu ne t'en soucies pas, il est assez certain que cela éclatera à un moment donné et que cela nous rattrapera plus tard. » Sa main était stable ; le tracé de son pinceau n'a pas bougé. « Un meuble lourdement restauré… ne parlons pas d'ultraviolets, tu serais étonné, il suffit que quelqu'un l'emporte dans une pièce fortement éclairée… même l'appareil photo repère des différences de grain que l'on ne remarquerait jamais à l'œil nu. Dès que quelqu'un fera photographier un de ces meubles, ou, Dieu nous en préserve, décidera de le confier à Christie's ou Sotheby's pour une importante vente américaine… »

Il y a eu un silence qui, tandis qu'il enflait entre nous,

devenait de plus en plus lourd, de plus en plus difficile à combler.

« Theo. » Le pinceau s'est arrêté, puis il a repris : « Je n'essaie pas de te trouver des excuses, mais ne va pas croire que je n'en sois pas conscient, c'est moi qui t'ai mis dans cette position. Te laissant face à toi-même là-haut, tout seul. M'attendant à ce que tu accomplisses le miracle de la multiplication des pains et des poissons. Tu es très jeune, oui, a-t-il dit d'un ton cassant, se tournant à moitié quand j'ai essayé de l'interrompre, tu es… tu es très très doué dans tous les aspects commerciaux dont je n'ai pas envie de me soucier, et tu as été tellement génial pour nous sortir du rouge que ça m'a très très bien convenu de garder la tête dans le sable. À propos de ce qui se passait en haut. Donc je suis autant à blâmer que toi.

— Hobie, je vous jure. Je n'ai jamais…

— Parce que… (il a pris le flacon de peinture ouvert, a regardé l'étiquette comme s'il n'arrivait pas à se souvenir de sa destination puis l'a reposé) eh bien, c'était trop beau pour être vrai, hein ? Tout cet argent qui tombait, c'était merveilleux à voir ! Est-ce que je t'ai jamais interrogé ? Non. Ne va pas croire que je ne le sais pas, si tu n'avais pas été occupé avec ton escroquerie là-haut, il est probable qu'aujourd'hui nous aurions mis cet endroit en location et chercherions un nouveau logement. Donc voilà, on va recommencer de zéro, effacer l'ardoise – et prendre les choses comme elles se présentent. Une à la fois. C'est tout ce que nous pouvons faire.

— Écoutez, je voudrais être clair (son calme me tourmentait), je suis le seul responsable. Au bout du compte. Je veux que vous le sachiez.

— Bien sûr. » Quand il a donné un petit coup de pinceau, son habileté était experte et réfléchie, c'était bizarrement dérangeant. « Quoi qu'il en soit, restons-en là pour l'instant, d'accord ? Non, a-t-il contré quand j'ai essayé de dire autre chose, je t'en prie. Je veux que tu t'en occupes et je ferai ce que je pourrai pour t'aider s'il y a quelque chose de particulier, mais sinon je ne veux plus en parler. D'accord ? »

À l'extérieur : de la pluie. Au sous-sol il faisait lourd, un vilain froid souterrain. J'étais debout à le regarder, ne sachant que dire ou que faire.

« S'il te plaît. Je ne suis pas fâché, je veux juste poursuivre ce travail. Ça va aller. Maintenant tu peux monter, s'il te plaît ? m'a-t-il demandé en me voyant toujours planté là. C'est un travail difficile, j'ai vraiment besoin de me concentrer si je ne veux pas le massacrer. »

XVII

J'ai monté l'escalier en silence, les marches ont craqué bruyamment, je suis passé devant le panneau avec les photos de Pippa que je ne supportais pas de regarder. Au départ, j'avais pensé dévoiler d'abord ce qui était facile à dévoiler, puis aborder le cœur du sujet. Mais aussi sale et déloyal que je me sente, je n'y arrivais pas. Moins Hobie en saurait à propos du tableau, plus sûr ce serait pour lui. J'aurais eu tort, à tous les niveaux, de l'entraîner là-dedans.

Et pourtant je regrettais qu'il n'y ait pas quelqu'un à qui je puisse en parler, quelqu'un en qui j'aie confiance. De manière récurrente apparaissait un nouvel article sur les chefs-d'œuvre disparus qui, avec mon *Chardonneret* et deux Van der Ast prêtés, comprenaient aussi quelques tableaux médiévaux de valeur ainsi que des antiquités égyptiennes ; des érudits avaient écrit des articles, il y avait même eu des livres ; sur le site Web du FBI c'était mentionné comme l'un des Dix plus grands vols d'œuvres d'art ; je m'étais rassuré jusqu'ici avec l'idée la plus répandue : celui qui s'était enfui avec les Van der Ast des salles 29 et 30 avait aussi volé mon tableau. Presque tous les corps dans la salle 32 étaient concentrés près de la porte qui s'était effondrée ; d'après les enquêteurs, il se serait écoulé dix secondes, peut-être même trente, avant que le linteau tombe, juste assez de temps pour que quelques personnes puissent sortir. Les décombres dans la salle 32 avaient été inspectés avec des gants blancs et des scanners de balayage, avec un soin scrupuleux, et tandis que le cadre du *Chardonneret* avait été récupéré intact (et avait été accroché, vide, au mur du Mauritshuis, à La Haye, « en souvenir de l'irremplaçable perte de notre patrimoine culturel »), aucun fragment confirmé du tableau lui-même, aucun éclat de peinture n'avait été retrouvé. Mais comme il était peint sur du bois, il était plausible de supposer (un historien célèbre qui avait toute ma reconnaissance l'avait dit de manière catégorique) que *Le Chardonneret* avait été soufflé de son cadre pour se retrouver dans le grand feu brûlant de la boutique, épicentre de l'explosion. Dans un documentaire sur la chaîne PBS, j'avais vu cet homme faire les cent pas à grandes enjambées et de manière éloquente devant le cadre vide au Mauritshuis, fixant la caméra avec la force de son savoir-faire médiatique. « Que ce minuscule chef-d'œuvre ait survécu à l'explosion de Delft pour disparaître, des siècles plus tard, dans une autre explosion humaine est l'un de ces rebondissements des plus étranges, ainsi que l'on en trouve chez O. Henry ou Guy de Maupassant. »

Quant à moi : la version officielle, imprimée dans nombre de sources tenues pour véridiques, était que j'étais à plusieurs salles de distance du *Chardonneret* lorsque la bombe avait explosé. Au fil des ans, bien des journalistes avaient essayé de m'interviewer et je les avais tous éconduits ; mais de nombreuses personnes, des témoins, avaient vu ma mère dans ses derniers moments salle 24, cette superbe femme aux cheveux noirs en trench-coat satiné ; et plusieurs de ces mêmes témoins me plaçaient à ses côtés. Quatre adultes et trois enfants étaient morts dans la salle 24, et dans la version publique de l'histoire, la plus répandue, j'étais juste un autre de ces corps par terre, heurté de plein fouet et oublié dans le tohu-bohu.

Mais la bague de Welty était une preuve physique de mes errances. Heureusement pour moi, Hobie n'aimait pas parler de ce décès, si ce n'est que de temps à autre – pas souvent, généralement tard le soir quand il avait bu quelques verres – il lui arrivait de se laisser aller au souvenir. « T'imagines-tu ce que j'ai ressenti ? N'est-ce pas un miracle que... ? » Il était inévitable que quelqu'un fasse le rapprochement un jour. Je l'avais toujours su et pourtant, dans mon brouillard de drogué, je m'étais laissé porter en ignorant le danger des années durant. Peut-être que personne n'y prêterait attention. Peut-être que personne ne saurait jamais.

J'étais assis au bord de mon lit, regardant par la fenêtre vers la 10e Rue – les gens qui sortaient du travail, qui allaient dîner, les éclats de rire stridents. Une pluie fine, brumeuse, tombait à l'oblique dans le cercle blanc de la lumière du lampadaire juste sous ma fenêtre. L'air tout autour de moi me semblait tremblant et tranchant. J'avais terriblement envie d'un cachet, et j'allais juste me lever pour me verser un verre quand – exactement à l'extérieur du halo lumineux, spectacle inhabituel étant donné le va-et-vient de la circulation dans la rue – j'ai remarqué une silhouette solitaire et immobile sous la ·pluie.

Au bout de trente secondes elle était toujours là, alors j'ai éteint la lampe et me suis approché de la fenêtre. Comme en réponse, la silhouette s'est éloignée du lampadaire ; et bien que ses traits ne soient pas visibles dans l'obscurité, j'ai pu m'en faire une idée suffisante : hautes épaules voûtées, jambes plutôt courtes et torse irlandais épais. Jean et capuchon, gros godillots. Pendant quelque temps, elle est restée immobile, silhouette d'ouvrier déplacée dans la rue à cette heure-ci où traînaient surtout les assistants photo, les couples bien habillés et des étudiants hilares en route vers un rendez-vous amoureux tardif. Puis il a tourné les talons et s'est éloigné d'un pas très impatient ; après quoi, il a pénétré dans le halo lumineux suivant et je l'ai vu plonger les mains dans ses poches, puis composer un numéro sur un portable, tête baissée et l'air distrait.

J'ai laissé retomber le rideau. J'étais assez persuadé que j'imaginais des choses, en fait je passais mon temps à en voir, ce qui était en partie dû à ma vie dans une ville moderne, cette parcelle de terreur, de désastre, à moitié invisible, qui me faisait sursauter à cause des alarmes des voitures, être en permanence sur le qui-vive, l'odeur de la fumée, l'éclatement sourd du verre brisé. Et pourtant, je n'étais pas si sûr que cela que ce soit mon imagination.

Silence de mort. Au travers des rideaux de dentelle, la lumière de la rue projetait sur les murs des distorsions arachnéennes. Tout ce temps, j'avais su que c'était une erreur de garder le tableau, et pourtant je l'avais gardé. Il ne pouvait en sortir rien de bon. Ce n'était même pas comme si ça m'avait fait du bien ou procuré du plaisir. À Las Vegas, j'avais pu le regarder chaque fois que j'en avais eu envie, quand j'étais malade, endormi ou triste, tôt le matin et au milieu de la nuit, en automne, en été, il changeait en fonction de la météo ou du soleil. C'était une chose de le voir dans un musée, mais le voir sous toutes ces lumières, toutes ces humeurs et toutes ces saisons revenait à le voir de mille manières différentes, et le garder enfermé dans le noir – alors qu'il n'était que lumière, qu'il ne vivait qu'à la lumière – c'était mal, mille fois plus que je ne pouvais l'expliquer. C'était plus que mal : c'était fou.

Je suis allé à la cuisine prendre des glaçons, me suis dirigé vers le buffet où je me suis versé une vodka, puis je suis retourné dans ma chambre, où j'ai pris mon iPhone dans la poche de ma veste ; après avoir composé par réflexe les trois premiers chiffres du bip de Jerome, j'ai raccroché et fait le numéro des Barbour à la place.

C'est Etta qui a répondu. « Theo ! s'est-elle exclamée l'air ravi, j'entendais la télévision de la cuisine en fond sonore. Tu veux parler à Katherine ? » Seuls sa famille et ses amis très proches l'appelaient Kitsey ; pour les autres, c'était Katherine.

« Elle est là ?

— Elle revient après dîner. Je sais qu'elle espérait ton appel.

— Mmm… » Je n'ai pu m'empêcher de me sentir heureux. « Vous pourrez lui dire que j'ai appelé ?

— Quand est-ce que tu reviens nous voir ?

— Bientôt, j'espère. Platt est là ?

— Non, il est sorti aussi. Je ne manquerai pas de lui dire que tu as appelé. Reviens nous voir bientôt, d'accord ? »

J'ai raccroché et me suis assis au bord du lit pour boire ma vodka. C'était rassurant de savoir que je pouvais appeler Platt si le besoin s'en faisait sentir, pas à propos du tableau, je ne lui faisais pas confiance au point de pouvoir lui confier ça, mais pour Reeve et le chiffonnier. C'était d'ailleurs inquiétant que ce dernier n'en ait pas parlé.

Et pourtant, que pouvait-il faire ? Plus j'y pensais, plus il me semblait qu'il était allé trop loin en m'affrontant aussi ouvertement. Quel bénéfice tirerait-il à me harceler au sujet du meuble ? Qu'avait-il à gagner si j'étais arrêté et le tableau retrouvé, définitivement hors de sa portée ? Si c'était le tableau qu'il voulait, il n'avait qu'une seule chose à faire : rester discret et attendre que je le conduise jusqu'au tableau. Le seul élément qui jouait en ma faveur – le *seul* – c'était que Reeve ne savait pas où il se trouvait. Il pouvait louer les services de qui il voulait pour me filer, mais aussi longtemps que je restais à l'écart de l'entrepôt, il n'avait aucun moyen de savoir où il était.

10

L'idiot

I

« Oh, Theo ! » s'est exclamée Kitsey un vendredi après-midi, peu de temps avant Noël, en saisissant une des boucles d'oreilles en émeraude de ma mère et en la tenant à la lumière. Nous avions longuement déjeuné chez *Fred*, après avoir passé toute la matinée chez Tiffany à regarder de l'argenterie et différents motifs de porcelaine. « Elles sont superbes ! C'est juste... » Son front s'est plissé.

« Oui ? » Il était quinze heures ; le restaurant était rempli de gens qui jacassaient. Elle s'était éclipsée afin de passer un coup de fil et j'en avais profité pour sortir les boucles d'oreilles de ma poche et les poser sur la nappe.

« Eh bien, c'est juste... je me demande. » Elle a froncé les sourcils comme si elle était face à une paire de chaussures qu'elle n'était pas tout à fait sûre de vouloir acheter. « Enfin... elles sont superbes ! Merci ! Mais... est-ce qu'elles seront appropriées ? Le jour J ?

— Eh ben, c'est à toi de voir, ai-je répondu en tendant la main vers mon Bloody Mary et en en avalant une grande gorgée pour cacher ma surprise et ma contrariété.

— Parce que, les émeraudes… » Elle a mis une boucle devant une oreille tout en plissant les yeux vers le côté d'un air pensif. « Je les adore ! Mais… (la tenant de nouveau pour qu'elle scintille sous la brillance diffuse des plafonniers) l'émeraude n'est pas vraiment ma pierre. Je pense qu'elles risquent d'avoir l'air un peu dur, tu comprends ? Avec du blanc ? Et ma peau ? Eau de Nil ! Maman ne peut pas porter de vert non plus.

— C'est toi qui vois.

— Oh, maintenant tu es contrarié.

— Non, pas du tout.

— Mais si ! Je t'ai blessé !

— Non, je suis juste fatigué.

— Tu as vraiment l'air de très mauvaise humeur.

— S'il te plaît, Kitsey, je suis fatigué. » Nous avions déployé des efforts héroïques à chercher un appartement, un processus frustrant que pour l'essentiel nous avions enduré dans la bonne humeur, bien que les espaces vides hantés par les existences abandonnées d'autres personnes aient réveillé en moi de vilains échos d'enfance, les cartons emportés, les odeurs de cuisine flottant encore dans l'air et les chambres peuplées d'ombres sans vie, mais surtout, partout, le frémissement d'une sorte de bourdonnement sinistre et mécanique que j'étais, apparemment, le seul à entendre, le souffle lourd de mauvais pressentiments que n'apaisaient guère les voix des agents immobiliers ricochant sur les surfaces cirées tandis qu'ils faisaient faire le tour en allumant les lumières et en désignant les appareils électroménagers en acier inoxydable.

Et pourquoi ? Contrairement à ce que je semblais croire, chaque appartement que nous allions voir n'avait pas été forcément libéré pour des raisons tragiques. Le fait que je renifle le divorce, la faillite, la maladie et la mort dans pratiquement chaque endroit que nous visitions était de toute évidence délirant – de plus, en quoi les préoccupations, réelles ou imaginées, de ces précédents locataires pouvaient-elles nous affecter, Kitsey ou moi ?

« Ne perds pas espoir, m'avait conseillé Hobie (qui, comme moi, était excessivement sensible aux âmes des pièces et des objets, aux émanations laissées par le temps). Vois cela comme un travail. C'est comme trier une boîte pleine de petits accessoires. Tu finiras par trouver le bon si tu serres les dents et continues de chercher. »

Et il avait raison. J'avais été beau joueur tout du long, elle aussi, nous propulsant de maison sinistre d'avant guerre en maison sinistre d'avant guerre, chacune hantée par les fantômes de vieilles dames juives solitaires et des monstruosités glaçantes en verre avec lesquelles je savais que je ne pourrais jamais cohabiter sans avoir l'impression que des fusils de sniper étaient pointés sur moi depuis l'autre côté de la rue. Chercher un appartement n'était une partie de plaisir pour personne.

Par contraste, la perspective d'aller avec Kitsey déposer notre liste de mariage chez Tiffany me faisait l'effet d'une agréable diversion. Rencontrer la conseillère, montrer ce que nous aimions, puis ressortir main dans la main d'un pas léger pour un déjeuner festif. Au lieu de quoi, de manière très inattendue, j'avais été ébranlé par le stress d'avoir à naviguer dans l'un des grands magasins les plus fréquentés de Manhattan un vendredi proche de Noël : ascenseurs et escaliers bondés, vagues de touristes, ainsi que de gens faisant leurs achats, se bousculant à cinq ou six de front devant les vitrines pour acheter des montres, des écharpes, des sacs à main, des pendules, des livres de savoir-vivre et toutes sortes d'articles superflus emballés dans de jolies boîtes vert-bleu. Des heures durant, nous avions arpenté d'un pas lourd le cinquième étage, avec une conseillère nuptiale à nos basques qui essayait tellement d'offrir un Service Parfait et de nous aider à arrêter nos choix en toute confiance que je n'ai pu m'empêcher de me sentir un tantinet harcelé (« un motif de porcelaine devrait signifier "ce que nous sommes en tant que couple"... c'est une affirmation importante de votre style ») pendant que Kitsey voletait d'un service à l'autre : le liseré doré ! non, le bleu ! attends... c'était lequel, le premier ? est-ce que l'octogonal est trop ? Et la conseillère suivait le mouvement avec son exégèse obligeante : formes géométriques urbaines... motifs floraux romantiques... élégance intemporelle... éclat flamboyant... Même si je n'avais pas arrêté de rétorquer bien sûr, celui-ci est bien, celui-là aussi, l'un comme l'autre me conviennent, c'est toi qui décides, Kits, la conseillère n'arrêtait pas de nous montrer de plus en plus de services, espérant clairement susciter une préférence plus affirmée de ma part, m'expliquant avec onction les qualités de chacun, ici le vermeil, là les liserés peints à la main, jusqu'à ce que je sois forcé de me mordre la langue pour éviter de lui livrer le fond de ma pensée : qui était qu'en dépit du travail, cela ne faisait absolument aucune différence si Kitsey choisissait le motif x ou y, vu qu'en ce qui me concernait cela revenait au même ; c'était neuf, sans charme, inerte, sans parler de la dépense : huit cents dollars pour une assiette fabriquée hier ? Une seule assiette ? Il y avait de superbes services XVIIIe siècle que l'on pouvait acheter pour une fraction du prix que coûtait ce truc froid, coloré, et flambant neuf.

« Mais tu ne peux pas tous les aimer *exactement* de la même manière ! Oui, c'est vrai, je reviens toujours vers le Déco, mais même si je l'aime beaucoup ce n'est peut-être pas tout à fait ce qui nous convient, a lancé Kitsey à notre vendeuse qui tournoyait là patiemment puis, s'adressant à moi : Qu'est-ce que tu en penses ?

— C'est comme tu veux. Je n'ai pas de préférence. Vraiment, ai-je répondu en enfonçant mes mains dans les poches et en détournant le regard alors qu'elle continuait de me regarder en clignant respectueusement des yeux.

— Tu m'as l'air très nerveux. J'aimerais que tu me dises ce que tu aimes.

— Oui, mais… » J'avais déballé tellement de porcelaine à l'occasion de funérailles et de divorces qu'il y avait quelque chose de presque indiciblement triste dans ces étalages virginaux et brillants, leur assurance tacite qu'un nouveau service de table étincelant était prometteur d'un avenir tout aussi étincelant et exempt de toute tragédie.

« Chinois ? Ou Oiseaux du Nil ? Dis-moi, Theo, je sais que tu dois préférer l'un des deux.

— L'un comme l'autre, vous ne pouvez pas vous tromper. Les deux sont jolis et sophistiqués. Et celui-ci est simple, pour tous les jours, a expliqué la conseillère avec obligeance, *simple* étant dans son esprit le mot clé à lancer à un futur époux dépassé et revêche. Vraiment vraiment simple et neutre. » Cela semblait faire partie du protocole de la liste que le futur marié soit autorisé à choisir la porcelaine de tous les jours (pour toutes ces soirées de match que j'organiserais avec mes copains, je suppose, ha ha) tandis que le « service formel » devait être laissé aux experts : les dames.

« C'est bien », ai-je dit plus sèchement que je ne l'avais souhaité quand je me suis rendu compte qu'elles attendaient de ma part une réponse. J'avais du mal à déployer beaucoup d'enthousiasme pour un service de table en faïence simple, blanche et moderne, surtout à quatre cents dollars l'assiette. Cela me faisait penser aux gentilles dames habillées en Marimekko que j'allais parfois voir dans la luxueuse Ritz Tower : veuves à la voix rocailleuse portant turban et bracelets en panthère qui voulaient déménager à Miami, et dont les appartements étaient remplis de meubles en verre fumé et acier chromé que, dans les années 1970, leurs décorateurs d'intérieur avaient achetés au prix du Queen Anne de bonne qualité, mais (je portais la responsabilité de les en avoir informées à contrecœur) dont la valeur avait chuté et qui ne pouvaient être revendus qu'à la moitié du prix d'achat.

« La porcelaine… (la consultante nuptiale a passé un doigt manucuré de manière neutre sur le pourtour de l'assiette). J'aime que mes couples voient la belle argenterie, le cristal fin et la porcelaine fine comme le rituel de fin de journée. Du vin, des distractions, la famille, la convivialité. Un service de porcelaine fine est un moyen idéal d'injecter chaque jour du style et de l'idylle dans votre union.

— Bien », ai-je répété. Mais sa réaction m'avait rebuté ; et les deux Bloody Mary que j'avais bus chez *Fred* n'en avaient pas totalement lavé le goût.

Kitsey regardait les boucles d'oreilles, elle semblait douter. « Eh bien, écoute. Je les *porterai* pour le mariage. Elles sont superbes. Et je sais qu'elles appartenaient à ta mère.

— Je veux que tu portes ce que tu as envie de porter.

— Je vais te dire ce que *je* pense. » Joueuse, elle a tendu la main en travers de la table et m'a pris la main. « Je pense que tu as besoin d'une sieste.

— Absolument », ai-je acquiescé en pressant sa paume contre mon visage et en me rappelant combien j'avais de la chance.

II

Cela s'était passé si vite. Deux mois après la soirée chez les Barbour, Kitsey et moi sortions ensemble presque tous les jours : longues promenades et dîners (parfois *Paris Match* ou *Le Bilboquet*, parfois des sandwichs dans la cuisine) à parler des jours anciens : d'Andy, des dimanches pluvieux avec le plateau de Monopoly (« Vous étiez *tellement* méchants tous les deux… On aurait cru

Shirley Temple contre Henry Ford et J.P. Morgan... »),
de la fois où elle avait pleuré quand on l'avait obligée à
regarder *Hellboy* au lieu de *Pocahontas*, et de nos soirées
veste-et-cravate insoutenables – pour les garçons en tout
cas, assis, raides, au Yacht Club, buvant des Coca-Cola
avec citron vert tandis que Mr. Barbour scrutait la salle
en quête de Javier, son serveur préféré, avec lequel il
s'acharnait à pratiquer son espagnol de cuisine... Camarades d'école, soirées, nous avions toujours quelque chose
à nous raconter, tu te souviens de ceci, tu te souviens de
cela, tu te souviens quand nous... Ce n'était pas comme
avec Carole Lombard où tout tournait autour de l'alcool
et du sexe, sans grand-chose à partager.

Non que Kitsey et moi ne soyons pas aussi très différents, mais ce n'était pas un souci : après tout, le mariage
n'était-il pas supposé être une union des contraires, ainsi
que Hobie l'avait souligné avec beaucoup de sagesse ?
N'étais-je pas supposé apporter de nouveaux projets dans
sa vie, et elle dans la mienne ? Qui plus est (me suis-je
dit), n'était-il pas temps d'avancer, de lâcher prise, de
me détourner du jardin qui m'était fermé à clé ? Vis
dans le présent, Concentre-toi sur maintenant au lieu de
te lamenter sur ce que tu ne pourras jamais avoir. Des
années durant je m'étais complu dans la serre chaude d'un
chagrin inutile : Pippa Pippa Pippa, euphorie et désespoir, ça n'en finissait pas, des incidents qui n'avaient
virtuellement pas de signification me portaient aux nues
ou alors me plongeaient dans des dépressions muettes ;
son nom s'affichant sur mon portable ou un email signé
« Affectueusement » (c'est ainsi que Pippa signait tous
ses emails, à qui que ce soit) me faisaient planer des
jours entiers tandis que, si elle ne demandait pas à me
parler (or pourquoi l'aurait-elle fait ?) quand elle appelait
Hobie, j'étais effondré de manière disproportionnée. Je
me berçais d'illusions et je le savais. Pire : mon amour
pour Pippa était plongé dans une épaisse obscurité par

ma mère, par sa mort, et par le fait de l'avoir perdue de manière irréversible. Toute cette faim aveugle, infantile, de sauver et d'être sauvé, de répéter le passé et de faire en sorte qu'il soit différent, s'était en quelque sorte focalisée sur elle de manière vorace. Il y avait quelque chose d'instable là-dedans, quelque chose de maladif. J'imaginais des choses qui n'existaient pas. Je n'étais pas loin de ressembler au loup solitaire d'un village de mobile homes qui harcèle une fille remarquée dans le centre commercial. Parce que la vérité était que : Pippa et moi nous voyions peut-être deux fois par an ; on s'envoyait des emails et des textos, mais sans grande régularité ; quand elle était ici, on s'échangeait des livres et on allait au cinéma ; on était amis ; rien de plus. Mes espoirs d'une relation avec elle étaient totalement irréalistes, tandis que ma douleur permanente et ma frustration constituaient une réalité on ne peut plus horrible. C'était une obsession dénuée de fondement, sans espoir et à sens unique, devais-je ainsi gâcher le restant de ma vie ?

Ç'avait été une décision consciente de m'en libérer. Cela m'avait pris toute mon énergie, comme un animal qui se ronge un membre pour échapper à un piège. Et j'y étais parvenu ; là-bas, de l'autre côté, il y avait Kitsey, qui me regardait avec ses yeux gris souris amusés.

On passait de bons moments ensemble. On s'entendait bien. C'était son premier été à New York, « de toute ma vie », la maison dans le Maine était fermée à double tour, l'Oncle Harry et les cousins étaient au Canada, dans les îles de la Madeleine – « Je suis un peu désœuvrée ici avec maman, et... oh, *s'il te plaît*, fais quelque chose avec moi. Tu ne veux pas m'accompagner à la mer ce week-end, s'il te plaît ? » Et donc nous passions les week-ends à East Hampton, où nous logions dans la maison d'amis à elle partis en France pour l'été ; durant la semaine, on se retrouvait au centre de Manhattan une fois mon travail terminé, pour y boire du vin tiède aux terrasse des cafés : des soirées dans Tribeca désert, les trottoirs brûlants et le vent chaud sortant des grilles du métro qui attisait des étincelles au bout de ma cigarette. Les cinémas étaient toujours frais, ainsi que le bar du Old King Cole, et l'Oyster Bar à la gare de Grand Central. Deux après-midi par semaine – chapeau, gants, chaussures Jack Purcell et jupe chic, enduite des pieds à la tête d'écran total (parce que, tout comme Andy, elle était allergique au soleil) – elle filait seule vers Shinnecock ou Maidstone dans sa Mini Cooper noire spécialement aménagée à l'arrière pour abriter des clubs de golf. Contrairement à Andy, elle bavardait et papillonnait, riait nerveusement de ses propres plaisanteries, avec un ersatz de l'éparpillement d'énergie paternel, mais sans l'aspect détaché ou l'ironie. Avec sa peau blanche et ses joues roses, sa gaieté balbutiante, on aurait pu la poudrer, dessiner une mouche sur son visage et la transformer en dame d'honneur à Versailles. Elle portait de minuscules robes droites en lin, à la ville comme à la campagne, avec les sacs en crocodile vintage de Gaga en guise d'accessoires, ses nom et adresse scotchés à l'intérieur de ses Christian Louboutin aux talons atrocement hauts sur lesquels elle vacillait (« Des chaussures qui font mal mal mal ! ») au cas où elle les balancerait au loin pour marcher ou nager et les oublierait là où elle les avait laissées : des chaussures argentées, ou brodées, avec des rubans et des bouts pointus, mille dollars la paire. « Méssant ! » criait-elle dans la cage d'escalier en zozotant quand, à trois heures du matin, toutes voiles dehors à cause du rhum-Coca, je finissais par descendre en vacillant pour attraper un taxi parce que je devais travailler le lendemain.

C'est elle qui m'avait demandé en mariage. En route vers une soirée. Chanel N° 19, robe bleu clair. Au moment où nous avions posé le pied sur Park Avenue, tous deux un peu éméchés à cause des cocktails avalés chez elle, les réverbères s'étaient allumés à la minute où nous avions passé la porte ; nous nous étions arrêtés net et nous étions regardés : c'était *nous* qui avions fait ça ? C'était tellement drôle que nous nous sommes mis à rire comme des fous : on aurait dit que la lumière émanait de nous, qu'à nous seuls nous aurions pu éclairer tout Park Avenue. Puis, lorsque Kitsey a pris ma main et dit : « Tu sais ce que je pense que nous devrions faire, Theo ? » Je savais exactement ce qu'elle allait me suggérer.

« Tu crois ?

— Oui, s'il te plaît ! Tu ne trouves pas ? Maman serait tellement heureuse. »

Nous n'avions même pas confirmé la date. Cela n'arrêtait pas de changer, à cause de la disponibilité de l'église, de celle de certains membres indispensables à la fête, de la compétition nautique d'un autre invité, ou d'un empêchement, ou de je ne sais quoi. Du coup, je ne savais trop comment ce mariage semblait prendre la tournure d'un grand événement – liste de plusieurs centaines d'invités, coût de plusieurs milliers de dollars, costumes et mise en scène dignes d'un spectacle de Broadway – comment il semblait se transformer en super production. Parfois on accuse la mère de la mariée de cérémonies qui partent en vrille, mais dans ce cas, impossible de blâmer Mrs. Barbour, que l'on pouvait rarement arracher à sa chambre et à son panier à broderie, qui ne prenait jamais un coup de fil, n'acceptait jamais d'invitations et ne sortait plus chez le coiffeur, elle qui autrefois se faisait coiffer tous les jours sans exception, son sacro-saint rendez-vous de onze heures chaque matin avant de sortir déjeuner.

« Est-ce que maman ne va pas être *ravie* ? » avait chuchoté Kitsey en me donnant un coup dans les côtes avec son petit coude pointu alors que nous nous dépêchions de retourner vers la chambre de Mrs. Barbour. Et le souvenir de la joie de cette dernière à l'annonce de la nouvelle (*Tu lui dis, toi, elle sera super contente si elle l'apprend*

722

de ta bouche, avait suggéré Kitsey) était un moment que je me passais et me repassais en boucle sans jamais me lasser, ses yeux ébahis et le ravissement fleurissant sans réserve sur son visage calme et fatigué. Une main me tenait et l'autre tenait Kitsey, mais ce superbe sourire – je ne l'oublierai jamais – m'était entièrement destiné.

Qui aurait cru qu'il était en mon pouvoir de rendre quelqu'un aussi heureux ? Ou que je pouvais l'être autant moi-même ? Mes humeurs étaient comme un lance-pierres ; après avoir été enfermé et anesthésié des années durant, mon cœur sifflait et tournait violemment en rond comme une abeille sous un verre, tout était lumineux, vif, perturbant, faux – mais c'était une douleur propre qui contrastait avec la douleur terne qui m'avait affligé comme une dent cariée pendant des années sous l'effet des drogues, la douleur maladive et sale de quelque chose de pourri. La clarté était exaltante ; c'était comme si j'avais enlevé une paire de lunettes tachées qui floutaient ce que je regardais. Durant tout l'été j'avais été pratiquement délirant : fourmillant et débordant d'énergie, loufoque, carburant au gin et aux crevettes sauce cocktail ainsi qu'au *vouf* revigorant des balles de tennis. Tout ce à quoi je pouvais penser, c'était Kitsey, Kitsey, Kitsey !

Quatre mois s'étaient écoulés et nous étions en décembre, matins vifs et carillon de Noël dans l'air ; Kitsey et moi étions fiancés, quelle chance j'avais ! Mais bien que ce soit on ne peut plus parfait, décoré de cœurs et de fleurs, le final d'une comédie musicale, je me sentais mal. Pour des raisons qui m'étaient inconnues, la bouffée d'énergie qui m'avait majestueusement balayé et m'avait fait pétiller tout l'été m'avait lâché durement à la mi-octobre, pour me laisser dans une bruine de tristesse qui s'étendait à l'infini dans toutes les directions : à quelques rares exceptions près (Kitsey, Hobie, Mrs. Barbour), je détestais être accompagné, n'arrivais pas à me concentrer sur quoi que ce soit, ni à parler aux clients, ni à étiqueter mes articles, j'étais incapable de prendre le métro, toute activité humaine me semblait absurde, incompréhensible, montagne noire de fourmis grouillantes dans la jungle, pas la moindre lumière où que je regarde, les antidépresseurs que j'avalais consciencieusement depuis deux mois n'avaient pas aidé le moins du monde, pas plus que les précédents (mais bon, je les avais tous essayés ; apparemment je faisais partie des vingt pour cent de malheureux qui ne voyaient pas les champs de pâquerettes et les papillons, mais qui souffraient de Sévères Maux de Tête et de Pensées Suicidaires) ; et bien que l'obscurité se lève parfois juste assez pour que je puisse analyser mon environnement, les formes familières se solidifiant comme les meubles de la chambre à l'aube, mon soulagement n'était jamais que temporaire parce que, pour finir, la matinée ne se levait jamais, les choses devenaient toujours noires avant que je puisse m'orienter et il semblait qu'on me déversait de l'encre dans les yeux, me laissant, vacillant, dans l'obscurité.

Pourquoi je me sentais aussi perdu, je l'ignorais. Ce n'était pas à cause de Pippa et je le savais, je ne me remettrais peut-être jamais de ma perte et c'était une chose avec laquelle il me faudrait vivre, la tristesse d'aimer quelqu'un que je ne pourrais jamais posséder ; mais je savais aussi que ma difficulté la plus immédiate était d'être à la hauteur (telle était mon opinion) d'une insupportable ascension sociale. Kitsey et moi ne profitions plus de nos nombreuses sorties au restaurant en tête à tête, où nous nous tenions la main côte à côte sur la banquette sombre d'un restaurant. À la place, il y avait pratiquement chaque soir des dîners et des tables de restaurant pleines de ses amis, des circonstances guindées où (nerveux, sans opiacés, tourmenté jusqu'au dernier synapse) il m'était difficile d'arborer la façade de l'engouement social, surtout quand j'étais fatigué après le travail – puis il y avait aussi les préparatifs du mariage, une avalanche de futilités auxquelles j'étais supposé m'intéresser de manière aussi enthousiaste qu'elle, rafales colorées de brochures et articles emballés dans du papier de soie. Pour elle, cela équivalait à un travail à temps plein : visiter les papetiers et les fleuristes, chercher traiteurs et détaillants, amasser les échantillons de tissus, de petits fours et autres gâteaux, se tracasser et me demander sans cesse de l'aider à choisir entre des teintes ivoire et lavande passablement semblables sur un nuancier, coordonner une série de nuits « entre filles » avec ses demoiselles d'honneur et un « week-end avec les garçons » pour moi (organisé par Platt ?? Au moins je pouvais être assuré de rester soûl tout du long), puis il y avait les projets pour la lune de miel, les piles de brochures sur papier glacé (Fidji ou Nantucket ? Mykonos ou Capri ?) « Super, tout ça m'a l'air super », n'arrêtais-je pas de lancer de ma nouvelle-voix-affable-qui-s'adresse-à-Kitsey, bien qu'étant donné sa famille et son histoire avec l'eau, il me semblait étrange qu'elle ne s'intéresse pas à Vienne, Paris ou Prague, ou n'importe quelle destination autre qu'une île en bonne et due forme au milieu de ce maudit océan.

Malgré tout, je ne m'étais jamais senti aussi sûr de l'avenir ; et quand je me rappelais d'où je revenais, ce que j'avais souvent eu l'occasion de faire, mes pensées allaient non seulement à Kitsey mais aussi à Mrs. Barbour, dont la joie me rassurait et irriguait les canaux menant à mon cœur, asséchés des années durant. Notre annonce l'avait visiblement égayée et revigorée ; elle se déplaçait de nouveau dans l'appartement, reprenait des couleurs avec juste un tout petit peu de rouge à lèvres, et même ses échanges les plus ordinaires avec moi étaient colorés d'une lumière constante, stable et paisible, qui élargissait l'espace autour de nous et rayonnait calmement dans le plus sombre tréfonds de mon être.

« Je n'aurais jamais cru que je serais de nouveau

aussi heureuse, m'avait-elle confié tout bas un soir au dîner, lorsque Kitsey avait tout à coup sauté pour courir répondre au téléphone comme à son habitude, nous laissant tous les deux autour de la table de jeu dans sa chambre, à pousser maladroitement nos pointes d'asperges et nos pavés de saumon. Parce que tu as toujours été si bon avec Andy... Tu l'as soutenu, tu as amélioré sa confiance en lui. Avec toi, il donnait toujours le meilleur de lui-même. Et... je suis si contente que tu deviennes un membre officiel de la famille, que maintenant nous rendions cela légal, parce que... Oh, je suppose que je ne devrais pas te le dire, j'espère que cela ne te dérangera pas si je parle un instant avec mon cœur, mais je t'ai toujours considéré comme l'un des miens, le savais-tu ? Même quand tu étais petit. »

Cette remarque m'a tellement secoué et touché que j'ai réagi avec gaucherie, bégayant de trouble, si bien qu'elle a eu pitié de moi et a orienté la conversation vers un autre sujet. Pourtant, chaque fois que j'y repensais, je baignais dans un rougeoiement chaleureux. Un autre souvenir gratifiant (bien qu'ignoble) était la légère pause choquée de Pippa quand je lui avais annoncé la nouvelle au téléphone. Je me l'étais repassée dans mon esprit encore et encore, la savourant, ainsi que son silence hébété : « Oh ? » Puis, se reprenant : « Oh, Theo, c'est merveilleux ! Je suis impatiente de la rencontrer !

— Oh, elle est *incroyable*, ai-je répondu sur un ton venimeux. Je suis amoureux d'elle depuis qu'on est petits. »

Ce qui, je venais en quelque sorte d'en prendre conscience, était tout à fait exact. L'interaction du passé et du présent était hautement érotique : je puisais un ravissement infini dans le souvenir de la Kitsey de neuf ans et de son mépris pour le débile de treize ans que j'étais (levant les yeux au ciel et boudant quand elle devait s'asseoir à côté de moi pour dîner). Et je savourais encore plus l'authentique choc des gens qui nous avaient connus enfants : Toi ? et Kitsey Barbour ? Vraiment ? *Elle ?* J'aimais l'amusement et la malice, la simple improbabilité : me glisser dans sa chambre après que sa mère se fut endormie – cette même pièce qui m'était interdite quand on était gamins, avec le même papier peint rose en toile de Jouy, inchangé depuis l'époque d'Andy, les pancartes avec les lettres écrites à la main, DEHORS, NE PAS DÉRANGER – la pousser à reculons à l'intérieur, la regarder fermer la porte à clé derrière nous, poser son doigt sur ma bouche puis le faire courir sur mes lèvres, cette première et délicieuse culbute vers son lit, maman dort, chut !

Plusieurs fois par jour, j'avais l'occasion de me rappeler la chance que j'avais. Kitsey n'était jamais fatiguée ; Kitsey n'était jamais malheureuse. Elle était attirante, joyeuse, affectueuse. Et superbe, avec quelque chose de lumineux et de virginal comme le sucre qui faisait tourner les têtes dans la rue. J'admirais son côté sociable, sa présence amusante et spontanée – « petite tête frivole ! » comme l'appelait Hobie avec beaucoup de tendresse – elle était vraiment rafraîchissante ! Tout le monde l'adorait. En dépit de sa légèreté contagieuse, je savais que ce n'était que mesquine chicanerie de dire que Kitsey ne semblait jamais particulièrement *émue* par quoi que ce soit. Même cette bonne vieille Carole Lombard avait les larmes aux yeux quand elle parlait d'anciens petits amis ou voyait des animaux maltraités aux infos et la fermeture de certains bars autour de son ancienne fac à Chicago, la ville dont elle était originaire. Mais rien, jamais, ne semblait frapper Kitsey comme étant particulièrement urgent ou émouvant, ni même surprenant. En cela elle ressemblait à sa mère et à son frère – et pourtant la retenue de Mrs. Barbour ou celle d'Andy étaient très différentes de la façon dont Kitsey lançait un commentaire désinvolte ou futile chaque fois que quelqu'un abordait un sujet sérieux. (« Pas marrante », l'avais-je entendue répondre avec un soupir à demi saugrenu et en plissant le nez quand les gens la questionnaient sur sa mère.) Sinon – et le simple fait de le penser m'a donné une sorte de nausée morbide – je continuais de chercher des preuves de chagrin concernant Andy et son père, et cela commençait à me perturber de ne pas en voir. Leurs décès respectifs ne l'avaient donc pas affectée du tout ? N'étions-nous pas supposés au moins en parler à un moment donné ? D'un côté, j'admirais son courage : la tête haute, poursuivant sa route en dépit de la tragédie ou que sais-je. Peut-être qu'elle était juste vraiment réservée, vraiment fermée, et qu'elle déployait une façade de maîtrise absolue. Mais ces hauts fonds bleus étincelants, si séduisants à première vue, n'avaient pas encore gagné en profondeur, si bien que parfois j'éprouvais la sensation déconcertante de patauger dans des eaux m'arrivant au genou tout en espérant tomber dans un trou d'eau, un endroit assez profond pour y nager.

Kitsey m'a tapoté le poignet. « Quoi ?

— *Barneys*. Puisqu'on est là ? Peut-être qu'on devrait faire un tour dans leur rayon Maison ? Je sais que maman ne va pas aimer si on dépose une liste ici, mais ça pourrait être sympa de chercher quelque chose d'un peu moins traditionnel pour tous les jours.

— Non (cherchant mon verre et en avalant le restant) je dois vraiment y aller si ça ne te dérange pas. Je suis supposé retrouver un client.

— Tu reviens ce soir ? » Kitsey partageait un appartement avec deux colocs dans les rues 70 Est, pas loin du bureau de l'association artistique où elle travaillait.

« Pas sûr. Je vais peut-être devoir dîner avec lui. J'essaierai de m'échapper si je peux.

— Pour l'apéritif ? S'il te plaît ? Ou un verre après dîner ? Tout le monde sera si déçu si tu ne montres pas au moins le *bout* de ton nez. Charles et Bette…

— J'essaierai. Promis. N'oublie pas ça, lui ai-je dit en hochant la tête en direction des boucles d'oreilles toujours posées sur la nappe.

— Oh ! Non ! Bien sûr que non ! » a-t-elle répondu sur un ton coupable en les attrapant et en les jetant dans son sac à main comme une poignée de petite monnaie.

III

Tandis que nous marchions dehors côte à côte, fendant les foules d'acheteurs de Noël, je me suis senti instable et triste ; les bâtiments enrubannés et les fenêtres qui brillaient ne faisaient qu'accentuer la tristesse oppressante : les cieux hivernaux sombres, le canyon gris des bijoux et des fourrures, ainsi que toute la puissance mélancolique de la richesse.

Qu'est-ce qui clochait chez moi ? me suis-je demandé tandis que Kitsey et moi traversions Madison Avenue, son manteau Prada rose dansant de manière exubérante dans la foule. Pourquoi en voulais-je à Kitsey de ne pas sembler hantée par Andy et par son père et de continuer à vivre sa vie ?

Mais, tendant la main pour lui donner le bras, geste aussitôt récompensé par un sourire radieux, je me suis senti de nouveau momentanément soulagé et distrait de mes soucis. Huit mois s'étaient écoulés depuis que j'avais laissé Reeve dans ce restaurant de Tribeca ; personne encore ne m'avait contacté à propos des faux meubles que j'avais vendus, mais j'étais tout à fait prêt à admettre mon erreur s'il le fallait : manque d'expérience, nouveau dans la profession, je vous rends votre argent, monsieur, veuillez accepter mes excuses. Le soir, allongé et éveillé, je me rassurais en me disant que si les choses tournaient mal, au moins n'avais-je pas laissé de grosses traces :

j'avais essayé de ne pas établir plus de documents qu'il n'en fallait pour ces ventes-là, et sur les meubles plus petits j'avais offert une réduction quand le paiement était en liquide.

Et pourtant. Et pourtant. Ce n'était qu'une affaire de temps. Une fois qu'un client réclamerait, ce serait l'avalanche. Non seulement cela détruirait la réputation de Hobie, mais il y aurait en plus tellement de réclamations que je ne serais plus en mesure de rembourser les gens, puis il y aurait des procès : des procès dans lesquels Hobie, copropriétaire du commerce, serait appelé à comparaître. Ce serait difficile de convaincre un tribunal qu'il ignorait mes agissements, surtout sur certaines des ventes que j'avais conclues comme relevant de l'héritage américain – et, si ça en arrivait là, je n'étais même pas sûr que Hobie prendrait la parole pour se défendre de manière adéquate si cela devait signifier m'abandonner à mon triste sort. D'accord : beaucoup de clients avaient tellement d'argent qu'ils s'en foutaient pas mal. Mais bon. Mais bon. Quand quelqu'un déciderait-il de regarder sous les sièges de ces chaises Hepplewhite (par exemple) et de remarquer qu'elles étaient différentes ? Que le grain n'était pas le bon, que les pieds n'étaient pas pareils ? Ou ferait faire une estimation indépendante d'une table et apprendrait que ce vernis n'était pas utilisé, ni inventé, dans les années 1770 ? Chaque jour, je me demandais quand et comment le premier faux ferait surface : une lettre d'avocat, un appel du département du mobilier américain chez Sotheby's, un décorateur ou un collectionneur déboulant dans la boutique pour me confronter, faire descendre Hobie, écoutez, nous avons un problème, vous avez une minute ?

Si mes méfaits susceptibles de détruire ce mariage éclataient au grand jour avant la cérémonie, je n'étais pas sûr de ce qui se passerait. Y penser était au-delà de mes forces. Le mariage risquait alors de ne pas avoir lieu du tout. Pourtant, pour Kitsey et pour sa mère, cela me semblait encore plus cruel si cela éclatait après, d'autant que les Barbour n'étaient plus aussi aisés qu'avant le décès de Mr. Barbour. Il y avait des problèmes de liquidités. L'argent était bloqué dans des investissements boursiers. Maman avait dû réduire l'horaire de certains employés à des mi-temps et congédier les autres. Et papa, ainsi que Platt me l'avait confié quand il avait tenté de m'intéresser à d'autres antiquités dans l'appartement, avait un peu pété les plombs vers la fin et investi plus de cinquante pour cent du portefeuille chez VistaBank, un monstre bancaire commercial, pour des « raisons sentimentales » (l'arrière-arrière-grand-père de Mr. Barbour avait été président de l'une des banques fondatrices, dans le Massachusetts, son nom depuis longtemps disparu après avoir fusionné avec Vista). Malheureusement, VistaBank avait cessé de payer des dividendes puis fait faillite, peu de temps avant le décès de Mr. Barbour. Du coup, Mrs. Barbour avait fortement réduit le soutien aux associations caritatives avec lesquelles elle avait été si généreuse jadis ; d'où l'emploi de Kitsey. Le poste éditorial de Platt dans sa petite maison d'édition chic, ainsi qu'il me l'avait souvent rappelé quand il avait un verre dans le nez, payait moins que maman n'avait autrefois payé sa gouvernante. Si les choses devaient mal tourner, j'étais assez sûr que Mrs. Barbour ferait ce qu'elle pourrait pour aider ; en tant qu'épouse, Kitsey serait contrainte d'aider aussi, qu'elle le veuille ou non. Mais c'était un sale coup à leur faire, surtout depuis que les éloges de Hobie les avaient tous convaincus (surtout Platt, soucieux de voir les ressources familiales s'amenuiser) que j'étais une sorte de magicien de la finance volant au secours de sa sœur. « Tu sais comment *faire* de l'argent, m'avait-il lancé sans ménagement quand il m'avait confié leur excitation à l'idée que Kitsey m'épouse au lieu de l'un des fainéants avec lesquels elle traînait avant. Elle, elle ne sait pas. »

731

Mais ce qui m'inquiétait le plus c'était Lucius Reeve. Je n'avais pas entendu le moindre mot de sa part à propos du chiffonnier, en revanche je m'étais mis à recevoir durant l'été une série de lettres troublantes : manuscrites, sans signature, sur des bristols au liseré bleu, avec en haut son nom imprimé en taille-douce : **LUCIUS REEVE.**

Cela va faire trois mois que j'ai fait ce qui, à tout point de vue, me semble une proposition juste et sensée. Comment pouvez-vous en conclure que mon offre est tout sauf raisonnable ?

Et, plus tard :

Huit semaines supplémentaires se sont écoulées. Vous comprendrez aisément mon dilemme. Le niveau de frustration ne cesse de croître.

Puis, trois semaines plus tard, une seule ligne :

Votre silence est inacceptable.

J'avais beau essayer de ne pas y penser, ces lettres me torturaient. Chaque fois qu'elles me revenaient à l'esprit – ce qui était fréquent, et aléatoire, au milieu d'un repas, la fourchette en chemin vers ma bouche – c'était comme être réveillé par une gifle. J'essayais en vain de me rappeler que les accusations de Reeve dans le restaurant étaient largement erronées. Lui répondre d'une quelconque manière était ridicule. La seule réaction possible était de l'ignorer, comme on le ferait avec un mendiant agressif dans la rue.

Puis deux choses perturbantes ont eu lieu en très peu de temps. J'étais monté à l'étage pour demander à Hobie s'il voulait sortir déjeuner : « Bien sûr, donne-moi une minute, m'a-t-il répondu ; il triait son courrier posé sur le

buffet, les lunettes perchées sur le bout du nez. Hmm »,
a-t-il fait en retournant une enveloppe pour voir le recto.
Il l'a ouverte et a regardé le bristol, le tenant à bout
de bras pour l'inspecter par-dessus ses lunettes, puis le
rapprochant.

« Lis-moi un peu ça, a-t-il dit en me tendant le bristol.
De quoi s'agit-il ? »

Ce dernier, qui arborait l'écriture on ne peut plus
familière de Reeve, ne contenait que deux phrases : pas
d'en-tête, pas de signature.

*À quel moment un délai cesse-t-il d'être raison-
nable ? Ne pouvons-nous pas discuter sur la base de ce
que j'ai proposé à votre jeune associé, puisqu'il n'y a
aucun bénéfice pour aucun de vous deux à poursuivre
dans cette impasse ?*

« Oh, là là, ai-je soufflé en posant le bristol sur la
table et en détournant le regard. Pour l'amour du ciel.

— Quoi ?

— C'est lui. L'homme au chiffonnier.

— Oh, lui. » Il a ajusté ses lunettes et m'a regardé tranquillement. « Est-ce qu'il a jamais encaissé ce chèque ? »

Je me suis passé une main dans les cheveux. « Non.

— C'est quoi, cette proposition ? De quoi parle-t-il ?

— Écoutez... (je me suis dirigé vers l'évier pour y
prendre un verre d'eau, un vieux truc de mon père quand
il avait besoin d'un moment pour se ressaisir) je n'ai pas
voulu vous embêter, mais ce type est devenu vraiment
pénible. Du coup, je jette ses lettres sans les ouvrir. Si
vous en recevez une autre, je vous suggère de la mettre
à la poubelle.

— Qu'est-ce qu'il veut ?

— Eh bien... » Le robinet était bruyant ; j'ai rempli
mon verre. « Eh bien. » Je me suis retourné, j'ai essuyé
ma main sur mon front. « C'est une histoire de fous.

Comme je vous l'ai dit, je lui ai fait un chèque pour le meuble. Pour plus que ce qu'il avait payé.

— Et donc, où est le problème ?

— Ah… (j'ai avalé une gorgée d'eau) malheureusement il a autre chose en tête. Il pense, ah, il pense que nous avons une chaîne de fabrication ici en bas, et il essaie de s'y tailler une place. Vous voyez, au lieu d'encaisser mon chèque, il s'est dégoté une vieille dame mourante, avec infirmières à domicile et tout le tremblement, et il veut que nous utilisions son appartement pour, euh… »

Les sourcils de Hobie se sont relevés. « Une expo truquée ?

— C'est ça », ai-je répondu, heureux que ce soit lui qui en ait parlé. L'expo truquée était un racket par le biais duquel des faux ou des antiquités de qualité inférieure étaient exposés chez des particuliers, souvent des personnes âgées, pour être vendus à des vautours rassemblés autour du lit de mort : des raclures tellement désireuses de gruger la vieille dame sous tente à oxygène qu'ils ne se rendaient pas compte qu'ils se faisaient gruger eux-mêmes. « Quand j'ai essayé de lui rendre son argent, c'est la contre-proposition qu'il m'a faite. Nous fournissons les meubles. Et chacun prend cinquante pour cent. Depuis il me harcèle. »

Hobie a eu l'air dérouté. « C'est absurde.

— Oui… (fermant les yeux, me pinçant le nez) mais il insiste lourdement. C'est pourquoi je vous conseille de…

— C'est qui, cette femme ?

— Une vieille parente, je ne sais pas trop.

— Comment s'appelle-t-elle ? »

J'ai tenu le verre contre ma tempe. « Je ne sais pas.

— Elle vit ici ? À Manhattan ?

— Je suppose que oui. » J'essayais de couper court à un interrogatoire plus poussé. « Quoi qu'il en soit… jetez ce truc à la poubelle. Je suis désolé de ne pas vous avoir prévenu plus tôt, mais je ne voulais pas vous inquiéter. Si on l'ignore, il finira par se fatiguer. »

Hobie a regardé le bristol, puis moi. « Je garde ceci. Non, a-t-il dit vivement quand j'ai tenté de l'interrompre, c'est plus que suffisant pour aller à la police si besoin était. Je me moque bien du chiffonnier... Non, non, a-t-il ajouté en levant une main pour me faire taire, ça ne peut pas aller, tu as essayé de faire amende honorable et lui essaie de te pousser au crime. Ça dure depuis combien de temps ?

— Je ne sais pas. Quelques mois ? ai-je répondu tandis qu'il continuait de me regarder.

— Reeve. » Il a étudié le bristol, le front plissé. « Je vais demander à Moira. » C'était le prénom de Mrs. DeFrees. « Tiens-moi au courant si tu reçois un nouveau courrier.

— Bien sûr. »

Impossible d'imaginer ce qui se passerait s'il se trouvait que Mrs. DeFrees connaissait Lucius Reeve, ou qu'elle ait entendu parler de lui, mais heureusement cette histoire n'a pas eu de suite. Cela m'avait semblé une sacrée chance que le mot envoyé à Hobie ait été aussi ambigu. Mais la menace sous-jacente était évidente. C'était stupide de s'inquiéter que Reeve nous poursuive en justice puisque – je ne cessais de me le rappeler – sa seule chance d'obtenir le tableau pour son propre compte était de me laisser la liberté de le récupérer.

Et pourtant, de manière perverse, cela ne réussissait qu'à exacerber mon désir de l'avoir près de moi, pour le regarder chaque fois que j'en avais envie. J'avais beau savoir que c'était impossible, j'y pensais quand même. Partout où je posais les yeux, chaque appartement que Kitsey et moi visitions, je voyais des cachettes potentielles : de hauts placards, de fausses cheminées, de larges poutres que seule une très longue échelle pouvait atteindre, des lattes de plancher pouvant être facilement soulevées. Le soir, je restais allongé en fixant l'obscurité, fantasmant sur un meuble ignifugé spécialement conçu où je pourrais l'enfermer en toute sécurité ou, encore plus absurde, un placard secret à la Barbe Bleue au taux d'humidité contrôlé, avec juste une serrure à combinaison.

À moi, à moi. Peur, idôlatrie, thésaurisation. Le délice et la terreur du fétichiste. Pleinement conscient de ma folie, j'avais téléchargé sur mon ordinateur et mon téléphone des photos représentant le tableau pour pouvoir jubiler devant l'image en privé, coups de pinceau au rendu digital, éclat de lumière du soleil du XVIIe siècle compressé en points et en pixels, mais plus la couleur était pure, plus le sentiment d'empâtement était puissant, plus je voulais l'objet lui-même, irremplaçable, glorieux, inondé de lumière.

Un environnement dénué de poussière. Une sécurité vingt-quatre heures sur vingt-quatre. J'avais beau essayer de ne pas penser à l'Autrichien qui avait séquestré une femme dans une cave pendant vingt ans, c'était malheureusement la métaphore qui me venait à l'esprit. Et si je mourais ? Si je me faisais renverser par un bus ? Est-ce que le paquet disgracieux serait pris pour du rebut et jeté dans l'incinérateur ? À trois ou quatre reprises, j'avais passé des appels anonymes à l'entrepôt pour me rassurer sur ce que je savais déjà à force de visiter leur site Web de manière obsessionnelle : température et humidité garanties dans une fourchette acceptable pour les œuvres d'art. Parfois quand je me réveillais, tout cela me faisait l'effet d'un rêve, mais je me souvenais bien vite que ce n'était pas le cas.

Avec Reeve tel un chat en embuscade, attendant que je m'y précipite, il était impossible de même songer à y aller. Je devais prendre mon mal en patience. Malheureusement, la location de la consigne était à renouveler dans trois semaines ; et avec tout le reste en plus, je me voyais mal aller payer en personne. Le truc était juste de demander à Grisha ou à un des gars de s'en charger pour moi, en liquide, je leur faisais confiance pour s'exécuter sans poser de questions. Mais c'est alors qu'avait eu lieu le second événement malencontreux : parce que juste quelques jours plus tôt Grisha m'avait choqué en se faufilant la tête penchée sur le côté pendant que j'étais seul dans la boutique à additionner mes recettes à la fin de la semaine, et en me disant : « *Mazhor*, j'ai besoin m'asseoir.

— Ah bon ?

— Tu fripouilles ?

— Quoi ? » Entre le yiddish et le russe du caniveau, mélangé à un méli-mélo de brooklynais et d'argot piqué dans des chansons de rap, les idiomes de Grisha étaient parfois dans un anglais que je ne comprenais pas.

Il a grogné. « Je crois que toi pas bien me comprendre, champion. Je te demande si tout va bien. Avec les lois.

— Attends, ai-je fait (j'étais au milieu d'une colonne de chiffres), puis j'ai levé les yeux de la calculatrice : Attends, de quoi tu parles ?

— De toi, mon frère, je condamne pas, je juge pas. J'ai juste besoin de savoir, d'accord ?

— Pourquoi ? Qu'est-ce qui s'est passé ?

— Y a du gens qui traînent autour de la boutique, ils surveillent. Tu es au courant ?

— Qui ? » J'ai jeté un œil par la fenêtre. « Quoi ? C'était quand ?

— Je voulais te demander. J'avais peur d'aller à Borough Park retrouver mon cousin Genka pour des affaires... peur d'avoir ces types sur moi.

— Toi ? » Je me suis assis.

Grisha a haussé les épaules. « Ça fait quatre cinq fois maintenant. Hier, en sortant de mon camion, j'en ai de nouveau vu un qui traînait devant, mais il a glissé de l'autre côté de la rue. Jean-plus âgé-habillé très relax. Genka, il sait rien mais il a la trouille, comme je lui dis qu'on a des trucs en cours, il m'a demandé de te demander ce que tu savais. Jamais parler, juste debout et attendre. Je me demande si c'est à cause de tes histoires avec le Shvatzah, a-t-il ajouté discrètement.

— Non. » Le Shvatzah, c'était Jerome ; et je ne l'avais pas vu depuis des mois.

« Eh bien. Je déteste te balancer ça, mais je pense que c'est peut-être des policiers qui viennent renifler. Mike... il l'a remarqué aussi. Il croyait que c'était à cause de sa pension alimentaire. Mais le gars il traîne là et il fait rien.

— Ça dure depuis combien de temps ?

— Qui sait ? Mais au moins un mois. Mike dit plus longtemps.

— La prochaine fois, quand tu le vois, tu peux me le montrer du doigt ?

— C'est peut-être un détective privé.

— Pourquoi tu dis ça ?

— Parce qu'en un sens il ressemble plus à un ex-flic. Mike pense ça... les Irlandais, ils connaissent les flics, Mike a dit qu'il avait l'air plus âgé, comme un policier à la retraite peut-être ?

— Bien », ai-je dit en pensant au type costaud que j'avais vu par ma fenêtre. Je l'avais repéré quatre, cinq fois à la suite, ou quelqu'un qui lui ressemblait, traînant devant pendant les heures d'ouverture... toujours quand j'étais avec Hobie ou un client, ce n'était donc pas pratique de le confronter, mais il avait l'air tellement inoffensif, avec son capuchon et ses godillots d'ouvrier du bâtiment, que je pouvais difficilement être sûr. Une fois – ça m'avait méchamment fichu la trouille – j'avais remarqué un type qui lui ressemblait traînant devant l'immeuble des Barbour, mais quand j'avais mieux regardé, j'avais compris que je m'étais trompé.

« Ça fait quelque temps qu'il est là. Mais ça... (Grisha a marqué un temps d'arrêt) normalement je dirais rien, peut-être que c'est rien, sauf que hier...

— Eh bien, quoi ? Vas-y, ai-je fait quand il s'est massé la nuque et a regardé de côté d'un air coupable.

— Un autre type. Différent. Je l'ai déjà vu tourner autour de la boutique. Dehors. Mais hier il est entré et il a demandé après toi en donnant ton nom. Et j'ai pas du tout aimé son look. »

Je me suis rassis abruptement sur ma chaise. Je m'étais demandé quand Reeve se mettrait en tête de venir en personne.

« Je lui ai pas parlé. J'étais dehors (il a hoché la tête) à ce moment-là. Chargeant le camion. Mais je l'ai vu entrer. Genre de type qu'on remarque. Habillé bien, mais pas comme un client. Tu étais sorti déjeuner et Mike était seul dans la boutique... le type arrive, demande : Theodore Decker ? Bon, t'es pas là, Mike le dit. "Où il est." Beaucoup et beaucoup des questions sur toi, est-ce que tu travailles ici, est-ce que tu vis ici, depuis combien de temps, où tu es, plein de trucs.

— Où était Hobie ?

— Il ne voulait pas Hobie. Il voulait toi. Puis... (il a dessiné une ligne sur le dessus du bureau avec son doigt) il fait le tour de la boutique. Regarde ici, regarde là. Regarde partout. Ça... je le vois depuis où je suis, de l'autre côté de la rue. Ça a l'air bizarre. Et... Mike t'a pas parlé de cette visite parce qu'il a dit peut-être c'est rien, peut-être quelque chose de personnel, "Y vaut mieux pas s'en mêler", mais je l'ai vu aussi et je me suis dit qu'il fallait te dire. Parce que, hein, les voyous reconnaissent les voyous, tu piges ?

— À quoi il ressemblait ? ai-je demandé, puis comme Grisha ne répondait pas : un type plus âgé ? Lourd ? Avec des cheveux blancs ? »

Grisha a produit un son exaspéré. « Non non non. » Secouant la tête avec une fermeté résolue. « C'était le grand-père de personne.

— À quoi il ressemblait, alors ?

— Il ressemblait à un type avec qui t'as pas envie de te battre, voilà à quoi il ressemblait. »

Dans le silence qui a suivi, Grisha a allumé une Kool et m'en a offerte une. « Alors qu'est-ce que je dois faire, *Mazhor* ?

— Pardon ?

— Genka et moi on doit s'inquiéter ?

— Je ne pense pas. Bien, ai-je fait en frappant un peu gauchement la paume triomphante qu'il tenait en l'air, OK, mais est-ce que tu peux me rendre un service ? Est-ce que tu peux venir me chercher si tu revois un des deux ?

— Bien sûr. » Il a marqué un temps d'arrêt et m'a regardé d'un œil critique. « Tu es sûr que Genka et moi on doit pas s'inquiéter ?

— Eh bien, je ne sais pas ce que vous trafiquez, hein ? »

D'une chiquenaude, Grisha a sorti un mouchoir sale de sa poche et a frotté son nez violet avec. « J'aime pas ta réponse.

— Eh bien, sois prudent de toute façon. Au cas où.

— *Mazhor*, je devrais dire la même chose de toi. »

IV

J'avais menti à Kitsey ; je n'avais strictement rien à faire. Devant chez Barneys, au coin de la 5ᵉ Avenue, on s'est embrassés en guise d'au revoir avant qu'elle retourne chez Tiffany pour regarder du cristal – on n'avait pas eu le temps de s'y intéresser – et moi je suis parti vers la ligne 6. Mais au lieu de rejoindre le flot de clients se déversant dans les escaliers qui menaient à la station, je me suis senti tellement vide et égaré, tellement perdu, fatigué et mal que je me suis arrêté pour regarder par la vitre sale du *Subway Inn*, directement en face de l'aire de chargement de Bloomingdale's, une distorsion spatiale et temporelle directement sortie du film *Le Poison* et qui n'avait pas changé depuis l'époque où mon père y buvait. À l'extérieur : néon de film noir. À l'intérieur : les mêmes murs rouges crasseux, les tables gluantes, les dalles cassées par terre, une forte odeur de Javel, et un barman concave avec un chiffon sur l'épaule versant un verre à un homme seul au bar, les yeux injectés de sang. Je me suis souvenu de ma mère et moi ayant jadis perdu mon père dans Bloomingdale's, et comment – un mystère pour moi à l'époque – elle avait eu l'idée de quitter le magasin et de se diriger directement de l'autre côté de la rue pour le trouver ici où il s'envoyait des coups à quatre dollars avec un vieux routier asthmatique et un senior à bandana qui avait tout l'air d'un SDF. J'avais attendu sur le seuil, terrassé par l'odeur fétide de bière éventée et fasciné par l'obscurité chaude et secrète du lieu, la lueur de type *Quatrième Dimension* du juke-box et le jeu vidéo Buck Hunter clignotant dans les profondeurs – « Ah, l'odeur des vieux et du désespoir », avait dit ma mère avec ironie en plissant le nez tandis qu'elle sortait du bar avec les sacs contenant ses achats et m'attrapait par la main.

Un Johnnie Walker Black, en souvenir de mon père. Peut-être deux. Pourquoi pas ? Les recoins sombres du bar avaient l'air chauds, conviviaux, donnaient une aura sentimentale à la bière qui, l'espace d'un instant, vous faisait oublier qui vous étiez et comment vous vous étiez retrouvé là. Mais au dernier moment, j'ai eu un tel haut-le-cœur sur le seuil que le barman m'a regardé, alors j'ai tourné les talons et tracé ma route.

Lexington Avenue. Vent vaguement mouillé. L'après-midi était hanté, froid et humide. J'ai dépassé la station de la 51e Rue, puis celle de la 42e, et j'ai continué, histoire de m'éclaircir la tête. Des immeubles d'appartements blanc cendré. Des hordes de gens dans la rue, des sapins de Noël allumés étincelant en hauteur sur des balcons de penthouses, des flots de musique de Noël prétentieuse se déversant des magasins ; entrant et sortant de la foule, j'éprouvais l'étrange sensation d'être déjà mort, d'avancer dans la grisaille d'un trottoir plus grand que la rue, ou même la ville, ne pouvait en contenir, mon âme déconnectée de mon corps errant parmi les autres âmes dans une brume quelque part entre passé et présent, piéton vert piéton rouge, des piétons individuels qui flottaient, étrangement isolés et solitaires devant mes yeux, visages vides branchés à des écouteurs et regardant droit devant, lèvres bougeant en silence, et bruit de la ville moite, assourdi sous des cieux écrasants couleur granit qui étouffaient celui de la rue, poubelles et journaux, béton et crachin, grisaille hivernale sale pesant une tonne.

Ayant échappé avec succès au bar, je me suis dit que je pourrais aller voir un film – que peut-être la solitude d'un cinéma me remettrait sur pied, une séance de l'après-midi presque déserte pour un film en fin de course. Mais lorsque, la tête légère et reniflant pour cause de rhume, je suis arrivé devant le cinéma au coin de la 2ᵉ Avenue et de la 32ᵉ Rue, le polar français que je voulais voir avait déjà commencé, tout comme le thriller traitant d'identité usurpée. Le choix restant était une tripotée de films de Noël et de comédies romantiques insupportables : posters de mariées débraillées, de demoiselles d'honneur se chamaillant, d'un père consterné coiffé d'un bonnet de Père Noël avec deux bébés hurlant dans les bras.

Les taxis commençaient à rentrer au dépôt. Bien au-dessus de la rue, dans le sombre après-midi, des lumières brûlaient dans des bureaux abandonnés et dans des tours d'appartements. Tournant les talons, j'ai continué à errer vers le sud de Manhattan, sans idée très claire de là où j'allais ni pourquoi, et en marchant j'éprouvais la sensation curieusement attirante d'être en train de me défaire, de me dévider un fil après l'autre, les haillons se détachant de mon corps alors que je traversais la 32e Rue, que je me coulais au milieu des piétons de l'heure de pointe et me laissais rouler du moment présent vers le suivant.

À un autre cinéma, dix ou douze rues plus loin, même histoire : le film sur la CIA avait commencé, ainsi que le biopic aux bonnes critiques sur cette femme éminente des années 1940 ; le polar français ne commençait pas avant une heure trente ; et à moins de souhaiter voir le film sur le psychopathe ou le drame familial torride, ce qui n'était pas mon cas, il y avait encore des mariées, des enterrements de vie de garçon, des bonnets de Père Noël et des films Pixar.

Quand je suis arrivé au cinéma de la 17e Rue, je ne me suis pas arrêté à la caisse et j'ai préféré poursuivre mon chemin. Pour une raison mystérieuse, alors que je traversais Union Square porté par un sombre tourbillon venu de nulle part, j'en étais arrivé à la décision d'appeler Jerome. Il y avait une joie mystique dans cette idée, une sainte mortification. Est-ce qu'il aurait des médicaments dans un délai aussi court, est-ce que je devrais sinon acheter la bonne vieille drogue que l'on trouve dans la rue ? Je m'en fichais. Cela faisait des mois que je n'avais rien touché mais, pour une raison lambda, une soirée passée à hocher la tête et à être inconscient sur mon lit chez Hobie commençait à me sembler une réaction tout à fait raisonnable aux lumières de Noël, aux foules de Noël, aux carillons de Noël et à leur note mortifère et continue, ainsi qu'au carnet rose bonbon de Kitsey acheté chez *Kate's Paperie* avec des onglets pour chaque thème : MES DEMOISELLES D'HONNEUR, MES INVITÉS, MON PLAN DE TABLE, MES FLEURS, MES DÉTAILLANTS, MON PENSE-BÊTE, MON TRAITEUR.

Me reculant vivement – le feu venait de passer au vert et j'avais failli traverser sous les roues d'une voiture – j'ai chancelé vers l'arrière et manqué de glisser. Inutile de ressasser mon horreur irraisonnée d'un mariage en grande pompe – espaces fermés, claustrophobie, mouvements soudains, déclencheurs phobiques de tous côtés ; pour une raison que je ne m'expliquais pas, le métro ne me dérangeait pas tant que ça, ma hantise c'était plutôt les bâtiments surpeuplés, je m'attendais en permanence à ce qu'il s'y passe quelque chose, le nuage de fumée, l'homme qui court à toutes jambes vers l'extérieur en marge de la foule, je ne supportais même pas d'être dans une salle de cinéma avec plus de dix ou quinze personnes, je tournais alors les talons avec mon billet plein tarif et ressortais aussi sec. Pourtant il y aurait cette grande cérémonie dans l'église bondée de gens sautant autour de moi comme pour une mobilisation éclair. Eh bien, j'avalerais quelques Xanax et tiendrais le coup tout du long en suant.

Puis aussi : j'espérais que le tumulte social croissant sur lequel j'avais navigué comme un bateau à travers une tempête ralentirait après le mariage, étant donné que mon seul souhait était de m'en retourner aux heureuses et paisibles journées estivales où j'avais eu Kitsey pour moi tout seul : dîners en tête à tête et films regardés au lit. Les invitations et rassemblements constants m'épuisaient : les tourbillons colorés et changeants de ses amis, les soirées pleines de gens et les week-ends trépidants que j'endurais en fermant les yeux et en m'accrochant aux branches pour survivre : Linsey ? Non, Lolly ? Désolé… Et vous êtes ? Frieda ? Salut, Frieda, et… Trev ? Trav ? enchanté ! Je restais poliment planté autour de leurs tables de ferme anciennes, m'abrutissant avec la boisson tandis qu'eux papotaient résidences secondaires, réunions de copropriétaires, cartes scolaires et exercices de gym – mais oui, une transition en douceur vers l'allaitement maternel, récemment on a chamboulé les heures de sieste, notre aîné entre juste en maternelle, les couleurs d'automne dans le Connecticut sont époustouflantes, oh oui, bien sûr, nous faisons notre périple annuel avec les filles, mais vous savez ces voyages avec les garçons nous les faisons deux fois par an, à Vail, dans les Caraïbes, l'an dernier on a été pêcher à la mouche en Écosse et on a trouvé des terrains de golf vraiment sensationnels... Mais oh, mais c'est vrai, Theo, tu ne joues pas au golf, tu ne skies pas et tu ne fais pas de voile, hein.

« Désolé, je crains que non. » L'esprit du groupe était tel (plaisanteries d'initiés et perplexité, tout le monde rassemblé autour de vidéos de vacances sur l'iPhone) qu'il était difficile d'imaginer l'un d'entre eux allant au cinéma tout seul ou mangeant en solitaire dans un bar ; parfois, planté au milieu d'eux tous, la sensation affable d'un comité spécifiquement masculin m'offrait le léger sentiment d'être interviewé pour un boulot. Et... toutes ces femmes enceintes ? « Oh, Theo ! Comme il est adorable ! » Kitsey poussait brusquement vers moi le nouveau-né d'une amie – et moi, mû par une horreur sincère, j'effectuais un saut en arrière comme si je fuyais la flamme d'une allumette.

« Oh, parfois à nous les mecs, il faut plus de temps, a asséné Race Goldfarb avec suffisance en observant mon malaise, élevant la voix pour couvrir les vagissements et les culbutes des nourrissons dans la partie du living supervisée par les nounous. Mais, Theo, laisse-moi te dire que lorsque tu tiens ton petit dans les bras pour la première fois... (il a tapoté le ventre engrossé de son épouse) ton cœur explose. Parce que quand j'ai vu le petit Blaine pour la première fois (visage gluant, chancelant à ses pieds de manière peu séduisante) et que j'ai plongé dans ces grands yeux bleus ! Ces superbes yeux bleus de bébé ! J'ai été *transformé*. *Amoureux*. Tu te dis : hé, bonhomme ! Tu es là pour tout m'apprendre ! Crois-moi, ce premier sourire a suffi à me faire fondre comme nous fondons tous, hein, Lauren ?

— OK », ai-je acquiescé poliment, allant dans la cuisine me verser une énorme vodka. Mon père aussi avait été terriblement dégoûté par les femmes enceintes (en fait, il avait été viré d'un boulot pour la remarque déplacée de trop ; ses blagues sur la reproduction n'avaient pas été très bien accueillies au bureau) et, loin du consensus conventionnel consistant à « fondre », il n'avait jamais pu supporter les gamins ni les bébés, encore moins tout le tralala des parents ébahis, des femmes souriant bêtement en caressant leurs ventres et des mecs avec des nourrissons accrochés à leur torse ; chaque fois qu'il devait assister à un événement scolaire ou à une fête d'enfants, il sortait fumer ou bien bouder à l'écart, avec un air sombre de dealer. De toute évidence, j'avais hérité ça de lui et, allez savoir, peut-être de grand-père Decker aussi, dont le violent dégoût procréatif bourdonnait bruyamment dans mes veines ; ça semblait congénital, incrusté, génétique.

Passer la soirée à hocher la tête. Le délice profond et sombre que c'était. Non merci, Hobie, j'ai déjà mangé, je crois que je vais juste aller me coucher avec mon livre. Les choses dont parlaient ces gens, y compris les hommes. Rien que de penser à cette soirée chez les Goldfarb me mettait K-O au point de ne pas pouvoir marcher droit.

En m'approchant d'Astor Place – joueurs de djembés, querelles d'ivrognes, nuages d'encens d'un vendeur de rue – j'ai senti mon humeur s'améliorer. Ma tolérance était en chute libre : idée rassurante. Juste un ou deux cachets par semaine, pour m'aider à traverser la pire partie des soirées, et seulement quand j'en aurais vraiment vraiment besoin. À la place des médicaments, j'avais trop bu et ça ne me réussissait pas ; avec les opiacés j'étais détendu, tolérant, prêt à tout, en mesure de supporter sans souci des situations insupportables pendant des heures, comme écouter n'importe quel vieux connard fatigant ou ridicule sans avoir envie de sortir et de me tirer une balle dans la tête.

Mais cela faisait longtemps que je n'avais pas téléphoné à Jerome, et quand je me suis abrité dans l'entrée d'un magasin de skates pour le faire, j'ai été immédiatement basculé vers sa boîte vocale – un message mécanique qui n'avait pas l'air d'être le sien. Avait-il changé de numéro ? me suis-je demandé, commençant à m'inquiéter après le deuxième essai. Les gens comme Jerome – avant lui c'était arrivé avec Jack – pouvaient disparaître d'un jour à l'autre même si on entretenait auparavant avec eux un contact régulier.

Ne sachant que faire, je me suis mis à marcher le long de St. Mark's en direction de Tompkins Square. Ouvert Jour & Nuit. Entrée réservée aux plus de vingt et un ans. Dans le bas de Manhattan, loin des gratte-ciel, le vent était plus cinglant et le ciel plus dégagé, c'était plus facile de respirer. Des mecs musclés promenant des pit-bulls par deux, des filles tatouées genre Bettie Page en robes affriolantes, des pauvres attardés, les pantalons aux ourlets tombants décousus, des dents de citrouilles de Halloween et des chaussures rafistolées. Devant les magasins, les vendeurs à la sauvette étalaient des rangées de lunettes de soleil, de bracelets avec crânes et de perruques multicolores de travestis. Il y avait un échange d'aiguilles quelque part, peut-être plus d'un, mais je n'étais pas sûr de l'endroit ; à en croire ce qui se racontait, des mecs de Wall Street achetaient dans la rue en permanence, mais je n'étais pas suffisamment futé pour savoir où aller ni qui aborder, et puis qui allait me vendre quelque chose, moi un inconnu aux lunettes en écaille avec une coupe de cheveux chic, habillé pour aller choisir le service en porcelaine de son mariage ?

Un cœur égaré. Le fétichisme du secret. Ces gens comprenaient, comme moi, les méandres obscurs de l'âme, les chuchotements et les ombres, l'argent qui glisse d'une main à l'autre, le mot de passe, le code, le second soi, toutes les consolations cachées qui élevaient la vie au-dessus de l'ordinaire et faisaient qu'elle valait la peine d'être vécue.

Jerome – je me suis arrêté sur le trottoir d'un bar à sushis bon marché en essayant de me repérer – Jerome m'avait parlé d'un bar avec un auvent rouge autour de St. Mark's, Avenue A peut-être ? Il arrivait toujours de là, ou il s'y arrêtait en route vers notre rendez-vous. Derrière le comptoir, la barmaid dealait avec des clients que cela ne dérangeait pas de payer double plutôt que d'acheter dans la rue. Jerome lui faisait toujours des livraisons. Son prénom – je m'en souvenais, même – Katrina ! Mais une devanture sur deux dans le quartier semblait être un bar.

J'ai remonté l'Avenue A et descendu la 1re ; j'ai plongé dans le premier bar ayant un auvent ne serait-ce que vaguement rouge – brunâtre, mais il avait pu être rouge autrefois – et j'ai demandé : « Est-ce que Katrina travaille ici ?

— Nan », m'a répondu la rousse incendiaire au bar, sans même me regarder pendant qu'elle se versait une bière.

Des clochardes avec leurs caddies dormaient la tête posée sur des ballots. Des vitrines de magasins arboraient des madones scintillantes et des personnages du *Jour des morts*. Des troupeaux gris de pigeons se battaient en silence.

« Tu sais que tu y songes, tu sais que tu y songes », a soufflé une voix forte dans mon oreille.

Je me suis retourné pour me retrouver face à face avec un Noir d'âge mûr, costaud et au large sourire, une dent en or sur le devant, qui m'a fourré une carte de visite dans la main : Tatouages Art Corporel Piercings.

J'ai ri – lui aussi, un rire puissant de tout le corps,

tous deux ravis de cette bonne blague – puis j'ai glissé la carte dans ma poche et poursuivi ma route. Mais un moment plus tard, je regrettais de ne pas lui avoir demandé où je pouvais trouver ce que je cherchais. Il ne me l'aurait peut-être pas dit, mais il avait l'air de quelqu'un qui savait.

Piercings. Massage des pieds par acupressure. Nous Achetons de l'Or Nous Achetons de l'Argent. Beaucoup de gosses blafards, et puis, plus loin, toute seule, une fille blême avec des dreads et un chiot dégueulasse, ainsi qu'une pancarte tellement abîmée que je n'arrivais pas à la lire. J'ai plongé avec culpabilité dans mes poches en quête de monnaie – le clip à billets que Kitsey m'avait donné était trop serré, j'avais du mal à les sortir, pendant que je fouillais j'ai pris conscience que tout le monde me regardait puis... « Hé ! » me suis-je écrié en reculant tandis que le chien grondait férocement et me sautait tout à coup dessus, attrapant l'ourlet de ma jambe de pantalon et refermant dessus des dents comme des aiguilles.

Tout le monde riait – les gamins, un vendeur de rue, un cuisinier avec un filet sur les cheveux assis sur un perron et parlant dans un portable. Tirant sur la jambe de mon pantalon pour la libérer – nouvelle salve de rires je me suis tourné et, pour me remettre de ma consternation, j'ai plongé dans le prochain bar sur ma route – auvent noir avec du rouge dessus – et j'ai demandé au barman : « Est-ce que Katrina travaille ici ? »

Il s'est arrêté d'essuyer son verre. « Katrina ?

— Je suis un ami de Jerome.

— Katrina ? Vous ne voulez pas dire Katya ? » Les types accoudés au bar, des Européens de l'Est, étaient devenus silencieux.

« Peut-être, hein ?

— C'est quoi, son nom de famille ?

— Hum... » Un type en veste de cuir avait baissé le

menton et fait un tour complet sur son tabouret pour me fixer avec le regard de Dracula.

Le barman me dévisageait fixement. « La fille que vous cherchez. C'est quoi que vous lui voulez ?

— Eh bien, en fait je…

— De quelle couleur, ses cheveux ?

— Euh… blonde ? Ou… en fait… » De toute évidence, à voir son expression j'étais sur le point d'être jeté dehors, ou pire – mes yeux s'étaient posés sur la batte de base-ball derrière le bar. « J'ai fait une erreur, laissez tomber… »

J'étais sorti du bar et j'avais atteint le milieu de la rue quand j'ai entendu un cri derrière moi : « *Potter !* »

J'ai stoppé net quand je l'ai entendu une deuxième fois. Puis, incrédule, je me suis retourné. Et alors que je restais planté là, toujours incapable d'y croire, avec des gens de part et d'autre, il a ri et foncé vers moi pour jeter ses bras autour de mon cou.

« Boris. » Des sourcils noirs effilés, des yeux noirs joyeux. Il était plus grand, son visage était plus creux, il portait un long manteau noir, il avait la même cicatrice au-dessus de l'œil et quelques nouvelles. « Waouh.

— Waouh toi-même ! » Il m'a tenu à bout de bras. « Hah ! Ça fait un bail, non ?

— Je… » J'étais trop soufflé pour parler. « Qu'est-ce que tu fiches ici ?

— Je pourrais te retourner la question… (il s'est reculé pour me détailler des pieds à la tête, puis désignant la rue comme si elle lui appartenait) qu'est-ce que *tu* fais ici ? À quoi est-ce que je dois cette surprise ?

— Quoi ?

— Je suis entré dans ta boutique l'autre jour ! » Écartant les cheveux de son visage. « Pour te voir !

— C'était toi ?

— Qui d'autre ? Comment tu savais où me trouver ?

— Je… » J'ai secoué la tête, incrédule.

« Tu ne me cherchais pas ? » Se reculant, étonné.
« Non ? C'est un accident ? Des bateaux qui se croisent ?
Incroyable ! Et pourquoi tu es blanc comme ça ?

— Quoi ?

— Tu as une tête de déterré !

— Va te faire foutre.

— Ah, a-t-il rétorqué en balançant son bras autour
de mon cou. Potter, Potter ! Quels cernes noirs ! » Il a
posé le bout de son doigt sous un œil. « Mais tu as un
beau costume. Et, hé… (me relâchant et me donnant une
chiquenaude sur la tempe avec son pouce et l'index) tu
as gardé les mêmes lunettes ? Tu n'en as jamais changé ?

— Je… » Tout ce que je pouvais faire, c'était secouer
la tête.

— Quoi ? » Il a tendu les mains. « Tu ne m'en veux
pas d'avoir l'air content de te voir ? »

J'ai ri. Je ne savais pas par où commencer. « Pourquoi
tu ne m'as pas laissé un numéro ? lui ai-je demandé.

— Alors tu n'es pas en colère contre moi ? Tu ne me
détestes pas pour toujours ? » Il ne souriait pas mais se
mordait la lèvre inférieure, l'air amusé. « Tu ne… (il a
tourné brusquement la tête vers la rue) tu ne veux pas
me frapper… ?

— Salut, a lancé une femme mince au regard d'acier,
les hanches fines dans un jean noir, se glissant tout à
coup près de Boris d'une manière qui m'a fait songer que
ça pouvait être sa petite amie ou sa femme. Le célèbre
Potter, a-t-elle ajouté en me tendant une longue main
blanche couverte de bagues argentées. Enchantée. J'ai
beaucoup entendu parler de toi. » Elle était légèrement
plus grande que lui, avec de longs cheveux fins et un
long corps élégamment vêtu de noir, comme un python.
« Moi, c'est Myriam.

— Myriam ? Salut ! Moi c'est Theo, en fait.

— Je sais. » Dans ma main, la sienne était froide. J'ai

remarqué un pentagramme bleu tatoué à l'intérieur de son poignet. « Mais quand il parle de toi, il t'appelle Potter.

— Parler de moi ? Ah bon ? Qu'est-ce qu'il a dit ? » Cela faisait des années que personne ne m'avait appelé Potter, mais sa voix douce m'avait remis en mémoire un mot oublié de ces anciens livres, le langage des serpents et des sombres magiciens : Fourchelang.

Quand elle s'était approchée, Boris avait desserré son bras autour de mon épaule, comme s'il y avait eu un échange de code. Leurs regards se sont croisés – j'y ai tout de suite reconnu un vestige de nos années de vol à l'étalage, quand nous étions en mesure de dire *On y va* ou *Il arrive* sans prononcer le moindre mot – puis Boris, qui semblait agité, a passé ses mains dans les cheveux et m'a regardé avec intensité.

« Tu vas rester ? a-t-il demandé en marchant à reculons.

— Où ça ?

— Dans le quartier.

— Peut-être.

— Je veux... » Il s'est arrêté, sourcils froncés, et a regardé dans la rue par-dessus ma tête. « Je veux te parler. Mais maintenant... (il avait l'air inquiet) pas un bon moment. Dans une heure peut-être ? »

Me jetant un coup d'œil, Myriam a dit quelque chose en ukrainien. Il y a eu un bref échange. Puis elle a glissé son bras sous le mien d'une manière curieusement intime et m'a emmené plus loin dans la rue.

« Là. » Elle a tendu le doigt. « Tu descends par là, quatre-cinq rues. Il y a un bar, sur la 2e Avenue. Un vieux truc polack. C'est là qu'il te retrouvera. »

V

Près de trois heures plus tard, j'étais toujours assis sur une banquette en vinyle rouge chez le Polack, avec des illuminations de Noël qui clignotaient, un mélange énervant de punk rock et de musique de Noël genre polka qui beuglait dans le juke-box, j'en avais marre d'attendre et je me demandais s'il allait venir ou pas, ou si peut-être je devais rentrer chez moi. Je n'avais même pas ses coordonnées – tout était arrivé si vite. Par le passé, j'avais tapé le nom de Boris dans Google juste pour voir – pas la moindre trace – mais bon, je n'avais jamais envisagé non plus qu'il ait pu mener le genre de vie dont on retrouvait la trace sur Internet. Il pouvait être n'importe où, à faire n'importe quoi : nettoyer les sols d'un hôpital, porter une arme dans une jungle étrangère, ou encore ramasser des mégots de cigarettes dans la rue.

On arrivait vers la fin de l'happy hour, il y avait quelques rares étudiants et quelques types genre artiste au milieu des vieux Polonais ventrus et grisonnants et des vieux punks sur le retour. Je venais juste de terminer ma troisième vodka ; ils les versaient généreusement, c'était de la folie d'en reprendre une ; je savais que j'aurais dû commander quelque chose à manger, mais je n'avais pas faim et mon humeur se faisait de plus en plus sinistre et sombre. Constater qu'il s'était envolé après tant d'années était incroyablement déprimant. Je pouvais aussi être philosophe et me dire qu'au moins ça m'avait détourné de ma recherche de drogue : je n'avais pas fait d'overdose, je ne vomissais pas dans une poubelle, je ne m'étais pas fait rouler ni coffrer pour avoir essayé d'acheter à un flic en civil…

« Potter. » Le voilà qui se glissait sur la banquette en face de la mienne, écartant les cheveux de son visage avec un geste familier qui faisait resurgir le passé.

« J'étais sur le point de partir.

— Désolé. » Même sourire de vaurien charmeur. « J'avais un truc à faire. Myriam ne t'a pas expliqué ?

— Non.

— Eh bien. Ce n'est pas vraiment comme si je travaillais dans un cabinet comptable. Écoute, ne sois pas en colère ! m'a-t-il dit en se penchant en avant, les paumes à plat sur la table. Je ne m'attendais pas à tomber sur toi ! Je suis venu aussi vite que j'ai pu ! J'ai couru, pratiquement ! » Il a tendu sa main à moitié fermée et m'a tapoté gentiment la joue. « Bon Dieu ! Ça fait si longtemps ! Content de te voir ! Tu n'es pas content de me voir, toi aussi ? »

En grandissant, il était devenu beau mec. Même quand il était dégingandé et hâve, il avait toujours possédé une finesse agréable, des yeux vifs et une intelligence qui l'était aussi, mais il avait perdu cette candeur semi-affamée et tout le reste s'était mis en place comme il fallait. Sa peau était tannée mais ses vêtements tombaient bien, ses traits étaient anguleux et nerveux, on aurait dit un héros de cavalerie aux manières de pianiste de concert ; et j'ai vu que ses minuscules dents grises désordonnées avaient été remplacées par une rangée standard de dents blanches à l'américaine.

Il a surpris mon regard et donné un petit coup sur une incisive voyante avec son pouce. « Nouveau ratelier.

— J'ai vu.

— C'est un dentiste en Suède qui m'a fait ça, m'a-t-il expliqué en appelant le serveur d'un signe. « Ça m'a coûté une putain de fortune. Ma femme arrêtait pas de me tanner… Borya, ta bouche, c'est une honte ! J'ai dit pas question de faire ça, mais c'est mon meilleur investissement à ce jour.

— Quand tu t'es marié ?

— Hein ?

— Tu aurais pu l'amener. »

Il a eu l'air surpris. « Quoi, tu parles de Myriam ? Non, non... (plongeant la main dans la poche de la veste de son costume et tapotant son téléphone) Myriam n'est pas ma femme ! Ça... (il m'a tendu le portable), *ça* c'est ma femme. Qu'est-ce que tu bois ? » a-t-il demandé avant de se tourner pour s'adresser au serveur en polonais.

La photo sur l'iPhone représentait un chalet couvert de neige avec, devant, une superbe blonde chaussée de skis. À ses côtés, deux petits enfants blonds emmitouflés de sexe indéterminé, également chaussés de skis. Cela ne ressemblait pas tant à un cliché qu'à une pub pour un produit suisse bon pour la santé, comme du yaourt ou du muesli.

Abasourdi, j'ai levé les yeux vers lui. Il a détourné le regard, avec un vieux geste russkof : ouais, eh bien, c'est comme ça.

« Ta *femme* ? Sérieux ?

— Ouais, a-t-il répondu avec un sourcil relevé. C'est mes gamins aussi. Des jumeaux.

— Bordel.

— Oui, a-t-il fait avec du regret dans la voix. Ils sont nés quand j'étais très jeune, trop jeune. Ce n'était pas un bon moment... Elle a voulu les garder : "Borya, comment tu peux"... Qu'est-ce que je pouvais dire ? Pour être honnête, je ne les connais pas très bien. En fait le petit, il n'est pas sur la photo, le petit, je ne l'ai jamais vu. Je crois qu'il n'a que quoi ? Six semaines ?

— Quoi ? » J'ai de nouveau regardé la photo, luttant pour réconcilier cette famille nordique saine avec Boris. « Tu es divorcé ?

— Non non non... » La vodka était arrivée, carafe glacée avec deux verres minuscules, qu'il a remplis. « Astrid et les enfants vivent à Stockholm la plupart du temps. Parfois elle vient skier à Aspen pour le hiver... Elle était championne de ski, qualifiée pour les jeux Olympiques à dix-neuf ans...

— Ah bon ? » ai-je dit en faisant de mon mieux pour ne pas paraître incrédule. Les enfants, c'était plutôt évident quand on regardait de plus près, avaient l'air bien trop blonds et aimables pour avoir un quelconque rapport avec Boris.

« Oui, oui, a enchaîné ce dernier, l'air très sérieux en hochant la tête avec vigueur. Elle a besoin d'être à un endroit où on peut skier et, tu me connais, moi je déteste la putain de neige, ha ! Son père était très très à droite… un nazi, en fait. Je pense… pas étonnant qu'Astrid a des problèmes de dépression avec père comme lui ! Quel vieux connard haineux ! Mais ce sont des gens très malheureux, tous, ces Suédois. Une minute ils rient et ils boivent et la minute d'après… les ténèbres, pas un mot. *Dziękuję* », a-t-il lancé au serveur qui avait réapparu avec un plateau de petites assiettes : du pain noir, une salade de pommes de terre, deux sortes de harengs, des concombres à la crème aigre, du chou farci et des œufs marinés.

« Je ne savais pas qu'ils servaient de la nourriture ici.

— Ils n'en servent pas, a répondu Boris en beurrant une tranche de pain noir et en y ajoutant du sel. Mais je meurs de faim. Alors je leur ai demandé de m'apporter quelque chose d'à côté. » Il a entrechoqué son verre avec le mien. « *Sto lat !* a-t-il trinqué, comme autrefois.

— *Sto lat.* » La vodka était aromatisée avec une herbe amère que je n'arrivais pas à identifier.

« Et donc, ai-je fait en prenant un peu de nourriture. Myriam ?

— Eh bien ? »

Il a tendu ses paumes ouvertes comme quand on était jeunes : *Explique-moi.*

« Ah, Myriam ! Elle travaille pour moi ! C'est mon bras droit, comme qui dirait. Mais, crois-moi, elle vaut largement n'importe quel homme. Quelle femme, mon Dieu. Y en a pas beaucoup comme elle, je te le dis. Elle vaut son poids en or. Donne, donne, m'a-t-il ordonné en remplissant mon verre et en le faisant glisser vers moi. *Za vstrechu* (en levant le sien à ma santé) *!* À notre rencontre !

— Ce n'est pas mon tour de porter un toast ?

— Si si… (il a trinqué avec moi) mais j'ai faim et toi tu as attendu trop longtemps.

— À notre rencontre, alors.

— À notre rencontre ! Et à la chance ! Qui nous a rassemblés ! »

Aussitôt nos verres vides, Boris s'est rué sur la nourriture. « Qu'est-ce que tu fais exactement ? lui ai-je demandé.

— Ceci, cela. » Il continuait de manger avec l'appétit innocent et vorace d'un enfant. « Beaucoup de choses. Je me débrouille, tu me suis ?

— Et tu vis où ? À Stockholm ? »

Il a agité une main expansive. « Partout.

— Comme… ?

— Oh, tu sais. L'Europe, l'Asie, l'Amérique du Nord et du Sud…

— Ça fait beaucoup de pays.

— Eh bien, a-t-il dit, la bouche pleine de hareng en essuyant une grosse goutte de crème aigre sur son menton, je dirige aussi une petite entreprise, si tu vois de quoi je parle.

— Pardon ? »

Il a fait descendre le hareng avec une longue gorgée de bière. « Tu sais comment ça se passe. Mon entreprise soi-disant officielle fait du nettoyage. Pour l'essentiel, des travailleurs de Pologne. Joli jeu de mots aussi dans le nom. "Services de nettoyage polonais." Tu piges ? » Il a mordu dans un œuf mariné. « Tu devines notre slogan ? "Tout doit disparaître", ha ! »

J'ai préféré ne pas relever. « Donc tout ce temps tu étais aux États-Unis ?

— Oh non ! » Il nous avait versé une nouvelle rasade de vodka et levait son verre à ma santé. « Je voyage beaucoup. Je suis ici peut-être six, huit semaines par an. Et le reste du temps…

— En Russie ? ai-je fait en avalant mon verre d'un trait, puis en m'essuyant la bouche avec le dos de la main.

— Pas tant que ça. En Europe du Nord. Suède, Belgique. Allemagne parfois.

— Je croyais que tu étais rentré.

— Hein ?

— Parce que… bon. Je n'ai jamais eu de tes nouvelles.

« Ah. » Boris s'est frotté le nez d'un air penaud. « C'était une période compliquée. Tu te souviens ta maison… ce dernier soir ?

— Bien sûr.

— Bon. Je n'avais jamais vu autant de drogue de ma vie. Du genre quinze grammes de coke et je n'en ai pas vendu un seul, pas même un quart de gramme. J'en ai beaucoup donné, ça s'est sûr… J'ai été très populaire au lycée, ha ! Tout le monde m'adorait ! Mais la plupart, je l'ai sniffé. Puis, les sachets qu'on avait trouvés, avec les cachets de toutes sortes… tu te souviens ? Les petits verts ? Des cachets très sérieux pour les cancéreux en fin de vie… Ton père devait y être accro comme un dingue s'il les prenait.

— Ouais, je me suis retrouvé à en prendre aussi.

— Ah, tu sais, alors ! Ils ne fabriquent même plus ces bons vieux Oxy verts de nos jours ! Maintenant ils ont ce système antijunkies, comme ça on ne peut ni se shooter ni les renifler ! Mais ton père ? Genre… passer de la boisson à *ça* ? Mieux vaut être un pochard dans la rue, à tout prendre. Le premier que j'ai avalé… j'ai tourné de l'œil avant de faire ma seconde ligne, si Kotku n'avait pas été là…

— Ouais, ai-je confirmé au souvenir de ma propre

extase ridicule, chavirée, le visage posé sur mon bureau en haut chez Hobie.

— Toujours est-il que... (Boris a terminé sa vodka d'un trait et nous en a versé une autre) Xandra en vendait. Pas *ça*. C'était à ton père. Pour sa conso perso. Mais elle dealait le reste à son travail. Ce couple, Stuart et Lisa ? Ces gens qui ressemblaient à des agents immobiliers et qui avaient l'air super clean ? Ils la faisaient vivre. »

J'ai posé ma fourchette. « Comment tu sais ça ?

— Parce qu'elle me l'a dit ! Je suppose que ça a tourné au vinaigre quand elle a perdu ses réserves. Mr. Face d'Avocat et Miss Daisy Fourre-tout si gentils gentils chez toi... la tapotant sur la tête : "Qu'est-ce qu'on peut faire"... "Pauvre Xandra..." "On est désolés pour toi"... jusqu'à ce que leurs médocs disparaissent... *pffft*. Et là, ça a été une autre histoire ! Je me suis senti vraiment mal de ce qu'on avait fait, quand elle m'a raconté ! Ça lui a causé de gros problèmes ! Mais à ce moment-là (chiquenaude sur son nez) tout était déjà là-dedans. *Kaput*.

— Attends... Xandra t'a raconté ça ?

— Oui. Après ton départ. Quand je vivais là-bas avec elle.

— Une minute, je vais avoir besoin que tu reviennes un peu en arrière. »

Boris a soupiré. « Bon, d'accord. C'est une longue histoire. Mais on ne s'est pas vus depuis longtemps, hein ?

— Tu as vécu avec Xandra ?

— Tu sais... par intermittences. Quatre-cinq mois peut-être. Avant qu'elle reparte vivre à Reno. J'ai perdu le contact avec elle après ça. Mon père était retourné en Australie, tu comprends, et aussi, Kotku et moi on était fauchés...

— Ça devait être super bizarre.

— Eh ben... ouais, a-t-il fait en s'agitant. Écoute... (il s'est reculé et a refait un signe au serveur) j'étais plutôt dans un sale état. Ça faisait des jours que je dormais pas.

Tu sais comment ça se passe quand tu atterris durement avec la coke… c'est terrible. J'étais seul et j'avais vraiment la trouille. Tu connais ce malaise dans ton âme… les respirations rapides, beaucoup de peur, comme si la Mort allait tendre une main et t'attraper ? Maigre, sale, tremblant de peur. Comme un chaton à moitié mort ! Et c'était Noël en prime, tout le monde était parti ! J'ai appelé des gens, pas de réponse… Je suis allé chez ce type, Lee, j'avais déjà habité dans sa pool house quelque temps, mais il était parti et la porte était fermée à clé. J'ai marché et marché, je trébuchais presque. J'avais froid et j'avais peur ! Personne à la maison ! Alors je suis allé chez Xandra. Kotku ne me parlait plus, à ce moment-là.

— Putain, tu avais des couilles. J'y serais pas retourné même si on m'avait donné un million de dollars.

— Ça oui, j'en avais, mais je me sentais *tellement* seul et malade. Ma bouche tremblait. Du genre… tu veux t'allonger tranquille, regarder un réveil et compter les battements de ton cœur ? Sauf que pas d'endroit où s'allonger tranquillement ; et pas de réveil. J'étais presque en larmes ! Je savais pas quoi faire ! J'étais même pas sûr : est-ce qu'elle était encore là. Mais les lumières étaient allumées, les seules de la rue, je suis entré par la porte-fenêtre et elle était là, avec son T-shirt dauphins, elle préparait des margaritas dans la cuisine.

— Qu'est-ce qu'elle a fait ?

— Ha ! Au début elle voulait pas me laisser entrer ! Je suis resté sur le pas de la porte et j'ai crié pendant longtemps… elle m'a insulté, m'a traité de tous les noms ! Puis je me suis mis à pleurer. Et quand je lui ai demandé si je pouvais rester avec elle (il a haussé les épaules), elle a répondu oui.

— Quoi ? me suis-je exclamé en tendant la main pour attraper le verre qu'il m'avait versé. Tu veux dire rester rester ?

— J'étais complètement flippé ! Elle m'a laissé dormir

dans sa chambre ! Avec la télé branchée sur des films de Noël !

— Hmm. » Je sentais bien qu'il avait envie que je demande plus de détails, mais à voir son expression jubilatoire je n'étais pas si sûr de le croire quand il a parlé d'avoir dormi dans sa chambre. « Eh bien, content que ça ait marché pour toi. Elle a dit quelque chose sur moi ?

— Ben, oui un peu. » Il a gloussé. « Beaucoup, en fait ! Parce que, bon, ne sois pas en colère mais je t'ai accusé pour certaines choses.

— Ravi d'avoir pu t'être utile.

— Oui, bien sûr ! » Il a trinqué avec jubilation. « Merci beaucoup ! Tu ferais pareil, ça me dérangerait pas. Mais honnêtement, pauvre Xandra, je crois qu'elle était contente de me voir. De voir *quelqu'un*. Je veux dire... (avalant son verre d'un trait) c'était fou... ces amis pourris... elle était toute seule là-bas. Elle buvait beaucoup, avec la trouille d'aller au travail. Il aurait pu lui arriver quelque chose, facile, pas de voisins, vraiment flippant. Parce que Bobo Silver... eh bien en fait, Bobo il était pas si méchant. "Le Mensch" ? Ils l'appellent pas comme ça pour rien ! Xandra avait super peur de lui, mais il l'a pas poursuivie pour la dette de ton père, pas sérieusement en tout cas. Pas du tout. Et ton père lui devait beaucoup. Probablement qu'il s'est rendu compte qu'elle était fauchée : ton père l'avait baisée, *elle*, bien comme il faut aussi. Alors autant être correct. Parce qu'il se heurtait à un fameux mur. Mais ces autres gens, soidisant ses amis, ils étaient pire que des banquiers, le genre "Tu me dois de l'argent", des salauds, *vraiment*, avec des putains de contacts, ça faisait peur. Pire que lui ! Pas même grosse somme, mais elle était loin du compte et ils étaient méchants, tous... (tête moqueuse penchée, majeur agressif levé) "Va te faire *foutre*, on n'attend pas, tu ferais bien de trouver une solution", comme ça.

Enfin... bon j'y suis retourné quand j'ai pu, parce que là je pouvais l'aider.

— L'aider comment ?

— En lui rendant l'argent que j'avais pris.

— Tu l'avais gardé ?

— Ben, non, a-t-il répondu sur un ton posé. Je l'avais dépensé. Mais j'avais autre chose sur le feu, tu comprends. Parce que juste après la fin de la coke, j'avais pris l'argent chez Jimmy l'armurier et j'en avais acheté un nouveau stock. Tu comprends, j'achetais ça pour moi et pour Amber, juste nous deux. Fille très très jolie, très innocente et spéciale. Très jeune aussi, genre juste quatorze ans ! Mais il y avait eu soir au MGM Grand où on avait été si proches, assis à parler toute la nuit par terre dans la salle de bains dans la suite du père de KT. On s'est même pas embrassés ! Parler parler parler ! J'en ai pleuré. On a vraiment ouvert nos cœurs l'un à l'autre. Et (main sur le sien) je me suis senti si triste au lever du jour : pourquoi il fallait que ça s'arrête ? Parce qu'on aurait pu rester assis là à se parler *non-stop* ! Ça aurait été si parfait et on aurait été si heureux ! C'est pour dire comme on était devenus proches, tu vois, juste cette nuit-là. Quoi qu'il en soit, c'est pour ça que je suis allé voir Jimmy. Il avait de la coke vraiment merdique, moitié moins bonne que celle de Stewart et Lisa. Mais tout le monde savait, tu vois... tout le monde avait entendu parler de ce week-end au MGM Grand, moi avec toute cette came. Alors les gens sont venus vers moi. Genre, une dizaine, mon premier jour au lycée. Ils me jetaient leur argent. "Tu peux m'en trouver... tu peux m'en trouver... tu peux m'en trouver, mon pote... j'ai des problèmes d'attention, j'en ai besoin pour faire mes devoirs..." Très vite je me suis retrouvé à vendre aux joueurs de foot de terminale et à la moitié de l'équipe de basket. Beaucoup de filles aussi... des copines d'Amber et de KT... des amis de Jordan aussi... des étudiants de l'université de Las Vegas ! J'ai perdu de l'argent sur les premiers lots que j'ai vendus, je savais pas combien demander, j'ai vendu des gros sachets pour trop peu, je voulais que tout le monde m'aime, ouais ouais ouais. Mais une fois que j'avais pigé... je suis devenu riche ! Jimmy m'a accordé de super réductions, il se faisait beaucoup de blé là-dessus aussi. Je lui rendais un grand service, tu comprends, à vendre des drogues à des gamins qui avaient trop peur pour en acheter... peur de personnes comme Jimmy qui les vendaient. KT... Jordan... Ces filles avaient beaucoup d'argent ! *Toujours* contentes de me payer cash. La coke, c'est pas comme l'ecstasy, j'en vendais aussi, mais c'était inégal, y en avait plein d'un coup puis rien les jours suivants ; pour la coke j'avais beaucoup de clients réguliers et ils appelaient deux à trois fois par semaine. Je veux dire, à elle seule KT...

— Waouh. » Même autant d'années après, son prénom me rappelait des choses.

— Oui ! KT ! » On a levé nos verres et on a bu.

« Quelle beauté ! » Boris a reposé son verre avec bruit. « J'avais le vertige quand j'étais à côté d'elle. Juste le fait de respirer le même air.

— Tu as couché avec elle ?

— Non... Dieu sait que j'ai essayé... mais elle m'a juste masturbé dans la chambre de son petit frère un soir où elle était défoncée et de très bonne humeur.

— Putain, je suis vraiment parti au mauvais moment.

— Ça c'est sûr. J'ai joui dans mon pantalon avant même qu'elle ait baissé la fermeture Éclair. Et l'argent de poche de KT... (tendant la main vers mon verre vide). Deux mille dollars par mois ! C'est ce qu'elle avait juste pour les fringues ! Sauf que KT avait déjà tellement de fringues, tu te demandes pourquoi elle a besoin d'en acheter d'autres ? En tout cas, arrivé à Noël, pour moi c'était comme dans les dessins animés où tu vois les pancartes "cling cling" et les dollars. Le téléphone n'arrêtait pas de sonner. J'étais le meilleur copain de tout le monde ! Des filles que j'avais jamais vues avant m'embrassaient, me donnaient les bijoux en or autour de leurs cous ! Je faisais toutes les drogues que je pouvais, chaque jour, chaque soir, des lignes longues comme ma main, et toujours de l'argent partout. J'étais le Scarface de notre lycée ! Un type m'a donné une moto, un autre une voiture d'occasion. Quand je ramassais mes fringues par terre, des centaines de dollars tombaient de mes poches... je n'avais pas la moindre idée d'où ils venaient.

— Ça fait beaucoup d'un coup.

— À qui le dis-tu ! C'est comme ça que j'apprends. On dit que l'expérience être un bon prof, et normalement c'est vrai, mais j'ai de la chance que cette expérience m'ait pas tué. De temps à autre... quand je prends quelquefois des bières... je me fais une ligne ou deux. Mais la plupart du temps ça me plaît plus. Je me suis brûlé jusqu'à l'os. Si tu m'avais croisé, disons il y a cinq ans. J'étais comme... (aspirant ses joues) comme ça. Mais... (le serveur avait réapparu avec du hareng et de la bière) ça suffit, tout ça. Toi... (il m'a dévisagé) quoi ? Tu t'en sors bien, non ?

— Ça va, je suppose.

— Ha ! » Il s'est penché vers l'arrière en allongeant le bras sur le dossier de la banquette. « Drôle de monde, hein ? Les antiquités ? Le vieux pédé ? C'est lui qui t'a embarqué là-dedans ?

— En effet.

— Grande escroquerie, à ce que j'ai entendu dire.

— C'est vrai. »

Il m'a dévisagé de nouveau. « Heureux ?

— Pas très.

— Écoute, alors ! J'ai... super idée ! Viens travailler pour moi ! »

J'ai éclaté de rire.

« Non, sans blaguer ! Non non, a-t-il dit en me faisant

taire avec autorité tandis que j'essayais de parler plus fort que lui, me versant un nouveau verre, le faisant glisser vers moi en travers de la table, combien il te donne ? Sérieux. Je te donne deux fois.

— Non, j'aime mon *travail*... (j'ai suraccentué le mot, étais-je aussi beurré que je semblais l'être ?) j'aime ce que je *fais*.

— T'es sûr ? » Il a soulevé son verre en mon honneur. « Alors pourquoi tu n'es pas heureux ?

— Je n'ai pas envie d'en parler.

— Et pourquoi pas ? »

J'ai fait un signe de la main avec dédain. « Parce que... » J'avais perdu le compte du nombre de verres que j'avais bus. « Juste parce que.

— Si pas travail, alors... c'est quoi ? » Il avait avalé son verre d'un seul trait, avec un grand coup de tête, et il a attaqué la nouvelle assiette de harengs. « Des problèmes d'argent ? De fille ?

— Ni l'un ni l'autre.

— De fille alors, s'est-il exclamé sur un ton triomphant. Je le savais.

— Écoute... » J'ai éclusé le restant de ma vodka et donné un coup sur la table – quel génie j'étais, je ne pouvais m'empêcher de sourire, je venais d'avoir la meilleure idée depuis des années ! « Ça suffit. Allez, on y va ! J'ai une grosse grosse surprise pour toi.

— *Y aller ?* a répliqué Boris, visiblement irrité. Aller où ?

— Viens avec moi. Tu verras.

— Je veux rester ici.

— Boris... »

Il s'est redressé. « Arrête, Potter, relax, a-t-il fait en levant les mains.

— Boris ! » J'ai regardé les gens amassés au bar, comme si je m'attendais à une indignation massive, puis je suis revenu vers lui. « J'en ai marre d'être assis ici ! *Ça fait des heures* que je suis ici.

— Mais… » Il était contrarié. « J'ai libéré toute ma soirée pour toi ! J'avais des trucs à faire ! Tu t'en vas ?

— Oui ! Et tu viens avec moi. Parce que (j'ai ouvert les bras) tu dois voir la surprise !

— Une surprise ? » Il a jeté sa serviette roulée en boule. « Quelle surprise ?

— Tu verras. » C'était quoi, son problème ? Avait-il oublié comment s'amuser ? « Allez, viens, on sort d'ici.

— Pourquoi ? Maintenant ?

— Parce que ! » Le bar était devenu un sombre grondement ; je ne m'étais jamais senti aussi sûr de moi de toute ma vie, tellement content de mon intelligence. « Allez. Finis ton verre !

— Il faut vraiment y aller ?

— Ça va te plaire, je te promets. Allez ! ai-je insisté en tendant la main et en secouant son épaule aimablement, croyais-je. Enfin bon, pas de blague, c'est une surprise et elle est tellement bonne que tu ne vas pas en revenir. »

Il s'est carré dans la banquette et m'a lancé un regard souçonneux. « Je crois que tu es en colère contre moi.

— Boris, bordel. » J'étais tellement soûl que j'ai trébuché, me suis levé, et ai dû me rattraper à la table. « Ne discute pas. On y va.

— Je pense que c'est une erreur d'aller quelque part avec toi.

— Oh ? » Je l'ai regardé avec un œil à demi fermé. « Tu viens, ou pas ? »

Boris m'a dévisagé avec flegme. Puis il s'est pincé l'arête du nez et il a jeté : « Tu me dis pas où on va.

— Non.

— Ça te dérange pas si mon chauffeur nous emmène, alors ?

— Ton chauffeur ?

— Bien sûr. Il attend à deux-trois rues d'ici.

— Bordel. » J'ai détourné les yeux et me suis mis à rire. « Tu as un *chauffeur* ?

— Ça te dérange pas si on va avec lui, alors ?

— Pourquoi ça ? » ai-je répondu après une brève pause. Soûl comme j'étais, son attitude m'avait stoppé net : il me regardait avec un air spécial, calculateur et inflexible, que je ne lui avais jamais vu avant.

Boris a avalé le restant de sa vodka cul sec puis il s'est levé. « Très bien, a-t-il consenti en faisant tournoyer librement une cigarette non allumée entre ses doigts. Finissons-en avec ces idioties, alors. »

VI

Quand j'ai ouvert la porte d'entrée chez Hobie, Boris se tenait en retrait comme s'il croyait que ma clé dans la serrure allait déclencher une énorme explosion de la maison. Son chauffeur était devant en double file, noyé dans des nuages d'émanations ostentatoires. Une fois dans la voiture, toute la conversation entre le chauffeur et lui s'était déroulée en ukrainien : rien que je puisse comprendre, même avec mes deux semestres de conversation russe à la fac.

« Entre », ai-je fait, tout juste capable de réprimer un sourire. Que croyait-il, l'imbécile, que j'allais lui sauter dessus, le kidnapper ou quoi ? Mais il était toujours dans la rue, les poings dans les poches de son manteau, regardant par-dessus son épaule vers son chauffeur, qui s'appelait Genka ou Gyuri ou Gyorgi ou j'ai oublié, bordel.

« Qu'est-ce qu'il y a ? » Si j'avais été moins bourré, sa paranoïa aurait pu me mettre en colère, mais je trouvais surtout que c'était hilarant.

« Redis-moi pourquoi est-ce qu'on a dû venir ici ? m'a-t-il demandé en se tenant bien loin.

— Tu vas voir.

— Et tu habites ici ? a-t-il interrogé l'air soupçonneux en regardant dans le couloir. C'est ta maison ? »

J'avais fait plus de bruit que ce que je croyais avec la porte. « Theo ? C'est toi ? a lancé Hobie depuis le fond de la maison.

— Oui. » Il était habillé pour dîner, costume-cravate – merde, me suis-je dit, est-ce qu'il y aurait des invités ? J'ai eu un choc en me rendant compte que c'était à peine l'heure de manger, j'avais l'impression qu'il était trois heures du matin.

Boris s'était glissé avec précaution derrière moi, les mains dans les poches de son manteau, laissant la porte d'entrée grande ouverte derrière lui, les yeux posés sur les grosses urnes en basalte, le lustre.

« Hobie. » Il s'était aventuré dans le couloir, sourcils levés, Mrs. DeFrees trottinant avec appréhension derrière lui. « Salut, Hobie, tu te souviens que je t'avais parlé de…

— *Popchik !* »

Trottant avec application le long du couloir vers la porte d'entrée, la petite boule blanche s'est figée. Puis on a entendu un cri aigu quand elle s'est mise à courir de toutes ses forces (ce qui n'était plus très vite) et, poussant des hourrah de joie, Boris est tombé à genoux.

« Oh (l'empoignant tandis que Popchik se tortillait et se débattait) ! Tu es devenu gros ! Il a grossi, a-t-il dit sur un ton indigné tandis que Popchik sautait et lui léchait le visage. Tu l'as laissé grossir ! Oui, bonjour, *poustyshka*, petite boule de poils, bonjour ! Tu te souviens de moi, hein ? » Il avait roulé sur le dos, il riait, étendu, tandis que Popchik, qui criait toujours de joie, lui sautait dessus. « Il se souvient de moi ! »

Ajustant ses lunettes, Hobie regardait, l'air amusé. Mrs. DeFrees, pas si amusée, elle, était plantée derrière Hobie et fronçait légèrement les sourcils face à ce spectacle de mon invité sentant la vodka qui roulait et culbutait avec le chien sur la moquette.

« Ne me dis pas, a fait Hobie en mettant les mains dans les poches de son costume, qu'il s'agit de... ?

— Mais si. »

VII

Nous ne sommes pas restés longtemps – Hobie avait beaucoup entendu parler de Boris au fil des années, allons boire un verre ! et Boris était tout aussi intéressé, et curieux, que je l'aurais été si Judy de Karmeywallag ou toute autre personne mythique de son passé était apparue – mais nous étions ivres et trop turbulents, et j'ai craint que nous ne contrariions Mrs. DeFrees qui, bien que souriant poliment, était assise plutôt immobile et silencieuse sur une chaise dans l'entrée, ses minuscules mains couvertes de bagues croisées sur les genoux.

Donc nous sommes partis, Popchik trottinant tout excité sur nos talons, Boris criant et, ravi, faisant signe à la voiture de faire demi-tour pour nous prendre : « Oui, *poustyshka*, oui ! (À Popper.) C'est nous ! On a une voiture ! »

Puis, tout d'un coup il m'a semblé que le chauffeur de Boris parlait anglais aussi bien que lui, et on était copains tous les trois – tous les quatre en comptant Popper debout sur ses pattes arrière ; les pattes avant appuyées contre la vitre, il regardait avec grand sérieux les lumières du West Side Highway pendant que Boris lui baragouinait des choses, le câlinait et l'embrassait sur la nuque tout en expliquant, simultanément, à Gyuri (le chauffeur) en anglais et en russe combien j'étais merveilleux, ami d'enfance et frère de sang (Gyuri a fait passer son bras gauche par-dessus son épaule et le dossier pour me serrer solennellement la main à l'arrière) et comme la vie était précieuse quand deux amis pareils, dans monde aussi grand, se retrouvaient après si longue séparation !

« Oui, a répondu Gyuri d'un air sombre tandis qu'il prenait le virage sur Houston Street si sèchement que j'ai glissé contre la portière. C'était pareil pour moi et Vadim. Je le pleure chaque jour… je le pleure tellement fort que la nuit je me réveille pour pleurer. Vadim était mon frère… (me jetant de nouveau un coup d'œil ; les gens s'éparpillaient tandis qu'il fonçait sur le passage piétons, visages ahuris de l'autre côté des vitres teintées) c'était plus-que-frère. Comme Borya et moi. Mais Vadim…

— Ça a été terrible, m'a tranquillement expliqué Boris, puis, à Gyuri : Oui, oui, terrible…

— On a vu Vadim mis trop vite en terre. C'est vrai, la chanson à la radio, tu la connais ? Billy Joel ? *Only the good die young.*

— Il nous attend là-haut, a répondu Boris en guise de consolation et en tendant la main par-dessus le siège pour tapoter Gyuri sur l'épaule.

« Oui, c'est ce que je lui ai conseillé de faire, a marmonné Gyuri en se rabattant si soudainement devant une voiture que j'ai été violemment bloqué par la ceinture et que Popchik a volé en l'air. Ces choses vont loin… On ne peut pas les honorer avec des mots. La langue humaine peut pas exprimer. Mais à la fin, quand on l'a couché avec la pelle, je lui ai parlé avec mon âme. "Au revoir, Vadim. Tiens-moi la porte ouverte, mon frère. Garde-moi une place là où tu es." Sauf que Dieu… (*S'il te plaît,* me suis-je dit en essayant de garder une expression digne tout en prenant Popchik sur mes genoux, *regarde la route, bordel*) Fyodor, s'il te plaît aide-moi, j'ai deux grandes questions à propos de Dieu. Tu es un prof d'université (quoi ?) alors peut-être que tu peux répondre pour moi. Première question (ses yeux ont croisé les miens dans le rétroviseur et il a lancé un doigt en l'air) : est-ce que

Dieu a le sens de l'humour ? Seconde question : est-ce que Dieu a un sens de l'humour *cruel* ? Tu vois : est-ce que Dieu joue avec nous et nous torture pour son propre amusement, comme enfant vicieux avec insecte du jardin ?

— Euh, ai-je fait, alarmé par l'intensité avec laquelle il me regardait à la place du tournant qui s'annonçait, eh bien, peut-être, je ne sais pas, j'espère bien que non.

— Ce n'est pas la bonne personne à qui poser ces questions, lui a expliqué Boris en m'offrant une cigarette et en en passant une à Gyuri par-dessus le siège avant. Dieu a suffisamment torturé Theo. Si la souffrance rend noble, alors lui c'est un prince. Maintenant, Gyuri... (il s'est carré dans le siège arrière dans des nuages de fumée) un service.

— Ce que tu voudras.

— Est-ce que tu pourras t'occuper du chien après nous avoir amenés ? Tu le prends sur siège arrière là où il a envie d'aller ? »

Le club était dans le Queens, je n'aurais pas pu dire où. Dans la pièce de devant, la moquette rouge faisait penser au salon d'un patriarche où l'on irait embrasser son grand-père sur la joue dès sa sortie de prison, on aurait dit une grande réunion de famille, avec des buveurs assis dans des fauteuils style Louis XVI qui mangeaient, fumaient, criaient et se tapaient dans le dos autour de tables enrubannées de tissu métallisé doré. Derrière, sur les murs laqués d'un rouge profond, des guirlandes et des décorations de Noël de la période soviétique déployaient leurs ampoules à filament et figurines en aluminium coloré – des coqs, des oiseaux dans leur nid, des étoiles rouges, des vaisseaux spatiaux et des faucilles et marteaux avec des slogans kitsch en cyrillique (*Bonne année, cher Staline*) –, suspendues d'une manière à la fois exubérante et sommaire. Boris (bien bourré... il avait bu à la bouteille sur le siège arrière) avait passé son bras autour de moi et me présentait en russe aux jeunes et aux vieux comme étant son frère, ce que les gens semblaient comprendre de manière littérale à en juger par tous les hommes et les femmes qui me prenaient dans leurs bras, m'embrassaient et s'emparaient de leurs magnums de vodka dans des seaux à glaçons en cristal pour tenter de me verser à boire.

Pour finir, je ne sais trop comment, on a fini par arriver à la salle privée à l'arrière : rideaux de velours noir protégés par une brute au crâne rasé et aux yeux de vipère tatoué en cyrillique jusqu'à la mâchoire. À l'intérieur, la pièce du fond débordait de musique et de sueur, d'after-shave, de fumée d'herbe et de cigares : Armani, survêtements et Rolex en diamant et en platine. Je n'ai jamais vu autant d'hommes porter autant d'or : bagues en or, chaînes en or, dents de devant en or. C'était comme un rêve exotique, perturbant, étincelant de mille feux ; et j'étais au stade difficile de l'ivresse où je ne pouvais focaliser sur rien ou faire autre chose que hocher la tête, me faufiler et laisser Boris me traîner dans la foule. À un moment donné, au cœur de la nuit, Myriam a réapparu telle une ombre ; après m'avoir salué avec un baiser sur la joue qui m'a semblé morne et sinistre, gelé dans le temps comme un geste cérémonieux, Boris et elle se sont envolés, me laissant à une table bourrée de citoyens russes ivres morts et fumant à la chaîne qui semblaient tous savoir qui j'étais (« Fyodor ! »), me tapaient dans le dos, me versaient des verres, m'offraient de la nourriture et des Marlboro, m'interpellant aimablement en russe sans sembler attendre que je réponde…

Une main posée sur mon épaule. Quelqu'un qui m'enlevait mes lunettes. « Salut ? » ai-je lancé à l'inconnue tout à coup assise sur mes genoux.

Zhanna. Salut, Zhanna ! Qu'est-ce que tu fais ? Pas grand-chose. Et toi ? Star du porno, bronzée en institut, avec des seins gonflés chirurgicalement qui débordent du décolleté de sa robe. La divination se transmet dans ma famille : tu me laisses lire tes lignes ? Oui, bien sûr : son anglais était plutôt bon, bien qu'il soit difficile de distinguer ce qu'elle disait avec le vacarme du club.

« Je vois que tu es philosophe de nature. » Suivant les lignes dans ma paume avec le bout d'un ongle rose Barbie. « Très très intelligent. Beaucoup de hauts et de bas... Tu as fait un peu de tout dans la vie. Mais tu te sens seul. Tu rêves de rencontrer une fille pour passer le reste de vos vies, correct ? »

Puis Boris a réapparu, seul. Il a tiré une chaise et s'est assis. A suivi une brève conversation amusée en ukrainien entre lui et ma nouvelle copine, qui s'est terminée par le retour de mes lunettes sur mon nez et son départ, mais pas avant d'avoir tapé une cigarette à Boris et de l'avoir embrassé sur la joue.

« Tu la connais ? lui ai-je demandé.

— Jamais vue de ma vie, a-t-il répondu en allumant une cigarette. On peut y aller maintenant si tu veux. Gyuri attend dehors. »

VIII

Cette fois, il se faisait tard. Le siège arrière de la voiture était reposant après toute la confusion du club (lueur intime du tableau de bord, radio en sourdine) et on a roulé pendant des heures avec Popchik profondément endormi sur les genoux de Boris, à rire et à parler, avec Gyuri qui suivait le mouvement en criant d'une voix rauque des histoires sur sa jeunesse à Brooklyn dans ce qu'il appelait "les briques" (les HLM), pendant que Boris et moi buvions de la vodka chaude à la bouteille et nous faisions des lignes de coke prise dans le sac qu'il avait sorti de la poche de son manteau

– Boris le faisant passer devant à Gyuri de temps à autre. Le climatisateur était branché mais dans la voiture c'était torride ; le visage de Boris était en sueur et ses oreilles d'un rouge flamboyant. « Tu vois… », a-t-il dit. Il avait commencé à enlever sa veste ; il a ôté ses boutons de manchettes, les a laissés tomber dans sa poche, a remonté les manches de sa chemise. « C'est ton père qui m'a appris à m'habiller correct. Je lui en suis reconnaissant.

— Ouais, mon père nous a appris plein de choses à tous les deux.

— Oui, a-t-il renchéri avec sincérité (hochement de tête vigoureux, pas d'ironie, s'essuyant le nez du tranchant de la main). Il avait toujours l'air gentleman. T'as vu la plupart de ces types au club… manteaux de cuir, survêtements en velours, le look typique de l'immigré. Beaucoup mieux de s'habiller simple, comme ton père, jolie veste, jolie montre mais *klássnyy*, tu sais, simple, essayer de se fondre.

— Oui. » Comme c'était ma spécialité de remarquer ce genre de choses, j'avais déjà repéré la montre de Boris – suisse, dans les cinquante mille dollars, une montre de playboy européen – trop voyante à mon goût mais extrêmement sobre comparée aux gros pavés dorés et platine incrustés de pierreries que j'avais repérés à son club. J'ai vu une étoile de David bleue tatouée à l'intérieur de son avant-bras.

« C'est quoi ça ? »

Il a tendu son poignet. « C'est une IWC. Une montre en or, c'est comme du liquide à la banque. Tu peux toujours la mettre au clou ou en tirer du fric en cas d'urgence. C'est de l'or blanc, mais on dirait de l'inoxydable. Mieux d'avoir montre qui a l'air moins cher que ce qu'elle vaut vraiment.

— Non, le tatouage.

— Ah. » Il a remonté sa manche et a contemplé son

bras avec l'air de regretter – mais je ne le regardais plus. La lumière dans la voiture n'était pas géniale, mais je savais reconnaître des marques d'aiguilles. « L'étoile, tu veux dire ? Longue histoire.

— Mais... » Je savais qu'il était inutile de poser des questions sur les marques. « Tu n'es pas juif.

— Non ! s'est exclamé Boris avec indignation en rabaissant sa manche. Bien sûr que non !

— Eh bien, alors, je suppose que la question serait pourquoi...

— Parce que j'avais dit à Bobo Silver que je l'étais.

— Quoi ?

— Parce que je voulais qu'il m'embauche ! Alors j'ai menti.

— Putain.

— Oui ! Je l'ai fait ! Il venait tout le temps chez Xandra, il surveillait la rue, cherchait quelque chose de véreux, peut-être que ton père n'était pas mort... et un jour j'ai pris mon courage à deux mains pour aller lui parler. Je lui ai proposé de travailler pour lui. J'avais perdu le contrôle... au lycée il y avait des soucis, certains étaient partis en désintox, d'autres avaient été renvoyés, je devais couper les ponts avec Jimmy, tu comprends, faire autre chose pendant quelque temps. Et oui, mon nom de famille ne colle pas, mais en Russie, Boris est le prénom de nombreux Juifs, alors je me suis dit : pourquoi pas ? Comment il saura ? J'ai pensé que le tatouage serait bien... pour le convaincre, tu vois, que j'étais OK. J'ai demandé à un type qui me devait cent dollars de me le faire. J'ai inventé une bonne grosse tragédie, ma mère juive polonaise, sa famille en camp de concentration, bouh hou hou... quel idiot, je ne me suis pas rendu compte que les tatouages étaient contraires à la tradition juive. Pourquoi tu ris ? s'est-il interrompu, sur la défensive. Quelqu'un comme moi... je pouvais lui être utile, tu comprends ? Je parle anglais, russe, polonais et ukrainien. Je suis instruit. De toute façon il savait très bien que je n'étais pas juif, il m'a ri au nez, mais il m'a embauché et c'était très gentil de sa part.

— Comment tu as pu travailler pour ce type qui voulait tuer mon père ?

— Il ne voulait pas tuer ton père ! C'est pas vrai, ou pas juste. Simplement lui faire peur ! Mais… oui j'ai bien travaillé pour lui, presque une année.

— Qu'est-ce que tu faisais ?

— Rien de sale, crois-moi, ou me crois pas ! J'étais juste son assistant, son messager, je faisais des allers-retours, comme ça. Je promenais ses petits chiens ! J'allais chercher ses vêtements au pressing ! Bobo a été ami bon et généreux pour moi dans une mauvaise passe… un père presque, je peux te le dire la main sur le cœur, c'est sincère. Sûrement plus un père pour moi que mon propre père. Bobo était toujours juste. Plus que juste. Gentil. J'ai beaucoup appris de lui, en le regardant en action. Alors ça me dérange pas tant que ça de porter cette étoile pour lui. Et ça… (il a remonté sa manche jusqu'au biceps pour me montrer une rose percée d'une épine accompagnée d'une inscription en cyrillique) c'est pour Katya, l'amour de ma vie. Je l'ai aimée plus que n'importe quelle autre femme.

— Tu dis ça chaque fois.

— Oui, mais avec Katya, c'est vrai ! J'aurais marché sur du verre pilé pour elle ! J'aurais traversé l'enfer, le feu ! J'aurais donné ma vie, avec joie ! Je n'aimerai jamais une personne sur Terre de nouveau comme Katya… même pas en rêve. C'était la seule et unique. Je mourrais, et j'en serais heureux, pour passer juste une journée avec elle. Mais (rabaissant sa manche) il ne faudrait jamais se faire tatouer le prénom d'une personne, parce que après on la perd. J'étais trop jeune pour le savoir quand j'ai fait faire le tatouage. »

IX

Je n'avais pas sniffé de coke depuis que Carole Lombard avait quitté la ville et je n'arrivais pas à dormir. À six heures trente, Gyuri tournait dans le Lower East Side avec Popchik à l'arrière (« Je vais l'emmener à l'épicerie fine ! Pour un œuf au bacon et au fromage ! ») et on s'est retrouvés, planant, à papoter dans un bar froid et humide ouvert vingt-quatre heures sur vingt-quatre sur l'Avenue C, avec des murs couverts de graffitis et de la toile à sac sur les fenêtres pour protéger du soleil, *Ali Baba Club*, Verres à Trois Dollars, Happy Hour de dix heures du matin à midi, on a essayé de boire assez de bière pour être un peu sonnés.

« Tu sais ce que j'ai fait en fac ? » Je lui racontais. « J'ai pris un cours de conversation russe pendant une année. À cause de toi. J'ai vraiment merdé dans ce cours. J'ai jamais été assez bon pour pouvoir lire, tu sais, m'asseoir avec *Eugène Onéguine*… On dit qu'il faut le lire en russe, que ça ne rend pas bien en traduction. Mais… j'ai tellement pensé à toi ! Je me souvenais de petits trucs que tu m'avais dits, toutes sortes de choses me revenaient… Oh, waouh, écoute, ils passent *Comfy in Nautica*, tu entends ? Panda Bear ! J'avais complètement oublié cet album. Enfin bon. À la fin du trimestre j'ai écrit une dissert sur *L'Idiot* pour mon cours de littérature russe, Littérature russe en traduction, durant tout le temps où je l'ai lu je t'ai revu en train de fumer les cigarettes de mon père dans ma chambre. C'était tellement plus facile de pister les noms si je t'imaginais en train de les dire dans ta tête… En fait, c'était comme si j'avais entendu tout le livre avec ta voix ! À Vegas tu as lu *L'Idiot* pendant quoi, six mois, tu te souviens ? En russe. Pendant longtemps, c'est tout ce que tu as fait. Souviens-toi comment, pendant longtemps aussi, tu ne pouvais pas descendre à cause de Xandra, je devais te monter à manger, comme Anne Frank ? Quoi qu'il en soit, je l'ai lu en anglais, *L'Idiot*, mais c'était aussi pour ça que je voulais arriver à ce niveau de russe. Malheureusement ça n'a jamais eu lieu.

— Oh, ces putains d'études, a répliqué Boris que, de toute évidence, cela n'impressionnait pas. Si tu veux parler russe, viens à Moscou avec moi. Tu le parleras en deux mois.

— Alors, est-ce que tu vas me raconter ce que tu fais ?

— Comme je t'ai dit. Ceci cela… un peu de tout. Juste assez pour m'en sortir. » Puis, me donnant un coup sous la table : « Tu sembles aller mieux maintenant, non ?

— Hein ? » Il n'y avait que deux autres personnes avec nous dans la première salle, un beau couple d'une pâleur mortelle, un homme et une femme aux cheveux courts et foncés, les yeux dans les yeux, l'homme avait pris la main de la femme en travers de la table et lui mordillait et mâchouillait l'intérieur du poignet. *Pippa*, me suis-je dit avec un pincement d'angoisse. C'était presque l'heure de déjeuner à Londres. Qu'est-ce qu'elle faisait ?

« Quand je suis tombé sur toi, tu semblais prêt à aller te jeter dans la rivière.

— Désolé, c'était une journée difficile.

— Mais c'est un endroit génial que tu as là-bas, a poursuivi Boris. De là où il était assis, il ne voyait pas le couple. Alors comme ça vous faites équipe ?

— Non ! Pas comme ça.

— Ce n'est pas ce que je voulais dire ! » Boris m'a regardé d'un œil critique. « Bon sang, Potter, ne sois pas aussi susceptible ! De toute façon c'était sa femme, la dame, non ?

— Oui, ai-je répondu avec nervosité en me carrant sur ma chaise. Oui, enfin, si on veut. » La relation entre Hobie et Mrs. DeFrees demeurait pour moi un profond mystère, tout comme le mariage de cette dernière avec Mr. DeFrees. « Pendant des lustres j'ai cru qu'elle était veuve, mais elle ne l'était pas. Elle... (je me suis penché en avant et me suis frotté le nez). Tu vois, elle vit dans le nord de Manhattan et lui au sud, mais ils sont tout le temps fourrés ensemble... Elle a une maison dans le Connecticut, parfois ils partent tous les deux pour le week-end. Elle est mariée... mais je ne vois jamais son mari. Je n'ai toujours pas compris. Pour te dire la vérité, je pense qu'ils sont probablement juste bons amis. Désolé de blablater. Je ne sais vraiment pas pourquoi je te raconte tout ça.

— Et il t'a appris ton métier ! Ça m'a l'air d'être un type gentil. Un vrai gentleman.

— Hein ?

— Ton patron.

— Ce n'est pas mon patron ! Je suis son associé. » Le scintillement des drogues déclinait ; le sang bruissait dans mes oreilles, note aiguë et vive comme le chant des cigales. « En fait c'est moi qui dirige plus ou moins toute la partie ventes.

— Désolé ! a tempéré Boris en levant les mains. Pas besoin de t'emballer. Mais j'étais sérieux quand je t'ai demandé de venir travailler avec moi.

— Et comment je suis supposé te répondre ?

— Écoute, j'ai une dette envers toi. C'est pour ça que je veux te laisser partager toutes les bonnes choses qui me sont arrivées. Parce que je te dois tout, a-t-il dit en m'interrompant d'un geste grandiloquent. Tout ce qui m'est arrivé de bon dans ma vie, c'est grâce à toi, Potter.

— Quoi ? Je t'ai introduit dans le commerce de la drogue ? Waouh, OK, c'est bon à savoir, maintenant je me sens beaucoup mieux, merci, ai-je fait en allumant une de ses cigarettes et en poussant le paquet vers lui.

— Le commerce de la drogue ? Qui parle de ça ? Je

veux me racheter ! À cause de ce que j'ai fait. Je te le dis, c'est une vie géniale. On s'amuserait bien ensemble.

— Tu gères un service d'escort girls ? C'est ça ?

— Écoute, tu veux que je t'avoue un truc ?

— Je t'en prie.

— Je suis vraiment désolé pour ce que je t'ai fait.

— Oublie. Je m'en fiche.

— Pourquoi est-ce que tu ne partagerais pas certains de ces bénéfices que j'ai empochés grâce à toi ? Pourquoi tu ne ferais pas ton beurre, toi aussi ?

— Bien, je peux dire quelque chose, Boris ? Je ne veux pas être impliqué dans quoi que ce soit de louche. Ne te vexe pas, mais je trime pour essayer de me sortir d'un truc et, comme je l'ai dit, je suis fiancé maintenant, c'est différent, je ne crois vraiment pas que je veuille…

— Alors pourquoi tu me laisses pas t'aider ?

— Ce n'est pas ce que je veux dire. Je veux dire… Eh bien, je n'ai pas envie d'entrer dans les détails, mais j'ai fait des choses que je n'aurais pas dû faire, et je veux les rectifier. Enfin, j'essaie de trouver un moyen de les rectifier.

— C'est dur de rectifier. On n'a pas souvent l'occasion. Parfois tout ce qu'on peut réussir, c'est ne pas se faire attraper. »

Le couple splendide s'était levé, main dans la main, ils ont écarté le rideau de perles et ont dérivé de concert dans l'aube froide qui pointait. J'ai regardé les perles cliqueter et bouger dans leur sillage, ondulant avec le balancement des hanches de la fille.

Boris s'est rassis. Ses yeux étaient fixés sur les miens. « J'ai essayé de le récupérer pour toi, a-t-il dit. J'aimerais pouvoir.

— Quoi ? »

Il a froncé les sourcils. « Eh bien… c'est pour ça que je suis passé à la boutique. Tu sais. Je suis sûr que tu as entendu parler de cette histoire à Miami. Je m'étais inquiété de ce que tu penserais quand ça ferait la une... et, honnêtement, j'avais un peu peur qu'ils remontent jusqu'à toi par mon intermédiaire, tu comprends ? Plus tellement maintenant, mais... bon. J'ai été dedans jusqu'au cou, bien sûr... mais je *savais* que le piège était foireux. J'aurais dû écouter mon instinct. Je... » Il a plongé sa clé pour un nouveau sniff rapide ; nous étions les seuls clients ; la petite serveuse tatouée, ou l'hôtesse, ou peu importe son titre, avait disparu dans la salle rudimentaire derrière où, d'après ce que j'ai saisi d'un très bref coup d'œil, des gens sur des canapés dignes d'un vide-grenier semblaient rassemblés pour regarder du porno des années 1970. « Enfin soit. C'était terrible. J'aurais dû me méfier. Des gens ont été blessés et moi je m'en suis tiré de justesse, mais ça m'a appris une bonne leçon. C'est toujours une erreur... Hé, attends, je vais attaquer l'autre côté... Comme je disais, c'est *toujours* une erreur de faire affaire avec des gens qu'on ne connaît pas. » Il s'est pincé une narine et m'a passé le sac en dessous de la table. « C'est le truc que tu sais et que tu oublies toujours. Ne jamais faire affaire avec des inconnus sur un gros coup ! Jamais ! Les gens peuvent dire "oh, cette personne est bien"... moi, je ne demande qu'à les croire, c'est ma nature. Mais c'est comme ça que les mauvais trucs arrivent. Tu vois, mes amis je les connais. Mais les amis de mes amis ? Pas si bien ! C'est comme ça que les gens attrapent le sida, hein ? »

C'était une erreur, je le savais tout en le faisant, de sniffer davantage de coke ; j'en avais déjà beaucoup trop pris, ma mâchoire était serrée et le sang battait dans mes tempes alors que le malaise de la descente m'avait insensiblement gagné, une fragilité semblable à une plaque de verre à vitres qui tremble.

« Enfin bon. » Il parlait très vite, son pied tapait et s'agitait avec nervosité sous la table. « J'ai réfléchi comment le récupérer. Réfléchi réfléchi réfléchi ! Bien sûr je ne peux plus m'en servir moi-même. Je me suis grillé pour de bon. Bien sûr... (il a bougé en s'agitant) ce n'est pas vraiment pour ça que je suis venu te voir non plus. En partie je voulais m'excuser. Te dire "désolé" en personne. Parce que... honnêtement, je le suis. Et en partie, aussi, avec tous ces trucs aux infos... je voulais te dire de ne pas t'inquiéter, parce que peut-être tu penses... eh bien, je ne sais pas ce que tu penses. Seulement... je n'aimais pas l'idée que tu entendes tout ça et que tu aies peur, que tu ne comprennes pas. Que tu penses qu'on pouvait remonter jusqu'à toi. Je me suis senti très mal. Et c'est pour ça que je voulais te parler. Pour te dire que je t'avais tenu à l'écart de tout ça... personne ne peut faire le lien entre nous. Et en plus pour te dire que j'essaie vraiment vraiment de le récupérer. J'essaie très fort. Parce que (trois doigts sur le front) j'ai amassé une fortune grâce à lui, et j'aimerais vraiment que tu l'aies de nouveau pour toi tout seul... tu sais, l'objet lui-même, en souvenir du bon vieux temps, pour que tu l'aies, qu'il soit vraiment à toi, que tu le gardes dans ton placard ou je ne sais pas où, que tu puisses le sortir et le regarder, comme autrefois, tu comprends ? Parce que je sais à quel point tu l'aimais. Pour tout te dire, moi aussi j'en suis arrivé à ce stade-là. »

Je l'ai fixé. Dans l'étincelle nouvelle de la drogue, ce qu'il racontait avait fini par se frayer un chemin. « Boris, de quoi tu parles ?

— Tu sais bien.

— Non, je ne sais pas.

— Ne m'oblige pas à le dire à voix haute.

— Boris...

— J'ai essayé de t'expliquer. Je t'ai supplié de ne pas partir. Je te l'aurais rendu si tu avais attendu juste un jour de plus. »

Le rideau de perles continuait de cliqueter et d'onduler dans le courant d'air. Petites vagues sinueuses de verre.

Le dévisageant, j'étais transpercé par la sensation légère et obscure d'un rêve entrant en collision avec un autre : cliquetis de couverts durant le déjeuner pénible dans le restaurant de Tribeca, Lucius Reeve avec son sourire narquois en face de moi.

« Non, ai-je fait en m'enfonçant sur ma chaise avec un picotement de sueur froide et en mettant mes mains sur le visage. Non.

— Quoi, tu croyais que c'était ton père qui l'avait pris ? J'espérais un peu que tu penserais ça. Parce qu'il était tellement dans le pétrin. Déjà de t'avoir volé. »

J'ai frotté mes mains le long de mon visage et je l'ai regardé, incapable de parler.

« Je l'ai échangé. Oui. C'était moi. Je croyais que tu savais. Écoute, je suis désolé ! a-t-il dit tandis que je restais bouché bée. Il était dans mon casier au lycée. Une blague, tu sais. Eh bien… (faible sourire) peut-être que non. Un genre de blague, alors. Mais, écoute… (il a tapoté sur la table pour obtenir mon attention) je jure que je n'allais pas le garder. Ce n'était pas mon plan. Comment est-ce que je pouvais deviner pour ton père ? Si seulement tu étais resté la nuit… (il a levé les bras au ciel) je te l'aurais donné, je te jure que oui. Mais je ne pouvais pas t'obliger à rester. Tu voulais partir ! À la minute ! Je dois y aller ! Maintenant, Boris, maintenant ! Tu n'as même pas voulu attendre le matin ! Je dois y aller, je dois y aller, à la seconde même ! Et j'avais la trouille de te dire ce que j'avais fait. »

Je l'ai dévisagé. Ma gorge était trop sèche et mon cœur s'était mis à battre si fort que ma seule et unique idée, c'était de m'asseoir, de rester absolument immobile et d'espérer que ça allait se calmer.

« Et maintenant tu es en colère, a lancé Boris sur un ton résigné. Tu veux me tuer.

— Qu'est-ce que tu essaies de me dire ?

— Je…

— Qu'est-ce que tu veux dire par *échanger* ?

— Écoute… (il a jeté autour de lui un regard nerveux) je suis désolé ! Je savais que ce n'était pas une bonne idée qu'on se fasse un trip ensemble. Je savais que ça finirait par sortir, peut-être d'une manière très moche ! Mais (se penchant en avant pour poser ses paumes sur la table) je me suis senti très mal à propos de cette histoire, franchement. Est-ce que je serais venu te voir, sinon ? Est-ce que j'aurais crié ton nom dans la rue ? Quand je dis que je veux te rembourser ce que je te dois, je suis sérieux. Je vais t'offrir une compensation. Parce que, tu vois, ce tableau a fait ma fortune, il a fait ma…

— Qu'est-ce qu'il y a dans le paquet que j'ai en haut de la ville, alors ?

— Quoi ? s'est-il exclamé, effaré, ses sourcils se sont abaissés, puis il s'est enfoncé sur sa chaise et m'a regardé, le menton rentré : Tu te fiches de moi. Tout ce temps tu n'as jamais… ? »

J'étais incapable de répondre. Mes lèvres remuaient mais il n'en sortait aucun son.

Boris a frappé sur la table. « Espèce d'idiot. Tu veux dire que tu ne l'as même jamais ouvert ? Comment tu as pu ne pas… »

Voyant que, le visage entre mes mains, je restais silencieux, il a tendu le bras en travers de la table et m'a secoué par l'épaule.

« Vraiment ? a-t-il insisté en essayant de me regarder dans les yeux. Tu ne l'as pas ouvert ? Tu ne l'as jamais ouvert pour regarder ? »

De l'arrière-salle : un faible cri de femme, inepte et vide, suivi par des mugissements de rires mâles tout aussi ineptes. Puis, avec un bruit de scie mécanique, un mixeur a démarré au bar et a semblé tourner pendant très longtemps.

« Tu ne savais pas ? » a demandé Boris quand le

vacarme a fini par cesser. Rires et applaudissements dans la salle de derrière. « Comment tu as pu ne pas... »

J'étais dans l'incapacité d'articuler un mot. Il y avait plusieurs couches de graffitis sur le mur, des tags et des gribouillis, des alcooliques avec des croix à la place des yeux. À l'arrière s'était élevée une incantation rauque *vas-y vas-y vas-y*. Tellement de choses me lançaient des éclairs en même temps que j'avais du mal à reprendre mon souffle.

« Toutes ces années ? a fait Boris en fronçant les sourcils. Et pas une seule fois tu n'as... ?

— Oh, Seigneur.

— Ça va ?

— Je... » J'ai secoué la tête. « Comment tu savais que je l'avais ? Comment tu savais ça ? ai-je répété alors qu'il ne répondait pas. Tu as fouillé ma chambre ? Mes affaires ? »

Boris m'a regardé. Puis il s'est passé les deux mains dans les cheveux : « Tu es un alcoolique avec des trous de mémoire, Potter, tu le sais ?

— Fous-moi la paix, ai-je répliqué après un temps d'arrêt incrédule.

— Non, je suis sérieux, a-t-il poursuivi avec douceur. Je suis alcoolique. Je le sais ! J'ai commencé à dix ans, quand j'ai bu mon premier verre. Mais toi, Potter, tu es comme mon père. *Il* boit... il marche inconscient, fait des choses dont il ne peut pas se souvenir. Démolit la voiture, me bat, se retrouve dans des bagarres, se réveille avec nez cassé ou peut-être dans toute autre ville, allongé sur un banc dans une gare...

— Je ne fais pas de choses comme ça. »

Boris a soupiré. « Non, non, mais ta mémoire te trahit. Exactement comme la sienne. Et, je ne dis pas que tu as fait quoi que ce soit de mal, ou de violent, tu n'es pas violent comme lui, mais tu sais, comme... oh, cette fois où on a été au bac à sable du McDonald's, pour les enfants, et tu es tellement soûl sur le truc gonflé que la femme a appelé les flics ; je t'ai sorti de là vite fait, puis je me suis planté dans Walmart pendant une demi-heure à faire semblant de regarder des crayons, après quoi on est retournés à l'arrêt de bus et on a pris l'autocar, et tu ne te souviens de rien concernant cette nuit ? De rien ? "McDonald's, Boris ? Quel McDonald's ?" Ou ce jour où tu étais complètement K-O, *anéanti*, et où tu m'as obligé à t'accompagner pour une "promenade dans le désert" ? Et OK, on l'a faite, a-t-il continué en reniflant généreusement et en parlant plus fort que moi. Bien. Sauf que tu es tellement soûl que tu peux à peine marcher et il fait quarante degrés. Tu en as marre de marcher et tu t'allonges sur le sable. Tu me demandes de te laisser mourir sur place. "Laisse-moi, Boris, laisse-moi." Tu te souviens ?

— Où tu veux en venir ?

— Qu'est-ce que je peux dire ? Tu étais malheureux. Tu buvais *non-stop* jusqu'à être inconscient.

— Toi aussi.

— Oui, je me rappelle. S'évanouir dans les escaliers, la tête en avant, tu te souviens ? Se réveiller par terre, à des kilomètres de la maison, avec les pieds sortant d'un buisson, pas la moindre idée de comment je me suis retrouvé là ? Merde, il y a eu une fois où j'ai envoyé un email à Spirsetskaya en pleine nuit, un email où j'étais mort soûl, lui déclarant qu'elle est belle et que je l'aime comme un fou, ce qui à l'époque était vrai. Le lendemain au lycée, super gueule de bois : "Boris, Boris, je dois te parler." Ah bon, de quoi ? Et la voilà tout aimable et gentille, qui essaie de me faire comprendre que j'ai eu tort. Un email ? Quel email ? Aucun souvenir ! Planté là, le visage en feu pendant qu'elle me donne des photocopies de livre de poésie et qu'elle me conseille d'aimer les filles de mon âge ! Bien sûr, j'ai fait plein de conneries. Plus graves que toi ! Mais moi j'essayais de m'amuser et d'être heureux, a-t-il dit en jouant avec une cigarette. Toi, tu voulais mourir. C'est différent.

— Pourquoi est-ce que j'ai l'impression que tu essaies de changer de sujet ?

— Je ne te juge pas ! C'est juste… on a fait des trucs de fous à cette époque. Des trucs que peut-être tu ne te souviens pas. Non, non ! s'est-il empressé d'ajouter en secouant la tête quand il a vu mon air. Pas *ça*. Même si je dois dire, tu es le seul garçon avec lequel j'aie jamais couché ! »

J'ai craché un rire plein de colère comme si j'avais toussé ou m'étais étouffé en avalant.

« Ça… (Boris s'est carré sur sa chaise l'air dédaigneux, s'est fermé les narines) pfah. Je pense que ça arrive parfois à cet âge-là. On était jeunes, on avait besoin de filles. Peut-être tu as cru que c'était autre chose. Mais, non, attends, s'est-il dépêché de dire tandis que son expression changeait (j'avais reculé ma chaise pour partir), attends, a-t-il répété en m'attrapant par la manche, ne pars pas, s'il te plaît, écoute ce que j'essaie de te dire, tu ne te rappelles pas du tout du soir où on a regardé *Dr No* ? »

Je m'apprêtais à prendre mon manteau sur le dossier de ma chaise. Mais en entendant ça je me suis arrêté.

— Tu t'en rappelles ?

— Je suis supposé m'en souvenir ? Pourquoi ?

— Je *sais* que tu ne t'en souviens pas. Parce que j'avais pris l'habitude de te tester. De mentionner *Dr. No*, de faire des blagues. Pour voir ce que tu répondrais.

— Et quoi, alors, *Dr. No* ?

— C'était pas si longtemps après t'avoir rencontré ! » Son genou n'arrêtait pas de tressauter frénétiquement. « Je pense que tu n'avais pas l'habitude de la vodka… tu ne savais jamais quel verre prendre. Tu es arrivé avec verre énorme, comme ça, comme verre à eau, et je me suis dit : merde ! Tu ne te souviens pas ?

— Il y a eu beaucoup de soirées dans ce goût-là.

— Tu ne te souviens pas. Je nettoyais ton vomi… je mettais tes vêtements dans la machine, tu ne savais même pas que je l'avais fait. Tu pleurais et tu me racontais toutes sortes de choses.

— Du genre ?

— Comme… (il a fait une grimace impatiente) oh, c'était ta faute si ta mère était morte… tu regrettais que ça soit pas toi… si tu mourais, peut-être que tu la retrouverais, que vous seriez ensemble dans l'obscurité… Pas la peine d'entrer dans les détails, je ne veux pas que tu te sentes mal. Tu étais vraiment dans un sale état, Theo… C'était sympa d'être avec toi, la plupart du temps ! Tu étais prêt à tout ! Mais tu étais dans un sale état. Tu aurais sans doute dû être à l'hôpital. Grimper sur le toit et sauter dans la piscine ? Tu aurais pu te briser la nuque, c'était de la folie ! Tu t'allongeais sur le dos dans la rue le soir, il n'y avait pas de lampadaire, pas moyen pour qui que ce soit de te voir, et tu attendais qu'une voiture arrive et t'écrase, je devais me battre pour te faire lever et te traîner dans la maison…

— Je serais resté allongé dans cette putain de bordel de rue longtemps avant qu'il y passe une voiture. J'aurais pu y dormir. J'avais apporté mon sac de couchage.

— Je ne vais pas insister là-dessus. Tu étais fou. Tu aurais pu nous tuer tous les deux. Un soir, tu as pris des allumettes et tu as essayé de mettre le feu à la maison, tu te souviens de ça ?

— C'était pour rire, ai-je rétorqué, mal à l'aise.

— Et la moquette ? Le gros trou de brûlure sur le canapé ? C'était pour rire ? J'ai retourné les coussins pour que Xandra ne le voie pas.

— Ce putain de truc était tellement bon marché qu'il n'était même pas ignifugé.

— D'accord, d'accord. Comme tu voudras. Toujours est-il, ce soir-là. On regarde *Dr No*, que je n'avais jamais vu mais toi oui, et ça me plaisait beaucoup, toi tu es complètement *v gavno*, c'est sur son île, tout est cool, il presse sur le bouton et montre ce tableau qu'il a volé ?

— Oh, putain. »

Boris a gloussé. « Tu l'as fait ! Que Dieu te garde. C'était super. Tu étais tellement soûl que tu titubais… J'ai quelque chose à te montrer ! Quelque chose de merveilleux ! Un truc génial ! Tu te plantes devant la télévision. Non, vraiment ! Moi, je regarde film, meilleure partie, et toi tu n'arrêtes pas de parler. Va te faire foutre ! Enfin bon, tu t'en vas, super en colère, "va te faire foutre", et tu fiches *tout* un ramdam. Bang bang bang. Puis tu descends avec le tableau, tu vois ? » Il a ri. « Ce qui était drôle, c'était que j'étais sûr que tu me racontais des conneries. Une œuvre de musée célèbre ? Fous-moi la paix. Mais… il était authentique. Ça se voyait à l'œil nu.

— Je ne te crois pas.

— Eh bien, c'est vrai. Je le *savais*. Parce que si possible de peindre des faux qui ressemblent à ça ? Alors Las Vegas serait la plus belle ville dans l'histoire de la Terre ! Enfin… tellement drôle ! Me voilà, qui t'apprend avec fierté comment voler des pommes et des bonbons dans le magazine, et pendant ce temps toi tu as volé un chef-d'œuvre.

— Je ne l'ai pas volé. »

Boris a gloussé. « Non, non. Tu m'as expliqué. Tu l'as mis à l'abri. C'est un devoir important dans la vie. Tu es en train de m'expliquer que tu ne l'as pas vraiment ouvert et regardé ? dit-il en se penchant en avant, toutes ces années ? C'est quoi, ton problème ?

— Je ne te crois pas, ai-je répété. *Quand* l'as-tu pris ? lui ai-je demandé lorsque son regard s'est détourné de moi avec des roulements d'yeux. Comment ?

— Écoute, comme je t'ai dit…

— Comment tu espères que je vais croire un traître mot de ça ? »

Boris a de nouveau fait rouler ses yeux. Il a plongé la main dans la poche de son manteau ; il a tapé sur une image dans son iPhone. Puis il me l'a tendu en travers de la table.

C'était le verso du tableau. On pouvait trouver une reproduction du recto n'importe où. Mais l'arrière était aussi caractéristique qu'une empreinte digitale : coulées somptueuses de cire à cacheter, marron et rouge ; patchwork irrégulier d'étiquettes européennes (chiffres romains ; signatures arachnéennes à la plume), impression d'une malle de paquebot, ou d'un traité international et ancien. Les jaunes et les bruns qui s'écaillaient s'étalaient en couches d'une richesse quasi organique, on aurait dit des feuilles mortes.

Il a remis le téléphone dans sa poche. On est restés assis un long moment en silence. Puis Boris a tendu la main pour prendre une cigarette.

« Tu me crois maintenant ? » a-t-il demandé en rejetant un flot de fumée par la commissure des lèvres.

Les atomes dans ma tête tournaient chacun de leur côté ; le scintillement de la coke commençait déjà à pâlir, l'appréhension et l'agitation s'insinuaient subtilement comme l'air qui s'obscurcit avant un orage. On s'est regardés pendant un long et obscur moment : fréquence chimique élevée, solitude contre solitude, on aurait dit deux moines tibétains au sommet d'une montagne.

Puis je me suis levé sans un mot et j'ai pris mon manteau. Boris s'est dressé lui aussi.

« Attends, a-t-il lancé tandis que mon épaule le frôlait en passant devant lui. Potter ? Ne pars pas fâché. Quand je t'ai dit que je voulais me racheter ? J'étais sincère… »

« Potter ? » a-t-il répété tandis que je franchissais le rideau de perles cliquetantes et sortais dans la rue, dans la lumière sale et grise de l'aube. L'Avenue C était vide excepté un taxi solitaire qui semblait aussi content de me voir que réciproquement et qui s'est précipité pour me prendre. Avant que nous puissions échanger un autre mot j'avais grimpé et filé en le laissant là, debout dans son manteau à côté d'une rangée de poubelles.

X

Il était huit heures et demie quand je suis arrivé à l'entrepôt, la mâchoire douloureuse à force de grincer des dents et le cœur sur le point d'exploser. Lumière du jour bureaucratique : matin piéton claironnant, lumineux de menace. À dix heures moins le quart, j'étais assis par terre dans ma chambre chez Hobie, l'esprit tournoyant comme une toupie désaxée, vacillant et virant d'un bord à l'autre. Éparpillés sur la moquette autour de moi, il y avait deux sacs de toile ; une tente pour deux jamais utilisée ; et une taie d'oreiller en percale beige qui portait toujours l'odeur de ma chambre à Vegas ; ainsi qu'une boîte en métal pleine de Roxicodone et de morphine que je devrais jeter dans les toilettes, je le savais ; et un enchevêtrement d'adhésif dans lequel j'avais coupé, non sans mal, avec un cutter, vingt minutes de travail délicat tandis que mon pouls palpitait dans l'extrémité de mes doigts, terrifié que j'étais d'y aller trop brutalement et d'abîmer le tableau par erreur, pour finir par ouvrir le côté, enlever prudemment l'adhésif petit bout par petit bout avec des mains tremblantes et découvrir, en sandwich entre deux cartons et enveloppé dans du papier journal, un manuel d'éducation civique annoté (*La Démocracie, la diversité et toi !*).

Une foule colorée et bigarrée. Sur la couverture des enfants asiatiques, latinos, afro-américains, indiens d'Amérique, une fille avec un foulard islamique et un enfant blanc dans une chaise roulante qui souriait et tendait les mains devant un drapeau américain. À l'intérieur, le monde terne et radieux de la bonne citoyenneté où les gens de diverses origines ethniques participaient tous joyeusement à leurs communautés et où des gamins debout autour de leurs HLM avec un arrosoir à la main

s'occupaient d'un arbre en pot dont les branches illus-
traient les différentes ramifications du gouvernement
– Boris y avait dessiné des poignards portant son nom,
des roses et des cœurs qui entouraient les initiales de
Kotku, et deux yeux qui espionnaient, jetant un œil en
coin sournois sur un modèle. d'examen partiellement
rempli :

Pourquoi l'homme a-t-il besoin d'un gouvernement ?
*Pour imposer une idéologie, punir les malfaiteurs et
promouvoir l'égalité et la fraternité entre les peuples.*
Quels sont certains des devoirs d'un citoyen américain ? *Voter pour le Congrès, célébrer la diversité et se
battre contre les ennemis de l'État.*

Dieu merci, Hobie n'était pas là. Les cachets que
j'avais avalés n'avaient pas fonctionné, et après deux
heures passées à me tortiller et m'effondrer sur mon
lit dans un état semi-onirique tortueux et en chute libre
– avec des pensées dispersées, épuisé par mon cœur qui
battait si vite, la voix de Boris trottant toujours dans ma
tête –, je me suis forcé à me lever, à nettoyer le bazar
éparpillé dans ma chambre, à me doucher et à me raser :
je me suis coupé au passage, vu que ma lèvre supérieure
était presque aussi engourdie que chez le dentiste à cause
du saignement de nez dont j'avais souffert. Puis je me
suis préparé du café, j'ai trouvé dans la cuisine un *scone*
rassis et je me suis forcé à le manger, après quoi je suis
descendu à la boutique et l'ai ouverte pour midi, juste
à temps pour intercepter la factrice dans son poncho en
plastique (l'air un peu inquiet, se tenant à bonne distance
de moi avec mes yeux chassieux, mes lèvres coupées et
mon Kleenex ensanglanté), et alors qu'elle me tendait le
courrier dans ses mains protégées par des gants en latex,
je me suis dit : À quoi bon ? Reeve pouvait écrire à

Hobie autant qu'il voulait – appeler Interpol, même – qui s'en souciait à présent.

Il pleuvait. Les piétons filaient à toute allure en rangs serrés. La pluie tambourinait contre la fenêtre et gouttait sur les poubelles en plastique au bord du trottoir. Assis au bureau, dans mon fauteuil qui sentait le moisi, j'essayais de m'ancrer, ou au moins de trouver une sorte de réconfort dans les soies fanées et l'obscurité de la boutique, sa mélancolie douce-amère comme ces salles de classe pluvieuses et sombres de l'enfance, mais la claque de la dopamine m'avait fait retomber brutalement et j'étais affligé des tremblements précédant quelque chose qui ressemblait à la mort : une tristesse que l'on sentait d'abord dans le ventre, battant à l'intérieur du front, toute l'obscurité que j'avais maintenue à l'extérieur revenant en rugissant.

Mon champ visuel s'était rétréci : j'étais dans un tunnel. Toutes ces années où j'avais erré, trop lisse et isolé pour qu'une quelconque réalité se fraie un chemin : un délire qui m'avait fait tourbillonner sur sa vague lente et douce depuis l'enfance, défoncé et allongé sur la moquette à longues mèches de Vegas, riant à l'adresse du ventilateur du plafond, sauf que je ne riais plus, Belle au bois dormant grimaçant de douleur avec environ un siècle de retard.

Comment faire pour tout remettre en ordre ? Impossible. En un sens, Boris m'avait rendu service en emportant l'objet – au moins, je savais que la plupart des gens le verraient comme ça ; j'étais tiré d'affaire ; personne ne pourrait m'accuser ; la plus grande partie de mes problèmes avait été résolue d'un seul coup, mais tout en sachant qu'une personne saine d'esprit serait soulagée de ne plus avoir le tableau sur les bras, je ne m'étais jamais senti aussi brûlant de désespoir, de haine de moi et de honte.

Boutique chaude et ennuyeuse. Impossible de rester

tranquille ; je me levais et m'asseyais, marchais jusqu'à la fenêtre puis revenais. Tout était imprégné d'horreur. Un Pierrot en biscuit me regardait avec dépit. Même les meubles avaient un air maladif et disproportionné. Comment avais-je pu me prendre pour un être meilleur, plus sage, plus éminent, précieux et digne de vivre parce que j'avais un secret caché dans le nord de la ville ? Pourtant c'était ce que j'avais fait. Le tableau m'avait donné la sensation de ne pas être un simple mortel, de ne pas être ordinaire. C'était à la fois un soutien et une revendication ; une nourriture et un tout. C'était la clé de voûte qui avait maintenu toute la cathédrale. En le voyant disparaître sous moi, c'était terrible d'apprendre que, toute ma vie adulte, j'avais été nourri en privé par cette grande joie cachée et sauvage : la conviction que ma vie entière tenait en équilibre sur un secret qui pouvait la faire exploser à n'importe quel moment.

XI

Quand Hobie est arrivé, vers quatorze heures, ce fut accompagné d'un carillon de clochettes, comme un client.

« Eh bien, c'était une fameuse surprise hier soir. » Les joues rosies par la pluie, il a enlevé son imper en secouant l'eau ; il était habillé pour des enchères, avec une cravate nouée et un de ses superbes vieux costumes. « Boris ! » Les enchères avaient été un succès, je le voyais à son humeur ; bien qu'il ait tendance à ne pas surenchérir, il savait ce qu'il voulait et, de temps à autre, lors d'une séance calme, lorsqu'il n'avait personne en face de lui, il repartait avec des splendeurs. « Je suppose que vous avez passé une fameuse soirée tous les deux ?

— Ah. » J'étais recroquevillé dans un coin et sirotais du thé ; mon mal de tête était féroce.

« Ça faisait tout drôle de faire sa connaissance après avoir tellement entendu parler de lui. C'est comme rencontrer le personnage d'un livre. Je l'avais toujours imaginé dans la peau du fin roublard dans *Oliver*... Oh, tu sais, le petit garçon, le polisson, comment s'appelle l'acteur déjà. Jack quelque chose. Manteau en haillons. Avec une trace sale le long de la joue.

— Croyez-moi, il était bien assez sale à l'époque.

— Eh bien, tu sais, Dickens ne nous dit pas ce qui est arrivé au roublard. Il a pu devenir un homme d'affaires respectable, qui sait ? Et Popper était dans tous ses états. Je n'ai jamais vu un animal aussi heureux.

« Oh, et oui... (se tournant à moitié, affairé avec son imperméable ; il n'avait pas remarqué que je m'étais figé en entendant le nom de Popper) avant que j'oublie, Kitsey a appelé. »

Je n'ai pas répondu ; impossible. Pas une fois je n'avais pensé à Popper.

« À une heure plutôt avancée, vers les vingt-deux heures bien sonnées. Je lui ai expliqué que tu étais tombé sur Boris et que tu rentrerais plus tard, que tu étais sorti, j'espère que j'ai bien fait.

— Bien sûr, ai-je assuré après une pause tendue où je me débattais pour rassembler mes esprits qui galopaient dans plusieurs mauvaises directions à la fois.

— Je *dois* te rappeler un truc. » Hobie a posé son doigt sur ses lèvres. « Elle m'a laissé un message. Laisse-moi réfléchir. Je ne retrouve pas, a-t-il poursuivi en secouant la tête après un léger sursaut. Il va falloir que tu l'appelles. Ah, ça y est, dîner ce soir, chez quelqu'un. À vingt heures ! Je me souviens. Mais je ne sais plus où.

— Chez les Longstreet, ai-je précisé et mon cœur a défailli.

— Quelque chose dans ce goût-là. Quoi qu'il en soit, Boris ! Super, un grand charmeur... Il est à New York pour combien de temps ? Il est ici pour combien de temps ? a-t-il répété aimablement vu que je ne disais rien (il ne pouvait pas voir mon visage qui regardait, horrifié, dans la rue). Nous devrions l'inviter à dîner, tu ne crois pas ? Pourquoi tu ne lui demandes pas de nous dire quelles soirées il est libre ? Enfin, si tu veux, a-t-il ajouté alors que je ne répondais toujours pas. Tu décides. Tiens-moi au courant. »

XII

Environ deux heures plus tard – épuisé, les yeux lui-sants de douleur à cause de mon mal de tête – je m'agitais encore en tous sens en me demandant comment récupérer Popper, tout en inventant et en rejetant des explications à son absence. L'avais-je laissé attaché devant un magasin ? Quelqu'un l'avait-il embarqué ? Un mensonge évident : hormis le fait qu'il pleuvait à verse, Popper était telle-ment vieux et grincheux en laisse que je pouvais tout juste le tirer vers la borne à incendie. La toiletteuse ? Celle de Popper, une vieille dame du nom de Cecilia qui semblait dans le besoin et qui travaillait en dehors de chez elle, le ramenait toujours pour quinze heures. Le vétérinaire ? Non seulement Popper n'était pas malade (et pourquoi ne l'aurais-je pas mentionné, si ça avait été le cas ?) mais en plus il allait chez le même vétérinaire que Hobie connaissait depuis l'époque de Welty et Chessie. Le cabinet du docteur McDermott était au bout de la rue. Pourquoi l'aurais-je emmené ailleurs ?

J'ai grogné et me suis levé, puis dirigé vers la fenêtre. J'aboutissais toujours dans la même impasse, Hobie entre-rait perplexe, ainsi qu'il allait forcément le faire dans une heure ou deux, et il fouillerait la boutique du regard : « Où est Popper ? Tu l'as vu ? » Et c'était là le hic : blocage complet du système ; pas de sortie possible. On pouvait forcer à quitter, fermer l'ordinateur, redémarrer, le jeu coincerait toujours et se bloquerait au même endroit. « Où est Popper ? » Pas de triche possible. *Game over*. Impossible d'aller plus loin que ce moment.

Les nappes loqueteuses de pluie avaient faibli pour se transformer en bruine, les trottoirs étaient luisants et l'eau s'égouttait des auvents, tout le monde dans la rue semblait avoir profité du moment pour enfiler un imper et se précipiter au coin avec son chien : partout où je regardais il y en avait, un chien de berger sautillant gaiement, un caniche classique noir, des cairn terriers, des retrievers mélangés, un vieux bouledogue français et deux teckels femelles au menton relevé, l'air suffisant, traversant la rue en tandem comme des princesses. Agité, je suis retourné m'asseoir, j'ai pris le catalogue des ventes de chez Christie's et je me suis mis à le feuilleter avec nervosité : d'horribles aquarelles modernistes, deux mille dollars pour un vilain bronze victorien représentant deux buffles qui se battent, absurde.

Qu'est-ce que j'allais raconter à Hobie ? Popper était vieux et sourd, et parfois il s'endormait dans des endroits perdus où il ne réagissait pas tout de suite quand on l'appelait, mais bientôt ce serait l'heure de son dîner et j'entendrais Hobie marcher à l'étage, le chercher derrière le canapé, puis dans la chambre de Pippa et dans tous ses endroits habituels. « Popsky ? Allez, mon gars ! C'est l'heure de manger ! » Pouvais-je feindre l'ignorance ? Faire semblant de chercher dans la maison aussi ? Me gratter la tête en signe de perplexité ? Disparition mystérieuse ? Triangle des Bermudes ? J'allais retourner, le cœur serré, chez la toiletteuse, lorsque la cloche de la boutique a retenti.

« J'étais sur le point de le garder. »

Mouillé, lourd, mais pas spécialement remué par son aventure, Popper a raidi ses pattes lorsque Boris l'a posé par terre, puis il a trottiné vers moi, levant ensuite la tête afin que je puisse le gratter sous le menton.

« Tu ne lui as pas manqué une seule seconde. On a passé une belle journée ensemble.

— Qu'est-ce que vous avez fait ? ai-je demandé après un très long silence, parce que je ne trouvais pas autre chose à lui dire.

— On a surtout dormi. Gyuri nous a déposés… (il a frotté ses yeux cernés et a bâillé) puis on a fait une super sieste tous les deux. Tu sais… comment il s'enroulait avant ? Comme une toque en fourrure sur ma tête ? » Popper n'avait jamais aimé dormir ainsi, il ne faisait ça qu'avec Boris. « Puis on s'est réveillés, j'ai pris une douche et je l'ai emmené promener, pas loin, il ne voulait pas aller loin, j'ai passé quelques coups de fil puis on a mangé un sandwich au bacon et on est revenus. Écoute, je suis désolé ! a-t-il lancé impulsivement en voyant que je ne répondais pas et passant la main dans ses cheveux ébouriffés. Vraiment. Et je vais rectifier le tir, si si. »

Le silence entre nous était écrasant.

« Tu t'es bien amusé hier soir ? *Moi*, oui. Quelle soirée de folie ! Mais ce matin je ne me sens pas très en forme. S'il te plaît, dis quelque chose, a-t-il lâché devant mon silence. Je me suis senti très très mal toute la journée à cause de cette histoire. »

De l'autre côté de la pièce, Popper a reniflé en direction de l'écuelle qui contenait son eau. Il s'est mis à boire paisiblement. Pendant un long moment il n'y a eu aucun bruit à part ses lapements bruyants et monotones.

« Vraiment, Theo… (la main sur le cœur) je me sens horriblement mal. Mes sentiments… ma honte… je n'ai pas de mots pour eux, a-t-il poursuivi sur un ton plus grave alors que je continuais de me taire. Et, oui, je l'admets, une partie de moi me demande "pourquoi tu as tout bousillé, Boris, pourquoi tu as ouvert ta grande gueule". Parce que… j'aurais pu garder ça pour moi. Si facilement ! Tu n'aurais jamais su. Et tout serait parfait. Mais comment est-ce que je pouvais mentir et faire le faux-jeton ? Tu m'accordes ça, au moins ? a-t-il dit en se frottant les mains, agité. Je ne suis pas un lâche. J'ai avoué. Je ne voulais pas que tu t'inquiètes en ne sachant pas ce qui se passait. Et je t'offrirai quelque chose en compensation, je te le promets.

— Pourquoi... (Hobie était occupé au sous-sol avec l'aspirateur, mais j'ai quand même baissé la voix, même chuchotement énervé que lorsque Xandra était en bas et qu'on ne voulait pas qu'elle nous entende nous disputer) pourquoi...

— Pourquoi quoi ?

— Pourquoi tu l'as pris, bon sang ? »

Boris a cligné des yeux, l'air un peu satisfait de lui. « Parce que tu avais la mafia juive qui venait chez toi, voilà pourquoi !

— Non, ce n'est pas ça, la raison. »

Boris a soupiré. « Eh bien, en partie si... un peu. Est-ce que ta maison était sûre ? Non ! Le lycée non plus. J'ai pris mon vieux manuel, je l'ai enveloppé dans du papier journal et je l'ai scotché même grosseur...

— Je t'ai demandé *pourquoi* tu l'as pris.

— Qu'est-ce que je peux te répondre. Je suis voleur. »

Popper continuait de laper l'eau bruyamment. Exaspéré, je me suis demandé si Boris avait pensé à lui mettre un bol pendant leur si belle journée ensemble.

« Et (il a haussé légèrement les épaules) je le voulais. Oui. Qui ne le voudrait pas ?

— Tu le voulais pour quoi ? Pour de l'argent ? »

Boris a fait une grimace. « Bien sûr que non. On ne peut pas vendre une chose pareille. Mais je dois admettre... une fois j'avais des problèmes, il y a quatre-cinq ans de ça, et j'ai failli le vendre direct, très bas prix, presque donné, juste pour en être débarrassé. Content de pas l'avoir fait. J'étais dans la panade et j'avais besoin de liquide. Mais... (il a reniflé fort puis s'est s'essuyé le nez) essayer de vendre un tableau comme ça, c'est le moyen le plus rapide pour se faire attraper. Tu le sais toi-même. Comme instrument de négociation... là c'est une autre histoire ! Ils s'en servent comme nantissement... ils te fournissent la marchandise. Tu le vends, tu reviens avec le capital, tu leur donnes leur part, ils te rendent le tableau, *game over*. Tu comprends ? »

Je n'ai rien répondu et me suis remis à feuilleter le catalogue de chez Christie's toujours ouvert sur mon bureau.

« Tu sais ce qu'on dit. » Sa voix était à la fois triste et enjôleuse. « "L'occasion fait le larron." Tu sais ça mieux que personne. J'ai été dans ton casier à la recherche d'argent pour déjeuner et je me suis dit : Quoi ? Allô ? C'est quoi ? C'était facile de le sortir et de le cacher. Puis j'ai emporté mon vieux manuel dans la classe d'ébé-nisterie de Kotku, même taille, même épaisseur, même adhésif et tout ! Kotku m'a aidé. Mais je lui ai pas dit pourquoi je le faisais. On ne pouvait pas vraiment lui dire des trucs comme ça.

— Je n'arrive toujours pas à croire que tu l'as volé.

— Écoute. Je vais pas m'excuser. Je l'ai pris. Mais (il a souri d'une manière charmeuse) est-ce que je suis malhonnête ? Est-ce que j'ai menti là-dessus ?

— Oui, ai-je répondu après une pause dubitative. Oui, tu as menti là-dessus.

— Tu m'as jamais demandé direct ! Si tu l'avais fait, je t'aurais dit !

— Boris, c'est de la connerie. Tu as menti.

— Bon, ben, je ne te mens pas maintenant, a-t-il rétor-qué en regardant autour de lui d'un air résigné. Je croyais que tu saurais, aujourd'hui ! Ça s'est passé il y a des années de ça ! Je croyais que tu savais que c'était moi ! »

Je me suis éloigné vers l'escalier, suivi par Popchik ;

Hobie avait éteint l'aspirateur, ce qui avait créé un silence étourdissant, et je ne voulais pas qu'il nous entende.

« Je ne suis pas très sûr... (Boris s'est mouché salement, a inspecté le contenu de son Kleenex puis m'a adressé un clin d'œil) mais je suis presque certain qu'il est quelque part en Europe. » Il a roulé le Kleenex en boule et l'a fourré dans sa poche. « Il y a une petite chance qu'il soit à Gênes. Mais je soupçonne surtout la Belgique ou l'Allemagne. Peut-être la Hollande. Ils pourront mieux négocier là-bas parce que ces gens-là sont plus impressionnés.

— Ça laisse quand même beaucoup de choix.

— Oh, écoute ! Sois content que ce ne soit pas en Amérique latine ! Parce que alors je peux t'assurer que tu n'aurais aucune chance de le revoir.

— Je croyais que tu m'avais dit qu'il avait disparu.

— Je ne dis rien, sauf que je pense que je peux peut-être découvrir où il est. *Peut-être*. C'est très différent du fait de savoir comment le récupérer. Je n'ai jamais eu affaire à ces gens avant.

— Quels gens ? »

Mal à l'aise, Boris est demeuré silencieux et il a baissé les yeux vers le sol : figurines de bouledogues en fer, livres empilés, beaucoup de petits tapis.

« Il ne pisse pas sur les antiquitiés ? a-t-il demandé en hochant la tête vers Popchik. Sur tous ces jolis meubles ?

— Nan.

— À Vegas, il le faisait tout le temps. Toute ta moquette en bas sentait la pisse. Peut-être parce que avant qu'on arrive Xandra ne le sortait pas assez souvent.

— Quels gens ?

— Hein ?

— Avec qui tu n'as pas traité.

— C'est compliqué. Je t'expliquerai si tu veux, s'est-il empressé d'ajouter, là je pense qu'on est tous les deux fatigués et que ce n'est pas le moment. Mais je vais passer quelques appels et te dire ce que je trouve, d'accord ? Et quand j'ai trouvé, je reviens et je te dis, promis. Au fait (il a tapoté sa lèvre supérieure avec son doigt)...

— Quoi ? ai-je fait, effarouché.

— La tache, là. Sous ton nez.

— Je me suis coupé en me rasant.

— Oh. » Debout là, il avait l'air hésitant, comme s'il était sur le point de se précipiter avec des excuses encore plus enflammées, ou un éclat, mais le silence suspendu entre nous avait tout l'air d'un point final et il a plongé les mains dans ses poches. « Bon.

— Bon.

— À bientôt, alors.

— Oui. » Mais quand il est sorti et que je me suis planté à la fenêtre et l'ai regardé éviter les gouttes qui tombaient de l'auvent, puis s'éloigner d'un pas nonchalant – sa démarche plus détendue et plus légère dès qu'il s'est cru hors de ma vue – j'ai pressenti qu'il y avait de bonnes chances que ce soit la dernière fois que je le voyais.

XIII

Vu comment je me sentais, proche de la mort, en fait, souffrant d'une vilaine migraine et submergé par une douleur telle qu'elle me brouillait la vision, il était inutile de garder la boutique ouverte. Alors, bien que le soleil ait fait son apparition, ainsi que les gens dans la rue, j'ai retourné le panonceau « Fermé » et, avec Popper bruyamment et nerveusement à la remorque, je me suis traîné à l'étage, à moitié malade, la douleur martelant derrière mes yeux, histoire de comater quelques heures avant le dîner.

Kitsey et moi devions nous retrouver à l'appartement

de sa mère à dix-neuf heures quarante-cinq avant d'aller chez les Longstreet, mais je suis arrivé un peu en avance, en partie parce que je voulais la voir seul à seule quelques minutes avant que nous sortions dîner ; et en partie parce que j'avais un cadeau pour Mrs. Barbour : un catalogue d'exposition plutôt rare que je lui avais déniché dans un des lots de Hobie, *La Gravure à l'époque de Rembrandt*.

« Non, non, elle est levée et occupée. Je lui ai apporté du thé il n'y a pas un quart d'heure », a fait Etta quand je suis allé à la cuisine pour lui demander d'aller frapper à sa porte pour moi.

Ce que « levée et occupée » signifiait pour Mrs. Barbour, c'était pyjamas et pantoufles mâchouillées par les chiots et ce qui ressemblait à une vieille houppelande jetée sur les épaules. « Oh, Theo ! » s'est-elle exclamée, et son visage s'est ouvert avec une simplicité touchante et spontanée qui m'a fait penser à Andy dans les rares occasions où il était vraiment heureux, comme lorsque son oculaire téléscopique Nagler de 22 mm était arrivé au courrier, ou lors de son heureuse découverte du site porno LARP montrant des donzelles aux gros seins maniant l'épée et copulant avec des chevaliers, des magiciens et tout le tralala. « Comme tu es adorable, mon canard !

— J'espère que vous ne l'avez pas déjà ?

— Non... (elle l'a feuilleté avec délice) tu es parfait ! Tu ne me croiras jamais, mais j'ai vu cette exposition à Boston quand j'étais étudiante.

— Ça devait être fameux », ai-je rétorqué en m'installant dans un fauteuil. Je me sentais beaucoup plus heureux que je l'aurais cru possible une heure auparavant. Malade à cause du tableau, malade à cause de ma migraine, désespéré à l'idée de dîner chez les Longstreet, me demandant comment diable j'allais survivre à une soirée de canapés au crabe chaud pendant que Forrest nous assènerait son point de vue sur l'économie, alors que tout ce dont j'avais envie, au bout du compte, c'était de m'exploser le cerveau – j'avais essayé d'appeler Kitsey avec l'intention de la supplier de raconter que j'étais malade pour que l'on puisse s'éclipser et passer la soirée au lit chez elle. Mais, ainsi que cela arrivait souvent les jours où Kitsey sortait et c'était exaspérant, mes appels étaient restés sans réponse, *idem* pour mes textos et mes emails, tandis que mes appels arrivaient directement sur sa boîte vocale – « J'ai besoin d'acheter un nouveau téléphone, il y a quelque chose qui cloche », disait-elle sur un ton plaintif lorsque je me plaignais de ces trous de communication un peu trop fréquents – et bien que je lui aie demandé à plusieurs reprises de s'arrêter avec moi dans la boutique Apple pour en acheter un neuf, elle avait toujours une excuse : les queues étaient trop longues, elle avait un rendez-vous, elle n'était pas d'humeur, elle avait faim, soif, devait faire pipi, est-ce qu'on ne pouvait pas remettre ça à une autre fois ?

Assis au bord de mon lit, les yeux fermés, contrarié d'être incapable de la joindre (ce qui semblait être le cas chaque fois que j'en avais vraiment besoin), j'avais songé à appeler Forrest et à lui raconter que j'étais malade. Mais aussi mal que je me sente, j'avais envie de la voir, même si cela devait être de l'autre côté de la table d'un dîner avec des gens que je n'aimais pas. Et donc, afin de me forcer à sortir du lit, à rejoindre le nord de Manhattan et à y passer la partie la plus mortelle de la soirée, j'avais avalé ce qui avait représenté pour moi, autrefois, une dose modérée d'opiacés. Même si ça ne m'avait pas explosé la tête, cela m'avait étonnamment mis de bonne humeur. Cela faisait des mois que je ne m'étais pas senti aussi bien.

« Kitsey et toi vous sortez dîner ce soir ? » a demandé Mrs. Barbour qui feuilletait toujours avec bonheur le catalogue que je lui avais apporté. Forrest Longstreet ?

— En effet.

— Il était dans ta classe avec Andy, non ?

— Oui.

— Ce n'était pas un de ces garçons qui était si horrible ?

— Eh bien... » L'euphorie m'avait rendu généreux. « Pas vraiment. » Forrest, mufle à la repartie lente (« Monsieur, est-ce que les arbres font partie des plantes ? »), n'avait jamais été assez intelligent pour nous persécuter, Andy et moi, d'une manière qui soit ciblée ou ingénieuse. « Mais, oui, vous avez raison, il faisait partie de tout ce groupe, vous savez, Temple, Tharp, Cavanaugh et Schefferman.

— Oui. Temple. *Lui*, je m'en souviens. Et de Cable.

— Quoi ? me suis-je étonné.

— *Il* a bien mal tourné, a-t-elle poursuivi sans lever les yeux de son catalogue. Il vit à crédit... Il n'arrive pas à garder un emploi et en plus il a eu des démêlés avec la justice, ai-je entendu dire. Il a fait quelques chèques sans provision et apparemment sa mère a eu beaucoup de mal à empêcher les gens de déposer plainte. Et Win Temple, c'est lui qui avait cogné la tête d'Andy contre le mur dans les douches, a-t-elle poursuivi en levant les yeux avant que je puisse lui expliquer que Cable n'avait pas vraiment fait partie de ce groupe d'agresseurs.

— Oui, c'était lui. » Ce dont je me souvenais surtout à propos des douches n'était pas tant Andy commotionné contre le carrelage, que Schefferman et Cavanaugh luttant pour me mettre à terre et m'enfoncer un stick de déodorant dans le cul.

Délicatement enveloppée dans sa houppelande, un châle sur les genoux comme si elle partait en traîneau à une soirée de Noël, Mrs. Barbour continuait de feuilleter son catalogue. « Tu sais ce que ce Temple a dit ?

— Pardon ?

— Ce Temple. » Ses yeux étaient posés sur le catalogue ; sa voix était vive, comme si elle parlait à un inconnu lors d'un cocktail. « Quelle excuse il a donnée.

Quand ils lui ont demandé pourquoi il avait frappé Andy au point qu'il s'évanouisse.

— Non, je ne sais pas.

— Il a répondu : "Parce que ce gamin m'exaspère." Il est avocat maintenant, me dit-on. J'espère juste qu'il se contrôle un peu mieux au tribunal.

— Win n'était pas le pire, ai-je ajouté après une pause languissante. Et de loin. Par contre, Cavanaugh et Schefferman…

— La mère n'écoutait même pas. Elle envoyait des textos sur son portable. Quelque chose de terriblement urgent à régler avec un client. »

J'ai regardé le poignet de ma chemise. J'avais pris soin d'en enfiler une nouvelle après le travail. Il y avait une chose que mes années d'opiacés m'avaient apprise (sans parler de mes années de fraudeur ès antiquités) : les chemises amidonnées et les costumes fraîchement rapportés du pressing étaient très très utiles pour camoufler une multitude de péchés – mais les cachets de morphine m'avaient rendu cinglé et négligent, errant dans ma chambre et fredonnant Elliott Smith en m'habillant, *sunshine… been keeping me up for days…*, et j'ai remarqué qu'une de mes manchettes n'était pas correctement fixée. De plus, les lacets que j'avais choisis n'étaient même pas assortis : un noir et l'autre violet.

« Nous aurions pu déposer plainte, a continué Mrs. Barbour, l'air ailleurs. Je ne sais pas pourquoi nous ne l'avons pas fait. Chance estimait que ça rendrait les choses plus difficiles au collège pour Andy.

— Eh bien… » Impossible pour moi d'arranger mon poignet, l'air de rien. Il me faudrait attendre d'être dans le taxi. « Cette histoire dans les douches, c'était vraiment la faute de Schefferman.

— Oui, c'est ce qu'a dit Andy, et ce Temple aussi, mais pour ce qui est du coup en lui-même, la commotion, c'est *indiscutable*…

— Schefferman était du genre sournois. Il a poussé Andy sur Temple... Schefferman était de l'autre côté du vestiaire et il riait à gorge déployée avec Cavanaugh et ces types au moment où la bagarre a éclaté.

— Ah, je ne suis pas au courant de ça, mais David (David était le prénom de Schefferman), il n'était pas du tout comme les autres, toujours gentil, si poli, on l'a reçu nombre de fois et il invitait toujours Andy. Et tu sais comment étaient de nombreux enfants lors des fêtes d'anniversaire...

— Oui, mais Schefferman a toujours eu Andy dans le nez. Parce que sa mère passait son temps à l'obliger à être gentil avec lui. Elle *l'obligeait* à l'inviter, *l'obligeait* à venir ici. »

Mrs. Barbour a soupiré et posé sa tasse. C'était du thé au jasmin ; de là où j'étais, je le sentais.

« Eh bien, Dieu m'est témoin, tu connaissais mieux Andy que moi, a-t-elle poursuivi de manière inattendue en resserrant le col brodé de sa houppelande. Je ne l'ai jamais vu pour ce qu'il était, alors que c'était mon enfant préféré. Je regrette juste d'avoir passé mon temps à vouloir qu'il soit quelqu'un d'autre. Certainement que toi tu étais capable de l'accepter pour ce qu'il était, davantage que son père ou moi, ou son frère, mon Dieu. Écoute », a-t-elle enchaîné sur le même ton, dans le silence plutôt glaçant qui a suivi. Elle continuait de feuilleter le catalogue. « Voici saint Pierre. Qui détourne les petits enfants du Christ. »

Obéissant, je me suis levé pour me planter derrière elle. Je connaissais l'œuvre, un des grands tableaux orageux à la pointe sèche au Morgan Museum, *La Pièce aux cent florins* ainsi qu'on l'appelait : le prix que Rembrandt avait été forcé de payer quand la plaque avait été perdue et qu'il avait dû la racheter.

« Il est tellement particulier, Rembrandt. Même ses sujets religieux... C'est comme si les saints étaient descendus poser pour lui en vrai. Ces deux saint Pierre (elle a fait un geste vers sa propre petite esquisse à la plume accrochée au mur), ce sont des œuvres complètement différentes et à des années d'intervalle, mais l'homme est identique, corps et âme, tu le reconnaîtrais dans une séance d'identification, non ? Le crâne chauve. Le même visage… dévoué, sérieux. Il respire la bonté et pourtant il y a toujours cette crispation soucieuse et inquiète. Cette nuance subtile du traître. »

Elle continuait de fixer le catalogue et mon regard s'est détourné vers la photo d'Andy et de son père dans son cadre argenté sur la table à côté de nous. C'était juste un instantané, mais pour faire passer ce sentiment de présage, d'éphémère et de destinée, aucun maître hollandais n'aurait pu agencer la composition avec plus d'habileté. Andy et Mr. Barbour sur fond sombre, avec des chandelles mouchées dans les appliques au mur, la main de Mr. Barbour posée sur une maquette de bateau. L'effet n'aurait pas été plus allégorique, ou glaçant, s'il avait posé sa main sur un crâne. Au-dessus, à la place du sablier adoré par les peintres hollandais de vanités, une pendule austère et légèrement sinistre aux chiffres romains. Aiguilles noires : minuit moins cinq. Le temps s'enfuit.

« Maman… » C'était Platt qui déboulait et qui s'est arrêté net quand il m'a vu.

« Ne t'embête pas à frapper, mon chéri, tu es toujours le bienvenu, a dit Mrs. Barbour sans lever les yeux de son catalogue.

— Je… » Platt a roulé des yeux ronds en me regardant. « Kitsey. » Il semblait agité. Il a plongé les mains dans les poches à soufflets de sa veste de chasse. « Elle est retardée », a-t-il informé sa mère.

Mrs. Barbour a eu l'air étonné. « Oh. » Ils se sont dévisagés et un code muet a semblé circuler entre eux.

« Retenue ? ai-je demandé aimablement en regardant entre eux deux. Où ? »

Pas de réponse. Jetant un œil vers sa mère, Platt a ouvert puis refermé la bouche. Mrs. Barbour a posé son catalogue et répondu avec douceur, sans me regarder : « Eh bien, tu sais, je ne serais pas surprise qu'elle soit sortie jouer au golf.

— Vraiment ? ai-je interrogé, moyennement surpris. Est-ce qu'il ne fait pas trop mauvais pour ça ?

— Il y a de la circulation, a lancé Platt avec empressement en jetant un œil vers sa mère. Elle est coincée. La voie express est une horreur. Elle a appelé Forrest, a-t-il poursuivi puis, se tournant vers moi : Ils retardent le dîner.

— Peut-être que Theo et toi devriez sortir prendre un verre ? a suggéré Mrs. Barbour, pensive, après un temps d'arrêt. Oui, a-t-elle dit à Platt en croisant les mains et d'une voix décidée, comme si l'affaire était réglée. Je pense que c'est une excellente idée. Vous deux n'avez qu'à sortir prendre un verre. Et toi ! a-t-elle dit en se tournant vers moi avec un sourire. Tu es un ange ! Merci mille fois pour mon livre, a-t-elle ajouté en tendant la main pour attraper la mienne. Le plus beau cadeau du monde.

— Mais...

— Oui ?

— Est-ce qu'elle ne devra pas repasser ici pour se rafraîchir ? ai-je avancé après un moment de légère confusion.

— Pardon ? » Tous deux me regardaient.

« Si elle a joué au golf ? Est-ce qu'elle n'aura pas besoin de se changer ? Je doute qu'elle veuille aller chez Forrest dans sa tenue de golf, ai-je continué en regardant l'un puis l'autre, puis vu qu'aucun des deux ne répondait : Ça ne me dérange pas de l'attendre ici. »

Mrs. Barbour a pincé les lèvres, l'air préoccupée et

les yeux lourds, et tout à coup j'ai compris. Elle était fatiguée. Elle n'avait pas prévu de devoir rester assise pour me recevoir, mais elle était trop polie pour le dire.

« Il commence à se faire tard, j'ai bien besoin d'un cocktail », ai-je lancé en me levant, embarrassé.

C'est alors que le téléphone dans ma poche, resté silencieux toute la journée, a sonné bruyamment : un texto. Gauchement – j'étais tellement épuisé que je savais tout juste où se trouvait ma poche – j'ai tâtonné pour le trouver.

Et bien sûr c'était Kitsey et son festival d'émoticônes. **♥♥ Salut Popsy ♥ jéuneheurederetard ! ⊗✗!✐❀✳❦!!! J'espère que ce texto te parviendra ! Forrest & Celia retardent le dîner, je te retrouve là-bas à 21 h, jeu t'adoreue ! Kits ♥✗♥✗♥✗♥**

XIV

Cinq ou six jours plus tard, je n'avais toujours pas pleinement récupéré de la soirée avec Boris – en partie parce que j'étais occupé avec des clients, que j'avais des enchères auxquelles je devais assister, des propriétés à visiter, et en partie à cause des sorties éreintantes avec Kitsey pratiquement chaque soir : fêtes, dîners en costume-cravate, *Pelléas et Mélisande* au Met, lever à six heures tous les matins et au lit bien après minuit, une fois même à deux heures du matin, à peine un moment à moi et (même pire) à peine un moment seul avec elle, ce qui en temps normal m'aurait rendu fou, mais au vu des circonstances j'étais tellement submergé et aux prises avec la fatigue que je n'avais pas beaucoup de temps pour réfléchir.

Toute la semaine je m'étais réjoui à l'idée du Mardi de Kitsey avec ses amies, non parce que je n'avais pas envie de la voir, mais parce que Hobie dînait à l'extérieur et que j'étais ravi d'être seul, de manger les restes dans le frigo et d'aller me coucher tôt. Mais à la fermeture, dix-neuf heures, j'avais encore du retard à rattraper à la boutique. Miracle, un décorateur était venu se renseigner sur un étain de valeur, démodé et impossible à vendre, qui ramassait la poussière sur le dessus d'une vitrine depuis l'époque de Welty. Je ne m'y connaissais pas bien en étains et j'étais occupé à chercher un article dans un ancien numéro de *Antiques* quand Boris a surgi derrière la porte vitrée de la boutique, à peine cinq minutes après que j'eus fermé à clé. Il pleuvait à verse ; dans la pluie torrentielle et hachée, c'était une ombre en manteau, méconnaissable, et le rythme de ses coups à la porte était différent d'autrefois, chez mon père, quand il faisait le tour du patio et tapait vivement pour que je le laisse entrer.

Il s'est engouffré à l'intérieur, s'est ébroué violemment et l'eau a volé partout. « Tu veux m'accompagner en voiture dans le haut de Manhattan ? a-t-il dit sans préambule.

— Je suis occupé.

— Ah bon ? a-t-il fait, d'une voix à la fois affectueuse et exaspérée qui laissait clairement transparaître un chagrin tellement enfantin que je me suis détourné de mon étagère de livres. Tu ne demandes pas pourquoi ? Je pense que tu auras peut-être envie de venir.

— Où ça dans le nord de Manhattan ?

— Je vais parler à des gens.

— À propos de... ?

— Oui, a-t-il répondu vivement en reniflant et en s'essuyant le nez. Exactement. Tu n'es pas obligé de venir, j'allais emmener mon copain Toly, mais pour plusieurs raisons je me suis dit que ce serait bien si tu voulais être là aussi... Popchik, oui oui ! s'est-il exclamé en se baissant pour saisir le chien qui s'était traîné pour venir le saluer. Content de te voir, moi aussi ! Il aime le bacon, m'a-t-il dit en grattant Popper derrière les oreilles et en frottant son nez contre sa nuque. Tu lui en fais quelquefois ? Il aime aussi le pain trempé dans la graisse.

— Parler à qui ? C'est qui, ce type ? »

Boris a écarté ses cheveux dégoulinants d'eau de son visage. « C'est un type que je connais. Il s'appelle Horst. C'est un vieil ami de Myriam. Lui aussi a eu des soucis avec cette transaction... Honnêtement je ne pense pas qu'il puisse nous aider, mais Myriam a suggéré que ça ne ferait peut-être pas de mal de lui reparler ? Et je pense que là-dessus elle pourrait avoir raison. »

XV

En route vers le nord de Manhattan, à l'arrière de la voiture, dans le vacarme de la pluie qui tombait si fort que Gyuri devait crier pour qu'on l'entende (« Quel temps de chien ! »), Boris m'a discrètement renseigné sur Horst. « C'est une triste triste histoire. Il est allemand. C'est un type intéressant, très intelligent et sensible. Famille importante aussi... Il me l'a expliqué à une occasion, mais j'ai oublié. Son père était en partie américain et lui a laissé plein d'argent, mais quand sa mère s'est remariée... » Là il a nommé un industriel de notoriété mondiale poursuivi par une obscure et ancienne rumeur de nazisme. « *Des millions*. Je veux dire, tu n'imagines pas tout le fric que ces gens ont ! Ils se roulent dedans. L'argent leur sort du cul.

— Ouais, c'est vraiment une triste histoire.

— Eh bien... Horst est un junkie grave. Tu me connais... (haussement d'épaules philosophique) je ne juge pas et je ne condamne pas. Les gens font ce qu'ils veulent, je m'en fiche ! Mais Horst... c'est très triste.

Il est tombé amoureux de cette fille qui se droguait et elle l'a entraîné. Elle lui a fait prendre de tout, et quand il n'y a plus eu d'argent, elle est partie. La famille de Horst... ils l'ont renié il y a des années. Et pourtant il continue de se ronger d'inquiétude pour cette horrible fille pourrie. Je dis fille – elle doit avoir près de quarante ans maintenant. Elle s'appelle Ulrika. Chaque fois que Horst a un peu d'argent, elle rapplique quelque temps. Puis elle le quitte de nouveau.

— Quel rapport ?

— L'associé de Horst, Sascha, c'est lui qui a monté la transaction. Je rencontre le type... il a l'air clean, mais qu'est-ce que j'en sais ? Horst m'a dit qu'il n'avait jamais travaillé avec le contact de Sascha en personne, mais j'étais pressé et je n'ai pas approfondi comme j'aurais dû, puis... (il a levé les bras en l'air) pouf ! Myriam avait raison, elle a toujours raison, j'aurais dû l'écouter. »

L'eau coulait le long des vitres, du mercure lourd, scellant les portières de la voiture autour de nous, les lumières clignotant et fondant au-dehors dans un grondement qui me transportait à l'arrière de la Lexus avec Boris, à Vegas, quand mon père la faisait nettoyer.

« Horst est généralement un peu pointilleux sur les gens avec qui il fait des affaires, donc je m'étais dit qu'il n'y aurait pas de problème. Mais il est très réservé, tu vois ? "Inhabituel, a-t-il dit. Non conventionnel." OK, qu'est-ce que c'est censé signifier ? Puis quand j'arrive là-bas... Ces gens sont fous. Je veux dire fous au point de tirer sur des poulets avec un fusil. Dans des situations comme ça, il faut du calme et de la discrétion ! À se demander s'ils ont trop regardé la télé. C'est pas comme ça qu'on fait ! Normalement, dans ce genre de situation, tout le monde est très très poli, tout est feutré, et silencieux ! Myriam a dit et elle avait raison : oublie les fusils ! Pour quelle raison de dingues ces gens ont-ils des poulets à Miami ? Rien que ce détail... C'est un

quartier à jacuzzis et courts de tennis, tu me comprends…
Qui élève des poulets ? Tu n'as pas envie qu'un voisin
appelle pour se plaindre de leur bruit dans la cour ! Mais
le temps de penser à tout ça (il a haussé les épaules)
j'étais déjà là-bas. En plein dedans. Je me suis dit de
ne pas m'inquiéter autant, mais en fait j'avais raison.

— Qu'est-ce qui s'est passé ?

— Je ne sais pas vraiment. J'ai reçu la moitié de la
marchandise qu'on m'avait promis, le reste devait arriver
une semaine plus tard. Rien d'inhabituel. Mais ensuite
ils ont été arrêtés et je n'ai ni reçu l'autre moitié ni
récupéré le tableau. Horst… Eh bien, Horst aimerait le
trouver, lui aussi, il a déboursé pas mal de fric. Enfin
bon, j'espère qu'il a un peu plus d'infos que la dernière
fois qu'on s'est parlé. »

XVI

Gyuri nous a déposés au niveau des rues 60, pas
loin du tout de chez les Barbour. « C'est ici ? » ai-je
demandé en secouant la pluie sur le parapluie de Hobie.
On était devant une des grandes maisons en calcaire sur
la 5ᵉ Avenue – portes en fer forgé et heurtoirs massifs
en tête de lion.

« Oui, c'est la maison de son père, le reste de sa
famille essaie de le déloger légalement mais bonne
chance, hein. »

On nous a ouvert *via* l'interphone et nous avons pris
un ascenseur à l'ancienne jusqu'au deuxième étage. J'ai
senti de l'encens, de l'herbe et de la sauce spaghettis
en train de cuire. Une grande blonde maigre, cheveux
coupés court et visage serein aux petits yeux de chameau,
a ouvert la porte. Elle était habillée comme un gamin des
rues ou un crieur de journaux à l'ancienne : pantalons

pied-de-poule, bottines, Damart sale et bretelles. Perchées au bout de son nez, une paire de lunettes Ben Franklin cerclées de métal.

Sans nous adresser un seul mot, elle nous a ouvert la porte et elle est repartie, nous laissant seuls dans un salon sombre et crasseux de la taille d'une salle de bal, on aurait dit la version abandonnée d'un décor de la haute société dans un film de Fred Astaire : hauts plafonds, plâtre qui s'effrite, piano à queue, lustre noirci avec la moitié des pendeloques en cristal cassées ou disparues, de grands escaliers dignes de Hollywood souillés de mégots de cigarettes. Des incantations soufis bourdonnaient faiblement en fond sonore : *Allāhu Allāhu Allāhu Haqq. Allāhu Allāhu Allāhu Haqq.* Sur le mur, quelqu'un avait dessiné au charbon une série de nus grandeur nature montant les escaliers, on aurait dit des images de film ; il y avait très peu de meubles, à part un futon miteux et quelques chaises et tables qui semblaient avoir été récupérées dans la rue. Des cadres vides au mur, un crâne de bélier. À la télévision, un dessin animé tremblotait et crachouillait avec un entrain épileptique, moulinant des formes géométriques entrecoupées de lettres et d'images de voitures de course. À part ça, et à part la porte par laquelle la blonde avait disparu, la seule lumière existante provenait d'une lampe qui jetait un cercle blanc et net sur des bougies fondues, des câbles d'ordinateur, des bouteilles de bière vides, des bonbonnes de butane, des pastels à l'huile dans des boîtes ou bien éparpillés, de nombreux catalogues *raisonnés* *, des livres en allemand et en anglais dont *La Méprise* de Nabokov et *Être et Temps* de Heidegger avec la couverture arrachée, des carnets de croquis, des livres d'art, des cendriers et du papier alu brûlé, ainsi qu'un oreiller d'apparence sale où somnolait un chat gris tigré. Au-dessus de la porte, comme un trophée provenant d'un pavillon de chasse de Schwartzwald, une rangée de bois de cerfs jetait des

ombres déformées qui s'étalaient et projetaient des ramifications au plafond, créant une atmosphère maléfique de
conte de fées nordique.

Une conversation dans la pièce d'à côté. Les fenêtres
étaient voilées de draps punaisés, juste assez fins pour
laisser passer une lueur violette diffuse en provenance
de la rue. Alors que je regardais autour de moi, des
formes ont émergé de l'obscurité, transformées avec une
étrangeté onirique : tout d'abord, la séparation de fortune – qui consistait en un tapis style gourbi pendant
du plafond grâce à du fil de canne à pêche – et qui,
vu de plus près, se révélait être une tapisserie, et une
bonne, XVIII⁰ siècle ou plus ancienne, la quasi-jumelle
d'une tapisserie des Gobelins que j'avais vue estimée
à quarante mille livres lors d'enchères. Et puis tous les
châssis au mur n'étaient pas vides. Certains encadraient
des tableaux et l'un d'eux, même dans la faible lumière,
ressemblait à un Corot.

J'étais sur le point de m'approcher pour regarder,
lorsqu'un homme qui aurait aussi bien pu avoir trente
que cinquante ans est apparu sur le pas de la porte :
l'air épuisé, grand et élancé, avec des cheveux blond
vénitien raides peignés vers l'arrière, il était vêtu d'un
jean noir moulant déchiré au genou et d'un pull crado
des commandos britanniques, avec par-dessus une veste
de costume qui fermait mal.

« Salut, tu dois être Potter, m'a-t-il lancé, d'une voix
anglaise basse, avec un léger mordant allemand, puis,
à l'adresse de Boris : Content que tu sois venu. Vous
devriez rester, tous les deux. Candy et Niall préparent
le repas avec Ulrika. »

Il y a eu un mouvement derrière la tapisserie, à mes
pieds, qui m'a fait reculer d'un bond : formes emmaillo-
tées par terre, sacs de couchage, odeur de SDF.

« Merci, mais on ne peut pas, a décliné Boris qui

816

s'était emparé du chat et le grattait derrière les oreilles. Mais je prendrai bien de ce vin, merci. »

Sans un mot, Horst a passé son verre à Boris, puis il a crié quelque chose en allemand dans l'autre pièce. À moi, il a dit : « Tu es marchand d'art, hein ? » À la lueur de la télévision ses yeux délavés de mouette aux pupilles rétrécies brillaient avec dureté et sans ciller.

« Oui, ai-je répondu, mal à l'aise ; puis : Euh, merci. » Une autre femme – une brunette coiffée au carré, avec des cuissardes noires, une jupe juste assez courte pour laisser entrevoir le chat noir tatoué sur sa cuisse laiteuse – était apparue avec une bouteille et deux verres : un pour Horst, un pour moi.

« *Danke, darling* », a dit ce dernier. À Boris il a jeté : « Ces messieurs veulent sniffer ?

— Pas maintenant, a refusé Boris qui s'était penché en avant pour voler un baiser à la brunette qui repartait. Mais je me demandais. Tu as des nouvelles de Sascha ?

— Sascha… » Horst s'est carré dans le futon et a allumé une cigarette. Avec son jean déchiré et ses godillots militaires, il ressemblait à une version usagée d'un quelconque acteur de seconds rôles des années 1940 à Hollywood, un *mitteleuropäischer* mineur connu pour jouer les violonistes tragiques et les réfugiés cultivés et las. « La piste semble mener en Irlande. Bonne nouvelle, si vous voulez mon avis.

— Je n'y crois pas.

— Je n'y croyais pas non plus, mais j'ai parlé à des gens, et pour l'instant ça colle. » Il parlait avec cette tranquillité arythmique du junkie, décalée mais en articulant. « Donc… bientôt on devrait en savoir plus, j'espère.

— Des amis de Niall ?

— Non. Niall dit qu'il n'a jamais entendu parler d'eux. Mais c'est un début. »

Le vin était mauvais : du syrah de supermarché. Je n'avais qu'une envie, c'était de m'éloigner des corps par terre ; je me suis décalé pour inspecter les moulages d'un groupe d'artistes sur une table déglinguée : un torse mâle ; une Vénus drapée, haute de peut-être trente centimètres ; un pied dans une sandale. Dans la faible lumière, ils ressemblaient aux moulages en plâtre ordinaires qui se vendaient à Pearl Paint – des œuvres d'atelier servant de modèles à des étudiants en dessin – mais quand j'ai glissé mon doigt le long de la cambrure du pied, j'ai senti la souplesse du marbre, soyeux et sans grain.

« Pourquoi l'emporter en Irlande ? est intervenu Boris, nerveux. Quel genre de marché de collectionneurs il y a là-bas ? Je croyais que tout le monde essayait de sortir des œuvres de ce pays, pas d'en apporter.

— Oui, mais Sascha pense qu'il a utilisé le tableau pour rembourser une dette.

— Donc le type a des contacts là-bas ?

— De toute évidence.

— Je trouve ça difficile à croire.

— Quoi, qu'il avait des contacts ?

— Non, le coup de la dette. Ce type... il y a six mois, il avait l'air d'un mec qui volait des enjoliveurs dans la rue. »

Horst a haussé les épaules, légèrement : yeux ensommeillés, front sillonné de rides. « Qui sait. Je ne suis pas sûr que ce soit vrai, mais je n'ai certainement pas envie de m'en remettre à la chance. Est-ce que j'en mettrais ma main à couper ? a-t-il dit en tapotant paresseusement une cendre par terre. Non. »

Boris a froncé les sourcils en regardant son verre de vin. « C'était un amateur. Crois-moi. Si tu l'avais vu toi-même, tu saurais.

— Oui, mais d'après Sascha il aime jouer.

— Tu ne penses pas que Sascha en sait davantage qu'il n'en dit ?

— Je ne crois pas. » Il y avait une distance dans ses manières, comme s'il se parlait en partie à lui-même.

« "Attends de voir." Voilà ce que j'ai compris, moi. Et c'est une réponse insatisfaisante. Qui pue à plein nez, si tu veux mon avis. Mais comme je te dis, on n'est pas encore arrivés au fin fond de l'histoire.

— Et quand est-ce que Sascha revient à New York ? » La pénombre dans la pièce m'a renvoyé directement à l'enfance, à Vegas, comme l'humeur obscure d'un rêve qui subsisterait après le sommeil : une légère brume de fumée de cigarette, des vêtements sales par terre, le visage de Boris blanc puis bleu dans le tremblotement de l'écran.

« La semaine prochaine. Je t'appellerai. Tu pourras lui parler toi-même à ce moment-là.

— Oui. Mais je pense qu'on devrait lui parler tous les deux.

— Oui. C'est ce que je pense aussi. À l'avenir on sera tous les deux plus malins… Ça n'aurait pas dû arriver… Mais quoi qu'il en soit, tu comprends que je fais attention à ne pas le bousculer, a expliqué Horst qui se grattait lentement le cou, l'air ailleurs.

— C'est très pratique pour Sascha.

— Tu as des soupçons. Dis-moi.

— Je pense… » Boris a glissé un œil vers la porte. « Oui ?

— Je pense (Boris a baissé la voix) que tu es trop sympa avec lui. Oui oui… (il a levé les mains) je sais. Mais tout ça est très pratique pour ce type : il peut disparaître comme ça lui chante, sans laisser de trace, il ne sait rien !

— Eh bien, peut-être », a répondu Horst. Il semblait absent et distrait, comme un adulte entouré d'enfants en bas âge. « C'est un boulet pour nous tous. Je veux aller jusqu'au fond de cette histoire autant que toi. Encore que, on n'en sait rien, mais aussi bien ce type est un flic.

— Non, a rétorqué Boris avec fermeté. Il ne l'était pas. Il ne l'était pas. Je le sais.

— En fait… pour être très honnête avec toi, je ne

le pense pas non plus, il y a des tas de trucs cachés que nous ignorons encore. Mais je reste optimiste. » Il a pris une boîte en bois sur la table à dessin et a fouiné dedans. « Ces messieurs sont sûrs de ne pas vouloir un petit quelque chose ? »

J'ai détourné le regard. Ça m'aurait beaucoup plu. J'aurais aussi aimé voir le Corot, sauf que je ne voulais pas avoir à contourner les corps par terre pour l'atteindre. De l'autre côté de la pièce, j'ai remarqué plusieurs autres tableaux appuyés contre le lambrissage : une nature morte et quelques petits paysages.

« Va le regarder si tu veux. » C'était Horst. « Le Lépine est un faux. Mais le Claesz et le Berchem sont à vendre si ça t'intéresse. »

Boris a ri et tendu la main pour prendre une des cigarettes de Horst. « Il n'est pas dans ce marché-là.

— Non ? s'est étonné Horst sur un ton cordial. Je peux lui faire un bon prix pour les deux. Le vendeur a besoin de s'en débarrasser. »

Je me suis approché pour regarder : nature morte, bougie et verre de vin à moitié vide. « Claesz-Heda ?

— Non, Pieter. Bien que… (Horst a mis la boîte de côté, puis il s'est planté à côté de moi et a soulevé la lampe de travail accrochée à son fil, inondant les deux tableaux d'une lueur dure et formelle) cette partie (tracé en l'air d'un doigt), le reflet d'une flamme ici ? et le bord de la table, la draperie ? Ça pourrait presque être du Heda des mauvais jours.

— C'est superbe.

— Oui. Dans son genre. » De près, il sentait la personne mal lavée et négligée, avec une forte odeur poussiéreuse et épicée de magasin d'imports chinois. « Un peu prosaïque pour le goût moderne. Manière classique. Beaucoup trop de mise en scène. Mais le Berchem est très bon.

— Il y a beaucoup de faux Berchem en circulation, ai-je avancé sur un ton neutre.

— Oui (la lumière de la lampe tenue en l'air sur le paysage était bleuâtre et sinistre), mais ceci est adorable… Italie, 1655… Les ocres sont superbes, non ? Le Claesz n'est pas si bon, selon moi ce sont ses débuts, bien que dans les deux cas la provenance soit irréprochable. Ce serait bien de les conserver ensemble… ils n'ont jamais été séparés, ces deux-là. Père et fils. Ils ont été légués ensemble au sein d'une vieille famille hollandaise, et il se sont retrouvés en Autriche après la guerre. Pieter Claesz… » Horst a soulevé la lampe plus haut. « Claesz était si inégal, franchement. Superbe technique, superbe surface, mais il y a quelque chose qui cloche un peu dans celui-ci, tu n'es pas d'accord ? La composition ne tient pas la route. C'est incohérent, en un sens. Et puis… (indiquant avec le plat de son pouce la lueur trop vive émanant de la toile) trop de vernis.

— Je suis d'accord. Et ici… (traçant en l'air l'arc disgracieux créé par un nettoyage trop zélé qui en avait frotté la peinture jusqu'au glacis).

— Oui. » Le regard qu'il a lancé en guise de réponse était aimable et endormi. « Très vrai. De l'acétone. Celui qui a fait ça mériterait d'être tué. Et pourtant un tableau de niveau moyen comme ça, en mauvais état, même un travail anonyme, vaut plus qu'un chef-d'œuvre, c'est ça l'ironie de la chose, ça a plus de valeur pour *moi* en tout cas. Les paysages en particulier. Très très facile à vendre. Les autorités ne sont pas très regardantes… C'est difficile à reconnaître à partir d'une description… et ça vaut toujours quelques centaines de milliers de dollars, peut-être. Maintenant, le Fabritius… (longue pause décontractée) c'est d'un tout autre calibre. L'œuvre la plus remarquable qui me soit jamais passée entre les mains, je peux le dire sans la moindre hésitation.

— Oui, et c'est pourquoi nous aimerions tellement le récupérer, a grommelé Boris dans l'ombre.

— C'est tout à fait extraordinaire, a poursuivi sereinement Horst. Une nature morte comme celle-là… (il a indiqué le Claesz avec un geste lent de la main – ongles jaunis, réseau veineux balafré sur le dessus de la main) eh bien, c'est un trompe-l'œil incontestable. Superbe habileté technique, mais trop raffiné. Exactitude obsessionnelle. Qualité mortifère. Il y a une très bonne raison à leur appellation de natures mortes, non ? Mais le Fabritius… (pas en arrière, le genou souple) je connais la théorie du *Chardonneret*, elle m'est très familière, les gens disent que c'est un trompe-l'œil et effectivement, de loin, il peut donner cette impression-là. Mais je me fiche de ce que disent les historiens d'art. C'est vrai, il y a des endroits travaillés comme un trompe-l'œil… le mur et le perchoir, une lueur sur le cuivre, et puis… la poitrine avec ses plumes, très animale. Du duvet et encore du duvet. Doux, doux. Claesz pousserait cette finition et cette exactitude jusqu'à la mort… Un peintre comme Van Hoogstraten les pousserait même plus loin, jusqu'au dernier clou dans le cercueil. Mais Fabritius… il fait un calembour sur le genre, c'est une riposte magistrale à toute l'idée de trompe-l'œil… parce que dans d'autres endroits de l'œuvre – la tête ? l'aile ? – pas le moins du monde animal ni littéral, il déconstruit l'image de manière très délibérée pour nous montrer comment il l'a peinte. Barbouillages et taches de couleur très travaillés, à la main, surtout la ligne du cou, une peinture solide, très abstraite. C'est ça qui fait de lui un génie plus de notre époque que de la sienne. Il y a un double sens. On voit la patte du peintre, on voit la peinture pour la peinture, et aussi l'oiseau vivant.

— Oui, bon, si pas de peinture, y aurait rien à voir, a grogné Boris dans l'obscurité au-delà du halo lumineux de la lampe en refermant son briquet d'un coup sec.

— Exactement. » Horst s'est retourné, le visage coupé par l'ombre. « C'est une blague, le Fabritius. Il y a une plaisanterie au cœur de ce tableau. Et c'est ce que font tous les plus grands maîtres. Rembrandt. Vélasquez. Titien vers la fin. Ils font des plaisanteries. Ils s'amusent. Ils élaborent l'illusion, la ruse, mais un pas de plus et ça se désintègre en coups de pinceau. Abstrait, mystérieux. Une sorte de beauté tout à fait différente et bien plus profonde. La chose, et en même temps pas la chose. Je devrais dire que ce minuscule tableau place Fabritius au rang des plus grands peintres au monde. Avec *Le Chardonneret*, il crée son miracle dans un espace tellement minuscule. Mais je l'admets, j'étais surpris… (il s'est tourné pour me regarder) par son poids quand je l'ai tenu dans mes mains la première fois.

— Oui (je ne pouvais m'empêcher de me sentir gratifié, d'une drôle de manière, pour avoir remarqué ce détail curieusement important à mes yeux, avec son propre réseau de rêves et d'associations enfantines, un accord émotionnel) le tableau est plus lourd que ce qu'on croirait. C'est du solide.

— Un poids lourd. Tout à fait. C'est le mot. Et le fond… beaucoup moins jaune que lorsque je l'ai vu quand j'étais gamin. Il a subi un nettoyage… au début des années 1990, je crois. Postconservation, il y a davantage de lumière.

— Difficile à dire. Je n'ai pas de point de comparaison.

— Bien. » La fumée de la cigarette de Boris, dont le filet s'élevait depuis l'obscurité où il se trouvait, a conféré au cercle inondé de lumière où nous étions assis l'impression d'une scène de cabaret nocturne. « J'ai peut-être tort. J'avais douze ans et quelques quand je l'ai vu pour la première fois.

— Oui, j'avais à peu près le même âge aussi.

— Donc… a poursuivi Horst, résigné, en se grattant

un sourcil (il avait des bleus de la taille d'une pièce de dix cents sur le dessus de ses mains), ce jour-là à La Haye c'était la seule fois où mon père m'a emmené en voyage d'affaires. Des salles de réunion frigorifiées. Pas une feuille qui bouge. Durant notre après-midi je voulais aller à Drievliet, le parc d'attraction, mais à la place il m'a emmené au Mauritshuis. Et... superbe musée, plein de superbes tableaux, mais le seul que je me rappelle avoir vu c'est ton oiseau. Un tableau qui plaît à un enfant, hein ? *Der Distelfink*. C'est comme ça que je le connaissais au début, par son nom allemand.

— Ouais, ouais, ouais, a fait Boris dans l'obscurité d'une voix ennuyée. On croirait la chaîne culturelle à la télé.

— Tu vends de l'art moderne, ou pas du tout ? ai-je demandé dans le silence qui a suivi.

— Eh bien... (Horst m'a fixé avec son œil vide et glacial ; *vendre* n'était pas tout à fait le verbe *ad hoc*, il a semblé amusé par mon choix de mots) parfois. J'ai eu un Kurt Schwitters il n'y a pas si longtemps... Stanton MacDonald-Wright, tu le connais ? Il est super. Ça dépend beaucoup de ce sur quoi je tombe. Très honnêtement... est-ce que tu vends jamais des tableaux ?

— Très rarement. Les marchands d'art me coiffent toujours au poteau.

— C'est dommage. Le transportable, c'est ce qui est important dans mon métier. Il y a beaucoup de pièces de niveau moyen que je pourrais vendre proprement si je possédais une authentification qui ait belle allure. »

L'odeur de l'ail ; des casseroles qui s'entrechoquent dans la cuisine ; vague fumet d'urine et d'encens évoquant un souk marocain. Incessant, le bourdonnement soufi bas et continu, flottant et tournant en spirales autour de nous dans l'obscurité, incantations incessantes vers le divin.

« Ou ce Lépine. Plutôt un faux de qualité. Il y a ce

type… Canadien, très amusant, il te plairait, qui les fait sur commande. Des Pollock, des Modigliani… je serai ravi de te le présenter, si tu veux. Il n'y a pas beaucoup d'argent là-dedans pour moi, bien qu'il y ait une fortune à se faire si l'un d'eux se retrouvait dans la bonne succession. » Puis, habilement, dans le silence qui a suivi : « Parmi les œuvres plus anciennes je vois beaucoup d'Italiens, mais mes préférences, elles vont vers le Nord ainsi que tu peux le constater. Maintenant… ce Berchem est en soi un très bel exemple, mais bien sûr ces paysages à l'italienne avec les colonnes cassées et les simples laitières ne relèvent pas vraiment du goût moderne, si ? Je préfère de beaucoup le Van Goyen, là. Qui malheureusement n'est pas à vendre.

— Van Goyen ? J'aurais juré que c'était un Corot.

— Vu d'ici, oui, on pourrait le croire. » Il était heureux de la comparaison. « Des peintres très voisins – Vincent lui-même l'a remarqué – tu connais cette lettre ? "Le Corot des Hollandais" ? Même délicatesse de la brume, cette brèche dans le brouillard, tu vois de quoi je parle ?

— Où… » J'étais sur le point de poser la question typique du marchand, *où l'as-tu trouvé,* avant de me raviser.

« Merveilleux peintre. Très prolifique. Et ceci est un exemple particulièrement splendide, a-t-il assené avec une fierté de collectionneur. Il y a beaucoup de détails amusants quand on regarde de près : le chasseur minuscule, le chien qui aboie. Aussi, très typique, la signature sur la poupe du bateau. Très charmant. Si ça ne t'ennuie pas… (d'un hochement de tête il a indiqué les corps derrière la tapisserie). Vas-y. Tu ne les dérangeras pas.

— Non, mais…

— Non… (il a levé une main) je comprends parfaitement. Tu veux que je te l'apporte ?

— Oui, j'adorerais le voir.

— Je dois avouer, j'en suis devenu tellement fan

que je n'ai pas envie de le voir partir. Il a vendu des tableaux, Van Goyen. Beaucoup de peintres hollandais l'ont fait. Jan Steen. Vermeer. Rembrandt. Mais Jan Van Goyen… (il a souri) était comme notre ami Boris ici présent. Touche-à-tout. Tableaux, immobiliers, boursicotage autour des tulipes. »

Dans l'obscurité, Boris a eu un accès d'humeur en entendant ça et il a semblé sur le point de répondre, quand tout à coup un jeune homme maigre aux cheveux ébouriffés d'environ vingt-deux ans, avec un thermomètre au mercure à l'ancienne dans la bouche, est sorti de la cuisine en vacillant et en se protégeant les yeux de la main contre la lampe tenue en l'air. Il portait un gilet bizarre, féminin et grossièrement tricoté, qui lui arrivait presque aux genoux, comme un peignoir ; il avait l'air malade et désorienté, sa manche était relevée, il se frottait l'intérieur de l'avant-bras avec deux doigts, puis ses genoux ont fléchi de côté et il est tombé par terre, le thermomètre ricochant avec un bruit de verre sur le parquet, intact.

« Quoi… ? » s'est exclamé Boris en écrasant sa cigarette et en se levant, le chat quittant ses genoux comme une flèche pour filer vers l'obscurité. Fronçant les sourcils, Horst a déposé la lampe par terre et la lumière s'est balancée comme une folle sur les murs et le plafond. « *Ach*, a-t-il fait d'un ton irrité en écartant d'un geste les cheveux de ses yeux et en tombant à genoux pour inspecter le jeune homme. Reculez-vous », a-t-il ordonné d'une voix contrariée aux femmes qui étaient apparues sur le pas de la porte en même temps qu'un vieux malabar attentif aux cheveux sombres et quelques gamins de lycée privé, seize ans max. Puis, alors qu'ils étaient plantés là à regarder, il a vite agité une main. « Dans la cuisine avec vous ! Ulrika, a-t-il lancé à la blonde, *halt sie zurück.* »

La tapisserie s'agitait ; derrière, il y avait des petits

groupes enveloppés de couvertures et des voix endormies : *Eh ? Was ist los ?*

« *Ruhe, schlaft weiter* », a appelé la blonde avant de se tourner vers Horst et de se mettre à parler, dans l'urgence, un allemand rapide comme le feu.

Des bâillements ; des grognements ; plus loin, un paquet de chair s'est assis, avec un gémissement américain groggy : « Hein ? Klaus ? Qu'est-ce qu'elle a dit ?

— Ta gueule, bébé, et retourne *zu schlafen*. »

Boris avait pris son manteau et était en train de l'enfiler. « Potter, a-t-il lancé puis, quand je n'ai pas répondu parce que je fixais, horrifié, le sol où le garçon respirait en gargouillant. Potter. » Attrapant mon bras. « Allez, on y va.

— Oui, désolé. On se reparlera plus tard. *Scheisse*, a émis Horst à regret en secouant l'épaule molle du garçon, sur le ton peu convaincant d'un parent en pleine démonstration d'autorité. *Dummer Wichser ! Dummkopf !* Combien il a pris, Niall ? a-t-il demandé au malabar qui était réapparu sur le pas de la porte et qui regardait la scène d'un œil critique.

— Je n'en sais foutre rien, a répondu l'Irlandais en détournant la tête avec un bruit sec et inquiétant.

— Allez, Potter », a répété Boris en me tapant le bras. Horst avait collé son oreille sur la poitrine du gamin et la blonde, qui était revenue, était tombée à genoux à côté de lui et vérifiait ses voies respiratoires.

Pendant qu'ils se consultaient dans l'urgence en allemand, il y a eu davantage de bruit et de mouvement derrière la tapisserie qui s'est soudain gonflée : des fleurs fanées, une *fête champêtre* *, des nymphes prodigues fôlatrant entre fontaine et vigne. Je fixais un satyre qui leur jetait un œil furtif et narquois de derrière un arbre quand, tout à coup... quelque chose contre ma jambe. J'ai sursauté violemment tandis qu'une main attaquait le revers de mon pantalon par en dessous et s'y accrochait. Par terre, un des ballots sales – visage rouge enflé juste visible sous la tapisserie – m'a annoncé d'une voix endormie et vaillante : « C'est un margrave, mon cher, vous le saviez ? »

J'ai libéré ma jambe de pantalon et j'ai reculé d'un pas. Le garçon par terre roulait un peu sa tête, et aux bruits qu'il faisait on aurait cru qu'il se noyait.

« *Potter.* » Boris avait pris mon manteau et il me le collait littéralement sous le nez. « Allez ! On y va ! *Ciao*, a-t-il jeté dans la cuisine en levant le menton (tête brune et mignonne apparaissant sur le pas de la porte, main qui virevolte : *Salut, Boris ! Salut !*) tandis qu'il me poussait devant lui et plongeait derrière moi pour sortir. *Ciao*, Horst !* » a-t-il lancé en effectuant un geste qui disait *appelle-moi plus tard*, la main collée à l'oreille.

« *Tschau*, Boris ! Désolé ! On se reparle bientôt ! Debout », a intimé Horst tandis que l'Irlandais arrivait et attrapait l'autre bras du garçon par en dessous ; ensemble ils l'ont soulevé, les pieds mous et les orteils traînant par terre et, au milieu d'une activité accrue sur le pas de la porte, avec les deux ados paniqués qui se bousculaient, ils l'ont traîné vers le seuil éclairé de la chambre voisine, où la brunette de Boris remplissait une seringue d'un liquide contenu dans une fiole en verre.

XVII

En prenant l'ascenseur à l'ancienne, nous avons soudain été enfermés dans le silence, à part le grincement des embrayages et le craquement des poulies.

Le ciel s'était éclairci. « Allez, m'a dit Boris en jetant des coups d'œil nerveux dans la rue (il avait sorti son téléphone de la poche de son manteau), on traverse, allez…

— Quoi… (en se dépêchant on pourrait passer au vert) tu appelles les secours ?

— Non non, a répondu Boris l'air distrait en s'essuyant le nez et en regardant autour de lui, je ne veux pas rester ici à attendre la voiture, j'appelle Gyuri pour lui demander de nous prendre de l'autre côté du parc. On traversera. Parfois certains de ces gamins se font des shoots un peu trop costauds, a-t-il poursuivi en me voyant me retourner pour jeter un regard anxieux vers la maison. T'inquiète pas. Ça va aller.

— Ça n'en avait pas l'air.

— Non, mais il respirait et Horst avait du Narcan. Ça le sortira d'affaire tout de suite. C'est magique, tu en as déjà vu ? T'es direct en manque. Tu te sens affreusement mal, mais tu vis.

— Ils devraient l'emmener aux urgences.

— Pourquoi ? a répliqué Boris sur un ton posé. Ils lui feront quoi, aux urgences ? Ils lui donneront du Narcan, c'est tout. Horst peut faire pareil et plus vite qu'eux. Et, oui, il vomira tout seul et il aura l'impression qu'on l'a poignardé dans la tête, mais c'est mieux là-bas que dans ambulance, BOUM, on découpe sa chemise, on lui colle un masque, les gens le giflent pour le réveiller, la justice est convoquée, tout le monde est très dur et le juge… Crois-moi, le Narcan, c'est… expérience très très violente, tu te sens suffisamment mal quand tu reprends tes esprits sans avoir besoin en plus d'être sous les néons d'un hôpital et les regards désapprobateurs et hostiles du personnel qui te traite comme de la merde, "drogué", "overdose", tous ces regards méchants, et, potentiellement, ces gens ne te laissent pas rentrer chez toi quand tu veux, t'envoient en psychiatrie, avec une assistante sociale qui te sert le grand speech du "Il y a Tellement de Belles Choses à Vivre", et en prime, tu peux même avoir droit à une gentille visite des flics… Attends, a-t-il interrompu, un moment s'il te plaît », et il s'est mis à parler en ukrainien au téléphone.

Obscurité. Sous la couronne brumeuse des lampadaires, les bancs du parc sont luisants de pluie, goutte goutte goutte, les arbres sont ruisselants et noirs. Les sentiers détrempés sont couverts de feuilles mortes et quelques employés de bureau solitaires se dépêchent de rentrer chez eux. Tête baissée, mains enfoncées dans les poches et fixant le sol, Boris avait terminé sa conversation et marmonnait pour lui tout seul.

« Désolé, quoi ? » ai-je fait en le regardant en biais.

Boris a pincé les lèvres et rejeté la tête en arrière. « Ulrika, a-t-il jeté d'un air sombre. Cette salope. C'est celle qui nous a ouvert la porte. »

Je me suis essuyé le front. Je me sentais nerveux, nauséeux et j'étais parcouru de sueurs froides. « Comment tu connais ces gens ? »

Boris a haussé les épaules. « Horst ? a-t-il dit en déclenchant d'un coup de pied une averse de feuilles. Ça fait des années qu'on se connaît. C'est par lui que j'ai rencontré Myriam… Je lui suis reconnaissant de nous avoir présentés.

— Et… ?

— Quoi ?

— Par terre ??

— Lui ? Celui qui est tombé ? » Boris a adopté sa vieille expression : *qui sait ?* « Ils s'en occuperont, t'inquiète. Ça arrive. Ils s'en tirent toujours. Je t'assure, a-t-il affirmé sur un ton plus sérieux. Parce que… Écoute, écoute, a-t-il enchaîné en me donnant un coup de coude dans les côtes. Horst a ces gamins qui traînent souvent là, ça tourne beaucoup, toujours des nouvelles têtes, des étudiants, des lycéens. Surtout des gosses de riches, susceptibles de vouloir lui échanger une œuvre d'art ou un tableau qu'ils ont pris dans leur famille. Ils savent comment venir à lui. Parce que… (il a relevé la tête et balayé une mèche devant ses yeux) Horst lui-même, tu sais… pendant une année ou deux, il a été dans un de ces lycées chic par ici où ils t'obligent à porter la veste. Il y a longtemps, dans les années 1980. Un endroit pas trop loin. Il me l'a montré un jour, depuis un taxi. Enfin bon… (il a reniflé) le garçon par terre ? Ce n'est pas un pauvre mec ramassé dans la rue. Et ils s'occuperont de lui. Espérons que ça lui servira de leçon. C'est le cas pour plein d'entre eux. Après cette piqûre de Narcan, il va être malade comme jamais de sa vie. En plus, Candy est infirmière et elle veillera sur lui quand il reprendra conscience. Candy ? La brunette ? a-t-il expliqué en me redonnant un coup dans les côtes parce que je ne répondais pas. Tu l'as vue ? » Il a gloussé. « Hein… ? » Il s'est baissé et a passé un doigt au-dessus de son genou pour signaler la hauteur de ses bottes. « Elle est *canon*. Bon sang, si je pouvais l'éloigner de ce Niall, l'Irlandais, je le ferais. On est allés à Coney Island un jour, rien que tous les deux, et je ne me suis jamais autant marré. Elle aime tricoter des pulls, tu imagines ? a-t-il dit en me regardant du coin de l'œil d'un air narquois. Une femme comme ça, est-ce que tu imaginerais qu'elle aime tricoter des pulls ? Eh bien, oui ! Elle m'a proposé de m'en faire un ! Et elle était sérieuse ! "Boris, je te tricoterai un pull quand tu veux. Dis-moi juste la couleur et je le ferai !" »

Il essayait de me remettre de bonne humeur, mais je me sentais encore trop remué pour parler. Pendant quelque temps on a marché tous les deux tête baissée et sans bruit, à part le cliquetis de nos pas le long du sentier dans l'obscurité, comme un écho éternel plus grand que l'énorme nuit urbaine qui nous entourait, klaxons et sirènes semblant nous parvenir de bien plus loin que cinq cents mètres de distance.

« Alors, au moins maintenant on sait, hein ? a fait Boris en me jetant un autre regard oblique.

— Quoi ? » ai-je répliqué, surpris. Mon esprit était toujours focalisé sur le garçon et les fois où j'avais, moi, frôlé la cata : m'évanouissant à l'étage dans la salle de bains chez Hobie, la tête ensanglantée d'avoir heurté le bord du lavabo en tombant ; me réveillant étendu sur le sol de la cuisine chez Carole Lombard avec Carole qui me secouait et criait, une chance que ça n'ait duré que quatre minutes, j'aurais appelé les secours si tu n'avais pas repris connaissance au bout de cinq.

« C'est Sascha qui a pris le tableau. J'en suis presque sûr.

— Qui ? »

Boris lançait des regards noirs. « Le frère d'Ulrika, si c'est pas ironique, a-t-il commenté en croisant les bras sur son étroite poitrine. Qui se ressemble s'assemble, si tu vois ce que je veux dire. Sascha et Horst sont très proches... Horst n'acceptera jamais d'entendre dire du mal de lui... C'est dur de pas apprécier Sascha, tout le monde l'aime... Il est plus sympa qu'Ulrika, mais nous on s'est jamais entendus. Jusqu'à ce qu'il tombe sur ces deux-là, Horst était dans le droit chemin, à ce qu'on me dit. Il étudiait la philosophie... Il s'apprêtait à diriger l'entreprise paternelle... et regarde-le maintenant. Cela dit, je n'ai jamais cru que Sascha irait contre les intérêts de Horst, jamais de la vie. Tu as suivi ce qui s'est dit là-bas ?

— Non.

— Eh bien, Horst pense que la parole de Sascha est sacrée, mais moi je n'en suis pas si sûr. Et je ne crois pas que le tableau soit en Irlande non plus. Même Niall, l'Irlandais, ne le croit pas. Je déteste qu'elle soit de retour, Ulrika... je ne peux pas dire ce que je pense. Parce que (mains bien au fond des poches) je suis un peu surpris que Sascha ait le culot de faire ça, et je n'ose pas le dire à Horst, mais je pense qu'il n'y a pas d'autre explication... Je pense que toute cette sale histoire, l'arrestation, la bagarre avec les flics, tout ça, c'était une excuse pour que Sascha disparaisse avec le tableau. Horst a des dizaines de gens qui vivent à ses crochets, il est bien trop tolérant et confiant... bienveillant dans son âme, tu comprends, il ne voit que le bon côté des gens... Eh bien, il peut laisser Sascha et Ulrika le voler s'il veut, mais je ne les laisserai pas me voler, moi.

— Mmm. » Je n'avais pas beaucoup vu Horst, mais il ne m'avait pas semblé particulièrement « bienveillant dans son âme ».

Boris s'est renfrogné et a donné des coups de pied dans les flaques. « Mais le seul problème ? Le type de Sascha ? Celui avec lequel il m'a mis en contact ? Son vrai nom ? Pas la moindre idée. Il se faisait appeler "Terry", qui n'était pas son prénom... Je n'utilise pas mon propre prénom non plus, mais "Terry" du Canada, au secours ! Il venait de Tchéquie et il n'était pas plus "Terry White" que moi ! Je pense que c'est un petit voyou fraîchement sorti de prison... il ne connaît rien à rien, pas d'éducation, une brute épaisse. Je pense que Sascha l'a ramassé quelque part pour l'utiliser comme compère, et qu'il lui a donné une part du butin pour conclure l'affaire... une part du genre cacahuètes, probablement. Mais je sais à quoi ressemble "Terry", je sais qu'il a des contacts à Anvers et je vais appeler mon copain Cherry et lui demander de se bouger.

— Cherry ?

— Oui... c'est le *kliytchka* de mon copain Viktor, on l'appelle comme ça parce que son nez est rouge, mais aussi parce que son prénom russe, Vitya, est proche du mot russe pour cerise. Il y a aussi un feuilleton sentimental célèbre en Russie, *Cerise hivernale*... ben, c'est dur à expliquer. Je taquine Vitya à propos de ce feuilleton et ça l'énerve beaucoup. Enfin bon... Cherry connaît tout le monde, tout ce qui se passe, il entend toutes les conversations en interne. Deux semaines avant que ça ait lieu... Cherry t'a déjà tout raconté. Donc pas besoin de t'inquiéter pour ton oiseau, d'accord ? Je suis assez sûr qu'on va y arriver.

— Qu'est-ce que tu veux dire par "y arriver" ? »

Boris a émis un bruit exaspéré. « Parce que c'est un cercle fermé, tu comprends ? Horst a raison à propos de l'argent. *Personne ne va acheter ce tableau.* Il est impossible à vendre. Mais... marché noir, monnaie d'échange ? Il peut être troqué éternellement. Il a de la valeur, il est transportable. De chambre d'hôtel en chambre d'hôtel, il peut faire des allers-retours. Drogues, armes, filles, liquide, ce que tu veux.

— Filles ?

— Filles, garçons, comme tu préfères. Attends, attends, a-t-il dit en tendant une main, je ne suis pas impliqué dans un truc comme ça. J'ai bien failli être vendu quand j'étais petit... Ces serpents sont partout en Ukraine, ou en tout cas ils y étaient, à chaque coin de rue, dans chaque gare, je peux te dire que si tu es jeune et assez malheureux, ça te semble une bonne affaire. Un type à l'air normal te promet un boulot dans un restaurant à Londres ou que sais-je, t'offre le billet d'avion et le passeport... ha. Après quoi tu te réveilles avec des chaînes au poignet dans une cave. Je ne serais jamais mouillé dans des trucs pareils. C'est mal. Mais ça arrive. Et une fois que le tableau n'est plus entre mes mains ni celles de Horst, qui sait contre quoi il est échangé ? Ce groupe-ci l'a en main, ce groupe-là l'a en main. Ce que je veux dire... (index tendu en l'air) c'est que ton tableau ne va pas disparaître dans la collection d'un oligarque fondu d'art. Il est trop connu. Personne ne veut l'acheter. Pourquoi le feraient-ils ? Qu'est-ce qu'ils peuvent en faire ? Rien. À moins que les flics le trouvent... et ce n'est *pas* le cas, on le sait...

— Je veux que les flics le trouvent.

— Eh bien... (Boris s'est frotté le nez d'un geste

vif) oui, tout ça c'est très noble. Mais pour l'instant, ce que je *sais* c'est qu'il va *bouger*, et pas seulement à l'intérieur d'un réseau relativement petit. Viktor Cherry est un grand ami, et il a une grosse dette envers moi. Alors réjouis-toi ! a-t-il lancé en m'attrapant le bras. T'as vu comme t'es blanc, on dirait que t'es malade ! Allez, on se reparlera bientôt, promis. »

XVIII

Debout sous le lampadaire où Boris m'avait laissé (« Je ne peux pas te déposer chez toi ! Je suis en retard ! J'ai un rendez-vous ! »), j'étais si perturbé que j'ai dû regarder autour de moi pour me repérer : façade gris écumeux de l'Alwyn Court pareille à quelque épouvantable folie baroque, projecteurs sur la dentelle de pierre. Les décorations de Noël accrochées à la porte de Petrossian ont fait résonner un gong scellé dans les tréfonds de ma mémoire : décembre, ma mère avec un bonnet : *Tiens, mon cœur, laisse-moi aller au coin de la rue acheter des croissants pour le petit déjeuner...*

J'étais tellement perdu dans mes pensées qu'un homme qui tournait au coin avec rapidité m'est rentré dedans : « Attention !

— Désolé », ai-je répondu en me secouant. Même s'il était responsable de l'incident, trop occupé à criailler et à jacasser dans son portable pour regarder où il allait, plusieurs personnes sur le trottoir m'ont jeté un regard désapprobateur. Le souffle court et déstabilisé, j'ai tenté de me concentrer sur la suite. Je pouvais prendre le métro jusque chez Hobie, si tant est que j'aie envie de prendre le métro, mais l'appartement de Kitsey était plus proche. Elle et ses colocs, Francie et Em, seraient sorties pour leur Soirée Filles (pas la peine d'envoyer un texto ou d'appeler, je le savais d'expérience ; d'ordinaire elles allaient au cinéma), mais j'avais une clé et je pouvais entrer, me verser à boire et m'étendre en attendant son retour.

Le ciel s'était éclairci, lune hivernale claire visible dans une trouée entre les nuages orageux, je me suis remis à marcher vers l'est, effectuant une pause de temps à autre pour tenter de héler un taxi. Je n'avais pas l'habitude de passer chez Kitsey sans prévenir, surtout parce que je n'aimais pas tellement ses colocs et que l'inverse était tout aussi vrai. Pourtant, en dépit de Francie et Em et de nos plaisanteries guindées dans la cuisine, l'appartement de Kitsey était l'un des rares endroits à New York où je me sentais vraiment en sécurité. Personne ne savait comment m'y joindre. Et puis, tout y semblait si temporaire : elle n'y avait pas beaucoup de vêtements et vivait pour l'essentiel avec le contenu d'une valise posée sur un porte-bagages au pied de son lit ; pour des raisons inexplicables j'aimais l'anonymat vide et reposant de l'appartement à la décoration joyeuse mais spartiate, avec des tapis aux motifs abstraits et des meubles modernes provenant d'un magasin design abordable. Son lit était douillet, avec une jolie lampe de chevet, un grand écran plasma, on pouvait s'allonger là et regarder des films au lit si on voulait ; et le frigo en acier inoxydable était toujours bien rempli de Nourriture pour Filles : houmous et olives, cake et champagne, beaucoup de ridicules salades végétariennes à emporter et une demi-douzaine de glaces différentes.

Cherchant à tâtons la clé dans ma poche, j'ai ouvert le verrou, l'esprit ailleurs (songeant à ce que je pourrais trouver à manger, ou faudrait-il que je commande ? elle aurait sûrement déjà dîné, ce n'était pas la peine d'attendre) et j'ai failli me casser le nez dessus lorsque la porte a été bloquée par l'entrebâilleur.

Je l'ai refermée et suis resté planté là une minute, perplexe ; je l'ai rouverte et elle a calé avec un cliquetis : canapé rouge, gravures architecturales encadrées et bougie qui se consumait sur la table.

« Hé, ho ? ai-je lancé, puis de nouveau : Hé, ho ? » plus fort quand j'ai entendu du mouvement à l'intérieur.

J'avais frappé assez bruyamment pour alerter les voisins lorsque, après ce qui avait semblé être un très long moment, Emily est arrivée à la porte et m'a regardé par l'entrebâillement. Elle portait un pull d'intérieur miteux et le genre de pantalons aux motifs criards qui lui grossissait les fesses. « Kitsey n'est pas là, a-t-elle dit platement sans enlever l'entrebâilleur.

— Oui, je suis au courant, ai-je répondu, irrité. Pas de souci.

— Je ne sais pas quand elle reviendra. » Emily au visage joufflu, rencontrée la première fois quand, à l'âge de neuf ans, elle m'avait claqué une porte au nez chez les Barbour, Emily ne s'était jamais cachée du fait qu'elle ne m'estimait pas assez bien pour Kitsey.

« Eh bien, tu pourrais me laisser entrer, s'il te plaît ? lui ai-je demandé, contrarié. Je veux l'attendre.

— Désolée. Ce n'est pas le bon moment. » Em avait toujours ses cheveux châtain clair coupés court avec une frange comme quand elle était gosse, et sa mâchoire – vision tout droit sortie de CE1 – me faisait penser à Andy qui l'avait toujours détestée, Em que personne n'aime, l'Emilionième.

« C'est ridicule. Allez. Laisse-moi entrer, ai-je répété, énervé, mais elle s'est contentée de rester plantée là dans l'entrebâillement de la porte, impassible, sans me regarder tout à fait dans les yeux, plutôt quelque part sur le côté du visage. Écoute, Em, je veux juste aller dans sa chambre et m'allonger…

— Je crois que tu ferais mieux de revenir plus tard. Désolée, a-t-elle rétorqué dans le silence incrédule qui a suivi.

— Allez, je me fiche de ce à quoi tu es occupée…

(Francie, l'autre coloc, faisait au moins semblant d'être sociable) je ne veux pas te déranger, je veux juste…

— Désolée. Je pense que tu ferais mieux de partir. Parce que, parce que, écoute, j'habite ici, a-t-elle asséné en élevant la voix pour couvrir la mienne.

— Bon sang. Tu plaisantes.

— J'habite ici, a-t-elle poursuivi en clignant des yeux, mal à l'aise, c'est mon appart et tu ne peux pas débarquer ici quand tu veux.

— Oh, ça va !

— Et, et… (elle aussi était en colère) je ne peux pas t'aider, le moment est vraiment mal choisi, je pense que tu ferais mieux de partir. D'accord ? Désolée. » Elle me fermait la porte au nez. « Je te verrai à la soirée.

— Quoi ?

— Ta soirée de *fiançailles* ? » a ajouté Emily en l'ouvrant un peu et en me regardant, si bien que l'espace d'un instant j'ai vu son œil bleu agité avant qu'elle la referme.

XIX

Pendant un moment je suis resté dans le couloir, dans l'immobilité abrupte qui a suivi, fixant l'œilleton dans la porte fermée et, dans le silence, j'ai imaginé entendre Em à quelques centimètres de l'autre côté de la porte qui respirait aussi fort que moi.

Eh bien, te voilà rayée de la liste des demoiselles d'honneur, me suis-je dit en tournant les talons et en descendant les escaliers en cliquetant avec force bruit et en me sentant à la fois furieux et curieusement réconforté par l'incident, qui ne faisait que confirmer les pensées peu charitables que j'avais pu entretenir à son sujet. Kitsey s'était excusée plus d'une fois pour la « brusquerie » de sa coloc, mais là c'était la cerise sur le gâteau, comme aurait dit Hobie. Pourquoi est-ce qu'elle n'était pas au cinéma avec les autres ? Est-ce qu'elle était avec un type là-dedans ? Bien qu'elle ait de grosses chevilles et ne soit pas spécialement jolie, Em avait pourtant un petit ami, un type prénommé Bill qui était cadre à la Citibank.

Rues noires et luisantes. En sortant du hall, j'ai plongé dans l'entrée du fleuriste voisin pour vérifier mes messages et envoyer un texto à Kitsey au cas où, avant de me diriger vers le centre de Manhattan : si elle sortait juste du cinéma, je pouvais la retrouver pour manger et prendre un verre (seuls, sans ses copines : la bizarrerie de l'incident semblait l'exiger), après le comportement qu'avait eu Em, une discussion tout en conjectures et en plaisanteries s'imposait.

Vitrine inondée de lumière. Lueur mortuaire émanant du compartiment réfrigéré. Au-delà du verre condensé de brouillard et dégoulinant d'eau, des branches ailées d'orchidées frémissaient sous l'effet du courant d'air du ventilo : blancheur fantomatique, lunaire, angélique. Sur le devant étaient disposées les fleurs les plus farfelues, dont certaines se vendaient à des milliers de dollars : chevelues et veinées, mouchetées, avec des crocs, tachées de sang et l'air diabolique, dans des couleurs qui allaient de la moisissure de cadavre au magenta des ecchymoses – il y avait même une superbe orchidée noire dont les racines grises ressortaient de son pot, couvertes de mousse tels des serpents. (« S'il te plaît, mon chéri, n'y pense même pas, elles sont toutes magnifiques mais elles meurent au moment où je les touche », m'avait prévenu Kitsey qui devinait à juste raison mes projets de Noël).

Pas de nouveaux messages. Je lui ai envoyé un texto en vitesse (**Hé appelle-moi, je dois te parler, il vient de se passer un truc hilarant bisous**) juste pour m'assurer qu'elle n'était pas encore sortie du cinéma, puis j'ai de nouveau composé son numéro. Mais alors que le signal de sa messagerie se déclenchait, j'ai vu un reflet dans la vitre, dans les profondeurs de la jungle verte au fond de la boutique et, incrédule, je me suis retourné.

C'était Kitsey dans son manteau rose de chez Prada, tête baissée, blottie dans les bras d'un homme avec qui elle chuchotait et que j'ai reconnu – cela faisait des années que je ne l'avais pas vu, mais je l'ai compris tout de suite : mêmes épaules, même démarche sournoise et déliée – c'était Tom Cable. Ses cheveux châtain crépus étaient toujours longs ; il portait les mêmes vêtements que les riches gosses camés dans notre collège (baskets Tretorn, énorme et épais pull irlandais, pas de manteau) et un sac du caviste pendait à son bras, le même chez qui Kitsey et moi allions parfois acheter une bouteille. Mais ce qui m'a stupéfié : Kitsey, qui tenait toujours *ma* main légèrement à distance, me traînant derrière elle et balançant mon bras de manière charmante comme une enfant fredonnant une comptine, était blottie contre lui, l'air triste. Alors que je les regardais, l'œil vide face à ce spectacle énigmatique, eux attendaient que le feu devienne vert, un bus est passé à toute allure mais ils étaient beaucoup trop centrés l'un sur l'autre pour me remarquer –, Cable, qui lui parlait tranquillement, lui a ébouriffé les cheveux, puis il l'a attirée vers lui pour l'embrasser, baiser qu'elle lui a rendu avec plus de tendresse mélancolique qu'aucun baiser qu'elle m'ait jamais donné.

Et puis, j'ai remarqué – ils traversaient la rue, je me suis vite retourné et les ai parfaitement bien vus dans la vitrine de la boutique éclairée quand ils ont poussé la porte de l'immeuble de Kitsey à quelques mètres de moi – que Kitsey était contrariée, elle parlait doucement, d'une voix basse et rauque d'émotion, s'appuyant contre Cable avec la joue pressée contre sa manche tandis qu'il lui entourait amoureusement l'épaule pour lui serrer le bras ; et même si je n'arrivais pas à distinguer ce qu'elle disait, le ton de sa voix était on ne peut plus clair : parce que, en dépit de sa tristesse, sa joie d'être avec lui, et inversement, était impossible à cacher. Le premier inconnu venu l'aurait remarqué. Et, tandis qu'ils glissaient devant moi, dans la vitre sombre, couple de fantômes affectueux appuyés l'un contre l'autre, je l'ai vue lever rapidement la main pour essuyer une larme sur sa joue et j'ai cligné des yeux, héberlué : aussi improbable que ce soit, pour la première fois de sa vie Kitsey pleurait.

XX

Je suis resté éveillé la plus grande partie de la nuit ; quand je suis descendu ouvrir la boutique le lendemain, j'étais tellement préoccupé qu'après m'être assis j'ai regardé dans le vide pendant une demi-heure avant de me rendre compte que j'avais oublié de retourner la pancarte « Fermé ».

Les virées bihebdomadaires de Kitsey dans les Hamptons. Les numéros bizarres qui s'affichaient, les conversations écourtées. Kitsey fronçant les sourcils en regardant son téléphone au milieu d'un dîner et le coupant : « Oh, c'est Em. Oh, c'est maman. Oh, c'est une société de télémarketing, je dois être sur une liste. » Les textos qui arrivaient au milieu de la nuit, les bips tels ceux d'un sous-marin, pulsation bleuâtre du sonar sur les murs, Kitsey sautant du lit le cul à l'air pour le couper, ses jambes blanches se détachant dans l'obscurité : « Oh, un faux numéro. Oh, c'est Toddy, il est soûl quelque part. »

Et, presque aussi pénible : Mrs. Barbour. J'étais on ne peut plus conscient de la légèreté avec laquelle elle traitait les situations problématiques – de sa capacité à gérer les affaires délicates en coulisses – et même si elle ne m'avait pas raconté un mensonge pur et dur, l'information avait en tout cas été gommée et éludée. Toutes sortes de petites choses me revenaient, comme quelques mois auparavant quand je l'avais surprise expliquant dans l'interphone aux portiers, à voix basse et dans l'urgence en réponse à un coup de sonnette depuis le hall : *Non, ça m'est égal, ne le laissez pas entrer, retenez-le en bas.* Puis, moins de trente secondes plus tard et après avoir vérifié ses textos, Kitsey avait bondi et annoncé tout à trac qu'elle emmenait Ting-a-Ling et Clemmy faire le tour du pâté de maisons ! Je n'en avais rien déduit malgré le mécontentement glacé qui avait traversé le visage de Mrs. Barbour, j'avais juste remarqué la chaleur et l'énergie renouvelées avec lesquelles elle s'était de nouveau tournée vers moi et m'avait pris la main lorsque la porte s'était refermée derrière Kitsey avec un cliquetis.

On avait prévu de se voir ce soir : je devais l'accompagner à la soirée d'anniversaire de l'une de ses amies, puis passer à la soirée d'une autre amie plus tard. Kitsey ne m'avait pas téléphoné, mais m'avait envoyé un texto timide : **Theo, tu fais quoi ? Je suis au travail. Appelle-moi**. Je fixais mon portable sans comprendre, me demandant si je devais lui répondre ou non – et qu'est-ce que je pourrais lui dire ? – lorsque Boris a déboulé en poussant la porte de la boutique. « J'ai du nouveau.

— Ah bon ? » ai-je fait après un temps d'arrêt distrait.

Il s'est essuyé le front. « On peut se parler ici ? a-t-il voulu savoir en regardant autour de lui.

— Heu… (j'ai secoué la tête pour l'éclaircir). Bien sûr.

— Je suis endormi aujourd'hui », a-t-il annoncé en se frottant l'œil. Ses cheveux étaient ébouriffés. « J'ai besoin d'un café. Non, j'ai pas le temps, s'est-il repris, le regard trouble, en levant une main. Je ne peux pas m'asseoir non plus. Je reste juste une minute. Mais… bonnes nouvelles, j'ai du nouveau concernant ton tableau.

— Comment ça ? ai-je dit en émergeant brutalement de mon brouillard de Kitsey.

— Eh bien, on va voir ça bientôt, a-t-il répondu de manière évasive.

— Où (j'ai dû lutter pour rester concentré), il est en bon état ? Où est-ce qu'ils le conservent ?

— Ça, je ne peux pas te l'affirmer.

— Il... » J'avais beaucoup de mal à rassembler mes pensées ; j'ai pris une profonde inspiration, j'ai dessiné une ligne avec mon pouce sur mon bureau pour me donner une contenance, puis j'ai levé les yeux.

« Oui ?

— Il a besoin d'une certaine fourchette de températures et d'un certain degré d'humidité, tu le sais, non ? » C'était la voix de quelqu'un d'autre, pas la mienne. « Ils ne peuvent pas le garder dans un garage humide ni n'importe où. »

Boris s'est pincé les lèvres d'un air moqueur comme à son habitude. « Crois-moi, Horst a pris soin de ce tableau comme si c'était son propre bébé. Cela dit (il a fermé les yeux) pour ces mecs, je ne sais pas. J'ai le regret de t'informer que ce ne sont pas des génies. Il nous faudra espérer qu'ils ont assez de cervelle pour ne pas le garder derrière le four à pizzas ou un truc du genre. Je plaisante, a-t-il ajouté avec morgue quand il m'a vu bouche bée d'horreur. Mais, d'après ce que j'entends, il est entreposé dans un restaurant, ou pas loin. Dans même immeuble en tout cas. On en reparlera plus tard, a-t-il conclu en levant une main.

— Ici ? ai-je fait après un autre temps d'arrêt incrédule. À Manhattan ?

— Plus tard. Ça peut attendre. Mais il y a un autre truc, a-t-il ajouté en chuchotant dans l'urgence, tout en regardant autour de la pièce et au-dessus de ma tête. Écoute, écoute. C'est ce que je suis vraiment venu te dire. Horst... il ne savait pas que tu t'appelais Decker jusqu'à ce qu'il me demande au téléphone aujourd'hui. Tu connais un type qui s'appelle Lucius Reeve ? »

Je me suis assis. « Pourquoi ?

— Horst te conseille de ne pas l'approcher. Il sait que tu vends des antiquités, mais il n'avait pas fait le rapprochement avec l'autre truc tant qu'il n'avait pas ton nom.

— Quel autre truc ?

— Horst n'a pas voulu m'en dire plus. Je ne sais pas quelles sont tes relations avec ce Lucius, mais il suggère que tu t'en tiennes à distance et j'ai pensé que c'était important que tu le saches tout de suite. Ce type a méchamment doublé Horst sur une autre affaire et Horst lui a envoyé Martin.

— Martin ? »

Boris a agité une main. « Tu n'as pas rencontré Martin. Crois-moi, tu t'en souviendrais si ça avait été le cas. Enfin quoi qu'il en soit, ce n'est pas bon de faire affaire avec ce Lucius pour quelqu'un dans ton milieu.

— Je sais.

— Qu'est-ce que tu as à voir avec lui ? Si je peux savoir ?

— Je… » De nouveau j'ai secoué la tête face à l'impossibilité de détailler l'affaire. « C'est compliqué.

— Bon, je ne sais pas quelle info il possède sur toi. Si tu as besoin de mon aide, tu l'as… je le jure. Celle d'Horst aussi, d'ailleurs, parce qu'il t'apprécie. C'était sympa de le voir aussi attentif et bavard hier ! Je ne pense pas qu'il connaisse tant de gens que ça avec qui il peut être lui-même et partager ses centres d'intérêts. C'est triste pour lui. Il est très intelligent, Horst. Il a beaucoup à donner. Mais (il a jeté un coup d'œil à sa montre) désolé, je ne veux pas être impoli mais j'ai un rendez-vous… Je me sens très optimiste pour le tableau ! Je pense, c'est une possibilité, qu'on va peut-être le récupérer ! Alors (il s'est levé et s'est frappé le sternum du poing avec un air de bravoure) *courage* * ! On se reparle bientôt.

— Boris ?

— Quoi ?

— Qu'est-ce que tu ferais si ta copine te trompait ? »
Boris, qui se dirigeait vers la porte, s'est ravisé.
« Redis-moi ça ?

— Si tu pensais que ta copine te trompait. »

Boris a froncé les sourcils. « Sais pas. Tu as des
preuves ?

— Non, ai-je répondu avant de me rendre compte que
ce n'était pas tout à fait vrai.

— Alors tu dois lui demander direct, a répliqué Boris
sur un ton décidé. À un moment décontracté où elle
s'y attend pas. Au lit, peut-être. Si tu la coinces au
bon moment, même si elle ment, tu sauras. Elle perdra
patience.

— Pas elle. »

Boris a ri. « Eh bien, tu en as trouvé une bonne, alors !
Une rare ! Elle est belle ?

— Oui.

— Riche ?

— Oui.

— Intelligente ?

— La plupart des gens diraient que oui.

— Sans cœur ?

— Un peu. »

Boris a ri. « Et tu l'aimes, oui. Mais pas trop.

— Pourquoi tu dis ça ?

— Parce que tu n'es pas en colère, dans tous tes états
ou en train de pleurer ! Tu ne hurles pas que tu vas
l'étrangler de tes propres mains ! Ce qui veut dire que
ton âme n'est pas trop liée à la sienne. Et c'est bien.
Tu veux mon expérience ? Tiens-toi à l'écart de celles
que tu aimes trop. Ce sont celles-là qui te tueront. Ce
qu'il te faut pour vivre heureux dans le monde, c'est une
femme qui a sa propre vie et te laisse vivre la tienne. »

Il m'a tapé deux fois sur l'épaule puis il est parti, me

laissant les yeux perdus sur le présentoir de l'argenterie avec un sentiment de désespoir renouvelé face au merdier de mon existence.

XXI

Quand elle m'a ouvert la porte ce soir-là, Kitsey n'était pas vraiment aussi calme qu'elle aurait pu l'être : elle parlait de plusieurs choses en même temps, de la nouvelle robe qu'elle voulait acheter, qu'elle avait essayée sans parvenir à se décider alors elle l'avait fait mettre de côté, d'une tempête dans le Maine... des tas d'arbres à terre, des vieux sur l'île, Oncle Harry avait appelé, quelle tristesse ! « Oh, mon chéri... (elle voletait de manière adorable, se mettant sur la pointe des pieds pour atteindre les verres à vin) tu peux ? S'il te plaît ? » Em et Francie, les colocs, s'étaient envolées, comme si leurs petits amis et elles avaient eu la sagesse de décamper avant mon arrivée. « Oh, tant pis, je les ai. Écoute, j'ai eu une super idée. Sortons manger un curry avant d'aller chez Cynthia. J'en meurs d'envie. Je me souviens de ce truc impossible sur Lexington Avenue où tu m'as emmenée... cet endroit que tu aimes bien ? Comment ça s'appelle déjà ? Le *Mahal* quelque chose ?

— Tu parles de ce resto minable ? » ai-je dit froidement. Je n'avais même pas pris la peine d'enlever mon manteau.

« Pardon ?

— Cet endroit où le rogan josh est si gras. Avec des vieux qui t'ont déprimée. Et le groupe de vendeuses de chez Bloomingdale's. » Le *Jal Mahal Restaruant* (*sic*) était un endroit miteux, caché au deuxième étage d'une façade de magasin sur Lexington Avenue où rien n'avait changé depuis ma jeunesse : ni les papadums, ni les prix, ni la moquette rose fâné à cause de l'eau qui avait coulé près des fenêtres, ni les serveurs non plus : mêmes visages lourds, béats et doux que j'avais connus dans mon enfance, quand ma mère et moi allions là après le cinéma pour manger des samosas et de la glace à la mangue. « Bien sûr, pourquoi pas. "Le restaurant le plus triste de Manhattan." Quelle super idée. »

Elle s'est tournée vers moi en fronçant les sourcils. « Bon, d'accord. *Baluchi* est plus près, alors. Ou... on peut faire ce que tu veux.

— Ah oui ? » Je suis resté appuyé contre le chambranle de la porte, les mains dans les poches. Des années passées avec un menteur de premier ordre m'avaient rendu impitoyable. « Ce que je *veux* ? Elle est bien bonne, celle-là.

— Désolée. Je croyais qu'un curry serait sympa. Oublie.

— Pas de souci. Tu peux arrêter ton manège maintenant. »

Elle a levé les yeux, un sourire vide sur le visage. « Pardon ?

— Arrête ton cirque. Tu sais très bien de quoi je parle. »

Elle n'a rien répondu. Un froncement est apparu sur son joli front.

« Peut-être que ça t'apprendra à garder ton portable allumé quand tu es avec lui. Je suis sûr qu'elle a essayé de t'appeler dans la rue.

— Désolée, je ne vois pas... ?

— Kitsey, je t'ai vue.

— Oh, je t'en prie, a-t-elle répliqué en clignant des yeux après un léger temps d'arrêt. Tu n'es pas sérieux. Tu ne parles pas de Tom, si ? Franchement, Theo, a-t-elle fait dans le silence de mort qui a suivi, Tom est un vieil ami, ça remonte à très longtemps, on est très proches...

— Oui, j'avais cru comprendre.

— ... c'est l'ami de Em aussi, et, et, je veux dire, clignant furieusement des yeux en ayant l'air persécutée à tort, je sais l'impression que ça peut donner, je *sais* que tu n'aimes pas Tom et que tu as de bonnes raisons. Je suis au courant pour cette histoire quand ta mère est morte, et c'est clair qu'il s'est très mal comporté, mais c'était juste un gamin à l'époque et il se sent vraiment mal d'avoir agi comme ça...

— *"Il se sent mal"* ?

— ... mais, mais il a reçu des mauvaises nouvelles hier soir, s'est-elle empressée de poursuivre comme une actrice interrompue en peine réplique, des mauvaises nouvelles de son...

— Tu parles de moi avec lui ? Tous les deux, vous discutez de moi et vous vous apitoyez sur mon sort ?

— Tom est passé ici pour nous voir, Em et moi, toutes les deux, sans prévenir, juste avant qu'on aille au cinéma, c'est pour ça qu'on est restées et qu'on n'est pas sorties avec les autres, tu peux demander à Em si tu ne me crois pas, il n'avait nulle part où aller, il était bouleversé, quelque chose de personnel, il voulait juste quelqu'un à qui parler, et qu'est-ce qu'on...

— Tu ne penses pas que je vais gober ça, si ?

— Écoute. Je ne sais pas ce que Em t'a raconté...

— Dis-moi. La mère de Cable a toujours cette maison à East Hampton ? Je me souviens de l'habitude qu'elle avait de le larguer au country club des heures d'affilée après avoir congédié la baby-sitter, ou plutôt après que la baby-sitter eut rendu son tablier. Leçons de tennis, de golf. C'est probablement devenu un bon golfeur, non ?

— Oui, oui, il est plutôt bon, a-t-elle répondu froidement.

— Je pourrais faire une remarque vulgaire, mais je m'abstiendrai.

— Theo, arrête.

— Je peux t'exposer ma théorie ? Ça ne te dérange

pas ? Il y a quelques détails qui ne collent pas, mais dans les grandes lignes je pense que j'ai compris toute l'histoire. Je savais que tu sortais avec Tom, Platt me l'avait dit quand je l'avais croisé dans la rue, et il n'en était pas ravi non plus. Et ouais, ai-je fait quand elle a tenté de m'interrompre, d'une voix aussi dure et morte que mes sentiments. Bien. Tu n'as pas besoin de m'inonder d'excuses. Les filles ont toujours aimé Cable. Il est marrant, et très distrayant quand il s'en donne la peine. Même si récemment il a rédigé des chèques sans provision, qu'il a volé des gens au country club, sans parler de toutes ces autres choses qu'on raconte…

— C'est pas vrai ! C'est des mensonges ! Il n'a jamais rien volé à personne…

— … Papa et maman n'ont jamais beaucoup aimé Tom, voire pas du tout, et après que papa et Andy sont morts tu ne pouvais pas continuer de le voir, en tout cas pas en public. Trop contrariant pour maman. Et, ainsi que Platt l'a souligné, à de nombreuses reprises…

— Je ne le verrai plus.

— Donc tu reconnais les faits.

— Je ne pensais pas que ça avait de l'importance tant qu'on n'était pas mariés.

— Comment ça ? »

Elle a écarté les cheveux de ses yeux et n'a rien répondu.

« Tu ne pensais pas que ça avait de l'importance ? Pourquoi ? Tu croyais que je ne le découvrirais jamais ? »

Elle a levé les yeux avec colère. « Qu'est-ce que tu es froid, tu le sais ?

— Moi ? » J'ai détourné les yeux et j'ai ri. « C'est moi qui suis froid ?

— Oh, ça va. "Conjoint lésé." "Avec de grands principes."

— Plus grands que certains, on dirait.

— Tu te délectes de cette conversation.

— Non, crois-moi.

— Ah non ? À voir ton sourire narquois, on le dirait pourtant.

— Et qu'est-ce que je suis supposé faire ? La fermer ?

— Je viens de te promettre que je ne le verrai plus. En fait je le lui ai dit il y a déjà quelque temps.

— Mais il insiste. Il t'aime. Il n'accepte pas d'être rejeté. »

À mon grand étonnement, elle a rougi. « Oui, c'est vrai.

— Pauvre petite Kits.

— Ne sois pas odieux.

— Pauvre bébé », ai-je répété d'un ton moqueur, vu que je ne trouvais rien d'autre à ajouter.

Elle fouillait dans le tiroir à la recherche du tire-bouchon, puis elle s'est retournée et m'a jeté un regard sombre. « Écoute, a-t-elle lancé. Je ne m'attends pas à ce que tu comprennes, mais c'est dur d'être amoureuse de la mauvaise personne. »

Je suis resté silencieux. En entrant, la voir m'avait empli d'une telle rage froide que j'avais tenté de me convaincre qu'elle ne pouvait pas me faire de mal ou – Dieu me préserve – qu'elle allait se débrouiller pour que j'aie pitié d'elle. Mais qui mieux que moi comprenait ce qu'elle était en train de me raconter ?

« Écoute », a-t-elle répété en posant le tire-bouchon. Elle avait repéré une ouverture et elle en profitait : exactement comme sur le court de tennis, impitoyable dès qu'elle avait découvert le point faible de son adversaire…

« Ne t'approche pas de moi. »

Trop passionné. Ton inadapté. Mauvais point de départ. Je voulais être froid et contrôler la situation.

« Theo. Je t'en prie. » La voilà, la main sur ma manche. Le nez qui rosissait, les yeux qui rougissaient de larmes : exactement comme ce pauvre vieil Andy aux prises avec ses allergies saisonnières. Ç'aurait pu être n'importe qui, quelqu'un qu'on pourrait plaindre sans arrière-pensée. « Je suis désolée. Vraiment. De tout mon cœur. Je ne sais pas quoi dire.

— Ah oui ?

— Oui. Je t'ai causé du tort.

— Du tort. Intéressante formulation.

— Et, enfin bon, je sais que tu *n'aimes* pas Tom...

— Quel rapport ?

— Theo. Est-ce que c'est vraiment si important que ça pour toi ? Non, tu sais bien que non, s'est-elle empressée d'ajouter. Pas si tu y réfléchis. Et puis... (elle s'est arrêtée un moment avant de se décider) je ne veux pas te coincer, mais je suis au courant pour toutes tes affaires et je m'en fiche.

— *Mes affaires ?*

— Oh, je t'en prie, a-t-elle répondu sur un ton las. Traîne avec tes copains louches, prends toutes les drogues que tu veux. Je m'en fiche. »

En fond sonore, le radiateur s'est mis à cogner dans un fracas énorme.

« Écoute. On est faits l'un pour l'autre. Ce mariage est absolument parfait pour tous les deux. Tu le sais et je le sais. Parce que... enfin bon, écoute, je *sais*. Tu n'as pas besoin de parler. Et, bon... les choses vont mieux pour toi depuis qu'on sort ensemble, non ? Tu t'es fameusement rangé.

— Ah bon ? "Rangé" ? Qu'est-ce que c'est supposé signifier ?

— Oh, allez... (elle a eu un soupir exaspéré) ce n'est pas la peine de faire semblant, Theo. Martina... Em... Tessa Margolis, tu te souviens d'elle ?

— Merde. » Je ne pensais pas que qui que ce soit était au courant pour Tessa.

« Tout le monde a essayé de me prévenir. "Évite ce mec. Il est adorable, mais c'est un camé." Tessa a dit à Em qu'elle avait arrêté de sortir avec toi quand elle

851

t'avait surpris en train de sniffer de l'héroïne sur la table de la cuisine.

— Ce n'était pas de l'héroïne », ai-je rétorqué avec virulence. Il s'agissait de cachets de morphine écrasés et ça avait été une très mauvaise idée de les sniffer, un gaspillage total. « Euh, Tessa n'avait aucun scrupule à propos de la *cocaïne*, elle n'arrêtait pas de me demander de lui en trouver…

— Écoute, c'est différent et tu le sais. Maman… a-t-elle poursuivi en me coupant.

— Ah ouais ? Différent ? » J'ai élevé la voix pour la couvrir. « Et en quoi c'est différent ? Comment ?

— Maman, je le jure… Écoute moi, Theo… Maman t'adore. Elle *t'adore*. Tu lui as sauvé la vie quand tu as débarqué comme tu l'as fait. Elle parle, elle mange, elle s'intéresse à ce qui se passe autour d'elle, elle se balade dans le parc, elle se réjouit de tes visites, tu n'*imagines* pas comment elle était avant. Tu fais partie de la famille, a-t-elle ajouté en profitant de la situation. Vraiment. Parce que bon, Andy…

— *Andy ?* » J'ai ri sans joie. Andy n'avait aucunes illusions quelles qu'elles soient à propos de sa famille de timbrés.

« Theo, ne fais pas ça. » Elle s'était reprise à présent : conviviale et raisonnable, avec quelque chose de son père dans son approche directe. « C'est la bonne décision à prendre. On est bien assortis. C'est logique pour tous les gens concernés, nous en particulier.

— Ah oui ? Tous les gens *?*

— Oui. » Parfaitement sereine. « Ne fais pas semblant, tu sais de quoi je parle. Pourquoi laisser cette histoire tout gâcher ? Après tout, on est tellement mieux quand on est ensemble, non ? Tous les deux ? Et… (sourire faiblard, tout à fait sa mère) on forme un bon couple. On s'apprécie. On s'entend bien.

— La tête oui, mais pas le cœur, alors.

— Si tu as envie de le formuler comme ça, d'accord, a-t-elle répliqué en me regardant avec une pitié et une affection tellement évidentes que, sans que je m'y attende, j'ai senti la colère m'abandonner : face à son intelligence calme, qui lui était propre, claire comme de l'eau de roche. Maintenant (elle s'est mise sur la pointe des pieds pour m'embrasser sur la joue) soyons bons tous les deux, confiants et gentils l'un avec l'autre, soyons heureux ensemble et continuons à nous amuser. »

XXII

J'ai donc passé la nuit là, on a commandé à manger, plus tard, puis on est retournés au lit. Mais bien qu'en un sens ce soit plutôt facile de faire comme si de rien n'était (parce que, au fond, n'avions-nous pas tous deux fait semblant depuis le début ?), je me sentais par ailleurs suffoqué par le poids de l'inconnu, du non-dit, qui pesait entre nous, et plus tard quand elle s'est allongée et endormie contre moi, je suis resté éveillé et j'ai regardé fixement par la fenêtre, étreint par une solitude totale. Les silences nocturnes (ma faute, pas celle de Kitsey – même poussée dans ses retranchements elle n'était jamais à court de repartie) et la distance en apparence irréconciliable entre nous m'avaient rappelé très fortement mes seize ans, quand je n'avais pas la moindre idée de ce qu'il fallait dire ou faire en présence de Julie qui, même si elle ne pouvait vraiment pas être taxée de petite amie, était la première femme que j'aie considérée comme telle. On s'était rencontrés devant le caviste sur Hudson Street alors que, mon argent à la main, j'attendais que quelqu'un entre et veuille bien m'acheter une bouteille de n'importe quoi, et c'est à ce moment-là qu'elle était arrivée au coin en tournoyant, vêtue d'un costume futuriste du genre chauve-souris qui ne collait pas avec sa démarche pesante et ses airs de fille de ferme, son visage-ordinaire-mais-plaisant d'épouse des Grandes Prairies dans les années 1900. « Salut, gamin (soulevant sa bouteille de vin du sac) voilà ta monnaie. Si si. Pas de souci. Tu vas rester planté là dans le froid et boire ça ? » Elle avait vingt-sept ans, presque douze de plus que moi, un petit ami qui finissait des études commerciales en Californie – et il n'était pas question que je passe la voir ou la contacte une fois qu'il serait revenu. On le savait tous les deux. Elle n'avait pas eu besoin de le préciser. Grimpant au galop les escaliers qui menaient à son studio au cinquième, lors des rares (à mes yeux) après-midi où j'avais le droit de venir la voir, je débordais toujours de mots et de sentiments trop grands pour être contenus, mais tout ce que j'avais prévu de lui dire s'envolait au moment où elle ouvrait la porte, et au lieu de pouvoir mener une conversation ne serait-ce que de deux minutes comme une personne normale, à la place j'hésitais là, muet et désespéré, trois pas derrière elle, les mains plongées dans mes poches, me détestant, pendant qu'elle marchait pieds nus dans le studio, l'air cool, parlant sans effort, s'excusant pour les vêtements sales par terre et d'avoir oublié d'acheter un pack de bière – est-ce que je voulais bien redescendre ? – jusqu'à ce que, à un moment donné, je me jette littéralement sur elle au beau milieu d'une phrase et la renverse sur le canapé-lit, parfois avec une telle violence que mes nouvelles lunettes voltigeaient en l'air. Toute cette histoire avait été si merveilleuse que j'avais cru en mourir, mais allongé ensuite je m'étais senti malade de vacuité, son bras blanc sur le dessus-de-lit avec la lumière des lampadaires qui s'allument, redoutant l'arrivée des vingt heures qui signifiaient qu'elle devrait se lever et s'habiller pour son boulot, dans un bar de Williamsburg où je n'étais pas assez âgé pour pouvoir entrer. Je n'aimais même pas Julie. Je l'admirais, elle m'obsédait, je lui enviais sa confiance en elle, et j'avais même eu un peu peur d'elle ; mais je ne l'avais pas vraiment aimée, et elle non plus. Je n'étais pas davantage sûr d'aimer Kitsey (en tout cas pas de la façon dont à un moment donné j'avais espéré l'aimer), toujours était-il que c'était surprenant que je me sente aussi mal, vu que j'avais déjà connu ce genre de scénario.

XXIII

Ce qui s'était passé avec Kitsey avait temporairement chassé de mon esprit la visite de Boris mais, une fois endormi, tout est revenu subrepticement par le biais de rêves. Je me suis réveillé droit comme un I à deux reprises : une fois à cause d'une porte s'ouvrant de manière cauchemardesque dans la consigne de l'entrepôt pendant que des femmes coiffées d'un foulard se disputaient une pile de vêtements usagés à l'extérieur ; puis, dérivant de nouveau vers le sommeil, avec une différente mise en scène du même rêve, l'entrepôt était cette fois un lieu évanescent entouré de rideaux et ouvert sur le ciel, avec des murs couverts de tissus ondulants et comme suspendus dans l'air, puisqu'ils ne touchaient pas l'herbe au sol. Au-delà, à perte de vue, ce n'étaient que champs verdoyants et filles en longues robes blanches : une image tellement saturée (de façon mystérieuse) d'une horreur mortifère et rituelle que je me suis réveillé en haletant.

J'ai vérifié mon portable : quatre heures du matin. Après une affreuse demi-heure, je me suis assis torse nu dans le lit, dans l'obscurité, et, me faisant l'effet d'un escroc dans un film français, j'ai allumé une cigarette et regardé Lexington Avenue pratiquement vide à cette heure-ci : les taxis venaient juste de prendre leur service, ou de le terminer, allez savoir. Mais le rêve, qui avait semblé prophétique, refusait de se dissiper et flottait comme une vapeur empoisonnée, mon cœur continuant de battre fort à cause du danger que je sentais dans l'air, de l'impression conjointe de possibilités et de péril.

Il mériterait d'être tué. Je m'étais suffisamment inquiété pour le tableau alors que je le croyais en sécurité d'un bout à l'autre de l'année (ainsi que m'en avait assuré la brochure de l'entrepôt en termes professionnels précis) grâce à un degré de conservation acceptable de vingt et un degrés et un pourcentage d'humidité de cinquante pour cent. On ne pouvait pas entreposer un objet pareil n'importe où. Il ne supporterait ni le froid, ni la chaleur, ni l'humidité, ni la lumière directe du soleil. Il lui fallait un environnement sur mesure, comme les orchidées de la fleuriste. L'imaginer caché derrière un four à pizzas suffisait à faire battre mon cœur d'idolâtre, dans une version différente mais voisine de cette même terreur que j'avais éprouvée quand j'avais cru que la conductrice allait jeter ce pauvre Popper du bus : sous la pluie, au milieu de nulle part et en bord de route.

Après tout : depuis combien de temps Boris possédait-il le tableau ? Boris ? Même Horst, amoureux invétéré de l'art, ne m'avait pas fait l'effet dans son appartement d'être particulièrement à cheval sur les questions de conservation. Les possibilités désastreuses abondaient : à en croire la rumeur, une conservation inadéquate avait détruit *Tempête sur la mer de Galilée*, le seul paysage marin que Rembrandt ait jamais peint. Le chef-d'œuvre de Vermeer, *La Lettre d'amour*, enlevé de son cadre par un serveur d'hôtel, s'était écaillé et froissé pour avoir été glissé en sandwich sous un matelas. *Les Pauvres* de Picasso et *Paysage tahitien* de Gauguin avaient subi un dégât des eaux après qu'un imbécile les avait cachés dans des toilettes publiques. Au fil de ma lecture obsessionnelle, l'histoire qui m'avait le plus hanté était celle de

La Nativité avec saint François et saint Laurent du Cara-
vage, volée dans l'oratoire de San Lorenzo et découpée
avec une telle maladresse pour l'enlever de son cadre que
le collectionneur qui avait commandité le vol avait éclaté
en sanglots quand il l'avait vu et refusé de le prendre.

J'avais remarqué que le portable de Kitsey n'était pas
à sa place habituelle : le chargeur était sur le rebord de
la fenêtre où elle l'attrapait toujours en se levant. Parfois
je me réveillais au milieu de la nuit et, dans l'obscurité,
je voyais l'écran bleu luire de son côté du lit, sous les
couvertures, dans le nid secret de ses draps. « Oh, je vérifie juste l'heure », expliquait-elle quand je culbutais vers
elle, endormi, pour lui demander ce qu'elle fabriquait. Je
l'imaginais à présent éteint et enterré bien au fond du sac
en crocodile, avec le bazar habituel de Kitsey composé
de brillant à lèvres, de cartes de visite, d'échantillons de
parfum et de liquide à la dérive, billets de vingt froissés
qui tombaient chaque fois qu'elle prenait sa brosse à
cheveux. Là, dans ce fouillis odorant, Cable ne cesserait
d'appeler toute la nuit, laissant de multiples textos et des
messages qu'elle découvrirait le matin au réveil.

De quoi parlaient-ils ? Que se disaient-ils ? Bizarrement : c'était facile d'imaginer leur relation. Bavardage
bien mené, sentiment de connivence narquoise. Au lit,
Cable devait lui donner des petits noms ridicules et la
chatouiller jusqu'à ce qu'elle crie.

J'ai écrasé ma cigarette. Absence de forme, de sens,
de signification. Kitsey n'aimait pas que je fume dans sa
chambre, mais quand elle découvrirait le mégot écrasé
dans le coffret en porcelaine de Limoges sur sa commode, je doutais qu'elle trouverait quoi que ce soit à
redire. Pour comprendre le monde, l'on pouvait parfois
se concentrer sur un seul et unique fragment, observer
intensément ce qui nous était le plus proche et en tirer
des conclusions générales ; mais depuis que le tableau
s'était envolé, j'avais senti que je me noyais et que

j'étais anéanti par l'immensité – pas juste l'immensité prévisible du temps et de l'espace, mais les distances infranchissables entre les gens, même quand ils étaient à portée de main les uns des autres ; soulevé par une houle vertigineuse, j'ai pensé à tous les lieux où j'avais été et à tous ceux où je n'avais pas été, un monde perdu, vaste et impénétrable, labyrinthe miteux de villes et de ruelles, cendres s'envolant dans le lointain et distances hostiles, correspondances ratées, choses perdues et jamais retrouvées, et mon tableau balayé au loin sur ce puissant courant, dérivant là-bas quelque part : minuscule fragment d'esprit, faible étincelle ballottée sur une mer sombre.

XXIV

Comme je ne pouvais pas me rendormir, je suis parti sans réveiller Kitsey, dans cette heure noire et glaciale qui précède le lever du soleil, tremblant tout en m'habillant dans l'obscurité ; une des colocs était rentrée et prenait une douche, or la dernière chose dont j'avais envie, c'était de croiser l'une ou l'autre en partant.

À ma sortie du métro de la ligne F, le ciel était pâle. Traînant les pieds jusqu'à la maison dans le froid mordant, déprimé, mort de fatigue, entrant par la porte de service et montant péniblement jusqu'à ma chambre avec mes lunettes sales, puant la fumée, le sexe, le curry et le Chanel N° 19 de Kitsey, je me suis arrêté pour saluer Popchik qui s'était blotti au fond du couloir et faisait un looping à mes pieds avec une excitation inhabituelle, puis j'ai tiré ma cravate enroulée de ma poche pour pouvoir l'accrocher à la patère sur la porte – c'est alors que mon sang a failli se figer quand j'ai entendu une voix en provenance de la cuisine : « Theo ? C'est toi ? »

Cheveux roux apparaissant derrière la porte. C'était elle, une tasse de café à la main.

« Désolée, je t'ai fait peur ? Ce n'était pas mon intention. » J'étais planté là, cloué sur place, ahuri, tandis qu'elle tendait les bras vers moi, joyeuse et charmeuse, Popchik tout excité gémissant et gambadant à nos pieds. Elle portait encore ce dans quoi elle avait dormi, un pantalon de pyjama à rayures multicolores et un T-shirt à manches longues avec par-dessus un vieux pull de Hobie, ainsi que l'odeur de draps rejetés et de literie retournée en tout sens : oh, mon Dieu, me suis-je dit en fermant les yeux et en enfonçant mon visage dans son épaule, rapide esquisse du Paradis, oh, mon Dieu.

« C'est super de te voir ! » Elle était là. Ses cheveux – ses yeux. Elle. Ongles rongés comme Boris et moue de la lèvre inférieure telle une enfant qui aurait trop sucé son pouce, tête rousse ébouriffée comme un dahlia. « Comment tu vas ? Tu m'as manqué !

— Je… » En l'espace d'une seconde toutes mes résolutions s'étaient envolées. « Qu'est-ce que tu fais ici ?

— J'avais un vol pour Montréal ! » Rire dur d'une fille beaucoup plus jeune, rire rauque de cours de récré. « Je fais une pause pour voir mon ami Sam quelques jours, puis je vais rejoindre Everett en Californie. » (Sam ? me suis-je dit.) « Quoi qu'il en soit, mon avion a été dérouté… (elle a pris une gorgée de son café, m'en proposant une tasse en avançant la sienne, *tu en veux ? non ?* Puis encore une autre) et je me suis retrouvée coincée à l'aéroport de Newark, alors je me suis dit : pourquoi pas, je vais en profiter pour venir à Manhattan vous voir tous.

— Hé. C'est super. » *Vous voir tous.* J'en faisais partie.

« Je me suis dit que ça serait sympa de passer vite fait, vu que je ne serai pas là pour Noël. Et puis il y a ta soirée demain. Marié ! Félicitations ! » Elle avait posé le bout de ses doigts sur mon bras, et quand elle s'est mise sur la pointe des pieds pour m'embrasser sur la joue, j'ai senti son baiser me parcourir de la tête aux pieds. « Quand est-ce que j'aurai le plaisir de la rencontrer ? Hobie me dit qu'elle est superbe. Tu es tout excité ?

— Je… » J'étais tellement sonné que j'ai mis la main à l'endroit où s'étaient posées ses lèvres et où je sentais encore leur brûlure, puis je me suis rendu compte de l'impression que cela devait donner et je l'ai vite enlevée. « Oui. Merci.

— Ça fait plaisir de te voir. Tu m'as l'air d'aller bien. »

Elle n'a pas semblé remarquer à quel point j'étais frappé de stupeur ou pris de vertiges, complètement sidéré de la voir. Ou peut-être que si, mais elle n'a pas voulu me bousculer.

« Où est Hobie ? » ai-je demandé. Je ne posais pas la question parce que je m'en souciais, mais parce que c'était un peu trop beau pour être vrai d'être seul dans la maison avec elle, et un peu effrayant aussi.

« Oh… (elle a levé les yeux au ciel) il a insisté pour aller à la boulangerie. Je lui ai dit de ne pas s'embêter, mais tu sais comment il est. Il aime m'acheter ces mêmes gâteaux aux myrtilles que maman et Welty m'achetaient quand j'étais petite. Je n'arrive pas à croire qu'ils les fassent encore… D'après lui ils ne les ont pas tous les jours. Tu es sûr de ne pas vouloir de café ? » puis elle s'est dirigée vers la gazinière, avec un léger boitillement dans sa démarche.

C'était extraordinaire – j'entendais à peine ce qu'elle me disait. C'était toujours comme ça quand j'étais dans une pièce avec elle, sa présence supplantait tout : sa peau, ses yeux, sa voix rouillée, ses cheveux couleur de feu, et sa façon de pencher la tête qui parfois lui donnait l'air de fredonner pour elle-même ; la lumière dans la cuisine était toute mélangée avec celle de sa présence, avec la couleur, la fraîcheur et la beauté.

« Je t'ai gravé des CD ! » Elle s'est tournée pour me regarder par-dessus son épaule. « Je regrette de ne pas avoir pensé à les apporter. Mais je ne savais pas que je passerais ici. Je te les mettrai au courrier dès mon retour.

« Moi aussi j'ai des CD pour toi. » Il y en avait toute une pile dans ma chambre, ainsi que des trucs que j'avais achetés en pensant à elle, une telle quantité que je me serais senti bizarre de les lui envoyer. « Et des livres. » *Et des bijoux*, ai-je oublié d'ajouter. *Ainsi que des écharpes, des posters, du parfum, des 33 tours, un kit Faites-Votre-Propre-Cerf-volant et une pagode miniature.* Un collier en topaze du XVIIIe siècle. Une première édition de *Ozma, la princesse d'Oz*. Acheter ces choses avait surtout été une façon de penser à elle, d'être avec elle. J'en avais donné certaines à Kitsey, mais malgré tout il m'était impossible de sortir de ma chambre avec la pile gigantesque de trucs que je lui avais destinés au fil des années, ça aurait eu l'air complètement fou.

« Des livres ? Oh, c'est super. J'ai fini le mien dans l'avion, il me faut autre chose. On peut échanger.

— Bien sûr. » Pieds nus. Oreilles rosissantes. Peau blanche perlée autour de l'encolure de son T-shirt.

« *Les Anneaux de Saturne*. D'après Everett, ça devrait te plaire. Il t'envoie son bonjour.

— Oh, bien sûr, salut. » Je détestais ce faux-semblant de sa part, selon lequel Everett et moi étions amis. « Je suis, euh…

— Quoi ?

— En fait… » Mes mains tremblaient alors que je n'avais même pas la gueule de bois. Restait à espérer qu'elle ne le remarque pas. « En fait je vais juste aller dans ma chambre une seconde, d'accord ? »

Elle a eu l'air étonnée, a posé le bout de ses doigts sur son front : *Que je suis sotte.* « Oh, bien sûr, désolée ! Je suis ici si tu me cherches. »

Je n'ai repris ma respiration qu'une fois dans ma chambre avec la porte fermée. Mon costume était présentable, pour un vêtement de la veille, mais mes cheveux étaient sales et j'avais besoin d'une douche. Devais-je me raser ? Changer de chemise ? Ou est-ce qu'elle le remarquerait ? Est-ce que ça aurait l'air bizarre que j'en prenne une et essaie de me laver pour elle ? Pouvais-je aller à la salle de bains et me brosser les dents sans qu'elle le remarque ? Puis, poussée soudaine de contre-panique en me rendant compte que j'étais assis dans ma chambre avec la porte fermée, à gaspiller des moments précieux que j'aurais pu vivre avec elle.

Je me suis levé et j'ai ouvert la porte. « Hé », ai-je crié dans le couloir.

Sa tête a réapparu. « Hé.

— Tu veux m'accompagner au cinéma ce soir ?

Léger battement de surprise. « Eh bien, oui. Pour voir quoi ?

— Un documentaire sur Glenn Gould. Ça fait longtemps que je rêve de le voir. » En fait je l'avais déjà vu, et j'étais resté assis dans la salle tout du long en me racontant qu'elle était avec moi : imaginant sa réaction à différents endroits, et l'incroyable conversation que l'on aurait ensuite autour du film.

« Super idée. C'est à quelle heure ?

— Vers les dix-neuf heures. Je vérifierai. »

XXV

J'ai passé le reste de la journée dans tous mes états à l'idée de la soirée à venir. En bas, dans la boutique (où j'étais trop occupé par des clients de Noël pour consacrer une pleine attention à mes projets), je n'ai pas cessé de penser à ce que je mettrais (quelque chose d'informel, pas un costume, rien de trop étudié) et où je l'emmènerais dîner – rien de trop sophistiqué, rien qui la rendrait méfiante ou qui semblerait emprunté de ma part, mais quelque chose de spécial quand même, spécial et charmant, assez calme pour que l'on puisse parler et pas trop loin du *Film Forum* ; cela faisait un bout de temps qu'elle avait quitté New York, elle apprécierait sûrement de découvrir un nouveau lieu (« Oh, ce petit resto ? Oui, c'est super, content que tu l'aimes, c'est très sympa »), mais en dehors de tout ce que je venais de nommer (et *calme* était l'atout majeur, plus que la nourriture ou l'endroit, je ne voulais pas être dans un lieu où il nous faudrait crier) il faudrait que l'on puisse réserver à la dernière minute – et il y avait aussi la question du végétarisme. Un restaurant adorable. Pas trop cher pour ne pas la faire paniquer. Il ne fallait pas que j'aie l'air de m'être donné trop de mal ; il fallait que cela paraisse spontané, imprévu. Comment diable pouvait-elle vivre avec ce rigolo d'Everett ? Ses vêtements moches, ses dents de lapin et ses yeux toujours étonnés ? Son idée d'un super moment, c'était du riz complet et des algues avalés au comptoir au fond d'un magasin bio…

Du coup, la journée traînait en longueur ; puis il a été dix-huit heures, Hobie est rentré après être sorti avec Pippa et il a glissé la tête dans la boutique.

« Alors ! » s'est-il exclamé après une pause sur un ton enjoué mais prudent qui m'a rappelé (de façon inquiétante) celui que ma mère employait avec mon père quand elle rentrait à la maison et le trouvait s'affairant en tous sens pour se requinquer. Hobie connaissait mes sentiments pour Pippa – je ne les lui avais jamais confiés, ne lui en avais jamais soufflé un traître mot, mais il savait ; même s'il n'avait pas su, ça lui aurait sauté aux yeux (comme à n'importe quel inconnu dans la rue) que j'avais pratiquement des étincelles qui me sortaient de la tête.

« Comment va ?

— Super ! Belle journée ?

— Oh, magnifique ! » Avec soulagement. « J'ai réussi à trouver une place à l'Union Square pour déjeuner, on était au bar, dommage que tu n'aies pas été avec nous. Puis on a été chez Moira et ensuite on a marché tous les trois vers la Asia Society, et maintenant elle fait quelques courses pour Noël. Au fait, elle m'a dit que tu la retrouvais plus tard ce soir ? » L'air de rien, mais avec le malaise d'un parent se demandant si son ado fantasque va bien se comporter quand il empruntera la voiture. « Au *Film Forum* ?

— Oui », ai-je répondu avec nervosité. Je ne voulais pas qu'il sache que je l'emmenais voir le film sur Glenn Gould, étant donné qu'il savait que je l'avais déjà vu.

— Elle m'a dit que vous alliez voir le Glenn Gould ?

— Eh bien, hum, je mourais d'envie de le revoir. Ne lui dites pas que je l'ai déjà vu, lui ai-je confié sur une impulsion ; puis : Est-ce que, euh…

— Non non… (hâtivement, se reprenant) je n'ai rien dit.

— Bon, hum… »

Hobie s'est frotté le nez. « Écoute, je suis sûr que c'est super. Je meurs d'envie de le voir aussi. Mais pas ce soir, s'est-il empressé d'ajouter. Une autre fois.

— Oh… » J'ai fait de mon mieux pour avoir l'air déçu mais je m'y prenais mal.

« Quoi qu'il en soit. Tu veux que je tienne la boutique à ta place ? Au cas où tu voudrais monter te doucher et te coiffer ? Si tu as l'intention d'y aller à pied, tu devrais prévoir de partir d'ici pas plus tard que dix-huit heures trente, tu sais. »

XXVI

Sur le chemin, je ne pouvais m'empêcher de fredonner et de sourire. Quand j'ai tourné à l'angle et que je l'ai vue plantée devant le cinéma, j'étais si nerveux que j'ai dû m'arrêter un moment pour me composer un visage avant de me précipiter pour la saluer, l'aidant avec ses sacs (tandis qu'elle, chargée d'emplettes, babillait pour raconter sa journée), profitant de chaque parfaite seconde à faire la queue avec elle, à me rapprocher d'elle parce qu'il faisait froid, puis à l'intérieur, avec la moquette rouge et toute la soirée devant nous, à la voir frapper ses mains gantées : « Oh, tu veux du pop-corn ? – Bien sûr ! (et je me suis précipité pour en acheter). Il est super ici... » Puis, entrant dans la salle en même temps, je lui ai touché le dos l'air de rien, le dos velouté de son manteau, son manteau marron parfait, son chapeau vert parfait et sa parfaite parfaite petite tête rousse. « Ici, du côté de l'allée ? Ça te va, l'allée ? » On avait été au cinéma assez souvent (cinq fois) pour que j'aie soigneusement repéré où elle aimait s'asseoir ; et puis, après avoir interrogé Hobie l'air de rien pendant des années et autant que je l'osais sur ses goûts, je savais très bien ce qu'elle aimait et n'aimait pas, ses habitudes, j'avais glissé mes questions négligemment, une à la fois pendant près de dix ans, est-ce qu'elle aimait ceci, est-ce qu'elle aimait cela ; et la voilà qui se retournait et me souriait, à moi ! Il y avait bien trop de gens dans la salle, séance de dix-neuf heures oblige, beaucoup plus de gens que ce qui me convenait étant donné mon angoisse démultipliée et mon aversion pour les endroits peuplés ; d'autres personnes encore sont arrivées après le début du film mais je m'en fichais, on aurait aussi bien pu être dans le terrier d'un renard dans la Somme sous les bombardements allemands, tout ce qui m'importait c'était qu'elle soit à côté de moi dans l'obscurité, son bras proche du mien. Et la musique ! Glenn Gould au piano, échevelé, exubérant, la tête rejetée en arrière, émissaire du royaume des anges, captivé et consumé par le sublime ! Je n'arrêtais pas de la regarder du coin de l'œil, incapable de m'en empêcher ; mais il m'a fallu une demi-heure au moins avant d'avoir le courage de me tourner et de le faire complètement – profil inondé de blanc à la lueur de l'écran – et de me rendre compte, horrifié, qu'elle n'appréciait pas le film. Elle s'ennuyait. Non : elle était contrariée.

J'ai passé le reste de la séance dans un état pitoyable, en fait je l'ai à peine regardé. Ou, plutôt, je le regardais, mais d'une manière totalement différente : je ne voyais plus le prodige extatique ; le mystique, le solitaire, abandonnant héroïquement les concerts au summum de sa gloire pour se retirer dans les neiges du Canada, mais l'hypocondriaque, le reclus, l'isolé. Le parano. L'avaleur de cachets. Non : le drogué. L'obsessionnel : portant des gants, phobique des microbes, enroulé toute l'année dans des écharpes, bourré de tics et de compulsions. Le cinglé nocturne voûté, tellement incertain de la manière de mener même les relations les plus basiques avec les gens que (dans une interview qui me semblait tout à coup une torture) il avait demandé à un ingénieur du son s'ils ne pouvaient pas aller chez un avocat et être légalement reconnus comme frères – une sorte de version tragique de génie tardif à l'image de Tom Cable et moi-même pressant l'un contre l'autre nos pouces entaillés dans le jardin sombre derrière chez lui, ou, même encore plus étrange, de Boris prenant ma main aux jointures ensanglantées là où je l'avais frappé dans la cour de récréation et la pressant contre sa bouche en sang.

« Ça t'a contrariée, ai-je lancé sur une impulsion alors qu'on quittait le cinéma. Je suis désolé. »

Elle a levé les yeux vers moi comme si elle était choquée que je l'aie remarqué. On était ressortis dans un monde bleuâtre et baigné d'une lumière onirique : la première neige de la saison, une quinzaine de centimètres au sol.

« On aurait pu partir si tu voulais. »

En guise de réponse, elle s'est contentée de secouer la tête, l'air abasourdie. La neige tombait en tourbillonnant, c'était magique, comme une pure idée du Nord, le Nord pur du film.

« Eh bien, non, a-t-elle répondu à regret. Enfin, ce n'est pas que ça ne m'a *pas* plu... »

Avancée pénible dans la rue. Ni l'un ni l'autre n'avions les chaussures appropriées. Le crissement de nos pieds était bruyant et j'écoutais attentivement, guettant la suite de sa phrase et prêt à lui agripper le bras sur-le-champ si elle glissait, mais quand elle s'est tournée pour me regarder, tout ce qu'elle a dit était : « Oh, mon Dieu. On n'aura jamais de taxi, si ? »

L'esprit en ébullition. Et le dîner ? Que faire ? Est-ce qu'elle voulait rentrer ? Merde ! « C'est pas si loin.

— Oh, je sais, mais... oh, en voilà un ! s'est-elle écriée, et mon cœur a sombré jusqu'à ce que, Dieu merci, je voie que quelqu'un d'autre l'avait hélé.

« Hé », ai-je fait. On était à côté de Bedford Street – illuminations, cafés. « Qu'est-ce que tu dirais si on allait par là ?

— Pour un taxi ?

— Non, pour un truc à manger. » Avait-elle faim ? S'il vous plaît, mon Dieu : faites qu'elle ait faim. « Ou un verre, au moins. »

Comme si les dieux nous avaient arrangé ça, le bar à vins à moitié vide dans lequel nous avions plongé sur une impulsion était chaud, doré, éclairé à la bougie et beaucoup beaucoup mieux que n'importe lequel des restaurants auxquels j'avais pensé.

Table minuscule. Mon genou contre le sien – en était-elle consciente ? Autant que moi je l'étais ? La flamme de la bougie s'épanouissait sur son visage, brillait d'une lueur métallique dans ses cheveux, si lumineux qu'ils semblaient sur le point de s'enflammer. Tout flamboyait, tout était doux. Ils passaient du vieux Bob Dylan, ce qui était plus que parfait pour les rues étroites du Village à l'approche de Noël, avec la neige qui tombait en tour-billonnant en gros flocons plumeteux, le genre d'hiver où l'on n'a qu'une envie : marcher dans les rues, le bras passé autour des épaules d'une fille comme sur la vieille pochette du 33 tours – parce que Pippa était exactement cette fille-là, pas la plus jolie, le genre de fille sans maquillage, banale en apparence, mais avec qui le garçon sur la photo avait choisi d'être heureux ; en fait cette image représentait un idéal de bonheur, ses épaules à lui remontées et l'aspect légèrement gêné de son sourire à elle, cet air de fin ouverte comme s'ils pouvaient filer ensemble où ils voulaient, et… elle était là ! elle ! et elle me parlait d'elle, affectueuse et familière, me question-nant aussi sur Hobie et la boutique, sur mon état d'esprit et sur ce que je lisais, ce que j'écoutais, beaucoup beau-coup de questions mais elle aussi semblait désireuse de partager sa vie avec moi, son appart froid qui coûtait une fortune à chauffer, la lumière déprimante et l'odeur de renfermé de l'humidité, les vêtements bon marché dans la grand-rue et tellement de chaînes américaines maintenant à Londres que ça ressemblait à un centre commercial, et quels médocs tu prends et quels médocs je prends (on souffrait tous les deux de stress post-traumatique, une maladie qui pouvait vous envoyer à l'hôpital militaire dans le service des anciens combattants si l'on n'y prenait pas garde) ; son minuscule jardin, qu'elle partageait avec une demi-douzaine de gens, et l'Anglaise timbrée qui le remplissait de tortues malades qu'elle faisait entrer clandestinement depuis le sud de la France (« Elles meurent toutes, de froid et de malnutrition, c'est vraiment cruel, elle ne les nourrit pas comme il faut, du pain émietté, tu imagines, je leur achète en secret de la nourriture pour tortues au magasin animalier »), et combien elle aimerait avoir un chien, mais c'était difficile à Londres avec la quarantaine, qu'ils appliquaient aussi en Suisse d'ailleurs, comment se retrouvait-elle toujours à vivre dans ces endroits qui n'accueillaient pas les chiens ? Et waouh, j'avais l'air mieux qu'elle ne m'avait vu depuis des années, je lui avais manqué, vraiment beaucoup, quelle incroyable soirée. On était restés là des heures, riant de petites choses, en évoquant de plus sérieuses aussi, très graves, elle à la fois généreuse et réceptive (encore une chose à propos d'elle : elle écoutait, son attention était merveilleuse – je n'avais jamais eu le sentiment que d'autres personnes m'écoutaient même avec la moitié de l'attention qu'elle me portait ; en sa compagnie je me sentais quelqu'un de différent, de meilleur, je pouvais lui confier des choses que je ne confiais à personne d'autre, certainement pas à Kitsey qui avait cette façon cassante de démonter les commentaires sérieux en faisant une plaisanterie, en passant à un autre sujet, en interrompant, ou parfois juste en faisant semblant de ne pas entendre) et c'était un véritable ravissement d'être avec elle, je l'aimais à chaque minute de chaque jour, cœur, esprit, âme, tout, il se faisait tard et j'aurais voulu que cet endroit ne ferme jamais, jamais.

« Non non », disait-elle en passant un doigt sur le bord de son verre de vin. La forme de ses mains m'émouvait intensément, la chevalière de Welty à son index, je pouvais les fixer comme je ne pourrais jamais fixer un visage sans passer pour un détraqué. « J'ai adoré le film, en fait. Et la musique… » Elle a ri, et ce rire, pour moi, contenait toute la joie de la musique. « Ça m'a soufflée. Welty l'avait vu jouer autrefois, à Carnegie. Une des grandes soirées de sa vie, m'avait-il expliqué. C'est juste…

— Oui ? » L'odeur de son vin. Tache de vin rouge sur sa bouche. Je vivais l'une des grandes soirées de ma vie.

« Eh bien… (elle a secoué la tête) les concerts. Ces salles de répétitions. Parce que, tu sais… (elle s'est frotté les bras) c'était vraiment, *vraiment* dur. Répéter, répéter, répéter, six heures par jour, mes bras étaient douloureux à force de tenir la flûte en l'air – et, eh bien, je suis sûre que tu les as entendues aussi, ces conneries de pensée positive qui disent que c'est si facile pour les profs et les physiothérapeutes de distribuer des « oh, tu peux le faire ! », « on croit en toi ! », de s'y laisser prendre et de travailler dur, de travailler encore plus dur et de se détester parce qu'on ne travaille pas assez dur, en se disant que c'est sa faute si on ne réussit pas mieux, alors on travaille encore plus dur et puis… Bon. »

Je suis resté silencieux. Je savais tout ça par Hobie, qui en avait parlé en détail et avec grande affliction. Il semblait que Tante Margaret ait eu parfaitement raison de l'envoyer dans l'école suisse pour cinglés, avec tous ses docteurs et la thérapie à la clé. Bien que, selon les standards de la normalité, elle se soit complètement remise de l'accident, il subsistait toujours un vague dommage neurologique, une légère déficience des capacités motrices fines, juste assez pour que cela ait de l'importance à un haut niveau. C'était subtil mais c'était là. Pour pratiquement n'importe quelle autre vocation ou profession

– chanteur, potier, gardien de zoo, n'importe quel docteur à part chirurgien – cela n'aurait pas eu d'importance. Mais dans son cas, oui.

« Je ne sais pas, j'écoute beaucoup de musique chez moi, chaque soir je m'endors avec l'iPod, mais… quand est-ce que j'ai été à un concert pour la dernière fois ? » a-t-elle interrogé avec tristesse.

S'endormir avec l'iPod ? Est-ce que cela signifiait qu'elle et Machin-chose n'avaient pas de rapports sexuels ? « Et pourquoi tu ne vas pas à des concerts ? lui ai-je demandé en classant cette info pour plus tard. Les spectateurs te dérangent ? Les foules ?

— Je savais que tu comprendrais.

— Eh bien, je suis sûr qu'on te l'a suggéré, parce qu'à moi, oui…

— Quoi ? » Quel était le charme de ce sourire triste ? Comment pouvait-on le faire céder ? « Le Xanax ? Les bétabloquants ? L'hypnose ?

— Tout ça.

— Eh bien… pour des attaques de panique, peut-être. Mais non. Le remords. Le chagrin. La jalousie, ça c'est le pire. Je veux dire… cette fille, Beta… c'est un prénom ridicule, non, Beta ? Une instrumentiste vraiment médiocre, je n'ai pas envie d'être pédante mais elle avait beaucoup de mal à suivre l'ensemble quand on était gosses, et maintenant elle joue avec le Cleveland Philharmonic, ce qui me contrarie au-delà de ce que j'ai envie d'admettre à qui que ce soit. Mais ils n'ont pas de remède pour ça, si ?

— Euh… » En fait si, et sur Adam Clayton Powell Street, Jerome tirait un maximum d'argent de ce genre de sentiment.

« L'acoustique… le public… ça déclenche quelque chose, je rentre chez moi, je déteste tout le monde, je me parle, je me dispute avec moi-même en prenant différentes voix, je suis contrariée des journées entières. Et…

je t'ai expliqué, enseigner, j'ai essayé, ce n'est pas mon truc. » Grâce à l'argent de Tante Margaret et d'Oncle Welty, Pippa n'avait pas besoin de travailler (Everett non plus, grâce aux mêmes personnes : le truc de « média-thécaire », avais-je compris, présenté au départ comme un choix marquant de carrière, était plutôt dans la lignée d'un internat bénévole, et c'était Pippa qui payait les factures). « Les ados… eh bien, je ne te détaillerai pas la torture que ça représente de les regarder se diriger vers le Conservatoire ou la ville de Mexico pour jouer dans l'orchestre symphonique pendant l'été. Et les gamins plus jeunes ne sont pas assez sérieux. Ils me contrarient parce que ce sont des enfants. Pour moi… c'est comme s'ils prenaient ça trop à la légère, en jetant leurs chances par la fenêtre.

— Enseigner est un boulot de merde. Je ne voudrais pas non plus.

— Oui mais… (gorgée de vin) si je ne peux pas jouer, qu'est-ce que je peux faire d'autre ? Parce que je veux dire… je tourne autour de la musique, en quelque sorte, avec Everett, et je continue de suivre des cours, mais pour être honnête je n'aime pas Londres tant que ça, c'est sombre et pluvieux et je n'y ai pas beaucoup d'amis ; dans mon appart parfois j'entends quelqu'un pleurer en bas le soir, des pleurs terribles et hoquetants venant d'à côté aussi, et je, tu vois, tu as trouvé quelque chose que tu aimes faire et j'en suis très contente, parce que parfois je me demande vraiment quel est le sens de ma vie.

— Je… » J'essayais désespérément de trouver la réponse parfaite. « Rentre au pays.

— Au pays ? Tu veux dire à New York ?

— Bien sûr.

— Et Everett ? »

Je n'avais rien à répondre là-dessus.

Elle m'a regardé d'un œil critique. « Tu ne l'aimes vraiment pas, hein ?

— Hum... » Pourquoi mentir ? « Non.

— Ben, si tu le connaissais mieux ça viendrait. C'est un mec bien. Très serein et de caractère égal, très stable. »

Je n'avais rien à répondre à cela non plus. Je n'étais rien de tout ça.

« Et puis Londres... je veux dire j'ai *songé* à rentrer à New York...

— C'est vrai ?

— Bien sûr. Hobie me manque. Beaucoup. En plaisantant, il dit qu'au lieu de dépenser l'équivalent en téléphone il pourrait me louer un appartement ici... Bien sûr il vit sur la planète où un appel à Londres coûte cinq dollars la minute. Plus ou moins chaque fois qu'on se parle, il essaie de me convaincre de revenir... Tu connais Hobie, il ne le dit jamais directement, mais ce sont des allusions constantes, il me parle toujours d'ouvertures côté travail, de postes qui se libèrent à Columbia, etc.

— Ah bon ?

— Eh bien... en un sens, je ne comprends pas comment je peux vivre aussi loin. C'est Welty qui m'emmenait aux cours de musique et à l'orchestre symphonique, mais c'était Hobie qui était toujours à la maison, tu sais, qui montait à l'étage et préparait mon goûter au retour de l'école, et qui m'aidait à planter des soucis pour mon exposé de sciences. Même maintenant, quand j'ai un mauvais rhume, que je n'arrive pas à me rappeler comment cuire des artichauts ou enlever de la cire sur la nappe, qui j'appelle ? Lui. Mais (était-ce mon imagination, était-ce le vin qui l'exaltait un peu ?) tu veux savoir la vérité ? Savoir pourquoi je ne reviens pas davantage ? À Londres (était-elle sur le point de pleurer ?). Je ne raconterais pas ça à tout le monde, mais à Londres au moins je n'y pense pas *à chaque seconde*. "C'est le chemin que j'ai pris la veille pour rentrer à la maison." "C'est ici que Welty, Hobie et moi avons dîné pour l'avant-dernière fois." Au moins là-bas, je ne pense pas autant : est-ce que je devrais tourner à gauche ici ? Est-ce que je devrais tourner à droite ? Toute ma destinée suspendue au fait que je prenne le métro de la ligne F ou celui de la ligne 6. Des prémonitions horribles. Tout est pétrifié. Quand je reviens ici, j'ai de nouveau treize ans... et soyons clairs, ça n'a rien de sympathique. Tout s'est littéralement arrêté ce jour-là. J'ai même cessé de grandir. Parce que tu sais quoi ? Je n'ai pas pris un centimètre depuis l'explosion, pas un seul.

— Tu es parfaite.

— Au fond, ça n'a rien d'extraordinaire, a-t-elle poursuivi en faisant semblant de ne pas avoir entendu mon compliment maladroit. Les enfants blessés et traumatisés... très souvent ils n'atteignent pas une taille normale. » Inconsciemment elle a adopté, puis abandonné, sa voix style docteur Camenzind – même si je ne l'avais jamais rencontré je sentais les moments où il prenait le dessus, sorte de mécanisme de distanciation relax. « Les ressources sont détournées. Le système de croissance se referme. Il y avait une fille au pensionnat... une princesse saoudienne qui avait été kidnappée à l'âge de douze ans. Les types qui ont fait ça ont été exécutés. Je l'ai rencontrée quand elle avait dix-neuf ans, une fille sympa, mais minuscule, un mètre quarante, dans ces eaux-là, elle était tellement traumatisée qu'elle n'a jamais pris un seul centimètre après le jour de son enlèvement.

— Waouh. La fille à la cellule en sous-sol ? Elle était dans ton pensionnat ?

— Mont-Haefeli était bizarre. Il y avait des filles sur qui on avait tiré pendant qu'elles fuyaient le palais présidentiel, et il y avait aussi des filles envoyées là parce que leurs parents voulaient qu'elles maigrissent ou qu'elles s'entraînent pour les jeux Olympiques d'hiver. »

Elle a accepté ma main dans la sienne, sans un mot – tout emmitouflée, elle avait refusé qu'ils prennent son manteau. De longues manches en été – toujours enveloppée dans une demi-douzaine d'écharpes, comme un insecte dans son cocon composé de plusieurs couches – un rembourrage protecteur pour une fille qui avait été cassée, recousue et reboulonnée. Comment avais-je pu être aussi aveugle ? Pas étonnant que le film l'ait contrariée : Glenn Gould engoncé à longueur d'année dans de lourds manteaux, les boîtes de médicaments qui s'empilent, les concerts abandonnés, la neige qui se faisait plus haute autour de lui chaque année.

« Parce que... tu vois, je t'ai entendu en parler, je sais que tu es aussi obsédé que moi. Moi aussi je me le passe et me le repasse. » La serveuse lui avait discrètement versé davantage de vin, rempli son verre à ras bord sans que Pippa le lui ait demandé ou l'ait même remarqué : *Chère serveuse, que Dieu vous bénisse, je vais vous laisser un pourboire qui va vous estomaquer*, me suis-je dit. « Si seulement je m'étais inscrite pour l'audition lundi au lieu de mardi. Si seulement j'avais laissé Welty m'emmener au musée quand lui voulait... Cela faisait des semaines qu'il essayait de m'accompagner à cette exposition, il était déterminé à ce que je la voie avant qu'elle ferme... Mais j'avais toujours quelque chose de mieux à faire. C'était plus important d'aller au cinéma avec mon amie Lee Ann, ou n'importe quoi d'autre. Amie qui, soit dit en passant, s'est évanouie dans la nature après mon accident, je ne l'ai jamais revue après cet après-midi où on a été voir ce ridicule film Pixar. Tous les signaux minuscules que j'ai ignorés, ou que je n'ai pas pleinement reconnus... Tout aurait pu être différent si seulement j'avais fait attention : du genre, Welty avait *tellement* insisté pour qu'on y aille plus tôt, il a dû me le demander une dizaine de fois, c'était comme si lui-même sentait qu'il allait se passer quelque chose de négatif, c'est ma faute si on s'est retrouvés là-bas ce jour-là...

— Au moins tu n'as pas été renvoyée du collège.

— Toi, oui ?

— Temporairement. Mais ça suffisait bien.

— C'est bizarre de se dire : si ça n'avait jamais eu lieu. Si on n'avait pas été là tous les deux ce jour-là. On ne se connaîtrait peut-être pas. Qu'est-ce que tu crois que tu ferais maintenant ?

— Je ne sais pas, ai-je répondu, un peu saisi. Je n'arrive même pas à imaginer.

— Ouais, mais tu dois avoir une idée.

— Moi ce n'était pas comme toi. Je n'avais pas de talent.

— Qu'est-ce que tu avais comme loisirs ?

— Rien de bien intéressant. Comme tout le monde. Les jeux sur l'ordinateur, les trucs de science-fiction. Quand les gens me demandaient ce que je voulais être, généralement je faisais mon malin et je répondais Blade Runner ou un truc du genre.

— Oh, là, là, je suis tellement hantée par ce film. Je pense beaucoup à la nièce de Tyrell.

— Qu'est-ce que tu veux dire ?

— Cette scène où elle regarde les photos sur le piano. Quand elle essaie de découvrir si ses souvenirs lui appartiennent ou s'ils appartiennent à la nièce de Tyrell. Je passe aussi en revue le passé, à la recherche de signes, tu vois ? Les choses auxquelles j'aurais dû réagir mais que j'ai loupées ?

— Écoute, tu as raison, je pense comme ça aussi, mais, les présages, les signes, le savoir parcellaire, il n'y a pas de manière logique qui aurait pu... (pourquoi est-ce que je n'arrivais pas à sortir une phrase complète quand elle était là ?) est-ce que je peux te dire à quel point ça a l'air dingue ? Surtout quand quelqu'un d'autre l'affirme ? T'accuser de ne pas avoir prédit l'avenir ?

— Eh bien... peut-être, mais d'après le docteur Camenzind, nous le faisons tous. Les accidents, les catastrophes – quelque chose comme soixante-quinze pour cent des victimes de désastres sont convaincues qu'il y avait des signaux d'alerte qu'elles ont ignorés ou n'ont pas interprétés correctement, et pour les enfants mineurs le pourcentage est encore plus élevé. Mais cela ne veut pas dire que les signaux n'étaient pas là, si ?

— Je ne pense pas que ça se passe comme ça. Avec le recul... bien sûr. Mais pour moi c'est davantage comme une colonne de chiffres où au départ tu en additionnes deux de travers, et ça fait capoter le total. Si tu remontes la colonne, tu peux retrouver l'erreur, l'endroit où tu aurais eu un résultat différent.

— Oui, mais c'est pas mieux, si ? De voir l'erreur, l'endroit où tu as fait fausse route, et de ne pas être capable de revenir en arrière et de rectifier le tir ? Mon audition... (grande gorgée de vin) l'orchestre préuniversitaire à Juilliard : mon prof de solfège m'avait dit que je pouvais décrocher la place de second flûtiste, mais que si je jouais vraiment bien je pourrais décrocher la première. Et je suppose que c'était une grande affaire, dans son genre. Mais Welty... (oui, c'étaient bien des larmes, ses yeux luisaient à la lueur des bougies) je savais que j'avais eu tort de l'asticoter pour qu'il m'accompagne, il n'y avait *aucune raison* qu'il vienne... J'étais archigâtée par Welty même quand ma mère était encore en vie, mais après qu'elle est morte il m'a gâtée encore plus et c'était un grand jour pour moi, bien sûr, mais était-ce aussi important que ce que j'en avais fait ? Non. Parce que... (elle pleurait maintenant, un peu) je ne voulais même pas aller au musée, je voulais qu'il m'accompagne parce que je savais qu'il m'emmènerait déjeuner avant l'audition, là où j'avais envie... Il aurait dû rester à la maison ce jour-là, il avait d'autres choses à faire, et puis ils n'autorisaient même pas la famille à entrer s'asseoir, il aurait dû attendre dans le couloir...

— Il savait ce qu'il faisait. »

Elle a levé les yeux vers moi comme si j'avais dit exactement ce qu'il ne fallait pas ; sauf que je savais que c'était bel et bien la chose à dire si j'arrivais à la formuler correctement.

« Tout le temps où nous avons été ensemble, il m'a parlé de toi. Et...

— Et quoi ?

— Rien ! » J'ai fermé les yeux, submergé par le vin, par elle, par l'impossibilité de l'expliquer. « C'est juste... ses derniers moments sur Terre, tu comprends ? Et l'espace entre ma vie et la sienne était très très mince. En fait il n'y avait *pas* d'espace. C'était comme une voie entre nous deux. Comme un énorme éclair de réalité passée... de ce qui importait. Pas de moi, pas de lui. Nous étions la même personne. Les mêmes pensées – nous n'avions pas besoin de parler. Ça n'a duré que quelques minutes, mais ç'aurait pu être des années, on pourrait aussi bien y *être* encore. Et, euh, je sais que ça a l'air bizarre... (en fait, c'était une analogie complètement folle, cinglée, démente, mais je ne voyais pas d'autre moyen d'arriver à ce que je voulais dire) mais tu connais Barbara Guibbory, qui conduit ces séminaires à Rhinebeck, ces trucs de régression dans des vies antérieures ? La réincarnation, les liens karmiques et tout ça ? Les âmes qui ont été liées pendant plusieurs vies ? Je sais, je *sais*, ai-je ajouté en remarquant son air très surpris (et légèrement inquiet) chaque fois que je vois Barbara elle me dit que je dois chantonner Om ou Rum ou je ne sais trop quoi pour guérir, genre, les chakras bloqués, "un muladhara défectueux", je ne me moque pas, c'est le diagnostic qu'elle a posé sur moi, "déracinement" "constriction du cœur" "champ énergétique fragmenté"... J'étais juste planté là à boire sagement un cocktail et la voilà qui déboule et me parle de tous ces aliments que je dois manger pour m'enraciner... » Je la perdais, je le voyais bien : « Désolé, je m'éloigne un peu du sujet, c'est juste que, eh bien, nous avons déjà eu cette discussion et tous ces trucs m'irritent au plus haut point. Hobie était planté là aussi, buvant un bon vieux scotch, et il lui a demandé : "Et moi, Barbara ? Est-ce que je devrais manger des légumes racines ? Faire le poirier ?" Et elle s'est contentée de lui tapoter le bras et de répondre : "Oh, pas d'inquiétude, James, tu ES déjà un Être Avancé." »

Là, elle a éclaté de rire.

« Mais Welty… c'en était un aussi. Un Être Avancé. Comme… je ne plaisante pas. Sérieux. Hors du commun. Ces histoires que raconte Barbara… du gourou Machin-chose qui pose la main sur sa tête en Birmanie, en une minute le savoir lui a été insufflé et elle est devenue une autre personne…

— Eh bien, tu vois, Everett, bien sûr, il n'a jamais *rencontré* Krishnamurti mais…

— Oui, oui. » Everett, pourquoi cela me contrariait-il autant, je l'ignorais, avait étudié dans une sorte de pensionnat du sud de l'Angleterre dirigé par un gourou, avec des cours intitulés « S'occuper de la Terre » et « Penser aux autres ». « Mais je veux dire… c'est comme si l'énergie de Welty, ou son champ de force… bon sang, ça a l'air idiot, mais je ne sais pas comment le formuler autrement… m'accompagnait depuis ce moment-là. J'étais là pour lui et il était là pour moi. Comme si c'était ancré en moi. » Je n'avais jamais tout à fait verbalisé ça jusqu'ici, à qui que ce soit, même si c'était quelque chose que j'éprouvais au plus profond de moi. « Je pense à lui en permanence, il est présent, sa personnalité m'accompagne. Enfin bon… à peu près à la seconde où je suis venu habiter chez Hobie, je me suis retrouvé là-haut dans la boutique, ça m'a happé, c'était instinctif, je ne peux pas l'expliquer. Et quoi… est-ce que je m'étais jamais intéressé aux antiquités avant ? Non. Rien ne m'y prédisposait, alors pourquoi ? Et pourtant j'étais là. À passer en revue son inventaire. À lire ses notes dans les marges de catalogues d'enchères. Son monde, ses choses. Tout ce qui était là-haut… ça m'a attiré comme une flamme. Non que je l'aie même cherché… c'était plutôt comme si ça m'avait cherché, moi. Et avant ma majorité, personne ne m'avait jamais rien appris, c'était comme si je savais déjà, j'étais tout seul là-haut et je faisais le *travail* de Welty. Et (j'ai croisé les jambes, agité) tu n'as jamais trouvé bizarre qu'il m'ait envoyé chez vous ? Le hasard, peut-être. Mais ce n'est pas l'effet que ça m'a fait. C'était comme s'il avait vu qui j'étais, et qu'il m'avait envoyé exactement là où je devais être, auprès de la personne avec qui j'avais besoin d'être. Alors ouais... (me reprenant un peu ; je parlais un peu trop vite) ouais. Désolé. Je ne voulais pas m'emballer.

— Pas de souci. »

Silence. Ses yeux dans les miens. Mais au contraire de Kitsey, qui était toujours un peu ailleurs, qui détestait les conversations sérieuses, qui à un tournant semblable aurait regardé autour d'elle en quête de la serveuse ou fait n'importe quelle remarque légère et/ou comique pour que le moment ne devienne pas trop intense, elle écoutait, elle était vraiment avec moi, et je ne voyais que trop combien mon état l'attristait, une tristesse aggravée par l'affection profonde qu'elle me portait : on avait beaucoup de choses en commun, un lien mental et aussi émotionnel, elle aimait être avec moi, elle avait confiance en moi, elle me voulait du bien, plus que tout elle souhaitait être mon amie ; tandis que certaines femmes auraient pu s'en enorgueillir et prendre plaisir à ma souffrance, elle, ça ne l'amusait pas de voir les déchirements dont elle était la cause.

XXIX

Le lendemain – jour de la soirée de fiançailles – toute la proximité de la veille au soir s'était envolée ; et ce qu'il en restait (au petit déjeuner, dans l'échange de saluts rapides dans le couloir), c'était la frustration de savoir que je ne l'aurais plus jamais à moi ; nous étions gauches l'un avec l'autre, nous bousculant lors de nos allées et venues, parlant un peu trop fort et de manière un peu trop enjouée, et ça m'a rappelé (bien tristement) sa visite l'été précédent, quatre mois avant qu'elle débarque avec « Everett », et la discussion généreuse et passionnée que nous avions eue sur l'escalier extérieur, juste nous deux, alors que le soir tombait : blottis côte à côte (« comme deux clodos »), mon genou contre le sien, mon bras touchant le sien, regardant tous deux les gens dans la rue et discutant de toutes sortes de choses : enfance, rendez-vous dans Central Park pour jouer, patin à glace à Wollman Rink (s'était-on jamais croisés à cette époque ? S'était-on frôlés sur la glace ?), *Les Désaxés*, que l'on venait de voir à la télévision chez Hobie, Marilyn Monroe que nous adorions tous les deux (« petit fantôme printanier »), et ce pauvre Montgomery Clift ruiné qui déambulait avec des poignées de cachets dans ses poches (un détail que j'ignorais, et que je n'ai pas commenté), la mort de Clark Gable, et comment Marilyn s'en était sentie horriblement coupable, responsable – ce qui, je ne sais trop comment est bizarrement parti en spirale pour déboucher sur une conversation sur le Destin, l'occulte, la divination : les anniversaires avaient-ils un quelconque rapport avec la chance, ou son absence ? Les planètes mal lunées ; un mauvais alignement des étoiles ? Qu'en dirait une diseuse de bonne aventure ? Tu t'es jamais fait lire les lignes de la main ? Non… et toi ? Peut-être qu'on devrait aller à la boutique de la Médium guérisseuse sur la 6ᵉ Avenue, avec les lumières violettes et les boules de cristal, ça semble ouvert vingt-quatre heures sur vingt-quatre – ah oui, tu veux dire l'endroit avec la lampe à bulles d'huile où cette Roumaine cinglée est plantée à éructer sur le pas de la porte ? – parlant jusqu'à ce qu'il fasse tellement sombre que l'on pouvait à peine se voir, chuchotant alors qu'il n'y avait pas de raison de le

faire : *Tu veux rentrer ? Non, pas encore,* la grosse lune
estivale qui brillait, blanche et pure, au-dessus de nous, et
mon amour pour elle qui était aussi pur, aussi simple et
immuable que la lune. Puis on a fini par rentrer, et pratiquement à l'instant où on l'a fait le charme s'est rompu,
dans la lumière du couloir on était gênés et raides l'un
avec l'autre, presque comme si les lumières du théâtre
avaient été rallumées à la fin de la pièce et que toute
notre proximité ait été dévoilée pour ce qu'elle était :
du faux-semblant. Des mois durant j'avais désespérément
souhaité retrouver ce moment ; et – dans le bar, pendant
une heure ou deux – ça s'était produit. Mais tout était
de nouveau irréel, on était revenus au point de départ,
et j'ai tenté de me convaincre que l'avoir eue pour moi
tout seul quelques heures durant suffisait. Sauf que ce
n'était pas le cas.

XXX

Anne de Larmessin, la marraine de Kitsey, avait organisé notre soirée dans un club privé où même Hobie
n'avait jamais mis le pied, mais dont il avait entendu
parler : son histoire (vénérable), ses architectes (célèbres)
et ses membres (illustres, toute la constellation depuis
Aaron Burr jusqu'aux Wharton). « C'est supposé être
un des meilleurs intérieurs néoclassiques dans l'État de
New York », nous avait-il informés, l'air ravi. « Les escaliers… les manteaux de cheminées… Je me demande si
on aura le droit de pénétrer dans la salle de lecture ? On
m'a dit que le plâtre était d'origine et qu'il fallait le voir.
— Il y aura combien de personnes ? » a interrogé
Pippa. N'ayant rien emporté pour la soirée, elle avait
été obligée d'aller chez Morgane Le Fay pour y acheter
une robe.

« Quelques centaines. » Sur ce nombre, peut-être quinze des invités (y compris Pippa et Hobie, Mr. Bracegirdle et Mrs. DeFrees) étaient les miens ; une centaine étaient ceux de Kitsey, le reste était des gens que même Kitsey disait ne pas connaître.

« Dont le maire, a précisé Hobie. Et deux sénateurs. Ainsi que le prince Albert de Monaco, si je ne m'abuse ?

— Ils ont *invité* le prince Albert. Je doute sérieusement de sa présence.

— Oh, juste un truc intime alors. Pour la famille.

— Écoute, j'y vais et je fais ce que l'on me demande de faire. » C'était Anne de Larmessin qui avait pris le haut commandement du mariage à cause de la « crise » (son mot) liée à l'indifférence de Mrs. Barbour. C'était Anne de Larmessin qui manœuvrait pour dégoter la bonne église, le bon prêtre ; c'était Anne de Larmessin qui mettrait au point les listes d'invités (éblouissantes) et les plans de tables (incroyablement complexes) et qui, pour finir, aurait apparemment le dernier mot sur tout, depuis le coussin sur lequel serait posée la bague jusqu'au gâteau. C'était Anne de Larmessin qui avait réussi à trouver « le » styliste pour la robe, et qui avait offert sa propriété à Saint-Barthélemy pour la lune de miel ; c'était elle que Kitsey appelait chaque fois qu'une question se présentait (plusieurs fois par jour) ; et qui (selon l'expression de Toddy) s'était fermement imposée comme l'Obergruppenführer du Mariage. Ce qui rendait tout cela comique et pervers, c'était que je la perturbais tellement qu'elle pouvait tout juste supporter de me regarder. J'étais à des années-lumière du conjoint qu'elle avait espéré pour sa filleule. Même mon prénom était trop vulgaire pour être prononcé. « Et qu'en pense le *futur marié* ? » « Le *futur marié* me donnera-t-il bientôt sa liste d'invités ? » De toute évidence, un mariage avec une personne comme moi (un négociant en meubles !) était une destinée plus ou moins équivalente à la mort ;

d'où le faste et le spectaculaire des arrangements, ce sens rigoureux de la cérémonie, comme si Kitsey était quelque princesse perdue de la ville d'Ur qui devait être célébrée et couverte de parures et qui, accompagnée de joueurs de tambourins et de servantes, devait parader en grande pompe en route vers les Enfers.

XXXI

Comme je ne voyais pas de raison particulière d'être en pleine possession de mes moyens pendant la soirée, je me suis fait un petit trip avant de partir, avec un cachet d'OxyContin dans la poche de mon plus beau costume Turnbull & Asser en cas d'urgence.

Le club était si splendide que j'en voulais à la foule d'invités qui gâchaient la vue des détails architecturaux, des portraits accrochés cadre contre cadre – certains étaient très bons – et des rares livres sur les étagères. Bouillonnés en velours rouge, guirlandes de balsamine de Noël – étaient-ce de vraies bougies sur l'arbre ? J'étais planté, stupéfait, en haut de l'escalier, sans aucune envie de saluer les gens ou de leur parler, j'aurais préféré être ailleurs, partout sauf ici.

Une main sur ma manche. « Qu'est-ce qu'il y a ? m'a demandé Pippa.

— Quoi ? » Impossible de croiser son regard.

« Tu as l'air si triste.

— Je le suis », ai-je répondu, mais je n'étais pas sûr qu'elle m'ait entendu, moi-même je ne me suis presque pas entendu le dire, parce que exactement au même moment Hobie, sentant que nous étions à la traîne, était revenu sur ses pas pour nous trouver dans la foule et s'était écrié : « Ah, *vous voilà...* »

« Va t'occuper de tes invités, tout le monde te

réclame ! » m'a-t-il suggéré en me donnant un coup de coude amical et paternel. Parmi les inconnus, Pippa et lui étaient les deux seules personnes vraiment uniques ou intéressantes : elle, telle une fée dans une robe vert diaphane aux manches vaporeuses ; lui, élégant et adorable dans son costume croisé bleu nuit et ses superbes chaussures anciennes de chez Peal & Co.

« Je... » Désespéré, j'ai regardé autour de moi.

« Ne t'inquiète pas pour nous. On te retrouvera plus tard.

— D'accord », ai-je dit en me cuirassant. Les abandonnant à l'étude d'un portrait de John Adams à côté du vestiaire, où ils attendaient que Mrs. DeFrees dépose son vison, et me frayant un chemin à travers les pièces bondées – il n'y avait personne que je reconnaisse à part Mrs. Barbour, et je ne me sentais vraiment pas d'attaque pour lui parler, mais elle m'a vu avant que je puisse m'enfuir et m'a attrapé par la manche. Elle était adossée à un chambranle avec son gin et citron vert, en pleine conversation avec un vieux monsieur ténébreux et alerte au visage rude et rougeaud et à la voix claire et dure, arborant une touffe de cheveux gris au-dessus de chaque oreille.

« Oh, Medora, disait-il en se balançant sur ses talons. C'est un véritable ravissement. Une adorable vieille coquette. Unique et impressionnante. Elle a près de quatre-vingt-dix ans ! Sa famille est bien sûr dans la plus pure lignée des descendants d'immigrés hollandais, ainsi qu'elle se plaît à le rappeler... Oh vous devriez la voir, pleine d'énergie avec les domestiques... (là, il s'est autorisé un petit gloussement indulgent) c'est terrible, ma chère, mais si amusant, enfin je crois que c'est ce que vous en penseriez... Ils ne peuvent pas engager de domestiques *de couleur* – c'est le terme à présent, non ? *de couleur* ? – parce que Medora a un tel penchant pour le, disons, le *patois de sa jeunesse*. Surtout quand ils essaient de la maîtriser ou de la mettre dans la baignoire. À ce que j'entends, c'est une sacrée bagarreuse quand elle s'y met ! Elle a couru derrière un des infirmiers noirs avec un tisonnier. Ha ha ha ! Eh bien… vous savez… "à la grâce de Dieu". Medora appartenait à cette génération dorée de privilégiés. Et le père avait installé la propriété familiale en Virginie, dans le comté de Goochland, non ? Mariage d'argent, indéniablement. Toujours est-il que le fils… vous avez rencontré le fils, n'est-ce pas ?…. *était* plutôt décevant, non ? Il boit. Et la *fille*. Socialement calamiteuse. Et encore je suis gentil. Très grosse. Le genre qui ramasse les chats errants, si vous voyez ce que je veux dire. En revanche, le frère de Medora, Owen, était un homme vraiment adorable, qui est mort d'une crise cardiaque dans le vestiaire de l'Athletic Club… Il y partageait un *moment un peu intime*, si vous me suivez… un homme adorable, Owen, mais il a toujours un peu été une âme perdue, et je crains qu'il ne soit mort sans s'être vraiment trouvé.

« Theo, est intervenue Mrs. Barbour en tendant tout à coup la main vers moi alors que j'essayais de m'esquiver, comme si j'étais coincé dans une voiture en flammes et que je tentais d'agripper un sauveteur à la dernière minute. Theo, j'aimerais te présenter Havistock Irving. »

Ce dernier s'est tourné pour me fixer avec une vive – et, à mes yeux, pas très sympathique – lueur d'interêt. « Theodore Decker.

— Oui, je le crains, ai-je acquiescé, décontenancé.

— Je vois. » Son apparence me plaisait de moins en moins. « Vous êtes surpris que je sache qui vous êtes. Mais voyez-vous, je connais votre estimé associé, Mr. Hobart. Et son estimé associé avant vous, Mr. Blackwell.

— Tiens donc », ai-je répliqué avec une parfaite affabilité. Dans le commerce des antiquités, j'avais chaque jour l'occasion de traiter avec des vieux messieurs à sous-entendus de son acabit et Mrs. Barbour, qui n'avait pas lâché ma main, l'a serrée encore plus fort.

« Havistock est un descendant direct de Washington Irving, a-t-elle expliqué pour venir à mon secours. Il écrit sa biographie.

— Comme c'est intéressant.

— Oui, ça l'est, a rétorqué Havistock sur un ton placide. Bien que dans les cercles universitaires modernes Washington Irving ne soit plus tellement à la mode. Marginalisé, a-t-il commenté, heureux d'avoir trouvé le mot. Ce n'est pas une voix américaine typique, à en croire les érudits. Un peu trop cosmopolite, trop européen. Ce qui n'est pas étonnant, je suppose, étant donné qu'Irving a appris l'essentiel de son art avec Addison et Steele, qui étaient anglais. Quoi qu'il en soit, mon illustre ancêtre approuverait certainement ma routine quotidienne.

— Qui consiste à… ?

— Travailler dans des bibliothèques, lire de vieux journaux, étudier les vieilles archives gouvernementales.

— Pourquoi les archives gouvernementales ? »

Il a agité une main avec désinvolture. « Elles m'intéressent. Et elles intéressent encore plus un proche associé, qui réussit parfois à dénicher nombre d'informations intéressantes en cours de route… Je crois savoir que vous vous connaissez, tous les deux ?

— De qui s'agit-il ?

— De Lucius Reeve. »

Dans le silence qui a suivi, le babil de la foule et le cliquetis des verres se sont mués en grondement, comme si une rafale de vent avait parcouru la salle.

« Oui. Lucius. » Sourcil amusé. Lèvres flûtées, pincées. « Exactement. Je savais que son nom ne vous serait pas inconnu. Vous lui avez vendu un chiffonnier fort intéressant, ainsi que vous devez vous en souvenir.

— C'est exact. Et j'adorerais le lui racheter, s'il acceptait de se laisser convaincre.

— Oui, bien sûr. Sauf qu'il ne souhaite pas le vendre et, et, je ferais de même, a-t-il ajouté en me mouchant méchamment. Surtout avec cet autre article encore plus intéressant en perspective.

— Eh bien, je crois que ça, il peut l'oublier », ai-je répondu sur un ton aimable. Mon sursaut en entendant le nom de Reeve avait été un pur réflexe, comme si je m'étais pris les pieds dans une rallonge traînant par terre.

« L'oublier ? » Havistock s'est autorisé à rire. « Oh, je ne pense pas qu'il en ait l'intention. »

J'ai souri en guise de réponse. Mais Havistock n'en a eu que l'air plus suffisant.

« C'est vraiment très étonnant, les informations que l'on peut trouver sur un ordinateur ces jours-ci.

— Ah oui ?

— Bon, vous savez, Lucius a très récemment réussi à trouver des informations concernant d'autres meubles intéressants que vous avez vendus. En fait, je ne crois pas que les acheteurs soient tout à fait conscients de la valeur de ces pièces. Douze chaises "Duncan Phyfe" envoyées à Dallas ? a-t-il poursuivi en sirotant son champagne. Tout ce "grand Sheraton" à un client de Houston ? Et la même chose, mais en plus grande quantité, envoyée à Los Angeles ? »

J'essayais de me composer un visage impassible.

« "Ce sont des meubles dignes de musées". Bien sûr (incluant Mrs. Barbour dans la conversation) mais nous savons tous que cela dépend du genre de musée dont on parle, n'est-ce pas. Ha ha ! Mais Lucius a déployé des trésors d'ingéniosité pour suivre certaines de vos ventes récentes les plus audacieuses. Et, une fois les fêtes derrière nous, il songe à effectuer un voyage jusqu'au Texas pour… Ah ! s'est-il exclamé en se détournant de moi avec un petit pas habile semblable à un pas de danse, tandis que Kitsey, en satin bleu métallique, s'approchait pour nous saluer. Voilà une apparition bienvenue et ravissante ! Vous êtes charmante, ma chère, a-t-il dit en se penchant pour l'embrasser. Je viens de discuter avec votre séduisant futur époux. C'est vraiment renversant le nombre d'amis que nous avons en commun !

— Oh ? » Il a fallu qu'elle se tourne bel et bien vers moi, afin de me regarder en face et de me déposer un baiser sur la joue, pour que je me rende compte que Kitsey n'avait pas été à cent pour cent sûre que je viendrais. Son soulagement en me voyant était palpable.

« Et vous racontez à Theo et maman tous les potins ? a-t-elle demandé en se tournant vers Havistock.

— Oh, Kittycat, vous êtes *méchante.* » Il a délicatement glissé son bras sous le sien et a tendu l'autre pour lui tapoter la main : un homme diabolique à l'air un peu puritain, mince, aimable et alerte. « Bien, ma chère, je crois que vous avez besoin d'un verre, et moi aussi. Échappons-nous ensemble, voulez-vous ? (un autre regard vers moi), et trouvons-nous un petit endroit tranquille où nous pourrons commérer longuement sur votre fiancé. »

XXXII

« Dieu merci, il est parti, a murmuré Mrs. Barbour après qu'ils se furent dirigés vers la table des boissons. Faire la conversation me fatigue terriblement.

— Moi aussi. » La sueur me sortait par les pores. Comment m'avait-il découvert ? J'avais envoyé tous les meubles qu'il avait évoqués par le même transporteur. Et cependant – je mourais d'envie de boire un verre – comment pouvait-il être au courant ?

Je me suis rendu compte que Mrs. Barbour venait juste de parler. « Pardon ?

— Je disais, n'est-ce pas extraordinaire ? Je suis *soufflée* par toute cette foule. » Elle était vêtue très simplement, robe et escarpins noirs, ainsi que la superbe broche flocon de neige, mais le noir n'était pas la couleur de Mrs. Barbour et lui donnait un air maladif de renonciation et de deuil. « *Dois*-je me mêler aux invités ? Je suppose que oui. Oh, mon Dieu, regarde, voici le mari d'Anne, quel ennui. Est-ce terrible de ma part d'avouer que je préférerais être chez moi ?

— Qui était cet homme à l'instant ?

— Havistock ? » Elle s'est passé la main sur le front. « Je suis contente qu'il ait autant insisté sur son nom, sinon j'aurais été incapable de te le présenter.

— Il semblait être un excellent ami à vous. »

Elle a cligné des yeux, avec un trouble qui m'a fait sentir coupable du ton que j'avais employé avec elle.

« Eh bien, a-t-elle répondu avec fermeté. Il est très familier. Je veux dire… il a des manières très familières. Il est comme ça avec tout le monde.

— Comment le connaissez-vous ?

— Oh… Havistock travaille comme bénévole pour la New York Historical Society. Il connaît tout et tout le monde. Mais, juste entre nous, je ne pense pas du tout qu'il soit un descendant de Washington Irving.

— Non ?

— Eh bien… il est tout à fait charmant. Et il connaît absolument tout le monde… Il prétend avoir un lien avec les Astor, en plus de celui avec Washington Irving, et qui peut l'accuser de mentir ? Certains d'entre nous ont juste trouvé intéressant que nombre des proches qu'il invoque soient morts. Cela dit, Havistock est délicieux, ou il *peut* l'être. Il est très très dévoué quand il s'agit d'aller rendre visite aux vieilles dames… Eh bien, tu viens de l'entendre à l'instant. C'est une vraie mine d'informations concernant l'histoire de New York : dates, noms, généalogies. Avant que tu arrives, il était occupé à me raconter l'histoire de *chaque* bâtiment dans la rue, tous les anciens scandales, meurtre mondain dans la maison voisine, dans les années 1870… il est au courant d'absolument tout. Lors d'un déjeuner il y a quelques mois il a régalé la table avec une histoire absolument obscène concernant Fred Astaire et que je *ne peux* imaginer être vraie. Fred Astaire jurant comme un charretier ou piquant une crise ! Crois-moi, il n'y a rien de vrai là-dedans… Personne n'y a cru, d'ailleurs. La grand-mère de Chance connaissait Fred Astaire à l'époque où elle travaillait à Hollywood, et selon elle il était tout à fait adorable. Elle n'a jamais entendu dire le contraire en tout cas. Certaines de ces anciennes stars étaient absolument infectes, bien sûr, et nous avons aussi eu vent de toutes ces histoires-là. Oh, a-t-elle ajouté sur un ton désespéré dans le même souffle, je suis fatiguée et affamée.

— Allons… (la prenant en pitié, je l'ai conduite vers une chaise vide) asseyez-vous. Vous voulez que j'aille vous chercher quelque chose à manger ?

— Non, je t'en prie. J'aimerais que tu restes avec moi. Mais je suppose que je ne devrais pas t'accaparer, a-t-elle poursuivi de manière peu convaincante. Tu es l'invité d'honneur.

— Franchement, ça prendra juste une minute. » Mes yeux ont rapidement fait le tour de la pièce. Des plateaux de hors-d'œuvre circulaient et il y avait une table avec de la nourriture dans la pièce voisine, mais j'avais surtout un besoin urgent de parler à Hobie. « Je reviens aussi vite que je peux. »

Par bonheur, Hobie était si grand, plus que pratiquement tout le monde, que je n'ai eu aucune difficulté à repérer ce phare sécurisant dans la foule.

« Hé », a lancé quelqu'un en attrapant mon bras alors que j'allais l'atteindre. C'était Platt, en veste de velours vert sentant l'antimites, l'air contrarié et anxieux et déjà à moitié beurré. « Tout se passe bien entre vous ?

— Quoi ?

— Kits et toi, il n'y a plus de problème ? »

Je n'étais pas tout à fait sûr de la réponse à lui donner. Après quelques moments de silence, il a glissé une mèche de cheveux gris-blond derrière une oreille. Prématurément vieilli, son visage était rose et gonflé, et je me suis fait la réflexion, ce n'était pas la première fois non plus, que son refus de grandir était tout sauf délibéré, comme si, en se relâchant pendant trop longtemps, il avait juste réussi à détruire les dernières lueurs de ses privilèges héréditaires ; maintenant, il allait traîner en périphérie de la fête avec son gin et citron vert pendant que son jeune frère Toddy, encore étudiant, discuterait dans un groupe comprenant le président d'une université chic, un financier milliardaire et l'éditeur d'un important magazine.

Platt continuait de me regarder. « Écoute, je sais que ce ne sont pas mes oignons, Kits et toi... »

J'ai haussé les épaules.

« Tom ne l'aime pas, a-t-il affirmé sur une impulsion. C'était la meilleure chose qui puisse arriver à Kitsey que tu débarques, et elle le sait. Je veux dire, la façon dont il la traite ! Tu sais qu'elle était avec lui le week-end où Andy est mort ? C'était ça, la grande raison pour laquelle elle avait envoyé Andy s'occuper de papa, alors qu'il en était totalement incapable, c'est pour ça qu'elle n'y est pas allée elle-même. Tom, Tom, Tom. Tout tournait autour de Tom. Et ouais, apparemment il n'est qu'"Éternel Amour" avec elle, "Seul et Unique Amour", en tout cas c'est ce qu'elle me raconte, mais crois-moi, dans son dos c'est une autre histoire. Parce que... (il a fait une pause, en signe de frustration) la façon dont il la faisait marcher, lui suçait du fric en permanence, sortait avec d'autres filles et lui mentait, ça me rendait malade, papa et maman aussi. Parce que, en résumé, pour lui elle représente un tiroir-caisse. C'est comme ça qu'il la voit. Mais ne me demande pas pourquoi, elle était folle de lui. Complètement dingue.

— Et elle l'est toujours, on dirait. »

Platt a fait une grimace « Oh, allez. C'est toi qu'elle épouse.

— Cable ne me semble pas du genre à se marier.

— Eh bien... (il a pris une grande gorgée de son verre) quelle que soit la fille que Tom *épousera*, j'ai pitié d'elle. Kits est peut-être impulsive, mais elle n'est pas sotte.

— Ouais. » Kitsey était loin de l'être en effet. Non seulement elle avait arrangé le mariage qui plairait le plus à sa mère, mais en prime elle couchait avec la personne qu'elle aimait vraiment.

« Ça n'aurait pas bien tourné. Comme l'a dit maman. "Amour aveugle". "Du sable qui file entre les doigts".

— Elle m'a pourtant confié qu'elle l'aimait.

— Les filles adorent les trous-du-cul, a répondu Platt sans se préoccuper de me contredire. Tu n'as pas remarqué ? »

Non, ce n'est pas vrai, ai-je pensé avec un air sombre. Sinon pourquoi Pippa ne m'aimait-elle pas ?

« Dis-moi, tu as besoin d'un verre, mon pote. En fait... (il a avalé le restant du sien) il m'en faudrait un autre aussi.

— Écoute, je dois aller parler à quelqu'un. Et puis, ta mère... (je me suis tourné et j'ai pointé le doigt dans la direction de l'endroit où je l'avais fait asseoir) elle a besoin d'un verre aussi, et de quelque chose à manger.

— *Maman* », a fait Platt comme si je venais de lui rappeler une bouilloire qu'il aurait laissée sur le feu, après quoi j'ai filé.

XXXIII

« Hobie ? »

Il a semblé surpris quand ma main a touché sa manche, et il s'est vite retourné. « Tout va bien ? » a-t-il demandé sur-le-champ.

Rien que d'être à côté de lui, de respirer la saine atmosphère qui l'entourait, je me sentais mieux. « Écoutez, l'ai-je pressé en jetant un coup d'œil nerveux autour de moi, si on pouvait juste avoir un petit…

— Ah, c'est le futur époux ? a interrompu une femme dans son groupe avide d'informations.

— Oui, félicitations ! » Davantage d'inconnus, qui pressaient de l'avant.

« Comme il a l'air jeune ! Comme vous avez l'air jeune. » Dame blonde, milieu de cinquantaine, qui me pressait la main. « Et comme vous êtes beau ! » Elle s'est tournée vers son amie. « Le Prince charmant ! Pas plus de vingt-deux ans, on dirait ? »

Courtois, Hobie m'a présenté aux membres du cercle – discret, plein de tact, indolent, un phénix social de la plus douce espèce.

« Hum, ai-je insisté en jetant un regard autour de la pièce, désolé de vous accaparer, Hobie, j'espère que vous n'allez pas me trouver impoli si…

— Un mot en privé ? Mais bien sûr. Veuillez m'excuser.

— Hobie », ai-je dit dès que nous nous sommes trouvés dans un coin relativement tranquille. Les cheveux sur mes tempes étaient humides de sueur. « Connaissez-vous un certain Havistock Irving ? »

Les sourcils pâles se sont abaissés. « Qui ? s'est-il étonné, puis, me regardant de plus près : Tu es sûr que ça va ? »

Le ton de sa voix et son expression m'ont fait prendre conscience qu'il en savait plus sur mon état mental qu'il ne l'avait laissé entrevoir. « Mais oui, ai-je répondu en repoussant mes lunettes sur l'arête de mon nez. Je vais bien. Mais écoutez, Havistock Irving, est-ce que ce nom vous dit quelque chose ?

— Non. Ça devrait ? »

D'une manière désordonnée – je mourais d'envie de

boire ; ça avait été idiot de ma part de ne pas m'arrêter au bar en entrant – je lui ai expliqué. Au fur et à
mesure que je parlais, le visage de Hobie se vidait de
sa couleur.

« Quoi, s'est-il alarmé en passant en revue les visages
dans la foule. Tu le vois ?

— Hmm... (foule grouillante près du buffet, lits de
glace pilée, serveurs en gants ouvrant des huîtres par
seaux entiers) là. »

Myope sans ses lunettes, Hobie a cligné des yeux deux
fois puis les a plissés. « Quoi, a-t-il répété brusquement,
cet homme, là, avec les... » Il a mis les mains de part
et d'autre de son visage pour imiter les deux touffes de
cheveux.

« Oui, c'est lui.

— Bon. » Il a croisé les bras, avec une aisance austère
et maladroite qui, en un éclair, m'a fait entrevoir l'autre
Hobie : pas l'antiquaire aux costumes taillés sur mesure,
mais le flic ou le prêtre inflexible qu'il aurait pu être
dans son ancienne vie à Albany.

« Vous le connaissez ? C'est qui ?

— Ah. » Mal à l'aise, Hobie a tapoté sa poche de
poitrine en quête d'une cigarette qu'il n'avait pas le droit
de fumer.

« Vous le connaissez ? » ai-je répété avec plus d'insistance, incapable de m'empêcher de surveiller le bar, et
Havistock. Parfois c'était difficile d'obtenir de Hobie des
informations sur des sujets délicats : il avait tendance à
changer de sujet, à se refermer comme une huître, à partir
dans le vague, et le pire endroit où lui demander quelque
chose était une pièce bourrée de gens où n'importe quelle
personne avenante était susceptible d'arriver l'air de rien
et de nous interrompre.

« Je ne dirais pas que je le connais. Nous avons fait
affaire. Qu'est-ce qu'il fabrique ici ?

— C'est un ami de la mariée (j'ai reçu un regard très

surpris par le ton de ma voix). Comment le connaissez-vous ? »

Il a cligné des yeux rapidement. « Eh bien, a-t-il répondu un peu à contrecœur, j'ignore son nom véritable. Welty et moi le connaissions sous celui de Sloane Griscam. Mais son vrai nom... ça, c'est tout à fait autre chose.

— C'est qui ?

— Un rapace, a répliqué Hobie sèchement.

— D'accord », ai-je fait après un temps d'arrêt disproportionné. Dans le métier, un rapace était un requin qui, grâce à son charme, se frayait une place dans les maisons de retraite : pour y subtiliser des objets de valeur et parfois y voler les pensionnaires en bonne et due forme.

« Je... (Hobie a oscillé sur ses talons et détourné le regard, gêné) il y a de riches proies pour lui ici, ça c'est sûr. C'est un roublard de première classe... son associé aussi. Ils sont diaboliquement intelligents, ces deux-là. »

Un homme chauve au sourire radieux avec un col d'ecclésiastique se frayait un chemin jusqu'à nous : j'ai croisé les bras et tenté de me détourner de lui, bloquant son approche et espérant que Hobie n'interromprait pas là son récit pour l'accueillir.

« Lucian Race. En tout cas, c'est le nom qu'il se donnait. Oh, ils faisaient une jolie paire. Tu vois... Havistock, ou Sloane, ou quel que soit son nom aujourd'hui, baratinait les vieilles dames ainsi que les vieux messieurs, parvenait à connaître leur adresse puis passait leur rendre visite... Il les pistait lors des soirées caritatives, aux enterrements, aux importantes enchères d'antiquités américaines, partout. Enfin bon... (il a regardé attentivement son verre) il débarquait pour leur rendre visite avec son délicieux ami, Mr. Race, et pendant que les chers vieux étaient occupés... franchement, c'était affreux. Bijoux, tableaux, montres, argenterie, tout ce sur quoi ils pouvaient faire main basse. Enfin bon, a-t-il répété en changeant de ton. C'était il y a longtemps. »

J'avais tellement envie d'un verre qu'il m'était difficile de ne pas continuer à lorgner en direction du bar. Je voyais déjà Toddy me montrant du doigt à un couple âgé souriant vers moi dans l'expectative, comme s'ils étaient sur le point de venir m'aborder de leur pas chancelant et de se présenter, du coup je leur ai délibérément tourné le dos. « Des vieilles personnes ? ai-je souligné à l'intention de Hobie dans l'espoir d'obtenir plus d'information de sa part.

— Oui... Je suis désolé de devoir le dire, mais ils s'attaquaient à des gens plutôt impuissants. Quiconque leur faisait passer le pas de la porte, en fait. Et beaucoup de ces vieilles personnes ne possédaient pas grand-chose, ils les dévalisaient donc en une seule fois, mais s'il y avait un véritable butin à prendre... oh, alors ils conti-nuaient à coups de corbeilles de fruits, de confidences et de mains tapotées pendant des semaines... »

Le prêtre, ou le pasteur, ou quel qu'il soit, avait vu que j'étais occupé et avait tendu une main amicale – plus tard ! – en se frayant un chemin dans la foule, aussi lui ai-je adressé un sourire reconnaissant. Était-ce l'évêque épiscopal, Père Machin-chose, supposé célébrer notre mariage ? Ou bien l'un des prêtres catholiques de St. Ignatius que Mrs. Barbour avait adoptés après la mort d'Andy et de Mr. Barbour ?

« Très très en douceur. Parfois ils prétendaient être des experts en meubles offrant des évaluations gratuites, c'est comme ça qu'ils glissaient un pied. Ou, dans les cas vraiment extrêmes – alitements, folie – ils trompaient les infirmières à domicile en prétendant faire partie de la famille. Enfin soit... » Hobie a secoué la tête. « Tu as mangé quelque chose ? a-t-il demandé de sa voix je-change-de-sujet.

— Moui, ai-je répondu alors que c'était faux, merci, mais dites-moi…

— Oh, magnifique ! s'est-il exclamé avec soulagement. Il y a des huîtres là-bas, et du caviar. Ce truc au crabe était bon aussi. Tu n'es jamais monté déjeuner aujourd'hui. Je t'ai laissé une assiette de ragoût de bœuf avec des haricots verts et de la salade… Tu ne l'as pas mangée, j'ai vu qu'elle était toujours dans le frigo.

— Pourquoi Welty et vous avez eu affaire à lui ? »

Hobie a cligné des yeux. « Pardon ? s'est-il étonné, l'air distrait. Oh… (hochant la tête dans la direction de Griscam) lui ?

— Oui. » La luminosité festive de la pièce – les lumières, les miroirs, les cheminées allumées et les lustres scintillants – m'avait donné la sensation cauchemardesque que l'on me pressait et m'observait de tous côtés.

« Eh bien… » Il a détourné le regard : on venait d'apporter un nouveau bol de caviar ; il était déjà à moitié tourné vers le buffet, lorsqu'il s'est ravisé. « Il a débarqué dans la boutique avec un tas de bijoux et d'argenterie à vendre, cela fait des années de ça. Des trucs de famille, a-t-il prétendu. Mais il y avait une salière qui était ancienne et de valeur, Welty le savait parce qu'il connaissait la dame à qui il l'avait vendue. Et il savait qu'elle s'était fait truander par deux rapaces qui s'étaient introduits chez elle en prétendant ramasser des vieux livres pour une œuvre caritative. Toujours est-il que Welty a pris les articles en dépôt puis il a appelé la vieille dame, ainsi que la police. Et moi, eh bien, de mon côté… » Il s'est épongé le front avec le carré fleuri de Liberty dans sa poche ; sa voix était tellement douce que je l'entendais à peine, mais je n'ai pas osé lui demander de parler plus fort. « Dix-huit mois plus tôt j'avais acheté une *succession* à ce type, j'aurais dû me douter que quelque chose clochait, mais je n'arrivais pas à mettre le doigt dessus, pas tout à fait. Un bâtiment flambant neuf dans les rues 80 Est, une étrange collection d'objets appartenant à l'héritage américain empilée au petit bonheur la chance au milieu de la pièce, caisses à thé, pendules lyres, figurines en fanon de baleine, chaises Windsor en nombre suffisant pour démarrer une école... mais pas de tapis, de canapé, rien sur quoi *manger*, pas d'endroit où *dormir*... Eh bien, je suis sûr que tu aurais tout compris avant moi. Pas de succession, pas de tante. Juste un appartement qu'il louait à la petite semaine pour entreposer ses biens acquis de manière malhonnête. Et le truc c'était aussi, et c'est ce qui m'a désarçonné, que je le connaissais de réputation parce qu'à l'époque il avait sa propre boutique, juste une devanture, un vrai petit carton à chapeaux sur Madison Avenue, en fait, pas loin des anciennes galeries Parke-Bernet, un très joli endroit, uniquement sur rendez-vous. Antiquités Chevallet. Des trucs français de première classe... pas mon domaine. Chaque fois que j'y allais c'était fermé, je regardais toujours dans la vitrine. Je n'ai jamais su qui était le propriétaire, jusqu'à ce qu'il me contacte à propos de cette succession.

— Et donc ? ai-je persévéré en tournant de nouveau le dos, forçant mentalement Platt à rester loin de moi avec le directeur de sa maison d'édition qu'il venait triomphalement me présenter.

— Et donc... (il a soupiré) en résumé, l'affaire est allée en justice, et Welty et moi avons fait une déposition. Sloane, le *délapidateur*, ainsi que Welty l'appelait, avait disparu dans la nature à ce moment-là, la boutique avait été vidée dans la nuit, pour "rénovations", et bien sûr elle n'a jamais rouvert. Mais je crois que Race est allé en prison.

— C'était quand ? »

Hobie s'est mordu le côté de l'index et a réfléchi. « Oh, bon sang, ça devait être... il y a trente ans de ça ? Trente-cinq, même ?

— Et Race ? »

Ses sourcils se sont abaissés. « Est-ce qu'*il* est ici ? »
Passant de nouveau la foule en revue.

— Je ne l'ai pas vu.

— Des cheveux comme ça. » Du bout du doigt, Hobie
a indiqué le bas de la nuque. « Sur le col. Comme les
portent les Anglais. Ceux d'un certain âge.

— Des cheveux blancs ?

— Pas à l'époque. Peut-être maintenant. Et une petite
bouche méchante… (il a pincé les lèvres) comme ça.

— C'est lui.

— Eh bien… » Il a fouillé dans sa poche en quête de
sa loupe lumineuse, avant de se rendre compte que ce
n'était pas nécessaire. « Tu as offert de le rembourser.
Donc si c'est *vraiment* Race, je ne comprends pas pourquoi il insiste, parce qu'il n'est vraiment pas en situation
de causer des soucis ou d'imposer des exigences, si ?

— Non, ai-je répondu après une longue pause, même
si c'était un si gros mensonge que je pouvais à peine
forcer le mot à sortir de ma bouche.

— N'aie pas l'air aussi inquiet, alors, a conclu
Hobie, clairement soulagé de pouvoir clôturer le sujet.
C'est vraiment la dernière chose qui devrait gâcher ta
soirée. Mais (il m'a donné une tape sur l'épaule ; il
cherchait Mrs. Barbour de l'autre côté de la pièce) tu
devrais prévenir Samantha. Il ne faut pas qu'elle laisse
entrer cette fripouille chez elle. Sous aucun prétexte.
Bonsoir ! a-t-il lancé en se tournant pour saluer le
couple âgé qui avait finalement réussi à avancer d'un
pas chancelant et qui affichait derrière nous un sourire
plein d'attente. James Hobart. Puis-je vous présenter
le futur époux ? »

XXXIV

La soirée devait durer de dix-huit à vingt et une heures.
J'ai souri, sué et tenté de me frayer un chemin jusqu'au
bar, mais je me suis fait arrêter en chemin, interrompre et
parfois physiquement tirer en arrière par le bras à l'image
de Tantale, mourant de soif à deux doigts d'un verre :
« Et le *voici*, le héros de la soirée ! » « Le rayonnant
garçon ! » « Félicitations ! » « Par ici, Theodore, je *dois*
te présenter le cousin de Harry, Francis, les Longstreet
et les Abernathy sont parents du côté paternel, c'est la
branche bostonienne de la famille, vois-tu, le grand-
père de Chance était le cousin germain de... Francis ?
Oh, vous vous connaissez tous les deux ? Parfait ! Et
voici... Oh, Elizabeth, te voilà, laisse-moi te kidnapper un moment, tu es absolument *charmante*, ce bleu
te va à ravir, j'aimerais beaucoup te présenter à... »
J'ai fini par abandonner l'idée d'un verre (et de nourriture) et, oppressé au milieu de la foule d'inconnus qui
ne cessaient de changer, j'ai saisi au vol des flûtes de
champagne sur les plateaux qui passaient là, de temps
à autre un hors-d'œuvre, une minuscule quiche lorraine,
un blini miniature avec du caviar ; des inconnus allaient
et venaient et moi j'étais enfermé là et hochais poliment
la tête au milieu de la foule des bien nés, des riches et
des puissants... (*N'oublie jamais que tu n'es pas de leur
monde*, m'avait chuchoté à l'oreille mon copain junkie
de la compta quand il m'avait vu parler avec des clients
importants lors d'une vente d'Impressionnistes et d'art
moderne...), me figeant sur place et me retournant pour
sourire au milieu de groupes de gens interchangeables,
sous les flashes agressifs des photographes, assujetti aux
bribes de conversations abrutissantes et débats ambiants,
allant d'un sujet à l'autre : golf, politique, activités spor-

tives des enfants, écoles primaires, résidences tertiaires, quaternaires, etc., à Hyères, Hyannis, Paris, Londres, Jackson Hole et Jupiter, n'est-ce pas hideux de voir à quel point Vail est devenu *terriblement construit*, vous vous souvenez de quand c'était juste un adorable petit village... Où est-ce que tu skies, Theo ? *Est-ce que* tu skies ? Eh bien, Kitsey et toi devez *vraiment* nous accompagner dans notre maison à...

J'avais beau chercher Hobie et Pippa du regard, je les ai à peine vus. Joueuse, Kitsey a traîné des gens jusqu'à moi pour me les présenter, après quoi elle s'est envolée aussi vite qu'un oiseau sur le rebord d'une fenêtre. Havistock avait disparu, Dieu merci. La pièce a fini par se vider, mais pas beaucoup ; les gens s'avançaient vers le vestiaire tandis que les serveurs enlevaient le gâteau et les desserts sur la table du buffet quand, coincé dans une conversation avec un groupe de cousins de Kitsey, j'ai jeté un coup d'œil de l'autre côté de la pièce en quête de Pippa (ainsi que je l'avais fait de manière compulsive toute la soirée, tentant d'apercevoir sa tête rousse, la seule chose intéressante ou importante dans la pièce) et, à ma grande surprise, je l'ai aperçue en pleine conversation avec Boris. Il ne la lâchait pas, son bras l'entourait sans la serrer, une cigarette non allumée pendant au bout de ses doigts. Il chuchotait. Riait. Est-ce qu'il lui mordait l'oreille ?

« Excusez-moi, ai-je interrompu et je me suis dirigé d'un pas vif vers eux et la cheminée de l'autre côté de la pièce où, dans une parfaite unisson, ils se sont retournés et m'ont tendu les bras.

« Salut ! a dit Pippa. On parlait justement de toi !

— Potter ! » a lancé Boris en m'entourant de ses bras. Il avait beau être habillé pour la circonstance, en costume bleu à rayures tennis (j'avais souvent été frappé par les hordes de riches Russes dans la boutique Ralph Lauren sur Madison Avenue), il lui était difficile d'avoir l'air propre : ses yeux fuyants lui donnaient l'air orageux et louche, et bien que ses cheveux ne soient, techniquement parlant, pas sales, ils donnaient l'impression de l'être. « Heureux de te voir !

— Moi aussi. » J'avais invité Boris sans imaginer qu'il viendrait, ce n'était pas dans sa nature de se souvenir de choses méprisables telles que rendez-vous ou adresses, ni d'arriver à l'heure si jamais il venait. « Tu sais qui c'est, n'est-ce pas ? » ai-je fait en me tournant vers Pippa.

— Bien sûr qu'elle me connaît ! Elle sait tout de moi ! On est les meilleurs amis du monde maintenant ! Bon… (s'adressant à moi avec un air faussement officiel) un petit mot entre quatre zyeux. Tu nous excuses, s'il te plaît ? a-t-il demandé à Pippa.

— Encore des conversations privées ? a-t-elle fait en donnant un coup de ballerine dans ma chaussure pour s'amuser.

— T'inquiète ! Je le ramène ! Salut, toi ! » Il lui a envoyé un baiser. Puis à moi, dans l'oreille tandis que nous nous éloignions : « Elle est jolie. J'adore les rousses.

— Moi aussi, mais ce n'est pas elle que j'épouse.

— Non ? » Il a eu l'air surpris. « Mais elle m'a salué ! En m'appelant par mon prénom ! Ah, a-t-il ajouté en me regardant de plus près, tu rougis ! Si si, Potter ! a-t-il croassé. Tu rougis ! Comme une fillette !

— Ta gueule, ai-je sifflé en jetant un coup d'œil en arrière de peur qu'elle ne l'ait entendu.

— C'est pas elle, alors ? Pas la Petite Rousse ? Dommage, hein. » Il a jeté un regard circulaire sur la pièce. « C'est laquelle, alors ? »

Je l'ai montrée du doigt. « Là-bas.

— Ah ! En bleu ciel ? » Il m'a pincé affectueusement le bras. « Bon sang, Potter ! *Elle ?* C'est la plus belle femme de la pièce ! Divine ! Une déesse ! a-t-il assené en faisant mine de se prosterner.

— Non, non... (je l'ai attrapé par le bras et l'ai redressé en vitesse).

— Un ange ! Direct du paradis ! Aussi pure qu'une larme de bébé ! *Beaucoup* trop bien pour quelqu'un comme toi...

— Oui, je pense que c'est le sentiment général.

— Quoique... (il a tendu la main vers mon verre de vodka et en a pris une grande gorgée avant de me le rendre) un peu trop glaciale à regarder, non ? Moi, je les aime plus chaleureuses. Elle... c'est un lis, un flocon de neige ! Elle se dégèle en privé, j'espère ?

— Tu serais étonné. »

Ses sourcils ont remonté. « Ah. Et... c'est elle qui...

— Oui.

— Elle l'a admis ?

— Oui.

— Et donc tu n'es pas à côté d'elle. Tu es contrarié.

— Plus ou moins.

— Bon... (Boris a passé la main dans ses cheveux) tu dois aller lui parler maintenant.

— Pourquoi ?

— Parce qu'on doit partir.

— Partir ? Pourquoi ?

— Parce que tu as besoin d'aller marcher avec moi.

— Pourquoi ? » ai-je répété en regardant autour de moi, regrettant qu'il m'ait enlevé à Pippa et mourant d'envie de la retrouver. Les bougies, la lueur orange du feu de cheminée là où elle s'était tenue m'avaient rappelé la chaleur du bar à vins, comme si la lumière elle-même pouvait offrir un passage permettant de retourner à la veille au soir et à la petite table en bois où nous étions assis genou contre genou, avec son visage nimbé de la même lueur teintée d'orange. Il devait y avoir moyen de traverser la pièce, de lui attraper la main et de la ramener vers ce moment-là.

Boris a écarté les cheveux de ses yeux. « Allez. Tu vas

adorer ce que j'ai à te dire ! Mais, dès que je te l'aurai dit, tu devras rentrer chez toi. Prendre ton passeport. Et aussi du liquide. »

Par-dessus l'épaule de Boris : les visages imperturbables de femmes étranges et froides. Mrs. Barbour de profil, légèrement tournée vers le mur, agrippant la main de l'homme d'Église enjoué qui n'avait plus l'air aussi enjoué.

« Quoi ? Tu m'écoutes ? » Il a secoué mon bras. Cette même voix qui m'avait ramené sur Terre à plusieurs reprises, depuis les cieux fractals atteints grâce à la colle, alors que j'étais allongé sur le lit, les yeux ouverts et insensible, fixant les impressionnantes explosions bleu-blanc au plafond.

« Allez ! On parlera dans la voiture. On y va. J'ai un billet pour toi... »

On y va ? Je l'ai fixé. C'est tout ce que j'avais entendu.

« Je t'expliquerai. Ne me regarde pas comme ça ! Tout va bien. Pas d'inquiétude. Mais... d'abord, tu dois te débrouiller pour t'absenter quelques jours. Trois. Max. Et donc... (il a agité une main) va, va arranger ça avec Flocon de neige puis on y va. Je ne peux pas fumer ici, si ? a-t-il demandé en regardant autour de lui. Personne ne fume ? »

Partons. C'étaient les seuls mots sensés de la soirée.

« Parce que tu dois passer chez toi *tout de suite.* » Il s'efforçait de capter mon regard d'une manière qui m'était familière. « Prendre ton passeport. Et... de l'argent. Tu as combien de liquide en réserve ?

— Eh bien, j'en ai à la banque, ai-je répondu en repoussant mes lunettes sur l'arête de mon nez, curieusement dessoûlé par le ton de sa voix.

— Je ne te parle pas de la banque. Ni de demain. Je te parle de ce que tu as sous la main. Maintenant.

— Mais...

— Je peux le récupérer, je te dis. Mais on ne peut pas rester ici plus longtemps. On doit y aller maintenant. Tout de suite. Allez, on y va », a-t-il lancé avec un petit coup amical dans le tibia.

XXXV

« Te voilà, mon chéri, s'est exclamée Kitsey en glissant son bras sous le mien et en se mettant sur la pointe des pieds pour m'embrasser sur la joue, un baiser instantanément immortalisé par les photographes attroupés autour d'elle : l'un des pages mondaines, l'autre engagé par Anne pour la soirée. Est-ce que ce n'est pas magnifique ? Tu es épuisé ? J'espère que ma famille n'a pas été trop pesante. Annie, ma chère... (elle a tendu une main vers Anne de Larmessin, cheveux blonds raides, robe en taffetas raide, cou ridé ne correspondant pas à la tension de son visage ciselé) c'était tout à fait merveilleux, tu sais... Tu penses qu'on peut faire une photo de famille ? Juste toi, moi et Theo ? Nous trois ?

— Écoute, ai-je fait sur un ton impatient, dès que notre photo bizarre a été prise et qu'Anne de Larmessin (qui de toute évidence ne me considérait même pas comme de la famille lointaine) fut partie dire au revoir à d'autres invités plus importants. J'y vais.

— Mais... (elle avait l'air perdu) je crois qu'Anne a réservé une table quelque part...

— Eh bien, tu devras me trouver une excuse. Ça ne devrait pas te poser problème, si ?

— Theo, je t'en prie, ne sois pas hargneux.

— Parce que ta *mère* ne vient pas, ça j'en suis sûr. » Il était presque impossible d'obtenir de Mrs. Barbour qu'elle sorte dîner au restaurant, à moins qu'il ne s'agisse d'un endroit où elle était sûre de ne croiser personne.

« Raconte que je l'ai ramenée à la maison. Qu'elle est souffrante. Raconte que *je* suis souffrant. Sers-toi de ton imagination. Tu trouveras bien quelque chose.

— Est-ce que je t'ai contrarié ? » Expression familiale : *contrarié*. Un mot qu'Andy utilisait quand nous étions gamins.

« Contrarié ? Non. » Maintenant que je m'étais fait à l'idée (Cable ? Kitsey ?), c'était presque comme un ragot obscène qui ne me concernait pas. J'ai remarqué qu'elle portait les boucles d'oreilles de ma mère – ce qui était bizarrement émouvant vu qu'elle avait tout à fait raison, elles ne lui allaient pas du tout – et avec un pincement au cœur j'ai tendu la main et les ai touchées, puis elle, sur la joue.

« Ahhh », se sont écriés quelques invités au fond, heureux de voir enfin un peu d'affection au sein de l'heureux couple. Rebondissant tout de suite, Kitsey s'est emparée de ma main et l'a embrassée, déclenchant une nouvelle série de clichés.

« D'accord ? lui ai-je dit à l'oreille quand elle s'est penchée près de moi. Si quelqu'un demande, j'ai dû partir pour affaires. Une vieille dame m'a appelé pour une succession.

— Bien sûr. » Il fallait le lui accorder : elle savait garder son sang-froid. « Tu reviens quand ?

— Oh, bientôt », ai-je éludé sans être très convaincant. J'aurais été heureux de sortir de cette pièce et de continuer à marcher des jours et des mois jusqu'à une plage au Mexique peut-être, une grève isolée où je pourrais me promener seul et porter les mêmes vêtements jusqu'à ce qu'ils pourrissent sur moi, être le gringo cinglé aux lunettes d'écaille qui gagnait sa vie en réparant chaises et tables. « Prends soin de toi. Et fais en sorte que ce Havistock ne mette pas un pied chez ta mère.

— Justement… (sa voix était si basse que je l'entendais à peine) il a été plutôt casse-pieds ces derniers temps.

Il téléphone *constamment*, désireux de passer, d'apporter des fleurs, des chocolats, pauvre homme. Maman refuse de le voir. Elle se sent un peu coupable à l'idée de le rejeter.

— Il ne faut pas. Tenez-le à distance. C'est un escroc. Bon, salut », ai-je lancé d'une voix forte, l'embrassant sur la joue (nouveaux cliquetis d'appareils photo ; c'était le cliché que les photographes avaient attendu toute la soirée). Puis je suis allé dire à Hobie (qui inspectait avec bonheur un portrait, se penchant vers l'avant, le nez à quelques centimètres de la toile) que je partais quelque temps.

« OK », a-t-il acquiescé prudemment en se retournant. Depuis tout le temps que je travaillais avec lui, j'avais rarement pris de vacances, et jamais en dehors de New York. « Toi et… Il a hoché la tête en direction de Kitsey.

« Non.

— Tout va bien ?

— Oui. »

Il m'a regardé ; puis il a regardé Boris de l'autre côté de la pièce. « Tu sais, si tu as besoin de quoi que ce soit, a-t-il ajouté de manière inattendue, tu peux toujours me demander.

— D'accord, oui, ai-je répliqué, décontenancé, pas très sûr de ce qu'il voulait dire, ou de comment je devais réagir, merci. »

Il a haussé les épaules, à moitié gêné, et s'en est retourné timidement vers le portrait. Boris était au bar où il buvait un verre de champagne et engloutissait des blinis nappés de caviar. Quand il m'a vu, il a vidé le reste de son verre et a fait un signe de tête en direction de la porte : *sortons d'ici !*

« À bientôt », ai-je lancé à Hobie en lui serrant la main (qui n'était pas quelque chose que je faisais d'ordinaire) et en le laissant me dévisager avec perplexité. Je voulais dire au revoir à Pippa mais je ne la voyais nulle part. La bibliothèque ? Les toilettes ? J'étais déterminé à l'entrevoir, juste une dernière fois, avant de partir. « Vous savez où elle est ? » ai-je demandé à Hobie après avoir fait un tour en vitesse ; mais il s'est contenté de secouer la tête. Alors je suis resté planté quelques minutes dans l'angoisse à côté du vestiaire, attendant qu'elle revienne, jusqu'à ce que finalement Boris, la bouche pleine de hors-d'œuvre, m'attrape par le bras et me traîne jusqu'en bas de l'escalier, puis vers la porte.

V

L'art et rien que l'art,
nous avons l'art pour ne point mourir de la vérité.

<small>NIETZSCHE</small>

11

Le canal des Gentilshommes

I

La Lincoln faisait le tour du pâté de maisons, mais quand le chauffeur s'est arrêté pour nous prendre, ce n'était pas Gyuri, mais un type que je n'avais jamais vu, aux yeux perçants d'un bleu glacial, et dont la coupe de cheveux donnait l'impression d'avoir été réalisée en cellule de dégrisement.

Boris a fait les présentations en russe. « *Privet ! Myenya zovut Anatoly*, a dit le type en tendant une main constellée de couronnes indigo et d'étoiles évoquant les motifs des œufs de Pâques ukrainiens.

— Anatoly ? ai-je fait prudemment. *Ochyen' priyatno ?* » Un flot de russe a suivi dont je n'ai pas compris un traître mot ; désespéré, je me suis tourné vers Boris.

« Anatoly ne parle pas anglais du tout, m'a expliqué ce dernier avec amabilité. Hein, Toly ? »

En guise de réponse, Anatoly nous a fixés dans le rétroviseur avec sérieux et s'est lancé dans un autre discours. J'étais assez sûr que les tatouages sur ses articulations étaient en rapport avec la prison : taches d'encre indiquant la peine encourue, les années effectuées et les années supplémentaires tels des anneaux sur un arbre.

« Il dit que tu parles bien, a traduit Boris sur un ton ironique. Il est bien éduqué côté politesse.

— Où est Gyuri ?

— Oh, il a pris un avion hier », a répondu Boris. Il a fouillé dans la poche de poitrine de sa veste.

« Un avion ? Pour où ça ?

— Anvers.

— Mon tableau est là-bas ?

— Non. » Boris avait sorti deux feuilles de sa poche, qu'il a parcourues sous la faible lumière avant de m'en passer une. « Mais mon appartement y est, ainsi que ma voiture. Gyuri ira la prendre, avec quelques affaires, puis il nous rejoindra. »

Tenant la feuille à la lumière, j'ai vu qu'il s'agissait de la sortie papier d'un billet électronique :

CONFIRMÉ
DECKER/THEODORE DL2334
DE NEWARK LIBERTY INTL (EWR) À AMSTERDAM, PAYS-BAS (AMS)
HEURE D'EMBARQUEMENT 00:45
DURÉE TOTALE DU VOL 7 HRS 44 MINS

« Il n'y a que trois heures de route entre Anvers et Amsterdam, m'a précisé Boris. On arrivera à l'aéroport de Schiphol environ même heure, moi, peut-être une heure après toi, j'ai demandé à Myriam de faire nos réservations sur deux avions différents. Le mien fait escale à Francfort. Le tien est direct.

— Ce soir ?

— Oui… ben, comme tu le vois, ça ne nous laisse pas beaucoup de temps.

— Et pourquoi est-ce que j'y vais ?

— Parce que je pourrais avoir besoin d'aide, et que je n'ai pas envie d'impliquer qui que ce soit d'autre dans cette histoire. Bon… Gyuri. Mais je n'ai même pas confié à Myriam but de notre voyage. Oh, oh, *j'aurais* pu, a-t-il ajouté en m'interrompant. C'est juste que… moins de gens seront au courant et mieux ce sera. Quoi qu'il en soit, tu dois filer prendre ton passeport et tout le liquide que tu peux trouver. Toly nous conduira à Newark. Moi (il a tapoté le sac que je venais juste de remarquer sur le siège arrière) je suis prêt. Je t'attendrai dans la voiture.

— Et l'argent ?

— Ce que tu as.

— Tu aurais dû me le dire avant.

— Pas la peine. Du liquide… (il a cherché une cigarette). Ne te tracasse pas pour ça. Ce que tu as, ce qui est pratique… ? Parce que, pas important. C'est surtout pour la frime. »

J'ai enlevé mes lunettes et les ai nettoyées sur ma manche. « Pardon ?

— Parce que (il s'est frappé la tempe de son poing fermé, un geste d'autrefois pour dire *crétin*) j'ai l'intention de les payer, mais pas la somme totale. Les *récompenser* pour m'avoir volé ? Alors pourquoi ils se gêneraient pour me voler chaque fois qu'ils en ont envie ? C'est quoi comme genre de leçon ? "Cet homme est faible." "On peut lui faire ce qu'on veut." Mais (il a croisé les jambes de manière spasmodique et tâté ses poches en quête d'un briquet) je veux qu'ils croient qu'on a l'intention de payer en totalité. Tu peux peut-être t'arrêter à un distributeur et prendre de l'argent, on peut faire ça en route, ou alors à l'aéroport. Ils auront belle allure, les billets neufs. Je pense que tu ne peux emporter que dix mille dollars dans l'UE… ? Mais je mettrai un élastique autour du reste et je le prendrai dans mon sac. Et puis (m'offrant une cigarette) je ne pense pas que ce soit juste que ce soit toi qui donnes toute la somme. J'ajouterai plus de liquide une fois qu'on sera sur place. Mon cadeau. Et aussi une traite bancaire… Quoi

qu'il en soit, mauvais papier pour la traite bancaire…
mauvais bordereau de versement, chèque en bois. Banque
avec plaque de cuivre dans les Caraïbes. Ça présente très
bien, ça fait très authentique. Je ne sais pas dans quelle
mesure cette partie-là va fonctionner. Il faudra faire ça
au feeling. Personne de sensé n'accepterait une traite
bancaire au lieu de liquide pour ce genre d'affaire ! Mais
je pense qu'ils sont inexpérimentés et désespérés, donc…
(il a croisé les doigts) je suis optimiste. On verra bien ! »

II

Pendant qu'Anatoly faisait le tour du pâté de maisons,
j'ai couru à la boutique et j'y ai raflé tout le liquide qui
y traînait sans le compter, une somme qui avoisinait les
seize mille dollars. Puis j'ai couru à l'étage et, tandis
que Popper allait, venait et tournait en rond en gémissant
d'angoisse, j'ai jeté quelques affaires dans mon sac : passeport, brosse à dents, rasoir, chaussettes, sous-vêtements,
le premier pantalon de costume qui m'est tombé sous la
main, quelques chemises et un pull. La boîte Redbreast
Flake était au fond du tiroir contenant mes chaussettes
et je l'ai ramassée aussi, puis je l'ai laissée retomber et
j'ai refermé le tiroir dessus, vite.
Alors que je filais vers le couloir, le chien sur mes
talons, les bottes de pluie de Pippa devant la porte de sa
chambre m'ont soudainement réveillé : leur vert vif et
estival a fusionné dans mon esprit avec elle et avec l'idée
du bonheur. Je me suis arrêté l'espace d'un moment,
incertain. Puis je suis retourné dans ma chambre, j'ai
pris la première édition de *Ozma, la princesse d'Oz* et
j'ai écrit un mot si vite que je n'ai pas eu le temps de
réfléchir. *Bon voyage. Je t'aime. Je ne plaisante pas*. J'ai
soufflé dessus et j'ai glissé le mot dans le livre, que j'ai

déposé par terre à côté de ses bottes. Le tableau vivant qui en résultait sur la moquette (Cité d'émeraude, bottes vertes, la couleur d'Ozma) revenait presque à être tombé sur un haïku ou quelque parfaite combinaison de mots lui expliquant ce qu'elle représentait pour moi. L'espace d'un moment je suis resté planté là dans une immobilité parfaite – pendule qui tictaque, souvenirs d'enfance submergés, portes s'ouvrant vers de vieux rêves éveillés lumineux où l'on marchait côte à côte sur des pelouses estivales – avant de retourner d'un pas résolu dans ma chambre pour y prendre le collier qui, dans la salle d'exposition d'une société de ventes aux enchères, m'avait attiré avec son prénom en tête : je l'ai sorti de sa boîte en velours bleu nuit et l'ai enroulé prudemment autour d'une des bottes de façon qu'un éclat d'or attrape la lumière. C'était de la topaze, XVIIIe siècle, un collier pour une reine des fées, une girandole avec un nœud en diamants et d'énormes pierres translucides couleur miel : la teinte de ses yeux. J'ai tourné les talons et détourné le regard du mur en face où se trouvaient les photos d'elle, puis je me suis précipité en bas des escaliers, empli de l'ancienne terreur et de l'euphorie de l'enfance après que l'on a jeté une pierre dans une vitre. Hobie saurait exactement combien le collier avait coûté. Mais d'ici que Pippa le découvre, ainsi que le mot, je serais parti depuis longtemps.

III

Nous nous envolions de deux terminaux différents, donc nous nous sommes dit au revoir sur le trottoir, là où Anatoly m'a laissé. Les portes en verre ont glissé dans un halètement essoufflé. À l'intérieur, au-delà de la sécurité, sur les sols brillants du hall d'avant l'aube, j'ai consulté les écrans et je suis passé devant des boutiques obscures dont les grilles métalliques étaient baissées, *Brookstone, Tie Rack, Nathan's Hot Dogs*, avec une musique enjouée des années 1970 affleurant à la conscience (*love... love will keep us together... think of me babe whenever...*), devant des portes fantomatiques et glaciales entourées de cordes, vides à l'exception d'étudiants étalés de toute leur longueur et qui somnolaient sur quatre sièges à la fois, devant le bar désert encore ouvert, la cabane à yaourts déserte, le duty free désert où, ainsi que Boris me l'avait conseillé à plusieurs reprises et avec insistance, je me suis arrêté pour une flasque de vodka (« Deux précautions valent mieux qu'une... Alcool seulement disponible dans les magasins contrôlés par l'État... Prends-en deux peut-être »), puis jusqu'au bout de ma porte d'embarquement (bondée) remplie de familles de toutes origines aux yeux gonflés de fatigue, de voyageurs sacs au dos assis en tailleur par terre, et d'hommes d'affaires las à la peau grasse munis d'ordinateurs portables et qui donnaient l'impression de connaître tout ça par cœur.

L'avion était plein. J'ai avancé en traînant les pieds, face à la foule dans l'allée centrale (classe économique, milieu de rangée, cinquième siège), et je me suis demandé comment Myriam avait réussi à me trouver un billet tout court. Par bonheur j'étais trop fatigué pour me poser beaucoup d'autres questions ; et avant même l'extinction du signal pour les ceintures de sécurité, je dormais déjà, loupant les boissons, le repas, les films, me réveillant seulement une fois les stores relevés et la lumière se déversant dans l'habitacle tandis que l'hôtesse poussait son chariot avec nos petits déjeuners emballés : branche réfrigérée de raisin ; tasse réfrigérée de jus de fruit ; croissant gras, couleur jaune d'œuf et sous cellophane ; café ou thé au choix.

Nous devions nous retrouver devant le tapis roulant des bagages. Les hommes d'affaires ramassaient leurs valises en silence et disparaissaient aussitôt, courant vers leurs réunions, leurs plans marketing, ou leurs maîtresses, comment savoir ? Des gosses camés avec des arcs-en-ciel sur leurs sacs à dos riaient fort, se bousculaient et essayaient de piquer des sacs marins qui n'étaient pas les leurs, puis se disputaient à propos du meilleur endroit pour se réveiller de bon matin : « Oh, les mecs, le Blue-bird, *certainement*... Non, attendez... Haarlemmerstraat ? Non, je suis sérieux, je l'ai noté. C'est sur ce bout de papier. Non, attendez, écoutez les mecs, on devrait juste aller tout droit. Parce que je me souviens pas du nom, mais ça ouvre tôt et ils ont des petits déj qui sont *top*. Tu peux avoir tes pancakes, ton jus d'orange et ton shit puis fumer avec un vapo à la table. »

Ils ont filé en groupe, ils étaient quinze ou vingt, insouciants, les cheveux brillants, riaient, hissaient leurs sacs à dos et se disputaient pour savoir quel était le moyen le moins cher d'aller en ville. Je n'avais même pas de bagage enregistré, et je suis resté dans cette zone bien plus d'une heure, à regarder une valise lourdement scotchée tourner tristement en rond sur le tapis, jusqu'à ce que Boris arrive derrière moi et m'accueille en jetant ses bras autour de mon cou, manquant m'étrangler, puis essaie de monter sur mes talons.

« Allez, tu as une tête de déterré, a-t-il lancé. On va chercher quelque chose à manger puis on va parler ! Gyuri a la voiture dehors. »

IV

Ce à quoi je ne m'attendais pas, en un sens, c'était à une ville toute pomponnée pour Noël : branches de sapins et guirlandes argentées, ornements étoilés dans les vitrines des magasins, vent froid et fort en provenance des canaux, lumières et étals festifs, gens à bicyclette, jouets, couleurs et sucreries, tumulte des fêtes et des lueurs. Des petits chiens, des petits enfants, des bavards, des spectateurs et des gens chargés de paquets, des clowns en hauts-de-forme et capotes militaires, et un petit bouffon à la Avercamp dansant en tenue de Noël. Je n'étais pas encore tout à fait réveillé, et rien de tout cela ne semblait beaucoup plus réel que le rêve fugace de Pippa que j'avais fait dans l'avion, où elle m'était apparue dans un parc avec beaucoup de grandes fontaines et une majestueuse planète Saturne et ses anneaux bas dans le ciel.

« Nieuwmarkt », a annoncé Gyuri tandis que nous arrivions à une grande place circulaire avec un château de contes de fées à tourelles et, autour, un marché en plein air, des sapins coupés légèrement givrés de neige, des vendeurs à mitaines battant des pieds, une illustration de livre d'enfants. « Ho, ho, ho.

— Il y a toujours beaucoup de policiers ici », a prévenu Boris avec un air sinistre en glissant vers la portière tandis que Gyuri prenait le virage un peu sec.

Pour différentes raisons, j'étais inquiet côté logement et prêt à me défiler s'il s'agissait d'un squat ou de dormir par terre. Heureusement Myriam m'avait réservé un hôtel en bordure de canal dans la vieille partie de la ville. J'y ai laissé mon sac, ai enfermé le liquide dans le coffre puis suis ressorti dans la rue pour retrouver Boris. Gyuri était parti garer la voiture.

Boris a laissé tomber sa cigarette sur les pavés et l'a poussée sous son talon. « Ça fait un petit moment que je ne suis pas venu ici, a-t-il expliqué ; son souffle formait un petit nuage blanc tandis qu'il regardait autour de lui la rue et les passants vêtus sobrement. Mon appartement à Anvers… eh bien c'est pour affaires que j'y suis. Superbe ville aussi, les mêmes nuages venus de la mer, la même lumière. Un jour on ira. Mais j'oublie toujours à quel point ça me plaît ici aussi. Je suis mort de faim, et toi ?

a-t-il demandé en me donnant un coup dans le bras. Ça te dérange de marcher un peu ? »

Nous avons déambulé le long de rues étroites, de ruelles humides où les voitures ne passaient pas et où se succédaient de petites boutiques opaques de couleur ocre emplies de vieilles reproductions et de porcelaines poussiéreuses. Pont piétonnier sur un canal : eau marron, canard marron et solitaire. Tasse en plastique à demi submergée et dansant sur l'eau. Le vent était glacial et humide, soufflant de la neige fondue en véritables piqûres d'épingles, et l'espace qui nous entourait donnait l'impression d'être fermé, froid et humide. Les canaux ne gelaient-ils pas en hiver ?

« Si, mais... (il s'est essuyé le nez) le réchauffement climatique, je suppose. » Vêtu des mêmes manteau et costume qu'à la réception de la veille, Boris avait l'air à la fois tout à fait déplacé et complètement chez lui. « Quel temps de chien ! On entre là ? Qu'est-ce que tu en dis ? »

Le bar sale en bordure du canal, ou café, ou que sais-je, était en bois sombre et décliné autour d'un thème maritime, avec des rames et des gilets de sauvetage, des bougies rouges qui se consumaient, même en plein jour, et une sensation brumeuse et désespérée. Lumière lourde et enfumée. Des gouttelettes d'eau étaient condensées à l'intérieur de la vitre. Pas de menus. Au fond, un tableau où étaient gribouillés des noms de plats qui m'étaient incompréhensibles : *dagsoep, draadjesvlees, kapucijners-chotel, zuurkoolstamppot.*

« Bon, laisse-moi commander », a lancé Boris qui, à mon grand étonnement, l'a fait en néerlandais. Ce qui nous a été servi ensuite était un repas typique à la Boris composé de bière, de pain, de saucisses, ainsi que de pommes de terre avec du porc et de la choucroute. Boris, engloutissant goulûment son assiette, se rappelait son premier et unique essai à vélo dans la ville (chute, désastre), et aussi combien il avait aimé manger du jeune hareng à Amsterdam ; heureusement que ce n'était pas de saison, parce que ça se mangeait en tenant le poisson par la queue et en le laissant pendre dans la bouche ; j'étais trop désorienté par mon environnement pour écouter attentivement et, avec les sens presque douloureusement exacerbés, j'ai remué l'écrasée de pommes de terre avec ma fourchette et senti l'étrangeté de la ville m'assaillir, les odeurs de tabac, de malt et de muscade, les murs du café du même brun mélancolique qu'un vieux livre relié de cuir puis, au-delà, des passages sombres et des clapotements de l'eau saumâtre, des cieux bas et de vieux bâtiments penchés les uns contre les autres avec un sentiment sombre et poétique teinté d'une vague sensation de destruction, la solitude pavée d'une ville qui donnait l'impression, à moi en tout cas, d'un endroit où l'on pourrait laisser l'eau se refermer sur sa tête.

Gyuri nous a rejoints peu après, les joues rouges et à bout de souffle. « Le stationnement, c'est un peu un problème ici. Désolé. » Il m'a tendu la main. « Content de te voir ! a-t-il ajouté en me tenant dans ses bras avec une chaleur authentique qui m'a étonné, comme si nous étions de vieux amis séparés de longue date. Tout va bien ? »

Boris, qui en était à présent à sa deuxième bière, dissertait dans le vague au sujet de Horst. « Je ne comprends pas pourquoi il ne déménage pas à Amsterdam, a-t-il lancé en rongeant avec bonheur un gros morceau de saucisse. Il passe son temps à se plaindre de New York ! Haine haine haine ! Et tout ça pendant que (il a agité une main en direction du canal dans le brouillard de l'autre côté de la fenêtre) tout ce qu'il aime est ici. Même la langue est la même que la sienne. S'il voulait vraiment se plaire dans ce monde, Horst ? Avoir une vie joyeuse ou heureuse ? Il devrait payer vingt mille dollars pour retourner dans ce centre de désintox express puis revenir ici, fumer du shit et traîner dans les musées toute la journée.

— Horst... ? ai-je fait tandis que mon regard allait de l'un à l'autre.

— Pardon ?

— Il sait que tu es ici ? »

Boris a avalé sa bière d'un trait. « Horst ? Non. Il ne sait pas. Ce sera plus facile, beaucoup plus facile s'il apprend tout ça plus tard. Parce que... (il lèche une goutte de moutarde sur son doigt) mes soupçons sont fondés. C'est ce putain de Sascha qui a commis le vol. *Le frère de Ulrika*. Ce qui met Horst dans une position difficile par rapport à cette dernière. Et donc, c'est beaucoup mieux si je m'en occupe tout seul, tu comprends ? De cette façon je rends service à Horst... un service qu'il n'oubliera pas.

— Qu'est-ce que tu veux dire par "t'en occuper" ? »

Boris a soupiré. « Ça... (on avait beau être les seuls clients, il a regardé autour de lui pour s'assurer que personne n'écoutait) eh bien, c'est compliqué, je pourrais t'en parler pendant trois jours, mais je peux aussi résumer ce qui s'est passé en trois lignes.

— Est-ce qu'Ulrika est au courant qu'il l'a pris ? »

Il a roulé les yeux. « Qu'est-ce que j'en sais. » Une expression que je lui avais apprise il y a des années de ça tout en chahutant chez moi après les cours. *Qu'est-ce que j'en sais. Lâche-moi.* Crépuscule enfumé du désert, stores baissés. *Décide-toi. Regardons les choses en face. Impossible.* Mêmes ombres sur son visage. Lumière dorée scintillant sur les portes près de la piscine.

« Je pense que Sascha serait vraiment bête d'en parler à Ulrika, a avancé Gyuri avec une expression inquiète sur le visage.

— Je ne sais pas ce qu'elle sait ou ne sait pas. Peu importe. Elle est plus loyale envers son frère qu'envers Horst, elle l'a démontré de nombreuses fois. On pourrait croire... (il a fait de grands signes à la serveuse pour qu'elle apporte une bière à Gyuri) on pourrait croire que Sascha aurait eu l'intelligence de laisser passer quelque temps, au moins ! Mais non. Il ne peut pas obtenir de prêt à Hambourg ou Francfort à cause de Horst... parce que ce dernier en entendrait parler dans la seconde. Alors il a apporté le tableau ici.

— Bon, écoute, si tu sais qui l'a, on devrait juste appeler la police. »

Au vu du silence et des regards vides qui ont suivi, on aurait cru que j'avais sorti un bidon d'essence et suggéré qu'on s'immole par le feu.

« Ce que je veux dire..., ai-je poursuivi sur la défensive après que la serveuse fut arrivée avec la bière de Gyuri, l'eut posée puis fut repartie, sans que Gyuri ou Boris aient prononcé le moindre mot. Est-ce que ce n'est pas le plus sûr ? Et le plus facile ? Que les flics le récupèrent et que tu n'aies rien à voir avec lui ? »

Dehors, le tintement d'une sonnette, une femme sur un vélo passant près du trottoir en cliquetant, les rayons et son manteau, telle une cape noire de sorcière flottant derrière elle, battant sous le vent.

« Parce que... (mon regard allait de l'un à l'autre) quand on pense à ce que ce tableau a traversé, ce qu'il a *dû* traverser... je ne sais pas si tu comprends, Boris, de quelles précautions il faut s'entourer ne serait-ce que *pour expédier* un tableau ? Juste pour *l'emballer* correctement ? Pourquoi prendre des risques ?

— C'est exactement ce que je pense.

— Un appel anonyme. Aux gens spécialisés en vols d'œuvres d'art. Ils ne sont pas comme les flics normaux, aucun rapport avec les flics normaux, leur seul souci c'est le tableau. Ils sauront quoi faire. »

Boris s'est appuyé contre le dossier de sa chaise. Il a regardé autour de lui. Puis il m'a regardé, moi.

« Non, a-t-il répondu. Ce n'est pas une bonne idée. »

Le ton de sa voix était celui de quelqu'un s'adressant à un enfant de cinq ans. « Et tu veux savoir pourquoi ?

— Réfléchis. C'est le moyen le plus simple. Tu n'aurais rien à faire. »

Boris a posé sa bière avec précaution.

« C'est le meilleur moyen pour qu'ils le récupèrent sans casse. Et puis, si *je* le fais, si *je* les appelle... Merde, je pourrais demander à Hobie... (les mains sur la tête). Tu peux retourner ça dans tous les sens, tu ne courrais aucun risque. Ce qui signifie que... (j'étais trop fatigué et désorienté face à ces deux paires d'yeux telle une perceuse, je n'arrivais pas à penser) si *je* le faisais, ou si quelqu'un d'autre n'appartenant pas, hum, à ton organisation, le faisait... »

Boris a eu un rire sonore. « *Mon organisation* ? Eh bien... (il a secoué si vigoureusement la tête que ses cheveux lui sont tombés sur les yeux) je suppose qu'on compte pour une organisation, dans son genre, puisqu'on est trois ou plus ! Mais nous ne sommes ni très grands ni très organisés, comme tu peux le voir.

— Tu devrais manger quelque chose, m'a suggéré Gyuri durant la pause tendue qui a suivi, regardant mon assiette de porc et de pommes de terre à laquelle je n'avais pas touché. Il devrait manger, a-t-il lancé à Boris. Dis-lui, toi.

— Il peut se laisser mourir de faim s'il veut. Enfin bon, a fait Boris en attrapant un morceau de porc sur mon assiette et en l'enfournant.

— C'est juste un appel. Je le passerai.

— Non, a tranché Boris en me lançant tout à coup un regard noir et en s'appuyant contre le dossier de sa chaise. Tu ne le feras pas. Non, non, va te faire foutre, ta gueule, tu ne le feras *pas* », a-t-il lancé en levant le menton de manière agressive quand j'ai essayé de parler plus fort que lui – la main de Gyuri sur mon poignet tout à coup, un geste que je connaissais très bien, le vieux langage oublié de Vegas quand mon père divaguait dans la cuisine sur le mode : elle est à qui cette maison ? Et c'est toi qui paies les factures... ?

« Et, et, a fait Boris sur un ton impérieux en profitant d'un blanc inattendu, je veux que tu arrêtes de parler de ce stupide "appel" tout de suite. "Appeler, appeler" ! s'est-il exclamé alors que je ne lui répondais pas, agitant la main en tous sens dans les airs de manière ridicule, comme si le mot "appel" était absurde, un truc de gamins du même ordre que "licorne" ou "royaume des fées". Je sais que tu essaies d'aider, mais ce n'est pas une suggestion utile. Alors oublie-la. Plus d'"appel". Enfin bon, a-t-il continué sur un ton aimable en versant une partie de sa bière dans mon verre à moitié vide. Comme je te l'expliquais, puisque Sascha est tellement pressé, on peut se demander s'il arrive encore à réfléchir. Est-ce qu'il joue plus d'un coup, ou peut-être deux coups à l'avance ? Non. Sascha n'est pas d'ici. Ses contacts à Amsterdam sont des poisons pour lui. Il a besoin d'argent. Et il fait tellement d'efforts pour rester à l'écart de Horst qu'il est tombé pile sur moi. »

Je n'ai rien répondu. Ce serait facile de téléphoner à la police de mon côté. Il n'y avait aucune raison d'impliquer Boris ou Gyuri, après tout.

« Un incroyable coup de chance, non ? Et notre ami le Géorgien – très riche, mais si loin de l'univers de Horst et du collectionneur d'art qu'il ne connaissait même pas le nom du tableau. Juste un oiseau, un petit oiseau jaune. Mais Cherry pense qu'il dit la vérité quand il raconte qu'il l'a vu. C'est un type très puissant en termes d'immobilier. Ici et à Anvers. Plein de papiers et presque père de Cherry, mais pas quelqu'un de très éduqué, si tu me comprends.

— Il est où maintenant ? »

Boris s'est vigoureusement frotté le nez. « Je ne sais pas. Et ils ne vont certainement pas nous le dire, si ?

Mais Vitya les a contactés pour dire qu'il connaît un acheteur. Et un rendez-vous a été organisé.

— Où ça ?

— C'est pas encore finalisé. Ils ont déjà changé de lieu une demi-douzaine de fois. Paranoïa, a-t-il ajouté avec le doigt sur la tempe signalant une araignée au plafond. Ils risquent de nous faire attendre un jour ou deux. Il se peut même qu'on ne sache qu'une heure ou deux avant.

— Cherry », ai-je fait, puis je me suis arrêté. Vitya était l'abréviation du prénom russe de Cherry, Viktor, mais Cherry était juste un surnom et je ne savais rien sur Sascha : ni son âge, ni son nom de famille, ni à quoi il ressemblait, rien du tout à part que c'était le frère d'Ulrika – une filiation qui n'était même pas certaine dans le sens littéral du terme, étant donné la facilité avec laquelle Boris usait de cette appellation.

Boris a sucé un peu de graisse sur son pouce. « Voilà mon idée : toi, tu arranges quelque chose à ton hôtel. Tu sais, toi, Américain, grosse huile, tu t'intéresses au tableau. Eux… (il a baissé la voix tandis que la serveuse échangeait son verre vide contre un plein et Gyuri a poliment hoché la tête en se penchant vers l'avant) ils viendraient dans ta chambre. C'est généralement comme ça que ça se passe. Très pro. Mais (petit haussement d'épaules) ils sont novices, et paranos. Ils veulent décider eux-mêmes du lieu.

— Qui est ?

— Je ne le sais pas pour l'instant ! Je viens de te le dire ! Ils n'arrêtent pas de changer d'avis. S'ils veulent qu'on attende, on attend. On doit les laisser croire qu'ils mènent le jeu. Maintenant, désolé, a-t-il annoncé en s'étirant et en bâillant, frottant du bout d'un doigt un œil cerclé de noir, je suis fatigué ! Je veux faire une sieste ! » Il s'est tourné et a dit quelque chose à Gyuri en ukrainien, puis il s'est tourné de nouveau vers moi. « Désolé, a-t-il dit en se penchant vers l'avant et en lançant son bras autour de mon épaule. Tu peux retrouver ton chemin jusqu'à l'hôtel ? »

J'ai essayé de me dégager sans en avoir l'air. « Oui. Tu loges où, toi ?

— Dans l'appartement d'une copine, à Zeedijk.

— Près de Zeedijk, a corrigé Gyuri en se levant d'un air décidé, avec un air poli et vaguement militaire. Ancien quartier chinois.

— C'est quoi, l'adresse ?

— Je me souviens pas. Tu me connais. Je me souviens pas des adresses dans ma tête et tout pareil. Mais (Boris a tapoté sa poche) ton hôtel.

— D'accord. » À Vegas, si jamais on était séparés, courant pour fuir les flics du centre commercial, les poches pleines de cartes cadeau volées, le point de ralliement était toujours chez moi.

« Bon, je te retrouve là-bas. Tu as mon numéro de téléphone et j'ai le tien. Je t'appelle dès que j'en sais plus. Et maintenant (il m'a tapé sur la nuque) arrête de t'inquiéter, Potter ! Ne reste pas là l'air aussi malheureux ! Si on perd, on gagne, et si on gagne, on gagne ! Tout va bien ! Tu sais par quel chemin rentrer, hein ? Tu vas par là, et quand tu arrives au Singel, tu tournes à gauche. Oui, là. On se reparle bientôt. »

V

En route vers l'hôtel j'ai bifurqué au mauvais endroit et pendant plusieurs heures j'ai erré sans but, parmi les magasins décorés avec des babioles en verre, ruelles grises et oniriques aux noms imprononçables, bouddhas dorés et broderies asiatiques, cartes anciennes, vieux clavecins, boutiques marron brunies par la fumée des cigares et contenant de la vaisselle, des verres à pied et de la porcelaine ancienne de Dresde. Le soleil était sorti et il y avait quelque chose de dur et de lumineux près des canaux, une brillance respirable. Des mouettes plongeaient et criaient. Un chien courait avec un crabe vivant dans la bouche. Dans mon étourdissement et ma fatigue, qui me donnaient la sensation d'être coupé de moi-même et de tout observer de loin, je suis passé devant des magasins de confiseries, des *coffee shops* et des boutiques vendant des jouets anciens et des carreaux de Delft des années 1800, des vieux miroirs et de l'argenterie scintillant dans la somptueuse lumière couleur cognac, des meubles français marquetés et des tables dans le style de la Cour française, avec des guirlandes sculptées et du placage qui aurait fait haleter Hobie d'admiration – la ville entière, brumeuse, conviviale, cosmopolite, avec ses fleuristes, ses boulangeries et ses magasins d'antiquités, me rappelait Hobie, pas seulement à cause du fait qu'elle était somptueuse et regorgeait d'antiquités, mais parce qu'il y avait là une authenticité qui lui ressemblait, comme un livre de contes où les commerçants en tabliers balaient par terre et où les chats tigrés font la sieste devant des fenêtres ensoleillées.

Mais il y avait beaucoup beaucoup trop à voir et j'étais dépassé autant qu'épuisé, et en plus j'avais froid. Pour finir, en accostant des inconnus afin d'obtenir des renseignements (femmes au foyer aux joues rouges, les bras chargés de fleurs, hippies à lunettes métalliques marqués de taches de tabac), j'ai retrouvé mon chemin *via* des ponts enjambant des canaux et des rues étroites à l'éclairage féerique jusqu'à mon hôtel, où j'ai immédiatement échangé quelques dollars à la réception puis suis monté prendre une douche dans la salle de bains tout en panneaux de verre galbé et en aménagements voluptueux, un hybride entre Art nouveau et l'imagerie futuriste d'un vaisseau spatial aux parois de glace ; après quoi je suis tombé raide, le visage dans les draps – où, des heures plus tard, j'ai été réveillé par mon portable vibrant sur la table de chevet, son pépiement familier me ramenant pour un moment à la maison.

« Potter ? »

Je me suis relevé et j'ai tendu la main vers mes lunettes. « Hmm… » Je n'avais pas tiré les rideaux avant de m'endormir et des reflets en provenance du canal tremblotaient au plafond dans l'obscurité.

« Qu'est-ce qui ne va pas ? Tu es défoncé ? Ne me dis pas que tu es allé dans un *coffee shop*.

— Non, je… » Hébété, j'ai jeté un œil autour de moi – lucarnes et poutres, placards et plafonds mansardés – et par la fenêtre, quand je me suis levé en me frottant la tête – des ponts éclairés en pointillés enjambant le canal, reflets voûtés sur l'eau noire.

« Bon, j'arrive. Tu n'as pas une fille là-haut, si ? »

VI

Pour atteindre ma chambre depuis la réception, il y avait deux ascenseurs puis quelques mètres à parcourir, et j'ai donc été surpris d'entendre taper à ma porte aussi vite. Discrètement, Gyuri s'est dirigé vers la fenêtre où il s'est planté en nous tournant le dos tandis que Boris m'inspectait du regard. « Habille-toi », m'a-t-il ordonné. J'étais pieds nus, vêtu du seul peignoir de l'hôtel, et parce que je m'étais endormi juste au sortir de la douche, mes cheveux étaient hérissés. « Tu dois te préparer. Va… peigne-toi et rase-toi. »

Quand j'ai émergé de la salle de bains (où j'avais laissé pendre mon costume pour l'égoutter), il a pincé les lèvres, l'air critique, et a demandé : « Tu n'as rien de mieux que ça ?

— C'est un costume de chez Turnbull & Asser.

— Oui, mais on dirait que tu as dormi dedans.

— Ça fait quelque temps que je le porte. J'ai une chemise propre.

— Eh bien, enfile-la. » Il a ouvert un porte-documents au pied du lit. « Prends ton argent et mets-le ici. »

Quand je suis revenu, en fermant mes boutons de manchettes, je me suis arrêté pile au milieu de la chambre et l'ai vu debout près du lit, tête baissée, occupé à assembler un pistolet : faisant claquer un percuteur avec une compétence aiguisée, comme Hobie lorsqu'il travaille dans la boutique, puis faisant reculer la culasse avec un geste bien réel et plein de force, clic.

« Boris, ai-je lâché, mais bordel qu'est-ce que...

— Calme-toi », m'a-t-il rétorqué en me jetant un regard en biais. Il a tapoté ses poches et en a sorti un chargeur qu'il a enclenché avec un bruit sec : clac. « Pas ce que tu crois. Pas du tout. C'est juste pour se donner un genre ! »

J'ai regardé le large dos de Gyuri, parfaitement impassible, doté de la même surdité professionnelle que j'adoptais dans la boutique lorsque des couples se disputaient pour savoir s'ils achetaient un meuble ou non.

« C'est juste... » D'un geste expert, il a fait claquer quelque chose d'avant en arrière sur le pistolet, le testant puis l'approchant de son œil et réglant le viseur, gestes surréalistes réveillant une profonde sous-couche du cerveau où des films noir et blanc tremblotaient vingt-quatre heures sur vingt-quatre. « On les retrouve sur leur terrain, et ils seront trois. Enfin, seulement deux, en fait. Deux qui *comptent*. Et je peux déjà te dire... je craignais un peu que Sascha soit là. Parce que dans ce cas-là je n'aurais pas pu t'accompagner. Mais tout s'est très bien arrangé et me voici !

— Boris... » Planté là, ça m'avait dégringolé dessus brutalement comme une poussée de fièvre, dans quel putain de merdier je m'étais embarqué...

« Pas de souci ! Je me suis inquiété à ta place. Parce que (il m'a tapoté sur l'épaule) Sascha est trop nerveux. Il a peur de montrer son visage dans Amsterdam, peur que ça remonte jusqu'à Horst. Il a pas tort. Et ça, c'est une très bonne nouvelle pour nous. »

« Donc. » Il a refermé le pistolet d'un coup sec : chrome argenté, mercure noir, avec une densité lisse qui déformait de manière sinistre l'espace alentour telle une goutte d'huile de moteur dans un verre d'eau.

« Ne me dis pas que tu prends ça », ai-je lancé dans le silence incrédule qui a suivi.

— Eh bien, si. Pour étui… *seulement* pour mettre dans étui. Mais attends, attends, a-t-il fait en levant une main, avant que tu commences… (alors que je ne parlais pas, j'étais juste figé là, muet d'horreur) combien de fois je dois te le répéter ? C'est juste pour le bluff.

— Tu plaisantes.

— Habille-toi, a-t-il ordonné sur un ton brusque comme si je n'avais rien dit. C'est de l'illusion pure. Ils hésiteront à tenter quelque chose s'ils voient ça sur moi, OK ? a-t-il poursuivi en remarquant que je continuais de le dévisager. Mesure de sécurité ! Parce que, parce que, tu es l'homme riche, nous on est les gardes du corps et c'est comme ça. C'est ce à quoi ils s'attendront. Tout ça est très civilisé. Et si nous mettons nos manteaux juste comme ça… (il avait un étui caché au niveau de la taille) ils seront respectueux et ne tenteront rien. C'est *beaucoup* plus dangereux d'arriver comme… (il a levé les yeux au ciel et balayé la pièce d'un regard de cinglé).

— Boris. » Je me sentais livide et dans les vapes. « Je ne peux pas faire ça.

— Tu ne peux pas quoi ? » Il a rentré le menton et m'a regardé. « Tu ne peux pas sortir de la voiture et rester à côté de moi pendant cinq minutes, le temps que je récupère ton putain de tableau pour toi ? Quoi ?

— Non, je suis sérieux. » Le pistolet était posé sur

le dessus-de-lit ; il attirait l'œil ; il semblait cristalliser et magnifier toute la mauvaise énergie qui bourdonnait dans l'air. « Je ne peux pas. Sérieux. On oublie tout.

— Oublier ? » Boris a fait une grimace. « Pas question ! Tu m'as fait venir ici pour rien et maintenant je suis coincé. Et puis... (brandissant son bras) à la dernière minute, tu te mets à poser des conditions et à crier "danger, danger" et à me dire comment faire les choses ? Tu n'as pas confiance ?

— Si, mais...

— Eh bien, alors. Fais-moi confiance sur ce coup-là, s'il te plaît. C'est toi l'acheteur, a-t-il ajouté sur un ton impatient alors que je ne répondais pas. C'est le programme. C'est arrangé comme ça.

— On aurait dû en discuter avant.

— Oh, allez, a-t-il maugréé, exaspéré, prenant le pistolet sur le lit et le fourrant dans l'étui. Arrête de discuter avec moi, s'il te plaît, on va être en retard. Tu n'aurais rien vu de tout ça si tu étais resté dans la salle de bains deux minutes de plus ! Tu n'aurais jamais su que j'avais une arme sur moi ! Parce que... Potter, écoute-moi. Tu vas m'écouter, s'il te plaît ? Voilà tout ce qui va se passer. On entre, cinq minutes, debout debout debout, on mène toute la conversation, on ne fait *que* parler, tu récupères ton tableau, tout le monde est content, on part et on va manger. OK ? »

Gyuri, qui s'était éloigné de la fenêtre, me toisait des pieds à la tête. Avec un froncement de sourcils inquiet, il a lancé quelque chose en ukrainien à Boris. Un échange obscur a suivi. Puis Boris a tendu la main vers son poignet et a entrepris de détacher sa montre.

Gyuri a rétorqué autre chose en secouant la tête avec vigueur.

« D'accord, a répondu Boris. Tu as raison. » Puis, s'adressant à moi avec un mouvement de la tête : « Prends la sienne. »

Une Platinum Rolex President. Au cadran incrusté de diamants. J'essayais de penser à une façon polie de refuser, quand Gyuri a enlevé l'énorme caillou biseauté de son auriculaire et, empli d'espoir comme un enfant présentant un cadeau qu'il aurait fabriqué lui-même, m'a tendu les deux objets posés sur ses paumes ouvertes.

« Oui, a approuvé Boris lorsque j'ai hésité. Il a raison. Tu ne fais pas assez riche. Je regrette qu'on n'ait pas d'autres chaussures pour toi, a-t-il dit en regardant d'un œil critique mes souliers noirs à boucle, mais il faudra bien que celles-ci fassent l'affaire. Maintenant, on va mettre l'argent dans le porte-documents ici (poignée en cuir, rempli de billets empilés) et on y va. » Il travaillait vite avec des mains expertes, comme une femme de chambre faisant un lit d'hôtel. « Les plus gros billets au-dessus. Tous ces beaux billets de cent. Très joli. »

VII

Dehors dans la rue : splendeur festive et délire. Danse et chatoiements des reflets sur l'eau noire : arcades dentelées au-dessus de la rue, guirlandes de lumières sur les bateaux du canal.

« Tout ça va être très facile et commode, a confirmé Boris qui tripotait la radio en passant avec un cliquetis des Bee Gees aux infos en néerlandais à celles en français, en quête d'une chanson. Je compte sur le fait qu'ils veulent cet argent vite. Plus vite ils se débarrasseront du tableau, moins ils auront de chances de croiser Horst. Ils ne regarderont pas cette traite bancaire ni ce bordereau de versement de trop près. Ce chiffre de six cent mille, c'est tout ce qu'ils verront. »

J'étais assis seul sur le siège arrière, avec le porte-documents rempli d'argent. (« Parce que, monsieur, vous

devez vous habituer à être passager distingué ! » avait
lancé Gyuri quand il avait fait le tour de la voiture et
ouvert la portière arrière pour que je puisse monter.)

« Tu vois… ce que j'espère qui va le tromper, c'est
que le bordereau de versement est parfaitement régulier,
a expliqué Boris. Tout comme la traite. Ça provient juste
d'une banque bidon. Anguilla. Des Russes à Anvers…
et ici aussi, sur C. Hoofstraat, ils viennent à Amsterdam
pour investir, blanchir de l'argent, acheter des œuvres
d'art, ha ! Cette banque existait il y a six semaines, mais
plus maintenant. »

On avait dépassé les canaux, l'eau. Dans la rue :
des anges en néon multicolores se découpaient en sil-
houettes et se penchaient du haut des immeubles comme
des figures de proue. Des paillettes bleues et blanches,
des traînées lumineuses, des cascades de lumière blanche
et des étoiles de Noël, éclatantes, impénétrables, qui
m'étaient aussi étrangères que le diamant invraisemblable
qui brillait à mon annulaire.

« Tu vois, ce que je veux que tu comprennes, c'est que
tu ne dois pas t'inquiéter, a tempéré Boris en oubliant
la radio et en se retournant pour s'adresser à moi sur le
siège arrière. Du fond du cœur, a-t-il ajouté en fronçant
les sourcils et en tendant la main de manière encoura-
geante pour me secouer l'épaule. Tout va bien.

— Comme une lettre à la poste ! s'est exclamé Gyuri,
et il m'a regardé dans le rétroviseur, rayonnant, heureux
d'avoir pu employer l'expression.

— Voici le plan. Tu veux entendre le plan ?

— J'imagine que je suis supposé répondre oui.

— On laisse la voiture. Un peu à l'extérieur de la
ville. Puis Cherry nous retrouve au point de rendez-vous
et nous conduit à *sa* voiture.

— Et tout ça va être très tranquille.

— Absolument. Et pourquoi ? Tu as le liquide ! C'est
tout ce qu'ils veulent. Et même avec la traite bancaire

qui est fausse, c'est une bonne affaire pour eux. Quarante mille euros sans travailler ? Pas beaucoup ! Après coup, Cherry nous laissera au parking couvert, avec le tableau... et puis – on sort ! on fête ça ! »

Gyuri a grommelé quelque chose.

« Il se plaint du parking couvert. Juste pour que tu saches. Il trouve que c'est une mauvaise idée. Mais je ne veux pas prendre ma propre voiture, la dernière chose dont on a besoin, c'est d'avoir une amende.

— Où est le rendez-vous ?

— Eh bien... c'est un peu un casse-tête. On doit sortir de la ville puis y rentrer de nouveau. Ils ont insisté pour que ça se passe chez eux et Cherry a accepté parce que... bon, franchement, c'est mieux. Au moins, sur leur terrain, on peut supposer qu'il n'y aura pas de descente de flics. »

On était arrivés sur une ligne droite plus isolée et déserte, où la circulation était clairsemée et les lampadaires plus espacés ; ambiance et scintillement tonifiants de la vieille ville, son réseau de dentelles de pierre illuminées, son mystérieux agencement – patins argentés, enfants heureux sous le sapin – avait laissé place à une froideur urbaine plus familière : *Fotocadeau, serrurier Sleutelkluis*, panneaux en arabe, Chawarma, Tandoori Kebab, grilles baissées, tout était fermé.

« C'est l'Overtoom, a informé Gyuri. C'est pas très intéressant ni très joli.

— Voici le parking couvert de mon copain Dima. Il a sorti la pancarte "Complet" pour ce soir pour qu'on soit pas dérangés. On se mettra dans la partie réservée au stationnement longue durée... Ah, s'est-il écrié, *blyad*, tandis qu'une camionnette sortie de nulle part en klaxonnant nous coupait la route, forçant Gyuri à faire une embardée et à freiner sec.

« Parfois les gens ici sont un peu agressifs sans raison, a expliqué Gyuri d'un air sombre tandis qu'il mettait son clignotant et tournait vers le parking.

— Donne-moi ton passeport, m'a ordonné Boris.

— Pourquoi ?

— Parce que, je vais l'enfermer dans la boîte à gants pour quand on reviendra. C'est mieux de ne pas l'avoir sur toi, au cas où. J'y mets le mien aussi, a-t-il ajouté en le tendant pour que je le voie. Et celui de Gyuri. Gyuri est un honnête citoyen américain... Oui, a-t-il fait en couvrant l'interjection rieuse de Gyuri, tout ça c'est très bien pour toi, mais moi ? Très très dur obtenir passeport américain et je ne veux vraiment pas le perdre. Tu sais, n'est-ce pas, Potter, que maintenant, d'après la loi néerlandaise, il faut avoir son passeport sur soi en permanence ? a-t-il dit en me regardant. Vérifications au hasard dans la rue, le refus d'obtempérer est puni. Je veux dire... à Amsterdam ? C'est quel genre de police nationale, ça ? Qui le croirait ? *Ici ?* Moi... jamais. Jamais de ma vie. Enfin bon... (il a refermé la boîte à gants et tourné la clé) mieux vaut une amende et tenter de parlementer au cas où on nous arrêterait. »

VIII

À l'intérieur du parking couvert, qui vibrait de manière déprimante sous une lumière vert olive en dépit du panonceau Complet, il y avait plusieurs places libres dans l'espace réservé au stationnement longue durée. Alors que nous nous engagions dans un emplacement, un homme en veste de sport et appuyé contre une Range Rover blanche a jeté sa cigarette dans un crachoir aux cendres orange et s'est dirigé vers nous. Son front dégarni, ses lunettes de sport teintées et son torse militaire rigide lui donnaient l'air aguerri d'un ex-pilote, un homme aux commandes d'instruments délicats et complexes sur un site expérimental de l'Oural.

« Viktor », a-t-il lancé en écrasant ma main dans la sienne quand on est sortis de la voiture. Gyuri et Boris ont reçu une grande tape sur le dos. Après des préliminaires laconiques en russe, un ado bouclé au visage poupin s'est extirpé du siège du conducteur et Boris l'a salué avec une claque sur la joue et un sifflement enjoué de sept notes : *On the Good Ship Lollipop*.

« C'est Shirley T, m'a-t-il renseigné en ébouriffant les boucles serrées de l'ado. Shirley Temple. On l'appelle comme ça… pourquoi ? Tu devines (riant tandis que le gamin, incapable de s'en empêcher, affichait un sourire gêné et des fossettes marquées) ?

— Ne te laisse pas tromper par les apparences, m'a expliqué Gyuri sur un ton tranquille. Shirley a l'air d'un bébé, mais il en a autant dans le ciboulot que n'importe lequel d'entre nous ici. »

Poliment, Shirley a hoché la tête en me regardant – parlait-il anglais ? apparemment pas – et nous a ouvert la portière de la Range Rover, tous les trois avons alors grimpé à l'arrière, Boris, Gyuri et moi, pendant que Viktor Cherry s'asseyait devant et nous parlait depuis le siège passager.

« Ça devrait être facile, m'a-t-il rassuré sur un ton formel tandis que nous sortions du parking pour nous retrouver dans l'Overtoom. Récompense immédiate. » Vu de près, son visage était large et sage, avec une petite bouche pincée et une vivacité narquoise qui me rassurait sur la logistique de la soirée, ou plutôt son absence : les changements de voitures, le manque de direction et d'information, le cauchemar d'être en pays étranger. « On rend service à Sascha, et du coup ? Il va devoir se montrer très gentil avec nous. »

De longs bâtiments bas. Des lumières espacées. Je n'étais pas sûr de la réalité des événements, tout cela arrivait à quelqu'un d'autre qui n'était pas moi.

« Parce que, dis-moi, tu crois que Sascha peut entrer

dans une banque et demander un prêt en échange du tableau ? disait Viktor sur un ton prétentieux. Non. Tu crois que Sascha peut entrer dans un mont-de-piété et mettre le tableau en gage ? Non. Tu crois que Sascha peut, avec un vol pareil, appeler n'importe lequel de ses contacts habituels liés à Horst et obtenir un prêt en échange du tableau ? Non. Donc Sascha est très heureux de l'apparition du mystérieux Américain – toi – avec lequel je l'ai mis en rapport.

— Sascha sniffe de l'héroïne comme toi et moi on se mouche, m'a prévenu Gyuri sur un ton tranquille. Un peu d'argent et il sort acheter un tas de drogues avec la régularité d'un métronome. »

Viktor Cherry a ajusté ses lunettes. « Exactement. Ce n'est pas un amoureux de l'art et il n'est pas regardant. Il se sert du tableau comme d'une carte de crédit à intérêt élevé, ou du moins c'est ce qu'il croit. Un investissement pour toi, du liquide pour lui. Tu lui présentes l'argent, tu gardes le tableau en guise d'assurance, il achète sa friandise, en met la moitié de côté, coupe le reste et le vend, puis il revient un mois plus tard avec le double de ton argent et reprend le tableau. Et si ? Si dans un mois il ne revient pas avec le double de ton argent ? Le tableau est à toi. Comme je l'ai dit. Un simple gage.

— Sauf que pas si simple… (Boris s'est étiré et a bâillé) parce que quand tu disparais, et que la traite de la banque est fausse, qu'est-ce qu'il peut faire ? S'il court vers Horst lui demander de l'aide il se fera casser les côtes.

— Je suis content qu'ils aient changé le lieu du rendez-vous autant de fois. C'est un petit peu ridicule. Mais ça nous aide parce que aujourd'hui c'est vendredi, a expliqué Viktor en enlevant ses lunettes de sport et en les essuyant sur sa chemise. Je leur ai fait croire que tu te retirais. Parce qu'ils n'arrêtaient pas d'annuler et de changer le plan – tu n'étais même pas là avant aujourd'hui, mais ça ils ne le savent pas, je leur ai dit que tu étais fatigué et énervé de rester à attendre de leurs nouvelles à Amsterdam avec ta valise remplie de billets, et que donc tu avais remis ton argent à la banque et que tu reprenais un avion pour les États-Unis. Ça ne leur a pas plu. Alors… (il a hoché la tête en direction du porte-documents) on est au week-end, les banques sont fermées et tu apportes le liquide que tu as et… eh bien, on s'est parlé des tas de fois, à plusieurs reprises au téléphone, et en personne une fois déjà, dans un bar du quartier rouge, mais ils ont accepté d'apporter le tableau et d'effectuer l'échange ce soir sans t'avoir rencontré à l'avance, parce que je leur ai expliqué que ton avion s'envolait demain ; et parce qu'ils ont déconné de leur côté, pour le solde c'est une traite bancaire ou rien. Ce que… bon, ils n'ont pas aimé, mais ils ont accepté comme explication correcte pour traite bancaire. Ça rend les choses plus faciles.

— Beaucoup plus faciles, a renchéri Boris. Je n'étais pas sûr qu'ils apprécient ce système. C'est mieux s'ils pensent que c'est à cause d'eux parce qu'ils ont déconné.

— C'est quoi, l'endroit ?

— Un café. *De Paarse Koe.*

— Ça veut dire *La Vache Mauve* en néerlandais, a informé Boris. Un endroit pour les hippies. Près du quartier rouge. »

Une longue rue déserte : des quincailleries fermées, des tas de briques sur le bas-côté, un décor infiniment pesant et évocateur même s'il filait bien trop vite dans l'obscurité pour qu'on le voie.

« La nourriture est super mauvaise, a prévenu Boris. Choux de Bruxelles et vieux toasts durs comme du carton. On croirait le genre d'endroits fréquenté par des filles sexys, mais il y a juste des grosses femmes vieilles et grisonnantes.

— Pourquoi là ?

— Parce que le soir c'est une rue tranquille, a répondu

Viktor Cherry. Le café est fermé en soirée mais comme c'est un endroit semi-public rien ne partira en vrille, tu comprends ? »

Partout : l'étrangeté. Sans le remarquer, j'avais quitté la réalité et traversé la frontière pour pénétrer dans une sorte de no man's land où rien n'avait de sens. Rêverie, fragmentation. Dehors, des rouleaux de fil de fer et des piles de gravats sous une bâche en plastique soufflée sur le côté.

Boris parlait en russe avec Viktor ; et quand il s'est rendu compte que je le regardais, il s'est tourné vers moi.

« On disait juste, Sascha est à Francfort ce soir, il a organisé une soirée au restaurant pour un ami tout juste sorti de prison, ça nous a été confirmé par trois sources différentes, à Shirley aussi. Il se croit malin en n'étant pas ici. Si ce qui s'est passé ici ce soir arrive aux oreilles de Horst, il veut pouvoir lever les bras au ciel et dire : "Qui, moi ? Aucun rapport avec moi."

— Toi, tu vis à New York, m'a précisé Viktor. J'ai dit que tu étais marchand d'art, arrêté pour faux, et que maintenant tu dirigeais une affaire comme celle de Horst, à un plus petit niveau en termes de tableaux, mais beaucoup plus grand en termes d'argent.

— Horst... que Dieu le garde, a dit Boris, Horst pourrait être l'homme le plus riche de New York sauf qu'il n'arrête pas de donner, jusqu'au dernier cent. Il a toujours fait ça. Il entretient beaucoup de gens en plus de lui-même.

— C'est mauvais pour les affaires.

— Oui. Mais il aime avoir du monde autour de lui.

— Junkie philantrope, ha, a lancé Viktor. Heureusement qu'il en meurt de temps en temps, sinon qui sait combien de crétins seraient entassés dans ce taudis avec lui. Toujours est-il... moins tu en dis là-dedans et mieux ce sera. Ils ne s'attendent pas à de la conversation polie.

Il s'agit juste d'affaires. Ce sera rapide. Donne-lui la traite de la banque, Borya. »

Boris a répondu quelque chose en ukrainien sur un ton vif.

« Non, il devrait la donner lui-même. Ça doit venir de sa main. »

La traite bancaire et le bordereau de versement étaient imprimés au nom de Farruco Frantisek, Citizen Bank Anguilla, ce qui ne faisait qu'accroître le sentiment d'une trajectoire onirique, un parcours qui s'accélérait trop pour ralentir.

« Farruco Frantisek ? C'est moi ? » Étant donné les circonstances, la question me semblait sensée – comme si j'allais peut-être me retrouver désincarné, ou en tout cas comme si j'avais franchi un certain seuil au-delà duquel je me retrouvais libéré de contingences basiques telles que l'identité.

« Je n'ai pas choisi le nom. J'ai pris ce que j'ai trouvé.

— Je suis supposé me présenter comme tel ? » Quelque chose clochait avec le papier qui était trop fin, et le fait que sur les documents il soit marqué Citizen Bank et non Citizen's Bank, ce qui donnait une impression de faux.

« Non, Cherry te présentera. »

Farruco Frantisek. J'ai essayé le nom en silence, l'ai fait tourner sous ma langue. Même si c'était difficile à mémoriser, c'était juste assez fort et assez étranger pour supporter l'hyper densité perdue-dans-l'espace des rues noires, des rails de tram, des pavés et des anges en néon supplémentaires – retour dans la vieille ville à présent, historique et insaisissable, canaux, garages à vélos et illuminations de Noël tremblant sur l'eau noire.

« Quand tu allais lui dire ? demandait Viktor Cherry à Boris. Il a besoin de connaître son nom.

— Eh bien, maintenant il le connaît. »

Rues inconnues, virages incompréhensibles, distances anonymes. J'avais même arrêté d'essayer de lire les plaques des rues ou de repérer où on était. De tout ce qui m'entourait – de tout ce que je parvenais à voir – le seul point de référence était la lune, bien au-dessus des nuages et qui, aussi lumineuse et pleine soit-elle, semblait bizarrement instable, vide de toute gravité, ce n'était pas la lune pure et dure, point d'ancrage du désert, ça ressemblait davantage à une plaisanterie lors d'une soirée, qui risquait d'exploser au clignement d'œil d'un prestidigitateur, ou sinon de partir en flottant dans l'obscurité pour disparaître.

IX

De Paarse Koe était dans une rue à sens unique peu fréquentée et juste assez large pour permettre le passage d'une voiture. Tous les autres commerces alentour, pharmacie, boulangerie, magasin de vélos, étaient dûment fermés, tous sauf un resto indonésien au bout. Shirley Temple nous a arrêtés juste devant. Sur le mur en face, un graffiti : un smiley et des flèches, Attention Radioactif, avec un éclair au pochoir et le mot Shazam, des lettres de film d'horreur qui coulaient, *restez sympa !*

J'ai regardé par la porte vitrée. L'endroit était long et étroit et, au premier coup d'œil, vide. Murs mauves, plafonnier en verre coloré, tables et chaises dépareillées peintes en couleurs primaires façon jardin d'enfants et lumières tamisées, excepté au-dessus et autour du gril, armoire réfrigérée éclairée qui luisait au fond. Il y avait des plantes d'intérieur à l'air malade ; une photo noir et blanc signée de John et Yoko ; un tableau d'affichage hérissé de prospectus pour des cours de satsang et de yoga ainsi que différentes modalités holistiques. Au mur une peinture murale d'arcanes du tarot et, en vitrine, un menu en papier pelure imprimé à l'ordinateur qui offrait de nombreux aliments complets style Everett : soupe de carottes, soupe à l'ortie, purée d'orties, tourte aux lentilles et aux noix – rien de très appétissant, mais ça m'a rappelé que le dernier repas honnête et consistant que j'avais avalé était le curry à emporter mangé au lit chez Kitsey.

Boris m'a vu le regarder. « J'ai faim aussi, m'a-t-il lancé sur un ton plutôt formel. On ira manger un vrai bon dîner. Chez Blake. Dans vingt minutes.

— Tu n'entres pas ?

— Pas encore. » Il se tenait légèrement en retrait des portes vitrées pour qu'on ne le voie pas, regardant vers le haut et le bas de la rue. Shirley Temple faisait le tour du pâté de maisons. « Ne reste pas là à me parler. Accompagne Viktor et Gyuri. »

La silhouette qui s'est encadrée dans la porte vitrée du café était celle d'un homme décharné, nerveux, sans allure, la soixantaine, avec un étroit visage allongé et de longs cheveux de hippy qui lui tombaient plus bas que les épaules, ainsi qu'une casquette en jean à visière tout droit sortie de l'émission *Soul Train 1973*. Planté là avec son trousseau de clés, il a regardé Gyuri et moi derrière Viktor et ne semblait pas très décidé à nous laisser entrer. Ses yeux rapprochés, ses sourcils gris broussailleux et sa moustache grise bombée lui donnaient l'air d'un vieux schnauzer soupçonneux. Puis un autre type est apparu, beaucoup beaucoup plus jeune et beaucoup beaucoup plus grand, une demi-tête de plus que Gyuri, un Malaisien ou un Indonésien avec un tatouage sur le visage et des diamants impressionnants aux oreilles, ainsi qu'une coque noire au sommet de la tête qui le faisait ressembler à un des harponneurs de *Moby Dick*, à supposer que l'un des harponneurs de *Moby Dick* ait porté un bas de jogging en velours et une veste de base-ball en satin couleur pêche.

Le vieux drogué aux amphets passait un appel sur son portable. Il attendait, ses yeux méfiants posés sur nous. Ensuite il a passé un autre appel et nous a tourné le dos puis s'est éloigné dans les profondeurs du café, la paume pressée contre sa joue et son oreille et parlant à la manière d'une femme au foyer hystérique, tandis que l'Indonésien restait planté sur le pas de la porte vitrée et nous regardait, anormalement immobile. Il y a eu un bref échange, puis le vieux drogué est revenu et, sourcils froncés, apparemment à contrecœur, il s'est mis à tripoter son trousseau de clés, pour finir par en introduire une dans la serrure. À la minute où on est entrés, il s'est mis à jacasser à l'adresse de Viktor Cherry et à gesticuler, tandis que l'Indonésien s'avançait nonchalamment et s'appuyait contre le mur, les bras croisés, en nous écoutant.

De toute évidence il y avait un souci. Un malaise. Quelle langue parlaient-ils ? Roumain ? Tchèque ? Je n'avais pas la moindre idée de ce dont il s'agissait, mais Viktor Cherry semblait froid et contrarié, tandis que le vieux drogué aux cheveux gris montait en pression… en colère ? Non : irritable, frustré, embobineur même, un gémissement perçait dans sa voix, et durant tout ce temps l'Indonésien gardait les yeux rivés sur nous avec l'immobilité déstabilisante de l'anaconda. Je me tenais à environ trois mètres de là et, malgré Gyuri pressant le porte-documents beaucoup trop près de moi, j'ai adopté une expression délibérément vide et fait exprès d'examiner les panneaux et les slogans sur le mur : Greenpeace, Zone Sans Fourrure, Pro Vegan, Protégé par les Anges ! J'avais acheté assez de drogues dans pas mal de situations douteuses (appartements bourrés de cafards dans Spanish Harlem, cages d'escalier sentant la pisse dans les HLM de St. Nicholas) pour savoir qu'il valait mieux demeurer indifférent, vu que, d'après mon expérience en tout cas, la plupart des transactions de cette nature se ressemblaient. On prenait l'air cool et dégagé, on ne prononçait pas un mot de trop, et quand on le faisait c'était sur un ton monocorde puis, dès qu'on avait ce qu'on était venu chercher, on filait.

« Protégé par les anges, mon cul », m'a glissé Boris à l'oreille alors qu'il s'était faufilé sans bruit jusqu'à moi.

Je n'ai rien répondu. Même après toutes ces années, c'était si facile pour nous de reprendre l'habitude de chuchoter avec nos têtes rapprochées comme pendant le cours de Spirsetskaya, mais ça ne semblait pas être la bonne attitude dans cette situation-ci.

« On est à l'heure, a annoncé Boris. Mais un de leurs hommes n'est pas arrivé. C'est pour ça que Grateful Dead ici présent est aussi nerveux. Ils veulent qu'on l'attende. C'est leur faute, à force d'avoir changé le lieu du rendez-vous aussi souvent.

— Qu'est-ce qui se passe là-bas ?

— Laisse Vitya s'en occuper », a-t-il répondu en donnant un petit coup de chaussure dans une boule de poils desséchée par terre – une souris morte ? me suis-je demandé dans un sursaut avant de me rendre compte qu'il s'agissait d'un jouet pour chat tout mâchouillé, un parmi plusieurs qui jonchaient le sol à côté d'une grande litière noircie par l'urine et truffée de crottes, à moitié cachée sous une table pour quatre.

J'étais en train de m'interroger sur l'aspect pratique, en termes de logistique restaurative, d'une litière pour chats à l'endroit où des clients étaient susceptibles de s'attabler (sans parler de l'aspect esthétique, sanitaire, ou même légal), quand je me suis rendu compte que les conversations avaient cessé et que les deux hommes s'étaient tournés vers Gyuri et moi – le vieux drogué à l'air prudent et impatient approchait en fixant son regard sur moi, puis sur le porte-documents entre les mains de Gyuri. Ce dernier s'est avancé obligeamment, l'a ouvert, l'a posé en baissant la tête d'un air servile, puis a fait un pas de côté pour que le vieux type puisse voir.

Ce dernier a regardé d'un air inquiet, comme un

myope ; son nez s'est plissé. Avec une exclamation grincheuse il a levé les yeux vers Cherry, impassible. A suivi un autre échange incompréhensible. Le type aux cheveux gris semblait mécontent. Puis il a fermé le porte-documents, s'est relevé et m'a regardé, ses yeux lançaient des fléchettes.

« Farruco », ai-je dit avec nervosité, j'avais oublié mon nom de famille et j'espérais qu'il n'allait pas me demander d'en apporter la preuve.

Cherry m'a regardé : *les papiers*.

« OK, OK », ai-je fait en tendant la main vers la poche intérieure en haut de ma veste pour attraper la traite ban-caire et le bordereau de versement, puis je les ai dépliés, d'un geste que j'espérais anodin, et les ai vérifiés avant de les lui donner.

Frantisek. Mais juste au moment où je tendais la main... bam, c'est arrivé comme une rafale de vent qui traverserait la maison et ferait bruyamment claquer une porte dans une direction que l'on n'attend pas : Viktor Cherry s'est précipité derrière le type aux cheveux gris et lui a donné un grand coup sur la tête avec la crosse du pistolet, tellement fort que sa casquette s'est envolée, ses genoux se sont dérobés et il est tombé par terre avec un grognement. Toujours nonchalamment appuyé contre le mur, l'Indonésien avait l'air aussi abasourdi que moi : il s'est raidi, nos yeux se sont croisés en un bref sur-saut *c'est quoi ça, bordel ?* qui ressemblait presque à un coup d'œil de connivence ; je n'arrivais pas à comprendre pourquoi il ne s'éloignait pas de ce mur, jusqu'à ce que je regarde derrière moi et voie, à ma grande horreur, que Boris et Gyuri avaient tous les deux braqué un pistolet sur lui : Boris avait soigneusement posé la crosse du sien sur la paume de sa main gauche et Gyuri, manchot à cause du porte-documents contenant l'argent, sortait à reculons par la porte d'entrée.

Comme dans un flash déconnecté, quelqu'un se déplaçait avec légèreté depuis la cuisine à l'arrière : une Asiatique assez jeune – non, un garçon ; peau blanche, yeux vides effrayés balayant la pièce, écharpe à motifs Ikat, longs cheveux détachés, disparu aussi vite qu'il était apparu.

« Il y a quelqu'un à l'arrière », ai-je prévenu en vitesse en regardant autour de moi dans toutes les directions, la pièce tournoyait autour de moi comme un manège de fête foraine et mon cœur battait avec une telle sauvagerie que je n'arrivais pas à faire sortir les mots comme il fallait, je ne suis d'ailleurs pas sûr que quiconque m'ait entendu... ou si Cherry avait entendu, vu qu'il tirait le type aux cheveux gris par le dos de sa veste en jean, l'étouffant presque, pistolet contre la tempe, lui criant dessus dans je ne sais quelle langue d'Europe de l'Est et le bousculant, tandis que l'Indonésien s'était décollé du mur avec des gestes calmes et prudents et nous a regardés, Boris et moi, pendant un long moment.

« Espèces de trous-du-cul, vous allez le regretter, a-t-il dit tranquillement.

— Les mains, les mains, lui a intimé Boris sur un ton cordial. Là où je peux les voir.

— Je pas avoir d'arme.

— Là de toute façon.

— Tu as raison », a répondu l'Indonésien tout aussi cordialement. Les mains en l'air, il m'a détaillé des pieds à la tête – il enregistrait mon visage directement dans un fichier mental de données, me suis-je rendu compte avec un frisson –, puis il a dévisagé Boris.

« Je sais qui tu es », lui a-t-il lancé.

Lueur sous-marine du frigo contenant les jus de fruits. J'entendais ma respiration entrer et sortir, entrer et sortir. Son métallique dans la cuisine. Pleurs confus.

« Par terre, s'il te plaît », a ordonné Boris en indiquant le sol.

Obéissant, l'Indonésien s'est agenouillé et, très lentement, s'est allongé de tout son long. Mais il ne semblait ni agité ni apeuré.

« Je te connais », a-t-il répété, la voix légèrement étouffée.

Du coin de l'œil un mouvement rapide comme une flèche, tellement que j'ai sursauté : un chat, d'un noir diabolique, telle une ombre vivante, obscurité volant vers l'obscurité.

« Et je suis qui, alors ?

— Borya-de-Anvers, non ? » Ce n'était pas vrai qu'il n'avait pas d'arme ; même moi je voyais la protubérance sous son aisselle. « Borya le Polonais ? Borya le fumeur d'herbe ? Le copain de Horst ?

— Et qu'est-ce que ça change ? » a interrogé Boris sur un ton affable.

L'homme était silencieux. Écartant les cheveux de ses yeux d'un mouvement de la tête, Boris a émis un son moqueur et semblé sur le point d'ajouter quelque chose de sarcastique, mais à ce moment-là Viktor Cherry est apparu depuis le fond de la salle, seul, sortant de sa poche ce qui ressemblait à une paire de colsons – et mon cœur a manqué s'arrêter quand j'ai vu, sous son bras, un paquet de la bonne taille et de la bonne épaisseur, enveloppé dans du feutre blanc et attaché avec de la ficelle de boulanger. Il a appuyé un genou contre le dos de l'Indonésien et s'est mis à bidouiller les menottes à ses poignets.

« Sors d'ici, m'a lancé Boris, puis, de nouveau – mes muscles s'étaient bloqués et durcis – il m'a poussé légèrement : Vas-y ! Grimpe dans la voiture. »

Le regard vide, j'ai scruté la pièce autour de moi – je n'arrivais pas à voir la porte, il n'y en avait pas – puis tout à coup elle était là et je me suis rué tellement vite que j'ai glissé sur un jouet du chat et failli tomber, pour me retrouver dans la Range Rover garée le long du trottoir et qui tournait au ralenti. Gyuri faisait le guet devant, dans la rue, sous le léger crachin qui s'était mis à tomber. « Monte, monte », a-t-il sifflé en se glissant sur le siège arrière et en me faisant signe de le suivre, juste au moment où Boris et Viktor Cherry sortaient en trombe du restaurant et sautaient aussi à l'intérieur, après quoi nous avons démarré, à une allure finalement peu spectaculaire.

X

Dans la voiture, de nouveau sur la grand-route, ce n'était que jubilation : rires, gestes de la main, pendant que mon cœur battait si violemment que je pouvais à peine respirer. « Qu'est-ce qui se passe ? » ai-je croassé, la gorge serrée, cherchant à reprendre mon souffle et mes yeux allant de l'un à l'autre puis, comme ils continuaient de m'ignorer délibérément, blablatant dans un mélange assourdissant de russe et d'ukrainien, tous les quatre y compris Shirley Temple : « *Angliyski !* »

Boris s'est tourné vers moi en s'essuyant les yeux et a jeté ses bras à mon cou. « Changement de programme, a-t-il annoncé. Tout ça c'était du direct... de l'impro. On n'aurait pas pu rêver mieux. Leur troisième homme n'est pas venu.

— On les a pris à court de personnel.

— Par surprise.

— Les pantalons baissés ! Sur les chiottes !

— Toi... (j'ai dû haleter pour que les mots sortent) tu avais dit pas d'armes.

— Eh bien, personne n'a été blessé, si ? Quelle différence ça fait ?

— Pourquoi on les a pas juste payés ?

— Parce qu'on a eu de la veine ! » Levant les bras en l'air. « Le genre de chance qu'on n'a qu'une fois dans une vie ! C'était l'occasion ! Qu'est-ce qu'ils allaient faire ? Ils étaient deux, on était quatre. S'ils avaient eu de la jugeotte, ils n'auraient jamais dû nous laisser entrer. Et… oui, je sais, seulement quarante mille, mais pourquoi je devrais leur payer un seul cent si je peux m'en dispenser ? Pour avoir volé ce qui m'appartenait ? a gloussé Boris. Vous avez vu la gueule qu'il faisait ? Grateful Dead ? Quand Cherry lui a cinglé l'arrière de la tête ?

— Tu sais de quoi il se plaignait, cette vieille chèvre ? m'a demandé Viktor en se tournant vers moi en jubilant. Il voulait le montant en euros ! "Quoi, des dollars ?" » Il a imité son expression grincheuse. « "Vous m'avez apporté des dollars ?"

— Je parie qu'il les regrette, ces dollars, maintenant.

— Je parie qu'il regrette de ne pas l'avoir fermée.

— J'adorerais entendre l'appel à Sascha.

— Si seulement je connaissais le nom du type. Celui qui les a lâchés. Je lui offrirais un verre.

— Je me demande où il est.

— Probablement sous la douche chez lui.

— À étudier la Bible pour la messe du dimanche.

— À regarder les chants de Noël à la télé.

— Je suis sûr qu'il les attend au mauvais endroit.

— Je… » Ma gorge était tellement serrée que j'ai dû avaler ma salive pour parler. « Et ce gamin ?

— Hein ? » Il pleuvait, une pluie légère qui crépitait contre le pare-brise. Les rues étaient noires et luisantes. « Quel gamin ?

— Garçon. Fille. Dans la cuisine. Je ne sais pas.

— Quoi ? » Cherry s'est tourné vers moi, encore essoufflé, respirant avec difficulté. « Je n'ai vu personne.

— Moi non plus.

— Eh bien, moi si.

— Elle ressemblait à quoi ?

— Jeune. » Je voyais encore l'arrêt sur image du

visage fantomatique, la bouche légèrement ouverte. « Blouse blanche. L'air japonais.

« Vraiment ? a fait Boris l'air curieux. Tu peux les distinguer d'un simple coup d'œil ? Dire d'où ils viennent ? Japon, Chine, Vietnam ?

— Je n'ai pas bien vu. Asiatique.

— Lui, ou elle ?

— Je crois que c'est toutes des filles qui travaillent dans cette cuisine, a lancé Gyuri. Macrobiotique. Riz complet et tout ça.

— Je... » Mais je n'étais vraiment pas sûr.

— Eh bien... » Cherry s'est passé les mains sur ses cheveux coupés ras. « Content qu'elle ait couru, qui qu'elle soit, parce que vous savez quoi d'autre j'ai trouvé là-bas ? Un Mossberg 500 à canon scié. »

Rires et sifflements.

« Merde.

— C'était où ? Grozdan n'a pas... ?

— Non. Dans une... (il a fait un geste pour indiquer une sangle) comment vous appelez ça. Sous la table, dans une espèce de tissu. Il se trouve que je l'ai vu quand j'étais par terre. Genre, j'ai levé les yeux. Et il était là, juste au-dessus de ma tête.

— Tu ne l'as pas laissé là, si ?

— Non ! Ça m'aurait pas dérangé de le prendre, sauf qu'il était trop grand et que j'avais les mains pleines. Je l'ai démonté, j'ai enlevé le percuteur, puis je l'ai jeté dans la ruelle. Et aussi... (il a sorti de sa poche un pistolet à l'extrémité retroussée et argentée, qu'il a passé à Boris) il y avait ceci ! »

Boris l'a tenu à la lumière et l'a regardé.

« Joli petit revolver caché. Étui à la cheville sous ces jeans à pattes d'éph ! Mais malheureusement pour lui, il n'a pas été assez rapide.

— Des colsons, m'a dit Gyuri, la tête légèrement inclinée. Vitya prévoit à l'avance.

— Eh bien... (Cherry a essuyé la sueur sur son grand front) ils sont légers et petits, et ils m'ont évité plusieurs fois de tuer des gens. Je préfère ne blesser personne si je peux éviter. »

La ville médiévale : rues tortueuses, lumières drapées sur les ponts et réfléchies sur les canaux criblés de pluie et fondant dans le crachin. Une infinité de boutiques anonymes, de vitrines scintillantes, de lingerie et porte-jarretelles, d'ustensiles culinaires disposés comme des instruments chirurgicaux, de mots étrangers partout, *Snel bestellen, Retro-stijl, Showgirl-Sexboetiek.*

« La porte de derrière qui donnait sur la ruelle était ouverte, a expliqué Cherry en enlevant sa veste de sport et en avalant une goulée de la bouteille de vodka que Shirley T. avait sortie de sous le siège avant, les mains un peu tremblantes et son visage, surtout le nez, brillant d'un rouge vif et stressé, comme un nez de clown. Ils ont dû la laisser ouverte pour lui, leur troisième homme, pour qu'il entre par-derrière. Je l'ai fermée et j'ai tourné la clé... Enfin j'ai obligé Grozdan à la fermer à clé, un pistolet sur la tempe, il reniflait et pleurait comme un bébé...

— Ce Mossberg, m'a dit Boris en acceptant la bouteille passée depuis le siège avant. Vilain truc diabolique. Canon scié, vous savez ce que c'est ? Ça envoie des grains de plomb d'ici jusqu'à Hambourg. Il faut être super isolé pour viser et même comme ça, bordel, tu touches la moitié des gens dans la salle.

— C'est une bonne astuce, non ? a reparti Viktor Cherry avec philosophie. D'annoncer que son troisième homme n'est pas là ? "Attendez cinq minutes, s'il vous plaît" ? "Désolé, malentendu..." ? "Il va arriver d'un moment à l'autre" ? Alors que pendant ce temps-là il est derrière avec le fusil. Double jeu parfait, s'ils y ont pensé...

— Peut-être qu'ils y ont bel et bien pensé. Pourquoi avoir le fusil derrière, sinon ?

— Je crois qu'on s'en est tirés sur le fil, voilà ce que je pense...

— Il y a eu une voiture qui est venue se garer devant pendant que vous étiez tous là dedans, a déclaré Gyuri, elle nous a flanqué la trouille, à Shirley et à moi, deux types, on a cru qu'on était dans la merde mais c'était juste deux homos, des Français, qui cherchaient restaurant...

— ... mais personne derrière, Dieu merci, j'ai mis Grozdan par terre et je l'ai menotté au radiateur, a précisé Cherry. Ah, mais... ! » Il a tenu en l'air le paquet enveloppé dans du feutre : « D'abord. Ça. Pour toi. »

Il me l'a tendu par-dessus le siège de Gyuri – avec précaution, du bout des doigts, comme s'il s'agissait d'un plateau qu'il risquait de renverser. Avalant sa gorgée et s'essuyant la bouche du revers de la main, Boris m'a caressé gaiement le bras avec la bouteille tout en fredonnant *we wish you a merry Christmas we wish you a merry Christmas.*

Le paquet sur mes genoux. J'ai passé la main sur le pourtour. Le feutre était tellement mince que j'ai tout de suite senti du bout des doigts qu'il s'agissait bien du tableau, la texture et le poids étaient parfaits.

« Vas-y, a lancé Boris en hochant la tête, il vaut mieux l'ouvrir, s'assurer que ce n'est pas le livre d'instruction civique cette fois-ci ! Il était où ? a-t-il demandé à Cherry tandis que je me débattais avec la ficelle.

— Dans un sale petit placard à balais. Une valise en plastique merdique. Grozdan m'y a conduit direct. J'ai cru qu'il allait me balader un peu, mais un pistolet sur la tempe a fait l'affaire. Ç'aurait été trop dommage de se faire buter alors qu'il restait autant de ce bon space cake sur la table.

— Potter, a fait Boris en essayant d'attirer mon attention ; puis de nouveau : Potter.

— Oui ? »

Soulevant le porte-documents. « Ces quarante bâtons vont direct à Gyuri et Shirley T. Pour qu'ils se mettent au vert. Pour services rendus. Parce que c'est grâce à ces deux-là qu'on n'a pas payé à Sascha *un cent* pour le privilège de nous avoir volé ce qui t'appartenait. Et Vitya... (il a tendu le bras pour lui serrer la main) on est plus qu'à égalité maintenant. C'est moi qui suis en dette.

— Non, je ne pourrai jamais te rembourser ce que je te dois, Borya.

— Oublie. C'est rien.

— Rien ? *Rien ?* Pas vrai, Borya, parce que si je suis en vie ce soir même c'est grâce à toi, et chaque soir jusqu'à hier soir... »

C'était une histoire intéressante qu'il racontait, si seulement mes oreilles avaient été prêtes à l'écouter : quelqu'un avait dénoncé Cherry pour un délit apparemment très sérieux qu'il n'avait pas commis, avec lequel il n'avait rien à voir, il était parfaitement innocent, le type avait vu sa peine de prison réduite, et à moins que Cherry ne veuille dénoncer à son tour (« C'est pas recommandé, si je veux continuer à respirer »), c'était une affaire de dix années de taule et Boris, Boris lui avait sauvé la mise parce qu'il avait repéré l'ordure, à Anvers, en liberté sous caution, et c'était un récit aussi embrouillé qu'enthousiaste, Cherry s'étranglait et reniflait un peu, sans compter qu'il y avait plus encore, une affaire d'incendie criminel, du sang et quelque chose en rapport avec une scie électrique, mais arrivé à ce stade-là du récit je n'entendais plus un traître mot parce que j'avais défait la ficelle et que les lampadaires et les reflets aqueux de la pluie roulaient sur la surface de mon tableau, mon *Chardonneret*, qui, je le savais de façon irréfutable, sans l'ombre d'un doute, avant même de le retourner pour regarder le verso, était bel et bien le vrai.

« Tu vois ? a interrompu Boris. Il m'a l'air bien, non,

ton *zolotaia ptitsa* ? Je t'avais bien dit qu'on s'en occupait, non ? »

Sceptique, j'ai caressé les contours du tableau du bout du doigt, tel Thomas l'Incrédule caressant la paume du Christ. Ainsi que le savait n'importe quel marchand de meubles ou, en l'occurrence, saint Thomas : il était plus difficile de tromper le toucher que la vue, et même après tant d'années, mes mains se souvenaient si bien du tableau que mes doigts se sont dirigés tout de suite vers les marques de clous, une dans chaque coin, des trous minuscules où (autrefois, c'est en tout cas ce que l'on raconte) le tableau était cloué comme enseigne de taverne, ou faisait partie d'un meuble peint, personne ne savait.

« Il est toujours vivant là-bas derrière ? a demandé Viktor Cherry.

— Je pense que oui. » Boris a enfoncé un coude dans mes côtes. « Dis quelque chose. »

Mais j'en étais incapable. C'était le bon tableau, je le savais, même dans l'obscurité. Filet jaune de peinture en relief sur l'aile et plumes en traits légers effectués avec le manche du pinceau. Un éclat en haut à gauche qui n'était pas là avant, minuscule tache de moins de deux millimètres, mais sinon : parfait. J'étais différent, mais le tableau ne l'était pas. Et tandis que des rais de lumière vacillante le zébraient, j'avais en parallèle le sentiment écœurant de ma propre vie, pareille à une explosion d'énergie non structurée et éphémère, un pétillement d'énergie biologique statique tout aussi aléatoire que les lampadaires que nous dépassions en un éclair.

« Ah, magnifique, s'est exclamé Gyuri aimablement en se penchant pour regarder à ma droite. Tellement pur ! Comme une marguerite. Tu vois ce que j'essaie d'exprimer ? a-t-il dit en me donnant un petit coup de coude parce que je ne répondais pas. Simple fleur, seule dans un champ ? C'est juste… (il a fait un geste, *voilà !* *incroyable !*) Tu comprends ce que je veux dire ? » m'a-t-il demandé en me donnant de nouveau un petit coup dans les côtes, mais j'étais encore trop hébété pour répondre.

Pendant ce temps, Boris murmurait à moitié en anglais et à moitié en russe à Vitya à propos du *ptitsa,* ainsi que d'autres choses que je n'arrivais pas tout à fait à saisir, à propos des mères et de leurs bébés, d'amour adorable. « Tu regrettes toujours de ne pas avoir appelé les flics responsables des œuvres d'art, hein ? m'a-t-il charrié en m'enlaçant l'épaule, sa tête près de la mienne, exactement comme quand on était gamins.

— On peut *toujours* leur téléphoner, a suggéré Gyuri dans un éclat de rire en me tapant sur l'autre bras.

— C'est vrai, ça, Potter ! Allez, on le fait ? Non ? Peut-être que ce n'est plus une si bonne idée, hein ? » a-t-il dit à Gyuri avec un sourcil relevé.

XI

Quand on a bifurqué vers le parking et qu'on est sortis de la voiture, tout le monde était encore survolté, riait et racontait diverses péripéties de l'embuscade dans de multiples langues – tout le monde sauf moi, muet et encore sous le choc, trop interloqué pour prononcer un traître mot, avec les raccourcis et les mouvements brusques dans l'obscurité qui résonnaient encore en moi.

« Regardez-le, a lancé Boris en interrompant son récit et me donnant un coup dans le bras. On dirait qu'il vient de se faire tailler la meilleure pipe de sa vie. »

Ils se moquaient tous de moi, même Shirley Temple, le monde entier était un rire qui rebondissait de manière fractale et métallique sur les murs carrelés, délire et fantasmagorie, une perception du monde qui grandissait et grossissait comme un fabuleux ballon gonflé flottant et tournoyant en direction des étoiles, et je riais aussi sans être sûr de ce qui m'amusait, vu que j'étais encore tellement remué que je tremblais de la tête aux pieds.

Boris a allumé une cigarette. Sous la lumière souterraine, son visage était verdâtre. « Emballe ce truc, a-t-il conseillé sur un ton affable en hochant la tête vers le tableau, puis on le glissera dans le coffre de l'hôtel et on te trouvera une vraie pipe digne de ce nom. »

Gyuri a froncé les sourcils. « Je croyais qu'on allait manger d'abord ?

— Tu as raison. Je meurs de faim. D'abord le dîner, puis la pipe.

— Chez Blake ? a demandé Cherry en ouvrant la porte de la Land Rover côté passager. Dans une heure, disons ?

— Super.

— Je n'aime pas filer comme ça, a fait Cherry en tirant sur le col de sa chemise transparente que la sueur lui collait au corps. Mais en même temps j'ai bien besoin d'un cognac. Le truc à cent euros. Je pourrais en avaler environ un quart tout de suite. Shirley, Gyuri... (il a dit quelque chose en ukrainien).

— Il suggère à Shirley et Gyuri que ce soient eux qui offrent le repas ce soir, a traduit Boris dans l'éclat de rire qui a suivi. Grâce à... » Gyuri a soulevé le porte-documents avec un air de triomphe.

Puis, une pause. Gyuri avait l'air soucieux. Il a dit quelque chose à Shirley Temple, et Shirley, se moquant de lui, son rire creusant de profondes fossettes veloutées dans ses joues, l'a refusé de la main, a refusé de la main le porte-documents que Gyuri tentait de lui offrir, et a levé les yeux au ciel quand Gyuri l'a proposé une nouvelle fois.

« *Ne syeiychas*, a refusé Viktor Cherry, irrité. Pas maintenant. Fais le partage plus tard.

— S'il te plaît, a insisté Gyuri en proposant de nouveau le porte-documents.

— Oh, allez. Partage-le plus tard ou sinon on va y passer la nuit.

— *Ya khochu chto-by Shirli prinyala eto*, a répondu Gyuri, une phrase si simple et énoncée avec tant de sérieux que même moi je l'ai comprise, en dépit de mon russki lamentable. *Je veux que Shirley le prenne.*

« Pas question ! » a répliqué Shirley, incapable de résister, il m'a jeté un regard pour s'assurer que je l'avais entendu, comme un écolier fier de connaître la réponse.

« *Allez.* » Boris, les mains sur les hanches, a détourné le regard, exaspéré. « Est-ce que c'est important qui le prend dans quelle voiture ? Est-ce que l'un de vous va se tailler avec ? Non. On est tous amis ici. Qu'est-ce que vous allez faire ? a-t-il demandé quand aucun des deux n'a esquissé de mouvement. Le laisser par terre pour que Dima le trouve ? Un de vous décide, s'il vous plaît. »

Il y a eu un long silence. Debout avec les bras croisés, Shirley a secoué la tête fermement face à l'insistance répétée de Gyuri puis, avec un regard inquiet, il a posé une question à Boris.

« Oui, oui, ça me va, a répondu Boris sur un ton impatient. Allez-y, a-t-il dit à Gyuri. Vous trois ensemble.

— Tu es sûr ?

— Certain. Vous avez suffisamment travaillé pour ce soir.

— Ça ira, toi ?

— Non, nous deux on marchera ! Bien sûr, bien sûr, a-t-il assuré en faisant taire les objections de Gyuri, ça ira, allez-y », et on a tous ri tandis que Vitya, Shirley et Gyuri aussi nous ont salués de la main (*Davaye !*), ont sauté dans la Range Rover et ont filé, le long de la rampe de sortie, en direction de l'Overtoom.

XII

« Ah, quelle soirée, s'est exclamé Boris en se grattant le ventre. Je meurs de faim ! Filons d'ici. Mais… (il a jeté un regard en arrière, les sourcils froncés, vers la Land Rover qui s'éloignait) eh bien, c'est pas grave. Ça ira. C'est pas loin. C'est facile de marcher jusque chez Blake depuis ton hôtel. Et toi, m'a-t-il dit en hochant la tête, imprudent ! Tu devrais reficeler ce truc ! Ne le porte pas juste enveloppé sans ficelle.

— OK, OK, et j'ai fait le tour de la voiture pour pouvoir le poser sur le capot pendant que je cherchais à tâtons la ficelle de boulanger dans ma poche.

— Je peux voir ? » a demandé Boris en arrivant derrière moi.

J'ai retiré le feutre, et tous les deux on est restés plantés gauchement pendant un moment, tels deux petits nobles flamands rôdant autour d'une peinture de la Nativité.

« Beaucoup d'ennuis… (Boris a allumé une cigarette, a soufflé la fumée de côté, loin du tableau) mais ça vaut la peine, non ?

— Oui. » Nos voix plaisantaient mais elles étaient basses, on aurait dit des garçons mal à l'aise à l'église.

« Je l'ai eu en main plus longtemps que quiconque, a constaté Boris. Si tu comptes les jours. » Puis, sur un autre ton : « Souviens-toi… si tu as envie, je peux toujours arranger quelque chose contre de l'argent. Un seul deal et tu pourrais prendre ta retraite. »

Mais je me suis contenté de secouer la tête. Je n'aurais pas pu mettre en mots ce que j'éprouvais, c'était quelque chose de profond et de primaire que Welty avait partagé avec moi, et moi avec lui, dans le musée toutes ces années auparavant.

« Je plaisantais. Enfin… tout comme. Mais non, sérieusement, a-t-il dit en frottant ses articulations contre ma manche, c'est à toi. Gratuit, clair et net. Pourquoi tu ne le gardes pas quelque temps pour en profiter, avant de le rendre aux gens du musée ? »

J'étais silencieux. Je me demandais déjà comment procéder pour le faire sortir du pays.

« Vas-y, emballe-le. On doit filer d'ici. Tu pourras le regarder plus tard autant que tu veux. Oh, donne-le-moi, a-t-il ordonné en prenant la ficelle de mes mains maladroites d'un geste vif : je continuais de tâtonner en essayant de trouver les bouts. Allez, laisse-moi faire, sinon on va y passer la nuit. »

XIII

Le tableau était emballé et ficelé, Boris l'avait glissé sous le bras et, tirant une dernière bouffée de sa cigarette et se dirigeant vers le côté conducteur, il était sur le point de monter dans la voiture quand, derrière nous, une voix désinvolte et aimable aux sonorités américaines a lancé : « Joyeux Noël. »

Je me suis retourné. Ils étaient trois, deux hommes d'âge mûr au pas nonchalant, flânant d'un air ahuri comme s'ils venaient vers nous pour nous faire plaisir – c'était à Boris qu'ils s'adressaient, pas à moi, ils semblaient heureux de le voir – et, sautillant légèrement devant eux, le garçon asiatique. Sa blouse blanche n'était pas du tout celle d'un employé de cuisine, mais un truc asymétrique en laine blanche d'environ un centimètre d'épaisseur ; il tremblait et avait pratiquement les lèvres bleues d'effroi. Il ne portait pas d'arme, ou ne semblait pas en porter, ce qui était aussi bien parce que ce que j'ai surtout remarqué chez les deux autres gars, des grands types, très pro, c'était un pistolet en métal bleuté qui luisait sous les néons sordides. Même alors, je ne comprenais pas – la voix amicale m'avait désarçonné, je croyais qu'ils avaient attrapé le gamin et nous l'amenaient – jusqu'à ce que je regarde Boris et que je voie qu'il s'était figé, blanc comme un linge.

« Désolé de te faire ça », a déclaré l'Américain à Boris, sauf qu'il n'avait pas l'air désolé du tout, plutôt content, à première vue. Ses épaules étaient larges et il affichait un air d'ennui profond, il portait un manteau gris souple et, en dépit de son âge, il se dégageait de lui quelque chose d'irascible et d'angélique à la fois, plus que mûr, avec des mains blanches et lisses et une affabilité managériale.

Une cigarette à la bouche, Boris s'était figé sur place. « Martin.

— Ouais, hé ! » a lancé ce dernier sur un ton cordial tandis que l'autre type, une brute d'un blond grisonnant en caban et aux traits grossiers tout droit sortis du folklore nordique, s'avançait d'un pas tranquille directement vers Boris et, après avoir bataillé avec sa ceinture et lui avoir pris son pistolet, passait ce dernier à Martin. Dans ma confusion, j'ai regardé en direction du gamin en blanc, mais on aurait dit qu'il avait été frappé sur la tête avec un marteau, il ne semblait pas davantage amusé ou édifié par ce spectacle que moi.

« Je sais que ça t'emmerde, a dit Martin, mais… Waouh. » La voix grave offrait un contraste choquant avec les yeux, qui ressemblaient à ceux d'une vipère heurtante. « Hé. Ça m'emmerde aussi. Frits et moi on était chez Pim, on n'avait pas l'intention de sortir. Il fait moche, hein ? Il est où, notre Noël blanc ?

— Qu'est-ce que tu fabriques ici ? lui a demandé Boris qui, en dépit de son air trop tranquille, était plus effrayé que je ne l'avais jamais vu.

— À ton avis ? » Haussement d'épaules enjoué. « Je suis aussi étonné que toi, si tant est que ça change quelque chose. J'aurais jamais cru que Sascha aurait les couilles

962

de faire appel à Horst sur ce coup-là. Mais... hé, un merdier pareil, à qui d'autre il pouvait faire appel, hein ? Allez, donne, a-t-il ordonné avec un mouvement affable du pistolet et j'ai été submergé d'horreur quand je l'ai vu pointer ce dernier sur Boris, désignant avec l'arme le paquet enveloppé de feutre entre ses mains. Allez. Donne.

— Non », a rétorqué Boris avec brusquerie en secouant les cheveux qui lui tombaient sur les yeux.

Martin a cligné des yeux, comme s'il s'agissait d'une lubie fumeuse. « Qu'est-ce que tu dis ?

— *Non.*

— Quoi ? » Martin a ri. « *Non ?* Tu te fous de moi ?

— Boris ! Donne-le-leur ! ai-je bégayé, planté là et glacé d'horreur en voyant celui qui s'appelait Frits poser son pistolet contre la tempe de Boris puis attraper ce dernier par les cheveux et lui tirer la tête en arrière si vigoureusement qu'il en a gémi de douleur.

— Je sais, a répondu Martin aimablement en me lançant un regard entendu comme pour dire : *Hé, ces Russes, ils sont fous, non ?* Allez, a-t-il commandé à Boris. File. »

Boris a gémi de plus belle tandis que le gars lui tirait une nouvelle fois les cheveux, et de l'autre côté de la voiture il m'a jeté un regard sur lequel je ne pouvais pas me méprendre – je l'ai compris aussi clairement que s'il avait parlé à voix haute, un coup d'œil pressant et très particulier qui était celui de nos années de vol à l'étalage : *Barre-toi, Potter, file.*

« Boris, s'il te plaît, donne-le-leur, l'ai-je supplié après un temps d'arrêt incrédule, mais Boris s'est contenté de geindre de nouveau, de façon désespérée, tandis que Frits lui enfonçait brutalement le pistolet sous le menton et que Martin effectuait un pas en avant pour lui enlever le tableau.

— Excellent. Merci, a-t-il dit sur un ton détaché, fourrant son pistolet sous son bras et entreprenant d'arracher puis de défaire gauchement la ficelle, que Boris avait nouée en un petit nœud tenace. Cool. » Ses doigts ne fonctionnaient pas très bien et de près, quand il a tendu la main pour prendre le tableau, j'ai compris pourquoi : il était complètement défoncé. « Enfin bon... » Martin a jeté un œil derrière lui comme s'il voulait que des amis absents participent à cette bonne blague, puis il s'est retourné avec un autre haussement d'épaules déconcerté. « Désolé. Emmène-les par là, Frits », a-t-il ordonné, toujours affairé avec le tableau et avec un mouvement de tête vers un coin du parking dans l'ombre, plus sombre que le reste et qui ressemblait à un cachot ; quand Frits s'est détourné en partie de Boris pour me désigner du bout de son pistolet – *allez, allez, toi aussi* – glacé d'horreur, je me suis rendu compte que Boris savait ce qui allait se passer à la minute où il les avait vus : c'est pourquoi il avait voulu que je file, ou du moins que j'essaie.

Mais durant la demi-seconde où Frits m'a fait signe avec le pistolet, on a tous perdu de vue Boris qui avait lancé sa cigarette dans une gerbe d'étincelles. Frits a hurlé et s'est giflé la joue, puis il a trébuché en agrippant son col où elle s'était logée contre son cou. Au même instant Martin, directement en face de moi, distrait par le tableau, a levé les yeux ; tandis que je le regardais d'un œil toujours vide par-dessus la voiture, j'ai entendu à ma droite trois détonations rapides qui nous ont vite fait nous retourner et nous écarter. À la quatrième j'ai reculé, les yeux fermés, une gerbe de sang chaud a heurté le toit de l'auto, puis a ricoché pour m'atteindre au visage, et quand j'ai rouvert les yeux le gamin asiatique se reculait, horrifié, sa main a balayé d'une traînée sanglante le devant de ses vêtements pareils au tablier d'un boucher et j'ai fixé une enseigne lumineuse indiquant Betaalautomaat op, là où la tête de Boris s'était trouvée ; des flots de sang se déversaient de sous la voiture et Boris gisait sur les coudes, ses pieds bougeaient, il essayait de se relever, je n'arrivais pas à voir s'il était blessé ou non ; sans réfléchir j'ai dû courir vers lui, parce que ensuite je me suis retrouvé de l'autre côté de la voiture à essayer de l'aider à se relever et avec du sang partout ; Frits était très abîmé, effondré, avec un trou de la taille d'une balle de base-ball sur la tempe ; je venais juste de remarquer son pistolet par terre quand j'ai entendu Boris pousser un cri aigu et voilà que Martin était là, les yeux fermés, avec du sang sur sa manche, la main serrant son bras et tâtonnant pour lever maladroitement son arme dans notre direction.

C'était fini avant même d'avoir commencé, comme un saut de chapitre sur un DVD qui m'aurait projeté en avant dans le temps, parce que je n'ai strictement aucun souvenir d'avoir ramassé le pistolet, juste d'une secousse tellement violente qu'elle a projeté mon bras en l'air, je n'ai pas vraiment entendu le coup de feu, jusqu'à ce que je sente la décharge et que la douille rebondisse vers l'arrière puis me heurte au visage, alors j'ai tiré une nouvelle fois, les yeux à demi fermés pour me protéger du bruit, mon bras tressautant à chaque coup ; la gâchette offrait une résistance, une rigidité, c'était comme tirer sur le loquet trop dur d'une porte, les vitres de la voiture ont émis un bruit sec et le bras de Martin s'est levé, du verre de sécurité a explosé et des bouts de ciment d'un pilier ont volé en éclats, j'avais touché Martin à l'épaule, le tissu doux et gris était humide et sombre, la tache noire s'élargissait, odeur de cordite et écho assourdissant qui se sont enfoncés si profondément dans mon crâne que cela ressemblait moins à un vrai son heurtant mes tympans qu'à un mur s'écroulant avec force dans mon esprit et me replongeant dans quelque noirceur impitoyable de l'enfance ; les yeux de vipère de Martin ont croisé les miens, il s'est effondré vers l'avant et m'a regardé avec le pistolet appuyé sur le toit de la voiture quand j'ai de nouveau tiré et l'ai touché au-dessus de l'œil, explosion rouge qui m'a fait tressaillir puis, quelque part derrière moi, j'ai entendu un bruit de pas qui couraient en heurtant le ciment – le garçon, blouse blanche, se dépêchant vers la rampe de sortie avec le tableau sous le bras, remontant cette dernière pour atteindre la rue tandis que l'écho de sa course résonnait dans l'espace carrelé ; j'ai failli lui tirer dessus, mais je ne sais comment, l'instant était complètement différent et je tournais le dos à la voiture, plié en deux avec mes mains sur les genoux ; par terre, le pistolet que je n'avais pas souvenir d'avoir laissé tomber en dépit du son, a cliqueté et continué de cliqueter tandis que, avec des haut-le-cœur et le sang de Frits qui rampait et s'enroulait sur ma langue, j'en entendais toujours l'écho et sentais sa vibration le long de mon bras.

Bruit de pas qui courent dans l'obscurité, encore une fois je ne pouvais pas voir, ni bouger, tout était noir sur les bords et je me suis senti tomber même si ce n'était pas le cas parce que en fait j'étais assis sur la partie basse d'un mur carrelé, la tête entre les genoux, regardant un crachat rouge clair, ou du vomi, entre mes chaussures, avec Boris, sur le ciment brillant peint à la résine époxyde, Boris qui arrivait, le souffle coupé, essoufflé et ensanglanté, courant vers moi et pourtant sa voix semblait provenir d'un million de kilomètres plus loin, Potter, ça va ? Il a filé, je n'ai pas réussi à l'attraper, il s'est enfui.

J'ai passé ma main sur le visage et regardé la traînée rouge dessus. Boris me parlait toujours dans l'urgence, mais même s'il me secouait l'épaule, ce n'étaient que mouvements de bouche et absurdité que je distinguais vaguement à travers du verre antibruit. La fumée du pistolet qui venait de tirer avait bizarrement la même odeur tonifiante d'ammoniaque que les orages de Manhattan et les trottoirs urbains mouillés. Moucheture d'œuf de rouge-gorge sur la portière d'une Mini bleu pâle. Plus près, une tache noire rampante s'écoulait furtivement de sous la voiture de Boris, satinée et luisante, un mètre de large, elle s'étalait et avançait comme une amibe, je me suis demandé combien de temps il lui faudrait pour atteindre ma chaussure, puis ce que je ferais quand ce serait le cas.

Avec fermeté, mais sans colère, Boris m'a donné un coup sur la tempe avec son poing fermé : un coup impersonnel, sans chaleur. On aurait dit qu'il effectuait de la réanimation cardio-pulmonaire.

« Allez, m'a-t-il dit. Tes lunettes », a-t-il lancé avec un bref mouvement de la tête.

Tachées de sang et intactes, elles étaient par terre à mes pieds. Je ne me souvenais pas qu'elles soient tombées.

Boris les a ramassées lui-même, les a essuyées sur sa manche et me les a tendues.

« Allez », a-t-il répété en m'attrapant le bras et en me relevant. Sa voix était calme et apaisante bien qu'il soit éclaboussé de sang et que j'aie senti ses mains trembler. « C'est fini maintenant. Tu nous as sauvés. » Le coup de feu avait réveillé mon acouphène, on aurait cru un essaim de sauterelles bourdonnant dans mes oreilles. « Tu t'es bien débrouillé. Maintenant, par ici. Dépêche-toi. »

Il m'a conduit derrière le bureau vitré, fermé et sombre. Mon manteau en poil de chameau était maculé de sang, et Boris me l'a enlevé comme le ferait un préposé au vestiaire, puis il l'a retourné à l'envers et l'a posé sur un poteau en ciment.

« Tu devras te débarrasser de ce truc, a-t-il suggéré avec un violent frisson. La chemise aussi. Pas maintenant, plus tard. Maintenant... (il a ouvert une porte, s'est précipité derrière moi et a allumé une lumière d'une chiquenaude) allez. »

Toilettes froides et humides qui puaient le désodorisant et l'urine. Pas de lavabo, juste un simple robinet et un écoulement dans le sol.

« Vite, vite, a fait Boris en tournant le robinet à fond.

On ne vise pas la perfection. Juste… ouais ! » Il a grimacé en mettant la tête sous le jet, s'est éclaboussé le
visage d'eau et s'est frotté les mains.

« Ton bras », me suis-je entendu dire. Il le tenait mal.

« Oui oui… » L'eau froide voltigeait partout, il s'est
relevé pour respirer. « Il m'a blessé à l'épaule, pas
méchamment, juste une égratignure… Oh, mon Dieu… »
Il crachait et toussait. « J'aurais dû t'écouter. Tu as essayé
de me prévenir ! Boris, il y a quelqu'un là-bas, tu as dit !
Dans la cuisine ! Mais est-ce que je t'ai écouté ? Est-
ce que j'ai fait attention ? Non. Ce merdeux, le gamin
chinois, c'était le petit copain de Sascha ! Putain, j'ai
oublié son nom. Aah… » Il a remis sa tête sous le robinet
et a marmonné pendant un moment tandis que l'eau ruisselait sur son visage. « Brrrr ! tu nous as sauvés, Potter,
j'ai cru qu'on était morts… »

Se reculant, il s'est frotté les mains sur le visage,
qui était rouge vif et dégoulinant. « OK, a-t-il soufflé
en essuyant l'eau de ses yeux, puis me menant vers le
robinet qui coulait à flots, à ton tour maintenant. La
tête en dessous… Oui, oui, c'est froid ! » Il m'y a de
nouveau poussé quand je m'en suis écarté. « Désolé ! Je
sais ! Mains, visage… »

L'eau était glacée, je m'étranglais, elle me rentrait
dans le nez, je n'avais jamais rien senti d'aussi froid,
mais ça m'a un peu réveillé.

« Vite, vite, a intimé Boris en me redressant. Costume… foncé, on ne voit rien. La chemise, on ne peut
rien faire, remonte le col, attends, laisse-moi m'en occuper. Écharpe dans la voiture, hein ? Tu peux l'enrouler
autour de ton cou ? Non non, oublie… (je tremblais, j'ai
attrapé mon manteau, les dents claquant de froid, toute
la partie supérieure de mon corps trempée) eh bien, vas-
y, tu gèleras, mais garde-le retourné avec la doublure à
l'extérieur.

— Ton bras. » Bien que son manteau soit sombre et

la lumière mauvaise, j'ai vu la brûlure sur son biceps, la laine noire et rêche collée de sang.

« Oublie. C'est rien. Mon Dieu, Potter... » Retour vers la voiture à présent, il courait à moitié, moi je me dépêchais pour arriver à le suivre, paniqué à l'idée de le perdre, d'être laissé derrière. « Martin ! Ce salopard est gravement diabétique, ça fait des années que j'espère sa mort. Grateful Dead, merci aussi ! » a-t-il lancé en fourrant le pistolet à l'extrémité retroussée dans sa poche, puis de celle de son costume il a sorti un sac de poudre blanche qu'il a ouvert et éparpillé en pluie.

« Et voilà », a-t-il lancé en épousseta nt ses mains et en effectuant un pas vacillant vers l'arrière. Il était blanc comme neige, ses pupilles étaient fixes, et même quand il a levé les yeux vers moi, on aurait dit qu'il ne me voyait pas. « C'est tout ce qu'ils vont chercher. Martin en aura aussi, il était camé, tu as remarqué ? C'est pour ça qu'il était aussi lent... lui et Frits aussi. Ils ne s'attendaient pas à cet appel, ils n'imaginaient pas aller travailler ce soir. *Mon Dieu...* (fermant très fort les yeux) on a eu de la chance. » En sueur, pâle comme la mort, il s'est essuyé le front. « Martin me connaît, il ne pensait pas que j'aurais cet autre pistolet, et toi... ils ne pensaient pas à toi du tout. Monte dans la voiture, a-t-il ordonné. Non non... » Il m'a attrapé le bras ; je l'ai suivi jusqu'au côté passager comme un somnambule. « Pas là, c'est l'horreur. Oh... » Il s'est arrêté net, une éternité s'est écoulée sous cette lumière verdâtre et vacillante, avant de faire le tour en chancelant pour attraper son pistolet par terre, qu'il a essuyé sur un chiffon pris dans sa poche puis, le tenant avec précaution, à l'intérieur du chiffon, il l'a laissé tomber par terre.

« Waouh, a-t-il fait en essayant de reprendre son souffle. Ça, ça va les perturber. Ils vont passer des années à remonter la piste de ce truc. » Il s'est arrêté, tenant son bras abîmé avec une main : il m'a regardé de la tête aux pieds. « Tu sais conduire ? »

J'étais incapable de répondre. Blafard, pris de vertiges, tremblant. Après la collision et l'engourdissement momentanés, mon cœur s'était mis à battre à coups violents, vifs et douloureux, comme un poing qui aurait visé le centre de ma poitrine.

Boris a eu un bref mouvement de la tête et a fait *tch tch*. « Autre côté, a-t-il indiqué lorsque, mes pieds bougeant tout seuls, je l'ai de nouveau suivi. Non non... », me faisant encore faire le tour, ouvrant la portière du côté passager et me poussant légèrement.

Trempé. Tremblant. Nauséeux. Par terre : un paquet de chewing-gums Stimorol. Carte routière : Francfort Offenbach Hanau.

Boris avait fait le tour de la voiture pour la vérifier. Puis, avec précaution, il est revenu vers le côté conducteur, en serpentant un peu ; essayant de ne pas marcher dans le sang, il s'est mis au volant, s'en est emparé des deux mains et a pris une profonde inspiration.

« OK, a-t-il expiré dans un long soupir, se parlant à lui-même comme le ferait un pilote sur le point de décoller pour une mission. Mettre la ceinture. Toi aussi. Les feux de freinage fonctionnent ? Et les feux arrière ? » Il a tapoté ses poches, s'est glissé sur le siège, a tourné le chauffage au maximum. « Il y a plein d'essence... c'est bien. Les sièges sont chauffés aussi, ça aidera. Il ne faut pas qu'on nous arrête. Parce que je ne sais pas conduire. »

Toutes sortes de petits bruits : craquement du siège en cuir, eau gouttant de ma manche mouillée.

« Tu ne sais pas conduire ? ai-je répété dans le silence qui résonnait intensément.

— Bon, je *peux*. » Sur la défensive. « Je l'ai *déjà* fait. Je... (démarrant la voiture et reculant avec son bras le long du siège) pourquoi j'ai un chauffeur à ton avis ?

Est-ce que je suis si sophistiqué que ça ? Non. Mais *j'ai...* (index en l'air) j'ai été condamné pour conduite en état d'ivresse. »

J'ai fermé les yeux pour ne pas voir la masse ensanglantée effondrée devant laquelle on est passés.

« Donc, tu comprends, s'ils m'arrêtent, ils m'emmèneront au poste et c'est ce que je ne veux pas. » J'arrivais à peine à entendre ses explications à cause du bourdonnement féroce dans ma tête. « Tu vas devoir m'aider. Du genre, repérer les panneaux de signalisation et m'empêcher de conduire dans les couloirs d'autobus. Ici les pistes cyclables sont rouges, on n'est pas supposés conduire dessus non plus, donc aide-moi aussi à y faire attention. »

De nouveau dans l'Overtoom, direction Amsterdam : *Serrurier Sleutelkluis, Vacatures, Digitaal Printen, Haji Telecom, Onbeperkt Genieten*, lettres arabes, traînées lumineuses, c'était comme un cauchemar, je n'allais jamais quitter cette putain de route.

« Bon sang, je ferais mieux de ralentir », a lancé Boris avec un air sombre. Il avait l'air livide et épuisé. « *Trajectcontrole*. Aide-moi à repérer ces panneaux-là. »

Tache de sang sur mon poignet. Grandes et grosses gouttes.

« *Trajectcontrole*. Ça signifie qu'une machine informe la police que tu fais un excès de vitesse. Ils conduisent des voitures banalisées, beaucoup d'entre eux, et parfois ils te suivent quelque temps avant de t'arrêter bien que, on a de la chance, il n'y ait pas beaucoup de circulation dans ce sens ce soir. C'est le week-end, je suppose, et les fêtes. Par ici, ce n'est pas vraiment un quartier où on célèbre Noël, si tu me suis. Tu as compris ce qui vient de se passer, hein ? » m'a demandé Boris en reprenant son souffle et en se frottant énergiquement le nez en haletant.

« Non. » Quelqu'un d'autre parlait, ce n'était pas moi.

« Bon... Horst. Ces deux types étaient ses potes. Frits est peut-être seule personne à Amsterdam qu'il connais-

sait pour l'appeler dans urgence, mais Martin... bordel. »
Il parlait très vite et de manière erratique, tellement vite
qu'il pouvait à peine sortir les mots, ses yeux étaient
vides et fixes. « Qui savait même que Martin était ici ? Tu
sais comment Horst et Martin se sont rencontrés, hein ?
a-t-il demandé en me jetant un coup d'œil furtif. En HP !
Un HP sophistiqué de Californie ! L'"Hotel California",
Horst l'appelait ! C'était à l'époque où sa famille lui
parlait encore. Horst était en désintox, mais Martin était
là parce qu'il est vraiment vraiment fou. Le genre de fou
qui te poignarde dans les yeux. J'ai vu Martin faire des
choses dont je préfère ne pas parler. Je...

— Ton bras. » Il avait mal ; je voyais les larmes luire
dans ses yeux.

Boris a fait une grimace. « Nan. C'est rien. Rien du
tout. Aah, a-t-il approuvé en levant le coude pour que je
puisse enrouler le câble du chargeur téléphonique autour
de son bras : j'avais tiré dessus d'un coup sec, l'avais
enroulé deux fois autour de la blessure et l'avais serré
autant que je pouvais, tu es malin. Bonne précaution.
Merci ! Mais pas vraiment nécessaire. C'est juste une
égratignure, plus un bleu qu'autre chose, je pense. C'est
bien que ce manteau soit aussi épais ! Il suffit de nettoyer,
un peu d'antibiotique et d'antidouleur, et ça ira. Je...
(profonde respiration frissonnante) je dois retrouver Gyuri
et Cherry. J'espère qu'ils sont allés direct chez Blake.
Dima... Dima a aussi besoin d'info concernant le bazar
là-bas. Il va pas être content... il va y avoir des flics,
grosse prise de tête, mais ça aura l'air d'un hasard. Y a
rien en rapport avec lui. »

Phares qui balaient la route. Sang qui bat dans mes
oreilles. Il n'y avait pas beaucoup de voitures sur la
route, mais chacune de celles que nous croisions me
faisait tressaillir.

Boris a gémi et s'est passé une main le long du

visage. Il disait quelque chose, à toute vitesse et très agité. « Quoi ?

— Tu vois… c'est un gros bordel. J'essaie encore de comprendre. » Voix saccadée et fêlée. « Parce que voilà ce que je me demande maintenant… peut-être que je me trompe, peut-être que je suis parano, mais peut-être que Horst savait depuis le début ? Que Sascha avait pris le tableau ? Sauf que Sascha a sorti le tableau d'Allemagne et essaie de l'échanger pour de l'argent dans le dos de Horst. Et puis quand ça tourne mal, Sascha panique… et qui d'autre il pouvait appeler ? Bien sûr, je ne fais que penser tout haut, peut-être que Horst *ne savait pas* que Sascha l'avait pris, peut-être qu'il ne l'aurait jamais su si Sascha n'avait pas été aussi négligent et bête au point de… bordel, cette putain de rocade », s'est exclamé Boris tout à coup. On avait quitté l'Overtoom et on tournait en rond. « C'est quoi, la direction que je veux ? Allume le GPS.

— Je… » J'ai tâtonné, des mots incompréhensibles, un menu que je ne parvenais pas à lire, *Geheugen, Plaats,* tournant le bouton, menu différent, *Gevarieerd, Achtergrond.*

« Oh, merde. On va essayer celle-là. Mince, j'ai failli le rater, s'est-il écrié en prenant le virage un peu trop vite et mal. Tu as des couilles, Potter. Frits… Frits était à l'ouest, il hochait la tête, mais Martin, bon sang. Et toi… ? Tu as été super courageux ! Waouh ! Je n'avais même plus l'impression que c'était toi là-bas. Mais si ! Je parie que tu n'avais jamais tenu une arme de ta vie avant aujourd'hui ?

— Non. » Rues noires et mouillées.

« Eh ben, laisse-moi te dire quelque chose qui te paraîtra peut-être bizarre. Mais… c'est un compliment. Tu tires comme une fille. Tu sais pourquoi compliment ? Parce que, en situation de menace, tu sais ce qui différencie le mâle qui n'a jamais tiré de sa vie de la femelle qui n'a jamais tiré de sa vie ? a demandé Boris en articulant mal, avec un débit étourdissant et fiévreux. Crois-en ton vieux Bobo, la femelle a beaucoup plus de chance d'atteindre sa cible. La plupart des hommes veulent avoir l'air dur, ils ont vu trop de films, ils sont trop impatients et ils tirent trop vite… Merde, a-t-il constaté tout à coup en appuyant sur le frein.

— Quoi ?

— C'est pas bon, ça.

— Quoi ?

— Cette rue est fermée. » Marche arrière. Il a reculé le long de la rue.

Des travaux. Des barrières avec des bulldozers derrière, des bâtiments vides avec des bâches en plastique bleu aux fenêtres. Des piles de tuyaux, de blocs de ciment, des graffitis en néerlandais.

« Qu'est-ce qu'on va faire ? » ai-je demandé, dans le silence paralysé qui a suivi, après qu'on eut emprunté une autre rue qui ne semblait pas avoir de lampadaires du tout.

« Eh bien… il n'y a pas de pont ici qu'on peut traverser. Et c'est une impasse, donc…

— Non, je veux dire, qu'est-ce qu'on va *faire*.

— À propos de quoi ?

— Je… » Mes dents s'entrechoquaient tellement que j'arrivais à peine à parler. « Boris, on est foutus.

— Non ! On l'est pas. Le pistolet de Grozdan… (il a tapoté gauchement la poche de son manteau) je le jetterai dans le canal. S'ils ne peuvent pas remonter jusqu'à lui ils ne pourront pas remonter jusqu'à moi. Et… il n'y a rien d'autre qui nous lie. Parce que mon arme, elle est clean. Pas de numéro de série. Même les pneus de la voiture sont neufs ! Je l'apporterai à Gyuri et il les changera ce soir. Écoute, t'inquiète, a fait Boris en voyant que je ne répondais pas. On est en sécurité ! Je dois te le redire ? S-É-C-U-R-I-T-É (l'épelant gauchement sur huit doigts). »

On a heurté un nid-de-poule, inconsciemment j'ai tressailli, une réaction due à la peur, et mis les mains sur mon visage.

« Et pourquoi, surtout ? Parce qu'on est des vieux amis, parce qu'on se fait confiance. Et parce que… oh, merde, y a un flic, je dois ralentir. »

J'ai fixé mes chaussures. Chaussures chaussures chaussures. C'était tout ce à quoi je pouvais penser, quand je les avais mises il y a quelques heures avant que je tue quelqu'un.

« Parce que… Potter, Potter, réfléchis. Écoute-moi deux minutes, s'il te plaît. Si j'étais un inconnu, quelqu'un que tu ne connais pas ou en qui tu n'as pas confiance ? Si tu avais maintenant quitté le parking dans une voiture avec un inconnu ? Alors ta vie serait enchaînée à la sienne pour toujours. Il te faudrait faire très attention à cette personne tout au long de ta vie. »

Mains froides, pieds froids. *Snackbar, Supermarkt,* pyramides de fruits et de bonbons éclairées, *Verkoop Gestart* !

« Ta vie… ta liberté… qui reposerait sur la loyauté d'un inconnu ? Dans ce cas. Oui. Inquiétude. Absolument. Tu serais en grand danger. Mais personne n'est au courant de cette histoire à part nous. Pas même Gyuri ! »

Incapable de parler, j'ai vigoureusement secoué la tête en essayant de reprendre mon souffle.

« Qui ? Le gamin chinois ? » Boris a fait un bruit dégoûté. « À qui il va raconter ? Il est mineur et il n'est pas ici légalement. Il ne parle aucune langue correctement.

— Boris… » Je me suis penché légèrement vers l'avant avec l'impression que j'allais m'évanouir. « Il a le tableau.

— Ah. » Boris a grimacé de douleur. « *Ça* c'est fichu, j'en ai bien peur.

— Quoi ?

— Pour de bon, peut-être. J'en suis malade, malade dans mon cœur. Parce que je déteste avoir à le dire... Mince, flûte, comment il s'appelle ? Après ce qu'il a vu, tout ce à quoi il va penser, c'est à lui-même. Mort de trouille ! Des cadavres ! L'expulsion ! Il n'a pas envie d'être impliqué. Oublie le tableau. Il n'a aucune idée de sa vraie valeur. Et s'il se retrouve dans n'importe quelle embrouille avec les flics, plutôt que de passer même une journée en prison, tout ce qu'il voudra c'est s'en débarrasser. Alors... (il a haussé les épaules, un peu dans les vapes) espérons qu'il s'en *sorte*, cette petite merde. Sinon, il y a une très bonne chance que le *ptitsa* se retrouve jeté dans le canal... brûlé. »

Des réverbères se reflétaient sur les capots des voitures garées. Je me suis senti désincarné, coupé de moi-même. J'étais incapable d'imaginer quel effet cela ferait d'être de nouveau dans mon corps. On était de retour dans la vieille ville, cliquetis des pavés, monochrome nocturne tout droit sorti de Aert van der Neer, avec le XVIIᵉ siècle qui vous assaille de chaque côté et des pièces en argent dansant sur l'eau noire du canal.

« *Ach*, c'est fermé, a grogné Boris en s'arrêtant de nouveau avec une secousse puis en repartant en marche arrière, on doit trouver un autre chemin.

— Tu sais où on est ?

— Oui, bien sûr, a-t-il assuré avec une sorte de gaieté incohérente qui m'a fait peur. Là-bas c'est ton canal. Celui des Gentilshommes.

— Quel canal ?

— C'est facile de se repérer dans Amsterdam, a-t-il enchaîné comme si je n'avais rien demandé. Dans la vieille ville, tout ce que tu dois faire, c'est suivre les canaux jusqu'à ce que... Oh, merde, ici c'est fermé aussi. »

Gradations de couleurs. Noirs bizarrement égayés. La petite lune fantomatique au-dessus des pignons était tellement minuscule que l'on aurait dit la lune embrumée et occulte d'une autre planète, avec des nuages sinistres éclairés juste d'une faible nuance de bleu et de brun.

« Ne t'inquiète pas, ça arrive tout le temps. Ils construisent toujours quelque chose ici. Gros bazars à cause de travaux. Tout ça, je crois que c'est pour une nouvelle ligne de métro ou un truc dans ce goût-là. Ça embête tout le monde. Il y a beaucoup d'accusations d'escroqueries, ouais, ouais. C'est pareil dans toutes les villes, non ? » Sa voix était tellement pâteuse qu'on l'aurait cru soûl. « Des travaux d'entretien des routes partout, des politiciens qui s'enrichissent ? C'est pour ça que tout le monde roule à vélo, c'est plus rapide, sauf que, désolé, je ne vais nulle part à vélo une semaine avant Noël. Oh, non… (pont étroit, arrêt forcé derrière une file de voitures) on avance ?

— Je… » On était bloqués sur un pont réservé aux piétons. Gouttes roses visibles sur les vitres éclaboussées de pluie. Des gens qui vont et viennent à moins de trente centimètres.

« Descends de la voiture et va regarder. Oh, attends », a-t-il lancé sur un ton impatient : il a allumé les feux d'arrêt d'urgence et il est sorti lui-même. À la lueur des réverbères j'ai vu son dos inondé de lumière, formel et théâtral au milieu des flots de gaz d'échappement.

« Camionnette », a-t-il expliqué en se précipitant de nouveau dans la voiture. Il a claqué la portière, pris une profonde inspiration et tendu ses bras vers l'avant sur le volant.

« Qu'est-ce qu'il fabrique ? » Jetant un œil à droite et à gauche, paniqué, j'espérais à moitié qu'un piéton passant par là remarque les taches de sang, se précipite vers la voiture, frappe contre les vitres et ouvre la portière.

« Qu'est-ce que j'en sais ? Il y a trop de voitures dans cette putain de ville. Écoute… » a fait Boris, en sueur et pâle sous l'éclairage empourpré des feux arrière du véhicule devant nous. D'autres voitures étaient arrivées derrière, on était coincés. « Qui sait combien de temps on va devoir rester là. On est juste à quelques rues de ton hôtel. Ce serait mieux que tu sortes et que tu marches.

— Je... » Est-ce que c'étaient les phares de la voiture de devant qui rendaient les gouttes sur le pare-brise aussi rouges ?

Chiquenaude impatiente de la main. « Potter, vas-y, a-t-il insisté. Je ne sais pas ce qui se passe avec cette camionnette là-bas. J'ai peur que les agents de la circulation se pointent. C'est mieux pour tous les deux qu'on ne soit pas ensemble pour le moment. Le canal des Gentilshommes... tu ne peux pas le rater. Ici les canaux tournent en rond, tu le sais, non ? Va par là... (il a tendu le doigt) tu le trouveras.

— Et ton bras ?

— C'est rien ! J'enlèverais bien mon manteau pour te montrer, mais c'est trop compliqué. Maintenant vas-y. Je dois parler à Cherry. » Sortant son portable de sa poche. « Il se pourrait que je quitte la ville quelque temps.

— Quoi ?

— Mais si on se parle pas, t'inquiète pas, je sais où tu es. C'est mieux si tu n'essaies pas de m'appeler ou de me contacter. Je reviendrai dès que je peux. Tout ira bien. Va te nettoyer, écharpe autour du cou, bien haut... On se reparle bientôt. Débarrasse-toi de cet air si pâle et si malade ! Tu as un truc sur toi ? Tu as besoin de quelque chose ?

— Quoi ? »

Il a cherché à tâtons dans sa poche. « Tiens, prends ça. » Enveloppe en glassine avec un timbre taché. « Pas trop, c'est très pur. De la taille d'une tête d'allumette. Pas plus. Et quand tu te réveilleras, ça ne sera plus aussi horrible. Maintenant, souviens-toi... (il composait son numéro ; j'étais très conscient de sa respiration lourde) garde ton écharpe bien en haut de ton cou, et marche du côté sombre de la rue autant que possible (je restais assis là). Vas-y ! a-t-il crié tellement fort que j'ai vu un homme sur la voie piétonne du pont se retourner pour regarder. Dépêche-toi !.... *Cherry* », a-t-il lancé dans son téléphone, se renversant sur le siège avec un soulagement visible, après quoi il s'est mis à bavarder d'une voix rauque et volubile en ukrainien tandis que je sortais de la voiture, conscient d'être livide et exposé sous le balayage effrayant des phares des véhicules bloqués, et que je remontais le pont, refaisant ainsi le chemin par lequel on était arrivés. Ma dernière image de lui : Boris parlant au téléphone avec la vitre baissée et se penchant vers l'extérieur, au milieu d'extravagants nuages de gaz d'échappement, histoire de voir ce qui se passait avec la camionnette bloquée plus haut.

XIV

L'heure ou plutôt les heures qui ont suivi, passées à déambuler de canal en canal en quête de mon hôtel, ont été les plus pitoyables de ma vie, ce qui n'est pas peu dire. La température avait chuté, mes cheveux étaient mouillés, mes vêtements étaient trempés et mes dents s'entrechoquaient à cause du froid ; les rues étaient juste assez sombres pour toutes se ressembler, et toutefois pas assez pour que je puisse errer vêtu des habits couverts du sang de l'homme que je venais de tuer. J'ai marché, vite, le long des rues noires, martelant le sol du talon avec une étrange assurance, me sentant aussi mal à l'aise et peu discret qu'un rêveur qui se promènerait nu dans un cauchemar, évitant les réverbères et essayant de me rassurer coûte que coûte, avec un succès décroissant, me racontant que mon manteau porté à l'envers avait l'air parfaitement normal, qu'il n'y avait là rien d'inhabituel.

Peu de piétons dans la rue. Craignant d'être reconnu, j'avais enlevé mes lunettes, car je savais d'expérience qu'elles étaient mon trait le plus distinctif – ce que les gens remarquaient en premier, ce dont ils se souvenaient – et bien que cela n'aide en rien à trouver mon chemin, cela me procurait en revanche un sentiment irrationnel de sécurité et de dissimulation : les plaques de rues illisibles et les couronnes électriques embrumées autour des réverbères, flottant, isolées, hors de l'obscurité, les phares de voitures et les traînées lumineuses floues des décorations de Noël, le sentiment d'être traqué par des poursuivants au travers d'une lentille non focalisée.

En fait j'avais dépassé mon adresse de quelques rues. De plus, je n'avais pas l'habitude des hôtels européens où il fallait sonner pour entrer après une certaine heure, et quand j'ai fini par me casser le nez en éternuant, gelé jusqu'à la moelle, contre la porte en verre fermée à clé, je suis resté pendant un moment indéfini à faire cliqueter la poignée comme un zombie, d'avant en arrière, d'avant en arrière, avec la rigidité rythmique d'un métronome bloqué, trop engourdi par le froid pour comprendre pourquoi je ne pouvais pas entrer. Lamentablement, à travers le verre, j'ai regardé fixement dans le hall jusqu'à la réception nette et noire : vide.

Puis, se dépêchant depuis le fond avec des sourcils étonnés, est arrivé un homme soigné aux cheveux sombres, dans un costume qui l'était aussi. Il y a eu un flash terrible lorsque ses yeux ont croisé les miens et que je me suis rendu compte de la tête que je devais avoir, ensuite il a détourné le regard et manié gauchement la clé.

« Désolé, monsieur, après vingt-trois heures nous fermons la porte à clé », m'a-t-il expliqué. Il a continué d'éviter mon regard. « C'est pour la sécurité des clients.

— Je me suis fait surprendre par la pluie.

— Bien sûr, monsieur. » Je me suis alors rendu compte qu'il fixait le poignet de ma chemise, éclaboussé d'une tache de sang brunie de la taille d'une pièce d'un euro. « Nous avons des parapluies à la réception en cas de besoin.

— Merci. » Puis, réflexion absurde : « J'ai renversé de la sauce au chocolat sur ma manche.

— J'en suis désolé, monsieur. Nous pouvons tenter de l'enlever à la blanchisserie si vous le souhaitez.

— Ce serait super. » Ne pouvait-il pas sentir le sang sur moi ? Dans la chaleur du hall, je puais la rouille et le sel. « En plus, c'est ma chemise préférée. Des profiteroles. » *Ta gueule, ta gueule.* « Mais elles étaient délicieuses.

— Je suis ravi de l'apprendre, monsieur. Nous serons heureux de vous réserver une table dans un restaurant demain soir, si vous le souhaitez.

— Merci. » Du sang dans ma bouche, son odeur et son goût partout, je n'avais plus qu'à espérer qu'il ne pouvait pas le sentir aussi fort que moi. « Ce serait super.

— Monsieur ? m'a-t-il interpellé alors que je me dirigeais vers l'ascenseur.

— Pardon ?

— Je crains que vous n'ayez besoin de votre clé ? » Il s'est dirigé derrière le comptoir et en a pris une dans un casier. « C'est la vingt-sept, n'est-ce pas ?

— En effet, ai-je répondu immédiatement, reconnaissant qu'il m'ait donné mon numéro de chambre, mais inquiet qu'il l'ait fait aussi vite et de mémoire.

— Bonne nuit, monsieur. Je vous souhaite un agréable séjour. »

Deux ascenseurs différents. Un couloir moquetté de rouge qui n'en finissait pas. En entrant dans la chambre, j'ai allumé toutes les lumières, celle du bureau, celle du lit, ainsi que le plafonnier éblouissant. Je me suis débarrassé de mon manteau par terre et je me suis dirigé directement vers la douche, déboutonnant en chemin ma chemise ensanglantée et trébuchant comme le monstre de

Frankenstein devant des fourches. J'ai fait une boule de l'amas gluant de vêtements et l'ai jeté dans la baignoire où j'ai ouvert l'eau le plus fort et le plus chaud possible, de petits ruisseaux roses coulant sous mes pieds, me frottant ensuite avec le gel douche sentant le lis jusqu'à ce que j'aie l'odeur d'une couronne mortuaire et que ma peau soit en feu.

La chemise était fichue : festons et éclaboussures de taches brunes autour du cou bien après que l'eau fut redevenue claire. Après l'avoir laissée tremper dans la baignoire, je me suis penché vers l'écharpe, puis vers la veste, tachée de sang, trop sombre pour que cela se voie, et ensuite, le retournant avec autant de délicatesse que possible (pourquoi est-ce que j'avais pris le manteau en poil de chameau à la soirée ? pourquoi pas le bleu marine ?), vers le manteau. Un revers allait encore, mais l'autre était vilainement souillé. L'éclaboussure sombre comme du vin constituait une évocation criante qui m'a totalement renvoyé à l'énergie du coup de feu : le coup, l'explosion, la trajectoire des gouttelettes. Je l'ai fourré sous le robinet dans le lavabo et j'ai versé du shampooing dessus, puis j'ai frotté *non-stop* avec une brosse à chaussures trouvée dans le placard ; après que le shampooing eut disparu, et le gel douche aussi, j'ai frotté la savonnette dessus et frotté encore, tel un serviteur de conte de fées désespéré, condamné à accomplir une tâche impossible avant l'aube au péril de sa vie. En désespoir de cause, les mains tremblant de fatigue, j'ai essayé avec ma brosse à dents et mon dentifrice – ce qui, bizarrement, a mieux fonctionné que mes précédents essais, mais n'a toujours pas suffi.

Pour finir j'ai abandonné et j'ai suspendu le manteau pour qu'il s'égoutte dans la baignoire : fantôme trempé de Mr. Pavlikovsky. J'avais pris soin d'éviter le sang sur les serviettes ; avec du papier toilette, que j'ai tamponné et jeté dans les W-C de manière compulsive toutes les quelques minutes, j'ai épongé laborieusement les traînées rouille et les gouttes sur le carrelage. Je me suis servi de ma brosse à dents jusqu'au trognon. Blancheur clinique. Murs scintillants couverts de miroirs. Solitudes se réfléchissant à l'envi. Bien après la disparition du dernier soupçon de rose, j'ai continué, rinçant et relavant les petites serviettes que j'avais souillées et qui arboraient encore une rougeur douteuse, puis, tellement fatigué que je chancelais, j'ai sauté sous la douche avec l'eau si chaude qu'elle était à peine supportable et me suis de nouveau entièrement frotté des pieds à la tête, émiettant la savonnette dans mes cheveux et pleurant à cause de la mousse dans mes yeux.

XV

Un fort coup de sonnette à ma porte m'a réveillé à une heure que je dirais imprécise et m'a fait sursauter comme si j'avais été ébouillanté. Les draps étaient emmêlés, trempés de sueur, les stores étaient baissés et je n'avais donc aucune idée de l'heure qu'il était, ni même s'il faisait jour ou nuit. J'étais encore à moitié endormi. J'ai enfilé mon peignoir, ouvert la porte avec l'entrebâilleur et dit : « Boris ? »

C'était une femme en uniforme au visage moite. « C'est pour le linge, monsieur.

— Pardon ?

— C'est la réception, monsieur. Ils m'ont dit que vous aviez demandé que du linge soit ramassé ce matin.

— Euh... » J'ai jeté un œil vers la poignée. Comment, après tout ça, avais-je pu oublier de mettre la pancarte Ne Pas Déranger ? « Attendez. »

J'ai sorti de mon sac la chemise que j'avais portée à la soirée d'Anne, celle que Boris n'avait pas trouvée assez bien pour Grozdan. « Voici, ai-je dit en la lui faisant passer dans l'entrebâillement de la porte, puis : Attendez. »

Veste de costume. Écharpe. Noires toutes les deux. Allais-je oser ? Elles avaient l'air d'épaves et elles étaient humides au toucher, mais quand j'ai allumé la lampe du bureau et que je les ai examinées minutieusement, avec mes lunettes et mon œil entraîné à la Hobie, le nez sur le tissu, il n'y avait pas de sang en vue. Avec un bout de Kleenex blanc j'ai tamponné divers endroits pour voir s'il ressortait rose. Ce fut effectivement le cas, mais juste très légèrement.

Elle attendait toujours, en un sens c'était un soulagement de devoir se presser : décision rapide, pas d'hésitation. Dans les poches, j'ai récupéré mon portefeuille, l'OxyContin humide-mais-incroyablementintact que j'avais glissé là avant la soirée au club des Larmessin (ai-je jamais cru que je serais reconnaissant à cette matrice à vous affranchir du temps ? Non), ainsi que la grosse enveloppe en glassine de Boris, avant de lui tendre le costume et l'écharpe.

Une fois la porte refermée, le soulagement m'a envahi. Mais trente secondes ne s'étaient pas écoulées qu'un murmure d'inquiétude s'est insinué, une inquiétude qui, en quelques instants, s'est muée en un crescendo hurlant. Décision hâtive. Insensée. Où avais-je la tête ?

Je me suis allongé. Je me suis levé. Je me suis allongé de nouveau et j'ai tenté de dormir. Puis je me suis assis dans le lit et, dans une précipitation onirique, incapable de m'en empêcher, je me suis retrouvé à appeler la réception.

« Oui, monsieur Decker, en quoi puis-je vous aider ?

— Euh… » J'ai fermé fort les yeux ; pourquoi est-ce que j'avais payé la chambre avec une carte de crédit ? « Je voulais juste savoir : je viens de donner un costume pour un nettoyage à sec, et je me demandais s'il était toujours chez vous ?

« — Pardon ?

— Vous envoyez le linge à l'extérieur ? Ou bien il est nettoyé sur place ?

— On l'envoie, monsieur. L'entreprise à laquelle nous faisons appel est tout à fait digne de confiance.

— Y aurait-il moyen pour vous de vérifier si c'est déjà parti ? Je viens juste de me rendre compte que j'en ai besoin pour ce soir.

— Je vais vérifier, monsieur. Attendez. »

Désespéré, j'ai attendu en fixant le sachet d'héroïne sur la table de chevet, estampillé d'un crâne arc-en-ciel et du mot APRÈS-SOIRÉE. Un moment plus tard l'employé à la réception était de retour. « À quelle heure aurez-vous besoin du costume, monsieur ?

— Tôt.

— Je regrette, mais il n'est plus ici. La camionnette vient de partir. Mais notre service de nettoyage à sec se fait dans la journée. Vous l'aurez cet après-midi à dix-sept heures, je vous le garantis. Vous désirez autre chose, monsieur ? » a-t-il demandé dans le silence qui a suivi.

XVI

Boris avait raison à propos de sa drogue et de sa pureté – pure blancheur, un sniff de taille normale m'a donc envoyé valdinguer, si bien que durant un interlude indéterminé je suis entré et sorti avec bonheur et à la dérive des confins de la mort. Villes, siècles. J'entrais et sortais en glissant pendant de lents et délicieux moments, les stores baissés, avec des rêves vides de nuages et des ombres changeantes, une immobilité qui ressemblait aux superbes trophées de Jan Weenix, oiseaux morts aux plumes tachées de sang pendus à un support et, dans le peu de conscience qui me restait, j'ai senti que je comprenais la grandeur secrète de la mort, tout le savoir caché à toute l'humanité jusqu'à la fin des fins : ni douleur, ni peur, un détachement somptueux, corps exposé sur la barque de cérémonie et disparaissant vers les grandes immensités tel un empereur, parti, parti, observant la cohue au loin sur la rive, libéré de toute la petitesse humaine – l'amour la peur le chagrin et la mort.

Quand la sonnette a retenti dans mes rêves, des heures plus tard, il s'était aussi bien écoulé un siècle, je n'ai même pas tressailli. Je me suis levé de bonne grâce, planant gaiement et marchant en me tenant aux meubles, et j'ai souri à la fille à la porte : blonde, l'air timide, elle m'a tendu mes vêtements enveloppés dans un plastique.

« Vos habits, monsieur Decker. » Comme le faisaient tous les Hollandais, en tout cas c'était ce qu'il me semblait, elle prononçait mon nom « Decca », comme pour Decca Mitford, une ancienne connaissance de Mrs. DeFrees. « Avec toutes nos excuses.

— Quoi ?

— J'espère qu'il n'y a pas eu de dérangement. » Adorable ! Ces yeux bleus ! Son accent était charmant.

« Excusez-moi ?

— On vous les avait promis pour dix-sept heures. La réception a dit de ne pas vous les facturer.

— Oh, pas de souci », ai-je répondu en me demandant si je devais lui donner un pourboire et en me rendant compte que compter des pièces ne serait pas gérable dans mon état, puis, une fois la porte refermée, j'ai laissé tomber les vêtements au pied du lit et me suis dirigé d'un pas hésitant vers la table de chevet où j'ai vérifié la montre de Gyuri : dix-huit heures vingt, ce qui m'a fait sourire. J'ai songé à l'inquiétude déchirante que la drogue m'avait épargnée – une heure et vingt minutes d'angoisse ! Affolé, appelant la réception ! Envisageant les flics en bas ! – et je me suis senti envahi d'une sérénité védique. L'inquiétude ! Quelle perte de temps.

Tous les livres sacrés avaient raison. De toute évidence « l'inquiétude » était la marque d'une personne primitive et non évoluée spirituellement. C'était quoi déjà, ce vers de Yeats à propos des sages chinois dubitatifs ? Tout s'écroule et tout se reconstruit. D'anciens regards étincelants de sagesse. Depuis des siècles, les gens avaient enragé, pleuré, détruit des choses et gémi à propos de leurs piteuses existences – à quoi cela servait-il ? Toute cette tristesse inutile ? *Observez les lis des champs.* Pourquoi quiconque s'inquiétait-il de quoi que ce soit ? En tant qu'êtres sensibles, n'étions-nous pas mis sur Terre pour être heureux pendant la brève période qui nous était accordée ?

Absolument. C'est pourquoi je ne me suis pas tracassé à propos du mot hargneux préimprimé que le service de nettoyage avait glissé sous ma porte (*Cher client, nous avons tenté de nettoyer votre chambre, mais n'avons malheureusement pas pu y accéder...*), c'est pourquoi j'ai été plus que content de m'aventurer dans le couloir en peignoir et d'arrêter la femme de chambre au passage avec un bras sinistrement chargé de serviettes trempées – toutes celles de la chambre l'étaient, j'avais roulé mon manteau dedans pour en extraire l'eau, il y avait des marques rosâtres sur certaines d'entre elles que je n'avais pas vraiment remarquées avant que je... De nouvelles serviettes ? Mais certainement ! Oh, Vous avez oublié votre clé, monsieur ? Vous vous êtes enfermé dehors ? Oh, un instant, vous voulez que je vous ouvre ? Et c'est pourquoi, même après ça, je n'ai pas réfléchi à deux fois avant de commander à manger dans ma chambre, invitant avec obligeance le groom à y pénétrer et à faire avancer la table roulante *jusqu'au pied du lit* (soupe de tomates, salade, club-sandwich, frites, des aliments dont j'ai réussi à vomir l'essentiel à peine une demi-heure plus tard, le vomi le plus agréable du monde, tellement drôle qu'il m'a fait rire : hop-là ! Meilleure drogue du monde !).

J'étais malade, je le savais, à cause des heures passées à porter des vêtements mouillés par une température de moins dix-sept degrés qui m'avaient occasionné une forte fièvre et des frissons, et pourtant je me sentais assez splendidement loin de tout ça pour m'en soucier. Tel était le corps : faillible, sujet à la maladie et à la douleur. Pourquoi les gens se montaient-ils la tête là-dessus ? J'ai fourré tous les vêtements dans mon sac (deux chemises, un pull, un pantalon supplémentaire et deux paires de chaussettes) et je me suis assis pour siroter un Coca du minibar puis, toujours défoncé et en pleine descente, je suis entré et sorti de rêves éveillés hauts en couleur : diamants bruts, insectes noirs luisants, un rêve particulièrement frappant d'Andy, trempé, ses tennis faisant des bruits de succion, laissant des traces d'eau derrière lui dans la pièce, quelque chose de pas tout à fait normal à l'air bizarre et un petit peu décalé quoi de neuf Theo ?

pas grand-chose, et toi ?

pas grand-chose non plus hé j'ai entendu que Kits et toi vous alliez vous marier c'est papa qui me l'a dit
. cool

ouais cool, mais on ne peut pas venir, papa a une soirée au Yacht Club

hé c'est dommage

puis après on allait quelque part ensemble Andy et moi avec de lourdes valises, par bateau, sur le canal, sauf qu'Andy disait pas question que je monte là-dessus et moi je répondais bien sûr je comprends, alors je démontais le bateau à voile une vis après l'autre puis je mettais les morceaux dans ma valise, et on le transportait par voie de Terre, avec les voiles et tout le matériel, enfin c'était le plan, tout ce qu'il fallait faire c'était de suivre les canaux et ils t'emmènent direct là où tu veux aller ou peut-être direct vers là d'où tu viens mais c'était une entreprise plus grande que ce que je croyais de démonter un bateau à voile, ce n'était pas la même chose que de démonter une table ou une chaise, les morceaux étaient trop gros pour entrer dans les bagages, il y avait une énorme hélice que j'essayais de fourrer avec mes vêtements, Andy s'ennuyait et il était sur le côté à jouer aux échecs avec quelqu'un dont la tête ne me revenait pas, il a dit eh bien si tu ne peux pas planifier à l'avance il te faudra trouver des solutions au fur et à mesure.

XVII

Je me suis réveillé avec un craquement dans la tête, la nausée et des démangeaisons partout comme si des fourmis rampaient sous ma peau. La drogue était en train de quitter mon corps et la panique revenait à la charge deux fois plus fort puisque, de toute évidence, j'étais malade, fièvre et sueur, je ne pouvais plus le nier. Après avoir gagné la salle de bains en trébuchant et y avoir de nouveau vomi (cette fois, il ne s'agissait pas du vomi rigolo d'un junkie mais du merdier habituel), je suis revenu dans ma chambre et j'ai regardé mon costume et mon écharpe sous plastique au pied du lit, puis je me suis dit avec un tremblement que j'avais de la chance. Tout s'était bien terminé (ou pas ?) alors que cela aurait pu ne pas être le cas.

Gauchement, j'ai enlevé le costume et l'écharpe du plastique – le sol sous mes pieds me causait un roulis nautique et soporifique qui me forçait à m'agripper au mur pour me stabiliser – j'ai tendu la main vers mes lunettes et je me suis assis sur le lit pour examiner mes habits à la lumière. Le tissu avait l'air usé, sinon convenable. De nouveau, je n'étais pas sûr. Il était trop sombre. Je voyais des taches, puis je n'en voyais plus. Mes yeux ne fonctionnaient toujours pas correctement. Peut-être que c'était un truc, peut-être que si je descendais dans le hall je trouverais des flics qui m'attendaient... Non – j'ai repoussé cette idée – c'était ridicule. S'ils avaient trouvé quoi que ce soit de louche, ils auraient gardé les vêtements, non ? Ils ne les auraient certainement pas rendus nettoyés et repassés.

J'étais encore à moitié hors du monde : pas moi-même. D'une manière ou d'une autre, mon rêve nautique avait saigné partout et contaminé la chambre d'hôtel, qui était à la fois une chambre et une cabine de bateau : placards intégrés (au-dessus de mon lit et sous les avant-toits) soigneusement fixés avec des rivets de cuivre à tête fraisée et couverts d'un vernis marin ultrarésistant. Charpenterie de marine ; pont qui tangue et clapotements au-dehors, l'eau noire du canal. Délire : amarres larguées et dérive. À l'extérieur le brouillard était épais, il n'y avait pas un souffle de vent, des lampadaires brûlaient *non-stop* dans une immobilité diffuse, hagarde et livide, adoucie et floutée en brume.

Grattements, démangeaisons. Peau enflammée. Nausée et mal de tête à hurler. Plus la drogue était somptueuse, plus l'angoisse – mentale et physique – était profonde quand on redescendait. Je revoyais le gros morceau de cervelle qui s'échappait du front de Martin, mais je me trouvais désormais comme à l'intérieur de ces chairs, éprouvant chaque pulsation et chaque sursaut – pire, je me trouvais totalement pétrifié, prisonnier d'un constat profond et immuable : le tableau s'était envolé. Manteau taché de sang, les pieds du gamin qui s'enfuyait. *Blackout*. Désastre. Pour les humains, piégés par la biologie, il n'y avait pas de miséricorde : nous vivions quelque temps, nous nous agitions un peu, puis nous mourions, nous pourrissions dans le sol comme des déchets. Le temps nous détruisait tous bien assez vite. Mais pour détruire, ou perdre, une chose immortelle – pour détruire des liens plus forts que le temporel – il fallait un découplage métaphysique original, un parfum de désespoir inédit et alarmant.

Mon père à la table de baccara, dans la nuit climatisée. *Il y a toujours une autre dimension, un niveau caché.* La chance dans ses humeurs et ses manifestations les plus noires. Consulter les astres, attendre pour les gros paris que Mercure rétrograde, en quête d'un savoir juste au-delà du connu. Le noir sa couleur porte-bonheur, le neuf son chiffre porte-chance. Encore un coup, mon pote. *Il y a un schéma et nous en faisons partie.* Pourtant si l'on grattait cette idée en profondeur (ce que, manifestement, il n'avait jamais pris la peine de faire), on tombait sur un vide si noir qu'il détruisait irrémédiablement tout ce que l'on n'avait jamais pu regarder ou considérer comme étant de la lumière.

12

Le point de rendez-vous

I

Les derniers jours avant Noël se sont fondus en une masse indistincte : entre la maladie et une réclusion solitaire en somme, j'ai vite perdu la notion du temps. Je suis resté dans ma chambre avec la pancarte Ne pas déranger accrochée à la poignée ; au lieu d'offrir ne serait-ce qu'un vague bourdonnement de normalité, la télévision ne faisait que rajouter à la confusion protéiforme et à l'impression de décalage : il n'y avait aucune logique, aucune structure, j'ignorais ce qui allait être diffusé, cela pouvait être n'importe quoi, *1, rue Sésame* en néerlandais, des Hollandais parlant derrière un bureau, encore des Hollandais parlant derrière un bureau, et bien qu'il y ait Sky News, CNN et BBC, aucun des bulletins d'informations locales n'était en anglais (rien d'important, rien en rapport avec moi ou le parking couvert) ; à un moment donné j'ai méchamment sursauté quand, zappant d'une chaîne à l'autre après une vieille série policière américaine, je me suis figé, soufflé, reconnaissant mon père à l'âge de vingt-cinq ans : il s'agissait de l'un de ses nombreux rôles muets, celui d'un béni-oui-oui rôdant derrière un candidat politique lors d'une conférence de presse, hochant la tête en réponse aux promesses de campagne du type et, l'espace d'un étrange battement de paupières, jetant un regard vers la caméra directement de l'autre côté de l'océan, vers l'avenir, vers moi. Les sous-entendus ironiques de cette situation étaient tellement multiples et étranges que j'en suis resté bouche bée d'horreur. Hormis sa coupe de cheveux et son gabarit plus massif (musclé à force de lever des poids : il fréquentait beaucoup la salle de sport à cette époque-là), il aurait pu passer pour mon jumeau. Mais le plus grand choc c'était son air honnête – mon père qui (aux environs de 1985) ne l'était déjà plus et glissait vers l'alcoolisme. Sur son visage on ne décelait rien de son caractère, ni de son avenir. À la place, il avait l'air déterminé, attentif, un modèle de certitude empli de promesses.

Après ça, j'ai éteint la télévision. Petit à petit, mon principal contact avec la réalité est devenu le service en chambre, que je ne commandais qu'aux heures les plus noires précédant l'aube, quand les garçons d'étage étaient lents et endormis. « Non, j'aimerais des journaux néerlandais s'il vous plaît », disais-je (en anglais) au groom néerlandophone qui m'apportait l'*International Herald Tribune* avec mes petits pains hollandais et mon café, mon jambon, mes œufs et l'assortiment de fromages hollandais du chef. Mais vu qu'il apportait quand même le *Herald Tribune*, je descendais par l'escalier de service avant le lever du soleil pour prendre les journaux locaux qui, c'était pratique, étaient disposés en éventail sur une table juste à côté dudit escalier, ce qui m'évitait d'avoir à passer devant la réception.

Bloedend. Moord. Le soleil ne semblait pas se lever avant les neuf heures du matin, et même alors il était brumeux et lugubre et jetait une lumière terne, faible et expiatoire qui ressemblait à un effet scénique dans un opéra allemand.

Le dentifrice que j'avais utilisé sur le revers de mon manteau semblait contenir du peroxyde ou un agent blanchissant quelconque, vu que l'endroit frotté avait pâli pour devenir un halo blanc de la taille de ma main, dont les contours crayeux encerclaient le fantôme juste visible du plasma crânien de Frits. À environ quinze heures trente, la lumière commençait à pâlir ; à dix-sept heures, il faisait noir. Puis, s'il n'y avait pas trop de gens dans la rue, je relevais le col de mon manteau, enroulais mon écharpe autour du cou et, prenant soin de baisser la tête, je plongeais dans l'obscurité vers un minuscule marché tenu par des Asiatiques à une centaine de mètres de l'hôtel où, avec les euros qu'il me restait, j'achetais des sandwichs préemballés, des pommes, une nouvelle brosse à dents, des pastilles pour la gorge, de l'aspirine et de la bière. « *Is alles ?* » m'a demandé la vieille dame dans un néerlandais qui me semblait mauvais. Comptant mes pièces avec une lenteur exaspérante. Clic, clic, clic. J'avais beau avoir des cartes de crédit, j'étais déterminé à ne pas m'en servir – autre règle arbitraire du jeu que j'avais mis au point pour moi-même, une précaution complètement irrationnelle parce que… je trompais qui ? Quelle importance, les sandwichs chez l'épicier du coin, alors qu'à l'hôtel ils avaient déjà ma carte de crédit ?

La peur et la maladie obscurcissaient mon jugement depuis que le rhume ou le coup de froid que j'avais attrapé ne disparaissait pas. Il me semblait que ma toux empirait d'heure en heure et que mes poumons étaient de plus en plus douloureux. C'était vrai ce que l'on disait sur les Hollandais et la propreté, les produits de nettoyage hollandais : le marché offrait une sélection ahurissante d'articles que je n'avais jamais vus de ma vie et je suis revenu dans ma chambre avec une bouteille ornée d'un cygne blanc comme neige sur fond de montagne au sommet enneigé, avec une étiquette à l'arrière représentant un crâne et des os croisés. Mais bien que ce soit assez fort pour décolorer les rayures sur ma chemise, ça ne l'était pas assez pour enlever les taches sur le col qui, après être devenues des pâtés sombres couleur foie, s'étaient muées en sinistres contours débordant les uns sur les autres comme des polypores. Je l'ai rincée pour la quatrième ou cinquième fois, mes yeux coulaient, puis je l'ai enveloppée et nouée dans des sacs en plastique et je l'ai poussée au fond d'un placard en hauteur. Sans quelque chose pour l'alourdir, je savais qu'elle flotterait si je la jetais dans le canal, et j'avais peur de l'emporter dans la rue et de la jeter dans une poubelle : quelqu'un me verrait, je me ferais attraper, voilà comment ça se passerait, je le savais intimement et irrationnellement, comme on sait les choses dans un rêve.

« Quelque temps ». Combien de temps durait « quelque temps » ? Trois jours max, avait dit Boris chez Anne de Larmessin. Mais c'était sans tenir compte de Frits et de Martin.

Cloches et guirlandes, étoiles de l'Avent dans les devantures des magasins, rubans et noix dorées. La nuit, je dormais avec des chaussettes, le manteau taché et un pull à col roulé en plus du dessus-de-lit, vu que le bouton du radiateur à tourner dans le sens contraire des aiguilles d'une montre, ainsi qu'expliqué dans l'opuscule de l'hôtel relié cuir, ne chauffait pas assez la chambre pour soulager mes douleurs fiévreuses et mes frissons. Couette blanche en plumes d'oie avec cygnes blancs. La chambre sentait la Javel comme un jacuzzi bon marché. Les femmes de chambre la reniflaient-elles dans le couloir ? On n'écopait pas de plus de dix années de prison pour le vol d'une œuvre d'art, mais avec Martin j'avais franchi la frontière vers un autre pays – il s'agissait d'un aller simple sans retour possible.

Pourtant, d'une manière ou d'une autre, j'avais développé une façon de penser à la mort de ce dernier qui était gérable, ou plutôt il s'agissait d'une manière de la contourner. L'acte – son éternité – m'avait propulsé dans un monde si différent que j'étais déjà mort en pratique. J'étais pénétré de la sensation d'être au-delà de tout, de me retourner pour regarder la Terre depuis une banquise flottante ayant dérivé en mer. Ce qui était fait ne pouvait être défait. J'étais fichu.

Et c'était bien ainsi. Dans l'ordre de l'univers, je n'avais pas grande importance, Martin non plus. Il serait facile de nous oublier. C'était une leçon sociale et morale à la fois, à défaut d'autre chose. Mais pour le temps qui restait à venir – et pour aussi longtemps que l'Histoire était écrite, jusqu'à ce que les calottes glaciaires fondent et que les rues d'Amsterdam finissent inondées – on se souviendrait du tableau et on le pleurerait. Qui connaissait les noms des Turcs qui avaient fait sauter le toit du Parthénon ? Des mollahs qui avaient ordonné la destruction des bouddhas de Bamiyan ? Et qui s'en souciait ? Pourtant, morts comme vivants, leurs actes parlaient à leur place. C'était la pire sorte d'immortalité. Intentionnellement ou pas, j'avais anéanti une lumière au cœur du monde.

Un acte de Dieu, c'était ainsi que le nommaient les compagnies d'assurances, une catastrophe tellement aveugle ou obscure qu'il était impossible d'en prendre la mesure autrement. La probabilité était une chose, mais certains événements dépassaient tellement le cadre des tables de mortalité que même les compagnies d'assurances étaient forcées de convoquer le surnaturel pour les expliquer – *un sacré manque de chance*, ainsi que l'avait résumé mon père avec mélancolie un soir au crépuscule près de la piscine, fumant Viceroy sur Viceroy pour éloigner les moustiques, une des rares fois où il avait essayé de me parler de la mort de ma mère, pourquoi les drames avaient lieu, pourquoi moi, pourquoi elle, mauvais endroit mauvais moment, le hasard, gamin, une chance sur un million, pas la moindre issue ou échappatoire possible, mais, je l'acceptais venant de lui, c'était une profession de foi et la meilleure réponse qu'il ait à me donner, allant de pair avec Allah l'A Écrit ou C'est la Volonté du Seigneur, une sincère salutation au Destin, le plus grand dieu qu'il connaisse.

S'il était à ma place. Ça m'a presque fait rire. Je l'imaginais terré et faisant les cent pas dans la chambre, piégé et traînaillant, se délectant de la dramaturgie de cette situation, un flic enfermé dans une cellule de prison ainsi que l'avait personnifié l'acteur Farley Granger. Mais je pouvais tout aussi bien imaginer sa fascination par procuration pour mon épreuve critique, ses tours et ses revirements aussi aléatoires que n'importe quel tour de cartes, j'imaginais on ne peut mieux son hochement de tête malheureux. *Planètes mal lunées. Il y a une forme qui s'en dégage, un schéma plus large. Si on parle juste d'histoire, mon gars, là tu en tiens une.* Il convoquerait sa numérologie ou je ne sais quoi, regarderait son livre sur le scorpion, lancerait des pièces, consulterait les étoiles. On pouvait dire ce que l'on voulait sur mon père, mais l'on ne pouvait nier qu'il possédait une vision cohérente du monde.

L'hôtel se remplissait pour les vacances. De couples. De militaires américains qui parlaient dans les couloirs avec une netteté militaire, justement, leur grade et leur autorité transperçant dans leurs voix. Dans mon lit, au milieu de mes fièvres opiacées, je rêvais de montagnes enneigées, pures et terrifiantes, vues alpines d'actualités filmées à Berchtesgaden, avec des vents puissants en fondu enchaîné qui soufflaient sur des mers battues par les vents, comme dans la peinture à l'huile au-dessus de mon bureau : un minuscule bateau à voile ballotté, seul, au milieu des eaux sombres.

Mon père : Pose cette télécommande quand je te parle.

Mon père : Eh bien, je ne dirais pas qu'il s'agit de désastre mais d'échec.

Mon père : Est-ce qu'il doit manger avec nous,

Audrey ? Est-ce qu'il doit s'asseoir à table avec nous chaque putain de soir ? Tu ne peux pas demander à Alameda de le faire manger avant que je rentre ?

Des cadeaux de Noël. Huit américain, Touché coulé, ardoise magique, Puissance 4. Des figurines vertes de l'armée et des insectes en caoutchouc à vous donner la chair de poule.

Mr. Barbour : Signaux urgents et importants à l'aide de deux drapeaux. Victor : Besoin d'aide. Écho : Changement de cap à tribord.

L'appartement sur la 7ᵉ Avenue. Grisaille d'un jour de pluie. De nombreuses heures passées à souffler avec monotonie dans un petit harmonica, inspirer souffler, inspirer souffler.

Le lundi, ou était-ce le mardi, quand j'ai fini par avoir le courage de remonter le store, il était si tard dans l'après-midi que la lumière déclinait, il y avait une équipe de télévision devant l'hôtel qui arrêtait des touristes au passage. Voix anglaises, voix américaines. Concerts de Noël dans Sint-Nicolaaskerk et échoppes de saison vendant des *oliebollen*. « J'ai failli me faire renverser par un vélo, mais à part ça c'est sympa. » Ma poitrine me faisait mal. J'ai de nouveau baissé les stores et j'ai pris une douche chaude dont l'eau m'a cinglé le corps jusqu'à ce que ma peau soit douloureuse. Tout le voisinage scintillait de restaurants aux éclairages féeriques, de superbes boutiques étalant des manteaux en cachemire ainsi que de lourds pulls tricotés main et tous les vêtements chauds que j'avais négligé d'emporter. Mais je n'osais pas téléphoner pour demander du café à cause des journaux en néerlandais que j'avais épluchés dans tous les sens depuis bien avant le lever du soleil ce matin-là, dont un qui arborait en première page une photo du parking couvert avec du ruban délimitant les lieux du crime.

Ils étaient étalés par terre à l'autre bout de mon lit, on aurait dit la carte d'un endroit horrible où je n'avais pas envie d'aller. Incapable de m'en empêcher, entre m'assoupir et tomber dans des conversations enfiévrées que je n'avais avec personne, avec des gens qui n'existaient pas, j'y suis revenu et les ai écumés encore et encore en quête de mots néerlandais ressemblant à de l'anglais, qui n'étaient pas très nombreux. *Amerikaan dood aangetroffen*. Héroïne, cocaïne. *Moord* : mortalité, mordant, morbide, meurtre. *Drugsgerelateerde criminaliteit : Frits Aaltink afkomstig uit Amsterdam en Mackay Fiedler Martin uit Los Angeles. Bloedig : bloody* (sanglant). *Schotenwisseling* : mystère et boule de gomme, sauf que, *schoten* : cela pouvait-il signifier *shot* (abattu) ? *Deze moorden kwamen als en schok voor* – quoi ?

Boris. Je me suis avancé vers la fenêtre et j'y suis resté planté, puis je suis reparti. Même dans la confusion sur le pont, je me souvenais qu'il m'avait conseillé de ne pas l'appeler, il avait été catégorique là-dessus, bien que nous nous soyons séparés dans une telle hâte que je n'étais pas sûr qu'il m'ait expliqué pourquoi j'étais supposé attendre que lui me contacte, et de toute façon je n'étais pas sûr que cela ait encore de l'importance. Il avait aussi été très ferme sur le fait qu'il n'avait pas mal, c'est en tout cas ce que j'ai continué de me dire, bien que dans la tourbière de souvenirs non sollicités qui me bombardait depuis ce soir-là je continuais de voir le trou brûlé dans la manche de son manteau, la laine noire collante sous le tube des lampes à vapeur de sodium. Aussi bien, un agent de la circulation l'avait arrêté sur le pont et l'avait embarqué pour non-présentation de permis de conduire : de toute évidence un manque de bol si c'était le cas, mais bien mieux que quelques-unes des autres possibilités auxquelles je pouvais penser.

Twee doden bij bloedige... Cela ne s'arrêtait pas. Il y en avait encore. Le lendemain, le surlendemain, en même temps que mon petit déjeuner hollandais traditionnel, il y avait d'autres informations concernant la fusillade dans l'Overtoom : des colonnes plus petites mais une information plus dense. *Twee dodelijke slachtoffers. Nog een of meer betrokkenen. Wapen geweld in Nederland.* La photo de Frits, ainsi que les photos d'autres types aux noms hollandais et un article longuet que je n'avais aucun espoir de parvenir à lire. *Dodelijke schietpartij nog onopgehelderd...* Cela m'inquiétait qu'ils aient cessé de parler des drogues – la diversion de Boris – et qu'ils soient partis sur d'autres pistes. J'avais libéré cette chose, elle était à présent sortie dans le monde, des gens lisaient des infos là-dessus aux quatre coins de la ville et en discutaient dans une langue qui n'était pas la mienne.

Une énorme publicité pour Tiffany dans le *Herald Tribune*. Beauté Intemporelle et Art. Joyeux Noël de la part de Tiffany & Co.

Le destin joue des tours, se plaisait à dire mon père. Système, écart des scores.

Où était Boris ? Dans ma brume enfiévrée j'ai essayé de m'amuser, ou tout du moins de me divertir, sans succès, me disant qu'il était probable qu'il débarque juste au moment où on ne l'attendait pas. En faisant craquer ses articulations et sursauter les filles. Je le revoyais encore arrivant une demi-heure après le début de notre examen d'État dans un éclat de rire général des élèves voyant son visage perplexe derrière le verre armé de la porte fermée à clé : *ha, notre brillant avenir*, avait-il dit avec mépris quand, sur le chemin du retour, j'avais essayé de lui expliquer le système des examens standardisés.

Dans mes rêves, je n'arrivais pas à atteindre les endroits où je devais me rendre. Il y avait toujours quelque chose qui m'en empêchait.

Avant que l'on quitte les États-Unis, il m'avait envoyé son numéro par texto, et bien que j'aie craint de lui en renvoyer un (ignorant tout de sa situation, ou si le texto pouvait permettre de remonter jusqu'à moi d'une manière ou d'une autre), je n'arrêtais pas de me rappeler que je pouvais le joindre s'il le fallait. Et que lui savait où j'étais. Pourtant, au creux de la nuit, je restais étendu à discuter avec moi-même : ennui implacable, encore et encore, et si jamais, quel mal cela pourrait-il causer ? Enfin, arrivé à un point de désorientation – la veilleuse allumée, rêvant à moitié, complètement à l'ouest – j'ai craqué et tendu la main vers le portable sur la table de chevet et lui ai quand même envoyé un texto avant d'avoir l'occasion de changer d'avis : **Tu es où ?**

Durant les deux à trois heures qui ont suivi, je suis resté étendu dans un état d'angoisse à peine contrôlée, allongé avec l'avant-bras sur le visage pour me protéger d'une lumière qui n'existait pas. Malheureusement, quand je me suis réveillé de mon sommeil trempé de sueur, quelque part aux alentours de l'aube, le portable était déchargé parce que j'avais oublié de le couper et, rechignant à me rendre à la réception pour demander s'ils pouvaient me prêter un chargeur, j'ai hésité pendant des heures jusqu'à ce que, finalement, je craque en milieu d'après-midi.

« Bien sûr, monsieur, a répondu l'employé en m'adressant à peine un regard. Un américain ? »

Merci, mon Dieu, me suis-je dit en essayant de ne pas monter trop vite les escaliers. Le téléphone était vieux, et lent, et après que je l'eus branché et fus resté planté quelque temps à côté, je me suis lassé d'attendre l'apparition du logo d'Apple et me suis dirigé vers le minibar où j'ai pris une boisson, puis je suis revenu et l'ai fixé quelque temps encore jusqu'à ce que l'écran d'accueil apparaisse enfin, une ancienne photo d'école que j'avais scannée pour rire, jamais je n'avais été aussi content de voir une photo, Kitsey à dix ans volant dans les airs en tirant un penalty. Mais juste au moment où j'allais encoder le mot de passe, l'écran d'accueil a disparu, puis il a grésillé pendant environ dix secondes, bandes noires alternant avec des grises, pour finir par éclater en particules avant qu'apparaisse le visage de Mac triste, puis qu'il noircisse, avec un vrombissement décroissant qui m'a donné la nausée.

Seize heures quinze. Le ciel prenait une teinte bleu outremer au-dessus des pignons de l'autre côté du canal. J'étais assis sur la moquette, le dos contre le lit et le cordon du chargeur dans la main, ayant par deux fois, et ce de manière méthodique, essayé toutes les prises de la pièce : j'avais allumé et éteint le téléphone une centaine de fois, l'avais tenu sous la lampe pour voir s'il était peut-être allumé avec juste l'écran devenu noir, j'avais essayé de le remettre en route, mais le portable était HS : il ne se passait rien, l'écran restait froidement noir, tout ce qu'il y a de plus mort. De toute évidence j'avais créé un court-circuit ; le soir du parking il s'était mouillé – on voyait des gouttes d'eau sur l'écran – mais bien que j'aie passé une ou deux affreuses minutes à attendre qu'il s'allume, il m'avait semblé fonctionner, jusqu'au moment où j'avais essayé de le recharger. J'avais un double des numéros sur mon ordinateur portable à la maison, mais il me manquait la seule chose dont j'avais besoin : le numéro de Boris, qu'il m'avait envoyé par texto en route vers l'aéroport.

Reflets aqueux ondulant au plafond. À l'extérieur, quelque part, résonnait un chant de Noël grêle égrené par un carillon et des chanteurs à la voix de fausset. *O Tannenbaum, O Tannenbaum wie treu sind deine Blätter* (*Mon beau sapin*, en allemand).

Je n'avais pas de billet retour. Mais j'avais une carte de crédit. Je pouvais prendre un taxi jusqu'à l'aéroport. *Tu peux prendre un taxi jusqu'à l'aéroport*, me suis-je dit. Schiphol. Le premier avion. Pour Kennedy ou Newark. J'avais de l'argent. Je me parlais à moi-même comme un enfant. Où pouvait bien être Kitsey, probablement dans les Hamptons, mais l'assistante de Mrs. Barbour, Janet (qui avait gardé son ancien boulot même si Mrs. Barbour n'avait plus besoin qu'on l'assiste pour grand-chose), pouvait vous trouver un billet d'avion depuis n'importe où à quelques heures du départ, y compris une veille de Noël.

Janet. Penser à elle était rassurant, même si c'était absurde. Janet, un régulateur d'humeur efficace à elle toute seule, Janet, poupée russe avec ses pulls en shetland rose et ses plaids en madras, une nymphe de Boucher qu'aurait habillé J. Crew, qui répondait *excellent !* à à peu près tout et qui buvait du café dans un mug rose à son nom.

C'était un soulagement d'avoir des pensées ordonnées. Quel bien cela faisait-il à Boris, ou à quiconque, que j'attende ici ? Le froid et l'humidité, la langue illisible. La fièvre et la toux. Sensation cauchemardesque de détention. Je ne voulais pas partir sans Boris, sans savoir s'il allait bien, c'était la confusion genre film de guerre où l'on courait en laissant un ami tombé sous les balles sans la moindre idée de l'enfer pire encore vers lequel on se dirigeait, mais en même temps je voulais tellement sortir d'Amsterdam que je m'imaginais tombant à genoux à Newark et posant mon front contre le sol du hall des arrivées.

Annuaire. Papier et crayon. Seules trois personnes m'avaient vu : l'Indonésien, Grozdan et le gamin asiatique. Et bien qu'il soit très possible que Martin et Frits aient des collègues à Amsterdam qui me recherchent (encore une bonne raison de quitter la ville), je n'avais pas de raison de penser que c'était le cas de la police. Il n'y avait pas de raison non plus pour que cette dernière ait signalé mon passeport.

Puis, comme si j'avais été frappé au visage, j'ai vacillé. Bizarrement, je croyais ce dernier en bas, où j'avais dû le présenter à mon arrivée. Mais à la vérité, je n'y avais plus repensé depuis que Boris me l'avait enlevé pour l'enfermer à clé dans la boîte à gants de sa voiture.

Très très calmement j'ai reposé l'annuaire, m'efforçant de le faire d'une manière qu'un observateur neutre jugerait anodine et spontanée. Dans une situation normale, c'était plutôt simple. Chercher l'adresse, trouver les locaux et comment s'y rendre. Faire la queue. Attendre mon tour. Parler de manière courtoise et patiente. J'avais des cartes de crédit, des photos d'identité. Hobie pouvait me faxer mon extrait de naissance. Impatient, j'ai essayé de chasser de mon esprit une anecdote que Toddy Barbour avait racontée à dîner : comment, après avoir perdu son passeport (en Italie ? En Espagne ?), il avait dû amener un témoin en chair et en os qui atteste son identité.

Cieux meurtris et noirs d'encre. Il était tôt en Amérique. Hobie effectuait juste une pause pour déjeuner, peut-être irait-il à Jefferson Market faire des courses pour le repas qu'il avait prévu pour Noël. Pippa était-elle encore en Californie ? Je l'imaginais se retournant dans un lit d'hôtel et tendant une main endormie vers le téléphone, les yeux encore fermés : Theo c'est toi, qu'est-ce qui ne va pas ?

Mieux valait une amende et tenter de parlementer au cas où l'on nous arrêterait.

Je me sentais mal. Me présenter au consulat (ou que sais-je) pour des entretiens et de la paperasse risquait de m'occasionner plus de soucis que nécessaire. Je n'avais pas fixé de limite temporelle à mon attente, j'ignorais combien de temps j'attendrais, et pourtant n'importe quel mouvement – au hasard, insensé, celui d'un insecte-tournoyant-dans-un-bocal-en-bourdonnant – semblait préférable au fait d'être enfermé dans la pièce ne serait-ce qu'une minute de plus et de voir des ombres fantomatiques du coin de l'œil.

Un autre énorme encart de Tiffany dans le *Herald*

Tribune, assorti de vœux de saison. Puis sur la page d'à côté une autre pub, pour des appareils photo digitaux, calligraphie genre artiste et signée Joan Miró :

Vous pouvez regarder une photo pendant une semaine et ne jamais y repenser. Vous pouvez aussi regarder une photo une seconde et y penser toute votre vie.

Centraal Station. Union européenne, pas de contrôle de passeport aux frontières. N'importe quel train pour n'importe où. Je me voyais traverser l'Europe en cercles désœuvrés : chutes du Rhin et cols tyroliens, tunnels cinématiques et tempêtes de neige.

Parfois, c'est aussi une question de bien jouer en dépit d'une mauvaise donne, je me souvenais de cette phrase somnolente de mon père à moitié endormi sur le canapé.

Fixant le téléphone, la tête légère à cause de la fièvre, je me suis assis parfaitement immobile et j'ai essayé de réfléchir. Au déjeuner, Boris avait parlé de prendre le train depuis Amsterdam vers Anvers (et Francfort : je ne voulais en aucun cas m'approcher de l'Allemagne), mais aussi vers Paris. Si j'allais dans un consulat à Paris pour demander un nouveau passeport : peut-être y aurait-il moins de chance qu'un rapport soit effectué avec l'affaire Martin. Mais on ne pouvait faire abstraction du gamin chinois comme témoin oculaire. Pour ce que j'en savais, j'étais peut-être fiché dans chaque ordinateur de police en Europe.

Je suis allé dans la salle de bains pour m'asperger le visage d'eau. Trop de miroirs. J'ai fermé le robinet et j'ai tendu la main vers une serviette pour le sécher en le tamponnant. Actions méthodiques, l'une après l'autre. C'était à la tombée de la nuit que mes humeurs s'assombrissaient toujours et que je commençais à avoir peur. Verre d'eau. Aspirine pour ma fièvre. Elle aussi grimpait toujours à ce moment-là. Des gestes simples. Je me faisais mon cinéma et je le savais. J'ignorais quels contrats Boris avait sur sa tête, mais bien que ce soit inquiétant de se dire qu'il avait été arrêté, je me tracassais beaucoup plus à l'idée que les hommes de Sascha lui aient envoyé quelqu'un aux fesses. Or c'était encore une autre idée que je ne pouvais m'autoriser à entretenir.

II

Le lendemain, veille de Noël, je me suis forcé à manger un énorme petit déjeuner apporté par le service de chambre même si je n'en voulais pas, et j'ai jeté le journal sans le regarder vu que je redoutais d'y voir les mots *Overtoom* ou *Moord* une fois de plus, et qu'il m'était impossible de me forcer à faire ce qu'il fallait. Après avoir mangé, impassible, j'ai rassemblé les journaux accumulés sur et autour de mon lit pendant la semaine, les ai roulés et mis dans la poubelle ; j'ai retiré du placard ma chemise abîmée par la Javel et, après avoir vérifié que le sac était bien fermé, je l'ai glissé dans un autre sac du marché asiatique (le laissant ouvert pour qu'il soit plus facile à porter, aussi au cas où j'aviserais une brique salvatrice). Puis, après avoir remonté le col de mon manteau et noué mon écharpe par-dessus, j'ai retourné la pancarte à l'intention de la femme de chambre et je suis sorti.

Le temps était pourri, et tant mieux. De la neige fondue mouillée tombait en biais et pleuvinait sur le canal. J'ai marché pendant environ vingt minutes, éternuant, malheureux, frigorifié, jusqu'à ce que je tombe sur une poubelle dans un coin particulièrement désert sans voitures ni piétons, ni magasins, juste des maisons à l'air aveugle dont les volets étaient hermétiquement clos pour se protéger du vent.

J'y ai vite fourré ma chemise et poursuivi mon chemin, dans un élan d'euphorie qui m'a porté sur quatre ou cinq rues en dépit de mes dents qui claquaient. Mes pieds étaient mouillés, les semelles de mes chaussures trop minces pour les pavés et j'avais très froid. Quand ramassaient-ils les poubelles ? Peu importait.

À moins que… j'ai secoué la tête pour la vider : le marché asiatique. Le sac en plastique avait son nom dessus. À juste quelques rues de mon hôtel. Mais c'était ridicule de penser ainsi et j'ai essayé de me raisonner. Qui m'avait vu ? Personne.

Charlie : Affirmatif. Delta : J'avance avec difficulté.

Arrête. Arrête. Pas de retour en arrière.

Ne sachant pas où se trouvait la station de taxis, j'ai marché péniblement sans but pendant vingt minutes ou plus, jusqu'à ce que je réussisse enfin à en héler un dans la rue. « Centraal Station », ai-je lancé au chauffeur turc.

Mais, après m'avoir emmené à travers des rues grises et hantées qui faisaient penser à des séquences d'actualités filmées, quand ce dernier m'a laissé devant la gare j'ai cru un moment qu'il m'avait déposé au mauvais endroit, vu de l'extérieur le bâtiment ressemblait davantage à un musée : fantasia de briques rouges, de pignons et de tours, hérissement du style victorien hollandais chargé. J'ai pénétré à l'intérieur, au milieu de foules de touristes, faisant de mon mieux pour me fondre dans la masse, ignorant délibérément les policiers qui semblaient plantés à peu près partout où je regardais, me sentant perplexe et mal à l'aise tandis que le vaste monde démocratique gesticulait et déferlait autour de moi une fois de plus : des grands-parents, des étudiants, des jeunes mariés à l'air las et des petits-enfants traînant des sacs à dos ; sacs de courses et tasses Starbucks, cliquetis de roulettes de valises, ados récoltant des signatures pour Greenpeace, j'étais de retour dans le bourdonnement des préoccupations humaines. Il y avait un train pour Paris l'après-midi, mais je voulais le départ le plus tardif possible.

Les queues n'en finissaient pas, elles remontaient jusqu'au kiosque à journaux. « Pour ce soir ? m'a demandé l'employée quand ça a enfin été mon tour : c'était une femme d'âge mûr aux formes généreuses et au teint clair, la poitrine rebondie et cordiale d'une manière impersonnelle, on aurait dit une entremetteuse dans un tableau de genre de second ordre.

— C'est ça, ai-je répondu en espérant ne pas avoir l'air tout à fait aussi malade que je me sentais.

— Pour combien de personnes (m'accordant à peine un regard) ?

— Juste une.

— Certainement. Votre passeport, s'il vous plaît.

— Un mo… (voix enrouée à cause de la maladie, j'ai fouillé mes poches, j'avais espéré qu'ils ne me le demanderaient pas) ah. Désolé, je ne l'ai pas sur moi, il est dans le coffre de l'hôtel, mais… » J'ai sorti ma carte d'identité new-yorkaise, mes cartes de crédit, ma carte de sécurité sociale et les ai poussées sous la vitre du guichet. « Voilà.

— Pour voyager, il vous faut un passeport.

— Oh, bien sûr. » Faisant de mon mieux pour paraître raisonnable et informé. « Mais je ne pars pas avant ce soir. Regardez… (j'ai montré du doigt l'espace vide à mes pieds : pas de bagage) je suis venu accompagner ma copine, et vu que j'étais ici, je me suis dit autant faire la queue et acheter le billet si c'était possible.

— Eh bien… (l'employée a jeté un coup d'œil à son écran) vous avez beaucoup de temps. Je vous suggérerais d'attendre et de l'acheter quand vous reviendrez ce soir.

— Oui… (je me suis pincé le nez pour ne pas éternuer) mais j'aimerais l'acheter maintenant.

— Je crains que ce ne soit pas possible.

— S'il vous plaît. Ça me serait très utile. J'ai fait la queue ici pendant trois quarts d'heure et je ne sais pas comment ce sera ce soir. » Tenant l'info de Pippa, qui avait voyagé en train partout en Europe, j'étais assez sûr qu'ils ne vérifiaient pas les passeports à bord. « Tout ce que je veux, c'est l'acheter maintenant pour avoir le temps de régler mes affaires avant de revenir ce soir. »

L'employée m'a jaugé d'un œil sévère. Ensuite, elle a pris ma carte d'identité et a regardé la photo, puis elle m'a regardé, moi.

« Écoutez, lui ai-je dit quand elle a hésité, ou a semblé hésiter : Vous voyez bien que c'est moi. Vous avez mon nom, mon numéro de sécurité sociale… Attendez, ai-je fait en plongeant dans ma poche pour en ressortir un crayon et du papier. Laissez-moi vous reproduire la signature. »

Elle a comparé les deux côte à côte. Elle m'a de nouveau regardé, puis la carte – et ensuite, tout d'un coup, elle a semblé se décider. « Je ne peux pas accepter ces documents. » Et elle a repoussé les cartes vers moi sous le guichet.

« Pourquoi ? »

La queue derrière moi s'allongeait.

« Pourquoi ? ai-je répété. C'est tout à fait légal. C'est ce que j'utilise à la place du passeport pour l'avion vers les États-Unis. Les signatures correspondent, ai-je ajouté face à son silence, vous ne le voyez pas ?

— Désolée.

— Vous voulez dire… » J'entendais le désespoir dans ma voix ; son regard était agressif, comme si elle me mettait au défi d'argumenter. « Vous êtes en train de me dire que je dois revenir ici ce soir et refaire la queue ?

— Désolée, monsieur. Je ne peux pas vous aider. Personne suivante », a lancé l'employée en regardant le passager derrière moi par-dessus mon épaule.

Alors que je m'éloignais du guichet, me frayant un

chemin à travers la foule en bousculant tout le monde et en me tamponnant au passage, quelqu'un a jeté derrière moi : « Hé. Hé, mon pote ? »

Désorienté par l'accueil qui m'avait été fait au guichet, j'ai cru d'abord que la voix était une hallucination. Mais quand je me suis retourné en sursaut, j'ai vu un ado au visage de furet chaussé de lunettes à la monture rose, crâne rasé, sautillant sur l'extrémité de ses tennis gigantesques. À voir son regard qui allait d'un côté puis de l'autre, j'ai cru qu'il allait me proposer de lui acheter un passeport, mais au lieu de cela il s'est penché en avant et m'a dit : « N'essaie même pas.

— Quoi donc ? ai-je demandé sur un ton dubitatif, levant les yeux vers la femme flic plantée à environ un mètre cinquante derrière lui.

— Écoute, mon pote. J'ai fait des allers-retours cent fois avec du matos sur moi et je n'ai pas été contrôlé une seule fois. Mais la seule fois où j'en avais sur moi et où j'ai essayé de passer en France sans passeport ils m'ont enfermé dans un centre de rétention pendant douze heures avec leur bouffe de merde et leur attitude de merde, c'était l'horreur. Une cellule dégueulasse. Crois-moi, il vaut mieux pour toi que tes documents soient en règle. Et pas de trucs bizarres dans ton cas non plus.

— Ouais, OK. » Je suais dans mon manteau que je n'osais pas déboutonner. Je n'osais pas défaire mon écharpe non plus.

J'avais chaud. Mal à la tête. M'éloignant de lui, j'ai senti le regard furieux d'une caméra de sécurité imprimer en moi sa brûlure ; j'ai essayé de ne pas paraître mal à l'aise en me faufilant à travers la foule, flottant et dans les vapes à cause de la fièvre, malaxant le numéro de téléphone du consulat américain dans ma poche.

Il m'a fallu un bon moment avant de trouver une cabine téléphonique à l'autre bout de la gare, dans un endroit bourré d'ados lambda assis par terre en concile quasi tribal – et ça m'a pris encore plus longtemps pour comprendre comment passer l'appel.

Flot enjoué de néerlandais. Puis j'ai été accueilli par une voix américaine agréable : Bienvenue au consulat des États-Unis aux Pays-Bas, est-ce que j'aimerais poursuivre en anglais ? Nouveaux menus, nouvelles options. Pressez sur un pour ceci, pressez sur deux pour cela, merci d'attendre que l'opératrice soit disponible. Patiemment, j'ai suivi les instructions et fixé la foule, jusqu'à ce que je me rende compte que ce n'était peut-être pas une bonne idée que les gens voient mon visage, alors je me suis retourné vers le mur.

Le téléphone a sonné si longtemps que je flottais dans un état de dédoublement embrumé, puis tout à coup il y a eu un déclic sur la ligne et j'ai entendu une voix américaine fraîche et naturelle qui semblait tout droit sortie de la plage de Santa Cruz : « Bonjour, consulat américain des Pays-Bas, en quoi puis-je vous être utile ?

— Bonjour, ai-je répondu, soulagé. Je… » J'hésitais à emprunter un faux nom juste pour obtenir l'information que je voulais, mais j'étais trop faible et épuisé pour me donner cette peine. « Je crains d'avoir un souci. Je m'appelle Theodore Decker et on m'a volé mon passeport.

— Ha, désolée pour vous. » Je l'entendais encoder quelque chose à l'autre bout. Il y avait de la musique de Noël en fond sonore. « C'est une mauvaise période pour ce genre de souci, tout le monde voyage, vous comprenez ? Vous avez contacté les autorités ?

— Quoi ?

— Passeport volé ? Il faut le déclarer sur-le-champ. La police doit être informée tout de suite.

— Je… » Je me suis maudit, pourquoi avais-je dit qu'il avait été volé ? « Non, désolé, ça vient juste de se passer. Centraal Station… (j'ai jeté un coup d'œil circulaire) j'appelle depuis une cabine. Pour tout vous dire, je ne suis pas sûr qu'on me l'ait volé, je pense qu'il est tombé de ma poche.

— Eh bien... (encore de l'encodage) perdu ou volé, vous devez quand même faire une déclaration à la police.

— OK, mais j'étais sur le point de prendre un train, vous comprenez, et maintenant ils ne me laissent pas monter. Or je dois être à Paris ce soir.

— Attendez une minute. » Il y avait trop de gens dans la gare, odeurs de laine mouillée et de foule chaude et moite s'épanouissant horriblement dans la chaleur sur-chauffée. Elle est revenue au bout d'un moment. « Écou-tez... donnez-moi quelques informations – »

Nom. Date de naissance. Date et ville où le passeport a été émis. Je suais dans mon manteau. Il y avait des corps humides qui respiraient partout autour de moi.

« Vous avez des documents qui prouvent votre citoyen-neté ?

— Pardon ?

— Un passeport expiré ? Un extrait de naissance ou un certificat de naturalisation ?

— J'ai une carte de sécurité sociale. Et une carte d'identité de l'État de New York. Je peux me faire faxer une copie de mon extrait de naissance depuis les États-Unis.

— Oh super. Ça devrait suffire. »

Ah bon ? J'étais immobile. C'était tout ?

« Vous avez accès à un ordinateur ?

— Hmm... (celui de l'hôtel ?) bien sûr.

— Eh bien... » Elle m'a donné l'adresse Web d'un site. « Il vous faudra télécharger, imprimer et remplir une déclaration sous serment concernant le passeport perdu ou volé et nous l'apporter ici. Dans nos bureaux. Nous sommes situés à côté du Rijksmuseum. Vous voyez où cela se trouve ? »

J'étais tellement soulagé que je suis resté figé sur place,

laissant les bruits de bavardage de la foule me ruisseler dessus dans un brouillard psychédélique.

« Donc, voilà ce que vous devez m'apporter, disait la Californienne, sa voix claire me sortant de ma fiévreuse rêverie multicolore. La déclaration sous serment. Les documents faxés. Deux exemplaires d'une photo de cinq centimètres sur cinq sur fond blanc. Et n'oubliez pas une copie du rapport de police.

— Pardon ? ai-je fait, ébranlé.

— Comme je vous le disais. En cas de passeport perdu ou volé vous devez remplir une déclaration à la police.

— Je… » J'ai fixé un groupe sinistre de femmes toutes voilées et vêtues de noir de la tête aux pieds glissant en silence près de moi. « Je n'aurai pas le temps pour ça.

— Que voulez-vous dire ?

— Ce n'est pas comme si je prenais l'avion pour les États-Unis aujourd'hui. C'est juste que… (il m'a fallu un moment pour me reprendre ; mon accès de toux m'avait mis les larmes aux yeux) mon train pour Paris part dans deux heures. Donc je veux dire… je ne sais pas quoi faire. Je ne suis pas sûr d'avoir le temps de remplir tous ces papiers *et* me rendre aussi au poste de police.

— Eh bien… (à regret) hé, en fait nos bureaux ferment dans trois quarts d'heure.

— Quoi ?

— Nous fermons tôt aujourd'hui. Veille de Noël, vous comprenez ? Et nous ne sommes pas ouverts demain, ni le week-end. Mais nous le serons de nouveau à huit heures trente le lundi après Noël.

— *Lundi ?*

— Je suis désolée. » Elle semblait résignée. « C'est la procédure.

— Mais c'est une urgence ! » ai-je haleté d'une voix rauque.

— Une urgence ? Familiale ou médicale ?

— Je…

— Parce que, dans certaines situations très rares, nous offrons un soutien d'urgence après les heures de fermeture. » Elle n'était plus aussi aimable ; pressée, elle lisait son scénario, j'entendais une sonnerie à l'arrière-plan comme dans ces émissions de radio où les gens appellent. « Malheureusement c'est limité aux cas de vie ou de mort, et notre personnel doit vérifier que l'urgence domestique est authentique avant de délivrer une dispense de passeport. Donc à moins qu'un décès ou une maladie critique n'exigent que vous vous rendiez à Paris cet après-midi, et à moins que vous ne puissiez fournir des informations prouvant l'urgence critique, comme une déclaration sous serment d'un docteur, d'un membre du clergé ou d'un directeur de funérarium…

— Je… » Lundi ? Merde ! Je ne voulais même pas songer au rapport de police… « Hé, désolé, écoutez… » Elle essayait de raccrocher.

« D'accord. Vous nous apportez tout ça lundi 28. Et ensuite, oui, une fois que la demande est lancée nous la ferons suivre pour vous aussi vite que possible… Désolée, vous pouvez m'excuser une minute ? » Clic. Sa voix, plus faible. « Bonjour, consulat des États-Unis aux Pays-Bas, vous pouvez patienter, je vous prie ? » Immédiatement, le téléphone s'est remis à sonner. Clic. « Bonjour, consulat des États-Unis aux Pays-Bas, vous pouvez patienter, je vous prie ?

— Avez quelle rapidité vous pouvez me l'avoir ? l'ai-je pressée quand elle est revenue.

— Oh, une fois que la demande est déposée, il devrait être disponible dans les dix jours maximum. Je parle en jours ouvrables. Normalement, je ferais de mon mieux pour vous l'obtenir en sept jours. Mais avec les fêtes, je suis sûre que vous comprenez, on a un peu de retard pour l'instant, et nos horaires sont vraiment irréguliers jusqu'à la nouvelle année. Et donc… hé, désolée, a-t-elle ajouté dans le silence accablé qui a suivi, ça peut prendre quelque temps. Ce sont de mauvaises nouvelles, je le sais bien.

— Qu'est-ce que je suis supposé faire ?

— Avez-vous besoin d'une aide en tant que voyageur ?

— Je ne suis pas sûr de ce que cela signifie. » J'étais inondé de sueur. Air chauffé et fétide, lourd des odeurs de la foule, tout juste respirable.

« Avez-vous besoin d'argent ? D'un logement temporaire ?

— Comment suis-je supposé rentrer chez moi ?

— Vous habitez Paris ?

— Non, les États-Unis.

— Eh bien, avec un passeport temporaire, alors, mais ce genre de document ne possède même pas la puce nécessaire pour entrer aux États-Unis, donc je ne suis pas sûre qu'il y ait de quelconques raccourcis qui vous permettront d'y être beaucoup plus vite que ce que je peux vous… » Dring dring, dring dring. « Un instant je vous prie, monsieur, vous pouvez patienter ?… Je m'appelle Holly. Souhaitez-vous mon numéro de poste au cas où vous auriez des problèmes, ou si vous avez besoin d'aide durant votre séjour ? »

III

Ma fièvre avait bizarrement tendance à grimper à la tombée de la nuit. Mais après être resté si longtemps debout dans le froid, elle était montée en flèche en poussées inégales semblables au rythme saccadé d'un objet lourd que l'on traînerait par à-coups le long d'un grand immeuble, si bien que sur le chemin du retour je voyais à peine comment j'arrivais encore à bouger, à ne pas tomber, comment j'avançais tout court, une sorte d'inconscience infondée et insaisissable qui me transportait bien au-dessus de moi-même dans les petites rues pluvieuses longeant les canaux et dans des hauteurs et des creux impersonnels où j'avais l'impression de me regarder d'en haut ; ça avait été une erreur de ne pas prendre un taxi à la gare pour rentrer, je n'arrêtais pas de revoir le sac plastique dans la poubelle, le visage rose et luisant de la guichetière et Boris avec les larmes aux yeux et du sang sur sa main, agrippant l'endroit brûlé sur sa manche ; le vent rugissait, la tête me brûlait, et à intervalles irréguliers de sombres pulsations épileptiques à la pointe du coude me faisaient tressaillir : éclaboussures noires, sursauts, personne en vue, en fait personne dans la rue si ce n'est, de temps à autre, un vague cycliste voûté dans le crachin.

Tête lourde, gorge en feu. Quand, pour finir, j'ai réussi à héler un taxi, je n'étais qu'à quelques minutes de l'hôtel. Parvenu à l'étage, gelé jusqu'à la moelle et tremblant, j'ai eu la bonne surprise de constater qu'ils avaient nettoyé la chambre et rempli le bar que j'avais complètement vidé, y compris le Cointreau.

J'ai pris les deux minibouteilles de gin et les ai mélangées à de l'eau chaude du robinet, puis je me suis assis dans le fauteuil de brocart près de la fenêtre, avec le verre qui se balançait au bout des doigts et j'ai regardé s'écouler les heures : à peine éveillé, dans un état de semi-rêverie, lumière hivernale solennelle basculant d'un mur à l'autre en parallélogrammes qui glissaient vers la moquette et se rétrécissaient jusqu'à pâlir et disparaître ; puis ce fut l'heure de dîner, mon estomac était douloureux, ma gorge râpée à vif par la bile et je suis resté assis là dans l'obscurité. Mon cerveau ressassait les mêmes pensées, elles y avaient déjà longtemps séjourné, et dans des circonstances beaucoup moins éprouvantes ; la pression me remuait plus que je ne m'y attendais, comme un chuchotement empoisonné qui ne me quittait jamais vraiment, qui certains jours se contentait de s'attarder au seuil de mon oreille, mais d'autres jours rugissait de manière incontrôlable dans une sorte de frénésie visionnaire et blafarde, pour des raisons que j'ignorais, parfois un mauvais film ou un épouvantable dîner pouvaient tout déclencher : ennui à court terme et douleur à long terme, panique temporaire et désespoir permanent frappant de concert et s'embrasant sous une lumière de désolation livide que je voyais, que je voyais vraiment en regardant en arrière vers toutes ces années, avec tout le désespoir lucide et distinct dont j'étais capable ; je constatais alors que le monde et tout ce qu'il contenait étaient flingués de manière intolérable et permanente, que rien n'avait jamais été bien ni même convenable, claustrophobie insupportable de l'âme, pièce sans fenêtres, sans issue, vagues de honte et d'horreur, *laissez-moi tranquille*, ma mère morte sur un sol en marbre*, arrêtez arrêtez*, grommelais-je à voix haute pour moi-même dans des ascenseurs, des taxis, *laissez-moi tranquille, je veux mourir*, furie froide, intelligente, s'auto-immolant et qui, plus d'une fois, m'avait poussé à l'étage dans un brouillard, résolu à avaler des mélanges hétéroclites de tout l'alcool et de tous les médocs que j'avais sous la main à ce moment-là : ma tolérance et mon incompétence bousillaient tout, j'étais désagréablement surpris au réveil, bien que soulagé pour Hobie qu'il n'ait pas eu à me découvrir.

Corbeaux. Cieux désastreux couleur de plomb à la Egbert van der Poel.

Je me suis levé et d'un coup sec j'ai allumé la lampe de bureau, oscillant dans la faible lueur couleur d'urine. L'attente. La fuite. Il ne s'agissait pas là tant de choix que de mesures d'endurance : débandades inutiles et arrêts sur place d'une souris dans un vivarium empli de serpents, ne servant qu'à prolonger l'inquiétude et le suspense. Mais il y avait un troisième choix : pour diverses raisons, je sentais qu'une employée du consulat serait plutôt prompte à me rappeler si je laissais un message après la fermeture, disant que j'étais un citoyen américain désireux de se rendre pour meurtre.

Un acte de rébellion. Que signifiait la vie : vanité, douleur insupportable. Quelle loyauté lui devais-je ? Aucune. Pourquoi ne pas coiffer le Destin au poteau ? Jeter le livre au feu et être quitte ? Je ne voyais pas de fin à l'horreur du moment, une débauche d'horreur extérieure et empirique à ajouter à mon propre stock endogène ; avec assez de drogue (j'ai inspecté le sachet : il en restait moins de la moitié), je me serais préparé une grosse ligne avec bonheur pour basculer sur-le-champ dans l'obscurité magnanime et l'explosion d'étoiles.

Mais il n'y en avait pas suffisamment pour être sûr de m'envoyer de l'autre côté. Je ne voulais pas gâcher ce qui me restait pour quelques heures d'oubli, puis me réveiller de nouveau dans ma cage (ou, pire : dans un hôpital hollandais sans passeport). Mais bon, ma tolérance était en baisse et j'étais presque sûr d'avoir assez de produit pour parvenir à mes fins si je buvais d'abord et couronnais le tout avec le cachet que je gardais en cas d'urgence.

Bouteille de vin blanc au frais dans le minibar. Pourquoi pas ? J'ai bu le reste de mon gin, puis l'ai débouchée, me sentant résolu et radieux – j'avais faim, ils avaient reconstitué le stock de biscuits salés et autres snacks, mais tout cela fonctionnerait mieux sur un estomac vide.

Le soulagement était immense. Une démission silencieuse. C'était parfait, une joie parfaite de tout jeter aux quatre vents. À la radio j'ai trouvé une station de musique classique – plain-chant de Noël, sombre et liturgique, moins la mélodie que le commentaire spectral qui en était donné – et j'ai songé à me faire couler un bain.

Mais ça pouvait attendre. À la place, j'ai ouvert le bureau et trouvé une chemise contenant le papier à lettres de l'hôtel. Pierre grise de cathédrale, hexacordes mineures. *Rex virginum amator*. Entre la fièvre et l'eau du canal qui clapotait à l'extérieur, autour de moi l'espace avait discrètement mué, hanté, une zone frontière à la fois chambre d'hôtel et cabine de navire qui tangue doucement. La vie sur les mers déchaînées. Mort en mer. Quand on était petits, Andy me racontait de sa voix sinistre de Martien qu'il avait entendu dire sur la chaîne culturelle que Marie protégeait les marins, que le rosaire protégeait notamment de la mort par noyade. Marie Stella Maris. Marie Étoile de Mer.

J'ai pensé à Hobie à la messe de minuit, agenouillé sur le prie-Dieu dans son costume noir. La dorure s'efface de manière naturelle. Sur la porte d'un meuble, l'abattant d'un bureau, il y a souvent quantité de minuscules entailles.

Des objets recherchant leurs légitimes propriétaires. Ils avaient des qualités humaines. Ils étaient sournois, honnêtes, soupçonneux ou bien beaux.

Les meubles vraiment remarquables ne sortent pas du néant.

Le stylo de l'hôtel n'était pas génial, j'aurais aimé en avoir un meilleur, mais le papier était épais et crémeux. Quatre lettres. Celles adressées à Hobie et à Mrs. Barbour seraient les plus longues, étant donné que c'était les personnes qui méritaient le plus une explication, et aussi parce qu'elles étaient les seules qui, si je mourais, en seraient vraiment affectées. Mais j'écrirais aussi à Kitsey – pour l'assurer que ce n'était pas sa faute. La lettre à Pippa serait la plus courte. Je voulais qu'elle sache juste combien je l'aimais, tout en l'informant que je ne l'accusais pas le moins du monde de ne pas m'avoir aimé en retour.

Mais je ne dirais pas ça. C'étaient des pétales de roses que je voulais jeter, pas décocher une flèche empoisonnée. Le but était de lui expliquer, brièvement, combien elle m'avait rendu heureux, tout en laissant de côté ce qui était plus évident.

Quand j'ai fermé les yeux, j'ai été frappé par des flashes mnésiques cliniquement vifs et venus de nulle part que la fièvre faisait éclater, comme des balles explosant dans la jungle, des flamboiements épouvantables de matériau extrêmement détaillé et émotionnellement complexe. La lumière en cordes de harpe à travers la fenêtre à barreaux de notre ancien appartement sur la 7ᵉ Avenue, le tapis en sisal rugueux par terre et la texture gaufrée rouge que ce dernier laissait sur mes mains et mes genoux quand je jouais par terre. Une robe de soirée de ma mère couleur mandarine avec des trucs brillants sur la jupe que j'avais toujours envie de toucher. Alameda, notre vieille femme de ménage, écrasant des bananes plantains dans un bol en verre. Andy, me saluant avant de se précipiter dans le couloir sinistre de l'appartement de ses parents : Oui, Capitaine.

Des voix médiévales, austères et détachées du monde. La gravité d'un chant sans ornements.

En fait, et c'était intéressant, je ne me sentais pas contrarié. Cela ressemblait plutôt à la dernière et à la pire de mes dévitalisations, lorsque le dentiste s'était penché sous les lampes et m'avait dit *c'est presque fini.*

24 décembre
Chère Kitsey,
Je suis vraiment désolé pour cette lettre, mais je veux que tu saches que ça n'a rien à voir avec toi, ni avec qui que ce soit de ta famille. Ta mère recevra un courrier séparé contenant un peu plus d'informations, mais en attendant je souhaite t'assurer en privé que ma décision n'a pas été influencée par quoi que ce soit qui se serait passé entre nous, plus particulièrement ces derniers temps.

J'ignorais d'où venaient cette voix et cette écriture dures, artificielles – incongrues dans le déluge de souvenirs et d'hallucinations qui m'assaillaient de tous côtés. La neige fondue mouillée qui bombardait les vitres possédait une sorte de poids profondément historique, la faim, les armées en marche, un crachin infini de tristesse.

Ainsi que tu le sais fort bien, et ainsi que tu l'as souligné toi-même, j'ai de nombreux problèmes qui datent depuis bien avant notre rencontre, et aucun d'eux n'est ta faute. Si ta mère te pose des questions sur ton rôle dans les récents événements, je t'encourage à lui conseiller de contacter Tessa Margolis, ou, encore mieux, Em, qui sera plus que ravie de partager avec elle son opinion sur ma personnalité. Et puis... c'est sans rapport, mais je vous invite à ne plus jamais laisser Havistock Irving remettre un pied chez vous.

Kitsey enfant. Des cheveux fins qui lui tombent sur le visage. *Arrêtez, bande de crétins. Arrêtez ou je vais le dire.*

Enfin et surtout...

(mon stylo planait au-dessus de cette ligne)

Enfin et surtout, j'ai envie de te dire combien tu étais belle à la soirée et combien j'ai été touché que tu aies mis les boucles d'oreilles de ma mère. Elle adorait Andy, elle t'aurait adorée aussi, et elle aurait adoré que l'on soit ensemble. Je suis désolé que ça n'ait pas marché. Mais j'espère que ça finira par aller pour toi. Vraiment.
Avec toute mon affection,
Theo

Scellé ; adressé ; mis de côté. Ils auraient des timbres à la réception.

Cher Hobie,
Ceci est une lettre difficile à écrire et j'en suis désolé.

Suées alternant avec frissons. Je voyais des taches vertes. Ma fièvre était telle que les murs semblaient rétrécir.

Je ne vous écris pas à propos des faux que j'ai vendus. Je suppose que vous apprendrez assez vite de quoi il retourne.

Acide nitrique. Noir de fumée. Les meubles, comme toutes les choses vivantes, ont hérité de marques et de cicatrices au fil du temps.
Les effets du temps, visibles et invisibles.

Je ne sais pas tout à fait comment vous le dire, mais je suppose que ce à quoi je pense c'est à ce chiot malade que ma mère et moi avions trouvé dans la rue à Chinatown. Il était étendu entre deux poubelles. C'était un bébé pit-bull. Sale et qui sentait mauvais. La peau sur les os. Trop faible pour se lever. Les gens passaient devant lui. J'étais bouleversé et ma mère m'a promis qu'on le prendrait s'il était encore là après notre repas. Et il y était. Alors on a hélé un taxi, je l'ai porté dans mes bras, et une fois arrivés à la maison, ma mère lui a préparé une boîte dans la cuisine et il était tellement content qu'il nous a léché le visage, a bu des tonnes d'eau, a mangé la nourriture pour chiens qu'on lui avait achetée puis l'a vomie illico.

Eh bien, pour aller droit au but, il est mort. Ce n'était pas notre faute. Mais on a eu la sensation que si. On l'a emmené chez le véto, on lui a acheté de la nourriture spéciale, mais son état n'a fait qu'empirer. À ce stade-là on l'aimait tous les deux beaucoup. Ma mère l'a de nouveau emmené voir un spécialiste au centre de soins animaliers. Et le véto a dit... ce chien a une maladie, dont le nom m'échappe, et il l'avait déjà quand vous l'avez trouvé, je sais que ce n'est pas ce que vous avez envie d'entendre, mais ce serait beaucoup plus gentil de l'euthanasier tout de suite.

Ma main volait sur le papier en saccades et sursauts aventureux. Mais à la fin de la page et alors que je tendais la main vers la suivante, je me suis arrêté, consterné. Ce que je croyais être de la légèreté, une sorte de glissement radical de la dernière chance, n'était pas du tout l'adieu éloquent et touchant que j'avais imaginé. Mon écriture brouillonne était penchée sur la feuille, ni intelligente, ni cohérente, ni même lisible. Il devait y avoir une façon beaucoup plus brève et plus simple de remercier Hobie et de dire ce que j'avais à dire : essentiellement qu'il ne devait pas se sentir mal, il avait toujours été bon avec moi et fait de son mieux pour m'aider, tout comme ma mère et moi avions fait de notre mieux pour aider ce bébé pit-bull, qui – c'était une comparaison pertinente, sauf que j'aurais voulu réussir à ne pas trop délayer l'histoire – en dépit de son caractère adorable avait été incroyablement destructeur les jours qui avaient précédé sa mort, dévastant pratiquement tout l'appartement et réduisant le canapé en miettes.

Larmoyant, vulgaire, je m'apitoyais sur mon sort. Ma gorge me donnait l'impression d'avoir été grattée avec un rasoir.

On enlève le tissu. Regarde ici : c'est vermoulu. Il faudra traiter avec du Cuprinol.

Le soir où j'avais fait une overdose dans la salle de bains d'en haut chez Hobie, m'attendant à ne pas me réveiller et me réveillant quand même, la joue sur le vieux carrelage hexagonal psychédélique, j'avais été époustouflé de constater combien une salle de bains d'avant guerre aux installations sanitaires blanches et simples pouvait être rayonnante quand on la regardait depuis l'au-delà.

Le début de la fin ? Ou la fin de la fin ?

Fabuleux. Le meilleur moment de ma vie.

Une chose à la fois. Des aspirines. De l'eau froide du minibar. Les aspirines étaient râpeuses à avaler et se sont coincées dans ma gorge comme si j'avais avalé du gravillon, puis je me suis martelé le torse pour essayer de les faire descendre, l'alcool m'avait rendu encore plus malade, assoiffé, confus, j'avais des hameçons dans la gorge, de l'eau coulait de manière absurde le long de mes joues, je haletais et j'avais du mal à respirer ; j'avais ouvert le vin en guise de récompense (prétendument), mais il me faisait l'effet d'essence de térébenthine, me brûlant et me découpant l'estomac au rasoir, est-ce que je devrais me faire couler un bain, est-ce que je devrais demander qu'on me monte quelque chose de chaud, de simple, un bouillon ou du thé ? Non : il fallait simplement terminer le vin, ou peut-être foncer et entamer la vodka ; j'avais lu quelque part sur Internet que seulement deux pour cent des tentatives de suicides par overdose réussissaient, ce qui semblait un chiffre absurdement faible, bien que malheureusement confirmé par ma précédente tentative. *It aint gonna rain no mo', Il ne pleuvra plus.* Comme mot d'adieu. Ou bien, *C'était juste une farce,* avait laissé le mari de Jean Harlow en se tuant le soir de leur nuit de noces. Le meilleur était celui de George Sanders, un vieux classique de Hollywood que mon père connaissait par cœur et qu'il aimait citer : *Cher Monde, je m'en vais parce que je m'ennuie.* Puis Hart Crane. Pirouette et chute, la chemise gonflée comme un ballon pendant qu'il tombait : *Au revoir tout le monde !* Un adieu crié en sautant du bateau.

Je ne considérais plus mon corps comme m'appartenant. Il avait cessé d'être à moi. Agitées, mes mains me donnaient la sensation d'être séparées de lui, de flotter de leur propre chef, et quand je me suis levé je l'ai fait comme une marionnette, me dépliant et me relevant de manière saccadée au bout de ficelles.

Hobie m'avait dit que lorsqu'il était jeune il buvait du Cutty Sark parce que c'était le whisky de Hart Crane.

Murs vert pâle dans le salon de musique, des palmiers et des glaces à la pistache.

Fenêtres couvertes de givre. Pièces non chauffées de l'enfance de Hobie.

Les Anciens Maîtres ne se sont jamais trompés.

Qu'est-ce que je pensais, qu'est-ce que je ressentais ?

J'avais mal à chaque respiration. Le sachet d'héroïne était dans la table de chevet de l'autre côté du lit. Mais même si mon père, avec son amour indéfectible pour l'enfer du show-biz, aurait adoré toute cette mise en scène – drogue, cendrier sale, alcool et tout le tremblement – je ne pouvais pas supporter l'idée que l'on me retrouve étalé dans le peignoir de l'hôtel comme un chanteur de charme *has been*. Ce qu'il fallait faire, c'était nettoyer, prendre une douche, me raser et enfiler mon costume pour ne pas avoir l'air trop minable quand ils me découvriraient ; puis, à la dernière minute et seulement à ce moment-là, après que les femmes de chambre auraient fini leur service, enlever la pancarte Ne Pas Déranger sur la porte : ce serait mieux si elles me découvraient vite, je ne voulais pas que ce soit à cause de l'odeur.

J'avais l'impression qu'une vie entière s'était écoulée depuis ma soirée avec Pippa et je me suis souvenu de combien j'avais été heureux alors, courant la retrouver dans l'obscurité hivernale tranchante, mon allégresse quand je l'avais aperçue sous un lampadaire devant le *Film Forum*, et les quelques instants que j'avais passés, planté au coin à savourer l'instant – la joie de la regarder m'attendre. Son visage plein d'expectative, qui scrutait la foule. C'était moi qu'elle guettait : moi. Et le coup au cœur d'avoir cru, l'espace d'un moment, que je pourrais peut-être avoir ce qui ne pourrait jamais être à moi.

Costume dans l'armoire. Chemises toutes sales. Pourquoi n'avais-je pas pensé à en faire nettoyer une ? Mes chaussures étaient gorgées d'eau et bousillées, ce qui ajoutait au tableau une note finale désolante... mais (pause confuse au milieu de la pièce) allais-je m'allonger tout habillé, chaussures comprises, tel un cadavre prêt pour la mise en bière ? Sueurs froides, tremblements et frissons de nouveau, la bonne vieille routine. J'avais besoin de m'asseoir. Peut-être devrais-je repenser toute la mise en scène. Déchirer les lettres. Maquiller ça en accident. Ce serait beaucoup mieux si je semblais être en route pour une mystérieuse soirée déguisée, juste une ligne avant de partir, assis au bord du lit, un peu trop forte, diamants noirs et bouchons de champagne, chavirant avec délice. Oups.

Les ailes blanches du tumulte. La course et le saut dans l'infini.

Puis, quand ont résonné les trompettes, je me suis lancé. Le chant liturgique avait cédé la place à une explosion d'orchestration démesurément festive. Ligne mélodique, cuivres. Une vague de frustration bouillonnante s'est élevée en moi. *Casse-Noisette.* Déplacé. Déplacé. Une Fantaisie Festive, franche et robuste, n'était vraiment pas la bonne tonalité pour un départ, ce numéro orchestral fringant, cette marche du je ne sais quoi, tout d'un coup mon estomac s'est soulevé et m'a envoyé un violent coup directement dans la gorge, j'avais l'impression d'avoir avalé un grand jus de citron, après quoi, presque avant que je puisse atteindre la poubelle en vacillant, tout est remonté en un flot clair et acide, vague après vague après vague jaunâtre.

Une fois que ce fut terminé, je me suis assis sur la

moquette, le front posé sur le bord tranchant et métallique de la poubelle tandis que la musique de ballet pour gamins pétillait de manière irritante en fond sonore : pas même soûl, c'était ça qui était infernal, juste malade. Dans le couloir j'ai entendu un troupeau d'Américains, des couples qui riaient, échangeant des adieux sonores tandis qu'ils rentraient tous dans leurs chambres respectives : vieux copains de fac, avec des boulots dans la finance, cinq années et plus dans le droit des entreprises et Fiona qui rentre en CP à l'automne, tout va bien à Oaklandia, eh bien, bonne nuit alors, putain qu'on vous aime les gars – la vie que j'aurais pu avoir sauf que je n'en voulais pas. C'était la dernière chose que je me souvenais avoir pensée avant de me mettre debout en tanguant et d'éteindre la musique irritante, puis, l'estomac perturbé, je me suis jeté sur le lit tête la première comme je me serais jeté d'un pont, chaque lampe dans la pièce flamboyant tandis que je m'enfonçais loin de la lumière et que l'obscurité se refermait sur ma tête.

IV

Quand j'étais gosse, après la mort de ma mère, je déployais des efforts considérables pour avoir son image à l'esprit quand je m'endormais de façon à peut-être rêver d'elle, sauf que ce n'était jamais le cas. Ou, plutôt, je rêvais d'elle en permanence, mais en tant qu'absence, pas en tant que présence : une brise soufflant à travers une maison tout juste quittée, son écriture sur un calepin, son parfum, des rues dans de drôles de villes perdues où je savais qu'elle avait marché quelque temps auparavant mais dont elle s'était enfuie, ombre s'éloignant d'un mur inondé de soleil. Parfois, je la repérais dans une foule, ou dans un taxi qui s'éloignait, et je chérissais ces visions fugitives malgré mon incapacité perpétuelle à les rattraper. Chaque fois, elle finissait par m'échapper : je venais juste de rater son appel, je ne savais plus où j'avais mis son numéro de téléphone, j'avais couru à en perdre le souffle et l'haleine jusqu'à l'endroit où elle était supposée se trouver, pour découvrir qu'elle n'y était plus. À l'âge adulte, le fait de la rater d'un cheveu de manière chronique faisait naître de pénibles pulsations d'une anxiété beaucoup plus désordonnée et douloureuse : j'aurais été frappé de panique d'apprendre, de me souvenir, ou qu'un improbable inconnu m'informe, qu'elle habitait à l'autre bout de la ville dans un horrible taudis où, pour des raisons inexplicables, je n'étais pas allé la voir ni ne l'avais contactée depuis des années. D'habitude je tentais désespérément de héler un taxi ou de m'approcher d'elle quand je me réveillais. Ces scenarios insistants présentaient un aspect répétitif et brutal limite qui me rappelait le mari à cran de l'une des clientes de Hobie qui travaillait à Wall Street et qui, lorsqu'il était d'une humeur bien particulière, se plaisait à raconter les trois mêmes histoires sur ce qu'il avait vécu durant la guerre du Vietnam, encore et encore, avec le même phrasé mécanique et les mêmes gestes : le même ta-ta-ta-ta des fusillades, la même main qui taillade toujours au même endroit. Nos visages s'immobilisaient complètement au moment des digestifs quand il se lançait dans son numéro, que nous avions tous entendu des milliers de fois et qui (comme mon propre circuit fermé et impitoyable consistant à chercher ma mère, nuit après nuit, année après année, rêve après rêve) était aussi rigide qu'invariable. Inlassablement il trébuchait et tombait à cause de la même racine du même arbre ; il n'arrivait jamais auprès de son ami Gage à temps, tout comme je n'arrivais jamais à trouver ma mère.

Mais cette nuit-là j'y suis parvenu. Ou, plus exactement : c'est elle qui m'a trouvé. Cela m'a fait l'impression d'une occasion unique, bien que peut-être une autre nuit, dans un autre rêve, elle viendrait à moi de la même manière – peut-être au moment de ma mort, même si cela semblait presque trop demander. J'aurais certainement moins peur de cette dernière (pas seulement de la mienne mais de celle de Welty, d'Andy, de la Mort en général) si je pensais qu'une personne familière venait nous chercher à la porte parce que – en écrivant cela à présent, je suis au bord des larmes – je pense à ce pauvre Andy qui, le visage terrifié, m'avait dit que ma mère était la seule morte qu'il ait connue et aimée. Donc… peut-être que lorsque Andy avait été rejeté en crachant et en toussant dans le pays de l'autre côté de l'eau, peut-être que c'était ma mère qui s'était agenouillée à côté de lui pour l'accueillir sur ce rivage inconnu. Peut-être que c'est idiot d'articuler de tels espoirs. Mais en même temps, peut-être que c'est encore plus idiot de ne pas le faire.

Quoi qu'il en soit – apparition unique ou pas – c'était un cadeau ; et si elle n'avait droit qu'à une visite, si c'était tout ce qu'ils lui autorisaient, elle l'avait gardée pour un moment important. Parce que tout à coup, elle était là. J'étais debout devant un miroir et je regardais la pièce qui se reflétait derrière moi, un intérieur qui ressemblait beaucoup à la boutique de Hobie, ou plutôt une version plus spacieuse de la boutique et qui semblait plus éternelle, avec des murs du brun des violoncelles et une fenêtre tel un accès à un théâtre de lumière solaire beaucoup plus grand et dépassant l'imagination. L'espace derrière moi dans le cadre n'était pas tant un espace au sens conventionnel du terme qu'une harmonie parfaitement composée, une réalité plus large, une vision du vrai réel nimbée d'un profond silence, au-delà du son et de la parole : tout y était immobilité et clarté, et en même temps, comme dans un film qui se déroulerait à l'envers, on pouvait aussi imaginer du lait renversé revenant en arrière dans le pichet, un chat qui saute volant à reculons pour atterrir silencieusement sur une table, une petite gare où le temps n'existait pas ou, plus exactement, existait au même moment dans plusieurs directions, toutes les histoires et tous les mouvements ayant lieu au même moment.

Quand j'ai détourné le regard une seconde puis l'ai ramené, j'ai vu son reflet derrière moi, dans le miroir. J'étais muet. Je savais inconsciemment que je n'avais pas le droit de me retourner – c'était contraire aux règles du lieu, quelles qu'elles soient – mais nous pouvions nous voir, nos yeux pouvaient se croiser dans le miroir, et elle était tout aussi contente de me voir que moi. Elle était elle-même. Une présence incarnée. Il émanait d'elle une réalité psychique, il y avait de la profondeur et du contenu. Elle était entre moi et je ne sais quel endroit d'où elle avait débarqué, un paysage au-delà. Et il n'était question que du moment où nos yeux s'étaient rencontrés dans la glace, surprise et modulation, ses superbes yeux bleus avec les cercles noirs autour des iris, des yeux bleu clair saturés de lumière : bonjour ! Affection, intelligence, tristesse, humour. Il y avait du mouvement et de l'immobilité, de l'immobilité et de la modulation, ainsi que toute la charge et la magie d'un grand tableau. Dix secondes, l'éternité. Tout gravitait autour d'elle. Un instant dans son champ d'attraction et l'on pouvait y vivre pour toujours : elle n'existait que dans le miroir, à l'intérieur de l'espace du cadre, et bien qu'elle ne soit pas en vie, pas vraiment, elle n'était pas morte non plus parce qu'elle n'était pas encore venue au monde et qu'elle n'en était pas non plus absente – bizarrement pas plus que moi, en un sens. Et je savais qu'elle pourrait me dire tout ce que je voudrais savoir (vie, mort, passé, avenir) même si c'était déjà là, dans son sourire, la réponse à toutes les questions, un sourire d'avant Noël, un sourire qui celait un secret trop merveilleux pour le dévoiler, pas encore en tout cas : *Eh bien, il va falloir que tu patientes un peu, hein ?* Mais à l'instant même où elle était sur le point de parler – dans un souffle affectueux et exaspéré que je connaissais bien et dont encore aujourd'hui je peux entendre le son – je me suis réveillé.

V

Quand j'ai ouvert les yeux, c'était le matin. Les lampes illuminaient la pièce et j'étais sous les couvertures sans pouvoir me souvenir de comment je m'étais retrouvé là. Tout était encore baigné et saturé de sa présence, plus haut, plus large, plus profond que la vie, un glissement optique qui avait laissé un halo irisé, et je me rappelle m'être dit que ce devait être comme cela que les gens se sentaient après avoir eu des visions de saints – non que ma mère soit une sainte, juste que son apparition avait été aussi nette et saisissante qu'une flamme jaillissant dans une pièce sombre.

Encore à moitié endormi, j'ai dérivé entre les draps, soutenu par la douceur du rêve clapotant tranquillement autour de moi. Même les sons matinaux qui me parvenaient du couloir avaient pris l'atmosphère et la couleur de sa présence ; parce que si je tendais bien l'oreille, dans mon état de semi-rêverie, il me semblait pouvoir capter la lumière particulière, le son enjoué de ses pas mélangé au cliquetis des plateaux du service en chambre le long du couloir et aux bruits de ferraille des câbles d'ascenseurs, à l'ouverture et à la fermeture de leurs portes : un son très urbain, que j'associais à Sutton Place, et à elle.

Puis, tout à coup, explosant dans les dernières volutes de bioluminescence qui demeuraient encore après le rêve, les cloches de l'église voisine ont sonné avec un vacarme si violent que je me suis redressé en sursaut, paniqué et cherchant mes lunettes à tâtons. J'avais oublié quel jour on était : Noël.

Je me suis levé d'un pas mal assuré et me suis dirigé vers la fenêtre. Des cloches, des cloches. Les rues étaient blanches et désertes. Le givre scintillait sur les toits de tuiles ; à l'extérieur, sur le canal des Gentilshommes, la neige voletait en dansant. Un groupe de corbeaux croassait et descendait en piqué au-dessus du canal, enfiévrant le ciel ; il y avait de grands déploiements circulaires et latéraux et des ondulations comme un seul corps intelligent en un grand va-et-vient qui tournoyait et dont le mouvement semblait passer en moi à un niveau presque cellulaire, ciel blanc, neige tourbillonnante et vent féroce des poètes en rafales.

Première règle des restaurations : ne jamais faire ce que l'on ne peut pas défaire.

J'ai pris une douche, me suis rasé et habillé. Puis, tranquillement, j'ai rangé et fait mes bagages. D'une manière ou d'une autre il me faudrait rendre à Gyuri sa bague et sa montre, à supposer qu'il soit toujours en vie, ce dont je doutais de plus en plus : à elle seule la montre valait une fortune – le prix d'une BMW ou un acompte pour un appartement. Je les enverrais par FedEx à Hobie pour qu'elles soient en sécurité et laisserais son nom à la réception à l'intention de Gyuri au cas où.

Vitres givrées, neige recouvrant les pavés d'un voile fantomatique, profond et muet, pas de circulation dans les rues, les siècles qui s'empilent, les années 1940 recouvrant les années 1640.

Surtout, ne pas trop penser. Me nourrir de l'énergie du rêve qui m'avait accompagné au réveil. Vu que je ne parlais pas néerlandais, j'irais au consulat américain et leur demanderais d'appeler la police hollandaise. Je gâcherais le Noël d'un employé consulaire, le repas de famille festif. Mais je savais que, si j'attendais, je n'y arriverais plus. C'était peut-être une bonne idée de descendre et de consulter le site Web du ministère des Affaires étrangères et de me renseigner sur mes droits en tant que citoyen américain – il y avait certainement de pires endroits dans le monde où être en prison que les Pays-Bas, et peut-être que si j'avouais tout ce que je savais (Horst et Sascha, Martin et Frits, Francfort et Amsterdam) ils pourraient tenter de découvrir la cachette du tableau.

Mais qui savait comment cela se déroulerait. Je n'étais certain de rien, si ce n'est que la fuite en avant, c'était terminé. Quoi qu'il advienne, je ne serais pas comme mon père, à esquiver et à tergiverser pour en arriver finalement à faire capoter puis exploser en flammes la voiture ; je sortirais des rangs et accepterais mon sort ; c'est alors que je suis allé direct dans la salle de bains, ai jeté l'enveloppe en glassine dans les toilettes et tiré la chasse.

Et voilà : aussi rapide que Martin, et tout aussi irrévocable. C'était quoi déjà, cette phrase que mon père aimait répéter ? *Braver la tempête.* Un mot d'ordre qu'il n'avait jamais appliqué.

J'étais passé dans chaque coin de la pièce, j'avais fait tout ce qu'il y avait à faire à part les lettres. Je rechignais même à écrire. Mais la prise de conscience m'a encouragé à m'y remettre : il *fallait* que j'écrive à Hobie : pas avec les hésitations apitoyées de l'ivresse, non, quelques lignes professionnelles, avec le chéquier, le grand livre, la clé du coffre. C'était probablement aussi bien si j'avouais, par écrit, l'escroquerie sur les meubles, et soulignais clairement que lui en ignorait tout. Peut-être que je pourrais faire attester et authentifier ce document au consulat américain ; peut-être que Holly (ou quelqu'un d'autre) aurait pitié et demanderait à un employé de le faire avant qu'ils appellent la police. Grisha pourrait corroborer mes dires sans s'accuser lui-même : on n'en avait jamais parlé, il ne m'avait jamais questionné, mais il savait que ce n'était pas catholique, toutes ces virées secrètes à l'entrepôt.

Restaient Pippa et Mrs. Barbour. Autant ne pas penser à toutes les lettres que j'avais écrites à Pippa et jamais envoyées ! Mon plus gros effort, le plus créatif, après la désastreuse visite avec Everett, avait commencé, et s'était terminé, avec ce que je pensais être une phrase légère et émouvante : *Je pars quelque temps.* Comme lettre d'adieu avant un éventuel suicide, cela m'avait semblé être à l'époque un petit chef-d'œuvre, en termes de concision en tout cas. Malheureusement, j'avais mal calculé la dose et m'étais réveillé douze heures plus tard avec du vomi partout sur le dessus-de-lit et, encore malade comme un chien, j'avais dû tituber jusqu'en bas pour un rendez-vous à dix heures du matin avec le fisc.

Cela étant dit : une lettre avant de partir en prison était différente, mieux valait ne pas l'écrire. Pippa ne se faisait pas d'illusions sur ce que j'étais. Je n'avais rien à lui offrir. Je n'étais que maladie et instabilité, tout ce qu'elle souhaitait fuir. La prison ne ferait que confirmer ce qu'elle savait déjà. Ce que j'avais de mieux à faire, c'était couper les ponts. Si mon père avait vraiment aimé ma mère – l'avait vraiment aimée comme cela avait été le cas à une époque, selon lui – est-ce qu'il n'aurait pas fait pareil ?

Ensuite… Mrs. Barbour. Là, il s'agissait d'une prise de conscience au moment du naufrage, le genre de découverte sur soi très surprenante dont on ne se rend compte qu'une fois parvenu à la dernière extrémité, quand les canots de sauvetage sont descendus et que le navire est en flammes – mais, pour finir, lorsque j'ai songé à me suicider, c'était surtout à elle que je ne supportais pas d'infliger cela.

J'ai quitté la chambre et, descendant pour me renseigner sur FedEx et consulter le site Web du ministère des Affaires étrangères avant d'appeler le consulat, je me suis arrêté. Accroché à la poignée de la porte, un minuscule sac de bonbons entouré d'un ruban avec un mot écrit à la main : *Joyeux Noël !* Quelque part des gens riaient et un délicieux arôme de café fort, de sucre brûlé et de pain encore chaud du service en chambre flottait le long du couloir. Chaque matin, j'avais commandé les petits déjeuners de l'hôtel, me forçant avec détermination pour les terminer – la Hollande n'était-elle pas supposée être célèbre pour son café ? J'avais beau en avoir bu tous les jours, je ne l'avais même pas goûté.

J'ai glissé le sachet de bonbons dans la poche de mon costume et suis resté dans le couloir en respirant profondément. Même les condamnés à mort avaient le droit de choisir un dernier repas, un sujet de discussion que Hobie (cuisinier infatigable et joyeux mangeur) avait plus d'une fois abordé en fin de soirée autour d'un armagnac pendant qu'il se démenait pour rassembler tabatières vides et soucoupes supplémentaires en guise de cendriers impromptus pour ses invités : pour lui, c'était une question métaphysique, à laquelle on réfléchissait mieux le ventre plein après que tous les desserts avaient été enlevés et que la dernière assiette de caramels au jasmin avait fait le tour, parce que, à la fin de tout : la fin de la nuit, en fermant les yeux et en disant au revoir à la Terre, que choisirait-on vraiment ? Un souvenir rassurant ? Un simple poulet en souvenir d'un dimanche perdu de l'enfance ? Ou, en une dernière tentative d'agripper du luxe, tout au bout de l'horizon, du faisan avec des baies jaunes, des truffes blanches d'Alba ? Quant à moi : je ne savais même pas que j'avais faim jusqu'à ce que je pose un pied dans le couloir, mais à ce moment-là, debout avec l'estomac malmené, un mauvais goût dans la bouche et la perspective de ce qui serait mon dernier repas choisi librement, il m'a semblé que je n'avais jamais rien senti d'aussi délicieux que cette chaleur sucrée : café et cannelle, simples petits pains au beurre du petit déjeuner continental. C'est drôle, me suis-je dit en fermant la porte et en repartant vers la chambre où j'ai pris le menu du service en chambre : vouloir quelque chose d'aussi simple, éprouver autant d'appétit pour l'appétit lui-même.

Vrolijk Kerstfeest ! a lancé le garçon de cuisine une demi-heure plus tard – ado robuste et échevelé tout droit sorti d'un tableau de Jan Steen, avec une guirlande sur la tête en guise de couronne et un brin de houx derrière une oreille.

Soulevant avec de grands gestes les couvercles en argent des plateaux. « Pain hollandais de Noël, a-t-il annoncé en tendant le doigt avec un air ironique. Juste pour aujourd'hui. » J'avais commandé le « Petit déjeuner festif au champagne » qui en comprenait une petite bouteille, ainsi que des œufs à la truffe, du caviar, une salade de fruits, une assiette de saumon fumé, une grosse tranche de pâté et une demi-douzaine de plats contenant de la sauce, des cornichons, des câpres, des condiments et des oignons au vinaigre.

Il avait débouché le champagne puis était parti (après que je lui eus donné l'essentiel de mes euros restants en guise de pourboire) et je venais juste de me verser du café que je goûtais avec prudence en me demandant si j'arriverais à le supporter (j'avais encore la nausée et de près son arôme n'était pas si délicieux) lorsque le téléphone a sonné.

C'était l'employé à la réception. « Joyeux Noël, monsieur Decker, s'est-il empressé de me souhaiter. Je suis désolé mais il y a quelqu'un qui monte chez vous. Nous avons essayé de l'arrêter à la réception…

— Quoi ? » Figé. La tasse à mi-chemin vers la bouche.

« Il monte. Maintenant. J'ai essayé de l'arrêter. Je lui ai demandé d'attendre mais il n'a pas écouté. Enfin, mon collègue lui a demandé d'attendre. Il est monté avant que je puisse appeler…

— Ah. » Jetant à la chambre un coup d'œil circulaire. Toutes mes résolutions envolées en un instant.

« Mon collègue… (aparté étouffé) mon collègue vient de monter les escaliers derrière lui, ça a été très soudain, je me suis dit que je devrais…

— Est-ce qu'il a donné un nom ? » ai-je questionné en m'approchant de la fenêtre : pourrais-je la casser avec une chaise ? Je n'étais pas à un étage élevé et ce ne serait pas un saut d'une grande hauteur, peut-être trois mètres.

« Non, monsieur. » Il parlait très vite. « Nous n'avons pas pu… je veux dire qu'il était très déterminé, il s'est faufilé devant la réception avant de… »

Tapage dans le couloir. Des cris en néerlandais.

« … nous sommes en personnel réduit ce matin, ce que vous comprendrez j'en suis sûr… »

Coups décidés à la porte – grosses secousses nerveuses, comme le jet qui n'en finissait pas de jaillir du front de Martin, et qui ont fait voltiger mon café. Merde, me suis-je dit en regardant mon costume et ma chemise : bousillés. Est-ce qu'il n'aurait pas pu attendre après le petit déjeuner ? Mais bon, ai-je pensé en tamponnant ma chemise avec une serviette et en me dirigeant vers la porte d'un air sévère : peut-être que c'étaient les hommes de Martin. Peut-être que ce serait plus rapide que ce que je croyais.

Or à la place, quand j'ai ouvert la porte en grand – je n'en croyais pas mes yeux – Boris est apparu devant moi. Ébouriffé, les yeux rouges, l'air épuisé. Avec de la neige dans les cheveux et sur les épaules de son manteau. J'étais trop abasourdi pour être soulagé. « Quoi, ai-je fait tandis qu'il me prenait dans les bras, puis à l'adresse de l'employé à l'air déterminé dans le couloir qui s'avançait vers nous à grandes enjambées : Non, c'est bon.

— Vous voyez ? Pourquoi je devais attendre ? Pourquoi je devais attendre ? a-t-il lancé, en colère, en jetant un bras en direction de l'employé qui s'était arrêté net pour nous dévisager. Est-ce que je ne vous l'avais pas dit ? Je vous ai expliqué que je savais où était sa chambre ! Comment je l'aurais su si lui pas mon ami ? » Puis, s'adressant à moi : « Je ne sais pas pourquoi cette grande mise en scène. Ridicule ! Je suis resté là des plombes et personne à la réception. Personne ! Désert du Sahara (jetant un regard furieux à l'employé) ! Attendre, attendre. Appuyé sur la sonnette ! Puis, à la seconde où je suis monté... "Attendez attendez monsieur (voix de bébé pleurnicharde) Revenez"... et le voilà *lui* qui se met à me courir derrière...

— Merci, ai-je dit à l'employé, ou plutôt à son dos, vu qu'après quelques moments passés à nous regarder à tour de rôle avec surprise et contrariété il avait tranquillement tourné les talons et était reparti. Merci beaucoup. Sincèrement, ai-je répété dans le couloir derrière lui ; c'était bon de savoir qu'ils arrêtaient les gens qui fonçaient à l'étage sans autorisation.

— Bien sûr, monsieur. » Il ne s'est pas donné la peine de se retourner. « Joyeux Noël.

— Tu vas me laisser entrer ? s'est énervé Boris quand finalement les portes de l'ascenseur se sont refermées et que nous avons été seuls. Ou est-ce qu'on va rester debout ici comme un petit couple à se regarder dans le blanc des yeux ? » Il sentait mauvais, comme s'il ne s'était pas douché depuis plusieurs jours, et il semblait à la fois légèrement méprisant et très content de lui.

« Je... (mon cœur battait à tout rompre, j'avais de nouveau la nausée) pour une minute, bien sûr.

— Une minute ? » Regard dédaigneux de haut en bas. « Tu vas quelque part ?

— En fait, oui.

— Potter... (il plaisantait à moitié, posant son sac et tâtant mon front du revers de la main) tu ne m'as pas l'air bien. Tu as la fièvre. On dirait que tu viens juste de creuser le Canal de Panama.

— Je me sens super bien, ai-je répliqué sèchement.

— Ça n'a pas l'air. Tu es blanc comme un linge. Pourquoi tu es tout habillé ? Pourquoi tu n'as pas répondu à mes appels ? C'est quoi ça ? a-t-il demandé en regardant la table du service en chambre derrière moi.

— Vas-y. Sers-toi.

— Ben, si ça ne te dérange pas, oui. Quelle semaine. J'ai conduit toute la putain de nuit. Merdique, le réveillon de Noël… (il a enlevé son manteau et l'a laissé tomber par terre) mais pour dire la vérité, j'en ai passé plein qui étaient pires. Au moins il n'y avait pas de circulation sur l'autoroute. On s'est arrêtés dans un endroit horrible, le seul endroit ouvert, une station-service, des hot-dogs avec de la moutarde, normalement ça me plaît, mais oh, là, là, mon estomac… » Il avait sorti un verre du bar et se versait du champagne.

« Et toi, ici. » Petit mouvement rapide de la main. « Qui vit la grande vie, à ce que je vois. Dans le plus grand luxe. » Il a jeté ses chaussures, remuant des pieds aux chaussettes mouillées. « Putain, mes orteils sont gelés. Les rues sont couvertes de neige fondue… enfin, en train de fondre. » Tirant une deuxième chaise. « Assieds-toi avec moi. Mange quelque chose. Tu tombes à pic. » Il a soulevé le couvercle du poêlon de table et a reniflé l'assiette d'œufs à la truffe. « Délicieux ! Encore chaud ! Quoi, c'est quoi, ça ? a-t-il dit alors que je plongeais la main dans la poche de mon manteau et lui tendais la montre et la bague de Gyuri. Ah, oui ! J'avais oublié. C'est pas important. Tu peux les lui rendre toi-même.

— Non, tu peux le faire pour moi.

— Bon, on devrait l'appeler. Il y a de quoi nourrir cinq personnes ici. Pourquoi est-ce qu'on n'appelle pas en bas… (il a levé le champagne en l'air, a regardé le niveau comme s'il étudiait un bilan financier inquiétant) pourquoi est-ce qu'on n'en commande pas une autre, une grande bouteille, ou peut-être deux, et aussi du café et peut-être du thé ? Je... (il a rapproché sa chaise) je meurs de faim ! Je vais lui demander... (il a attrapé un morceau de saumon fumé, le laissant pendre jusqu'à sa bouche pour l'engloutir avant de plonger la main dans sa poche en quête de son portable) lui demander de laisser la voiture quelque part et de venir à pied jusqu'ici, d'accord ?

— OK. » Quelque chose en moi s'était figé en le voyant, presque comme avec mon père quand j'étais môme, ces longues heures passées seul à la maison et la vague involontaire de soulagement en entendant sa clé dans la serrure, puis le cœur qui chavire sur-le-champ en le voyant.

« Quoi ? » Il s'est léché les doigts avec bruit. » Tu ne veux pas que Gyuri vienne ? Lui qui m'a conduit toute la nuit ? Qui n'a pas dormi ? Donne-lui au moins de quoi manger. » Il avait déjà attaqué les œufs. « Il s'est passé beaucoup de choses.

— De mon côté aussi.

— Où tu vas ?

— Commande ce que tu veux. » J'ai sorti la carte magnétique de ma poche et la lui ai tendue. « Je laisserai le total ouvert. Fais-le mettre sur le compte de la chambre.

— Potter... » Il a jeté la serviette, m'a couru après, puis s'est arrêté en chemin et, à ma grande surprise, s'est mis à rire. « Vas-y alors. Voir ton nouvel ami ou régler tes affaires si importantes !

— Il m'est arrivé plein de choses.

— Eh ben... (avec un air suffisant) je ne sais pas ce qui t'es *arrivé*, mais je peux te dire que ce qui m'est arrivé à *moi* est au moins cinq mille fois pire. Quelle semaine ! Le genre qu'on n'oublie pas. Pendant que tu te vautrais dans le luxe à l'hôtel, je... (il a fait un pas en avant et posé la main sur ma manche) attends. » Le portable avait sonné ; il s'est à moitié détourné, a parlé vite en ukrainien avant de s'arrêter et de raccrocher précipitamment en me voyant me diriger vers la porte.

« Potter. » Il m'a attrapé par les épaules, m'a regardé droit dans les yeux avec sévérité, puis m'a fait pivoter et retourner sur mes pas, fermant la porte derrière lui d'un coup de pied. « Qu'est-ce qu'il y a, bordel ? On dirait *Night of the Zombies*. C'était quoi, ce film qu'on aimait bien ? En noir et blanc ? Pas des morts vivants, mais celui qui était poétique… ?

— *I Walked with a Zombie, Vaudou*. Val Lewton.

— C'est ça. Celui-là. Assieds-toi. L'herbe est très très forte ici, même si tu en as l'habitude, j'aurais dû te prévenir…

— Je n'ai pas fumé d'herbe.

— … parce que je te le dis, quand je suis venu ici pour la première fois, j'avais quoi, vingt ans peut-être, à l'époque je fumais des arbres entiers chaque jour, je croyais que je pouvais tout gérer et… oh, là, là. C'était ma faute… un vrai trou-du-cul, j'ai déconné avec le type qui tenait le *coffee shop*. "Donne-moi ce que tu as de plus fort." Ben, c'est ce qu'il a fait ! Trois taffes et je ne pouvais plus marcher ! Incapable de me lever ! C'était comme si j'avais oublié comment bouger les pieds ! Rétrécissement du champ visuel, aucun contrôle des muscles. Déconnection totale du réel ! » Il m'avait attiré vers le lit ; il était assis à côté de moi, le bras autour de mes épaules. « Et, bon, tu me connais mais… jamais ! Le cœur qui bat vite, comme si j'avais couru et couru alors que tout ce temps-là j'étais assis immobile… Je ne comprenais pas où j'étais… obscurité terrible ! J'étais tout seul et je sanglotais, tu sais, parlant à Dieu dans ma tête, "pourquoi moi", "qu'est-ce que j'ai fait pour mériter ça". Je ne me souviens même plus comment j'ai quitté les lieux ! C'était comme un horrible rêve. Et c'était que de l'herbe, hein ! De l'herbe ! Je me suis arrêté dans la rue, mes jambes se dérobaient sous moi, je me suis accroché à un garage à vélos près de la place du Dam. Je croyais que les voitures montaient sur le trottoir et qu'elles allaient s'écraser sur moi. Pour finir, j'ai trouvé mon chemin jusqu'à l'appart de ma copine dans le Jordaan et je me suis allongé longtemps dans la baignoire, mais sans eau. Et donc… (il a jeté un œil soupçonneux à ma chemise tachée de café).

— Je n'ai pas fumé d'herbe.

— Je sais, tu l'as dit ! Je te racontais juste une histoire. Je croyais que ça t'intéresserait peut-être un peu. Pas de honte. Enfin bon. » Le silence qui a suivi n'en finissait pas. « J'ai oublié de te dire… (il me versait un verre d'eau minérale) après cette fois que je t'ai racontée ? Où je me baladais sur le Dam ? Je me suis senti mal pendant trois jours. Ma copine a dit : "Sortons, Boris, tu ne peux plus rester allongé ici et gâcher tout le week-end." J'ai vomi au musée Van Gogh. Super, la classe. »

En heurtant ma gorge irritée, l'eau froide m'a donné la chair de poule et a ramené à la surface un souvenir corporel viscéral remontant à ma jeunesse : douloureuse lumière du soleil du désert, douloureuse gueule de bois de l'après-midi, dents claquant dans la fraîcheur de l'air conditionné ; Boris et moi tellement malades qu'on n'arrêtait pas d'avoir des haut-le-cœur et d'en rire, ce qui nous en occasionnait de nouveaux. *Idem* en mangeant les biscuits salés rassis qui traînaient dans une boîte dans ma chambre.

« Ben… (Boris m'a jeté un coup d'œil oblique) c'est peut-être un truc qui traîne. Si ce n'était pas Noël, je descendrais vite fait chercher quelque chose pour ton estomac. Attends attends… » Il a déposé de la nourriture sur une assiette et l'a poussée vers moi. Il a saisi la bouteille de champagne dans le seau à glaçons, a vérifié de nouveau le niveau, puis a versé ce qui restait dans mon verre de jus d'orange à moitié vide (parce qu'il l'avait bu).

« Allons, a-t-il fait en levant son verre de champagne vers moi. Joyeux Noël à toi ! Longue vie à nous deux ! Le Christ est né, louons-Le ! À présent... (il a avalé son verre d'un trait, il avait renversé les petits pains sur la nappe et entassait la nourriture dans le plat à pain en céramique) je suis désolé, je sais que tu veux tout savoir, mais j'ai faim et je dois manger d'abord. »

Pâté. Caviar. Pain de Noël. Malgré tout, j'avais faim moi aussi, et j'ai décidé d'être reconnaissant pour l'instant présent, pour la nourriture sous mes yeux, et donc de manger, et pendant quelque temps aucun de nous deux n'a pipé mot.

« Ça va mieux ? a-t-il fini par dire en me jetant un coup d'œil. Tu es épuisé. » Il a encore repris du saumon. « Il y a une mauvaise grippe qui traîne. Shirley l'a attrapée aussi. »

Je n'ai rien répondu. J'avais à peine intégré qu'il était dans la pièce avec moi.

« Je croyais que tu étais avec une fille. Bon, je vais te dire où Gyuri et moi étions passés, a-t-il ajouté en voyant que je ne répondais pas. On était à Francfort, tu le sais. C'était de la folie ! Mais... » Posant son champagne, se dirigeant vers le minibar et s'accroupissant pour regarder dedans.

« Tu as mon passeport ?

— Oui je l'ai. Waouh, il y a du super vin là-dedans ! Et toutes ces super mignonnettes d'Absolut.

— Il est où ?

— Ah... » Il a bondi vers la table avec une bouteille de vin rouge sous le bras et trois bouteilles de vodka du minibar à la main qu'il a plongées dans le seau à glaçons. « Voilà. » Puis il a fouillé dans sa poche et l'a jeté négligemment sur la table. « Maintenant (il s'est assis) est-ce qu'on va porter un toast ? »

Je me suis assis au bord du lit sans bouger, mon assiette à moitié vide toujours sur mes genoux. Mon passeport.

Durant le long silence qui a suivi, Boris a tendu la main en travers de la table et a donné une chiquenaude au bord de mon verre de champagne avec son médium, tintement cristallin aigu comme une cuillère sur un verre au moment des digestifs.

« Votre attention, je vous prie ? a-t-il lancé sur un ton ironique.

— Quoi ?

— Un toast ? » Penchant son verre vers moi.

J'ai frotté ma main sur mon front. « Tu fais quoi, là ?

— Hein ?

— Tu portes un toast à quoi, exactement ?

— À Noël ? À la grâce de Dieu ? Ça te va ? »

Tout en n'étant pas exactement hostile, le silence entre nous se faisait plus chargé et écrasant à chaque seconde. Pour finir, Boris s'est adossé à sa chaise, a hoché la tête en direction de mon verre et a dit : « Je déteste devoir continuer à te le demander, mais quand tu auras fini de me dévisager, tu penses qu'on peut... ?

— Il faudra bien que je donne un sens à tout ça à un moment ou un autre.

— Quoi ?

— Je suppose que j'arriverai à faire le tri un jour. Ce sera du boulot. Comme... ce truc là-bas... ça, là-bas. Deux piles différentes. Trois peut-être.

— Potter, Potter, Potter... (affectueux, à moitié méprisant, se penchant en avant) tu es un crétin. Tu n'as aucun sens de la gratitude ou de la beauté.

— "Aucun sens de la gratitude". Je suppose que je vais boire à ça.

— Quoi ? Tu ne te souviens pas de notre joyeux Noël cette fois-là ? Les jours heureux enfuis ? Pour ne jamais revenir ? Ton père... (grand geste brusque) à la table du restaurant ? Notre fête et notre joie ? Notre joyeuse célébration ? Tu n'honores pas ce souvenir dans ton cœur ?

— Je t'en prie.

— Potter… (souffle suspendu) tu es vraiment un sacré numéro. Pire qu'une femme. "Dépêche-toi, dépêche-toi." "Lève-toi, on y va." Tu n'as pas lu mes textos ?

— Quoi ? »

Tendant la main vers son verre, Boris s'est arrêté net. Il a jeté un coup d'œil rapide vers le sol et tout à coup j'ai pris nettement conscience du sac à côté de sa chaise.

Amusé, Boris a coincé l'ongle de son pouce entre ses dents de devant. « Vas-y, ouvre-le. »

Les mots ont plané au-dessus du petit déjeuner naufragé. Reflets déformés dans le couvercle bombé du plat en argent.

J'ai pris le sac et me suis levé ; son sourire a faibli quand je me suis dirigé vers la porte.

« Attends !

— Attends quoi ?

— Tu ne vérifies pas ?

— Écoute… » Je me connaissais bien, j'étais incapable d'attendre ; je n'allais pas laisser la même chose se produire une deuxième fois.

« Qu'est-ce que tu fais ? Où tu vas ?

— J'emporte ça en bas. Pour qu'ils l'enferment dans le coffre. » Je ne savais même pas s'il y en avait un, juste que je ne voulais pas le tableau à côté de moi – il était davantage en sécurité avec des inconnus, dans un vestiaire, n'importe où. J'allais aussi téléphoner à la police dès que Boris partirait, mais pas avant ; il n'y avait pas de raison de l'entraîner là-dedans.

« Tu ne l'as même pas ouvert ! Tu ne sais même pas ce que c'est !

— Pourtant j'ai repéré sa présence.

— Qu'est-ce que ça veut dire, bordel ?

— Peut-être que je n'ai pas besoin de savoir ce que c'est.

— Ah, non ? Peut-être que si. Ce n'est pas ce que tu crois, a-t-il ajouté sur un ton suffisant.

— Non ?

— Non.

— Tu lis dans mes pensées maintenant ?

— Je sais très bien ce que tu crois que c'est ! Et… tu te trompes. Désolé. Mais… (il a levé les mains) c'est quelque chose de beaucoup beaucoup mieux que.

— Beaucoup mieux que ?

— Oui.

— Comment est-ce que ça peut être *beaucoup mieux* que ?

— Ça l'est. Beaucoup beaucoup mieux. Tu vas devoir me croire sur parole. Ouvre et regarde, a-t-il suggéré avec un brusque signe de tête.

— C'est quoi ? » ai-je demandé après trente secondes de stupéfaction. J'ai soulevé une liasse de cent – dollars – puis une autre.

« C'est pas tout. » Se frottant la nuque du plat de la main. « Ça, c'est juste une fraction. »

J'ai regardé l'argent, puis lui. « Une fraction de quoi ?

— Ben… (petit sourire satisfait) j'ai pensé que ce serait plus théâtral si c'était en liquide, non ? »

En provenance de la chambre voisine, des voix étouffées de comédies et les rythmes mécaniques des rires préenregistrés d'une télévision flottaient vers nous.

« Meilleure surprise pour toi ! Mais ce n'est pas tout, attention. Monnaie américaine, je me suis dit, plus pratique pour toi de rentrer avec. Ce avec quoi tu es venu… et un peu plus. En fait ils n'ont pas encore payé, aucun argent est encore rentré. Mais… bientôt, j'espère.

— Qui n'a pas payé ? N'a pas payé quoi ?

— Cet argent est à moi. C'est le mien. Il vient du coffre de la maison. Je me suis arrêté à Anvers pour le prendre. C'est mieux comme ça… C'est mieux pour toi d'ouvrir, non ? Le matin de Noël ? Ho ho ho ! Mais il y a plus encore. »

J'ai retourné la liasse et j'ai regardé : dans un sens

puis dans l'autre. Entourée d'une bandelette, tout droit sortie de la Citibank.

« "Merci, Boris." "Oh, pas de problème, a-t-il lancé sur un ton ironique. Content d'avoir pu t'aider." »

Des liasses de billets. Comme sorties de nulle part. Crissant dans la main. Tout cela recelait un sens ou une émotion évidents qui m'échappaient.

« Comme j'ai dit, ce n'est que fraction. Deux millions d'euros. En dollars, ça fait beaucoup beaucoup plus. Donc... joyeux Noël ! Mon cadeau pour toi ! Je peux t'ouvrir un compte en Suisse pour le reste, te donner un livret de banque et comme ça... Quoi ? a-t-il fait avec l'amorce d'un recul quand j'ai remis les piles de billets dans le sac, l'ai refermé à clé et le lui ai rendu. Non ! C'est à toi !

— Je n'en veux pas.

— Je crois que tu ne comprends pas ! Laisse-moi t'expliquer s'il te plaît.

— Je t'ai dit que je n'en voulais pas.

— Potter... (il a croisé les bras et m'a regardé froidement, le même regard qu'il m'avait lancé dans le bar polack) un autre homme sortirait sur-le-champ en riant et ne reviendrait jamais.

— Alors pourquoi tu ne le fais pas ?

— Je... (il a jeté à la chambre un regard circulaire, comme à court de réponses) je vais te dire pourquoi ! En souvenir du bon vieux temps. Même si tu me traites comme un malfaiteur. Et parce que je veux t'offrir une compensation...

— De quoi ?

— Pardon ?

— De quoi, exactement ? Tu vas me l'expliquer ? D'où vient cet argent, bordel ? En quoi est-ce que ça répare quoi que ce soit, bordel ?

— Bon, tu ne devrais pas aussi vite en déduire que...

— Je me fiche de l'argent ! » Je criais à moitié. « En revanche, je ne me fiche pas du tableau ! Il est où ?

— Si tu attendais juste une seconde et si tu ne te mettais pas en...

— Cet argent, c'est pour quoi ? Il vient d'où ? De quelle source, exactement ? Bill Gates ? Le Père Noël ? La petite souris ?

— S'il te plaît. Tu es aussi mélodramatique que ton père.

— Il est où ? Qu'est-ce que tu en as fait ? Il a disparu, c'est ça ? Échangé ? Vendu ?

— Non, bien sûr je... hé... (il a reculé vivement sa chaise avec un raclement) bon sang, Potter, calme-toi. Bien sûr que je ne l'ai pas vendu. Pourquoi est-ce que je... ?

— Je ne sais pas ! Comment est-ce que je saurais ? Ça a servi à quoi tout ça ? C'était quoi, le but ? Pourquoi est-ce que je suis venu ici avec toi ? Pourquoi tu m'as entraîné là-dedans ? Tu as cru que tu m'amènerais ici pour t'aider à tuer des gens ? C'est ça ?

— Je n'ai jamais tué personne de ma vie, a répondu Boris avec morgue.

— Oh, j'y crois pas. Je t'ai bien entendu ? Je suis supposé rire ? Est-ce que tu viens juste de dire que tu n'as jamais...

— C'était de l'autodéfense. Tu le sais. Je ne passe pas mon temps à faire du mal aux gens pour le plaisir, mais je me protégerai si je dois. Et toi avec Martin, à part le fait que je ne serais pas ici maintenant, et sans doute que toi non plus si... a-t-il dit en parlant plus fort que moi sur un ton impérieux.

— Tu peux me rendre un service ? Tu ne veux pas la fermer ? Et disparaître de ma vie quelques minutes ? Parce que je n'ai vraiment pas envie de te voir ou de te regarder maintenant.

— ... avec Martin, la police, s'ils savaient, ils te donneraient une médaille et beaucoup d'autres gens feraient pareil, des innocents qui ne sont plus en vie maintenant, à cause de lui. Martin était…

— Ou, en fait, tu pourrais partir. C'est probablement mieux.

— Martin était diabolique. Pas du tout humain. Ce n'est pas complètement sa faute. Il est né comme ça. Pas de sentiments, tu comprends ? Je sais que Martin a fait des choses bien pires aux gens que de les tuer. Pas à *nous*, s'est-il empressé d'ajouter en agitant la main, comme si c'était là le nœud de tout le malentendu. Nous, il nous aurait tiré dessus par courtoisie, pas du tout par méchanceté ou cruauté. Mais… est-ce que Martin était un homme bon ? Un être humain en bonne et due forme ? Non. Il ne l'était pas. Frits n'était pas un enfant de chœur non plus. Donc, ce remords et cette douleur que tu entretiens… tu dois les aborder sous un autre angle. Tu dois voir ça comme un acte héroïque au service d'un bien supérieur. Tu ne peux pas toujours adopter une perspective aussi sombre de l'existence, tu sais, c'est très mauvais pour toi.

— Est-ce que je peux te demander juste une chose ?

— Ce que tu veux.

— Où est le tableau ?

— Écoute… » Boris a soupiré et détourné le regard. « C'est le mieux que j'aie pu faire. Je sais bien à quel point tu le voulais. Je n'imaginais pas que tu serais aussi bouleversé de ne pas l'avoir.

— Est-ce que tu peux juste me dire où il est ?

— Potter… (main sur le cœur) je suis désolé que tu sois autant en colère. Je ne m'attendais pas à ça. Tu avais dit que de toute façon tu n'allais pas le garder. Que tu allais le rendre. C'est pas vrai ? a-t-il ajouté quand j'ai continué de le dévisager.

— C'est quoi ce "mieux" que tu as pu faire, putain ?

— Eh ben, je vais te le dire ! Si tu la fermais et si

tu me laissais parler ! Au lieu de tempêter dans tous les sens, d'écumer de rage et de gâcher notre Noël !

— De quoi tu parles ?

— Idiot. » Il a tapoté sa tempe de son poing fermé. « Tu croyais que l'argent venait d'où ?

— Comment je suis supposé savoir, bordel ?

— C'est l'argent de la récompense !

— La récompense ?

— Oui ! Pour le retour sain et sauf du ! »

Cela m'a pris un moment. J'étais debout. J'ai dû m'asseoir.

« Tu es fâché ? » a demandé Boris avec prudence.

Des voix dans le couloir. Lumière hivernale terne luisant sur l'abat-jour en cuivre.

« Je pensais que tu serais content. Non ? »

Mais je ne m'étais pas suffisamment remis pour parler. Tout ce que je pouvais faire, c'était le fixer, sidéré.

En voyant mon expression, Boris a secoué les cheveux qui lui étaient tombés sur le visage et il a ri. « C'est toi qui m'as donné l'idée. Je ne crois pas que tu savais à quel point elle était géniale ! Géniale ! J'aurais aimé y avoir pensé moi-même. "Appelle l'Office de lutte contre le trafic des biens culturels, appelle l'Office de lutte." Bon… c'est fou ! C'était ce que je m'étais dit à l'époque. Sur ce sujet-là tu es un peu cinglé, pour être tout à fait honnête. Sauf que (il a haussé les épaules) les choses ont mal tourné, comme tu le sais très bien, et après qu'on s'est séparés sur le pont j'ai parlé à Cherry pour discuter de la suite, mais quoi faire, on s'est un peu trituré les méninges, on a un peu fureté ici et là, et (il a levé son verre et m'a regardé) ben, en fait, c'était une idée de génie ! Pourquoi douter de toi ? Jamais ? C'est toi, le cerveau de cette histoire depuis le début ! Je suis là, au fin fond de l'Alaska, à faire des kilomètres pour trouver une glace et toi, regarde-toi. Quel génie ! Pourquoi jamais douter de toi ? Et puis, je réfléchis et… (levant les bras au ciel) tu avais raison. Qui l'aurait cru ? Des millions de dollars pour ton tableau en guise de récompense ! Pas même le tableau ! Juste les informations pour *récupérer* le tableau ! On ne vous posera pas de questions ! Du liquide, pas d'histoires… ! »

À l'extérieur, la neige volait contre la fenêtre. Dans la chambre voisine, quelqu'un toussait fort, ou riait fort, impossible de savoir.

« Aller-retour, aller-retour, toutes ces années. Un jeu pour les couillons. Pas pratique, dangereux. Et… question que je me pose maintenant : pourquoi je me suis même donné cette peine ? avec tout cet argent légal qui tomberait en échange de l'info ? Parce que, tu avais raison, pour eux, c'est une transaction commerciale claire. Pas de questions posées, quoi qu'il advienne. Leur seul souci, c'était de récupérer le tableau. » Boris a allumé une cigarette et a laissé tomber l'allumette avec un sifflement dans son verre d'eau. « Je ne les ai pas vus moi-même, et je le regrette… Je me suis dit que ce n'était pas une bonne idée de traîner dans le coin, si tu me suis. Équipe du GIPN allemand ! Gilets pare-balles, revolvers. La totale ! Tous aux abris ! Boucan d'enfer et foule dans la rue ! Ah, j'aurais adoré voir la tête de Sascha !

— Tu as appelé les flics ?

— Pas moi personnellement ! Mon copain Dima… il est furieux contre les Allemands à cause de la fusillade dans le parking. Complètement inutile, et une grosse prise de tête pour lui. Tu vois… (il a croisé les jambes nerveusement et soufflé un gros nuage de fumée) j'avais une petite idée de l'endroit où ils avaient caché le tableau. Il y a un appartement à Francfort qui appartenait à une ancienne copine de Sascha. Les gens y gardent des trucs. Mais tout à fait impossible pour moi d'y pénétrer, même avec une demi-douzaine de potes. Clés, alarmes, caméras, mot de passe. Le seul problème… (avec un bâillement, il s'est essuyé la bouche du revers de la main) bon,

deux problèmes. Le premier, c'est que la police a besoin d'une raison valable pour fouiller l'appartement. On ne peut pas juste appeler avec le nom d'un voleur, genre citoyen anonyme qui veut se rendre utile, si tu vois ce que je veux dire. Et deuxième problème : je n'arrivais pas à me souvenir de l'adresse exacte de l'endroit. Très très secrète, je n'y ai été qu'une fois, tard le soir, et pas dans les meilleures conditions. Je connaissais vaguement le quartier, avant il y avait des squats, maintenant c'est très joli... J'ai demandé à Gyuri de me conduire là-bas et on a sillonné les rues dans tous les sens. Ça a pris des plombes, bordel. Pour finir, j'ai limité ça à une rangée de maisons, mais je n'étais pas sûr à cent pour cent de laquelle. Alors je suis sorti et j'ai marché. J'avais la trouille d'être dans cette rue, peur qu'on me voie, mais je suis quand même sorti de la voiture et j'ai marché. Avec mes deux pieds. Les yeux mi-clos. Je me suis un peu autohypnotisé, tu sais, en essayant de me souvenir du nombre de marches. En essayant de le sentir dans mon corps. Quoi qu'il en soit... je vais trop vite. Dima ? »
Il choisissait les différents pains sur la nappe avec soin.
« La belle-sœur du cousin de Dima, son ex-belle-sœur en fait, a épousé un Hollandais et ils ont un fils qui s'appelle Anton : il a vingt et un ans, peut-être vingt-deux, blanc comme neige, son nom de famille c'est van den Brink. Anton est citoyen néerlandais et il a grandi en parlant cette langue, donc c'est utile pour nous si tu me suis. Anton... (il a mordillé un petit pain, fait une grimace et recraché un grain de seigle coincé entre ses dents) Anton travaille dans un bar fréquenté par beaucoup de gens riches, ça donne sur P. C. Hooftstraat, c'est l'Amsterdam chic, rue Gucci, rue Cartier. C'est un bon gamin. Il parle anglais, néerlandais et peut-être deux mots de russe. Quoi qu'il en soit, Dima a demandé à Anton d'appeler la police et de les informer qu'il avait vu deux Allemands, dont l'un des deux répond à la description

précise de Sascha : lunettes de grand-mère, chemise style *Petite Maison dans la prairie*, tatouage tribal sur la main qu'Anton est capable de dessiner avec précision à partir d'une photo qu'on lui a donnée… Toujours est-il qu'Anton a téléphoné à l'Office de lutte contre le trafic des biens culturels et leur a dit qu'il avait vu ces Allemands se disputer, soûls comme des barriques dans son bar, et qu'ils étaient tellement en colère et contrariés qu'ils ont oublié… quoi ? Une chemise en carton ! Bien sûr, c'est une chemise bidon. On allait passer un coup de fil, un coup de fil bidon, lui aussi, mais aucun de nous n'était assez crétin pour s'imaginer qu'on ne nous repérerait pas. Donc, j'ai imprimé quelques photos… celle que je t'ai montrée, plus quelques autres que j'avais par hasard sur mon portable… *Chardonneret* complété par des articles de journaux relativement récents pour dater l'ensemble, tu piges. Des journaux vieux de deux ans mais… pas grave. Il se trouve qu'Anton a découvert cette chemise, tu vois, sous une chaise, avec quelques autres documents concernant le truc à Miami, tu sais, histoire de relier ça à un précédent événement. L'adresse de Francfort était adroitement insérée, ainsi que le nom de Sascha. Tout ça, c'est l'idée de Myriam, elle mérite les félicitations, tu devrais lui offrir grand verre quand tu rentres à New York. Elle a envoyé quelques trucs d'Amérique *via* FedEx : très très convaincant. Il y a le nom de Sascha, il y a…

— Il a été mis en prison ?

— Eh oui. » Boris a gloussé. « On empoche la rançon, le musée récupère le tableau, les flics peuvent clôturer l'affaire, la compagnie d'assurances récupère son argent, le public est édifié, tout le monde y trouve son compte.

— La rançon ?

— Eh bien, la récompense, la rançon, appelle ça comme tu veux.

— Qui a payé cet argent ?

— Je ne sais pas. » Boris a fait un geste irrité. « Le musée, le gouvernement, un citoyen. C'est important ?

— C'est important pour moi.

— Eh ben, ça ne devrait pas. Tu devrais la fermer et être reconnaissant. Parce que tu sais quoi, Theo ? a-t-il fait en levant le menton et en me coupant la parole, Tu sais quoi ? Devine ! Devine la chance qu'on a eue ! Non seulement ils ont récupéré ton oiseau là-dedans, mais… qui l'aurait cru ? Beaucoup d'autres tableaux volés !

— Quoi ?

— Une bonne vingtaine, même plus ! Disparus depuis de nombreuses années pour certains d'entre eux ! Et tous ne sont pas aussi adorables ou beaux que le tien, en fait la plupart ne le sont pas. C'est mon opinion personnelle. Mais il y a quand même de grosses récompenses pour quatre ou cinq d'entre eux, plus grandes que pour le tien. Et même certains des tableaux pas si célèbres : un canard mort, le portait ennuyeux d'un inconnu au gros visage, même ceux-là sont assortis de plus petites récompenses, cinquante mille, cent mille ici et là. Qui le croirait ? "Information permettant la récupération de". Tout s'additionne. J'espère que tu me pardonneras peut-être, a-t-il ajouté sur un ton austère.

— Quoi ?

— Parce que… ils parlent d'"un des plus grands sauvetages artistiques de l'histoire". Et j'espérais que ce serait la partie qui allait te plaire… peut-être pas, qui sait, mais j'espérais. Chefs-d'œuvre de musée rendus à la collectivité ! Gestion du trésor culturel ! Grande joie ! Tous les anges chantent ! Mais ça n'aurait jamais eu lieu sans toi. »

Je suis resté assis, muet de stupéfaction.

« Bien sûr, là il n'y a pas tout, a poursuivi Boris en désignant d'un signe de tête le sac ouvert sur le lit. Joli cadeau de Noël pour Myriam, Cherry et Gyuri. J'ai donné à Anton et Dima une part de trente pour cent sur le total. Quinze pour cent chacun. C'est Anton qui a fait tout le travail, franchement, selon moi, il aurait dû avoir vingt pour cent et Dima dix. Mais c'est déjà beaucoup d'argent pour Anton, donc il est content.

— Ils ont récupéré d'autres tableaux. Pas juste le mien.

— Oui, tu n'as pas écouté ce que je viens de dire… ?

— Quels autres tableaux ?

— Oh, des tableaux très célébrés et très connus ! Disparus depuis des années !

— Comme… ? »

Boris a émis un son irrité. « Oh, je ne connais pas les noms, tu sais bien qu'il faut pas me demander ça. Quelques trucs modernes, très importants et chers, tout le monde est très excité bien que, je vais être franc, je ne comprends pas pourquoi on fait tout un plat de certains d'entre eux. Pourquoi ça coûte autant, un truc qui a l'air tout droit sorti de la maternelle ? "Vilaine Tache". "Bâton Noir avec Nœuds". Mais aussi, beaucoup d'œuvres d'importance historique. Il y avait un Rembrandt.

— Un paysage marin ?

— Non, des gens dans une pièce sombre. Un peu ennuyeux. Mais un beau Van Gogh, un bord de mer. Et puis… oh, je ne sais pas… le truc habituel, Marie, Jésus, beaucoup d'anges. Et même quelques sculptures. Des œuvres d'art asiatiques aussi. À mes yeux elles n'avaient pas l'air de valoir grand-chose, mais je suppose que je me trompe. » Boris a écrasé sa cigarette d'un geste vigoureux. « Ce qui me fait penser que… Il a filé.

— Qui ?

— Le garçon chinois de Sascha. » Il était retourné vers le minibar et en est revenu avec un tire-bouchon et deux verres. « Il n'était pas dans appartement quand les flics sont venus, tant mieux pour lui. S'il est intelligent, ce dont je suis sûr, il ne reviendra pas. » Levant des doigts croisés. « Il trouvera un autre richard aux crochets duquel vivre. C'est ce qu'il fait. Ça rapporte quand on trouve. Enfin bon… (il s'est mordu la lèvre en retirant le bouchon, pop !) je regrette de ne pas y avoir pensé moi-même il y a des années de ça ! Un gros chèque facile ! De l'argent légal ! Au lieu de Tenter de Prendre la Balle au Bond toutes ces années. Aller-retour… (il a agité le tire-bouchon, tic, toc) aller-retour. Nerveusement épuisant ! Tout ce temps, toute cette prise de tête, et tout cet argent gouvernemental facile en plein sous mon nez ! Je vais te dire… (il s'est avancé et m'a versé une bruyante lampée de rouge) de bien des façons, Horst est probablement tout aussi content que toi que ça se soit passé comme ça. Il aime se faire un peu d'argent, comme tout le monde, mais lui aussi il sait ce que c'est la culpabilité et il partage les mêmes idées que toi concernant le bien public et le patrimoine culturel, bla-bla-bla.

— Je ne comprends pas ce que Horst vient faire là-dedans.

— Non, moi non plus, et on ne saura jamais, a répondu Boris avec fermeté. Tout ça est très prudent et poli. Et, oui oui… (impatiemment, prenant en douce une petite gorgée de son vin) et oui, je suis fâché contre Horst, un peu, peut-être que je ne lui fais pas autant confiance qu'avant, peut-être qu'en fait je ne lui fais plus confiance du tout. Mais Horst dit qu'il n'aurait pas envoyé Martin s'il avait su que c'était nous. Et peut-être qu'il dit la vérité. "Jamais, Boris, je n'aurais jamais fait ça." Qui peut savoir ? Pour être tout à fait honnête, juste entre nous, je pense qu'il dit peut-être ça uniquement pour sauver ses fesses. Parce qu'une fois que ça a capoté avec Martin et Frits, qu'est-ce qu'il peut faire d'autre ? À part se retirer élégamment ? Prétendre qu'il n'est au courant de rien ? Bon, je ne suis pas sûr à cent pour cent, c'est juste ma théorie. Horst a sa version.

— Qui est… ?

— D'après Horst… (Boris a soupiré) il dit qu'il ne savait pas que Sascha avait pris le tableau, pas jusqu'à ce qu'on le prenne nous-mêmes et que Sascha l'appelle à l'improviste en lui demandant de l'aide pour le récupérer. Pure coïncidence que Martin soit à Amsterdam : pour les vacances, normalement il est à LA. Pour les camés, Amsterdam est une destination de Noël plutôt populaire. Et, oui, cette partie-là (il s'est frotté l'œil) eh bien, je suis assez sûr que Horst dit la vérité. Cet appel de Sascha était bel et bien une surprise. Il s'en est remis à Horst. Pas de temps pour parler. Il fallait agir vite. Comment Horst pouvait-il savoir que c'était nous ? Sascha n'était même pas à Amsterdam, il a eu tout le récit de seconde main par le Chinetoque, dont l'allemand n'est pas fameux, et Horst l'a eu de troisième main. Tout ça est cohérent si tu le regardes sous le bon angle. Cela dit (il a haussé les épaules)…

— Quoi ?

— Eh ben… Horst ne savait absolument pas que le tableau était à Amsterdam, ni que Sascha essayait d'en obtenir un prêt, pas avant que Sascha panique et l'appelle quand nous on l'a pris. Ça, j'en suis sûr. Mais Horst et Sascha se sont-ils associés pour que le tableau disparaisse la première fois à Francfort, avec cette sale affaire à Miami ? C'est possible. Horst aimait beaucoup beaucoup ce tableau. *Beaucoup.* Est-ce que je t'ai raconté… il savait de quoi il s'agissait dès qu'il l'a vu. Genre, par cœur. Le nom du peintre et tout et tout.

— C'est un des tableaux les plus célèbres au monde.

— Bon… (Boris a haussé les épaules) comme je te l'ai dit, il est cultivé. Il a grandi entouré de beauté. Mais Horst ne sait pas que c'est moi qui ai concocté cette histoire de chemise. Il ne serait peut-être pas si content s'il savait. Et pourtant… (il a ri aux éclats) est-ce que ça lui traverserait jamais l'esprit ? Je me le demande. Pendant tout ce temps, cette récompense était là, juste sous son nez ? Gratuite et légale ! Brillant à la vue de tous, comme le soleil ! Je sais que je n'y ai jamais pensé…

pas jusqu'à maintenant. Joie et réjouissances mondiales ! Chefs-d'œuvre disparus retrouvés ! Anton le grand héros, posant pour des photos, s'exprimant sur Sky News ! Ovation à la conférence de presse hier soir ! Tout le monde l'adore... C'est comme cet homme qui a fait atterrir cet avion dans la rivière il y a quelques années et qui a sauvé tout le monde, tu te souviens de lui ? Mais, dans mon esprit, c'est pas Anton que les gens applaudissent... en réalité, c'est toi. »

Il y avait tellement de choses à répondre à Boris que je ne pouvais en trouver aucune. Et pourtant je ne pouvais éprouver que la gratitude la plus abstraite. Peut-être, me suis-je dit, plongeant la main dans le sac, en retirant une pile de billets et les regardant, peut-être que la chance était comme la malchance : on mettait un petit moment à l'intégrer. Au départ, on ne sentait rien. Le ressenti venait plus tard.

« C'est plutôt sympa, non ? a avancé Boris, visiblement soulagé que j'aie changé d'avis. Content ?

— Boris, tu dois en prendre la moitié.

— T'inquiète, j'ai pris soin de moi. J'ai assez d'argent maintenant pour ne pas faire ce que je n'ai pas envie de faire pendant quelque temps. Qui sait... peut-être ouvrir un bar à Stockholm, depuis le temps qu'Astrid me harcèle pour que je le fasse. Ou... peut-être pas. Un petit peu ennuyeux. Mais toi... tout ça est à toi ! Et il y en aura d'autres. Rappelle-toi cette fois où ton père nous a donné cinq cents dollars à chacun ? Ça volait comme des plumes ! Très noble et majestueux ! Eh ben... pour moi à l'époque ? Affamé la moitié du temps ? Triste et esseulé ? Pas un sou vaillant ? C'était une fortune ! Plus d'argent que j'en avais jamais vu ! Et toi... (son nez était devenu rose ; j'ai cru qu'il allait éternuer) toujours correct et bon, tu as partagé avec moi tout ce que tu avais et... qu'est-ce que j'ai fait ?

— Oh, Boris, ça suffit, ai-je contré, mal à l'aise.

— Je t'ai volé : voilà ce que j'ai fait. » Lueur alcoolique dans ses yeux. « Je t'ai pris ce à quoi tu tenais le plus. Comment j'ai pu te traiter aussi mal alors que je ne te souhaitais que du bien ?

— Arrête. Non… vraiment, arrête, ai-je ajouté quand j'ai vu qu'il pleurait.

— Qu'est-ce que je peux dire ? Tu m'as demandé pourquoi je l'avais pris ? Et qu'est-ce que je peux répondre ? Rien à part que… les choses ne sont jamais ce qu'elles semblent être, toutes blanches ou toutes noires. Ce serait beaucoup plus facile si c'était le cas. Même ton père… qui m'a nourri, a discuté avec moi, a passé du temps avec moi, m'a hébergé, m'a donné ses habits… tu le détestais tellement, mais sous certains aspects, c'était quelqu'un de bien.

— Je ne dirais pas ça.

— Eh ben, moi, si.

— Tu serais bien le seul. Et tu aurais tort.

— Écoute. Je suis plus tolérance que toi, a lancé Boris, revigoré par la perspective d'un désaccord et ravalant ses larmes, la gorge serrée. Xandra, ton père, toujours tu voulais les rendre si diaboliques et mauvais. Et oui… ton père était destructeur… irresponsable… un enfant. Son énergie était immense. Ça lui faisait beaucoup de tort ! Mais il s'est fait plus de mal à lui-même qu'à qui que ce soit d'autre. Et oui, a-t-il poursuivi sur un mode théâtral face à mon objection, oui, il t'a volé de l'argent, ou il a essayé, je suis au courant, mais tu sais quoi ? Je t'ai volé aussi et je m'en suis sorti. Qu'est-ce qui est pire ? Parce que je vais te dire… (donnant des petits coups au sac avec son orteil) le monde est plus étrange que nous le savons ou que nous pouvons le dire. Je sais comment tu penses, ou comment tu aimes penser, mais peut-être que cela est un exemple où ça ne se réduit pas à du simple "blanc" ou du simple "noir" comme tu veux toujours le faire, comme si tu avais deux colonnes. Une mauvaise et une bonne ? Peut-être que c'est pas aussi net que tu le crois. Parce que... conduire jusqu'ici, toute la nuit, illuminations de Noël sur l'autoroute et je n'ai pas honte de te l'avouer, j'ai été ému aux larmes... parce que je m'étais dit, je n'ai pas pu m'en empêcher, cette histoire dans la Bible... ? Tu sais, où le régisseur vole le denier de la veuve, mais ensuite il part dans un pays lointain, investit le denier avec sagesse et rapporte à la veuve mille fois plus d'argent qu'il ne lui a volé ? Elle lui pardonne avec joie, ils tuent le veau gras et ils se réjouissent ?

— Je pense que ce n'est pas tout à fait la même histoire.

— Eh bien... c'était au catéchisme en Pologne, il y a longtemps. Enfin soit. Parce que, ce que j'essaie de dire, ce que je pensais dans la voiture en venant d'Anvers hier soir, le bien n'est pas toujours la conséquence de bonnes actions, pas plus que le mal résulte de mauvaises actions, si ? Même les personnes sages et bonnes ne voient pas le résultat de toutes leurs actions. Ça fait peur ! Tu te souviens du Prince Mychkine dans *L'Idiot* ?

— Je ne suis pas vraiment d'humeur à entamer une discussion intellectuelle pour l'instant.

— Je sais, je sais, mais écoute-moi. Tu as lu *L'Idiot*, n'est-ce pas ? D'accord. Eh ben, ça a été un livre très perturbant pour moi. À tel point que je n'ai jamais vraiment lu beaucoup de fictions ensuite, à part les trucs style polar. Parce que... (j'ai essayé d'intervenir) peut-être que tu peux me raconter ça plus tard, ce que tu en as pensé, mais laisse-moi t'expliquer pourquoi je l'ai trouvé déstabilisant. Parce que tout ce que Mychkine a jamais fait, c'est le bien... altruiste... Il traitait toutes les personnes avec compréhension et compassion et qu'a-t-il retiré de sa bonté ? Le meurtre ! Le désastre ! Pendant longtemps, ça m'a beaucoup tourmenté. J'étais allongé le soir et je m'inquiétais ! Parce que... pourquoi ? Comment est-ce possible ? J'ai lu ce livre trois fois, en me disant que je n'avais pas bien compris. Mychkine était gentil, il aimait tout le monde, il était tendre, il pardonnait toujours, il n'a jamais rien fait de travers, mais il faisait toujours confiance à la mauvaise personne, il a pris des tas de mauvaises décisions et il a blessé tout le monde autour de lui. Le message de ce livre est très sombre. "Pourquoi être bon." Mais c'est ce qui m'a submergé la nuit dernière dans la voiture. Et si... et si c'était plus compliqué que ça ? Et si peut-être contraire vrai aussi ? Parce que, si le mal donne parfois des bonnes actions... ? Où est-ce qu'il est dit, où que ce soit, que seul le mal résulte des mauvaises actions ? Peut-être parfois, la mauvaise manière est la bonne ? Tu peux prendre le mauvais chemin et aboutir quand même là où tu veux ? Ou bien, vois-le sous un autre angle, parfois tu peux faire tout de travers et malgré tout ça se finit bien ?

— Je ne suis pas sûr de comprendre où tu veux en venir.

— Bon... je dois dire personnellement que je n'ai jamais tracé une ligne aussi nette entre "bon" et "mauvais" que toi. Pour moi, cette ligne est souvent trompeuse. Les deux ne sont jamais déconnectés. L'un ne peut pas exister sans l'autre. Tant que j'agis avec cœur, je sens que je fais mon possible. Mais toi, enfermé dans le jugement, toujours à regretter le passé, qui te maudis, qui t'accuses, te demandes "et si jamais", "et si jamais". "La vie est cruelle." "Je regrette de ne pas être mort à sa place." Eh bien... réfléchis-y. Et si toutes tes actions et tes choix, bons ou mauvais, ne faisaient aucune différence pour Dieu ? Et si le plan était prédéterminé ? Non non, attends... c'est une question qui vaut la peine d'être débattue. Et si notre méchanceté et nos erreurs étaient la matière même qui détermine notre destinée et nous amènent vers le bien ? Et si, pour certains d'entre nous, on ne pouvait y arriver d'aucune autre manière ?

— Arriver où ?

— Comprends bien qu'en disant "Dieu" je me contente de l'utiliser comme référence au schéma à long terme que nous ne pouvons pas déchiffrer. Énorme système atmosphérique au lent déroulement, venu de loin nous laminer, nous balayer au hasard comme... (il a frappé l'air d'une convaincante batte imaginaire, comme s'il y avait une feuille envolée). Mais peut-être pas aussi hasardeux et impersonnel que ça, si tu me suis.

— Désolé, mais je ne comprends pas vraiment ton argumentation.

— Il n'y a rien à comprendre. Peut-être que l'essentiel de l'argument est trop vaste pour qu'on le perçoive, ou pour que par son biais on l'oriente vers le nôtre. Parce que (le sourcil en aile de chauve-souris s'est relevé), eh bien, si tu n'avais pas pris tableau au musée, si Sascha ne l'avait pas volé à son tour, et si je n'avais pas pensé à réclamer la récompense... Est-ce que ces dizaines d'autres tableaux n'auraient pas continué à être portés disparus ? Pour toujours peut-être ? Enveloppés dans du papier kraft ? Enfermés dans cet appartement ? Sans personne pour les regarder ? Tout seuls et perdus pour tout le monde ? Peut-être qu'il fallait en perdre un pour retrouver les autres ?

— Je pense que ça relève plutôt de l'idée d'"ironie implacable" que de "divine providence".

— Oui, mais pourquoi lui donner un nom ? Les deux ne peuvent pas être la même chose ? »

On s'est regardés. Et il m'est apparu qu'en dépit de ses défauts, qui étaient nombreux et spectaculaires, la raison pour laquelle j'aimais Boris et pour laquelle je m'étais senti heureux en sa compagnie pratiquement dès le moment où je l'avais rencontré, c'était qu'il ignorait ce qu'était la peur. On ne croisait pas beaucoup de gens qui circulaient librement dans le monde avec un mépris aussi vigoureux pour ce même monde : en le méprisant avec tant d'énergie, et en même temps avec une telle foi excentrique et irréfutable dans ce que, dans notre jeunesse, il avait aimé appeler « la Planète Terre ».

« Donc (Boris a terminé le reste de son verre et s'est resservi) c'est quoi, tes supposés grands projets ?

— À quel sujet ?

— Il y a une minute, tu allais t'arracher. Pourquoi ne pas rester ici quelque temps ?

— Ici ?

— Non, je ne voulais pas dire *ici* ici, pas à Amsterdam… Je serai d'accord avec toi que c'est sans doute une très bonne idée pour nous de quitter la ville, quant à moi je n'ai pas envie d'y revenir avant un certain temps. Ce que je voulais dire, c'était pourquoi pas te détendre un peu et traîner avant le vol de retour ? Viens à Anvers avec moi. Voir mon appartement ! Rencontrer mes amis ! T'éloigner quelque temps de tes problèmes de fille.

— Non, je rentre à New York.

— Quand ?

— Aujourd'hui, si je peux.

— Si vite ? Non ! Viens à Anvers ! Il y a ce service fabuleux, pas comme quartier rouge : deux filles, deux mille euros et il faut appeler deux jours à l'avance. Tout se fait par deux. Gyuri peut nous conduire, je m'assiérai devant, tu peux t'étendre et dormir derrière. Qu'est-ce que tu en dis ?

— En fait, j'en dis que tu devrais peut-être me déposer à l'aéroport.

— En fait… je pense que je ferais mieux de pas le faire. Si c'était moi qui vendais les billets, je ne te laisserais même pas monter dans l'avion ! On dirait que tu as la grippe aviaire ou le SRAS. » Il défaisait ses chaussures trempées d'eau, essayant d'y fourrer ses pieds. « Aïe ! Tu peux me répondre à cette question ? Pourquoi (il tenait à la main la chaussure bousillée), dis-moi pourquoi j'achète ces chaussures italiennes en cuir si élégantes,

alors que je les abîme en une semaine ? Tandis que…
mes vieilles rangers du désert, tu te souviens ? Idéales
pour s'enfuir en courant ! Sauter par les fenêtres ! Elles
m'ont duré des années ! Qu'est-ce que je m'en fiche
que ça n'aille pas avec mes costumes. Je vais trouver
d'autres rangers comme ça et je les porterai le restant
de mes jours. Où, où est passé Gyuri ? s'est-il inquiété
en fronçant les sourcils en regardant sa montre. Il ne
devrait pas avoir beaucoup de problèmes pour se garer
le jour de Noël ?

— Tu l'as appelé ? »

Boris s'est frappé la tête. « Non, j'ai oublié. Merde !
Il a probablement déjà pris son petit déjeuner. Ou alors
il est dans la voiture, en train de geler à mort. » Vidant
le reste de son vin et empochant les minibouteilles de
vodka. « T'as fait tes bagages ? Oui ? Fabuleux. On peut
y aller alors. » J'ai remarqué qu'il enveloppait le pain et
le fromage restants dans une serviette en tissu. « Descends payer. Mais (il a lancé un regard désapprobateur
au manteau taché jeté sur le lit) tu dois vraiment te
débarrasser de ce truc.

— Comment ? »

D'un mouvement de tête, il a montré l'eau sombre du
canal de l'autre côté de la fenêtre.

« Vraiment… ?

— Pourquoi pas ? Il n'y a pas de loi qui interdise de
jeter un manteau dans le canal, si ?

— J'aurais cru que si.

— Eh ben… qui sait. Ce n'est pas une loi très souvent
appliquée, si tu veux mon avis. Tu devrais voir les merdes
que j'ai vues flotter dans ce truc pendant la grève des
éboueurs. Des Américains soûls qui vomissaient dedans,
et j'en passe. Mais… (il a jeté un coup d'œil par la
fenêtre) je suis d'accord avec toi, c'est mieux de ne
pas le faire en plein jour. On peut le ramener à Anvers
dans le coffre de la voiture et le jeter dans l'incinérateur.

Tu vas adorer mon appart. » Il a fouillé sa poche en quête du portable et a composé le numéro. « C'est un loft d'artiste mais sans les œuvres d'art ! On ira faire un tour et on t'achètera un nouveau manteau quand les magasins seront ouverts. »

VI

Deux nuits plus tard, j'ai pris l'avion du retour dopé au whisky bon marché (après avoir passé le lendemain de Noël à Anvers où il n'y avait eu ni soirée ni call-girls, mais de la soupe en boîte, une piqûre de pénicilline et quelques vieux films sur le canapé de Boris), et je me suis retrouvé chez Hobie à environ huit heures du matin : mon souffle sortait en nuages blancs, je suis entré par la porte de devant ornée de balsamines, j'ai traversé le salon, dépassé l'arbre de Noël que les lumières et les cadeaux n'éclairaient plus, jusqu'au fond de la maison où j'ai trouvé un Hobie au visage bouffi et aux yeux endormis en robe de chambre et pantoufles, perché sur un escabeau, en train de ranger la soupière et le saladier à punch dont il s'était servi pour son repas de Noël. « Salut », ai-je fait en laissant tomber mon sac, occupé avec Popchik qui exécutait autour de mes pieds des huit empressés et gagas en guise de bienvenue, et c'est seulement quand je l'ai regardé descendre de l'escabeau que j'ai remarqué son air déterminé : soucieux, mais avec un sourire ferme et sur ses gardes.

« Alors ? ai-je enchaîné en me redressant pour échapper au chien, déposant mon nouveau manteau sur une chaise de la cuisine. Du neuf ?

— Pas grand-chose. » Il ne me regardait pas.

« Joyeux Noël ! Enfin… un peu en retard. C'était *comment*, Noël ?

— Bien. Et toi ? a-t-il ajouté avec raideur quelques instants plus tard.

— Pas si mal, en fait. J'étais à Amsterdam, ai-je poursuivi quand j'ai vu qu'il ne disait rien.

— Oh vraiment ? Ça devait être bien. » Distrait, vague.

« Comment s'est passé le repas ? ai-je demandé après une pause circonspecte.

— Oh, très bien. On a eu un peu de neige fondue, mais sinon c'était une réunion sympathique. » Il essayait de refermer l'escabeau mais ce dernier lui résistait. « Il y a quelques cadeaux pour toi encore sous le sapin, si tu as envie de les ouvrir.

— Merci. Je les regarderai ce soir. Je suis assez crevé. Je peux vous aider ? ai-je proposé en me levant pour m'avancer.

— Non, non. Non merci. » Quelque chose clochait et ça se sentait dans sa voix. « C'est bon.

— OK », ai-je dit, ne comprenant pas pourquoi il n'avait pas parlé du cadeau que je lui avais offert : un abécédaire d'enfant, avec un alphabet et des chiffres entourés de plantes grimpantes, des animaux de la ferme stylisés en laine à tapisserie, *Marry Sturtevant Son Abécédaire 11 Ans 1779*. Il ne l'avait pas déballé ? Je l'avais déniché dans une boîte de pantalons de grand-mère en polyester trouvée aux puces – pas bon marché pour les puces, quatre cents dollars, mais j'avais vu des objets semblables se vendre pour dix fois plus à des enchères d'antiquités américaines. En silence, je l'ai observé tandis qu'il s'affairait dans la cuisine en pilote automatique : il a tourné un peu en rond, a ouvert la porte du frigo, l'a refermée sans sortir quoi que ce soit, a rempli la bouilloire pour faire du thé, et tout du long il est resté dans sa bulle en refusant de me regarder.

« Hobie, qu'est-ce qu'il y a ? ai-je fini par interroger.

— Rien. » Il cherchait une cuillère mais il avait ouvert le mauvais tiroir.

« Quoi, vous ne voulez pas me dire ? »

Il s'est retourné pour me regarder, un éclair d'incertitude dans les yeux, avant de se tourner de nouveau vers la gazinière et de lâcher : « C'était vraiment déplacé d'offrir ce collier à Pippa.

— Quoi ? ai-je fait, interloqué. Elle était en colère ?

— Je… » Il a secoué la tête tout en fixant le sol. « Je ne sais pas ce qu'il se passe avec toi. Je ne sais plus quoi penser. Écoute, je ne veux pas jouer les pères la morale, a-t-il ajouté quand je me suis assis sans bouger. Vraiment pas. En fait je préférerais ne pas en parler du tout. Mais… » Il semblait chercher ses mots. « Tu ne vois pas que c'est lamentable et déplacé ? D'offrir à Pippa un collier qui vaut trente mille dollars ? Le soir de tes fiançailles ? De le laisser dans sa chaussure ? Devant sa porte ?

— Je ne l'ai pas payé trente mille dollars.

— Non, je suppose que si tu l'avais acheté dans une boutique tu l'aurais payé soixante-quinze mille. Et aussi, autre chose… » Tout à coup il s'est emparé d'une chaise et s'est assis. « Oh, je ne sais pas quoi faire, s'est-il lamenté. Je ne sais pas par où commencer.

— Pardon ?

— Je t'en prie, dis-moi que cette autre affaire n'a rien à voir avec toi.

— Quelle affaire ? ai-je demandé prudemment.

— Eh bien. » Musique classique du matin sur le transistor de la cuisine, sonate méditative pour piano. « Deux jours avant Noël, j'ai reçu une visite plutôt extraordinaire de ton ami Lucius Reeve. »

La sensation de chute a été immédiate, sa rapidité comme sa profondeur.

« Qui avait quelques accusations plutôt étonnantes à formuler. Bien au-delà de ce à quoi je m'attendais. » Hobie s'est pincé les yeux entre le pouce et l'index pour les fermer et s'est assis un moment. « Laissons un instant l'autre affaire de côté. Non, non, a-t-il interrompu en écartant mes mots d'un geste quand j'ai essayé de parler. Commençons par le commencement. Le meuble. »

Silence insoutenable entre nous.

« Je comprends que je ne t'ai pas vraiment facilité les choses. Et je comprends aussi que c'est moi qui t'ai fourré dans cette situation. Mais… (il a regardé autour de lui) deux millions de dollars, Theo !

— Écoutez, laissez-moi vous expliquer quelque chose…

— J'aurais dû prendre des notes, il avait des photocopies, des factures d'expédition, des meubles que nous n'avons jamais vendus et n'avons jamais eus en vente, des meubles importants relevant de l'héritage américain, des meubles non existants, je n'ai pas réussi à tout additionner dans ma tête, à un moment donné j'ai juste arrêté de compter. Sinon, ça aurait été par dizaines ! Je n'avais pas la moindre idée de l'ampleur de la situation. Et tu m'as menti à propos de l'expo truquée. Ce n'est pas du tout ce qu'il voulait faire.

— Hobie ? Hobie, écoutez. » Il me regardait sans vraiment me regarder. « Je suis désolé que vous ayez tout découvert de cette manière, j'espérais pouvoir arranger l'affaire d'abord, mais… tout est en ordre, d'accord ? Je peux tout racheter maintenant, chaque meuble. »

Au lieu de paraître soulagé, il s'est contenté de secouer la tête. « C'est terrible, Theo. Comment ai-je pu laisser faire une chose pareille ? »

Si j'avais été un peu moins chamboulé, je l'aurais détrompé : son seul péché avait été de me faire confiance et de croire ce que je lui racontais, mais il semblait si franchement désorienté que j'étais incapable d'ajouter quoi que ce soit.

« Comment est-ce allé si loin ? Comment ai-je pu ne pas savoir ? Il avait… » Hobie a détourné le regard, secoué de nouveau la tête d'incrédulité. « Ton écriture,

Theo. Ta signature. Table Duncan Phyfe... Chaises de salle à manger Sheraton... Canapé Sheraton envoyé en Californie... J'ai fait ce canapé-là, Theo, de mes propres mains, tu m'as vu le faire, ce n'est pas plus un Sheraton que ce sac de courses posé là-bas. Un tout nouveau châssis. Même les supports pour les bras sont neufs. Seulement deux des pieds sont d'origine, tu m'as regardé les orner de cannelures rudentées.

— Je suis désolé, Hobie, le fisc appelait tous les jours, je ne savais pas quoi faire...

— Je le sais bien, a-t-il répondu, cependant que ses yeux interrogateurs contredisaient son ton assuré. C'était une vraie croisade là en bas. Mais... (il s'est appuyé contre le dossier de sa chaise et ses yeux se sont révulsés vers le plafond) pourquoi tu n'as pas arrêté ? Pourquoi tu as continué ? On a dépensé de l'argent que l'on n'avait pas ! Tu nous as enfoncés très loin ! Et cela dure depuis des années ! Même si l'on pouvait tout rembourser, or nous ne le pouvons pas et tu le sais...

— Hobie, d'abord, je *peux* tout rembourser, et ensuite... (j'avais besoin d'un café, je n'étais pas réveillé, mais il n'y en avait pas sur la gazinière et ce n'était vraiment pas le moment de me lever pour en faire) et ensuite, eh bien, je ne veux pas dire que tout baigne parce que ce n'est absolument pas le cas, j'essayais juste de nous dépanner et de régler certaines dettes, je ne sais pas comment j'ai laissé la situation dégénérer autant. Mais... non, non, écoutez, me suis-je empressé de dire ; je le voyais s'éloigner, se voiler comme ma mère quand elle était forcée de rester immobile et de subir un énième mensonge compliqué et improbable de mon père. J'ignore ce qu'il vous a dit, mais maintenant j'ai l'argent. Tout va bien. OK ?

— Je suppose qu'il ne vaut mieux pas que je sache comment tu l'as trouvé. » Puis, tristement, s'appuyant contre le dossier de sa chaise : « Où étais-tu vraiment ? Si tu m'autorises à te poser la question ? »

J'ai croisé et recroisé les jambes et je me suis passé les mains sur le visage. « Amsterdam.

— Pourquoi Amsterdam ? » Puis, alors que je tâtonnais pour formuler ma réponse : « Je ne pensais plus que tu reviendrais.

— Hobie... » J'étais empourpré de honte ; j'avais toujours œuvré pour lui cacher mon double magouilleur et lui montrer uniquement la version améliorée-et-peaufinée, jamais le moi honteux élimé que je souhaitais désespérément cacher, le moi escroc et lâche, le menteur et le tricheur...

« Pourquoi es-tu *revenu* ? » Il parlait vite, l'air malheureux, comme si tout ce qu'il voulait, c'était sortir les mots de sa bouche : dans son agitation il s'est levé et s'est mis à faire les cent pas, ses pantoufles claquant par terre. « Je croyais qu'on ne te reverrait plus. Toute la nuit dernière, toutes ces dernières nuits, en fait, je suis resté éveillé à tenter de déterminer la marche à suivre. Naufrage. Catastrophe. Partout aux infos ces tableaux volés. Quel Noël. Et toi : introuvable. Tu ne répondais pas au téléphone, personne ne savait où tu étais...

— Oh, mon Dieu, ai-je fait, sincèrement épouvanté. Je suis désolé. Écoutez, écoutez... (sa bouche était pincée, il secouait la tête comme s'il s'était déjà détaché de ce que je disais, même pas la peine d'écouter) si ce sont les meubles qui vous inquiètent...

— Les meubles ? » Autrefois placide, tolérant, conciliant, aujourd'hui Hobie grondait comme une chaudière sur le point d'exploser ! « Qui a parlé de meubles ? D'après Reeve, tu avais filé, tu t'étais sauvé, mais (planté là, il clignait rapidement des yeux dans un effort pour se composer un visage) je ne croyais pas ça de toi, je n'arrivais pas à y croire, et je craignais que ce ne soit quelque chose de bien pire. Oh, tu sais de quoi je parle, a-t-il lancé à moitié en colère quand je n'ai pas réagi. Qu'est-ce que je devais croire ? Vu la façon dont tu as quitté la soirée... Pippa et moi, tu ne peux pas t'imaginer, l'hôtesse était un peu froissée, "où est le futur marié", sniff sniff, tu es parti si vite, nous n'étions pas invités à la soirée privée qui a suivi, donc nous sommes repartis à pied, puis imagine comment je me suis senti quand je suis rentré à la maison pour trouver la porte non seulement pas fermée à clé mais pratiquement ouverte, le tiroir-caisse mis à sac... sans parler du collier, et ce mot que tu avais laissé à Pippa était tellement étrange qu'elle était aussi inquiète que moi...

— Ah bon ?

— Bien sûr que oui ! » Il a projeté un bras en l'air. Il criait presque. « Qu'est-ce qu'on était censés penser ? Puis cette terrible visite de Reeve. J'étais en train de faire une pâte à tarte... Je n'aurais jamais dû aller ouvrir la porte, je croyais que c'était Moira... Neuf heures du matin et je me suis retrouvé face à lui, bouche bée, couvert de farine... Theo, pourquoi as-tu fait ça ? » a-t-il demandé sur un ton désespéré.

Ne sachant pas de quoi il parlait – j'avais fait tellement de choses – je n'ai eu d'autre choix que de détourner la tête.

« C'était tellement absurde... comment le croire ? En réalité, je ne l'ai *pas* cru. Parce que je comprends, a-t-il dit en voyant que je ne réagissais pas, écoute, je comprends pour les meubles, tu as fait ce que tu devais faire, et crois-moi, je t'en suis reconnaissant, sans toi je louerais mes services quelque part et je vivrais dans un petit meublé miteux. Mais (il a plongé les poings dans les poches de sa robe de chambre) toutes ces autres âneries ? Et bien sûr, je ne peux pas m'empêcher de m'interroger sur le rôle que tu as vraiment joué dans tout ça. Surtout vu que tu as décampé sans un mot, avec ton copain, qui, excuse-moi, est un garçon fort charmant, mais qui a l'air d'avoir connu la prison de l'intérieur à une ou deux reprises…

— Hobie…

— Oh, Reeve. Tu aurais dû l'entendre. » Toute énergie semblait l'avoir quitté ; il avait l'air mou et vaincu. « Le vieux serpent. Et… je veux que tu saches qu'en ce qui concernait le vol d'œuvres d'art j'ai pris ta défense de manière très carrée. Quoi que tu aies fait d'autre, j'étais certain que tu n'avais pas fait *ça*. Et puis ensuite ? Moins de trois jours plus tard, qu'est-ce qui vient faire la une ? Quel tableau en particulier ? Avec combien d'autres ? Disait-il donc la vérité ? a-t-il insisté alors que je ne pipais mot. C'était toi ?

— Oui. Eh bien, je veux dire, techniquement parlant non.

— Theo.

— Je peux expliquer.

— Je t'en prie, a-t-il dit en appuyant la paume de sa main sur son œil.

— Asseyez-vous.

— Je… » Il a jeté un regard désespéré autour de lui, comme s'il craignait de perdre toute fermeté s'il s'asseyait à la table avec moi.

« Non, vous devriez vous asseoir. C'est une longue histoire. Je la condenserai du mieux que je peux. »

VII

Il n'a pas pipé mot. Il n'a même pas répondu au téléphone quand il a sonné. L'avion m'avait crevé et endolori ; tout en évitant de parler des deux cadavres, je lui ai fait le récit le plus fidèle possible du reste : avec des phrases courtes et neutres, sans tenter de justifier ou d'expliquer quoi que ce soit. Quand j'ai eu terminé il est resté assis là – j'étais déstabilisé par son silence, il n'y avait pas le moindre bruit dans la cuisine à part le bourdonnement uniforme du vieux frigo. Pour finir, il s'est appuyé contre son dossier et a croisé les bras.

« Il y a d'étranges revirements par moments, non ? » a-t-il lancé.

Je suis resté silencieux, ne sachant que répondre.

« Ce n'est que, c'est-à-dire… (il s'est frotté l'œil) je ne le comprends qu'en vieillissant. Combien le temps est étrange. Que de tours et surprises. »

Le mot *tours* est le seul que j'ai entendu, ou compris. Puis il s'est levé de manière abrupte, du haut de son mètre quatre-vingt-quinze, avec une attitude teintée de sévérité et empreinte de regrets, m'a-t-il semblé, fantôme ancestral du flic en service, ou peut-être du videur sur le point de vous jeter du pub.

« Je vais partir », ai-je annoncé.

Il a vite cligné des yeux. « Quoi ?

— Je vous ferai un chèque pour le montant global. Simplement, tout ce que je vous demande, c'est de le garder jusqu'à ce que je vous donne le feu vert pour l'encaissement. Je jure que je n'ai jamais voulu vous nuire d'aucune manière. »

Avec un geste ample d'autrefois, il m'a intimé le silence. « Non, non. Attends ici. Je veux te montrer quelque chose. »

Il s'est levé pour se diriger avec des craquements vers le salon. Il s'est absenté quelque temps. Quand il est revenu, c'était avec un album photos qui tombait en lambeaux. Il s'est assis. Il l'a feuilleté en partie. Arrivé à une certaine page, il a poussé l'album en travers de la table vers moi. « Là. »

Un cliché fané. Un garçon minuscule au nez crochu, tel un oiseau, souriait devant un piano dans une pièce Belle Époque ornée de palmiers : pas parisienne, pas tout à fait, mais cairote. Avec des jardinières jumelles, de nombreux bronzes français, beaucoup de petits tableaux. L'un d'eux – des fleurs dans un verre – je l'ai vaguement reconnu comme étant un Manet. Mais mon œil a buté et s'est arrêté sur le jumeau d'une image beaucoup plus familière, une ou deux photos plus haut.

Il s'agissait d'une reproduction, bien sûr. Mais même sur la vieille photo ternie, il resplendissait dans l'isolement de sa propre lumière si étrangement moderne.

« Copie d'artiste, a expliqué Hobie. Le Manet aussi. Rien de spécial mais (il a croisé les mains sur la table) ces tableaux représentaient une grande partie de son enfance, la plus heureuse, avant qu'il tombe malade… enfant unique, chouchouté et gâté par les domestiques… figues, mandarines et fleurs de jasmin sur le balcon… Il parlait arabe, ainsi que français, tu le savais, n'est-ce pas ? Et… (Hobie a fermement croisé les bras et tapoté ses lèvres avec son index) il avait pour habitude de raconter comment, les grands tableaux, il est possible de les connaître en profondeur, de presque les habiter, même par le biais de copies. Il y a chez Proust un passage célèbre où Odette ouvre la porte avec un rhume, elle boude, ses cheveux sont défaits, pas peignés, sa peau est tachetée et Swann, qui ne s'est jamais soucié d'elle jusque-là, en tombe amoureux parce qu'elle ressemble alors à un Botticelli, une fille sur une fresque légèrement endommagée. Que Proust lui-même ne connaissait que d'après une reproduction. Il n'avait jamais vu l'original, qui est dans la chapelle Sixtine. Mais malgré tout, le roman entier tourne en quelque sorte autour de ce moment. Les défauts font partie de l'attirance, les joues brouillées du tableau. Même au travers d'une copie, Proust était capable de re-rêver cette image, de re-modeler la réalité avec elle, d'offrir quelque chose au monde qui lui soit tout personnel. Parce que… la ligne de beauté est la ligne de beauté. Peu importe qu'elle soit passée cent fois à la photocopieuse.

— Oui », ai-je approuvé, sauf que je ne pensais pas au tableau mais aux meubles mutants de Hobie. Animés par sa main et polis comme si seule la dorure du temps s'était déversée sur eux, il s'agissait de copies qui vous faisaient aimer Hepplewhite, ou Sheraton, même si vous n'aviez jamais regardé ou pensé à un meuble Hepplewhite ou Sheraton de votre vie.

« Eh bien… je suis juste un vieux copiste qui se parle à lui-même. Tu sais ce que disait Picasso : "Les bons artistes copient, les grands volent." La vraie grandeur se reconnaît au choc qui guette l'observateur à la fin de la ligne. Peu importe combien de fois tu réussis à retrouver le chemin, ou combien avant toi ont réussi à le retrouver. C'est la même ligne. L'héritage d'une âme supérieure. Toujours empreinte du même choc. Et ces copies… (il s'est penché, les mains jointes, sur la table) ces copies d'artistes avec lesquelles il a grandi ont disparu quand la maison du Caire a brûlé ; pour te dire la vérité, pour lui ça s'est passé bien plus tôt, quand il est devenu handicapé et qu'ils l'ont renvoyé en Amérique, mais… eh bien, c'était une personne comme nous, attachée aux objets, pour lui ils avaient des personnalités et des âmes, et bien qu'il ait pratiquement tout perdu de cette vie, il n'a jamais perdu ces tableaux parce que les originaux sont toujours quelque part dans le monde. Il a fait plusieurs voyages pour les voir… En fait, on a pris le train jusqu'à Baltimore pour admirer l'original de son Manet quand il a été exposé ici, il y a des années de cela, à l'époque où la mère de Pippa était encore en vie. Ça avait été un fameux voyage pour Welty. Mais il savait qu'il ne retournerait jamais au musée d'Orsay. Et le jour où Pippa et lui sont allés voir l'exposition hollandaise, quel tableau penses-tu qu'il l'emmenait voir tout spécialement ? »

Ce qu'il y avait d'intéressant sur la photo, c'était que ce petit garçon fragile aux genoux cagneux, souriant gentiment, virginal dans son costume marin, était aussi le vieil homme qui avait serré ma main en mourant : deux images séparées de la même âme, surimposées. Et le tableau au-dessus de sa tête était le centre immobile autour duquel tout s'articulait : rêves et signes, passé et futur, chance et destinée. Il n'y avait pas une seule signification, mais plusieurs. Il s'agissait d'une énigme en constante expansion.

Hobie s'est raclé la gorge. « Je peux te poser une question ?

— Bien sûr.

— Comment tu l'as conservé ?

— Dans une taie d'oreiller.

— En coton ?

— Eh bien… est-ce que la percale est du coton ?

— Sans rembourrage ? Rien pour le protéger ?

— Juste du papier et de l'adhésif. Voui, ai-je fait quand j'ai vu ses yeux se troubler d'inquiétude.

— Tu aurais dû utiliser de la glassine et du papier bulle !

— Je le sais maintenant.

— Désolé. » Il a grimacé, posé une main sur sa tempe. « J'essaie encore de me faire à l'idée. Tu as pris l'avion avec ce tableau dans la soute à bagages sur Continental Airlines ?

— Comme je vous l'ai dit. J'avais treize ans.

— Pourquoi tu ne m'en as pas tout simplement parlé ? Tu aurais pu, a-t-il ajouté quand j'ai secoué la tête.

— Oh, bien sûr », ai-je répondu, un peu trop vite, bien que je me souvienne de l'isolement et de la terreur de cette époque : ma crainte constante des services sociaux ; l'odeur lourde de savon dans ma chambre impossible à fermer à clé, la fraîcheur drastique de la réception tout en gris où j'ai attendu Mr. Bracegirdle, ma peur constante d'être envoyé loin.

« J'ai compris quelque chose. Lorsque tu as débarqué

ici SDF comme tu l'as fait… eh bien, j'espère que cela ne te dérange pas que je te le dise, mais même ton avocat… enfin, tu le sais aussi bien que moi, la situation le rendait nerveux, il était plutôt désireux de te voir partir ; de mon côté, plusieurs très vieux amis m'ont dit : "James, c'est vraiment trop lourd pour toi…" Eh bien, tu peux comprendre pourquoi ils ont pensé ça, s'est-il empressé d'ajouter quand il a vu la tête que je faisais.

— Oh, bien sûr, bien sûr. » Bien que toujours polis, les Vogel, les Grossman et les Mildeberger étaient parvenus à faire comprendre, sans mot dire (à moi en tout cas) que leur Hobie-avait-déjà-suffisamment-de problèmes-sur-les-bras-comme-ça.

« En ce sens, c'était de la folie. Je sais de quoi ça avait l'air. Et pourtant, eh bien, le message semblait évident, Welty t'avait envoyé ici, et tu étais là, tel un petit insecte, tu revenais sans arrêt derrière cette vitre… (il a réfléchi un moment, sourcils froncés, version plus profonde de son expression perpétuellement inquiète) je vais t'expliquer ce que j'essaie un peu maladroitement de te dire : après la mort de ma mère, j'ai marché et marché durant cet horrible été qui traînait en longueur. J'ai marché d'Albany jusqu'à Troy parfois. Je me suis protégé de la pluie sous les auvents de quincailleries. J'aurais fait n'importe quoi pour ne pas retourner dans cette maison où elle n'était plus. Je flottais là tel un fantôme. Je restais dans la bibliothèque jusqu'à ce qu'ils me jettent dehors, puis je montais dans le bus jusqu'à Watervliet, au nord de l'État, où j'errais encore quelque temps. J'étais un grand gamin, à douze ans j'avais la taille d'un adulte, les gens me prenaient pour un clochard, les ménagères me chassaient du pas de leur porte avec un balai. Mais c'est comme ça que je me suis retrouvé chez Mrs. de Peyster… Elle a ouvert la porte alors que j'étais assis sur sa véranda et elle m'a dit : Tu dois avoir soif, tu veux entrer ? Portraits, miniatures, daguerréotypes, vieille tante ceci, vieil oncle cela, etc. Cet escalier en colimaçon qui descendait. J'étais dans mon canot de sauvetage. Je l'avais trouvé. Dans cette maison, il fallait se pincer parfois pour se rappeler que l'on n'était pas en 1909. Elle contenait quelques-unes des plus belles pièces américaines classiques que j'aie jamais vues et, mon Dieu, ce vitrail Tiffany... C'était avant que ce soit aussi recherché, les gens ne s'y intéressaient pas, ce n'était pas à la mode, sans doute que ça se vendait déjà à des prix élevés à New York, mais à l'époque on en trouvait dans des boutiques de brocante au nord de l'État pour presque rien. Très vite, j'ai commencé à arpenter ces boutiques moi-même. Mais ça, ça lui venait de sa famille. Chaque objet avait une histoire. Et elle était ravie de te montrer où te mettre, à quelle heure, pour regarder chacun sous la meilleure lumière. En fin d'après-midi, quand le soleil tournait autour de la pièce... (il a écarté les doigts, *pop, pop !*) ils s'embrasaient l'un après l'autre comme des pétards sur une ficelle. »

Depuis ma chaise, j'avais une vue claire de son arche de Noé : les couples d'éléphants, de zèbres, d'animaux sculptés marchant deux par deux, jusqu'aux minuscules poules et coq, avec les lapins et les souris qui fermaient la marche. Le souvenir se situait là, au-delà des mots, message codé de ce premier après-midi : pluie tombant à verse sur les lucarnes, file simple de créatures alignées sur le buffet de la cuisine dans l'attente d'être sauvées. Noé : le grand conservateur, le grand gardien.

« Et (il s'était levé pour faire du café) je suppose que c'est indigne de passer sa vie à tant se préoccuper d'*objets*...

— Qui a dit ça ?

— Eh bien (il s'est détourné de la gazinière) ce n'est pas comme si nous dirigions un hôpital pour enfants malades là en bas, disons-le comme cela. Quelle noblesse y a-t-il à rafistoler un tas de vieilles tables et de vieilles chaises ? Il est fort possible que ce soit corrosif pour l'âme. J'ai vu trop de successions pour l'ignorer. L'idolâtrie ! Trop se soucier des objets peut vous tuer. Si ce n'est que, si vous vous souciez suffisamment d'une chose, elle prend vie, non ? Et n'est-ce pas leur but, quand elles sont belles, de vous relier à une beauté supérieure ? Ces premières images qui font s'ouvrir votre cœur en grand et que vous passez le restant de vos jours à pourchasser, ou à essayer de retrouver, d'une façon ou d'une autre ? Parce que réparer les vieilles choses, les préserver, s'en occuper, en un sens, il n'y a pas de raisons rationnelles pour le faire…

— Il n'y a pas de "raisons rationnelles" pour quoi que ce soit qui compte pour moi.

— Eh bien, non, moi non plus, a-t-il répondu sur un ton posé. Mais (jetant un œil de myope dans la cafetière et y ajoutant des cuillerées de café moulu) désolé de divaguer, mais vu d'ici, de là où je suis, cela ressemble un peu à une dose de drogue, non ?

— Quoi donc ? »

Il a ri. « Que dire ? Les grands tableaux… les gens se précipitent pour les voir, ils attirent les foules, ils sont reproduits *ad nauseam* sur des mugs, des tapis de souris et que sais-je encore. Tu peux passer une vie à aller au musée de manière tout à fait sincère, déambuler partout en profitant de chaque seconde, je me compte parmi ceux-là, après quoi tu vas déjeuner. Mais (il est revenu vers la table pour s'y rasseoir) si un tableau se fraie vraiment un chemin jusqu'à ton cœur et change ta façon de voir, de penser et de ressentir, tu ne te dis pas "oh, j'adore cette œuvre parce qu'elle est universelle", "j'adore cette œuvre parce qu'elle parle à toute l'humanité". Ce n'est pas la raison qui fait aimer une œuvre d'art. C'est plutôt un chuchotement secret provenant d'une ruelle. *Psst, toi. Hé gamin. Oui toi.* » Un bout du doigt qui glisse sur la photo fanée – le toucher du conservateur, un toucher sans toucher, un espace de la taille d'une hostie entre la surface et son index. « Un choc cardiaque individuel. Ton rêve, celui de Welty, celui de Vermeer. Tu vois un tableau, j'en vois un autre, le livre d'art le place encore à un autre niveau, la dame qui achète la carte à la boutique du musée voit encore tout à fait autre chose, et je ne te parle pas des gens séparés de nous par le temps, quatre cents ans avant nous, quatre cents ans après notre disparition, cela ne frappera jamais quelqu'un de la même manière, pour la grande majorité des gens, cela ne les frappera jamais en profondeur du tout, mais un vraiment grand tableau est assez fluide pour se frayer un chemin dans l'esprit et le cœur sous toutes sortes d'angles différents, selon des modes uniques et particuliers. *À toi, à toi. J'ai été peint pour toi.* Et… oh, je ne sais pas, arrête-moi si je radote (il s'est passé une main sur le front) mais Welty lui-même parlait d'objets fatidiques. Chaque marchand d'art et chaque antiquaire les reconnaît. Ce sont ces objets qui apparaissent et réapparaissent. Pour quelqu'un qui ne serait pas marchand d'art, il ne s'agira peut-être pas d'un objet. Cela peut être une ville, une couleur, une heure de la journée. Le clou sur lequel ta destinée est susceptible de s'accrocher et de se déchirer.

— Je croirais entendre mon père.

— Eh bien… formulons-le autrement. Qui a dit que la coïncidence était juste la façon qu'a Dieu de rester anonyme ?

— Maintenant vous ressemblez *vraiment* à mon père.

— Qui peut dire que les joueurs ne sont pas mieux à même de le comprendre que quiconque ? Une partie n'a pas de prix, si ? Le bien ne peut-il pas pénétrer parfois par de drôles de portes dérobées ? »

VIII

Et, oui. Je suppose que c'est possible. Ou pour citer une autre perle paradoxale de mon père : parfois il faut perdre pour gagner.

Parce que nous sommes presque une année plus tard aujourd'hui, et que j'ai voyagé pratiquement *non-stop*, durant onze mois vécus en grande partie dans des salles d'attente d'aéroports, des chambres d'hôtel et autres lieux de promenades, Roulement sur la Piste, Décollage et Atterrissage, plateaux en plastique et air confiné passant à travers les conduits de la cabine semblables à des ouïes de requins – et bien que ce ne soit pas encore tout à fait Thanksgiving, les illuminations ont été installées et, dans le Starbucks de l'aéroport, ils diffusent déjà des standards de Noël faciles à écouter comme *Mon beau sapin,* chanté en allemand par Vince Guaraldi, et *Greensleeves* par Coltrane ; parmi les très nombreuses questions auxquelles j'ai eu le temps de réfléchir (pour quoi la vie vaut-elle d'être vécue ? qu'est-ce qui vaut la peine de mourir ? qu'est-il complètement ridicule de poursuivre ?), j'ai beaucoup réfléchi à ce que Hobie m'avait dit : à propos de ces images qui touchent le cœur et le font s'épanouir comme une fleur, des images qui libèrent une beauté tellement plus vaste que l'on peut passer son existence entière à la chercher sans jamais la trouver.

Voyager seul m'a fait du bien. Une année : c'est le laps de temps qu'il m'a fallu pour tranquillement me promener seul et racheter les faux meubles toujours en circulation, une procédure délicate dont j'estimais préférable de m'acquitter en personne : trois ou quatre voyages mensuels, New Jersey, Oyster Bay, Providence, New Canaan et, plus loin encore, Miami, Houston, Dallas, Charlottesville, Atlanta où, à l'invitation de mon adorable cliente, Mindy, la femme d'un magnat de pièces détachées automobiles du nom de Earl, j'ai passé trois journées assez sympathiques dans la maison d'amis – un château flambant neuf en terracotta possédant sa propre salle de billard, un « pub pour gentlemen » (avec un authentique barman importé d'Angleterre) et un stand de tir intérieur avec un système de cibles montées sur un circuit personnalisé. Certains de mes clients ayant fait leur fortune dans l'informatique ou les fonds spéculatifs ont des résidences secondaires dans des endroits exotiques, à mes yeux en tout cas : Antigua, Mexico, les Bahamas, Monte-Carlo, Juan-les-Pins et Sintra, où l'on boit d'intéressants vins locaux et des cocktails dans des jardins en terrasses avec palmiers et agaves, pendant que des parasols blancs claquent près de la piscine comme des voiles. Au milieu de tout ça, je me suis retrouvé dans une sorte de bardo, m'envolant ici et là dans un rugissement gris, m'élevant, comme si des échelles invisibles pouvaient me mener, derrière un hublot éclaboussé de gouttes vers la lumière du soleil, et redescendant vers les nuages, la pluie et les escalators, de plus en plus bas, jusqu'au chaos des visages défractés dans la zone de retrait des bagages, sinistre vision d'un futur occupant l'espace entre Terre et non-Terre, monde et non-monde, sols miroitants et échos de cathédrale au toit de verre, dans l'incandescence d'un grand hall anonyme, identité de masse dont je ne veux pas faire partie et dont je ne fais effectivement pas partie, sauf que c'est presque comme si j'étais mort, je me sens différent, je *suis* différent, et il y a un certain plaisir engourdi à entrer et sortir de l'esprit du groupe, à faire des siestes dans des fauteuils en plastique moulé et à se promener le long des rayons étincelants du duty free ; et bien sûr tout le monde est tout à fait charmant une fois que l'on a atterri, courts de tennis intérieurs, plages privées et, après l'incontournable tour du propriétaire, absolument charmant, à admirer le

Bonnard, le Vuillard et à prendre un déjeuner léger près de la piscine, je rédige un chèque rondelet et rentre à l'hôtel en taxi, bien plus pauvre qu'à mon arrivée.

C'est une mutation profonde. Je ne sais pas vraiment comment l'expliquer. Quelque part entre vouloir et ne pas vouloir, s'en soucier et ne pas s'en soucier.

Bien sûr, c'est aussi beaucoup plus que cela. Il est question de choc et d'aura. Tout est plus fort et plus lumineux et je me sens au bord de quelque chose d'indicible. Comme si les revues de la compagnie aérienne contenaient des messages codés : Bouclier Énergétique ; pas de compromis avec la sécurité ; électricité, couleurs, splendeur. En chaque chose, je crois voir un panneau indicateur pointant dans une autre direction. Et, allongé sur mon lit dans une chambre d'hôtel glaciale couleur biscuit à Nice, avec un balcon donnant sur la Promenade des Anglais, je contemple les reflets des nuages sur les portes coulissantes et m'émerveille de voir combien même ma tristesse peut me rendre heureux, combien la moquette et les meubles en faux Biedermeier, ainsi qu'une présentatrice à la douce voix chuchotée sur Canal +, peuvent en un sens sembler si nécessaires et si justes.

J'aimerais autant oublier, mais je ne peux pas. C'est un peu comme la vibration d'un diapason. C'est là. Avec moi, en permanence.

Bruit blanc, grondement impersonnel. Incandescence feutrée des terminaux d'embarquement. Pourtant, même ces endroits sans âme et hermétiquement fermés sont gorgés de sens, en sont illuminés, vibrant d'une électricité d'orage. Un magazine, *Sky Mall* : systèmes stéréo portables, miroitements d'îlots de Drambuie, Tanqueray et Chanel N° 5. Je regarde les visages inexpressifs des autres passagers qui soulèvent leurs porte-documents, leurs sacs à dos, et traînent des pieds pour débarquer et je pense à ce qu'a dit Hobie : la beauté modifie le grain de la réalité. Je continue aussi de penser à la sagesse plus conventionnelle : à savoir que la poursuite de la beauté pure est un piège, une voie rapide menant à l'amertume et au chagrin, parce que la beauté doit être associée à quelque chose de plus profond.

Mais quelle est donc cette chose ? Pourquoi suis-je ainsi ? Pourquoi me soucier de tout le superflu et être incapable de gérer le nécessaire ? Ou, pour le dire autrement : comment puis-je voir aussi clairement que tout ce que j'aime ou dont je me soucie n'est qu'illusion, et cependant, à mes yeux en tout cas, que tout ce qui vaut la peine d'être vécu se résume à ce charme-là ?

Profonde douleur, que je commence tout juste à comprendre : nous ne choisissons pas notre cœur. Nous ne pouvons pas nous forcer à vouloir ce qui est bon pour nous ou ce qui est bon pour les autres. Nous ne choisissons pas qui nous sommes.

Parce que... n'a-t-on pas enfoncé le clou en nous depuis l'enfance, avec cette banalisation incontestée de la culture ? De William Blake à Lady Gaga, de Rousseau à Mister Rogers en passant par Rumi ou *Tosca*, le message est bizarrement uniforme, considéré comme évident des plus élevées aux plus basses des couches sociales : alors, dans le doute, que faire ? Comment savons-nous ce qui est bon pour nous ? Chaque psy, chaque conseiller d'orientation professionnelle, chaque princesse Disney connaît la réponse : « Sois toi-même. » « Écoute ton cœur. »

Sauf qu'il y a une chose que je voudrais vraiment vraiment qu'on m'explique. Que fait-on quand on est la victime d'un cœur périlleux ? Que fait-on si ce cœur, pour ses propres raisons insondables, vous mène délibérément vers une nuée au rayonnement ineffable, loin de la santé, de la vie domestique, de la responsabilité civique, vous déconnecte de tout ancrage social, de toute vertu platement commune et, au lieu de cela, vous conduit droit vers un éblouissant incendie, tout de ruine, d'immolation et de désastre ? Kitsey est-elle un bon choix ? Si votre moi le plus profond chante et vous amadoue pour vous guider directement vers le feu de joie, vaut-il mieux tourner les talons ? Se boucher les oreilles avec de la cire ? Ignorer toute la gloire perverse que vous crie votre cœur ? Prendre la voie qui vous mènera consciencieusement vers la norme : horaires raisonnables et check-up médicaux réguliers, relations stables et avancements de carrière, *New York Times* et brunch du dimanche, tout cela assorti de la promesse de devenir, on ne sait comment, une meilleure personne ? Ou, comme Boris, est-ce mieux de foncer tête baissée, dans un éclat de rire, dans la fureur sacrée qui vous appelle ?

Ce n'est pas une affaire d'apparences extérieures, mais de signification intérieure. Une grandeur *au sein du* monde, mais pas *du* monde en lui-même, une grandeur que le monde ne comprend pas. Cette première vision de pure altérité, en présence de laquelle vous ne cessez de vous épanouir.

Un moi dont on ne veut pas. Un cœur que l'on ne choisit pas.

Bien que mes fiançailles n'aient pas été annulées, pas officiellement en tout cas, j'en suis venu à comprendre – avec élégance, de cette manière plus-légère-que-l'air des Barbour – que personne ne me contraignait à quoi que ce soit. C'est parfait ainsi. Rien n'a été dit et rien *n'est* dit. Quand je suis invité à dîner (ce qui arrive souvent quand je suis à New York), c'est très plaisant et léger, volubile même, intime et subtil tout en n'étant pas du tout personnel ; je suis traité comme un membre de la famille (presque), et accueilli quelle que soit l'heure de ma visite ; j'ai réussi à convaincre Mrs. Barbour de sortir un peu de l'appartement, nous avons passé quelques agréables après-midi à l'extérieur, un déjeuner chez *Pierre* et une ou deux ventes aux enchères ; sans être le moins du monde impoli, Toddy, l'air de rien et presque par accident, a même réussi à prononcer le nom d'un très bon médecin, sans du tout suggérer que je pourrais avoir besoin de le consulter.

[Quant à Pippa : bien qu'elle ait pris le livre sur Oz, elle a laissé le collier, ainsi qu'une lettre que j'ai ouverte avec tellement d'impatience que je l'ai déchirée en deux avec l'enveloppe. Pour l'essentiel, après m'être agenouillé pour rassembler les morceaux : elle avait adoré me voir, les moments partagés à New York comptaient beaucoup pour elle, et qui d'autre au monde aurait pu lui choisir un collier aussi superbe ? Il était parfait, plus que parfait, sauf qu'elle ne pouvait l'accepter, c'était beaucoup trop, elle était désolée, et... peut-être ne devrait-elle pas en parler, et si c'était le cas elle espérait que je lui pardonne, mais je ne devais pas penser qu'elle ne m'aimait pas en retour, parce que ce n'était pas le cas, vraiment pas (*Ah bon* ? me suis-je dit, dérouté). C'était compliqué, elle ne pensait pas qu'à elle, mais aussi à moi, on avait tous les deux traversé tant d'épreuves semblables, elle et moi, on était terriblement semblables – trop. Et parce que nous avions tous deux tant souffert, si jeunes, de manières violentes et irrémédiables, inconnues de la plupart des gens et qu'ils ne pouvaient comprendre, n'était-ce pas un peu... précaire ? Une histoire d'instinct de conservation ? Deux personnes bancales et aimantées par la mort qui auraient tellement besoin de s'appuyer l'une sur l'autre ? Non qu'elle n'aille pas bien ces derniers temps, au contraire, mais tout pouvait basculer en un éclair chez l'un comme chez l'autre, n'est-ce pas ? Le revirement, l'abrupt glissement vers le bas, n'était-ce pas là le danger ? Que nos failles et nos faiblesses soient si semblables que l'un de nous pourrait entraîner l'autre vers le fond beaucoup trop vite ? Bien que ce soit laissé en suspens, j'ai compris tout à coup, et avec une stupéfaction considérable, où elle voulait en venir. (C'était bête de ma part de ne pas l'avoir vu plus tôt, après toutes les blessures, la jambe écrasée, les opérations multiples ; le traînaillement adorable dans la voix comme dans sa démarche, ses bras qu'elle serrait contre elle et sa pâleur, les écharpes, les pulls et les multiples couches de vêtements, le sourire lent et endormi : elle-même, l'enfance rêveuse en elle, n'était que sublimité et désastre, la sucette à la morphine derrière laquelle j'avais couru toutes ces années.

Mais, ainsi que le lecteur de ces pages (s'il y en a jamais un) l'aura vérifié, l'idée d'être Tiré vers le Bas n'a rien de terrifiant à mes yeux. Non que j'aie envie d'y entraîner qui que ce soit à ma suite, mais… – est-ce que *je* ne peux pas changer ? Est-ce que *je* ne peux pas être l'homme fort ? Pourquoi pas ?]

[Tu peux avoir n'importe laquelle de ces deux filles, m'avait asséné Boris assis à mes côtés sur le canapé de son loft anversois en cassant des pistaches entre ses molaires tandis que l'on regardait *Kill Bill*.

Non, je ne peux pas.

Pourquoi pas ? Moi, à ta place, je prendrais Flocon de neige. Mais si tu veux l'autre, pourquoi pas ?

Parce qu'elle a un petit ami ?

Et alors ?

Qui habite avec elle ?

Et alors ?

Alors ? Eh bien, quoi, je vais à Londres ? Et après ?

Et c'est soit une question tout à fait ridicule, soit la question la plus sensée que j'aie jamais posée, de toute ma vie.]

Bizarrement, j'ai écrit ces pages dans l'idée que Pippa les verrait un jour – ce qui bien sûr ne sera jamais le cas. Personne ne les verra, pour d'évidentes raisons. Je ne les ai pas écrites de mémoire : ce cahier vide que mon prof d'anglais m'avait donné il y a bien longtemps a été le premier d'une série, et le début d'un mode de vie erratique, à partir de mes treize ans, débutant par une série de lettres formelles, et pourtant curieusement intimes, adressées à ma mère : de longues lettres obsessionnelles et nostalgiques dont la tonalité suggère une mère en vie qui attendrait de mes nouvelles avec angoisse, des lettres décrivant l'endroit où « j'étais » (jamais celui où je vivais) et les gens « chez qui j'étais », des lettres détaillant ce que je mangeais, buvais, portais et regardais à la télé, quels livres je lisais, à quels jeux je jouais, quels films je voyais, ce que les Barbour faisaient et disaient, ce que papa et Xandra faisaient et disaient – ces épîtres (datées et signées avec soin, prêtes à être arrachées au cahier et postées) alternaient avec des explosions de souffrance sur le mode Je Déteste Tout le Monde et Je Voudrais Être Mort ; les mois s'écoulant avec le grincement d'un ou deux gribouillis décousus : maison de B, pas été au lycée depuis trois jours et c'est déjà vendredi, ma vie en haïku, je suis dans un état de semi-zombie, putain on était tellement bourrés hier soir que j'ai vaguement comaté, on a joué à un jeu qui s'appelle Perudo puis on a mangé des corn-flakes et des bonbons à la menthe en guise de repas du soir.

Et pourtant, après mon retour à New York, j'ai continué d'écrire. « Bon sang, pourquoi il fait beaucoup plus froid ici que dans mon souvenir, et pourquoi cette putain de lampe de bureau me rend aussi triste ? » J'ai décrit des soirées suffocantes autour d'un repas ; j'ai retranscrit des conversations et mes rêves ; j'ai pris beaucoup de notes attentives sur ce que Hobie m'apprenait en bas des escaliers de la boutique.

L'acajou du XVIIIe est plus facile à substituer que le noyer... l'œil est induit en erreur par le bois plus sombre

Quand c'est fait artificiellement, c'est exécuté de manière trop uniforme !

1. une bibliothèque montrera des signes d'usure

dans les parties basses, là où elle a été époussetée et touchée, mais pas en haut

2. pour les objets qui se ferment, chercher les entailles et les éraflures sous le trou de la serrure, là où le bois aura été marqué par l'ouverture avec une clé attachée à un trousseau

L'ensemble est émaillé de notes sur des résultats d'enchères d'importants objets de l'héritage américain (« Lot 77 Pér Féd. miroir cvx girandole éb $ 7500 ») et, de plus en plus, de graphiques et de tableaux sinistres dont je pensais bêtement qu'ils seraient incompréhensibles à quiconque ouvrirait le cahier, mais qui en fait sont tout à fait clairs :

1er-8 déc. 320.5 mg
9-15 déc. 202.5 mg
16-22 déc. 171.5 mg
23-30 déc. 420.5 mg

… polluant ce rapport quotidien, et lui conférant plus de valeur qu'il n'en a, il y a le secret qui n'est visible qu'à mes seuls yeux : il ne s'épanouit que dans l'obscurité et pas une seule fois il n'est nommé.

Parce que, si nos secrets nous définissent, en opposition au visage que nous montrons au monde : alors le tableau était celui qui m'a emporté au-delà de la surface de l'existence et qui m'a permis de savoir qui j'étais. Et c'est là : dans mes cahiers, à chaque page, tout en n'y apparaissant jamais. Rêve et magie, magie et délire. La Théorie du Champ Unifié. Un secret à propos d'un secret.

[Ce petit bougre, a lancé Boris dans la voiture en route vers Anvers. Tu sais que le peintre l'a *vu*… il ne peignait pas cet oiseau de mémoire, tu comprends ? C'est un vrai petit bougre, là, enchaîné au mur. Si je le voyais au milieu d'une dizaine d'autres oiseaux du même genre, je pourrais le reconnaître sans problème.]

Il a raison. Moi aussi. Et si je pouvais remonter les siècles, je couperais la chaîne le temps d'un battement de cœur et me ficherais bien que le tableau n'ait jamais été peint.

Sauf que c'est plus compliqué que cela. Qui sait pourquoi Fabritius a peint *Le Chardonneret* ? Un chef-d'œuvre minuscule unique en son genre et qui se détachait du lot ? Il était jeune, reconnu. Il avait d'importants mécènes (bien que, malheureusement, presque aucun des tableaux exécutés pour eux n'ait survécu). On l'imaginerait à l'image du jeune Rembrandt, croulant sous les commandes grandioses, ses ateliers resplendissant de bijoux et de haches d'armes, de gobelets et de fourrures, de peaux de léopard et d'armures historiques, toute la puissance et la tristesse des choses terrestres. Pourquoi ce sujet ? Un oiseau domestique solitaire ? Qui n'était en rien typique de son âge ou de son époque où les animaux étaient surtout représentés morts, comme trophées somptueux, lièvres, poissons et gibiers flasques, entassés en hauteur et destinés à la table ? Pourquoi est-ce que je trouve aussi significatif que le mur soit simple – sans tapisseries ni cors de chasse, sans décor théâtral – et qu'il ait pris tant de soin à faire ressortir son nom et l'année, vu qu'il pouvait difficilement savoir (ou bien le savait-il ?) que 1654, l'année où il a peint ce tableau, serait aussi celle de sa mort ? Il y a un frisson prémonitoire qui plane en quelque sorte alentour, comme s'il avait peut-être reçu un signe que cette minuscule et mystérieuse œuvre serait l'un de ses rares travaux à lui survivre. Cette anomalie me hante à tous les niveaux. Pourquoi pas quelque chose de plus typique ? Pourquoi pas un paysage marin, un paysage tout court, un tableau historique, le portrait de quelqu'un d'important, une commande, une scène de mauvaise vie représentant des buveurs dans une taverne, un bouquet de tulipes, bon sang, plutôt que ce petit captif solitaire ? Enchaîné à son perchoir ? Qui sait ce que Fabritius essayait de nous dire en choisissant ce minuscule sujet ? En nous le présentant ? Et si ce que l'on dit est vrai – si chaque grand tableau est vraiment un autoportrait – que nous dit Fabritius sur lui-même ? Un artiste que les plus grands peintres de son époque ont estimé sans égal, qui est mort si jeune, il y a si long-temps, et à propos duquel nous ne savons presque rien ? À propos de lui en tant que peintre : il nous raconte tant de choses. Son trait parle tout seul. Des ailes sinueuses ; une plume naissante effleurée. On voit la touche vive de son pinceau, ainsi que l'assurance de sa main, la peinture rapide et en larges touches. Et pourtant il y a aussi des parties à demi transparentes rendues de manière tellement adorable en bordure des coups de pinceau intrépides à la manière des pastoses qu'il y a de la tendresse dans le contraste, et même de l'humour ; la sous-couche de peinture est visible sous les poils de son pinceau ; il veut que l'on sente le duvet sur sa poitrine, sa douceur et sa texture, la fragilité de la petite griffe enroulée autour du perchoir en cuivre.

Mais que dit le tableau à propos de Fabritius lui-même ? Rien sur la dévotion religieuse, romantique ou familiale ; sur la crainte respectueuse du citoyen, l'ambi-tion professionnelle ou sur le respect pour la richesse et le pouvoir. Il n'y a là qu'un minuscule battement de cœur et la solitude, un mur lumineux et ensoleillé, et ce sentiment qu'il n'y aura pas d'échappatoire. Le temps immobile, qui ne pourrait être nommé comme tel. Enfermé au cœur de la lumière : le petit prisonnier stoïque. Je pense à quelque chose que j'ai lu à propos du peintre américain Sargent : comment, dans l'art du portrait, Sargent cher-chait toujours l'animal dans le modèle (une tendance que j'ai repérée partout dans son travail une fois que j'ai entrepris de la chercher : dans les longs nez finauds et les oreilles pointues de ses héritières, dans ses intellectuels aux dents de lapin et ses capitaines d'industrie léonins, dans ses enfants aux visages rebondis comme des hiboux). Et, dans ce petit portrait fidèle, il est difficile de ne pas voir l'humain dans l'oiseau. Digne, vulnérable. Un prisonnier qui regarde un semblable.

Mais qui connaît l'intention de Fabritius ? Il ne reste pas assez de ses travaux pour ne serait-ce que deviner. L'oiseau nous regarde. Il n'est ni idéalisé ni humanisé. C'est un oiseau, point. Vigilant, résigné. Il n'y a pas de morale ou d'histoire. Il n'y a pas de résolution. Il y a juste une double mise en abîme : entre le peintre et l'oiseau prisonnier ; entre la trace qu'il a laissée de l'oiseau et l'expérience que nous en faisons, des siècles plus tard.

Et, oui, les érudits peuvent se soucier du travail innovant du pinceau et de l'utilisation de la lumière, de l'influence historique et de la signification unique dans l'art hollandais. Mais pas moi. Ainsi que l'avait dit ma mère il y a toutes ces années, elle qui adorait le tableau pour l'avoir juste vu dans un livre emprunté à la bibliothèque du comté de Comanche quand elle était enfant : la signification est sans importance. La signification historique le tue. À travers ces distances irréconciliables – entre oiseau et peintre, tableau et spectateur – je n'entends que trop ce que l'on me dit, un *psst* depuis la ruelle comme le résume Hobie, lancé quatre cents ans plus tôt, et c'est vraiment très personnel et particulier. C'est là, dans l'atmosphère inondée de lumière, les coups de pinceau, qu'il nous permet de voir de près pour exactement ce qu'ils sont – des éclats de pigment travaillés à la main, le passage même des poils visibles – puis, à distance, le miracle, ou la plaisanterie comme l'appelait Horst, bien qu'en vérité ce soient les deux, le glissement de la transsubstantiation où la peinture est peinture et pourtant en même temps plume et os. C'est l'endroit où la réalité heurte l'idéal, où une plaisanterie devient sérieuse et où n'importe quoi de sérieux devient une plaisanterie. Le point magique où chaque idée et son contraire sont tout aussi vrais.

J'espère qu'il y a une vérité plus large concernant la souffrance terrestre, ou en tout cas ce que j'en comprends – bien que j'en sois venu à me rendre compte que les seules vérités qui m'importent sont celles que je ne veux pas, et ne peux pas, comprendre. Ce qui est mystérieux, ambigu, inexplicable. Ce qui ne colle pas avec une histoire, ce qui n'a pas d'histoire. Éclair de luminosité sur une chaîne à peine présente. Tache de lumière du soleil sur un mur jaune. La solitude qui sépare toute créature vivante de toutes les autres créatures vivantes. Le chagrin inséparable de la joie.

Parce que… et si ce chardonneret bien particulier (il l'est) n'avait jamais été capturé ou n'était jamais né en captivité, exhibé dans une maison où le peintre Fabritius a pu le voir ? Il se peut qu'il n'ait jamais compris pourquoi il était forcé de vivre un tel supplice : dérouté par le bruit (j'imagine), irrité par la fumée, les chiens qui aboient, les odeurs de cuisine, taquiné par les poivrots et les enfants, empêché de voler par la plus courte des chaînes. Pourtant, même un enfant peut constater sa dignité : dé à coudre de courage, tout en duvet et os fragiles. Pas craintif, pas même désespéré, mais inébranlable et tenant sa place. Refusant de se retirer du monde.

Et, de plus en plus, je me retrouve à fixer ce refus de se retirer. Parce que je me fiche de ce que quiconque dira, avec quelle fréquence ou de quelle manière charmeuse : personne ne pourra jamais au grand jamais me persuader que la vie est un cadeau génial et généreux. Parce que la vérité, c'est que la vie est une catastrophe. L'idée même d'être en vie – de devoir chercher de la nourriture, des amis et quoi que ce soit d'autre que nous fassions – est une catastrophe. Oubliez tout ce non-sens ridicule dont tout le monde vous rebat les oreilles : le miracle d'un nouveau-né, la joie d'une simple fleur qui s'ouvre, La

Vie Est Trop Merveilleuse Pour Être Comprise, etc. Pour moi – et je continuerai à le répéter obstinément jusqu'à ma mort, jusqu'à ce que je casse mon ingrate pipe nihiliste et sois trop faible pour le répéter : mieux vaut ne jamais être né que d'être né dans ce cloaque. Cratère de lits d'hôpitaux, de cercueils et de cœurs brisés. Ni libération, ni appel, ni « seconde chance », pour employer une expression favorite de Xandra, aucun progrès sinon l'âge et la dégradation, aucune issue sinon la mort. [« Service des réclamations ! » Je me souviens de Boris rouspétant quand il était jeune, un après-midi chez lui alors qu'on s'était lancés sur le sujet vaguement métaphysique de nos mères : anges ou déesses – pourquoi avaient-elles dû mourir alors que nos horribles pères prospéraient, picolaient, se vautraient, s'en sortaient tant bien que mal en continuant d'avancer d'un pas trébuchant et de flanquer le bazar tout en semblant infatigables ? « Ils ont pris les mauvaises personnes ! Ils se sont trompés ! C'est injuste ! À qui on peut se plaindre, dans cet endroit de merde ? C'est qui le chef ici ? »]

Et peut-être est-ce ridicule de poursuivre dans cette veine, bien que cela n'ait pas d'importance puisque personne ne lira jamais ces pages, mais cela a-t-il du sens de savoir que l'histoire se termine mal pour tout le monde, même les plus heureux d'entre nous, et qu'au bout du compte nous perdons tout ce qui nous tient à cœur – et en même temps de savoir aussi, en dépit de tout cela, et même si les dés sont cruellement pipés, qu'il est possible de jouer avec une sorte de joie ?

Quelle curieuse démarche que de tenter de trouver du sens à tout cela. Peut-être suis-je le seul à voir un schéma parce que je l'ai fixé trop longtemps. Mais de nouveau, pour paraphraser Boris, peut-être que, si je vois un schéma, c'est parce qu'il y en a un.

En un sens, j'ai écrit ces pages pour tenter de comprendre. Pourtant, je ne veux pas comprendre, ni même essayer, parce que, en faisant cela, je trahirais les faits. Tout ce que je puis vraiment affirmer, c'est que je n'ai jamais autant éprouvé le mystère du futur : la sensation du sablier qui s'écoule, la fièvre précipitée du temps. Des forces inconnues, non choisies, non souhaitées. Je voyage depuis si longtemps, tant d'hôtels d'avant l'aube dans des villes inconnues, cela fait si longtemps que je suis en chemin que je sens la vibration de la vitesse de l'avion dans mes os, dans mon corps, comme une impression de mouvement constant au gré des continents et des fuseaux horaires, qui se poursuit longtemps après que je suis sorti de l'avion et alors que j'oscille devant un nouveau comptoir d'arrivée, Bonjour je m'appelle Emma/Selina/Charlie/Dominic, bienvenue chez Machinchose ! Sourires épuisés, remplir ma fiche avec les mains qui tremblent, tirer d'énièmes stores, s'allonger sur un énième lit inconnu dans une énième chambre inconnue qui oscille autour de moi, nuages et ombres, avec une nausée qui est presque de l'euphorie doublée du sentiment d'être mort et monté au ciel.

Parce que… encore la nuit dernière, j'ai rêvé d'un voyage et de serpents à rayures, venimeux, avec des têtes en forme de flèches, et ils avaient beau être très près de moi, je n'avais pas peur d'eux, pas du tout. Dans ma tête une phrase entendue quelque part : *Près de toi, nous en oublions de mourir.* Voilà les leçons qui me viennent dans des chambres d'hôtel peuplées d'ombres, de minibars rayonnants de lumière et de voix étrangères dans le couloir, où la frontière entre les mondes se fait ténue.

En tant que projet continu, après Amsterdam qui a vraiment été mon chemin de Damas, l'étape et l'apogée de ma Conversion ainsi que l'on pourrait l'appeler, je continue d'être infiniment ému par l'impermanence des hôtels : pas d'une façon banale genre Voyages-et-Loisirs, mais avec une ferveur qui frise la transcendance. À un moment donné en octobre, tout près du jour des Morts en fait, j'ai logé dans un hôtel mexicain en bord de mer où les couloirs s'ourlaient de rideaux gonflés par le vent et où toutes les chambres portaient des noms de fleurs. La chambre Azalée, la chambre Camélia, la chambre Laurier-rose. Opulence et splendeur, corridors aérés qui se déroulaient majestueusement vers quelque chose comme l'éternité, et où chaque chambre possédait une porte de couleur différente. Pivoine, Glycine, Rose, Fleur de la passion. Et qui sait, peut-être que c'est ce qui nous attend à la fin du voyage, une majesté inimaginable jusqu'au moment où l'on se retrouve à passer les portes, peut-être que c'est ce que nous finissons par fixer avec stupéfaction quand Dieu ôte finalement ses mains de nos yeux et nous dit : Regarde !

[Tu penses jamais à arrêter ? ai-je demandé à Boris à Anvers durant la partie ennuyeuse de *La vie est belle,* la balade au clair de lune avec Donna Reed, alors que j'étais en train de le regarder, armé d'une cuillère et de l'eau d'un compte-gouttes, se mélanger ce qu'il appelait un « remontant ».

Fous-moi la paix ! Mon bras me fait mal ! Il m'avait déjà montré la trace sanglante de dérapage, noire sur les bords, qui entaillait profondément son biceps. Fais-*toi* tirer dessus à Noël et on verra si tu veux te contenter de te soigner à l'aspirine !

Ouais, mais tu es fou de le faire comme ça.

Eh bien, crois-moi ou pas, pour moi, pas un gros problème. Juste pour les occasions spéciales.

Ça me rappelle quelque chose.

Mais c'est vrai ! Je suis toujours un drogué, pour l'instant. Je connais des gens qui se sont drogués pendant trois-quatre ans et qui s'en sortaient, à condition de ne pas dépasser deux-trois fois par mois. Mais bon, a ajouté Boris sur un ton lugubre (la lumière bleue du film se reflétait sur la cuiller), je *suis* alcoolique. Le mal est fait. Je serai un ivrogne jusqu'à ma mort. Si quelque chose doit me tuer… (il a désigné la bouteille de vodka Russian Standard sur la table basse d'un signe de tête) ce sera ça. Tu t'es jamais shooté avant ?

Crois-moi, j'ai eu assez de problèmes sans ça.

Bon, gros stigmates et peur, je comprends. Moi, honnêtement, la plupart du temps je préfère sniffer, dans les clubs, les restaurants, ici et là, c'est plus rapide et plus facile de s'engouffrer dans les toilettes des hommes pour se faire un sniff en vitesse. Le remontant… tu en meurs d'envie pour l'éternité. Sur mon lit de mort, j'en aurai envie. Mieux ne jamais commencer. Et il n'y a rien de plus énervant que de voir des imbéciles assis là à fumer une pipe à crack et décréter que c'est sale et dangereux, eux n'utiliseraient jamais d'aiguille, tu vois ? Comme s'ils étaient tellement plus malins que toi !

Pourquoi tu as commencé ?

Pourquoi on commence ? Ma copine m'avait largué ! Celle de l'époque. J'étais en plein délire de *bad boy* autodestructeur, hah. J'ai été servi.

James Stewart dans son pull universitaire, dans le film. Lune argentée, voix tremblotante. *Buffalo Gals won't you come out tonight, come out tonight*, comme dans la chanson.

Alors, pourquoi tu n'arrêtes pas ? ai-je demandé.

Ça servirait à quoi ?

Il faut vraiment que je te l'explique ?

Ouais, mais, et si j'en ai pas envie ?

Si tu peux t'arrêter, pourquoi ne pas le faire ?

Quiconque tue par l'épée périra par l'épée, a répondu vivement Boris en pressant du menton le bouton de son garrot médical à l'allure très professionnelle tout en remontant sa manche.]

Aussi terrible que ce soit, je comprends. On ne peut pas choisir ce que l'on veut et ce que l'on ne veut pas, c'est la dure vérité solitaire. On ne peut pas échapper à qui l'on est. (Un truc que je dois dire concernant mon père : au moins a-t-il *tenté* l'option conventionnelle – ma mère, l'attaché-case, moi – avant de complètement péter un câble et de s'enfuir.)

J'aimerais croire à une vérité au-delà de l'illusion, mais j'en suis venu à la conclusion qu'il n'y en a pas. Parce que, entre la réalité d'un côté et le point où l'esprit la heurte de l'autre, il y a une zone intermédiaire, un liseré irisé où la beauté vient au monde, où deux surfaces très différentes se mêlent en une masse indistincte pour offrir ce que n'offre pas la vie ; et c'est l'espace où tout l'art existe, et toute la magie.

J'ajouterai aussi : tout l'amour. Ou, peut-être plus précisément, cette zone intermédiaire illustre la contradiction fondamentale de l'amour. Vu de près : une main avec des taches de rousseur sur un manteau noir, une grenouille en origami penchée sur le côté. On recule et l'illusion revient à nouveau avec un bruit sec : vie-plus-que-vie, ne-jamais-mourir. Pippa elle-même est un écran de fumée, à la fois amour et absence d'amour, présence et disparition. Les photos au mur, une chaussette roulée en boule sous le canapé. Ce moment où j'ai tendu la main pour enlever une pluche sur ses cheveux et où elle a ri, puis plongé la tête quand je l'ai touchée. Et tout comme la musique est l'espace entre les notes, tout comme les étoiles resplendissent à cause du noir qui les sépare, tout comme le soleil frappe les gouttes d'eau à un certain angle et envoie un prisme coloré traverser le ciel – l'espace où j'existe, et où je veux continuer d'exister : pour être très honnête c'est aussi là que j'espère mourir – est exactement cette distance intermédiaire : là où le désespoir a heurté la pure altérité et créé quelque chose de sublime.

C'est pourquoi j'ai choisi d'écrire ces pages comme je les ai écrites. Parce qu'il n'y a qu'en s'avançant dans la zone intermédiaire, le liseré polychrome entre vérité et non-vérité, qu'il est tolérable d'être ici et d'écrire cela, tout simplement.

Tout ce qui peut nous apprendre à nous parler à nous-mêmes est important : tout ce qui peut nous apprendre à sortir du désespoir en chantant. Mais le tableau m'a aussi appris que le dialogue se poursuit par-delà le temps. Et je sens que j'ai quelque chose de très sérieux et d'urgent à te dire, toi mon lecteur inexistant, et je sens que je devrais le dire avec autant d'intensité que si j'étais dans la même pièce que toi. La vie – peu importe ce qu'elle est d'autre – est brève. La destinée est cruelle, mais peut-être pas laissée au hasard. La Nature (c'est-à-dire la Mort) gagne toujours, mais cela ne signifie pas que nous devions courber la tête et ramper devant elle. Peut-être même que si nous ne sommes pas toujours ravis d'être ici, il est pourtant de notre devoir de nous immerger : de passer à gué jusqu'à l'autre côté, de traverser le cloaque tout en gardant nos yeux et nos cœurs ouverts. Et tandis que nous mourons, tandis que nous émergeons de l'organique et replongeons de manière ignominieuse dans l'organique, c'est une gloire et un privilège d'aimer ce que la Mort n'atteint pas. Parce que si le désastre et l'oubli ont suivi ce tableau au fil du temps, l'amour l'a suivi aussi. Dans la mesure où il est immortel (il l'est), et où j'ai un petit rôle, lumineux et immuable, à jouer dans cette immortalité. Il existe ; et continue d'exister. Et j'ajoute mon propre amour à l'histoire des amoureux des belles choses, eux qui les ont cherchées, les ont arrachées au feu, les ont pistées lorsqu'elles étaient perdues, ont œuvré pour les préserver et les sauvegarder tout en les faisant passer de main en main, littéralement, leurs chants éclatants s'élevant du naufrage du temps vers la prochaine génération d'amoureux, et la prochaine encore.

Mes remerciements à

Robbert Ammerlaan, Ivan Nabokov, Sam Pace, Neal Guma. Sans vous je n'aurais pas pu écrire ce roman. Merci aussi à mon éditeur Michael Pietsch, à mes agents Amanda Urban et Gill Coleridge, et à Wayne Furman, David Smith et Jay Barksdale de la New York Public Library.

Je dois également remercier Michelle Aielli, Hanan Al-Shaykh, Molly Atlas, Kate Bernheimer, Richard Beswick, Paul Bogaards, Pauline Bonnefoi, Skye Campbell, Véronique Cardi, Kevin Carty, Alfred Cavallero, Rowan Cope, Simon Costin, Sjaak de Jong, Doris Day, Alice Doyle, Matt Dubov, Greta Edwards-Anthony, Phillip Feneaux, Edna Golding, Alan Guma, Matthew Guma, Marc Harrington, Dirk Johnson, Cara Jones, James Lord, Bjorn Linnell, Lucy Luck, Louise McGloin, Jay McInerney, Malcolm Mabry, Victoria Matsui, Hope Mell, Antonio Monda, Claire Nozières, Ann Patchett, Jeanine Pepler, Alexandra Pringle, Rebecca Quinlan, Tom Quinlan, Eve Rabinovits, Marius Radieski, Peter Reydon, Georg Reuchlein, Laura Robinson, Tracy Roe, Jose Rosada, Rainer Schmidt, Elizabeth Seelig, Susan de Soissons, Georges Sheanshang, Jody Shields, Louis Silbert, Jennifer Smith, Édith Soonckindt, Maggie Southard, Daniel Starer, Synthia Starkey, Hector Tello, Mary Tondorf-Dick, Robyn

Tucker, Karl Van Devender, Paul van der Lecq, Arjaan van Nimwegen, Leland Weissinger, Judy Williams, Jayne Yaffe Kemp, et le personnel du Hotel Ambassade, ainsi que celui de l'ancien Helmsley Carlton House Hotel.

——— ———

La traductrice souhaiterait remercier Ivan Nabokov, Mathilde Bach et Pauline Bonnefoi pour leur écoute, leur temps et leur soutien tout du long, Janine Quintard pour son incroyable travail de révision, son œil critique et ses connaissances en histoire de l'art, ainsi que Jean-Paul Deshayes pour ses conseils éclairés et ses grands talents de « recherchiste » en paris sportifs et drogues diverses et variées. Un grand merci également aux amis « virtuels » qui ont effectué en un temps record les recherches de citations littéraires et autres titres d'ouvrages.

LE CHARDONNERET
DANS LA PRESSE...

« Ce roman, pétri de références romanesques issues du XIXe siècle, multiplie avec autant de délectation que de virtuosité les retournements subits de la fortune. »

Raphaëlle Leyris
Le Monde

« Magique. »

Les Inrockuptibles

« Une écriture violente, brutale et admirablement cinématographique. »

Fabienne Pascaud
Télérama

« Une histoire qui envoûte et s'empare du lecteur avec une force irrésistible. »

Bruno Corty
Le Figaro Littéraire

Retrouvez toute l'actualité de Pocket sur :
www.pocket.fr

POCKET N°4203

« *Magistral et d'une effarante perversité.* »

Françoise Giroud

Donna TARTT
LE MAÎTRE
DES ILLUSIONS

Introduit dans le cercle privilégié d'une université du Vermont, Richard Papen découvre un monde de luxe et d'arrogance intellectuelle, fait d'alcool, de drogue et d'étranges pratiques rituelles. Un monde d'autant plus inquiétant que ses camarades semblent lui cacher un secret terrible et inavouable.

Retrouvez toute l'actualité de Pocket sur :
www.pocket.fr

POCKET N°11923

« *Donna Tartt impose une autre vision du Sud profond et un adieu à l'enfance aux accents déchirants.* »

Le Figaro littéraire

Donna TARTT
LE PETIT COPAIN

Harriet Cleeve a douze ans ; elle a grandi dans l'ombre d'un petit frère qui a été retrouvé pendu à un arbre. Le meurtre n'a jamais été élucidé et la famille, brisée, ne s'en est pas remise.

Livrée à elle-même, Harriet s'est construit un monde imaginaire, inspiré par ses lectures et la tragique histoire familiale. Mais un été, la jeune fille se révolte. Elle veut trouver l'assassin de son frère, même si elle doit pour cela dire adieu à l'enfance...

Retrouvez toute l'actualité de Pocket sur :
www.pocket.fr

Pocket, une marque d'Univers Poche,
est un éditeur qui s'engage pour la préservation
de son environnement et qui utilise du papier fabriqué
à partir de bois provenant de forêts gérées
de manière responsable.

Composition et mise en pages
Nord Compo à Villeneuve-d'Ascq

POCKET – 12, avenue d'Italie – 75627 Paris cedex 13